中华传世藏书

續資治通鑑

[清] 毕 沅◎著

綫裝書局

续资治通鉴卷第一百五十一

【原文】

宋纪一百五十一　起强圉协洽【丁未】正月,尽屠维作噩【己酉】十二月,凡三年。

孝宗绍统同道冠德昭功　哲文神武明圣成孝皇帝

淳熙十四年　金大定二十七年【丁未,1187】　春,正月,丙午,真州运司乞展限收换铜钱,帝曰:"久相玩习,不成号令矣。"王淮等请令漕司措置,帝曰:"频降指挥,人亦不信。今且教措置,以观其后。"帝又曰:"贤者不待赏罚而自勤勉;至于中人,无赏罚不得。天下大抵皆中人耳。"

己酉,金以襄城令东平赵沨为应奉翰林文字。

沨入谢,金主谓宰臣曰:"此党怀英所荐耶?"对曰:"谏议黄久约亦尝荐之。"金主曰:"学士院比旧殊无人材,何也?"右丞张汝霖曰:"人材须作养;若令久任练习,自可得人。"

庚戌,金主如长春宫、春水。

二月,乙亥,金主还都。

己卯,金改闵宗庙号曰熙宗。

庚辰,知福州贾选言:"福州濒海诸寨,皆系海道要害,今巡检乃有以荫官及杂流出身,或素不知兵,或年已垂老,缓急不可倚仗。请今后应沿海巡检,须武举或军功出身,年未五十,谙晓兵机行陈之人,方许注差。勘会先曾经海道捕贼立功诸会船水人,次注武举出身人;如无,即依见行法差注,止不注流外出身之人。"从之。

癸未,金以曲阳县置钱监,赐名利通。

丁亥,以枢密使周必大为右丞相。

时封事多言大臣异同,必大曰:"各尽所见,归于一是,岂可尚同!陛下复祖宗旧制,命三省覆奏而后行,正欲相维,非止奉行文字也。"

金御史台言:"自来沿河京府州县官,有坐视管内河防缺坏,略不介意者。请令沿河京府州县长贰官,皆于名衔加管句河防事。如规措有方,能御大患,或守护不谨,以致疏虞,随时闻奏,议赏罚。"金主从之。仍命每岁将泛之时,令工部官一员沿河检视,沿河府州之长贰皆提举河防事,县令、佐皆管句河防事。

戊子,以施师点知枢密院事。

丙申,金命:"罪人在禁,许亲属入视。"

三月,辛亥,金皇太孙受册,赦。

乙卯,金尚书省言:"孟家山金口闸,下视都城百四十馀尺,恐暴水为害,请闭之。"诏可。

庚申,陈居仁言:"祖宗加意斯民,见于役法,(先)〔尤〕为详备。其后臣僚州郡申明冲改,寖失法意。请下敕令所,取祖宗免役旧法,并于户部取括绍兴十八年以后续指挥,本所官精加考核,其有与旧法抵牾,即行删去,修为一书,名曰《役法撮要》,候成,镂板颁天下。"从之。

夏,四月,壬午,赵伯骙请添差军中属官差遣,帝曰:"军中岂可添差,虚请给占!当时不合开端,遂使源源陈乞不已。除见任添差人许满今任,日后更不差人。"

丙戌,金以刑部尚书崇浩为参知政事。

戊子,赐礼部进士王容等四百三十五人及第、出身。翰林学士洪迈言:"《贡举令》赋限三百六十字,论限三百字。今经义、论策一道有至三千字,赋一篇几六百言。寸晷之下,唯务贪多,累牍连篇,何由精妙!宜俾各遵体格,以返浑淳。"

丙申,金主如金莲川。

辛丑,金中都地震。

五月,庚午,金(人)〔主〕以所进御膳味不调适,使人问之。尚食局直长言:"臣闻老母病剧,私心愦乱,以此有失尝视。"金主嘉其孝,即令还家侍疾。

六月,戊寅,以久旱,颁画龙祈雨法。

金免中都、河北等路被河决水灾军民租税。

甲申,驾诣太乙宫祈雨,次诣明庆寺。

丁亥,观文殿大学士、特进梁克家卒,谥文靖。

庚寅,临安火。

癸巳,王淮等以旱求罢,不许。

诏修炎帝陵,陵在衡州茶陵县,从衡州之请也。

己亥,省释两浙路罪囚。

秋,七月,丙午,太白经天。

诏曰:"政事不修,旱暵为虐,可令侍从、台谏、两省、卿监、郎官、馆职疏陈阙失及当今急务,毋有所隐。"己酉,诏监司条上州县弊事,民间疾苦。辛亥,避殿,减膳,彻乐。

壬子,金主秋猎。

癸丑,命检正都司看议群臣封事,有可行者以闻。

诏权减秀州经总制籴本钱半年。

何澹言省吏改易都司签拟文字,帝谓宰臣曰:"卿等可自以意问之,前后改易者何事?亦欲官吏各有所警。"

丙辰,命临安府捕蝗,募民输米赈济,除绍兴新科下户今年和市布帛二万八千匹。

辛酉,以江西、湖南饥,给度牒,籴米备赈。

戊辰,雨。命给、舍看详监司具到州县弊事。

八月,辛未,赐度牒百道,米四万馀石,备赈绍兴府饥。

王淮言:"石万等所造历,与《淳熙戊申历》差两朔。又,《淳熙历》十一月下弦在二十四日,恐历法有差。"帝曰:"朔岂可差!朔差,则所失多矣。可令礼部、太常寺、秘书省参定以闻。"

癸未,以留正参知政事兼同知枢密院事。

丙戌,金主次双山;九月,己亥朔,还都。

己酉,金主谓宰臣曰:"朕今岁春水所过州县,其小官多干事,盖朕尝有赏擢,故皆勉力。以此见专任责罚,不如用赏之有激劝也。"

乙丑,罢增收水渠民田租。

冬,十月,辛未,以太上皇不豫,帝罢朝,视疾,赦。

乙亥,太上皇崩于德寿殿,遗诰太上皇后改称皇太后。帝号痛擗踊,谓王淮等曰:"晋孝武、魏孝文实行三年丧服,何妨听政!司马光《通鉴》所载甚详。"淮对曰:"晋武虽有此意,后来在宫中止用深衣练冠。"帝曰:"当时群臣不能顺其美,光所以议之。自我作古,何害!"

丙子,以韦璞等为金告哀使。

庚辰,金祫享于太庙。

辛巳,诏曰:"大行太上皇帝奄弃至养,朕当衰服三年,群臣自遵易月之令。有司讨论仪制以闻。"

尤袤据典礼,定大行太上皇庙号高宗,翰林学士洪迈独请号世祖。袤率礼官颜师鲁等奏曰:"宗庙之制,祖有功,宗有德。艺祖规创大业,为宋太祖;太宗混一区夏,为宋太宗。自真宗至钦宗,圣圣相传,庙制一定,万世不易。在礼,子为父屈,示有尊也。太上亲为徽宗子,子为祖,父为宗,失昭穆之序。议者不过以汉光武为比。光武以长沙王后,布衣崛起,不与哀、平相继,其称无嫌。太上中兴,虽同光武,然实继徽宗正统;以子继父,非光武比。将来祔庙在徽宗下而称祖,恐在天之灵有所不安。"诏群臣集议,袤上议如初,迈论遂屈,诏从其议。

乙酉,群臣五上表,请帝还内听政。丙戌,诏:"俟过小祥,勉从所请。"

戊子,帝衰绖,御素辇还内。以颜师鲁充金国遗留国信使。

庚寅,金主谓宰臣曰:"朕观唐史,惟魏征善谏,所言皆国家大事,且得谏臣之体。近时台谏,唯指摘一二细碎事,姑以塞责,未尝有及国家大利害者。岂知而不言欤,无乃(也)不知〔也〕?"

十一月,己亥,太上皇大祥,帝始以白布巾袍视事于延和殿,朔望诣德寿宫,则衰绖而杖。因诏皇太子惇参决庶务,侍读杨万里上书太子曰:"民无二王,国无二君,今陛下在上,又置参决,是国有二君也。自古未有国贰而不危者。盖国有贰,则天下向背之心生;向背之心生,则彼此之党立;彼此之党立,则谗间之言启;谗间之言启,则父子之隙开。开者不可复合,隙者不可复全。昔赵武灵王命其子何听朝而从旁观之,魏太武命其子晃监国而自将于外,间隙一开,四父子皆及于祸。唐太宗使太子承乾监国,旋以罪废。国朝天禧亦尝行之,若非寇准、王曾,几生大变。盖君父在上而太子监国,此古人不幸之事,非令典也。一履危机,悔将何及!"太子览之悚然。庚子,三辞参决,不许。

辛丑,帝诣德寿宫禫祭,百官释服。甲辰,群臣三上表,请御殿听政。诏:"俟过祔庙。"

甲寅,金诏:"河水泛滥,农夫被灾者与免差税一年。卫、怀、孟、郑四州塞河劳役,并免今年差税。"

十二月,庚午,大理寺奏狱空。

乙酉,制司言:"夔路大宁监四分盐,递年科在恭、涪等八州,委实扰民,请据运司措置,止就夔州以时变卖,诚为利便。"从之。

戊子,金禁女真人不得改称汉姓、学南人衣装,犯者抵罪。

金主在位久,熟悉天下事,思得贤才与图致治,而大臣皆依违苟且,无所建达。一日,谓宰臣曰:"古来宰相率不过三五年而退,罕有三二十年者。卿等将不举人,甚非朕意。"它日,又谓宰臣:"卿等老矣,殊无可以自代者乎?必待朕知而后进乎?"平章政事襄、右丞张汝霖对曰:"臣等苟有所知,岂敢不言,但无人耳!"金主曰:"《春秋》诸国分裂,土地褊小,皆称有贤,卿等不举而已!今朕自勉,庶几致治。至它日子孙,谁与共治者乎!"

淳熙十五年　金大定二十八年【戊申,1188】 春,正月,戊戌,开议事堂,以内东门司改充。命皇太子隔日与宰执相见议事,如有差擢,在内馆职、在外部刺史以上,乃以闻。

先是林栗言:"谏净之官,尚有阙员。居其官者,往往分行御史之事,至于箴规阙失,寂无闻焉。乞亲擢端方质直、言行相副、堪充补阙拾遗者,召见而命之,以遗补为名,不任纠劾之职。"帝曰:"朕每欲增置谏员,但以言官多任意论人。向者初除台谏,人已预知必论其人,既而果然。若谏官止于规朕过举,朝廷阙政,诚合古人设官之意。卿等更考求前代兴置本末以闻。"王淮等以《唐六典》所载与旧制进呈,帝曰:"朕乐闻阙失,若谏官专规正人主,不(视)〔事〕抨弹,虽增十员亦可。"辛丑,诏复置左右补阙、拾遗。

癸卯,金遣宣徽使富察克忠为宋吊祭使。

甲辰,金主如春水。

乙巳,帝谕宰臣曰:"皇太子参决未久,已自谙知外方物情。自今每遇殿朝,令皇太子侍立。"

于是太常少卿兼左谕德尤袤言于太子曰:"大权所在,天下所争趋,甚可惧也。愿殿下事无大小,一取上旨而后行;情无厚薄,一付众议而后定。"又曰:"利害之端,常伏于思虑之所不到;疑间之萌,常阙于堤防之所不及。储副之位,止于侍膳问安,不交外事。抚军监国,自汉至今,多出权宜,事权不一,动有触碍。请俟祔庙之后,便行恳辞,以昭殿下之令德。"寻以胡晋臣兼谕德,郑侨兼侍读,罗点兼侍讲。

户部申会庆节诸州军合有进奉,帝谕太子曰:"朕与免二年,如何?"王淮言此系属户部岁计,帝曰:"可用封桩库钱拨还户部,自十七年为始,依格进奉。如诸路循例科敛充它用,御史台觉察弹奏"。

辛亥,方有开请措置屯田,帝谕施师点等曰:"二十馀年不用兵,一旦使之屯田,其乐从乎?"师点对曰:"军兵久佚,初令服田,必以为劳。才过一二年,得其利,则乐矣。"帝曰:"事须乐从,卿等更可询访。"师点曰:"屯田本意,非止积谷,盖欲诸军布在边陲,缓急有以为用。"帝曰:"此乃寓兵于农之意。"

庚申,知枢密院事施师点罢。

师点每谓诸子曰:"吾生平任官,皆任其升沈,未尝附丽求进,独人主知之,遂至显用。夫人穷达有命,不在巧图,惟忠孝乃吾事也。"

甲子,以黄洽知枢密院事,吏部尚书萧燧参知政事。

二月，乙亥，金主还都。

丁丑，礼部郎郑侨言："淮东盐场开垦，自淳熙四年以来，按其所耕之地，履亩而税之，十取其五，名曰'子斗'，价钱悉归公库，岁约可得二万缗。缘此亭户肆意开耕，遂致柴薪减少，妨废盐业。臣昨任提举日，尝罢收子斗钱，禁约亭民，将已耕地不得布种。今已连年，恐禁戢不谨，此弊复兴，请令监司觉察。"从之。

庚辰，赵汝愚、李大正奏黎州买马，乞照旧法，不拘尺寸，帝问枢密院曰："所引旧法，是绍兴间旧法，或京师旧法？"黄洽曰："系祖宗时旧法。"帝曰："祖宗时有西北马可用，黎马止是羁縻。今则黎马分作战马，不可不及格尺也。"

丁亥，金吊祭使富察克忠行礼于德寿殿，次见帝于东楹之素幄。

癸巳，颜师鲁等自金廷辞归，金主以遗留物中玉器五、玻璃器二十及弓剑之属使持归，曰："此皆尔国前主珍玩之物，所宜宝藏，以无忘追慕，今受之，义有不忍也。"

遣京镗等使金报谢。

三月，丁酉朔，金主万春节，宴群臣于神龙殿，诸王、公主以次奉觞上寿。金主欢甚，以本国音自度曲，言临御久，春秋高，渺然思国家基绪之重，万世无穷之托，以戒太孙当修身养德，善于持守，及命左丞相图克坦克宁尽忠辅导之意。于是金主自歌之，太孙与克宁和之，极欢而罢。

庚子，王淮等上太上皇谥曰圣神武文宪孝皇帝，庙号高宗。

癸丑，用翰林学士洪迈议，以吕颐浩、赵鼎、韩世忠、张俊配飨高宗庙廷。

时论有以张浚大类汉诸葛亮，亦宜预列。迈谓："亮斩马谡，已为失计。浚袭其事斩曲端，几于自坏万里长城。至于诈张端旗，尤为拙谋，徒足以召敌人之笑，沮我师之气。"帝是其议。吏部侍郎章森乞用岳飞及浚，秘书少监杨万里乞用浚，皆不报。

辛酉，枢密院言："绍兴初，吴玠、杨政画蜀、汉之地以守，自散关以西付之玠，梁、洋付之政。蜀中诸边，散关为重。愿与二三大臣讲求蜀中守边旧迹，令制置司同都统司公共相度经久利便，据兴元都统制彭杲申，大散关边面，系凤州地界，隶西路安抚所管，淳熙二年，凤州改隶兴元。窃以大散关系对境冲要，最为重害，兼缘凤州郡事见系文官，即无屯守之兵，各无统领，亦非本司号令所及，缓急之际，议论不合，或有乖违，即误国事。请将本州知州令本司选择奏辟，弹压戍兵。"诏："彭杲于统制官精选练于边防、民政之人，具名闻奏。"

丙寅，权攒高宗于永思陵，改谥懿节皇后曰宪节。

夏，四月，壬申，帝亲行奉迎虞主之礼。自是七虞、八虞、九虞、卒哭、奉辞皆如之。

癸酉，金增外任小官及繁难局分承应人俸。

杨万里以洪迈驳张浚配飨，斥其欺专，礼官尤袤等请诏群臣再集议。帝谕大臣曰："吕颐浩等配享，正合公论，更不须议。洪迈固轻率，杨万里亦未免浮薄。"于是二人皆求去，迈守镇江，万里守高安。

丁丑，金以陕西统军使富珠哩鄂尔罕为参知政事。

癸未，金建女真太学。

丙戌，诏曰："朕昨降指挥，欲衰绖三年，群臣屡请御殿易服，故以布素视事内殿。虽有俟过祔庙勉从所请之诏，然稽诸礼典，心实未安，行之终制，乃为近古。宜体至意，勿复有请。"

于是大臣乃不敢言。

是时执政近臣皆主易月之议,谏官谢谔、礼官尤袤知其非而不能争。惟敕令所删定官沈清臣尝上书赞帝之决,且言:"将来祔毕日,乞预将御笔,截然示以终丧之志,杜绝朝臣来章,勿令再有奏请,力全圣孝,以示百官,以型四海。"帝颇纳用。

陈亮上疏曰:"高宗皇帝于金有父兄之仇,生不能以报之,则殁必有望于子孙,何忍以升遐之哀告之仇哉!遗留、报谢三使继发,而金人仅以一使,如临小邦。义士仁人,痛切心骨,岂陛下之圣明智勇而能忍之乎?意者执事之臣,忧畏万端,有以误陛下也?"疏万数千言,大略欲激帝恢复。时帝已将内禅,由是在廷交怒,以亮为狂怪。

五月,丙申朔,宰臣进请司谏之差遣,帝曰:"司谏之差,恐是初官,不当放行。"顾太子曰:"切不可启此侥幸之门。"太子对曰:"侥幸之门,启之则便有攀援源源而来,诚不可启。"

己亥,左丞相王淮罢,以左补阙薛叔似论之也。帝旋谕叔似曰:"卿等官以拾遗、补阙为名,不任纠劾。今所奏乃类弹击,甚非设官命名之意,宜思自警。"

丙午,金制:"诸教授必以宿儒高才者充,给俸与丞、簿等。"

戊申,京镗等至金。故事,南使至汴京则赐宴。至是镗请免宴,郊劳使康元弼等不从。镗谓必不免宴,则请彻乐,遗之书曰:"镗闻邻丧者舂不相,里殡者不巷歌。今镗衔命而来,繄北朝之惠吊,是荷是谢。北朝勤其远而悯其劳,遣郊劳之,使勤式宴之仪,德莫厚焉。外臣受赐,敢不重拜!若曰而必听乐,是于圣经为悖礼,于臣节为悖义,岂惟贻本朝之羞,亦岂昭北朝之懿哉!"相持甚久。镗即馆,相礼者趣就席,镗曰:"若不彻乐,不敢即席。"金人迫之,镗弗为动,乃帅其属出馆,甲士露刃相向,镗叱退。已而金主闻之,叹曰:"南朝直臣也。"特命免乐。自是恒去乐而后宴。

丁巳,诏修《高宗实录》。

戊午,浙西提举石起宗,言海盐芦沥场催煎官蔡瀵,(裹)〔衰〕敛亭户,不能举职,乞与岳庙,帝曰:"此须放罢。"仍令吏部契勘蔡瀵得差遣年月之侍郎,吏部言系贾选,帝曰:"选已罢,姑已之。自后吏部如铨量巡尉等当知警。"

庚申,殿中侍御史冷世光言:"县令亲民之选,昨吏部措置被案放罢之人,满半年方许参部,不许注繁难大县,止注小县。小县之民何罪焉!请令吏部遵守淳熙五年指挥,凡经弹劾之人,且与祠禄;知县曾经放罢,半年后亦且与岳庙;两次作县,两经罢黜者,不得再注亲民差遣。"诏吏部看详措置。

壬戌,始御后殿。

敕令所删定官沈清臣言:"陛下临御以来,非不论相也,始也取之故老重臣,既而取之潜藩旧傅,或取之词臣翰墨,或取之时望名流,或取之刑法能吏,或取之刀笔计臣,或取之雅重诡异,或取之行实自将,或取之跅弛诞慢,或取之谨畏柔懦,或取之狡猾俗吏,或取之句稽小材;间有度量沈静而经画甚浅,心存社稷而材术似疏,表里忠谠而规制良狭。其后以空疏败,以鄙猥败,以欺诞败,以奸险败,以浮夸败,以贪墨败,以诡诈败,以委靡败。若此者,岂可谓相哉?甚至于误国,有大可罪者。海、泗,国家之故地也,私主和议,无故而弃之敌国;骑兵,天子之宿卫也,不能进取,无故而移之金陵;汲引狂诞浮薄之流以扼塞正涂,擅开佞幸权璧之门以自固高位。而今也犹习前辙,寖成欺弊,国有变故,略无建明,事有缓急,曾不知任,然则焉用彼相哉!"

礼部言:"国学进士石万并杨忠辅指淳熙十五年太史局所造历日差忒。今据石万等造成历,与见行历法不同,请以其年六月二日、十月晦日月不应见而见为验。"诏尤袤、宋之端监视测验。

先是诏省减百司冗食,至是共裁减七百馀人,从吴澳之奏也。

六月,戊辰,给事中郑侨疏言:"陛下创法立制,犁然当于人心,可万世遵行而无弊者,文臣出官铨试,武臣出官呈试是也。历岁以来,有司谨守奉行,偶缘淳熙十一年有进义副尉何大亨者,以荫补出官,自陈元系效用人,乞免呈试参部,遂蒙特旨与免。此弊一开,递相攀援,遂使一时特旨,直作永例。在法,免呈试者,惟江海战船立功补官之人及诸军拣汰离军之人,则法许免呈试;即未尝有初投效用,后因荫补出官,与免试参部之法也。若曰彼尝从军,何必呈试!听其展转相承,用例废法,则它日侥幸之徒,必有窜名冒籍于军伍之中以为免试张本者。望申严此法,将特免试指挥更不施行,仍诏有司恪守成法。"

帝以问枢密院,周必大对曰:"旧法呈试中方得出官,淳熙十年放行曾经从军免试一两人,遂以为例。"帝曰:"郑侨言:'既曾从军,自合习熟武艺,何惮呈试!如不能呈试,前此从军所习何事!'此说甚当,可依旧法行之。"

壬辰,报谢使京镗自金还。

先是帝谓宰臣曰:"京镗坚执不肯听乐,此事可嘉。士大夫居常孰不以节义自许,有能临危不变如镗者乎?"及入见,帝慰劳之。故事,使还,当增秩。帝曰:"京镗专对,可转两官。"周必大曰:"增秩,常典尔。镗奇节,惟陛下念之。"帝曰:"镗,今之毛遂也。"乃命镗权工部侍郎。

周必大荐朱熹为江西提刑。熹入奏事,或要于路曰:"正心诚意之论,上所厌闻,慎勿复言。"熹曰:"吾生平所学,惟此四字,熹可隐默以欺吾君乎!"及入对,帝曰:"久不见卿,卿亦老矣。浙东之事,朕自知之。今当处卿以清要,不复以州县烦卿。"奖谕久之,乃出。

熹奏言:"近年以来,刑法不当,轻重失宜,甚至系于人伦风化之重者,有司议刑,亦从流宥之法,则天理民彝,几何不至于泯灭也!

"提刑司管催经总制钱,起于宣和末年,仓卒用兵,权宜措画。自后立为比较之说,甚至灾伤检于倚阁,钱米已无所人,而经总制钱独不豁除。州县之煎(嗷)〔熬〕,何日而少纾!斯民之愁叹,何时而少息哉!

"陛下即位二十有七年,而因循荏苒,无尺寸之效,可以仰酬圣志。尝反覆思之,无乃燕闲渊蠖之中,虚明应物之地,天理有未纯,人欲有未尽。天理未纯,是以为善未能充其量;人欲未尽,是以除恶不能去其根;一念之顷,公私邪正,朋分角立,交战于其中。故体貌大臣非不厚,而便嬖侧媚得以被腹心之寄;寤寐英豪非不切,而柔邪庸缪得以窃廊庙之权;非不乐闻公议(正议)正论,而有时不容;非不欲圣逸说殄行,而未免误听;非不欲报复陵庙雠耻,而不免畏怯苟安;非不欲爱养生灵财力,而未免叹息愁怨。凡若此类,不一而足。愿陛下自今以往,一念之顷,则必谨而察之,此为天理邪,为人欲邪?果天理也,则敬以充之,而不使其少有壅遏;果人欲也,则敬以克之,而不使其少有凝滞。推而至于言语动作之间,用人处事之际,无不以是裁之,则圣心洞然,中外融彻,无一毫之私欲得以介乎其间,而天下之事,将惟陛下

3557

之所欲为,无不如志矣。"

翌日,除兵部郎官。熹方以足疾乞祠,兵部侍郎林栗,前数与熹论《易》《西铭》不合,遂论"熹本无学术,徒窃张载、程颐之绪馀,为浮诞宗主,谓之道学,私自推尊,所至辄携门生数十人,习为春秋、战国之态;绳以治世之法,则乱人之首也。今采其虚名,俾之入奏;而熹闻命之初,迁延道途,得旨除官,辄怀不满,傲睨累日,不肯供职。是岂张载、程颐之学教之然也!熹既除兵部郎官,在臣合有统摄,若不举劾,厥罪维均。望将熹停罢,以为事君无礼者之戒。"

帝谓栗言过当,旋命熹依旧江西提刑。周必大言:"熹上殿之日,足疾未愈,勉强登对。"帝曰:"朕亦见其跛曳。"薛叔似亦奏援之。太常博士叶适曰:"考栗劾熹之辞,始末参验,无一实者。至于其中'谓之道学'一语,则无实最甚。利害所系,不独朱熹,自昔小人残害良善,率有指名,或以为好名,或以为立异,或以为植党。近又创为道学之目,郑丙唱之,陈贾和之,居要路者密相付授,见士大夫有稍务洁修,粗能操守,辄以道学之名归之,以为善为玷阙,以好学为罪愆,贤士惴惴,中材解体。往日王淮表里台谏,阴废正人,盖用此术。栗为侍从,无以达陛下之德意,而更袭用郑丙、陈贾密相付授之说,以道学为大罪,从此谗言横生,良善受祸,何所不有!望陛下奋发刚断,以慰公言。"疏入,不报。

秋,七月,戊戌,上高宗庙乐曰《大勋》,舞曰《大德》。

辛亥,金尚书左丞钮祜禄额特喇罢。

侍御史胡晋臣劾林栗喜同恶异,无事而指学者为党。己未,出栗知泉州。朱熹除直宝文阁,请祠,未入。

壬戌,恩平郡王(璿)〔璩〕薨。帝天性友爱,赐予无算,至是追封信王。

八月,甲子朔,日有食之。

庚辰,金主谓宰臣曰:"近闻乌底改有不顺服之意,若遣使责问,彼或抵捍不逊,则边境生事,有不可已者。朕尝思招徕远人,于国家殊无所益。彼来则听之,不来则勿强其来,此前代羁縻之长策也。"

金参知政事富珠哩鄂尔罕罢。壬午,以山东路统军使完颜博勒和参知政事。

甲申,金主谓宰臣曰:"用人之道,当自其壮年心力精强时用之。若拘以资格,则往往至于耄老,此不思之甚也。鄂尔罕使其早用,必得辅助之力,惜其已衰老矣。凡有可用之材,汝等宜早思之。"

是月,湖北运判孙绍远朝辞,帝曰:"祖宗时广西盐如何?"对曰:"系官卖。"帝曰:"若广西客钞可行,祖宗当已行。"绍远又言:"钞法蠹国害民。"帝曰:"所闻不一,因卿言,得其实矣。"

九月,辛丑,大飨明堂。

先是礼官请明堂画一。帝曰:"配位如何?"周必大言:"礼官昨已申请,高宗几筵未除,用徽宗故事,未应配坐,且当以太祖、太宗并配。它日高宗几筵既除,当别议。大抵前后儒者多因《孝经》严父之说,便谓宗祀专以考配。殊不知周公虽摄政,而主祭则成王,自周公言之,故曰严父耳。晋纪瞻答秀才策曰:'周制,明堂崇其祖以配上帝,故汉武帝汾上明堂,舍文、景而远取高祖为配。'此其证也。"留正言:"严父莫大于配天,则周公其人也。是严父专指周公而言,若成王则其祖也。"帝曰:"有绍兴间典故在,可以参照无疑。"

庚申,帝谕太子曰:"当今礼文之事,已自详备,不待讲论。惟财赋未尝从容,朕每思之,须是省却江州或池州一军,则财赋稍宽。若议省军,则住招三年,人数便少,却将馀人并归建康,事亦有渐。当今天下财赋,以十分为率,八分以上养兵,不可不知。"

许浦水军统制胡世安言:"许浦一军,本在明州定海,后因移驻许浦。是时港道水深,可以泊船。后来湖沙淤塞,遂移战船泊在顾泾,人船相去近二百里,遇有缓急,如何相就! 合依旧移归定海。"帝曰:"定海用舟师甚便,当时自是不合移屯也。"

是月,录中兴节义后,用吏部尚书颜师鲁等之言也。于是引赦书,放行中兴初节义显著之家合得恩数,令吏部开具奏闻。

冬,十月,丙寅,知湖州赵恩言:"湖州实濒太湖,有堤为之限制,且列二十七浦溇,引导湖水以溉民田,各建斗门以为蓄泄之所,视旱涝为之启闭。去岁之旱,高下之田俱失沾溉,委官访求遗迹,开浚浦溇,不数日间,湖水通澈,远近获利,而于斗门因加整葺。请诏守臣,逐岁差官亲诣湖堤相视,开浚浦溇,补治斗门,庶几永久。"从之。

己巳,广西提刑赵伯遹奏本路钞法五弊,且曰:"曩者建议之臣,以官般官卖科敷百姓,害及一路,于是改行钞法,上以足国,下以裕民,莫不以为便。今六年矣,诸郡煎熬益甚,民旅困于科抑,名曰足国,实未尝足;名曰裕民,实未尝裕。所最可虑者,缘边及近里州军,兵额耗减已极,更不招填,所在城壁颓圮,无力修筑,卒有缓急,何所倚恃! 臣尝遍询吏民,向者官般官卖之时,广西诸郡诚有科敷百姓去处,然不过产盐地分,所谓高、化、钦、廉、雷五州是也。海乡盐贱不肯买,故有科抑。如静江、郁林、宜、融、柳、象、昭、贺、梧、藤、邕、容、横、贵、浔、宾近里一十六州,去盐场远,若非官卖,无从得盐。旧时逐州只是置铺出卖,民间乐于就买,不待科抑。自改行钞法以来,近里一十六州,徒损于官,无补于民。民食贵盐,又遭科盐钞之苦;沿海五州,虽名卖钞,其旧卖二分食盐,元不曾禁,计户计口,科扰如故。(切)〔窃〕谓今日之法,正当讲究沿海五州利病,杜绝科敷,不当变近里一十六州官般官卖之法。"诏:"应孟明、朱晞颜同林岊相度条具奏闻。"

戊子,臣僚言:"祖宗之时,士尚恬退,张师德两诣宰相之门,遂遭讥议;岂若今日,纷至沓来! 台谏之门,猥杂尤甚,终日酬对,亦且厌苦,而无说以拒其来。愿明诏在廷止遏奔竞,其有素事干谒者,宰执从而抑之,台谏从而纠之。至于私第谒见之礼,一切削去;果有职事,非时自许相见。庶几在上者可以爱惜日力,不为宾客之所困;在下者可以恪恭职业,不为人事之所牵。"从之。

乙丑,司农寺言:"丰储仓初为额一百五十万石,不为不多,然积之既久,宁免朽腐! 异时缓急,必失指拟。宜相度每岁诸州合解纳行在米数及诸处坐仓收籴数,预行会计,以俟对兑。不尽之数,如常平法,许其于陈新未接之时,择其积之久者尽数出粜,俟秋成日尽数补籴,则是五十万石之额,永无消耗,此亦广蓄储之策也。"从之。

是月,置焕章阁,藏《高宗御集》。

十一月,丙申,帝谓皇太子曰:"恩数不可泛滥。将来皇太后庆八十与朕庆七十相近。若是恩例太泛,添多少官! 如皇太后庆寿,只得推恩本殿官属方是。"

戊戌,金改葬熙宗于峨嵋谷,仍号思陵。

金诏:"南京、大名府等处被水逃移不能复业者,官与赈济,仍量地顷亩,给以耕牛。"

壬子，杨伟上书，言广西州郡役使土丁之弊，帝曰："既屡有约束，何用申严！便可责问其违戾。"因谓太子曰："后有如此等事，便须直行，不必再三申严，徒为文具。"

十二月，乙亥，金主有疾。庚辰，大赦。乙酉，诏皇太孙璟摄政，居庆和殿东庑。

丙戌，金以太尉、左丞相图克坦克宁为太尉兼尚书令，平章政事襄为右丞相，右丞张汝霖为平章政事。参知政事博（斯）〔勒〕和罢，以户部尚书刘玮为参知政事。

戊子，金诏图克坦克宁、襄、张汝霖宿于内殿。

先是朱熹以奉祠去，至是再召，熹再辞，遂具封事投匦以进，其略曰：

"陛下之急务，则辅翼太子，选任大臣，振举纲维，变化风俗，爱养民力，修明庶政，六者是也。

"至于左右便嬖之私，恩遇过当，往者渊、觌、说、抃之流，势焰熏灼，倾动一时，今已无可言矣。独前日臣所开陈者，虽蒙圣恩委曲开譬，然臣窃以为此辈但当使之守门、传命，供扫除之役，不当假借崇长，使得逞邪媚，作淫巧，立门庭，招权势。臣窃闻之道路，自王抃既逐之后，诸将差除，多出此人之手。陛下竭生灵膏血以奉军旅，而军士顾乃未尝得一温饱，是皆将帅巧为名色，夺取衣粮，肆行货赂于近习，以图进用，出入禁闼；腹心之臣，外交将帅，共为欺蔽，以至于此。而陛下不悟，反宠暱之，使宰相不得议其制置之得失，给谏不得论其除授之是非，则陛下之所以正其左右者，未能及古之圣王明矣。

"至于辅翼太子，则自王十朋、陈良翰之后，官僚之选，号为得人，而能称其职者，盖已鲜矣。而又时使邪佞、儇薄、阘冗、庸妄之辈，或得参错于其间。所谓讲读，亦姑以应文备数，而未闻其有箴规之效。至于从容朝夕，陪侍游宴者，又不过使臣、宦者数辈而已。夫立太子而不置师傅、宾客，则无以发其隆师、亲友、遵德、乐义之心。宜讨论前典，置师傅、宾客之官，去春坊使臣，而使詹事、庶子各复其职。

"至于选任大臣，以陛下之聪明，岂不知天下之事，必得刚明公正之人而后可任哉？其所以常不得如此之人而反容鄙夫窃位者，直以一念之间未能彻其私邪之蔽，而燕私之好，便嬖之流，不能尽由于法度。是以除书未出，而物色先定，名姓未显，而中外已知其决非天下第一流矣。

"至于整肃纪纲，变化风俗，则今日宫省之间，禁密之地，而天下不公之道，不正之人，顾乃得以窟穴盘据于其间，而陛下目见耳闻，无非不公不正之事。及其作奸犯法，陛下又不能深割私爱，付诸外廷之议，论以有司之法，是以纪纲不能无所挠败。纪纲不振于上，是以风俗颓弊于下，盖其为患之日久矣。而浙中为尤甚，大率习为软美之态，依阿之言，以不分是非，不辨曲直为得计，惟利之求，无复廉耻。一有刚毅正直守道循理之士出乎其间，则群议众排，指为道学，而加以矫激之罪。十数年来，以此二字禁锢天下之贤人君子，复如崇、观之间所谓元祐学术者，排摈诋辱，必使无所容其身而后已。呜呼！此岂治世之事，而尚复忍言之哉！

"至于爱养民力，修明军政，则自虞允文之为相也，尽取版曹岁入窠名之必（措）〔指〕拟者，号为岁终羡馀之数而输之内帑，顾以其有名无实，积累挂欠，空载簿籍，不可催理者，拨还版曹以为内帑之积，将以备它日用兵进取不时之须。宰相不得以式贡均节其出入，版曹不得以簿书句考其存亡，徒使版曹阙乏日甚，督趣日峻，造为比较监司、郡守殿最之法以诱胁之。于是中外承风，竞为苛急，此民力之所以重困也。

"诸将求进也，必先掊克士卒以殖私财，然后以此自结于陛下之私人，而祈以姓名达于陛下之前。陛下但见其等级推先，案牍具备，则诚以为公荐，而岂知其论价输钱，已若晚唐之债帅矣。夫将者，三军之司命，而其选置之方，乖剌如此。则彼智勇才力之人，孰肯抑心下首于宦官、宫妾之门，而陛下之所得以为将帅者，皆庸夫、走卒，而犹望其修明军政，激劝士卒，以强国势，岂不误哉！

"凡此六事，皆不可缓，而本在于陛下之一心。一心正，则六事无不正，一有人心私欲以介乎其间，则虽欲（励）〔愿〕精劳力以求正夫六事者，亦将徒为文具，而天下之事愈至于不可为矣。"

疏入，夜漏下七刻，帝已就寝，亟起，秉烛读之。明日，除主管太乙宫兼崇政殿说书。时帝已倦勤，盖将以为燕翼之谋也。会执政有指道学为邪气者，乃辞新命，除秘阁修撰，仍奉祠。

淳熙十六年　金大定二十九年【己酉，1189】　春，正月，癸巳，金主殂于福安殿，年六十七。

金主在位二十八载，南北讲好，与民休息，躬节俭，崇孝弟，信赏罚，重农桑，群臣奉职，上下相守，家给人足，仓廪有馀，刑部断罪，多不逾二十人，国中号称"小尧舜"。

皇太孙璟，承遗诏即皇帝位。

丙申，知枢密院事黄洽罢，知隆兴府。

己亥，以周必大、留正为左、右丞相，王蔺参知政事，葛邲同知枢密院，参知政事萧燧兼权知枢密院。未几，燧奉祠。

先是命广西经略应孟明等究实盐法利害，至是孟明奏盐钞抑勒民户，流毒一方，欲得复旧以解愁怨。帝曰："初议行此事，先差胡廷直去，商度非不详密，只是符同詹仪之之说。今为所误，盐法可依旧。"运判朱晞颜奏："广西盐名曰'客钞'，元无客也。自乾道间变法，富商失业，无复客商矣。今钞以客为名，乃强税户之家，使之承认，至于破家而止。"壬寅，诏："詹仪之罔上害民，责授安远军节度行军司马，袁州安置。"

丙午，皇太后迁慈福宫。春坊姜特立见周必大，问曰："宫中人人知上元后举行典礼，今悄然，何也？"必大谢曰："此非外廷所敢与闻。"特立不悦而退。

辛亥，帝谕周必大等曰："朕年来稍觉倦勤，欲旬日间禅位于皇太子，退就休养，以毕高宗三年之制。有合施行事，卿等可理会进呈。"因令必大、留正进呈诏草。

丁巳，金参知政事崇浩罢。

戊午，金名皇太后宫曰仁寿，寻改隆兴。

蠲绍兴府和买绢四万匹之半。

己未，更德寿宫为重华宫。

二月，辛酉朔，日有食之。

蔡戡除尚书左司员外郎。帝勤庶政，逊位前一日，犹自除吏也。

壬戌，帝吉服，御紫宸殿，宣诏曰："爰自宅忧以来，勉亲听断，不得日奉先帝之几筵，躬行圣母之定省。皇太子仁孝聪哲，久司匕鬯，军国之务，历试参决，宜付大宝，抚绥万邦，俾予一人获遂事亲之心，永膺天下之养。皇太子可即皇帝位，朕称太上皇，移居重华宫。"宣诏讫，百官赴殿庭立班,皇太子即皇帝位,侧立不坐,如绍兴三十二年之礼,百官称贺毕,三省、枢密院奏事,退,放仗。

帝反丧服,御后殿,新皇帝侍立,寻登辇,同诣重华宫。新皇帝还内,上尊号曰至尊寿皇圣帝,皇后曰寿成皇后。

癸亥,金主始听政,追尊其考宣孝太子为皇帝,庙号显宗,尊母妃图克坦氏为皇太后。

甲子,帝朝重华宫,大赦。

乙丑,金敕:"登闻鼓院,所以达冤枉,旧尝锁户,其令开之。"

丙寅,以阁门舍人谯熙载、姜特立并知阁门事,帝东宫旧臣也。

辛未,尊皇太后曰寿圣皇太后。

壬申,诏内外臣僚陈时政阙失,四方献歌颂者勿受。

遣罗点等使金告即位。

乙亥,遣诸葛瑞等使金吊祭。

己卯,诏:"官吏赃罪显著者,重罚无贷。"

辛巳,以生日为重明节。

乙酉,金诏:"有司稽考典故,许引用宋事。"

己丑,诏编《寿皇圣政》。

庚寅,诏中书舍人罗点具可为台谏者,点以叶适、吴鉴、孙逢吉、张体仁、冯震武、郑湜、刘崇之,沈清臣八人上之。时帝意欲罢周必大,而点所荐,皆意向与必大类者,由是不果用。

诏职事官日轮对。秘书郎兼权吏部郎官郑湜首言:"三代以还,本朝家法最正,一曰事亲,二曰齐家,三曰教子,此家法之大经也。自昔帝王,虽有天下之富,而不及以天下养其亲。惟高宗享天下之养,寿皇躬天子之孝,二十有七年,人无间言。陛下率而行之,当如寿皇,然后无愧也。本朝历世以来,未尝有不贤之后,盖祖宗家法最严,子孙持守最谨。后家待遇有节,故无恩宠盈溢之过;妃嫔进御有序,故无忌嫉专恣之行;宫禁不与外事,故无斜封请谒之私。此三者,汉、唐所不及也。皇子岐嶷之性,过人远甚。然讲读之官,进见有时,志意不通,休沐之日,或至多于讲读,曾不若左右前后之人与王亲狎,朝夕无间,一日暴之,十日寒之,未有能生之物也。愿陛下尽事亲之道以全帝王之大孝,严家法之义以正内治之纪纲,明教子之方以寿万世之基本。"又曰:"窃闻道路之言,颇谓宫中燕饮频仍,费用倍加,便嬖使令,往往亲昵,中外章奏,付出稽缓。愿陛下奋发乾刚,一洗旧习,省燕饮,节用度,亲正人,勤省览。"

是月,寿皇诏立帝元妃李氏为皇后。

后性妒悍,寿皇屡训敕,令以皇太后为法,不然,行当废汝。后疑其说出于太后,憾之。

三月,丙申,遣沈揆等使金贺即位。

己亥,进封平阳郡王扩为嘉王,李后所生也。

己酉,金以生日为天寿节。

甲寅,以史浩为太师。

戊子,金遣张万公等来致遗留物。

3562

己未,废拾遗、补阙官,改薛叔似为将作监,许及之为军器监。御史中丞谢谔论其不可废,不听。自是近臣罕进言者。

夏,四月,丙寅,有事于太庙。

癸酉,改封皇侄嘉国公抦为许国公。

乙酉,金葬光天兴运文德武功圣明仁孝皇帝于兴陵,庙号世宗。

戊寅,以兵部侍郎何澹为右谏议大夫。

丙戌,有事于景灵宫。

五月,甲午,以王蔺知枢密院事兼参知政事。

丙申,左丞相周必大罢。

初,何澹与必大厚,为司业,久不迁,留正奏迁为祭酒,澹由是憾必大而德正,及为谏议大夫,首上疏攻之。必大再疏求去,以观文殿大学士判潭州,寻以旧官为醴泉观使。

常德府、辰、沅、靖州大水,入其郛。

初开讲筵,侍讲尤袤言天下万事失于初,则后不可救,《书》曰:"慎厥终,惟其始",又举唐太宗不私秦府旧人为戒。知阁门事姜特立,疑其为己而发,使言者目为周必大之党,逐之。

丙午,金以祔庙礼成,大赦。

戊申,以和议郡夫人黄氏为贵妃。

知阁门事姜特立罢。

特立与谯熙载并用事,恃恩无所忌惮,时谓曾、龙再出。留正列其招权预政之罪,请斥逐之,帝意未决。会参知政事阙,特立谒正曰:"上以丞相在位久,欲迁左揆;叶、张二尚书,当择一人执政,未知孰先?"正奏之,帝大怒,遂夺职,与外祠。寿皇闻之曰:"留正真宰相也!"帝念特立,复除浙东马步军副总管,赐钱二千缗为行装。

戊午,金河决曹州。

闰月,庚申朔,诏内侍陈源许任便居住。

金主封兄珣为丰王,琮为郓王,环为瀛王,从彝为沂王,弟从宪为寿王,玠为温王。

壬戌,以赵雄判江陵府,封卫国公。雄疾甚,旋改判资州。

癸(未)〔酉〕,诏:"季秋有事于明堂,以高宗配。"

丙子,金进封赵王永中为汉王,曹王永功为翼王,鄎王永成为吴王,虞王永升为随王,徐王永蹈为卫王,滕王永济为潞王,薛王永德为沈王。

己卯,阶州大水,入其郛。

壬午,大理寺奏狱空。

六月,己丑朔,金有司言:"律科举人止知读律,不知教化之源;必使通知《论语》《孟子》,涵养气度。请遇府会试,委经义试官出题别试,与本料通定去留。"从之。

庚寅,镇江大水,人其郛。

辛卯,金修起居注完颜乌珠、知登闻检院孙铎,上书谏围猎,金主纳其言。

金拾遗马升上《俭德箴》。

乙未,金初置提刑司,分按九路,并兼劝农采访事,屯田、镇防诸军皆属焉。

秋,七月,辛卯,金减民地税十之一,河东、南、北路十之二,下田十之三。

丁卯,金以太尉尚书令东平郡王图克坦克宁为太傅、金源郡王。金主旋谕尚书省曰:"太傅年高,每趋朝而又人省,恐不易。自今旬休外,四日一居休,庶得调摄,常事它相理问,惟大事白之可也。"

庚辰,诏恤刑。

辛巳,金诏京府、节镇、防御州设学养士。

八月,壬辰,金左司谏郭安民上疏论三事,曰崇节俭,去嗜欲,广学问。

甲午,升恭州为(崇)〔重〕庆府。

丙申,减两浙月桩等钱岁二十五万五千缗。

丁酉,金主如大房山;戊戌,谒诸陵;己亥,还都。

观文殿大学士王淮卒。淮居台谏,论劾皆当;为相,能尽心事上,惟以唐仲友故,擢陈贾为御史,郑丙为吏部尚书,协力攻朱熹,启后来伪学之禁,大丧生平。

甲辰,金参知政事刘玮,出知济南府。

九月,癸亥,减绍兴和买绢岁额四万七千馀匹。

乙丑,戒执政、侍从、台谏,毋移书荐举、请托。

丁卯,金禁强族大姓不得与所属官吏交往。

丙子,金主猎于近郊。戊寅,监察御史焦旭劾太傅克宁、右丞相襄不应请车驾田猎。金主曰:"此小事,不须治之。"

乙酉,金主如大房山;冬,十月,丁亥朔,谒诸陵;己丑,还都。

辛卯,金主谓宰臣曰:"翰林阙人。"平章政事张汝霖曰:"凤翔治中郝俣可也。"汝霖谏田猎,金主曰:"如卿能每事如此,朕复何忧!然时异世殊,得中为当。"

丙申,金主冬猎;癸丑,还都。

甲寅,大阅。

十一月,庚午,诏改明年为绍熙元年。

乙亥,金命参知政事伊喇履提控刊修《辽史》。

诏:"陈源毋得辄入国门。"

丁丑,减江、浙月桩钱额十六万千馀缗。

金御史台言:"故事,台官不得与人相见,盖为亲王、宰执、形势之家,恐有私徇;然无以访知民间利病,官吏善恶。"诏:"自今许与四品以下官相见,三品以上如故。"

辛巳,金诏有司:"今后诸处或有饥馑,令总(督)〔管〕、节度使及提刑司先行赈贷,然后言上。"

改朱熹知漳州。

熹至部,奏陈属县无名之赋七百万,减经总制钱四百万。又以俗未知礼,采古丧葬嫁娶之仪,揭以示之,命父老解说,以教其子弟。

漳俗崇信释氏,男女聚僧舍为传经会,女不嫁者为庵以居,熹悉禁之。

十二月,特诏知隆兴府黄洽言事。

洽奏用人之道,屡乞归田,寻命提举洞霄宫。方未得请也,人劝之治第,洽曰:"吾书生,蒙拔擢至此,未有以报国,而先营私乎!使吾一旦罪去,犹有先人敝庐可庇风雨,夫复何忧!"

戊戌,金赈宁化、保德、岚州饥。

壬子,金主谕台臣曰:"提刑司所举劾多小过,行则失大体,不行则恐有所沮。其以此意谕之。"

【译文】

宋纪一百五十一　起丁未年(公元 1187 年)正月,止己酉年(公元 1189 年)十二月,共三年。

淳熙十四年　金大定二十七年(公元 1187 年)

春季,正月,丙午(初四),真州转运司请求推迟收换铜钱的期限,宋孝宗说:"地方上长期玩忽职守已成陋习,朝廷的号令都不遵守了。"王淮等人请孝宗下令真州转运司采取措施,宋孝宗说:"频繁地下命令,下面的人也不会信服。现在暂且让真州转运使司采取措施,以便观察他们今后的所作所为。"宋孝宗还说:"贤能的人不需赏罚而能自己发奋努力;至于才德一般的人,没有一定的赏罚是不行的。天下的人大都是才德一般的人。"

己酉(初七),金国任命襄城令东平人赵沨为应奉翰林文字。

赵沨上殿拜谢,金世宗对宰相说:"这个人是党怀英举荐的吗?"宰相回答说:"谏议大夫黄久约也曾推荐过他。"金世宗说:"学士院同过去相比特别缺乏人才,为什么?"右丞张汝霖说:"人才必须培养;如果让他们经常练习,自然可以培养出人才。"

庚戌(初八),金世宗到长春宫举行春水游猎。

二月,乙亥(初三),金世宗回到都城。

己卯(初七),金国把闵宗的庙号改为熙宗。

庚辰(初八),福州知州贾选上奏说:"福州傍海的各个兵寨,都是通海的要害之处,可那里的巡检却有的是依靠祖先的恩荫得的官,有的是杂吏出身,有的根本就不懂军事,有的已经很老了,一旦发生紧急情况的话这些人根本就不能指靠。请今后任命沿海各寨的巡检的话,必须是武举或者军功出身,并且必须是年龄不满五十岁,通晓行军作战的人,才够条件。建议先任用那些在海上捕贼立功并且能够驾船和会游泳的人,其次任用那些武举出身的人;如果没有这两种人,就按照现行办法任用,只是不能任用非武人出身的人。"朝廷采纳了他的意见。

癸未(十一日),金国在曲阳县设置钱监,赐名利通。

丁亥(十五日),任命枢密使周必大为右丞相。

当时密封的奏章中有许多是言及当朝大臣的,而且说法不一,周必大说:"各抒己见,归纳出一种统一的意见,怎么可以强求一致呢!陛下恢复祖宗的旧制,命令三省复奏后实行,正要保持这种传统,不只是奉行文字。"

金国御史台上奏说:"过去以来沿黄河的各府州县的主管官,有的坐视管区内河防缺坏,一点也不关心。请下令沿黄河一线的府州县的正副长官,都在官衔下面加上管句河防事。如果规划有方,能防范大的灾患。如果守护时粗心大意,以致出现疏漏的话,随时上奏朝廷,由朝廷决定赏罚。"金世宗听从了这个建议。仍旧命令每年河水将要泛滥时,派一名工部的官员沿河巡视,沿河各府州的正副长官都提举河防事,县令、县令的副手都管句河防事。

戊子(十六日),任命施师点为知枢密院事。

丙申(二十四日),金国命令:"犯人在监期间,准许亲属进去探视。"

三月,辛亥(初九),金国皇太孙接受册封,发布大赦令。

乙卯(十三日),金国尚书省上奏说:"孟家山金口闸,比都城高出一百四十多尺,恐怕涨水时造成灾害,请关闭金口闸。"朝廷准奏。

庚申(十八日),陈居仁上奏说:"祖宗关心百姓,从役法方面表现出来,尤其详细完备。后来大臣们和州郡官吏奏请朝廷修改,渐渐失去了立法的本意。请下令给敕令所,拿来祖宗免役的旧法,并在户部选取绍兴十八年以后的有关法令,由本所官精心地加以考核,其中有与旧法相抵牾的,就删去,编为一本书,书名叫作《役法撮要》,等到书编成以后,就镂刻出来颁行天下。"朝廷准奏。

夏季,四月,壬午(十一日),赵伯骕奏请增加军中的属官,宋孝宗说:"军中怎么能够随便添差,白费军饷,白白地占据职位!当时就不该有开头,致使源源奏请不已。除了现任添差准许任满期限以外,今后不准再派人去任添差了。"

丙戌(十五日),金国任命刑部尚书崇浩为参知政事。

戊子(十七日),赐礼部进士王容等四百三十五人进士及第、进士出身。翰林学士洪迈说:"《贡举令》规定赋的字数限定为三百六十,策论限定为三百个字。现今的经义、论策有的一篇达三千个字,赋一篇将近六百个字。有限的时间之内,只求贪多,累牍连篇,怎么会写得精妙!应该让他们遵守各种文体的规格,使文风返归浑淳。"

丙申(二十五日),金世宗到达金莲川。

辛丑(三十日),金国的中都发生地震。

五月,庚午(二十九日),金世宗因为所进的御膳味道不行,派人去查问。尚食局直长说:"我听说老母病得厉害,内心很乱,因此没有品尝察看。"金世宗嘉许他的孝心,马上命令他回家侍候老母的疾病。

六月,戊寅(初八),因为久旱,颁布画龙祈雨法。

金国免除中都、河北等地因河决口而受水灾的军民的租税。

甲申(十四日),宋孝宗到太乙宫祈雨,然后到了明庆寺。

丁亥(十七日),观文殿大学士、特进梁克家去世,赐谥号为文靖。

庚寅(二十日),临安发生火灾。

癸巳(二十三日),王淮等因为天旱请求辞职,不准许。

朝廷下诏修炎帝陵,陵在衡州茶陵县,这是根据衡州的奏请。

己亥(二十九日),复查释放了两浙路的罪囚。

秋季,七月,丙午(初七),太白星经过天空。

宋孝宗下诏说:"政事不修,旱灾为害,可命令侍从、台谏、两省、卿监、郎官、馆职上疏陈说朝廷的缺失以及当今的急务,不要有所隐瞒。"己酉(初十),诏令监司奏陈州县的弊政和民间的疾苦。辛亥(十二日),避离正殿,减少膳食、撤去乐舞。

壬子(十三日),金世宗举行秋猎。

癸丑(十四日),命令检正都司审议群臣的密封奏疏,有可行的申报朝廷。

诏令暂且减免秀州半年的经总制桨本钱。

何澹上奏讲到尚书省的官吏删改都司签拟的文字,宋孝宗对宰相说:"你们可以查问此事,问他们前后删改的是什么事?也要使官吏们各自引以为戒。"

丙辰(十七日),命令临安府捕捉蝗虫,动员百姓出米赈济饥民,免除绍兴新科下等户今年的和市布帛二万八千匹。

辛酉(二十二日),因为江西、湖南发生饥荒,发给度牒,籴米准备赈灾。

戊辰(二十九日),降雨。命给事中、中书舍人审看监司呈报的关于州县弊政的奏疏。

八月,辛未(初二),赐一百道度牒,四万多石米,准备赈济绍兴府的饥民。

王淮上奏说:"石万等所编订的历法,与《淳熙戊申历》相比有两个朔日不同。另外,《淳熙历》的十一月下弦在二十四日,恐怕历法有差误。"宋孝宗说:"朔日怎么能有差误呢!朔日出现差误的话,那造成的损失就太多了。可下令礼部、太常寺、秘书省审定后上报朝廷。"

癸未(十四日),任命留正为参知政事兼同知枢密院事。

丙戌(十七日),金世宗驻扎在双山;九月,己亥朔(初一),金世宗回到都城。

己酉(十一日),金世宗对宰相说:"我今年春水游猎时经过一些州县,发现那里的小官吏大多数办事干练,大概是我经常对他们进行赏赐和提拔,因此他们都很努力。由此可见专用责罚,还不如用赏赐提拔更有激励效果。"

乙丑(二十七日),停止增收水渠民田租。

冬季,十月,辛未(初四),因为太上皇患病,宋孝宗停止上朝,看望太上皇,并且发布赦令。

乙亥(初八),太上皇在德寿殿驾崩,遗诰将太上皇后改称皇太后。宋孝宗捶胸顿足地痛哭,对王淮等人说:"晋孝武帝、魏孝文帝实行三年服丧,何曾妨碍听政!司马光的《资治通鉴》里记载得非常详细。"王淮回答说:"晋孝武帝虽然有这个意思,后来在宫中只穿深衣戴白冠。"宋孝宗说:"当时群臣不能顺从他的美德,司马光因而批评了这件事。自我开始效法古人,这有什么害处!"

丙子(初九),派韦璞等人充任赴金国的告哀使。

庚辰(十三日),金国在太庙举行祫享礼。

辛巳(十四日),宋孝宗下诏说:"太上皇帝忽然辞世,我应当服孝三年,群臣应当自觉地遵守易日之令。有关官员必须研讨出礼仪制度,上报朝廷。"

尤袤根据有关典籍礼制,提出把已故太上皇的庙号定为高宗,只有翰林学士洪迈请求把庙号定为世祖。尤袤领着礼部官员颜师鲁等上奏说:"宗庙的定制,有功的称祖,有德的称宗。艺祖开创江山,称为宋太祖;太宗统一华夏,称为宋太宗。从真宗到钦宗,代代相传,宗庙制度一经确定,万世不变。按照礼法,子屈从于父,是表示对父亲的尊敬。太上皇的父亲是徽宗,如果子的庙号定为祖,父的庙号定为宗,就不合尊卑之序。有异议的人不过是以东汉的光武帝为例。汉光武帝是西汉时长沙王的后代,是百姓出身,与西汉的哀帝、平帝没有血缘关系,所以他的称号与哀帝、平帝根本不相关。已故太上皇是一代中兴之主,功业虽然与汉光武帝相同,可又确实是继承了徽宗的正统;父子相继,不能与汉光武帝相比。如果将来在太庙设牌位在徽宗之下而称为祖,恐怕太上皇的在天之灵也会有所不安的。"孝宗诏令群臣一起商议,尤袤的意见还是与当初一样,洪迈理屈,下诏依照尤袤的建议。

乙酉(十八日),群臣五次上表,请孝宗回皇宫听政。丙戌(十九日),孝宗下诏说:"等到过了小祥,勉力听从你们的请求。"

戊子(二十一日),宋孝宗穿着孝衣,乘坐素辇回到了宫内。任命颜师鲁为赴金国遗留国信使。

庚寅(二十三日),金世宗对宰相说:"我读唐史,觉得只有魏征喜欢进谏,所讲的都是国家大事,而且作为谏臣也很得体。现在的谏官,专门找一、二件琐细小事,姑且搪塞,不曾有提及国家大事的。是知晓而故意不讲呢,还是真的不知晓呢?"

十一月,己亥(初二),太上皇大祥日,宋孝宗才穿着白布巾袍在延和殿听政,初一和十五到德寿宫时,就穿着孝衣拿着孝棍。并且诏令皇太子参决政事,侍读杨万里向皇太子上书说:"民无二王,国无二君,现在陛下理政,又让太子殿下参决政务,这是国有二君的表现。自古以来没有国有二君而不危及国家的。因为国有二君的话,天下的人就会产生向背之心;产生向背之心的话,就会彼此拉帮结党;彼此拉帮结党,就会出现谗言;谗言一出现,父子之间就会产生分歧。裂开了的东西是合不拢了的,分歧是不能消弭的。过去赵武灵王让他的儿子何临朝听政而自己在一旁观察,魏太武帝让他的儿子晃监国而自己在外统兵,矛盾一产生,这父子四人都遭了灾祸。唐太宗让太子承乾监国,不久承乾就因有罪而被废掉。我朝在天禧年间也曾这样做过,如果不是寇准、王曾,几乎发生大的变乱。一般而言如果君父在位而让太子监国的话,这是古人不幸的事,不是好的典范。一旦出现危机,后悔怎么来得及呢!"太子看了感到非常震惊。庚子(初三),太子再三请辞参决政事的职务,孝宗不准许。

辛丑(初四),宋孝宗到德寿宫举行禫祭,百官脱去丧服。甲辰(初七),群臣再三上表,请孝宗到大殿听政。孝宗下诏说:"等到把太上皇的牌位放到太庙以后就去。"

甲寅(十七日),金世宗下诏说:"黄河泛滥,把受灾的农民免除一年的差税。卫、怀、孟、郑四州参加了堵塞黄河决口的劳役,一并免除今年的差税。"

十二月,庚午(初三),大理寺上奏说狱中已空无一人。

乙酉(十八日),四川制司上奏说:"夔州路大宁监产的四分盐,历年科派到恭、涪等八州,确实扰民,请根据转运使司的办法,只在夔州就地变卖,确实便利。"朝廷准奏。

戊子(二十一日),金国不准女真人改称汉姓、学穿南方人服装,违犯的治罪。

金世宗在位的时间很久了,熟悉天下事,想找到贤才并与之共同商讨治国大计,然而大臣们都敷衍苟且,无所建树。有一天,金世宗对宰相说:"古时的宰相一般不过三、五年就退位,很少有任职二三十年的。你们又不举荐人才,这很不合我的意思。"又一天,金世宗又对宰相说:"你们都老了,竟然找不到可以代替自己的人呢? 还是一定要等我察知后才荐举呢?"平章政事完颜襄、右丞张汝霖回答说:"我们如果知道什么人才,怎么敢不讲哩,可是真的是没有人才啊!"金世宗说:"《春秋》所载各国分裂,国土褊狭,都称有贤人,是你们不举荐罢了! 现在我自己努力,或许能实现天下大治。到了今后我的子孙执政时,谁与他们一起治国呢!"

淳熙十五年　金大定二十八年(公元1188年)

春季,正月,戊戌(初二),开设议事堂,以内东门司改充。命令皇太子每隔一天就与宰相相见议事,如果遇上差派官吏,内官馆职以上、外官六部和刺史以上,才报知宋孝宗。

这以前林栗上奏说:"谏净的官吏,还不齐备。担任谏净官的人,往往分心负责御史的事,至于规劝君主的过失,则寂然无闻。请陛下亲自选拔端方质直、言行相副、能够充任补阙拾遗官的人,召见他并且任命他,以拾遗补阙作为官名,不负责纠劾的事。"宋孝宗说:"我每次想增设谏官,只因言官大多任意议论人而作罢。过去刚刚任命某人为谏官,人们就已经预知他一定会议论他人,不久果然如此。如果谏官只限于规劝我的过失,朝廷政事的缺失,确实合符古人设置谏官的本意。你们再去考求前代设置谏官的来龙去脉并上奏朝廷。"王淮等把《唐六典》中记载的和过去的礼制呈献给孝宗,孝宗说:"我乐于听我的过失,如果谏官专力规劝君主,不评弹他人,即使增设十员也行。"辛丑(初五),诏令再次设置左右补阙、拾遗。

癸卯(初七),金国派遣宣徽使富察克忠充任赴宋的吊祭使。

甲辰(初八),金世宗进行春水游猎。

乙巳(初九),宋孝宗对宰相说:"皇太子参决政事的时间不长,但已经熟知了外面的事情。从今以后每次在殿听政,让皇太子侍立。"

这时太常少卿兼左谕德尤袤对太子说:"大权所在的地方,是天下人所争相趋附的地方,非常可怕呀。希望殿下事无大小,一律取决于圣上的旨意然后才可实行;情无论厚薄,一律交付众臣商议后工作决定。"尤袤又说:"利害的发端,常常隐伏在思虑不到的地方;猜疑和嫌隙的产生,常常出现在堤防未能设好的地方。皇储的职位,只限于侍膳问安,不干预外事。抚军监国,从汉代至现在,多是权宜之计,事权不统一,动辄就有抵触妨碍。请等把太上皇的牌位安置在太庙以后,就恳请辞职,以昭示殿下的美德。"不久朝廷就让胡晋臣兼谕德,郑侨兼侍读,罗点兼侍讲。

户部奏称会庆节各州军应当向朝廷进贡,宋孝宗对太子说:"我决定免除二年,怎么样?"王淮等人说这是户部的年度计划,宋孝宗说:"可用封桩库钱拨还给户部,从淳熙十七年开始,按规定进奉。如果各路依例征收充作其他用途的话,御史台觉察以后可以进行弹劾。"

辛亥(十五日),方有开请求采取措施实行屯田,宋孝宗对施师点等人说:"二十多年不用兵,忽然叫将士们屯田,他们会乐于听从吗?"施师点说:"将兵长期安于逸乐,刚开始时让他们屯田,必定会认为很辛苦。等到过了一、二年,得到了屯田的好处,就乐意了。"宋孝宗说:"做事情必须让人乐意听从,你们可再去询问查访。"施师点说:"实行屯田的本意,不只是积谷,是想把军队布置在边境地区,出现紧急情况就可以调用。"宋孝宗说:"这是寓兵于农的意思。"

庚申(二十四日),知枢密院事施师点被免职。

施师点常常对他的儿子们说:"我生平担任官职,都是任随它升沉,不曾依附权势谋求升迁,只有皇上了解我,遂至显贵。一个人的穷窘或通达都是命中注定的,不在取巧图画,只有忠孝才是我的正事。"

甲子(二十八日),任命黄洽为知枢密院事,任命吏部尚书萧燧为参知政事。

二月,乙亥(初九),金世宗回到都城。

丁丑(十一日),礼部郎郑侨上奏说:"淮东盐场的开垦,自从淳熙四年以来,按照他们所耕种的地,计算出亩数并以此征税,税率是十分之五,名叫'子斗',价钱全部归公库,每年大约可得二百万缗。因此亭户肆意开耕,导致柴薪减少,妨废盐业。我在过去担任提举时,曾经免收子斗钱,并且严禁亭民,已经耕垦的土地不能布种。现在已过了几年,恐怕禁约不严谨,这种弊病会再次产生,请令监司前去访查。"朝廷准奏。

庚辰(十四日),赵汝愚、李大正上奏提到黎州买马的事,请按照过去的办法,不拘尺寸,宋孝宗问枢密院的官员说:"引用的旧法,是绍兴年间的旧法,还是东京时的旧法?"黄洽说:"是祖宗颁行的旧法。"宋孝宗说:"祖宗时有西北地区的马可以骑,买黎州马只是一种羁縻方法。现在黎州马用作战马,不能不合标准尺寸。"

丁亥(二十一日),金国吊祭使富察克忠在德寿殿举行吊祭仪式,然后在殿东侧的素色帐幕里拜见了宋孝宗。

癸巳(二十七日),颜师鲁等从金国归来,金世宗把高宗遗留物中的五件玉器、二十件玻璃器和弓箭之类交给颜师鲁等带回,金世宗说:"这都是你们国家已故皇帝珍爱的玩物,应该珍藏起来,表示不忘追慕之情,我如果受了这些东西,从情义上说于心不忍。"

宋朝派遣京镗等前往金国表示感谢。

三月,丁酉朔(初一),金世宗举行万春节,在神龙殿宴请群臣,各位亲王、公主依次上前敬酒。金世宗非常高兴,用本国的音调自己谱了一支曲子,歌曲唱的是自己在位时间久了,年纪大了,追思国家基业的重要,万世无穷的托付,以此告诫子孙应当修身养德,好好守护社稷江山,并且令左丞相图克坦克宁尽忠辅导。这时金世宗亲自唱歌,太孙与图克坦克宁和唱,尽欢而散。

庚子(初四),王淮等上奏说把已故太上皇的谥号定为圣神武文宪孝皇帝,庙号定为高宗。

癸丑(十七日),采纳翰林学士洪迈的建议,把吕颐浩、赵鼎、韩世忠、张俊的牌位放在高宗的牌位旁一同接受供奉。

当时有人认为张浚很像东汉末年的诸葛亮,他的牌位也应放到高宗的牌位旁。洪迈说:"诸葛亮斩马谡,已经是失策。张浚误斩曲端,几乎自坏万里长城。至于曲端死后又打起曲端的旗号,更是下策,只能招来敌人的讥笑,动摇我军的军心。"宋孝宗认为洪迈的意见很中肯。吏部侍郎章森请把岳飞和张浚,秘书少监杨万里请把张浚的牌位陪放在高宗牌位的旁边,孝宗都没有答应。

辛酉(二十五日),枢密院上奏说:"绍兴初年,吴玠、杨政分别防守蜀、汉地区,大散关以西由吴玠防守,梁州洋州归杨政防守。蜀中边境各地,大散关最重要。希望陛下与两三个大臣探求蜀中守边的旧迹,命令制置司与都统司共同制定出一套长期防守的策略。根据兴元都统制彭杲奏报,大散关一带,属凤州、地界,归西路安抚使管辖,淳熙二年,凤州改归兴元都统制管辖。我私下里认为大散关是边境冲要地区,战略地位最为重要,又因为凤州现在的主官是文官出身,既没有军队驻守,又没有统领军官,而且本都统制司的号令又送不到,一旦出现紧急情况,如果两方面议论不合,或者互相抵牾,就会贻误国家大事。请把凤州的知州人选交由本都统制司选择上奏后再加以任命,以便统带防守的士卒。"诏令:"彭杲在统制官中精选一批熟悉边防、民政的人,列出姓名上报朝廷。"

丙寅(三十日),暂且把高宗攒葬在永思陵,改懿节皇后的谥号为宪节。

3570 夏季,四月,壬申(初六),宋孝宗亲自主持了奉迎虞主的仪式。从此以后的七虞、八虞、九虞、卒哭、奉辞等各种礼仪都是这样。

癸酉(初七),金国增加了外任小官和繁难局分承应人的俸禄。

杨万里因为洪迈驳难他提出的让张浚牌位陪侍高宗牌位的建议,指责他欺诈专横,礼官尤袤等请孝宗诏令群臣再次集中讨论。宋孝宗对大臣们说:"吕颐浩等人的牌位陪放在高宗牌位旁,符合公论,不须再议。洪迈固然轻率,杨万里也未免浮薄。"因此二人都请求离开朝廷,洪迈出守镇江,杨万里出守高安。

丁丑(十一日),金国任命陕西统军使富珠哩鄂尔罕为参知政事。

癸未(十七日),金国建立了女真太学。

丙戌(二十日),宋孝宗下诏说:"我以前下令,要为太上皇服丧三年,群臣多次请我换掉孝服,因此穿着布素在内殿听政。虽下过等祔庙过后勉强听从群臣请求的诏书,然而查考有关的礼仪典籍,内心确实不安,只有服完三年丧,才符合古代的礼数。各位要体谅我的一片至诚,不要再请求了。"从此大臣才不敢提起。

当时执政大臣都同意以日易月的主张,谏官谢谔、礼官尤袤知道这事不对但不能争论。只有敕令所删定官沈清臣曾经上书赞成宋孝宗的决定,并且说:"将来祔庙完了以后,请预先将陛下的亲笔诏书准备好,决然表示守满丧期的心愿,杜绝大臣们的奏章,不让他们再来奏请,努力保全圣上的一片孝心,以此给百官看,表率四海。"宋孝宗采纳了他的建议。

陈亮上疏说:"高宗皇帝与金国有父兄被执的大仇,在生时不能报仇,死了必定寄希望于子孙,怎么忍心把高宗升天的悲哀告知仇人呢! 遗留、报、谢三使相继出发,然而金国仅仅派来一位使臣,像对待一个小国。义士仁人,对此痛切心骨,这难道是陛下的圣明智勇所能够容忍的吗? 我猜想是不是执事的大臣,对金国十分畏惧,有意把陛下引向错误呢?"陈亮的上疏有一万几千字,总的意思是想激发宋孝宗的雄心去收复失地。当时孝宗已准备禅位给太子,因此孝宗十分生气,认为陈亮是狂妄怪诞的人。

五月,丙申朔(初一),宰相请孝宗任命司谏的官员,宋孝宗说:"司谏的官员,恐怕是初次为官,不能放行。"孝宗回头对太子说道:"切切不能开这种侥幸之门。"太子回答说:"侥幸之门,开了就会有攀龙附凤之人源源而来,确实不能开。"

己亥(初四),左丞相王淮被免职,因为左补阙薛叔似弹劾了他。不久宋孝宗对薛叔似说:"你们的职责是拾遗、补阙,不是弹劾他人。今天你的上奏类似弹劾,这很不合我设拾遗、补阙的本意,你要自我警醒。"

丙午(十一日),金国规定:"太学的教授必须由宿儒高才的人担任,俸禄与丞、簿等相同。"

戊申(十三日),京镗等到达金国。按过去的惯例,南国的使者到了汴京就赐宴。这次京镗请免赐宴,金国郊劳使康元弼等不同意。京镗说如果一定不能免掉赐宴,就请撤去乐舞,并且送信给康元弼说:"我听说邻居死了人舂米不能出声,乡里有人出殡时不能在街巷唱歌。现在我是受命前来,对贵国的惠吊,表示感谢。贵国考虑到我们远道而来很辛苦,派遣郊劳使者慰问,举行赐宴仪式,真是莫大的恩惠。我们受了这种恩惠,岂敢不深深地拜谢! 如果说一定要我们听音乐,这在圣人经典里是违背礼教的,从作臣子的角度讲是违背道义的,这样做不只是我朝的羞耻,也不是昭示北朝美德的做法!"双方相持了很久。京镗到了迎宾馆,金国的礼宾官员催着京镗等人马上入席,京镗说:"如果不撤除乐队,不敢入席。"金国人逼迫他，京镗毫不动摇，就领着他的下属奔出了客馆，金国武士拔刃对着他们，京镗喝退了他们。后来金世宗听说了这事，感叹说："京镗真是南朝的直臣啊。"特意下令撤除乐队。从此以后一直坚持撤去乐队然后入席的做法。

丁巳（二十二日），孝宗下诏修《高宗实录》。

戊午（二十三日），浙西提举石起宗，奏说海盐芦沥场催煎官蔡濮，要挟勒索亭户，不能胜任本职，请让他做岳庙监官，宋孝宗说："这个人应该免职。"还下令吏部考求蔡濮被任命时的吏部侍郎是谁，吏部说是贾选，宋孝宗说："贾选已被免职，姑且放过他。以后吏部考察巡尉等时应当特别审慎。"

庚申（二十五日），殿中侍御史冷世光上奏说："县令是直接管理百姓的人，以前吏部规定被指控免职的县令，半年以后才许到吏部报到，不准去繁难大县任县令，只准去小县任县令。小县的百姓有什么错啊！请令吏部遵守淳熙五年的法规，凡是被弹劾的人，姑且去任祠官；知县若被免职，半年后也姑且去岳庙任职；两次任县令，两次被罢免的人，不能再担任亲民的官职。"孝宗诏令吏部看后采取措施。

壬戌（二十七日），宋孝宗才到后殿视事。

敕令所删定官沈清臣上奏说："陛下执政以来，不是不注重宰相的人选，开始时是选故老重臣，后又选用您当太子时的旧属，有的是文人，有的是时望名流，有的是精于刑法的官吏，有的是刀笔小吏，这些人中，有的雅重诡异，有的行实自将，有的趑趄诞慢，有的谨畏柔懦，有的狡猾庸俗，有的拘谨少才；间或有的度量沉静但谋划太浅陋，心怀国家但才能智术似乎很粗疏，有的表里忠诚直率但又气量狭小。任宰相后有的因为空疏而落败，有的因为鄙狠而落败，有的因为欺诞而落败，有的因奸险而落败，有的因浮夸而落败，有的因贪墨而落败，有的因诡诈而落败，有的因萎靡而落败。像这样的人，难道能称为宰相吗？甚至于有的贻误国家，犯有大罪的。海州、泗州，是我国的故地，私下里主张议和，无缘无故地把这个地区给了敌国；骑兵，是天子的宿卫，不能进取，无故而移驻金陵；任用狂诞浮薄的人阻塞正人君子的晋身之途，擅自张开权佞之门来巩固自己的高位。现在仍然沿袭前辙，渐渐成了一种弊政，国家出现变故，没有一点建树，出现紧急情况，也不知负起责任，既然如此用这种人任宰相有什么用呢！"

礼部上奏说："国学进士石万和杨忠辅指责淳熙十五年太史局编订的历法有差错。现今石万等所编定的历法，与现行的历法不相同，请以今年六月二日、十月晦日月亮不应出现而出现了作为验证。"诏令尤袤、宋之端监视测验。

这以前诏令裁减各衙门多余的官吏，到这时共裁减了七百多人，这是听从吴澳的奏请。

六月，戊辰（初三），给事中郑侨上疏说："陛下创立法制，显然合乎人心，可以万世遵行而不会出现弊病，文臣任职要经铨试，武臣任职要经呈试。多年以来，有司谨守奉行，偶然因为淳熙十一年有个进义副尉叫何大亨的，因祖荫而当官，自我介绍是效用人，请求免予呈试，遂蒙特旨被免呈试。这种弊端一出现，他人竞相攀比援引，于是使一时特旨，成了惯例。根据有关法规，免予呈试的，只有在江海战船立功补了官的人和各军淘汰离军的人，依法可准许免呈试；即使不曾是投军效用的人，后来因为祖荫当了官，也合乎免试参部的法令。如果说他曾经从军，何必呈试！听任这事辗转相承，用例废法，那以后侥幸的人，一定会用冒称军人而要求免试的。希望严申此法,将特免试法令不再施行,仍旧诏令有关衙门恪守过去的法令。”

宋孝宗以此问枢密院,周必大回答说:“旧时法令规定必经呈试才能任职,淳熙十年有一两人曾经从军免予呈试,以后就成了惯例。”宋孝宗说:“郑侨说:‘既然曾经从军,自然应当熟习武艺,怎么会怕呈试! 如不能呈试,那以前从军在做什么事!’这种说法很得当,可按旧法行事。”

壬辰(二十七日),报谢使京镗从金国归来。

这之前宋孝宗对宰相说:“京镗坚持不肯听乐,这事可嘉奖。士大夫如果平时不坚守节义的话,能够像京镗一样临危不变吗?”京镗入殿朝见,孝宗慰劳他。按过去的惯例,出使回国,应当增加俸禄。宋孝宗说:“京镗出使应对自如,可升官两级。”周必大说:“增加俸禄,合乎常典。京镗很有气节,请陛下顾念他。”宋孝宗说:“京镗,是现代的毛遂哟。”于是命令京镗暂代工部侍郎。

周必大荐举朱熹担任江西提刑。朱熹入朝奏事,有人在路上拦住他说:“正心诚意的话,皇上不太喜欢听,你千万不要再讲。”朱熹说:“我生平所学的,就只是这四个字。我可以隐瞒而欺骗我的国君吗!”到入朝应对,宋孝宗说:“很久没见到你了,你也老多了。浙东的事,你自己知道。现在要让你担任一个清闲显要的职务,不再以州县官一类职务麻烦你了。”孝宗夸了他很久,才让他出来。

朱熹上奏说:“近年以来,刑法不当,轻重失宜,甚至关系人伦风化的重犯,有关衙门议刑时,也归入流放一类,这样做天理民规,怎能不至于泯灭呢!”

“提刑负责催征经总制钱,从宣和末年开始,是因为仓卒用兵,出于一时的权宜之计。这以后立为比较之说,甚至于受灾年份停征,钱米已无从征收,而只不免除经总制钱。州县的煎熬催逼,哪天才会稍稍缓解! 百姓的愁叹,哪天才会少息呢?”

“陛下即位二十七年了,我因循苟且光阴荏苒,没效一点劳,可以报答陛下。我曾经反复思考这件事,是不是安闲之中,虚明应物之处,天理还未纯,人欲还未尽。天理未纯,因此行善不能善终;人欲未尽,因此除恶不能除去恶根;一种念头产生的一瞬间,公私邪正,截然对立,二者在心中交战。因此体察大臣不是不深厚,而便嬖之人却成了心腹;思慕英豪不是不心切,而柔邪平庸之人却窃据大权;不是不爱听公正的议论,但有不能相容;不是不想杜绝逸言,但有时未免误听;不是不想向前辈的仇敌报仇,但有时不免畏怯苟安;不是不想爱惜百姓的财力,但有时不免使他们叹息愁怨。凡此种种,不一而足。希望陛下从今以后,产生一个念头的那一刻,一定要谨慎地察知它,这是天理呢,还是人欲呢? 如果是天理,一定要发挥光大它,不使它稍微有点壅塞;如果是源于人欲,一定要克制它,不使它稍有一点凝滞。由此推及言语动作之间,用人处事之际,无一不以这个原则去衡量它,那么陛下就会心中豁然开朗,内外一致,不会有一点点私欲存在心里,天下的事,将听任陛下随便处置,没有不如意的。”

第二天,任命朱熹为兵部郎官。朱熹正因为足有毛病而请求改做宫观官,兵部侍郎林栗,以前多次与朱熹讨论《易》《西铭》而意见不合,就说“朱熹本没有什么学问,只不过是剽窃了张载、程颐学说的余绪,做了浮诞妄说的宗主,称作道学,私下里自相推尊,每到一个地方动不动就带着几十个门生,仿效春秋、战国时期士子的样子;用治世之法去评判他,却是乱民的首领。现在根据他的浮名,让他入朝奏事;朱熹听到诏令之初,在路上磨蹭,得到圣旨被任命为官,还心怀不满,侧目傲视了好几天,不愿就任。这难道是张载、程颐的学说教他这样的吗！朱熹既然被任命为兵部郎官,本应归我统摄,如果不纠举弹劾他,我的罪将与他是同等的。希望将朱熹免职,以引起侍奉国君无礼的人的警惧。"

宋孝宗认为林栗的话太过分了,不久诏令朱熹仍旧担任江西提刑。周必大说;"朱熹上殿的那一天,足部的毛病还没好,是勉强上殿应对的。"宋孝宗说:"我也发现了他的足部有毛病。"薛叔似也上奏替朱熹讲话。太常博士叶适说:"考察林栗弹劾朱熹的话,从头至尾相互参验的话,没有一句是实在的。至于其中'谓之道学'一句,最不实在。利害相关的,不只是朱熹,自古以来小人残害忠良,大抵都编造一种名目,有的是为了扬名,有的是为了标新立异,有的是为了树立朋党。最近又创造出道学的名目,郑丙首倡,陈贾应和,占据要职的大臣暗地里私相传授,见士大夫中有稍务洁修,略能操守的,就以道学的名目称他,以行善为污点,以好学为罪过,致使贤士心中惴惴不安,普通人不求上进。过去王淮明里暗地授意谏官,暗中废弃正人,大致用的这种办法。林栗作为侍从,不能伸达陛下的圣德,反而袭用郑丙、陈贾暗地里相互传说的说法,认为道学是大罪,导致谗言横生,好人受祸,什么事不会发生！请陛下奋发振作,刚毅果断,以安慰众心。"奏章呈送进去,没有回音。

秋季,七月,戊戌(初四),献上高宗庙的庙乐名为《大勋》,庙舞名为《大德》。

辛亥(十七日),金国尚书左丞钮祜禄额特喇被罢官。

侍御史胡晋臣弹劾林栗党同伐异,无根无据就指责学者结党。己未(二十五日)外调林栗做泉州知州。朱熹授宝文阁衔,他请求做宫观官,未能入朝供职。

壬戌(二十八日),恩平郡王赵璩去世。宋孝宗天性友爱,赏赐极多,这次又追封赵璩为信王。

八月,甲子朔(初一),出现日食。

庚辰(十七日),金世宗对宰相说:"最近听说乌底改有不顺服的意思,如果派使者去责问,他或许抵赖无礼,那么边境就会发生危机,会一发不可收。我曾经想招徕远方之人,对国家没一点益处。他们自动前来归顺就听任之,不自动前来也不强迫他们,这是前代安抚异族的长久之策。"

金国参知政事富珠哩鄂尔罕被免职。壬午(十九日),任命山东路统军使完颜博勒和为参知政事。

甲申(二十一日),金世宗对宰相说:"用人的要诀,就是在他壮年心力精强时用他。如果拘泥于资格,就往往要等他老了才用他,这时思维能力最不济事。鄂尔罕如果能早点得到重用,必定能很好地辅助我,可惜他已经老了。以后若有可用的人才,你们要早加考虑。"

这月,湖北运判孙绍远上朝辞行,宋孝宗问他说:"列祖列宗时广西的盐务是怎么办的?"孙绍远回答说:"归官府买卖。"宋孝宗说:"如果广西的客钞法可以实行的话,祖宗肯定会实行。"孙绍远说:"钞法祸国害民。"宋孝宗说:"以前听到的说法不一,经过你一讲,知道了其中的真相。"

九月,辛丑(初八),宋孝宗隆重地举行了明堂大礼。

此前礼官请对明堂进行统一规划。宋孝宗说:"怎么配位呢?"周必大说:"礼官昨天已提出申请,高宗的供桌还没有撤除,按徽宗时惯例,不应配坐,暂且把太祖、太宗并配。以后高宗的供桌撤除以后,另当再论。大抵前后的儒家多因《孝经》'严父'之说,宗庙祭祀专以亡父相配。根本就不知道周公虽然摄政,但主祭却是周成王,从周公的角度说,因此称为严父。晋朝的纪瞻在答秀才的策论时说:'周朝旧制,明堂中应尊崇祖宗以配飨上帝,因此汉武帝的汾上明堂,没用文帝、景帝而用汉高祖配飨。'这就是最好的证明。"留正说:"崇敬父亲没有比用父位配天的办法更好的了,周公就是这样的人。这里的严父是专指周公而言的,至于周成王是属于祖之列了。"宋孝宗说:"有绍兴年间的经典惯例在那里,可以参照实行无疑。"

庚申(二十七日),宋孝宗对太子说:"现在礼仪文字方面的事,已经很详细完备了,不必再讲了。只是财政状况还不容乐观,我常常想起这个问题,必须省却江州或者池州的一支驻军,财政状况才会稍微宽松。如果建议裁军,就停征三年,这样军士数目就少了,再把裁剩下的人划归建康,事情也会有个眉目。现在我国的财政收入按十分计算的话,有八分以上用于养兵,这不能不了解。"

许浦水军统制胡世安上奏说:"许浦的驻军,本来驻在明州定海,后因故移驻许浦。这时港道水深,可以泊船。后来湖沙淤塞港道,于是将战船移泊到顾泾,人与船相距将近二百里,遇上紧急情况,怎么能及时上船!应当依旧将船移泊定海。"宋孝宗说:"定海那里动用水军是很方便的,当时就不该移泊别处。"

此月,录用为中兴而出了力的节义之士的后代,这是采用吏部尚书颜师鲁的建议。于是引用有关敕书,决定拨用中兴时节义之家的后代,诏令吏部列出名单上报朝廷。

冬季,十月,丙寅(初四),湖州知州赵恩说:"湖州濒临太湖,有湖堤围着,而且排列着二十七条水渠,引导湖水去灌溉田地,各处又建了斗门作为蓄洪泄洪的地方,根据旱涝的情况或开或关。去年天旱时,高处低处的田地都得不到浇灌,派官员去访求遗迹,开挖渠沟,不到几天,湖水流通进来,远近都得利,而且整治修葺了斗门。请诏令守臣,每年派官员亲自去视察湖堤,开挖沟渠,补治斗门,或许能获长久的益处。"朝廷准奏。

己巳(初七),广西提刑赵伯遏奏称本路的钞法有五种弊端,并且说:"过去提此建议的人,认为官般官卖科勒百姓,为害一路,于是改行钞法,对上可使国家富足,对下可使百姓富裕,没有人认为这样不好。如今已过了六年,各郡催逼一天比一天厉害,百姓深受其苦,名为使国家富足,实际上国家不富足;名为使百姓富裕,实际上百姓不富裕。最值得忧虑的问题是,沿边和邻近的州军,兵额已严重耗减,又不征招补满,导致那里城墙颓圮,无力修筑,一旦出现紧急情况,还能指望什么!我曾经遍访那里的官吏和百姓,他们说过去官般官卖时,广西各郡确实也有逼迫百姓的,然而不过是产盐的地方,就是高、化、钦、廉、雷五州,海乡盐价不好不肯买,因此有时逼迫百姓。至于静江、郁林、宜、融、柳、象、昭、贺、梧、藤、邕、容、横、贵、浔、宾这一十六州,离盐场远,如果不实行官卖,就无法买到盐。过去各州只是开设店铺卖盐,百姓也乐于从店铺里买盐,不须强迫。自从改为实行钞法以来,上述十六州,白白损失了官府的收入,百姓也没得到益处。盐在百姓的日常生活中是很重要的,现又遭盐钞之苦;沿海五州,虽然名为卖钞,那里过去卖二分食盐,本不曾禁,计算户数人口,科勒扰害一如过去。我认为现在制定法规,只应当讲究沿海五州卖盐中存在的问题,杜绝逼勒,不应当改变戊子(二十六日)，有官员上奏说："祖宗执政的时候，官员都崇尚恬淡，张师德两次登宰相的门，遭到人们讥议；哪里像今天，登门的纷至沓来！台谏官的门下，更是鱼龙混杂，终日应酬，也觉得厌烦苦恼，但又没法拒绝那些人的到来。请朝廷明确下诏不准奔走于宰相之门，那些平日只知攀附以谋取差事的人，宰执大臣可以贬抑他，台谏官员可纠举他。至于在私第的谒见之礼，一切削去；如果真的有公事，不拘时间自可相见。或许上面的人能够爱惜时光，不被宾客所困扰；在下面的人能够恪守本职，不被人事关系所牵扯。"这一建议被采纳。

己丑(二十七日)，司农寺上奏说："丰储仓当初规定的数额为一百五十万石，这不算不多，然而储积久了，就难免腐朽！今后如果出现什么紧急情况，必将茫然失措。应当估计每年各州应交纳的米的数量和各处坐仓的收数，预先计算，等以后对兑。装不完的，按常平法一样，准许在新谷陈谷未接续的时候，选择出那些储积太久的粮食全部出粜，等秋收以后全部补籴，象这样的话就有五十万石粮食，永远不会消耗，这也是增加蓄积储存的一种好办法。"朝廷听从了这一意见。

此日，设置了焕章阁，收藏《高宗御集》。

十一月，丙申(初五)，宋孝宗对皇太子说："恩赐官职不可泛滥。将来皇太后庆八十寿诞与我庆七十寿诞日期相近。如果恩赐太滥的话，将会增加多少新官！如皇太后庆寿，只能推恩本殿的属官才对。"

戊戌(初七)，金国把金熙宗改葬在峨眉谷，陵墓还是称思陵。

金国下诏令说："南京、大名府一带因受水灾逃离家园不能复业的人，官府予以赈济，仍旧量给田地，给予耕牛。"

壬子(二十一日)，杨伟上奏，说的是广西州郡役使土著人的弊端，宋孝宗说："既然屡次颁布了有关法令，何必再次申严！便可以直接责问他们的违法之举。"孝宗随即对太子说："今后如果还有这种事情，便可直接按有关法令实行，不必再三申报，徒然成为一种形式。"

十二月，乙亥(十四日)，金世宗生病。庚辰(十九日)，大赦天下。乙酉(二十四日)，诏令皇太孙完颜璟摄政，住在庆和殿的东配殿。

丙戌(二十五日)，金国任命太尉、左丞相图克坦克宁为太尉兼尚书令，平章政事完颜襄为右丞相，右丞张汝霖为平章政事。参知政事博勒和被免职，让户部尚书刘玮担任参知政事。

戊子(二十七日)，金世宗诏令图克坦克宁、完颜襄、张汝霖在内殿值宿。

这以前朱熹因被授予宫观官离去，这次再一次被诏召，朱熹再次谢词，并且写好奏章放进瓯里进呈给宋孝宗，奏章的内容大略说：

"陛下目前最要紧的事，就是辅导太子，选拔任用大臣，振举朝纲，变化风俗，爱惜休养民力，修明吏政，就是这六件大事。

"至于左右有些嬖幸的人，受皇恩过度，像过去的龙大渊、曾觌、张说、王抃之流，一度炙手可热，权倾一时，现今都不必提起了。只有前天我开列名姓的人，虽蒙圣上恩德婉言开导，然而我私下里认为他们只能守门、传命，做扫除一类差使，不应当让他们狐假虎威，使他们得逞于一时，作淫巧，立门户，招揽权势。我私下里在外面听说，自从王抃被驱逐以后，军中将官的任命,大多出自这班人之手。陛下竭尽百姓膏血来奉养军队,而军士却得不到温饱,这都是因为将帅巧立名目,夺取军士衣粮,大肆进行贿赂,以求进用,出入宫禁任职;朝中的心腹大臣,在外面交结将帅,共同欺骗哄瞒,以至于这样。但陛下不觉悟,反而宠幸他们,使宰相不能议论他们处事的得失,谏官不能评论他们授官的是非,这样看来陛下用以端正左右近臣的办法,明显地比不上古代圣明的帝王。

"至于辅佐太子,则自从王十朋、陈良翰之后,官僚中选拔出来的,虽然号称适得其人,但能够称职的,大概就很少了。而且还不时让一些邪恶、浅薄、平庸的人,混杂在中间。所谓讲读,亦姑且拿一些应景文章充数,从没听说他们讲箴言或规劝的话。至于朝夕之间,陪侍游宴的人,又不过是几个使臣、宦官而已。立太子但不置师傅、宾客,就无法开启他尊师、亲近友人、恪守君德、乐于仁义的心思。应当讨论前代的典故,设置太子师傅、太子宾客这样的官职,撤去春坊使臣,让詹事、庶子各复其职。

"至于选拔任用大臣,凭陛下的圣明,难道不知道天下的大事,必须任用刚明公正的人吗?其所以常常没有任用这样的人反而容忍鄙夫窃位,只是因为一念之间没有能剔除私心的遮蔽,对那些私下消遣结识的朋友,善于阿谀的小人,就不能按一定的法度去衡量他们。因此任命诏书还没发出,人选就预先定了,名姓还没公布,而京内京外都已知道这人绝不是天下一流的人选。

"至于振肃纪纲,变化风俗,现今朝廷内外,禁密之地,天下不公的事理,不正派的人,反而能够窟穴盘踞其间,然而陛下目见耳闻,无一不是不公不正的事。到他们作奸犯法,陛下又不能割弃私心所爱,把他们交付外廷公论,让有司按法论处他们,因此纪纲不能不被败坏。上面纪纲不振,因而下面的风俗就会颓坏,这种状况已经为害很久了。浙中尤其严重,大多习惯于软绵娇美的神态,顺从阿谀的话语,以不分是非不辨曲直为得计,唯利是图,没有廉耻。一旦有刚毅正直守道循理的人出现在他们中间,就一齐非议排挤,指责他是道学,而加上偏激这一罪名。十多年以来,用这二字禁锢天下的贤人君子,又像崇宁、大观年间的所谓元祐学术那样,排挤摈弃诋毁羞辱他人,必定要使他无地容身才作罢。呜呼!这难道是治世之事,而还忍心讲它啊!

"至于爱惜休养民力,修明军政,自从虞允文为宰相以后,全部调取了户部年度收入中确实可以指靠的项目,号称是年终的积余而输送到内库,只是空有其名而无其实,积累欠挂,空载簿籍,不能催征的,拨还给户部作为内库的积储,准备用作今后用兵进取的临时支出。宰相不能按有关制度调节其收支,户部不能根据簿籍考求其存亡,反而白白地使户部的收入日益匮乏,督催日益严峻,制定了比较监司、郡守谁优谁劣的法规来利诱威胁他们。因此中外沿用这一陋习,竞相苛勒,这就导致了民力遭受重重困扰。

"各级将官为求晋升,必定先克扣士卒以便增殖私财,然后贿赂陛下的心腹大臣,希望让陛下听到他的姓名。陛下只看见他的资历在先,文字材料完备,就真的以为是通过公正的途径举荐的,又怎么知道他出钱贿赂,已经如同晚唐时期的债帅了。将帅,是三军命运的操纵者,而选拔将帅的方法,却是如此荒谬。那么那些有智勇才力的人,谁肯低眉下首奔走于宦官、宫妾之门,因而陛下能够任用为将帅的人,都是庸夫、走卒罢了,还希望由他们来修明军政,激励士卒,使国势强盛,难道不是错误百出吗!

"所有这六件事,都不可缓办,而根本就在于陛下的一心。一心正,那么这六件事就不会不正,一旦有人心私欲掺杂其中的话,即使想耗尽精力以求端正这六件事,也将成为一种空洞的形式,而且天下的事就会越发不好办了。"

朱熹的奏疏呈进去时,夜漏已经过了七刻,宋孝宗已经就寝,于是急忙起床,秉烛读朱熹的奏章。第二天,任命朱熹为主管太乙宫兼崇政殿说书。当时宋孝宗已倦于政事,这样做大概是出于辅佐太子的考虑。正遇上执政大臣中有人指责道学是邪说的,朱熹就辞去了这一新的任命,另被任命为秘阁修撰,仍做宫观官。

淳熙十六年　金大定二十九年(公元1189年)

春季,正月,癸巳(初二),金世宗在福安殿去世,享年六十七岁。

金世宗在位二十八年,南北议和,与民休养生息,提倡节俭,推崇孝悌,赏罚有信,重视农桑,群臣恪尽职守,上下一心,家给人足,仓廪充实有余粮,刑部断决死罪之人,一年不超过二十人,国人称金世宗为"小尧舜"。

皇太孙完颜景,按照遗诏即皇帝位。

丙申(初五),知枢密院事黄洽被免职,降为隆兴府知府。

己亥(初八),任命周必大、留正为左、右丞相,王蔺为参知政事,葛邲同知枢密院,参知政事萧燧兼权知枢密院。不久,萧燧改任宫观官。

此前诏命广西经略应孟明等查究盐法的利弊,这时应孟明上奏说盐钞勒索百姓,为害一方,希望恢复旧法以便解除百姓的愁怨。宋孝宗说:"当初商议这个问题时,先派了胡廷直去,商议并不是不周详严密,只是附和詹仪之的说法。现今被他所误,盐法还是照旧。"转运判官朱晞颜上奏说:"广西盐名为'客钞',其实根本无客。自从乾道年间改变盐法,富商没生意可做,更不用说客商了。现今的钞以客为名,却是强迫税户人家,使他们承认,直到破产为止。"壬寅(十一日),诏令:"詹仪之欺上害民,贬为安远军节度行军司马,安置袁州。"

丙午(十五日),皇太后迁居慈福宫。春坊使姜特立见了周必大,问道:"宫中人人都知道上元节后举行典礼,现在还是静悄悄的,为什么?"周必大推辞说:"这不是外廷应该知道的。"姜特立不高兴地退出去了。

辛亥(二十日),宋孝宗对周必大等说:"我近年来渐渐觉得对政事厌倦了,想在十天之内禅位给皇太子,退位以便休养,为高宗服完三年孝。有什么事情要施行,你们可以进奏。"随着令周必大、留正进呈退位诏书的草稿。

丁巳(二十六日),金国的参知政事崇浩被免职。

戊午(二十七日),金国把皇太后的寝宫命名为仁寿宫,不久又改名为隆兴宫。

免除绍兴府四万匹和买绢的一半。

己未(二十八日),把德寿宫改名为重华宫。

二月,辛酉朔(初一),出现日食。

蔡戡被任命为尚书左司员外郎。宋孝宗勤于政事,退位的前一天,还亲自任命官吏。

壬戌(初二),宋孝宗穿着吉庆衣服,来到紫宸殿,宣诏说:"我自从太上皇驾崩以来,勉强处理朝政,不能每天供奉先帝的几筵,也不能亲自去向母亲请安。皇太子仁慈孝顺聪明贤哲,久掌中枢、军国政务,经常参与决定,应该交付大权给他,抚绥万邦,使我一人能获得侍奉双亲的机会,永远替天下人尽奉养之责。皇太子可即皇帝位,我称太上皇,移居重华宫。"诏书宣读完毕,百官赴殿前的庭院中立班,皇太子即皇帝位,侧立不坐,如同绍兴三十二年的礼节,百官称贺完了后,三省、枢密院奏事,退朝,撤去仪仗。

宋孝宗改穿丧服,来到后殿,新皇帝在一旁站立,不久登辇,一同前往重华宫。新皇帝回到皇宫内,给孝宗上尊号称为至尊寿皇圣帝,皇后称为寿成皇后。

癸亥(初三),金章宗开始听政,追尊他的父亲宣孝太子为皇帝,庙号显宗,尊母妃图克坦氏为皇太后。

甲子(初四),宋光宗在重华宫拜见太上皇,大赦天下。

乙丑(初五),金国敕令:"登闻鼓院,是申达冤枉的地方,过去曾经锁了门,现在特令开放。"

丙寅(初六),任命阁门舍人谯熙载、姜特立为知阁门事,这二人都是光宗当太子时的旧臣。

辛未(十一日),尊称皇太后为寿圣皇太后。

壬申(十二日),诏令内外官员奏陈时政的缺失,四方进献歌功颂德的却不接受。

派罗点赴金国告知宋光宗即位的事。

乙亥(十五日),派诸葛瑞等人出使金国吊祭金世宗。

己卯(十九日),宋光宗诏令:"官吏贪赃情节恶劣的,严惩不贷。"

辛巳(二十一日),把宋光宗的生日定为重明节。

乙酉(二十五日),金国诏令:"有司查考典故,准许引用宋朝的。"

己丑(二十九日),下诏编写《寿皇圣政》。

庚寅(三十日),诏令中书舍人罗点把可担任台谏官的人列出姓名,罗点把叶适、吴鉴、孙逢吉、张体仁、冯震武、郑湜、刘崇之、沈清臣这八个人的姓名呈报上去。当时宋光宗想罢免周必大,罗点举荐的人,都是主张和周必大相似的,因此宋光宗没录用他们。

诏令有关官员每天轮流与皇帝个别谈话。秘书郎兼权吏部郎官郑湜首先说:"夏商周三代以来,本朝的家法最正。一是侍奉双亲,二是治理家族,三是教育子女,这是家法中最主要的。自古以来的帝王,虽然富有天下,而不能以天下奉养他的双亲。只有高宗享受了天下人的奉养,寿皇亲自尽了天子的孝心,二十七年来,人们没有空话可说。陛下遵行家法,应该像寿皇一样,然后才会无愧于心。本朝历代以来,不曾有过不贤德的后妃,大概是祖宗的家法最严,子孙遵守得最为严谨。后妃娘家的待遇有节制,因此没有恩宠太滥的过失;妃嫔的进御都按照一定的顺序,因此没有出现忌妒专宠的现象;宫禁不干预朝廷的政事,因此没有斜封请谒的私情。这三个方面,汉、唐都比不上。皇子聪明天成,远远超过了一般人。然讲读官员,进宫有一定的时限,感情不能沟通,休沐的时间,有时比讲读的时间还多,根本比不上左右前后的人与皇子亲近,朝夕不离,一曝十寒,没有能使皇子成材的环境。恩请陛下尽奉养双亲的义务以保全帝王的义务,严肃家法以正治家的纪纲,明确教育子女的方法以巩固万世的基本。"郑湜又说:"我私下里听外面的人说,盛传宫中频繁宴饮,费用成倍地增加,献媚取宠的小人,往往得到亲近,朝廷内外的奏章,批付迟缓,希望陛下奋发振作,洗革旧习,减省宴饮,节约用度,亲近贤人,勤理朝政。"

此月，寿皇诏令立宋光宗的元妃李氏为皇后。

李皇后生性忌妒凶悍，寿皇多次训敕，令她以皇太后为榜样，否则，将会废掉你。李皇后怀疑这种说法是出自太后之口，很恨她。

三月，丙申(初六)，派沈揆等出使金国祝贺金章宗即位。

己亥(初九)，进封平阳郡王赵扩为嘉王，赵扩是李皇后生的。

己酉(十九日)，金国把金章宗的生日定为天寿节。

甲寅(二十四日)，任命史浩为太师。

戊午(二十八日)，金国派张万公等送来金世宗的遗留物。

己未(二十九日)，废除拾遗、补阙等官职，让薛叔似改任将作监，许及之任军器监。御史中丞谢谔争论说这两种官职不能废，宋光宗不听。从此近臣很少有劝谏的。

夏季，四月，丙寅(初六)，祭祀太庙。

癸酉(十三日)，改封皇侄嘉国公赵抦为许国公。

乙酉(二十五日)，金国把光天兴运文德武功圣明仁孝皇帝安葬在兴陵，庙号世宗。

戊寅(十八日)，任命兵部侍郎何澹为右谏议大夫。

丙戌(二十六日)，在景灵宫举行祭祀。

五月，甲午(初五)，任命王蔺为知枢密院事兼参知政事。

丙申(初七)，左丞相周必大被免职。

当初，何澹与周必大友好，何澹担任司业，久久不能晋升，留正上奏把何澹升为国子监祭酒，何澹由此恨周必大而感激留正，等到他担任了谏议大夫以后，首先就上疏攻击他。周必大两次上疏请求离开朝廷，朝廷令他以观文殿大学士的身份担任潭州通判，不久又以原官担任醴泉观使。

常德府、辰、沅、靖州遭受大水灾，洪水漫进府衙和州衙。

初开讲筵，侍讲尤袤说天下万事如果开头出现了过失，以后就不能补救了，《尚书》里写道："要想慎其终，只有慎其始。"尤袤又举出唐太宗不私宠秦王府旧人作为鉴戒。知阁门事姜特立，怀疑他是因为自己而发出这种议论，就指使言官指责尤袤是周必大的同党，将他赶出了朝廷。

丙午(十七日)，金国因为将金世宗的牌位放进太庙的仪式已完成，实行大赦。

戊申(十九日)，晋封和议郡夫人黄氏为贵妃。

知阁门事姜特立被免职。

姜特立与谯熙载一同被任用，依恃皇恩肆无忌惮，当时人们说是曾觌、龙大渊再现。留正列举他揽权干预政事的罪过，请求皇帝斥逐他，宋光宗犹豫不决。遇上参知政事一职空缺，姜特立拜见留正说："皇上认为您担任右丞相已经很久了，要把您迁为左丞相；叶、张两位尚书，当选择一人出来担任执政大臣，不知该先任用谁？"留正将此事上奏，宋光宗听了非常生气，于是剥夺了姜特立的职位，让他到外地做宫观官。寿皇听了这事说："留正是真正的相才啊！"宋光宗顾念着姜特立，又任命他为浙东马步军副总管，赏赐二千缗钱作为行装费。

戊午(二十九日)，金国治下的黄河在曹州决口。

闰五月，庚申朔，诏令内侍陈源准许他任便择地居住。

金章宗封他的哥哥完颜珣为丰王,琮为郓王,环为瀛王,从彝为沂王,弟弟完颜从宪为寿王,玠为温王。

壬戌(初三),任命赵雄为江陵府通判,封为卫国公。赵雄病得厉害,不久改任资州通判。

癸酉(十四日),宋光宗下诏说:"秋季的最后一个月在明堂举行祭祀,以高宗配飨。"

丙子(十七日),金国进封赵王完颜永中为汉王,曹王完颜永功为翼王,豳王永成为吴王,虞王永升为随王,徐王永蹈为卫王,滕王永济为潞王,薛王永德为沈王。

己卯(二十日),阶州发生大水,水流进了州衙。

壬午(二十三日),大理寺上奏说监狱空了。

六月,己丑朔(初一),金国有司上奏说:"律科出身的举人只知道法律,不知道教化的本源;必须使他们通晓《论语》《孟子》,培养气质。请求遇上府级会试,委派经义试官出题另外考试,与律科考试的成绩结合起来决定取舍。"这个建议被采纳。

庚寅(初二),镇江涨大水,洪水冲进府衙。

辛卯(初三),金国修起居注的完颜乌珠,知登闻检院孙铎,上书劝阻围猎,金章宗采纳了他们的建议。

金国拾遗马升呈上《俭德箴》。

乙未(初七),金国初次设置提刑司,分别按察九路,并兼任劝农采访事,屯田、镇防各军都归属提刑司。

秋季,七月,辛卯(疑误),金国减免百姓的地税的十分之一,河东、河南、河北路减免十分之二,下田减免十分之三。

丁卯(初九),金国任命太尉尚书令东平郡王图克坦克宁为太傅、金源郡王。金章宗旋即又告谕尚书省说:"太傅年纪大了,每天既要上朝又要到省办公,恐怕不容易。自今旬休息外,以后四天中在家休息一天,或许可得到调养,一般的事由其他宰相处理,只有大事才向他报告。"

庚辰(二十二日),下诏慎用刑罚。

辛巳(二十三日),金国诏令京府、节镇、防御州设立学校培养士人。

八月,壬辰(初五),金国左司谏郭安民上疏提到三件事,即崇尚节俭,去除嗜欲,使学问渊博。

甲午(初七),将恭州升级为重庆府。

丙申(初九),将两浙每年的月桩等钱减免二十五万五千缗。

丁酉(初十),金章宗到大房山;戊戌(十一日),金章宗拜谒各处的皇陵;己亥(十二日),回到都城。

观文殿大学士王淮去世。王淮任台谏官时,议论弹劾都很得当;任宰相,能够尽心侍奉皇上,只是因为唐仲友的缘故,提拔陈贾担任御史,郑丙为吏部尚书,一齐攻击朱熹,开了后来关于伪学的禁令,大大损害了平生的气节。

甲辰(十七日),金国的参知政事刘玮,出京担任济南府知府。

九月,癸亥(初六),减免绍兴府的和买绢每年定额中的四万七千多匹。

乙丑(初八),告诫执政大臣、侍从、台谏官,不要写信替人荐举、请托。

丁卯(初十),金国严禁豪强大族叫他们不准与管辖自己的官吏交往。

丙子(十九日),金章宗在京城近郊打猎。戊寅(二十一日),监察御史焦旭弹劾太傅图克坦克宁、右丞相完颜襄不应请皇帝田猎。金章宗说:"这是小事,不必处理。"

乙酉(二十八日),金章宗到大房山;冬季,十月,丁亥朔(初一),拜谒诸皇陵;己丑(初三),回到都城。

辛卯(初五),金世宗对宰相说:"翰林缺人。"平章政事张汝霖说:"凤翔府治中郝俣可任此职。"张汝霖谏阻金章宗田猎,金章宗说:"如果你能每件事都像这样,我担心什么!然而时代不同了,得乎其中才恰当。"

丙申(初十),金章宗冬猎;癸丑(十三日),金章宗回到京城。

甲寅(二十八日),宋朝举行隆重的阅兵仪式。

十一月,庚午(十四日),诏令改明年为绍熙元年。

乙亥(十九日),金章宗命令参知政事伊喇履提控刊修《辽史》。

诏令:"陈源不准随便进入都城。"

丁丑(二十一日),减免江、浙月桩钱十六万一千多缗。

金国御史台上奏说:"按惯例,台谏官员不准与外人相见,大概因为担心亲王、宰相、有权势的人家,通过他们谋取私利,然而不与外界接触又无法访知民间的疾苦,官吏的善恶。"诏令:"从今以后准许与四品以下的官员相见,三品以上的官员仍旧不准接触。"

辛巳(二十五日),金国诏令有司:"今后各处如果发生饥荒,可令总管、节度使和提刑使先进行赈济,然后上报朝廷。"

改任朱熹为漳州知州。

朱熹来到任上,上奏请求免除属县无名目的税赋七百万,减免经总制钱四百万。又因为当地风俗不知晓礼,采编古代丧葬嫁娶的礼仪,出榜公布,让父老解说,用以教育他们的子弟。

漳州风俗崇信佛教,男男女女聚集在寺院开传经会,女子没出嫁的就住在寺院里,朱熹一律禁止。

十二月,特意诏令隆兴府知府黄洽上书言事。

黄洽上奏论说的是用人之道,多次请求辞官还乡,不久任命他提举洞霄宫。当他请求辞职的要求还没有得到批准时,有人劝他修建宅第,黄洽说:"我一介书生,承蒙皇恩被提拔到这种职位,没有什么东西可以报答国家,怎能先经营私宅呢!假使我一旦获罪被免职,还有先人留下的敝庐可避风雨,还有什么可担心的哩!"

戊戌(十三日),金国赈济宁化、保德、岚州的饥民。

壬子(二十七日),金章宗告谕御史台官员说:"提刑司弹劾的大多是人家的小过失,处理的话就有失国家的大体,不处理的话则担心弹劾的人不满。请把这个意思告诉提刑司的官员。"

续资治通鉴卷第一百五十二

【原文】

宋纪一百五十二　　起上章掩茂【庚戌】正月,尽玄黓困敦【壬子】十二月,凡三年。

光宗循道宪仁明功茂德　温文顺武圣哲慈孝皇帝

讳惇,孝宗第三子也,母曰成穆皇后郭氏,绍兴十七年九月乙丑,生于藩邸。孝宗即位,封恭王。及庄文太子薨,孝宗以帝英武类己,欲立为太子,而以其非次,迟之。乾道七年二月癸酉,乃立为皇太子。四月甲子,命判临安府,寻领尹事。

绍熙元年　金明昌元年【庚戌,1190】　春,正月,丙辰朔,帝朝重华宫,奉上册宝。

金改元明昌。

金主朝于隆庆宫,以后每月四朝或五六朝。

丁巳,金诏诸王任外路(省)〔者〕,许游猎五日,过此禁之;仍令戒约人从无扰民。

辛酉,金主谕尚书省曰:"宰执所以总持国家,不得受人馈遗。或遇生辰,受所献毋过万钱;若大功以上亲及二品以上官不禁。"

壬戌,金以知河中府事王蔚为尚书右丞,刑部尚书完颜守贞为参知政事。时金主新即政,颇锐意于治。尝问:"汉宣帝综核名实之道,其施行之实果如何?"守贞诵《枢机周密品式》,详备以对。金主曰:"行之果何始?"守贞对曰:"在陛下厉精无倦尔。"

甲子,金主如大房山;乙丑,谒兴陵、裕陵;丙寅,还都。

金上封事者言:"自古以农桑为本。今商贾之外,又有佛、老与它游食,浮费百倍,农岁不登,流殍相望,此末俗伤农者多故也。"戊辰,乃诏禁自披剃为僧道者。

壬申,再蠲临安府民身丁钱三年。

己卯,金主如春水。

壬午,谏议大夫何澹,请置《绍熙会计录》。诏澹同户部尚书叶翥等检正都司稽考财赋出入之数以闻。

是月,起浙西提点刑狱瑞安陈傅良为吏部员外郎。

傅良自太学录去朝十四年,须发尽白,因轮对,言曰:"太祖垂裕后人,以爱惜民力为本。熙宁以来,用事者取太祖约束一切纷更之,诸路上供岁额,增于祥符一倍;崇宁重修上供格,颁之天下,率增至十数倍;其它杂敛,则熙宁以常平宽剩、禁军阙额之类,别项封桩而无额。上供起于元丰,经制起于宣和,总制、月桩起于绍兴,皆迄今为额,折帛、和买之类又不与焉。茶引尽归于都茶场,盐钞尽归于榷货务,秋苗斗斛十八九归于纲运,皆不在州县。州县无以供,则豪夺于民,于是取之斛面、折变、科敷、抑配、赃罚,而民困极矣。天命之永不永,在民力之宽不宽耳,岂不甚可畏哉! 今天下之力竭于养兵,而莫甚于江上之军,都统司谓之御前军马,虽朝廷不得知;总领所谓之大军钱粮,虽版曹不得与。于是中外之势分而事权不一,施行不专,虽欲宽民,其道无繇。诚使都统司之兵与向者在制置司时无异,总领所之财与向者在转运司时无异,则内外为一体;内外一体,则宽民力可得而议矣。"

帝从容嘉纳,且劳之曰:"卿昔安在? 朕思见久矣。"迁秘书少监兼实录院编修官、嘉王府赞读。

二月,丙申,金命诸王出猎毋越本境。

壬寅,金给有司寒食假五日,著为令。

甲辰,金主还都。

辛亥,殿中侍御史刘光祖言:"近世是非不明,则邪正互攻;公论不立,则私情交起。此固道之消长,时之否泰,而实国家之祸福,社稷之存亡系焉者也。本朝士大夫,学术最为近古,咸平、景德之间,道臻皇极,治保太和,至于庆历、嘉祐盛矣。不幸而坏于熙、丰之邪说,疏弃正士,招徕小人。幸而元祐君子起而救之,末流大分,事故反覆。绍圣、元符之际,群凶得志,绝灭纲常。其论既胜,其势既成,崇、观而下,尚复何言!

"臣始至时,闻有讥贬道学之说,而实未睹朋党之分,中更外艰,去国六载,已忧两议之各甚,而恐一旦之交攻也,逮臣复来,其事果见。因恶道学,乃生朋党;因生朋党,乃罪忠谏。夫以忠谏为罪,其去绍圣几何?

"陛下即位之初,凡所进退,率用人言,初无好恶之私,而一岁之内,斥逐纷纷,以人臣之私意,累天日之清明。往往纳忠之言,谓为沽名之举;至于洁身以退,亦曰愤悁而然;欲激怒于至尊,必加之以讦讪。事势至此,循默成风,国家安赖? 伏冀圣心豁然,永为皇极之主,使是非由此而定,邪正由此而别,公论由此而明,私意由此而熄,道学之议由此而消,朋党之迹由此而泯,和平之福由此而集,国家之事由此而理,则生灵之幸,社稷之福也。不然,相激而胜,辗转反覆,为祸无穷,臣实未知税驾之所。"

帝下其章。何澹见之,数日恍惚无措。

光祖又劾"户部尚书叶翥、中书舍人沈揆结近习以图进取。比年以来,士大夫不慕廉静而慕奔竞,不尊名节而尊爵位,不乐公正而喜软美,习以成风。良由老成零落殆尽,晚进议论无所据依,正论益衰,士风不竞。幸诏大臣,妙求人物,必朝野所共属,贤愚所同敬者一二十人,参错立朝,国势自壮。今日之患,在于不封植人才,台谏但有摧残,庙堂无所长养。臣处当言之地,岂以排击为能哉!"帝善之。

初,殿中侍御史阙,帝方严其选。一日,谓留正曰:"卿监、郎官中有一人焉,卿知之乎?"正沉思久之,曰:"得非刘光祖耶?"帝笑曰:"是久在朕心矣。"及居官,果称职。

先是淳熙中定《御史弹奏格》三百五条,至是光祖摘其有关于中外臣僚、握兵将帅、后戚、内侍与夫礼乐讹杂、风俗奢侈之事,凡二十条,请付下报行,令知谨恪;从之。光祖,阳安人也。

甲寅,金主如大房山;三月,乙卯朔,谒兴陵;丙辰,还都。

癸酉,金诏:"内外五品以上岁举廉能官一员,不举者坐蔽贤罪。"

乙亥,金初设应制及宏(祠)〔词〕科。

辛巳,金诏修曲阜孔子庙学。

夏,四月,乙丑,以伯圭为太保、嗣秀王,即湖州秀国立庙,奉神主。伯圭谦谨,不以近属自居,每入见,帝行家人礼,宴私隆洽。伯圭执臣礼愈恭,帝益爱重之。

丁未,殿中侍御史刘光祖罢。

初,何澹劾免周必大,光祖素与澹相厚善,尝过澹,澹曰:“近日之事,可谓犯不韪。”光祖曰:“周丞相岂无可论?第其门多佳士,不可并及其所荐者。”澹不听。时姜特立、谯熙载方用事,光祖屏人语澹曰:“曾、龙之事不可再。”澹曰:“得非姜、谯之谓乎?”光祖曰:“然。”既而澹引光祖入便阁,有数客在焉,视之,皆姜、谯之徒也,光祖始悔失言。至是澹同知贡举,光祖除台官,首上学术邪正之章。及奏名,光祖被旨入院拆号,澹曰:“近日风采一新。”光祖曰:“非立异也。但尝为大谏言者,今自言之耳。”既出,同院谓光祖曰:“何自然见君所上章,数日恍惚,饵定志丸,它可知也。”未几,谢深甫除右正言,而光祖以论吴端忤旨罢,澹迁御史中丞,议论自此分矣。自然,澹字也。

吴端者,旧以巫医为业,帝在潜邸时,端疗寿皇疾有功,李后德之。帝既受禅,擢阁门宣赞舍人,又迁带御器械。澹三上疏论之,不报;给事中胡纮亦封还录黄,帝以御笔谕止之;澹、纮皆听命。光祖再上疏言:“小人逾分干请,而使给谏不得行其职,轻名器,亏纲纪,亵主权,是一举而两失。”帝命大臣谕止之,光祖言益力,帝不乐。先是光祖监拆号,差误士人试卷,既举觉,放罪矣;至是乃用前事,徙光祖为太府卿。求去不已,除潼川转运判官。

戊申,赐礼部进士余复以下五百三十七人及第、出身。从留正言,免进士廷射。

金馆陶主簿王庭筠,有才名。金主尝谓张汝霖曰:“王庭筠文艺颇佳,然语句不健,其人才高,亦不难改也。”是月,召试馆职中选。御史台言庭筠在馆陶尝犯赃罪,不当以馆职处之,遂罢。庭筠,熊岳人也。

五月,乙卯,前丞相赵雄,坐所举以贿败,降秩。

己未,出吴端为浙西马步军副总管。

丙寅,修楚州城。

丙子,金以祈雨,望祭岳镇、海渎于北郊。

戊寅,金命内外官五品以上,任内举所知才能官一员以自代。壬午,以参知政事伊喇履为尚书右丞,御史大夫图克坦鉴为参知政事。尚书右丞襄罢。

秋,七月,癸丑,诏秀王诸孙并授南班。

甲寅,以葛邲参知政事,给事中胡晋臣签书枢密院事。

乙卯,以留正为左丞相,王蔺为枢密使。

癸酉,建秀王祠堂于临安以藏神御,如濮王故事。

八月,乙酉,金始设常平仓。

己丑,金以判大睦亲府事宗宁为平章政事。

戊戌,金主谕宰臣曰:“何以使民弃末而务本,以广储蓄?”令集百官议。户部尚书邓俨等曰:“今风俗侈靡,宜使服用、居室各有差等,抑昏丧过度之礼,禁追逐无名之费。”右丞伊喇履、参知政事完颜守贞曰:“人情见美则愿,若不节以制度,将见奢侈无极。民之贫乏,殆由此致。方今承平之际,正宜讲究此事,为经久法。”金主然之。

己亥,帝率群臣上《寿皇玉牒》《日历》于重华宫。

己酉,诏造新历。

九月,丙辰,金以廉能擢北海县令张翱等十八人官。

己未,升剑州为隆庆府。

壬戌,金主如秋山。冬,十月,丁亥,还都。

戊戌,金以有司言,登闻院、记注院勿有所隶。

丙午,诏:"内外军帅各荐所部有将才者。"

十一月,丁巳,金制:"诸职官让荫兄弟子侄者,从所请。"

壬戌,潼川转运判官王溉,搏节漕计,代输井户重额钱十六万缗,诏奖之。

戊辰,金主召礼部尚书王翛、谏议大夫张晖诣殿门,谕之曰:"朝廷可行之事,汝谏官、礼官即当辨析。小民之言有可采者,朕尚从之,况卿等乎?自今所议,毋但附合于尚书省。"

丙子,金主冬猎;己卯,次雄州。判真定府吴王永成、判武定军节度使随王永升来朝。

十二月,壬午,金免猎地今年税。

丙戌,枢密使王蔺罢。时帝厉精初政,蔺亦不存形迹,除自中出,未惬人心者辄留之,纳诸御坐,每事尽言无隐。然疾恶太甚,同列多忌之,竟为中丞何澹所论罢。

戊子,以葛邲知枢密院事;胡晋臣参知政事,仍同知枢密院事。

陈贾以静江守臣,将入奏;殿中侍御史林大中,极论其庸回无识,尝表里王淮,创为道学之目,阴废正人。傥许入奏,必再留中,善类闻之,纷然引去,非所以靖国。命遂寝。

己丑,金平章政事张汝霖卒。汝霖通敏习事,凡进言,必揣上微意,及朋附多人为说,故言似忠而不见忤。金主之初即位也,有司言改造殿庭诸陈设物,日用绣工一千二百人,二年毕事。金主以多费,欲辍造,汝霖曰:"此未为过侈,将来外国朝会,殿宇壮观,亦国体也。"其后奢用浸广,盖汝霖有以导之。

丁酉,金主还都。

甲辰,金以图克坦克宁为太师、尚书令,封淄王。

金大定初,户口才三百馀万,至二十七年,户口六百七十八万九千。是岁,户部奏户口六百九十三万九千。

绍熙二年 金明昌二年【辛亥,1191】 春,正月,庚戌朔,命两淮行义仓法。

诏:"守令到任半年后,具水源湮塞合开修处以闻。任满日,以兴修水利图进,择其劳效著明者赏之。"

壬子,诏尊高宗为万世不祧之庙。

甲寅,金始许宫中称圣主。

庚申,修六合城。

辛酉,金皇太后图克坦氏殂于庆隆宫,年四十五。太后,广平郡王真之女也。素谦谨,每畏其家世崇宠,见父母,流涕而言曰:"高明之家,古人所忌,愿善自保持。"其后家果以海陵事败,盖其远虑如此。世宗尝谓诸王妃、公主曰:"皇太子妃容止合度,服饰得中,尔等当法效之。"及尊为太后,愈加敬俭。尝诫诸侄曰:"皇帝以我故,乃推恩外家。当尽忠报国,勿谓小善为无益而弗为,小恶为无伤而弗去。毋藉吾之贵,辄肆非道以干国宪也。"性好《诗》《书》及《老》《庄》学,造次必于礼,嫔御有生子而母亡者,视之如己出。

庚午,金太师尚书令淄王图克坦克宁薨。遗表略言:"人君往往重君子而反疏之,轻小人而终昵之。愿陛下慎终如始,安不忘危。"金主命有司护丧事,归葬莱州。谥忠烈。

戊寅,雷电,雨雹。

二月,庚辰朔,大雨雪。

壬午,遣宋之瑞等使金吊祭。

癸未,名新历曰《会元》。

甲申,福建安抚使赵汝愚等,以盗发所部,与守臣、监司各降秩一等,县令追停。以辛弃疾为安抚使。

弃疾尝摄帅,每叹曰:"福州前临大海,为贼之渊薮。上四郡民,顽犷易乱,府藏空竭,缓急奈何?"至是务为镇静,未期岁,积镪至五十万缗,牓曰备安库,谓"闽中土狭民稠,岁俭则籴于广。今幸连稔,令宗室及军人入仓请米,出即粜之,候秋价贱,以备安钱籴二万石,则有备无患矣。"又欲造万铠,招强壮,补军额,严训练,则盗贼可以无虞。事未行,台臣劾其用钱如泥沙,杀人如草芥,遂丐祠归。

秘书郎普城黄裳为嘉王府翊善,每劝讲,必援古证今,即事明理,凡可以开导王心者,无不言也。至是迁起居舍人。帝方宠任潘景珪,台谏交章论之,多被斥逐,裳奏言:"自古人君不能从谏者,其蔽有三:一曰私心,二曰胜心,三曰忿心。事苟不出于公,而以己见执之,谓之私心。私心生,则以谏者为病而求以败之;胜心生,则以谏者为仇而求以遂之。因私而生胜,因胜而生忿,忿心生,则事有不得其理者焉。如潘景珪,常才也,陛下固亦以常人遇之,特以台谏攻之不已,致陛下庇之愈力,事势相激,乃至于此。宜因事静察,使心无所系,则闻台谏之言无不悦,而无欲胜之心,待台谏之心无不诚,而无加忿之意矣。"

乙酉,诏以阴阳失时,雷雪交作,令侍从、台谏、两省、卿监、郎官、馆职各具时政阙失以闻。

监察御史林大中,以事多中出,乃上疏曰:"仲春雷电,大雪继作,以类求之,则阴胜阳之明验也。盖男为阳,女为阴;君子为阳,小人为阴。当辨邪正,毋使小人间君子;当思正始之道,毋使女谒之得行。"

吏部侍郎陈骙疏三十条,如"宫闱之分不严,则权柄移;内谒之渐不杜,则明断息;谋台谏于当路,则私党植;咨将帅于近习,则贿赂行;不求谠论,则过失彰;不谨旧章,则取舍错;宴饮不时,则精神昏;赐予无节,则财用竭。"皆切时病。

出米五万石赈京城贫民,权罢修皇后家庙。

辛卯,布衣钱塘余古上书曰:"陛下即位以来,星已再周,当思付托之重,朝夕求治为急。间者侧闻宴游无度,声乐无绝,昼日不足,继之以夜,宫女进献不时,伶人出入无节,宦官侵夺权政,随加宠赐,或至超迁。内中宫殿,已办三朝,何陋之有!奚用更建楼台,接于云汉,月榭风亭,不辍兴作!深为陛下不取也。甚者奏蕃部乐,习齐郎舞,乃使倖臣、嬖妾,杂以优人,聚之数十,饰怪巾,拖异服,备极丑恶,以致戏笑,至亡谓也。自古宦官败国,备载方册。臣观宦者之盛,莫如方今,上而三省,下而百司,皆在此曹号令之下。盖自副将以致殿步帅,各为高价,不问劳绩、过犯,骁勇、怯弱,但如价纳贿,则特旨专除。故将帅率皆贪刻,军士不无饥寒,兵器朽钝,士马羸瘠,未尝过而问焉。设有缓急,计将安出?良由公卿持禄保位,备员全身,如汉之石庆、唐之苏味道。满朝皆是小人,求海内不盗贼,民生不涂炭,日月不食,水旱不作,其可得乎?臣愿陛下以汉文帝为法,唐庄宗为戒,问安视膳之馀,宫庭燕间,讲读经史,无为

3587

南面,或鼓琴、投壶、习射以颐养神性,享名教不穷之乐,固嵩岳无涯之寿,岂不休哉!"

帝览书震怒。始拟编管,言者救之,乃送筠州学听读。

壬辰,金主始视朝。敕:"亲王及三品官之家,毋许僧、尼、道士出入。"

金制:"进士程文,但合格者,有司即取之,毋限人数。"

丙申,金以枢密副使瓜勒佳清臣为尚书左丞。时清臣女为昭仪,眷倚益重。

丙午,金初置王府傅尉官;名为官属,实检制之也。

丁未,金遣完颜襄等来告哀。

三月,丁巳,诏:"边事令宰相与枢密院议,仍同签书。"

癸亥,金敕有司:"国号犯汉、唐、辽、宋等名者,不得封臣下。"有司议以辽为恒,宋为汴,秦为镐,晋为并,汉为益,梁为邠,齐为彭,殷为谯,唐为绛,吴为鄂,蜀为夔,陈为宛,隋为泾,虞为泽。制可。

丙寅,诏福建提点刑狱陈公亮、知漳州朱熹同措置漳、泉、汀三州经界。

熹初为泉之同安簿,知闽中经界不行之害,至是访问讲求,纤悉备至。乃奏言:"经界为民间莫大之利,绍兴已推行处,公私两利,独漳、泉、汀未行。臣不敢先一身之劳逸而后一州之利病,窃独任其事可行也。然必推择官吏,度量步亩,算计精确,画图造帐,费从官给,随产均税,特许过乡通县均租,庶几百里之内,轻重齐同。今欲每亩随九等高下定计产钱,而合一州租税钱米之数,以产钱为母,每文输米几何,其于一仓一库,受纳既输之后,却是原额,分隶为省计,为职田,为学粮,为常平,各拨入诸仓库。版图一定,则民业有经矣。此法之行,贫民下户,固所深喜,然不能自达其情;豪家猾吏,皆所不乐,善为说辞以感群听;贤士大夫之喜安静、厌纷扰者,又或不深察而望风沮怯,此则不能无虑。"

帝诏监司条具其事,且令公亮与熹协力奉行。会农事亦兴,熹益加讲究,冀来岁行之。细民知其不扰而利于己,莫不鼓舞;而贵家豪右,占田隐税,侵渔贫弱者,胥为异论以摇之,前诏遂格。熹请祠去。

癸酉,建宁雨(电)〔雹〕,大如桃、李,坏民居五千馀家。温州大风雨、雷电,田禾桑果荡尽。

夏,四月,戊寅朔,金尚书省言:"齐民与屯田户往往不睦,若令递相婚姻,实国家长久安宁之计。"从之。

乙酉,金葬孝懿皇太后于裕陵。

戊子,金制:"诸部内灾伤,主司应言而不言及妄言者,杖七十。检视不以实者,罪如之。因而有伤人命者,以违制论。致枉有微免者,坐赃论。妄告者,户长坐诈下,以实罪计赃,从诈匿不输法。"

癸巳,金谕有司:"自今女真字直译为汉字,国史院专写契丹字者罢之。"

甲午,金改封永中为并王,永功为鲁王,永成为兖王,永升为曹王,永蹈为郑王,永济为韩王,永德为豳王。

五月,己酉朔,福州水。

辛亥,诏:"六院官许轮对,仍入杂压。"自龚茂良为谢廓然所攻,六院官始不入杂压,至是乃复班在五寺主簿之下,太学博士之上。

庚申,诏:"侍从、经筵、翰苑官,自今并不时宣对,庶广咨询以补治道。"

戊辰，金诏："诸郡邑文宣王庙、风师、雨师、社稷神坛隳废者复之。"

己巳，潼川、崇庆二府、大安、石泉、淮安三军、兴、利、果、合、绵、汉六州大水。

六月，戊子，金平章政事崇宁卒。

癸巳，诏："宰臣、执政，俱不时内殿宣引奏事。"

丙午，金尚书右丞伊喇履卒，谥文献。履精历算，先是旧《大明历》舛误，履上《乙未历》，以金受命于乙未也。世服其善。

右司谏郑驿，以言事罢，为将作监。御史林大中言："台谏以论事不合而遽遣，臣恐天下以陛下为不能容。"不听。

秋，七月，丁未朔，诏："故容州编管人高登，追复元官。"

丁巳，金以参知政事图克坦镒为尚书右丞，御史中丞瓜勒佳衡为参知政事。

己未，出会子百万缗，收两淮私铸铁钱。

己巳，兴州大水，漂没数千家。

八月，戊寅，御史中丞何澹，有本生继母丧，乞有司定所服。礼寺言当解官，澹上疏引礼不逮事之文，请下台谏、给、舍议之。

于是太学生乔嘉、朱九成、黄会卿移书责之，其略曰："人之大伦莫重于父母，礼有出继，其服虽降异，而钟于天性者未尝不同也。故所承父母则三年终丧，而所生父母则心丧三年。阁下自长成均而更长台谏，此三纲五常之所系者也。今阁下有所生继母之丧，初请解官，莫不义；继上疏称逮事不逮事之异，中外哄然。夫礼经所谓'逮事父母则讳王父母，不逮事父母则不讳王父母'，非谓无恩于先祖也。盖逮事父母，则亲闻父母之言所尝讳其祖，不逮事父母，则不闻父母之言所尝讳其祖，是以子莫知其所讳也。故本朝方悫解此一节，以谓特庶人之礼耳。若学士大夫，则知尊祖矣，何逮事不逮事之拘乎！今闻阁下引此欲不持丧，恐与礼经相反。何者？礼经谓'逮事父母则从父母'之言，今阁下所生之父，果以继室为正乎？若所生之父果以继室为正，则阁下亦当从而为正，不得黜之也。今四十馀年，以所生继母事之，及其终也，反以为生不逮事而不持心丧，可乎？夫阁下之意，必谓所生继母无生我之恩，则不当为之服，抑不思黜其所生之母，是贱其所生之父也。为人子者，尚忍言哉！不然，必以生我者为正而继之者为不正，是闾巷小人知有母而不知有父者，非天理之公、人伦之正也。阁下为天子耳目之官，将以厚人伦，移风俗，正宜致辨于此。"澹方待命六和塔，得书乃去。

甲申，宽两浙榷铁之禁。

己亥，金敕："山东、河南阙食处，许纳粟补官。"

九月，壬子，以知福州赵汝愚为吏部尚书。

时知潭州赵善俊得旨奏事殿中，侍御史林人中疏劾之，且言宗室汝愚之贤，当召。帝用其言，召汝愚而出善俊。

己未，金以左丞瓜勒佳清臣为平章政事，封芮国公，参知政事完颜守贞为左丞，知大兴府事张万公为参知政事。

庚申，金主如秋山。

乙丑，以久雨，命大理寺、三衙、临安府及两浙决系囚，释杖以下。

冬，十月，丁丑，筑福州外城。

甲申，复吴瑞带御器械。

己丑,金主还都。

十一月,丙午朔,金制:"诸女真人不得以姓氏译为汉字。"

甲寅,金禁伶人不得以历代帝王为戏及称万岁,犯者以不应为重法科。

戊午,夏人杀金边将阿噜岱。

夏人肆牧于镇戎之境,逻卒逐之,夏人执逻卒而去。阿噜岱率兵诘之,夏厢官吴明契、信陵都卜祥、徐馀立伏兵三千于涧中,阿噜岱中流矢死。诏索杀阿噜岱者,夏人处以徒刑。索之不已,夏乃杀明契等。

甲子,金制:"投匿名书者,徒四年。"

己巳,加谥高宗曰受命中兴全功至德圣神武文昭孝皇帝。

初,帝欲诛宦者,近习皆惧,遂谋离间三宫,帝疑之,不能自解。会帝得疾,寿皇购得良药,欲因帝至宫授之,宦者遂诉于皇后曰:"太上合药一丸,俟宫车过,即授药。万一不虞,奈宗社何!"后心衔之。顷之,内宴,后请立嘉王扩为太子,寿皇不许。后曰:"妾六礼所聘,嘉王,妾亲生也,何为不可?"寿皇大怒。后退,持嘉王泣诉于帝,谓寿皇有废立意。帝惑之,遂不朝寿皇。一日,浣手宫中,睹宫人手白,悦之;它日,后遣人送食合于帝,启之,则宫人两手也。黄贵妃有宠,因帝祭太庙宿斋宫,后杀贵妃,以暴卒闻;及郊,风雨大作,黄坛烛尽灭,不能成礼而罢。帝既闻贵妃卒,又值此变,震惧增疾,自是不视朝,政事多决于后,后益骄恣。寿皇闻帝疾,亟往南内视之,且责后,后怨愈深。

十二月,庚辰,筑荆门军城,从知军陆九渊之言也。

荆门为次边而无城,九渊以为荆门居江、汉之间,为四集之地,南捍江陵,北援襄阳,东护随、郢之胁,南当光化、彝陵之冲,荆门固则四邻有所恃,否则有胸胁心腹之虞,虽四山环合而城池阙然,将谁与守?乃请于朝,筑之。自是民无边虑,商贾毕集,税入日增。

旧用铜钱,以其近边,以铁钱易之,而铜有禁,复令贴纳。九渊曰:"既禁之矣,又使之输耶?"尽蠲之。平时教军士射,居民得与中者均赏。荐其属不限流品,尝曰:"古者无流品之分,而贤不肖之辨严;后世有流品之分,而贤不肖之辨略。"逾年,政行令修,民俗为变。未几卒。

乙酉,金罢契丹字。

丁亥,帝始召对辅臣于内殿。

己丑,金右丞图克坦镒罢。

乙未,增楚州更戍兵一千五百人。

甲辰,诏:"内侍省都知杨浩,怀奸凶恶,刺面杖脊,配吉州;押班黄迈,私相朋附,决杖,编管抚州。"寻送浩抚州、迈常州居住。

马大同为户部,侍御史林大中劾其用法严峻,帝欲易置它部,大中曰:"是尝为刑部,固以深刻称。"章三上,不报。又论大理少卿宋之瑞,章四上,亦不报。大中以言不行求去,改吏部侍郎,不拜;乃除直宝谟阁,与大同、之瑞俱出知外郡。

绍熙三年 金明昌三年【壬子,1192】 春,正月,乙巳朔,帝有疾,不视朝。

起居舍人陈傅良奏曰:"一国之势犹身也,壅底则致病。今日迁延某事,明日阻节某事,即有奸险,乘时为利,则内外之情不接矣。"

庚戌,蠲四川盐酒重额九十万缗。

出度僧牒二百,收淮东铁钱。

壬戌,金主如春水。

二月,甲戌朔,金敕:"明安、穆昆许于冬月率所属户畋猎二次,每出不得过十日。"

壬辰,金主还都。

金以王庭筠为应奉翰林文字。先是金主叹学士乏材,完颜守贞曰:"王庭筠其人也。"故有是命。

丁酉,申严钱银过淮之禁。

闰月,丙午,禁郡县新作寺观。

壬戌,诏:"州县未断之讼,监司毋得移狱。违者许执奏。"

甲子,成都路转运判官王溉以代民输激赏等捐钱三十三万缗,诏进一官,仍令再任。

三月,辛巳,帝疾稍愈,始御延和殿听政。封子济为安定郡王。

帝自有疾,重华温清之礼以及诞辰节序,屡以寿皇传旨而免。至是宰辅百官下至韦布之士,以过宫为请者甚众,至有叩头引裾号泣者。帝开悟,有命驾意,竟不果行,都人始以为忧。

甲申,筑峡州城。

丁亥,金赐孝子刘瑜、刘庆祐绢粟,旌其门闾,复其身。瑜,棣州人;庆祐,锦州人也。

金主因问宰臣曰:"从来孝义之人,曾官使者几何?"完颜守贞对曰:"世宗时有刘政者,尝官之。然若辈多淳质,不及事。"金主曰:"岂必尽然?孝义之人,素行已备,稍可用,即当用之。后虽有希觊作伪者,然伪为孝义,犹不失为善。可检勘前后所申孝义之人,如有可用者,具以闻。"

癸巳,金尚书省奏:"言事者谓释、道之流不拜父母、亲属,败害风俗,莫此为甚。礼官言唐开元二年敕云:'闻道士、女冠、僧、尼不拜二亲,是为子而忘其生。自今以后,并听拜父。其有丧纪轻重及尊属礼数,一准常仪。'臣等以为宜依典故行之。"制可。

金左丞完颜守贞言:"上尝命臣问忻州陈毅上书所言事,其一,极论守令之弊。臣面问所以救之之道,莫之能言。"金主曰:"方今政欲知其弊也。彼虽无救弊之术,但能言其弊,亦足嘉矣。如毅言及随处有司不能奉行条制,为人佣雇尚须出力,况食国家禄而乃如是,得无亏臣子之行乎?其令检会前后所降条理举行之。"

己亥,定杂艺不许任子法。时伶人胡永年,积官至武功大夫,以去年郊恩乞任子。吏部尚书赵汝愚言:"永年乐艺出身,难以任子。请立为定法,今后似此杂艺补授之人,不许奏补。"从之。

四月,壬寅朔,金定宣圣春秋释奠三献官以祭酒、司业、博士充,祝词称"皇帝谨遣",及登歌改用太常乐工。其献官并执事与享者并法服,陪位学官公服,学生儒服。

戊申,金瀛王瑰卒,郓王琼之同母弟也。重厚寡言,内行修饬,工诗,精骑射,金主令在左右。及卒,三临奠,哭之恸。谥文敬。

乙卯,以户部侍郎邱崈为四川安抚制置使。

初,留正帅蜀,虑吴氏世将,谋去之,不果。至是议更蜀帅,正言西边三将,惟吴氏世袭兵权,号为吴家军,不知有朝廷,遂以户部侍郎邱崈往。崈陛辞,奏曰:"臣入蜀后,吴挺脱至死亡,兵权不可复付其子。臣请得以便宜抚定诸军。"许之。

戊午,帝朝重华宫。

金赐云内孝子孟兴绢、粟,赐同州民妻师氏谥曰节。

金地旱,参知政事张万公等乞依汉故事免官,金主曰:"卿等何罪!殆朕行事有不逮者。"万公曰:"天道虽远,实与人事相通,惟圣人言行可以动天地。昔成汤以六事自责,周宣遇灾而惧,侧身修行,莫不修饰人事。方今宜崇节俭,不急之役,无名之费,可俱罢去。"金主曰:"灾异不可专言天道,盖必先尽人事耳。故孟子言王无罪岁。"左丞完颜守贞曰:"陛下引咎自责,社稷之福也。"丙寅,金主下诏责躬。

丁卯,蠲临安逋赋。

戊辰,金主遣御史中丞吴鼎枢等会决中都冤狱,外路委提刑司处决。

完颜守贞等上表乞解职,不允。入谢,金主曰:"前所谓罢不急之役、省无名之费及议裁冗官,决滞狱四事,其速行之。"

五月,帝有疾,不视朝。

戊寅,金出宫女一百八十三人。

乙酉,金以雨足,致祭于社稷。

戊子,金左丞完颜守贞出知东平府事。金主命参知政事瓜勒佳衡谕之曰:"卿勋臣之裔,才用声绩,朕所素知,擢任政府,毗赞实多,久任繁剧,宜均逸安。东平素号雄藩,兼比年饥馑,正赖经画,卿其为朕往绥抚之。"

庚子,常德大水,入其郛。

己亥,蠲四川水、旱郡县租赋。

安丰军大水,平地三丈馀,漂田庐丝麦皆空。

六月,辛丑朔,下诏戒饬风俗,禁民奢侈与士为文浮靡、吏苟且饰伪者。

以礼部尚书陈骙同知枢密院事。

癸卯,金宰臣请罢提刑司。金主曰:"诸路提刑司官,止三十馀员,犹患不得其人。州郡三百馀处,其能尽得人乎?"弗许。

戊午,以嗣秀王伯圭为太师。

乙丑,金以知大名府事刘玮为右丞。

金主以民乏食,诏户部预给百官冬季俸,令就仓以时值粜与贫民。

秋,七月,己巳,刺沿边盗万人为诸州禁军。

壬申,监文思院常良孙,坐赃配海外;前丞相周必大,坐举良孙降秩。

壬午,泸州骑射卒张信等作乱。

骑射营者,州之禁兵也。淳熙末,王卿月知泸州,赐予诸军甚厚,军士浸骄。张孝芳代为帅,欲矫其弊,训练无日,又多役使之,廪赐或不时给。是日,信等作乱,晨,入帅府,杀孝芳及其家,又杀节度推官杜美、驻泊兵马监押安彦斌、训练官雷世明、军校张明等。信擐甲坐阅武堂,召通判州事张恂、安抚使属官郭仲传,使作奏,言孝芳罪状。于是信自称第一将,衣金紫,出谕城中;以术人黄叔豹为计议官,分其兵为五十二队,同谋者五十二人,皆有爵秩。叔豹又为黄旗,大书曰"不叛圣主,不杀良民"。

时张明之子昌与甲士卞进谋讨之;癸未夜,密以告恂。甲申,信即球场大飨诸军,恂等皆与。酒初行,昌、进击杀信于坐,会者皆骇散。进大呼曰:"不叛者从我!"诸军唯唯。因执杀造逆者二十馀人,馀党皆执获。

制置使京镗将去任,未发,闻变,调潼川所屯御前后军讨之,未行而信已诛,乃令钤辖司属官陈缵往泸州措置,信馀党俱伏诛。

京镗之调潼川军也,兴元都统制吴挺,劾制置司擅发兵,诏具析;镗已赴召。邱崈新入蜀,即奏言:"三屯远在西北,兵权节制,必寄之制置司,朝廷事计当然。今军帅狃于陵替,反谓制置司擅兴,违戾若此,岂不大失本意?请下戎司具析,仍责令遵守旧制。"从之。由是三屯颇知严惮。崈所谓狃于陵替者,盖专指挺也。崈寻上言赠孝芳等官,恂等贬秩。

己亥,金主谓宰臣曰:"闻诸王傅尉多苛细,举动拘防,亦非朕意。是职之设,本欲辅导诸王,使归之正,得其大体而已。"平章政事瓜勒佳清臣曰:"请以圣意遍行之。"金主曰:"已谕之矣。"

八月,辛亥,金尚书省奏提刑司察举河中胡光谦,年虽八十三,尚可任用。召赴阙,命学士院以杂文试之,称旨,特赐光谦进士及第,授太常寺奉礼郎。旧设是职,未尝除人,以光谦德行才能,故特授之。

戊午,总领四川财赋杨辅,奏已蠲东、西两川畸零绢钱四十七万缗,激赏绢六万六千匹,诏奖之。自是岁以为例。

乙丑,金主谓宰臣曰:"任官欲令久于其任,若今日作礼官,明日司钱谷,虽间有异材,然能悉办者鲜矣。"

九月,丙申,劝两淮民种桑。

己卯,金主如秋山。

冬,十月,壬寅,修大禹陵庙。

是日,金主还都。

丙午,修潭州城。

辛亥,帝诣重华宫进香。

壬子,金有司奏增修曲阜宣圣庙毕,敕:"党怀英撰碑文,朕将亲行释奠之礼,其检讨典故以闻。"

甲寅,金敕:"置常平仓处,并令州府官以本职提(刑)〔举〕,县官兼管勾其事,以所籴多寡酌量升降,永为定制。"

戊午,金主谕尚书省访求博物多闻之士。

癸亥,金主遣谕诸王傅尉曰:"朕分命诸王出镇,盖欲政事之暇,安便优逸,有以自适耳。然虑其举措之间,或违于理,所以分置傅尉,使劝导弥缝,不入于过失而已。若公馀游宴,不至过度,亦复何害?今闻尔等或用意太过,凡王门细碎之事无妨公道者,一一干与。赞助之道,岂当如是!宜各思职分,事举其中,无失礼体!仍就谕诸王,使知朕意。"

十一月,庚午朔,金翰林侍讲学士党怀英,应诏举孔子四十八代孙端甫,年德俱高,该通古学;济南府举魏汝翼,蔚州举刘震亨,益都府举王枢,并以学行称。敕:"魏汝翼特赐进士及第,刘震亨等同进士出身,孔端甫俟春暖召之。"后授端甫小学教授,以年老,食主簿半俸,致仕。

壬申,赈襄阳府被水贫民。

丙子,金诏:"臣庶名犯古帝王而姓复同者禁之,周公、孔子之名亦令回避。"

内侍陈源为寿皇所逐,帝即位,自郴州召还。源与其党杨舜卿、林亿年,朝夕离间两宫,故帝虽疾平,犹疑畏不朝重华。

丙戌,日南至,丞相留正率百官诣重华宫称贺。兵部尚书罗点、给事中尤袤、中书舍人黄裳、御史黄度、尚书左选郎官叶适等,皆上疏请帝朝重华宫,不从。

秘书郎清江彭龟年,以书谯赵汝愚,且上疏言:"寿皇之事高宗,备极子道,此陛下所亲睹也。况寿皇今日止有陛下一人,圣心拳拳,不言可知。特遇过宫日分,陛下或迟其行,则寿皇不容不降旨免到,盖为陛下辞责,使人不得以窃议陛下,其心非不愿陛下之来。自古人君处骨肉之间,多不与外臣谋而与小人谋之,所以交斗日深,疑隙日大,今日两宫万万无此。然臣所忧者,外无韩琦、富弼、吕诲、司马光之臣,而小人之中已有任守忠者在焉,惟陛下裁察。"又言:"使陛下亏过宫定省之礼,皆左右小人间谍之罪,宰执、侍从、台谏,但能仗父子之义责望人主,至于疑间之根,盘固不去,曾无一语及之。今内侍间谍两宫者,固非一人,独陈源在寿皇朝,得罪至重,近复进用,外人皆谓疑间之机必自源始。宜亟发威断,首逐陈源,然后肃命銮舆,负罪引慝以谢寿皇,使父子欢然,宗社有永,顾不幸与!"及汝愚入对,又往复规谏,帝意乃悟。汝愚更属嗣秀王伯圭调护,于是两宫之情始通。辛卯,帝朝重华宫,皇后继之,从容竟日,都人大悦。

戊戌,诏:"李纯乃皇后亲侄,可特除阁门宣赞舍人。"

除秘书郎彭龟年为起居舍人。入谢,帝曰:"此官以待有学识人,念非卿无可者。"龟年述祖宗之法,为《内治圣鉴》以进。帝曰:"祖宗家法甚善。"龟年曰:"臣是书大抵为宦官女谒之防,此曹若见,恐不得数经御览。"帝曰:"不至是。"

十二月,癸卯,帝率群臣上《寿皇玉牒》《圣政会要》于重华宫。

皇后益骄奢,封其先三代为王,家庙逾制,卫兵多于太庙。后归谒家庙,推恩亲属二十六人,使臣一百七十二人,下至李氏门客,亦奏补官。

金完颜守贞既出知东平府,金主念之,问宰臣曰:"守贞治东平何如?"对曰:"亦不劳力。"金主曰:"以彼之才,治一路诚有馀矣。"右丞刘昉曰:"方今人材无出守贞者,淹留于外,诚可惜也!"金主默然。寻改守贞为西京留守。

金进士杨邦义上封事,因论世俗侈靡,讥涉先朝。有司议治罪,金主曰:"昔张元素以桀、纣比文皇,今若方我为桀、纣,亦不之罪。至于世宗功德,岂容讥毁!"张万公曰:"讥斥先朝,固当治罪。然旧无此法。今宜立法,使人知之。"金主意解,乃命免邦义罪,惟殿三举。

【译文】

宋纪一百五十二　起庚戌年(公元1190年)**正月,止壬子年**(公元1192年)**十二月,共三年。**

宋光宗名讳赵惇,宋孝宗的第三个儿子。母亲是成穆皇后郭氏。绍兴十七年(公元1147年)九月乙丑(初四)生于藩邸。孝宗即位后,封他为恭王。后来庄文太子去世,孝宗因为他的英武特性很像自己,想立他为太子,而又因为他不够次序,推迟了这件事。乾道七年(公元1171年)二月癸酉(二十八日)被立为皇太子。同年四月甲子(二十日),被任命担任判临安府职务,不久担任临安府尹。

绍熙元年　金明昌元年(公元1190年)

春季,正月,丙辰朔(初一),宋光宗在重华宫朝见宋孝宗,献上宝册。

金国改年号为明昌。

金章宗到隆庆宫明拜，以后每个月朝拜四次或五、六次。

丁巳(初二)，金章宗诏令诸王在外路任职的，准许游猎五天，超过这个天数就禁止；还诏令限制随从而且不准惊扰百姓。

辛酉(初六)，金章宗晓谕尚书省说："宰相是总理国家政务的，不能接受人家的馈赠。有时遇上他的生日，接受的寿礼不准超过万钱；如果是大功以上的亲和二品以上的官就不受这个限制。"

壬戌(初七)，金国任命知河中府事王蔚为尚书右丞，刑部尚书完颜守贞为参知政事。当时金章宗刚即位，非常注意治国之道。金章宗曾经问道："汉宣帝综合考核名实的主张，他实行的实际效果怎么样?"完颜守贞诵读《枢机周密品式》，详尽而完备地给予了回答。金章宗问道："真正实行是怎么开始的?"完颜守贞回答说："在于陛下励精图治不知疲倦。"

甲子(初九)，金章宗到大房山；乙丑(初十)，拜谒兴陵、裕陵；丙寅(十一日)，返归京城。

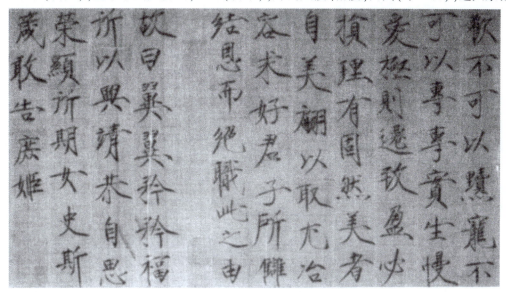

楷书女史箴　金

金国有人上密封奏疏说："自古以来就以农桑作为根本。如今除了商人以外，还有佛徒、道徒与其他游食之人，浪费百倍，农业歉收，流亡的人和饿死的人到处可见，这都是末业伤害农业的缘故。"戊辰(十三日)，金章宗就下诏禁止私自披发或剃发去当和尚道士。

壬申(十七日)，第二次免除临安府百姓三年的身丁钱。

己卯(二十四日)，金章宗进行春水游猎。

壬午(二十七日)，谏议大夫何澹，请求编写《绍熙会计录》。诏令何澹会同户部尚书叶翥等人检正都司并考核财赋收入的情况上报朝廷。

此月，起用浙西提点刑狱瑞安人陈傅良为吏部员外郎。

陈傅良自从担任太学录以后离开朝廷已经十四年，须发都白了，因轮到与皇上答对，就说："太祖保佑后人，以爱惜民力作为治国的根本。熙宁年间以来，当政者把太祖制定的一切制度予以更改，诸路交纳的岁额，比祥符年间增加了一倍；崇宁年间重修上供的规定，颁行天下,大概增加到了原来的十多倍;其他杂税,熙宁年间把常平宽剩、禁军缺额之类,另外立项封存而且没有一定的限额。上供是从元丰年间开始的,经制是从宣和年间开始的,总制、月桩是从绍兴年间开始的,到现今都有具体的定额,折帛、和买之类都不在其中。茶引都归属都茶场,盐钞都归属榷货务,秋苗斗斛十分之八九都归属纲运,都不在州县。州县无法上供,就以百姓手中强夺,因此又出现了斛面、折变、科敷、抑配、赃罚等项目,民力困倦到了极点。天命长久还是不长久,在于民力宽松还是不宽松,这难道还不可怕吗! 今天下之财力全部耗费在养兵方面,而且没有比沿江驻军耗费更大的,都统司统领的称为御前军马,即使是朝廷也不知道它的确切数目;总领所征收的大军钱粮,即使是户部也不能过问。因此内外的权力分散而事权不统一,施行不专一,即使想减轻百姓负担,也没有途径。如果真的能够使都统司的兵与过去在制置司时没有二样,使总领所的财同过去在转运司时没有什么两样,那就能内外一体;内外一体,那么减轻百姓负担的问题就可以议一议了。”

宋光宗非常高兴地采纳了陈傅良的建议,并且慰劳他说:“你过去在哪里? 我早就想见你了。”于是任命他为秘书少监兼实录院编修官、嘉王府赞读。

二月,丙申(十二日),金章宗下令诸王出猎时不准越过本王的辖境。

壬寅(十八日),金国给有司五天的寒食假,成为定制。

甲辰(二十日),金章宗回到首都。

辛亥(二十七日),殿中侍御史刘光祖上奏说:“近来是非不分,导致邪正互相攻讦;公平正直的议论树立不起来,导致私情交起。这固然是世风道德的消长,时势的否泰,但实际上国家的祸福,社稷的存亡都与此有关。本朝的士大夫,学术思想最为接近古人,咸平、景德年间,道德达到皇极,吏治确保太和,到庆历、嘉祐年间达到极盛。不幸被熙宁、元丰年间的邪说败坏了,疏远摈弃正直的人,招徕小人。幸而元祐年间有贤人君子起来挽救,衰落以后发生了大分裂,尊古但有反复。绍圣、元符年间,群凶得志,绝灭纲常。他们的观点既然占了上风,他们的势力既然已经形成,崇宁、大观年间以后,还有什么可讲的呢!

“我刚来时,听说有讥贬道学的议论,而没有看出这实际上是朋党之分,中间经过为父祖服丧,离开京都六年,已经担心两派观点的对立加剧,担心两派一旦互相攻击,到我来了以后,这事果真发生了。因为厌恶道学,就产生了朋党;因产生了朋党,就怪罪忠谏之人。把忠谏当作罪过,这离绍圣年间的情形还有多远呢?”

“陛下即位的初年,凡是官员的进退,一般根据公论,原本没有好恶和私心,但一年之内,贬斥了一位又一位,按照一些臣子的私意,败坏朝政的清明。往往进说忠诚的话,这说成是沽名钓誉的举动;至于洁身隐退,也被说成是心怀不满使他这样;要激怒陛下,必定对别人加以攻击诽谤。事势发展到这种地步,默然成风,国家还有什么希望? 只希望陛下心中豁然开朗,永远做皇极的君主,让是非由此有定论,邪正由此有鉴别,公正之论由此而明显,私心由此而熄灭,道学的议论由此而消散,朋党现象由此而绝灭,和平之福由此而出现,国家的政事由此而得到治理,这就是百姓的幸运,社稷的福气。否则,彼此相争激烈,辗转反复,祸患无穷,我确实不知道什么时候才能罢休。”

宋光宗把他的奏章下发。何澹看了,一连几天精神恍惚手足无措。

刘光祖又弹劾说:“户部尚书叶翥、中书舍人沈揆,结交近侍以图进取。近年以来,士大夫不思慕廉洁沉静而倾心投机钻营,不尊崇名节而尊崇爵位,不乐于公正而乐于献媚,并且成了习惯。实在是因为老成持重的大臣零落殆尽,晚辈们议论无所凭借,公正的议论日益衰落,士风不振作。请皇上诏令大臣,巧妙地寻求人才,一定要是朝野都希望的、贤愚都尊敬的一、二十人,与其他人一起站在朝廷,这样国势自然会壮大。现今的毛病,就在于不培养人才,台谏官只知道摧残人才,朝廷也没有经常培养。我处在应该讲话的地位,怎么会以排击他人作为自己的能耐呢!"宋光宗很赏识他。

当初殿中侍御史出缺,宋光宗正想严格挑选。有一天,宋光宗对留正说:"卿监、郎官中有一合适的人选,你知道是谁吗?"留正沉思了很久,才说:"莫非是刘光祖吗?"宋光宗笑着说:"这人久在我的心中了。"等到他担当了这个职务,果真很称职。

此前的淳熙年间制定的《御史弹奏格》共有三百零五条,这时刘光祖摘录了其中关于内外臣僚、握兵将帅、后戚、内侍与礼乐、风俗方面的内容,共二十条,请发放到下面实行,令他们严格遵守;朝廷采纳了他的建议。刘光祖,是阳安人。

甲寅(三十日),金章宗到大房山;三月,乙卯朔(初一),拜谒兴陵;丙辰(初二),返归京城。

癸酉(十九日),金国下诏说:"内外五品以上的官每年荐举一名廉洁能干的官员,不荐举的按蔽贤罪论处。"

乙亥(二十一日),金国首次设立应制和宏词科。

辛巳(二十七日),金国下诏修建曲阜孔子庙学。

夏季,四月,己丑(初六),任命赵伯圭为太保、封为嗣秀王,在湖州秀王的封国立庙,供奉神主。赵伯圭为人谦虚谨慎,不以皇上的近亲自主,每次入见,光宗行家人礼,私下里相处融洽。赵伯圭就更加恭敬地行臣子礼,宋光宗更加爱他器重他。

丁未(二十四日),殿中侍御史刘光祖被免职。

当初,何澹弹劾免去了周必大的官职,刘光祖平素与何澹非常友好,曾去拜访何澹,何澹说:"近来的事,可以说是犯不韪。"刘光祖说:"周丞相难道就没有什么可以弹劾的?只是他的门下有很多人才,不能把他荐举的人也一同弹劾。"何澹不听。当时姜特立、谯熙载正在朝中任职,刘光祖摒开旁人对何澹说:"曾觌、龙大渊的事不能再出现。"何澹说:"不是说姜、谯二人吧?"刘光祖;"正是。"不久何澹领着刘光祖进入便阁,有几个客人在那里,一看,都是姜、谯一伙的,刘光祖这才后悔自己失言。到这时何澹担任同知贡举,刘光祖被任命为台谏官,率先呈上学术邪正的奏章。等到科举考试后上奏名单,刘光祖被召入贡院拆录士子的名号,何澹说:"近日风采一新。"刘光祖说:"不是立异。只不过是把曾经向大谏官讲过的话,现今自己讲出来罢了。"出来以后,同僚对刘光祖说:"何自然见了您呈上的奏章,几天神情恍惚,服用了定志丸,其他可以想见。"不久,谢深甫被任命为右正言,刘光祖因弹劾吴端忤旨一事而被罢免,何澹升任御史中丞,两人的观点从此出现了分裂。自然,是何澹的字。

吴端,过去以行巫医作为职业,宋光宗未即位时,吴端因为给寿皇治病有功,李皇后感激他。宋光宗受禅即位后,提拔他为阎门宣赞舍人,又升任带御器械。何澹三次上疏弹劾他,没有结果;给事中胡纮把吴端的任命书密封驳还,宋光宗亲自写告谕制止他;何澹、胡纮都只得听命。刘光祖两次上疏说:"小人非分地谋求职位,而使给事中和谏官不能行使他们的职权,轻视名节,损害纲纪,亵渎圣上威权,这是一举两失。"宋光宗命大臣告谕劝阻他,刘光祖讲得更起劲了,宋光宗不高兴了。此前刘光祖监督拆试卷记录名单,把考生的试卷弄错了,被纠举发现后,被免职;至此就因为前面的事,调任刘光祖为太府卿。刘光祖不断地要求辞职,朝廷任命他为潼川转运判官。

戊申(二十五日),赐礼部进士余复以下五百三十七人进士及第、进士出身。根据留正的建议,不要进士进行廷射。

金国馆陶主簿王庭筠,有才名。金章宗曾经对张汝霖说:"王庭筠文才非常好,但语句不雄健,这个人才气大,也不难改变。"此月,召入京考试合格。御史台说王庭筠在馆陶时曾犯了贪赃罪,不应当让他任馆职,便只好作罢。王庭筠,是熊岳人。

五月,乙卯(初二),前丞相赵雄,因他举荐的人犯了贿赂罪,降了官阶。

己未(初六),外调吴端为浙西马步军副总管。

丙寅(十三日),修筑楚州城。

丙子(二十三日),金国因为求雨,在北郊望祭岳镇、海渎。

戊寅(二十五日),金国命令内外官五品以上的,在任内荐举自己所知道的有才能的一名官员代替自己。

壬午(二十九日),任命参知政事伊喇履为尚书右丞,御史大夫图克坦鉴为参知政事。尚书右丞完颜襄被罢免。

秋季,七月,癸丑(初一),诏令将秀王的孙子一并授予南班官。

甲寅(初二),任命葛邲为参知政事,给事中胡晋臣为签书枢密院事。

乙卯(初三),任命留正为左丞相,王蔺为枢密使。

癸酉(二十一日),在临安修建秀王祠堂以便藏神御,如同濮王的先例。

八月,乙酉(初三),金国首次设立常平仓。

己丑(初七),金国任命判大睦亲府事完颜宗宁为平章政事。

戊戌(十六日),金章宗对宰相说:"怎样才能让百姓放弃末业而致力于本业,以增加储蓄呢?"命令召集百官商议。户部尚书邓俨等说:"现今风俗崇尚侈靡,应该使服饰器用、居室各有等级差别,抑止婚丧过度的做法,严禁互相攀比造成的不必要浪费。"右丞伊喇履、参知政事完颜守贞说:"人之常情是见了好的就想追求,如果不以制度来加以限制,将会更加奢侈无极。百姓贫乏,大概是由此造成的。现在正是太平盛世,正应该讲究这种事,定出长期可行的制度。"金章宗很赞同。

己亥(十七日),宋光宗率领群臣到重华宫献上《寿皇玉牒》《日历》。

己酉(二十七日),诏令制定新的历法。

九月,丙辰(初五),金国因为廉洁能干而提升了北海县令张翱等十八人的官职。

己未(初八),把剑州升级为隆庆府。

壬戌(十一日),金章宗游猎秋山。冬季,十月,丁亥(初六),回到京城。

戊戌(十七日),金国根据有司的奏请,决定登闻院、记注院不再归其他衙门管辖。

丙午(二十五日),诏令:"内外军师各自荐举自己部下有将才的人。"

十一月,丁巳(初七),金国规定:"各位在职官员请求把恩荫转让给自己的兄弟子侄的,听从请求。"

壬戌(十二日),潼川转运判官王溉,节约财政开支,代井户输纳重额钱十六万缗,诏令嘉奖他。

戊辰（十八日），金章宗将礼部尚书王翛、谏议大夫张晞召到殿门口，告谕他们说："朝廷可办的事，你们这些谏官、礼官应当立即辨别分析。小民的建议尚且有被采纳的，我都采纳了，何况你们的建议呢？从今以后议论什么事，不要只一味附和尚书省的。"

丙子（二十六日），金章宗举行冬猎；己卯（二十九日），驻雄州。判真定府吴王完颜永成、判武定军节度使随王完颜永升前来朝见。

十二月，壬午（初二），金国免除皇帝行过猎的地方今年的税收。

丙戌（初六），枢密使王蔺被免职。当时宋光宗初掌政权励精图治，王蔺也不露形迹，官员的任命书从宫中发出，王蔺觉得不称意的就留下，放到御坐前，每件事都言无不尽。然而他疾恶得太过分了，同僚多忌恨他，最终被御史中丞何澹弹劾而被罢免。

戊子（初八），任命葛邲为知枢密院事；任命胡晋臣为参知政事，仍同知枢密院事。

陈贾以静江守臣的身份，将入朝奏事；殿中侍御史林大中，极力批评他平庸没什么见识，曾经勾结王淮，创制出了道学的名目，暗中排挤正直的人。倘使准许他入京奏事，必定再次被留在朝中，正直的人听了，定会纷纷离去，这不是安定国家的做法。命令就被搁置起来了。

己丑（初九），金国的平章政事张汝霖去世。张汝霖灵通机敏熟习政事，凡是进言，必定要揣摩皇上的心意，以及附和众人的说法，因而他的言词似乎很忠诚而不会得罪人。金章宗即位之初，有司奏请改造殿庭的各类陈设物品，每天用绣工一千二百人，二年完工。金章宗认为费用太多，想停造，张汝霖说："这并不过分，将来外国来朝会，殿宇壮观，也是国家的体面呀。"这以后奢侈的费用逐渐增加，大概与张汝霖的引导有关。

丁酉（十七日），金章宗回到京城。

甲辰（二十四日），金国任命图克坦克宁为太师、尚书令，封淄王。

金国大定初年，户口只有三百多万，到大定二十七年，户口有六百七十八万九千。这一年，户部上奏说户口达到了六百九十三万九千。

绍熙二年　金明昌二年（公元1191年）

春季，正月，庚戌朔（初一），命令两淮实行义仓法。

诏令："守令到任半年以后，把水源湮塞应当开挖的地方列出申报朝廷。任满日，把兴修水利的情况绘成图进献上去，朝廷选择那些劳效显著的给予奖赏。"

壬子（初三），下诏尊高宗为万世不祧之庙。

甲寅（初五），金国开始允许宫中称章宗为圣主。

庚申（十一日），修筑六合城。

辛酉（十二日），金国皇太后图克坦氏在庆隆宫去世，享年四十五岁。太后，是广平郡王图克坦真的女儿。为人谦虚谨慎，常常担心家世崇宠，每次见了父母，就流着泪说："地位高而引人注目的人家，是古人所忌讳的，希望好好保全。"后来她的家果然因海陵王事件而破败，大概她的远虑就是如此。金世宗曾经对各位王妃、公主说："皇太子妃仪容合度，服饰得中，你们应当效法她。"到她被尊为太后以后，更加敬俭。曾经告诫侄子们说："皇帝因为我的缘故，才推恩及外戚家。你们应当尽忠报国，不要认为小善无益就不为，小恶无伤就不去。不要依仗我的富贵，肆行非道而冒犯国法。"太后爱好《诗》《书》和《老子》《庄子》之学，一举一动必定合于礼法。妃嫔中有生了孩子后较早去世了的，太后看待孩子如同自己生的一样。

庚午（二十一日），金国太师尚书令淄王图克坦克宁去世。遗表中大致写道："国君往往器重君子但反而疏远他,轻鄙小人但最终又亲近他。希望陛下慎终如始,安不忘危。"金章宗命有司护理丧事,归葬莱州。谥号为忠烈。

戊寅(二十九日),雷电,天降冰雹。

二月,庚辰朔(初一),天降大雨大雪。

壬午(初三),派宋之瑞到金国吊祭。

癸未(初四),把新历命名为《会元》。

甲申(初五),福建安抚使赵汝愚等,因为辖境内出现盗贼,与守臣、监司各降一级官职,县令勒令停职。任命辛弃疾为安抚使。

辛弃疾曾经代理安抚使职务,常常叹道:"福州前临大海,是盗贼出没的地方。上四郡的百姓,颜悍而容易变乱,府库空竭,一旦出现紧急情况怎么办?"至此致力于稳定局势,不到一年,积蓄钱达五十万缗,命名叫备安库,他说:"闽中土地狭小百姓稠密,年成不好就到广东去籴粮。现在幸亏连年丰收,令宗室和军人到仓库去领米,领出就卖掉,到秋天价贱时,用备安库的钱籴进二百万石粮,就有备无患了。"又要造一万件铠甲,招募身强力壮的人,补充军额,严格训练,那么盗贼就不可怕了。事未成,台谏官弹劾他用钱如泥沙,杀人如草芥,便请求担任宫观官而回乡去了。

秘书郎普城人黄裳担任嘉王府翊善,每次劝讲,必定援引古事论证今事,就事申明道理,凡是可以开导嘉王的心的,没有不讲的。至此升任起居舍人。宋光宗正宠任潘景珪,台谏官连连上奏批评他,多被驳回,黄裳上奏说:"自古以来国君不听劝谏的,有三大害处:一是私心,二是胜心,三是忿心。做事如果不出自公心,而固执己见,就是私心。私心一产生,就会把进谏的人视为一块心病而会想法搞垮他;胜心一产生,就会视谏者为仇人而设法驱逐他。因私心而生胜心,因胜心而生忿心,忿心一产生,那处事就会找不到理了。像潘景珪,是一般人才,陛下本应按一般人才对待他,只因为台谏官不停地攻评他,导致陛下越加竭力保护他,矛盾激化,竟然达到这种地步。应该遇事细心考察,使心不被外累所牵制,听了台谏的进言就不会不高兴,而不会有战胜对方的心理,对待台谏的心无不诚之意,就不会有不满的心思了。"

乙酉(初六),诏令说因为阴阳失时,雷雪交作,令侍从、台谏、卿监、郎官、馆职各自上奏谈论时政的过失。

监察御史林大中,因为命令多由皇上发出,就上疏说:"二月出现雷电,接着下大雪,按过去的经验推求原因,这是阴胜阳的明证。大抵而言男为阳,女为阴;君子为阳,小人为阴。应当辨别邪正,不要使小人离间君子;应当考虑正直的道理,不要让后宫的私心得以实现。"

吏部侍郎陈骙的奏疏有三十条,如"后宫与朝廷的区分不严格的话,权柄就会旁落;宫内请托的现象不杜绝的话,英明决断就会止息;通过执政大臣谋求台谏官的职位,就会培植私党;通过近侍访求将帅,就会贿赂公行;不征求正直的言论,过失就会越加显著;不谨遵旧章,取舍就会出现错误;宴饮无度,就会神情昏乱;赏赐没有节制,财用就会枯竭。"这些议论都切中时弊。

取出五万石米赈济京城的贫民,暂时停修皇后的家庙。

辛卯(十二日),钱塘的一个普通百姓余古上书说:"陛下即位以来,已过了两年,应当想想寿皇交付的重托,把早晚问求治国之道当作急务。偶尔从旁听说陛下宴游没有节制,歌声乐声不绝于耳,白天听了还不够,晚上还接着听,宫女接近皇帝没有定时,伶人出入宫中不受限制,宦官侵夺权势,随时加以宠幸赏赐,或者破例升官。皇城中的宫殿,已经历了三朝,怎能说是简陋呢！怎么还用得着再建新的楼台,高耸入云,月榭风亭,不停地兴建！深深地觉得陛下不应如此。甚至有时演奏蕃邦的音乐,演习齐郎舞,竟让宠爱的小人、爱幸的妃嫔,与优伶混杂在一起,聚集起几十人,缠着奇怪的头巾,拖着奇异的衣服,丑恶之极,以引人发笑,非常不像话。自古宦官败乱国家,这在史册里记载着十分详备。我观宦官气焰的嚣张,没有什么时候比得上现在,上至三省,下至百司,都在他们的号令之下。大抵从副将直到殿步帅,各自标出高价,不问有无功劳、过失错误、骁勇、怯弱,只要按价纳贿,就下特旨加以任命。因此将帅大都贪婪刻毒,军士不免饥寒,武器朽钝,士马羸弱,对这些问题根本就没过问过。假如出现什么危急情况,将怎么办呢？主要是因为公卿为了保持自己的俸禄和职位,滥竽充数保全自身,像汉朝的石庆,唐朝的苏味道。满朝都是小人,而要求海内不出现盗贼,民生不致涂炭,不出现日食和月食,不发生水旱灾害,那怎么可能呢？我希望陛下以汉文帝为楷模,以唐庄宗为鉴戒,问安视膳之余,宫内安闲之时,讲读经史,无为而治,南面称皇,或者鼓琴、投壶、习射以便颐养性情,享受名教无穷的快乐,确保嵩岳一般无涯的长寿,难道不好吗！"

宋光宗看完上书后十分生气。原本要将余古编管,上奏的人救了他,就送他到筠州州学听讲。

壬辰(十三日),金章宗开始处理朝政。下令规定："亲王和三品以上官员的家,不准和尚、尼姑、道徒出入。"

金国下令规定："进士的考卷,只要是合格的,有司就录取他,不限人数。"

丙申(十七日),金国任命枢密副使瓜勒佳清臣为尚书左丞。当时瓜勒佳清臣的女儿是宫中的昭仪,金章宗对他更加器重。

丙午(二十七日),金国初次设置王府傅尉官;名义上是亲王的下属,实际上检察限制亲王。

丁未(二十八日),金国派完颜宣等前来告哀。

三月,丁巳(初九),诏令说："边防事务让宰相和枢密院共同商议,仍然是共同签字。"

癸亥(十五日),金国下令有司说："国号带汉、唐、辽、宋等字的,不能加封给臣下。"有司决定改辽为恒,改宋为汴,秦为镐,晋为并,汉为益,梁为邵,齐为彭,殷为谯,唐为绛,吴为鄂,蜀为夔,陈为宛,隋为泾,虞为泽。朝廷下令批准了。

丙寅(十八日),诏令福建提点刑狱陈公亮、漳州知州朱熹共同规划漳州、泉州、汀州三州推行经界法。

朱熹当初担任泉州同安县主簿时,深知闽中因经界法没有推行而带来的害处,到这里以后就四处访问探求,细枝末节都弄清楚了。就上奏说："经界法是民间最大的好事,绍兴年间已推行了的地方,公私双方都得了好处,只有漳州、泉州、汀州没有推行。我不敢先考虑自身的安逸而后再去考虑一州的利害,愿独自承担经界法必定能够推行的责任。然而推行此法前必须推选官吏,丈量田亩,精确计算,画图造册,费用由官府供给,根据产量均摊赋税,特许打破乡县界限分摊租税,或许几百里的范围之内,租税的轻重能整齐划一。现在每亩想按九等确定产钱,而后合计一州租税钱米的数额,以产钱为基数,每文钱交纳米多少,就一仓一库来说,交纳税米税钱以后,还是原先的数额,分别隶属户部,分为职田租,学粮,常平租,分别拨入各个仓库。这个法一推行，百姓的家业就有保证了。只是此法一推行，贫困的下等农户，当然非常拥护，只是不善于表达他们的感情；豪家猾吏，都不欢迎，善于编造邪说以迷惑视听；那些喜欢安静、厌恶纷扰的士大夫，又担心他们或许不深入调查考察而望风沮怯，这却不能不忧虑。"

宋光宗诏令监司考察此事，并且命令陈公亮和朱熹合力推行。正赶上农事兴盛，朱熹更加深入地研究，希望来年推行。普通百姓知道经界法不扰民而且对自己有利，没有不拥护的。而贵族豪强，广占田地隐瞒赋税，侵夺贫弱人家的，共同编造奇谈怪论以破坏经界法的推行，前面的诏令便被停止实行。朱熹请求离开这里去当宫观官。

癸酉(二十五日)，建宁下冰雹，大得如同桃、李，损坏了五千多家百姓的房屋。温州刮大风下大雨，出现雷电，田里的禾苗桑叶果实全都被打坏了。

夏季，四月，戊寅朔(初一)，金国尚书省上奏说："普通百姓与屯田户往往闹不团结，如果下令让他们互相通婚，实在是让国家长久安宁的好办法。"朝廷准奏。

乙酉(初八)，金国把孝懿皇太后安葬在裕陵。

戊子(十一日)，金国规定："各部辖境内发生灾害，主管官员应当申报而没有申报以及胡乱申报的，杖刑七十。检查视察但不按实情申报的，也同样定罪。因而有伤害人家性命的，按违制论处。导致有错误征免的，按贪赃罪论处。无故申报的，户长按欺骗罪论处，其余从犯按隐瞒田产不纳赋税罪论处。"

癸巳(十六日)，金国诏告有司说："从今以后女真文字直译为汉字，国史院专写契丹字的停罢。"

甲午(十七日)，金国改封完颜永中为并王，改封完颜永功为鲁王，完颜永成为兖王，完颜永升为曹王，完颜永蹈为郑王，完颜永济为韩王，完颜永德为豳王。

五月，己酉朔(疑误)，福州发生水灾。

辛亥(初四)，诏令："六院官准许轮流与皇上答对，仍入杂压。"自从龚茂良被谢廓然所攻击以来，六院官才不入杂压，至此便又编排在五寺主簿之下，太学博士之上。

庚申(十三日)，诏令说："侍从、经筵、翰苑官，从今以后准许随时召见与皇上谈话，希望广泛咨询以便有利于国家的治理。

戊辰(二十一日)，金国下诏说："各郡邑文宣王庙、风师、雨师、社稷神坛已毁坏了的必须修复。"

己巳(二十二日)，潼川、崇庆二府、大安、石泉、淮安三军、兴、利、果、合、绵、汉六州发生大水灾。

六月，戊子(十一日)，金国的平章政事崇宁去世。

癸巳(十六日)，诏令："宰相、执政大臣，都可以随时被宣召到内殿奏事。"

丙午(二十九日)，金国的尚书右丞伊喇履去世，赐谥号为文献。伊喇履精于历算，此前旧的《大明历》有错误，伊喇履献上《乙未历》，因为金国是在乙未年建国的。世人都叹服他的历法的完善。

右司谏郑骧，因为上书言事被免职，被任命为将作监。御史林大中说："台谏官因为论事不合圣上的心意而骤然被调离，我担心天下的人会认为陛下不能容人。"宋光宗不听。

秋季，七月，丁未朔(初一)，诏令说："已故容州编管人高登，仍旧恢复原有官衔。"

丁巳(十一日),金国任命参知政事图克坦镒为尚书右丞,任命御史中丞瓜勒佳衡为参知政事。

己未(十三日),取出一百万缗会子钱,兑收两淮私自铸造的铁钱。

己巳(二十三日),兴州发生大水灾,淹没了几千户人家。

八月,戊寅(初二),御史中丞何澹,生父的继母去世,请有司定夺是否需要解职奔丧。礼部说应当辞官,何澹上疏引述礼不逮事等字句,请交由台谏、给事中,中书舍人议论。

这时太学生乔嚞、朱九成、黄会卿写信责怪他,其大意说:“为人最重要的伦理是父母,礼法规定过继了的儿子,其服丧虽比未过继的降一等而有所不同,但基于天性的孝心却并没有什么不同。因此对过继了的父母要服三年丧直到丧满,对抚养你长大的父母还要在心中怀念三年。阁下一直担任台谏官,这官职是与三纲五常相关联的。现今阁下有亲生父母的继母的丧事,开始时请求解除现有的官职,人们无不说你仁义;你接着上疏讲有逮事不逮事的差别,京师内外一片哗然。礼经上讲的‘逮事父母则讳王父母,不逮事父母则不讳王父母’,不是说不对先祖感恩呀。那是因为侍奉父母,就亲自听到父母为祖父母服丧的言谈,而不侍奉父母,就不曾听到父母为其祖父母服丧的言谈,所以做儿子的不知道应当为谁服丧。因此本朝方悫在讲解本书时,把它说成只是普通百姓的礼仪。假如是学者士大夫,就知道尊崇祖先了,怎么能拘泥于事奉与不事奉呢!现在听说阁下引用这句话想不回去服丧,恐怕与礼经上讲的相违背。为什么呢?礼经上讲的‘逮事父母则从父母’的话,现在阁下的生父,真是以继室为正吗?如果你的生父果真是以继室为正,那么阁下也应当跟着以继室为正,不能贬黜。至今已四十多年了,以所生继母侍奉她,到她去世后,反而以为生时不事奉而不持心丧守孝,这样做对吗?按阁下的意思,一定要坚持说生父的继母没有生育你的恩德,就不应为她服丧,怎么不想想贬低生父的继母,就是轻视你的生父呢。为人子孙的,还忍心这样说吗!否则,一定要以生育我的为正而以继母为不正的话,这是闾巷的小人知道有其母而不知有其父的那一类,并不是符合天理人伦的。阁下作为天子的耳目之官,将敦厚人伦,移风易俗,正应该把这个问题辨别清楚。”何澹正在六和塔等待诏令,看了这封信以后才悄然离去。

甲申(初八),放宽两浙榷铁的禁令。

己亥(二十三日),金国下令:“山东、河南缺粮处,准许纳粟换取官职。”

九月,壬子(初六),任命福州知州赵汝愚为吏部尚书。

当时潭州知州赵善俊接到廷旨要他到殿中奏事,侍御史林大中上疏弹劾他,并且讲起宗室赵汝愚的贤德,应当召见。宋光宗听从了他的建议,宣召赵汝愚而把赵善俊调出了京城。

己未(十三日),金国任命左丞瓜勒佳清臣为平章政事,封芮国公,任命参知政事完颜守贞为左丞,任命大兴府知府为参知政事。

庚申(十四日),金章宗游猎秋山。

乙丑(十九日),因为长期下雨,命令大理寺、三衙临安府以及两浙对关押在狱中的囚犯进行判决,将杖刑以下的犯人释放。

冬季,十月,丁丑(初二),修筑福州的外城。

甲申(初九),恢复吴瑞带御器械的官职。

己丑(十四日),金章宗回到都城。

十一月,丙午朔(初一),金国规定:“女真人不准把姓氏译成汉字。”

3603

甲寅(初九),金国严禁伶人把历代帝王编入戏中和称万岁,违犯者按不应为的罪名从重判处。

戊午(十三日),西夏斩杀金国边境守将阿噜岱。

西夏人在金国的镇戎军境内任意放牧,金国的巡逻士卒驱赶他们,西夏人把巡逻士卒抓走了。阿噜岱率兵责问他们,西夏的厢官吴明契、信陵都卜祥、徐余立在涧中埋伏了三千军队,阿噜岱被乱箭射死。金国诏令要西夏交出杀死阿噜岱的人,西夏人判处杀死阿噜岱的人徒刑。金国不停地要西夏交出凶手,西夏人就把吴明契等处死了。

甲子(十九日),金国规定:"投匿名信的人,判四年徒刑。"

己巳(二十四日),把高宗的谥号增加为受命中兴全功至德圣神武文昭孝皇帝。

当初,宋光宗想处死宦官,宋光宗身边的宦官都很害怕,就想在三宫之间挑拨离间,宋光宗不相信他们的话,却又不能自己解脱。遇上宋光宗生了病,寿皇购到了一些良药,想等宋光宗到重华宫时交给他,宦官便向皇后告状说:"太上皇合制了一丸药,准备等皇上到重华宫时,就把药交给他。万一有什么不测,宗庙社稷可怎么办呀!"太后心里很恨他。不久,皇宫内举行宴会,皇后请立嘉王赵扩为太子,寿皇不同意。皇后说:"妾是按六礼聘娶来的,嘉王,是妾的亲生儿子,为什么不行呢?"寿皇非常生气。皇后退出去了,拉着嘉王向宋光宗哭诉,说寿皇有废掉宋光宗另立皇帝的心思。宋光宗被她迷惑,便不去朝拜寿皇。一天,宋光宗在宫中洗手,看见有个宫女的手很白皙,很喜欢;有一天,皇后派人送食盒给宋光宗,打开盒子一看,是宫女的两只手。黄贵妃受到宋光宗的宠爱,借着宋光宗祭祀太庙宿在斋宫的机会,皇后派人杀死了黄贵妃,报告宋光宗说是暴死;等到举行郊祀,风雨大作,黄坛的蜡烛全都被吹灭了,不能完成仪式就作罢了。宋光宗听说黄贵妃死了以后,又碰上这种变故,震惊恐惧的生了病,从此以后不理朝政,政事大多由皇后决定,皇后更加骄横放肆。寿皇听说宋光宗生了病,马上赶到南内探望,并且责怪皇后,皇后更加恨他。

十二月,庚辰(初六),修筑荆门军的城墙,这是听从知军陆九渊的建议。

荆门是次等边防而没有城墙,陆九渊认为荆门位于江、汉之间,是四通八达的地方,南面可以保卫江陵,北面可以支援襄阳,东面保护着随、郢的侧翼,南面当光化、彝陵的要冲,荆门稳固四邻就有依仗,否则就有胸胁心腹之忧,即使四面群山围绕但没有城池的话,将靠什么防守呢?就向朝廷请示,修筑了城墙。从此百姓没有了担心,商贾纷纷前往,税收一天比一天增加。

过去用的铜钱,因为这里靠近边境,用铁钱取代了它,而且禁止使用铜,却又令贴纳铜钱。陆九渊说:"既然禁止使用铜,怎么又让百姓缴纳铜钱呢?"全部免除了。平时教军士射箭,居民也能够参加,射中了的与军士同赏。陆九渊荐举下属不限资格,他曾说:"古时没有什么资历之分,但贤与不贤的区别是十分严格的;后来有资历之分,但贤与不贤的区别就被忽略了。"过了一年,政令执行得很好,民风习俗为之一变。不久陆九渊便去世了。

乙酉(十一日),金国停止用契丹文字。

丁亥(十三日),宋光宗开始在内殿宣召大臣应对。

己丑(十五日),金国右丞图克坦镒被免职。

乙未(二十一日),把轮流戍守楚州的兵士增加一千五百人。

甲辰(三十日),诏令说:"内侍省都知杨浩,心怀奸诈居心险恶,将他刺面杖脊,发配吉州;押班黄迈,与杨浩私相勾结,处以杖刑,送往抚州编管。"不久把杨浩押送到抚州、黄迈押送到常州去居住。

马大同任户部尚书,侍御史林大中弹劾他用法严峻,宋光宗想将他调往其他部任职,林大中上奏说:"他曾经任过刑部尚书,原本就是以用法深刻而出名。"林大中三次上奏,都没有结果。林大中又上疏弹劾大理少卿宋之瑞,四次上奏,也没有结果。林大中因为朝廷没有采纳他的建议而请求离开朝廷,将他调任吏部侍郎,他不接受任命;朝廷就授予他直宝谟阁衔,与马大同、宋之瑞一起离京到外地去担任知州。

绍熙三年　金明昌三年(公元 1192 年)

春季,正月,乙巳朔(初一),宋光宗生了病,不能临朝听政。

起居舍人陈傅良上奏说:"一个国家的形势就好比一个人的身体,下面壅阻就会生病。今日迁延某事,明天阻节某事,如果有阴险小人,乘机谋取私利,那时内外的情况就不能通达了。"

庚戌(初六),免除四川的盐酒税重额九十万缗钱。

支出度僧牒二百份,兑收淮东的铁钱。

壬戌(十八日),金章宗游猎春水。

二月,甲戌朔(初一),金国诏令:"明安、穆昆许在冬月率领部属行猎二次,每次不能超过十天。"

壬辰(十九日),金章宗回到都城。

金国任命王庭筠为应奉翰林文字。此前金章宗叹息说学士缺乏才华,完颜守贞说:"王庭筠是个有才气的人。"因此才有这项任命。

丁酉(二十四日),朝廷再次重申严禁钱银过淮河的命令。

闰二月,丙午(初三),严禁郡县新修建寺庙和道观。

壬戌(十九日),下诏说:"州县没有判决的案子,监司不准移换监狱。如有违犯准许上奏朝廷。"

甲子(二十一日),成都路转运判官王溉因为捐出三十三万缗钱代百姓缴纳激赏等,朝廷诏令晋升一级职务,仍旧留下再次担任原职。

三月,辛巳(初九),宋光宗的病情逐渐好转,开始到延和殿处理朝政。封王子赵济为安定郡王。

自从宋光宗生病以来,到重华宫请安的礼节以及生日节日恭贺礼节,屡次因为寿皇传旨而免除了。至此宰相百官和普通百姓,请宋光宗到重华宫请安的有很多,甚至有的拉着宋光宗的衣角痛哭流涕的。宋光宗有所启发,想去重华宫请安,最终还是没有去成,京城中的人感到担心。

甲申(十二日),修筑峡州城。

丁亥(十五日),金国把绢粟赏赐给刘瑜、刘庆祐,表彰他的乡里,免除他们两人的徭役。刘瑜,是棣州人;刘庆祐,是锦州人。

金章宗就此事问宰相说:"以往那些有孝心讲义气的人,有多少被委派了官职的?"完颜守贞回答说:"世宗时有个叫刘政的,曾经担任过官职。然而那些人多是淳朴质直的,不会办事。"金章宗说:"难道全都这样?孝义的人,平素为人处事很不错,只要稍有可用之处,就应该任用他。此后虽有希图富贵作伪的，然而假装孝义，还不失为是做好事。可以核查一下前前后后申报上来的孝义之人，如果发现有可以任用的，列出名单上报朝廷。"

癸巳（二十一日），金国尚书省上奏说："有人说和尚、道徒不拜父母、亲属，伤风败俗，没有比这厉害的了。礼部官员说唐朝开元二年下令说：'听说道士、女道士、和尚、尼姑不拜双亲，这是为人子女而忘了生身父母。从今以后，一律准许拜父母。其他有丧事必须按亲疏远近关系服孝的，全部按常人礼仪。'我们认为应当按过去的规定办理。"下令批准。

金国左丞完颜守贞说："皇上曾经命令我问忻州的陈毅上书讲的是什么问题，其中一点，就是猛烈批评守令的弊病。我当面问他克服弊病的办法，他没有讲。"金章宗说："现今治国正要了解其中的弊病。他虽能没有克服弊病的方法，但他能讲出弊病所在，也是值得赞许的。例如陈毅讲到各处有司不奉行朝廷法令和制度，被人雇佣还须为人出力，何况是食国家俸禄的人，竟然会这样吗？这不是有损作臣子的节行吗？应当令人检查前后颁布的条令被执行的情况。"

己亥（二十七日），制定了杂艺出身的官员不许荫子的法规。当时有个伶人叫胡永年，做官一直做到武功大夫，在去年郊祀时请求恩荫其子。吏部尚书赵汝愚说："胡永年是音乐艺人出身，难以荫子。请确立一个固定的法规，今后像这种杂艺出身的官员，不许上奏为子孙请求官职。"朝廷采纳了这一建议。

四月，壬寅朔（初一），金国把祭酒、司业、博士定为宣圣春秋释奠三献官，祝词称为"皇帝谨遣"，以及升堂唱歌改用太常乐工伴奏。献官、执事和享祭的人都穿法服，陪位学官穿公服，学生穿儒服。

戊申（初七），金国的瀛王完颜瑰去世，他是郓王完颜琼的同母兄弟。完颜瑰宽厚寡言，很有道德修养，善于写诗，精于骑马射箭，金章宗要他侍奉左右。他去世后，金章宗三次到灵堂祭奠，哭得非常伤心。赐瀛王的谥号为文敬。

乙卯（十四日），任命户部侍郎邱崈为四川安抚制置使。

当初，留正在蜀地担任军中统帅，考虑到吴氏世世代代当将官，想调离他，没能办到。至此决定更换蜀中军帅，留正说西边三位将军，只有吴氏世世代代掌握兵权，称为吴家军，军中不知有朝廷，于是派户部侍郎邱崈前往。邱崈到宫中辞行，上奏说："我入蜀后，倘若吴挺突然死亡，兵权不能再交给他的儿子了。我请求能够根据实际情况安抚各军。"朝廷答应了他。

戊午（十七日），宋光宗到重华宫朝拜寿皇。

金国把绢、粟赏赐给云内孝子孟兴，赐同州一百姓的妻子师氏的谥号为节。

金国境内发生旱灾，参知政事张万公等请求按照汉朝的先例免除一批官员，金章宗说："你们有什么罪呢！可能是我办事有不周的地方。"张万公说："天道虽然很遥远，实际上却与人事相通，只有圣人的言行才能够感动天地。过去商汤王用六件事自责，周宣王遭灾而畏惧，谨慎修行，没有谁不认真处理人事。现今正应该崇尚节俭，不急的工役，不必要的开支，可全部停止。"金章宗说："发生了灾异不能只讲天道，大抵必须先处理好人事。因此孟子讲王者不怪罪年成。"左丞完颜守贞说："陛下能够引咎自责，真是社稷的洪福啊。"丙寅，金章宗下罪己诏。

丁卯（二十六日），免除临安的欠赋。

戊辰（二十七日），金章宗派御史中丞吴鼎枢等集中处理中都的冤狱，中都之外的委派提刑司处理。

完颜守贞等上表请求解除自己的职务,朝廷不批准。入宫谢恩,金章宗说:"以前提到的停止不急的工役,减省不必要的开支以及裁减多余官员、判决积压案件四件事,应当马上去办理。"

五月,宋光宗有病,不能处理朝政。

戊寅(初七),金国从后宫放出了一百八十三名宫女。

乙酉(十四日),金国因为降雨充足,在社稷坛举行祭祀。

戊子(十七日),金国左丞完颜守贞被调任为东平府知府。金章宗派参知政事瓜勒佳衡告诉他说:"你是功臣的后代,有才能有声望,我平素是知道的,任为执政大臣后,对我的赞助实在很多,长久担任繁难复杂的工作,应该享受安逸。东平一贯被称为雄藩,加上连年发生饥荒,正有赖你去经营谋划,你替我前去安抚此地吧。"

庚子(二十九日),常德府发大水灾,水进入了外城。

己亥(二十八日),免除四川遭了水、旱灾害的郡县的租赋。

安丰军发大水,平地积水三丈多,淹没了田地房屋,蚕丝小麦都没有收成。

六月,辛丑朔(初一),下诏整饬风俗,严禁百姓奢侈和士人为文轻浮、官吏苟且因循虚伪不实。

任命礼部尚书陈骙为同知枢密院事。

癸卯(初三),金国的宰相请求撤销提刑司,金章宗说:"诸路提刑司官,只留三十多人,还担心不得合适的人选。有三百多个州郡,难道都能找到合适的人选吗?"朝廷没有答应。

戊午(十八日),任命嗣秀王赵伯圭为太师。

乙丑(二十五日),金国任命大名府知府刘玮为右丞。

金章宗因为百姓缺少粮食,诏令户部预先把百官冬季的俸禄发放下去,让他们就在粮仓把粮食卖给百姓。

秋季,七月,己巳(疑误),将沿边一万多盗贼刺面后编入各州禁军。

壬申(初二),监文思院常良孙,因犯贪赃罪被发配到海外;前丞相周必大,因为荐举常良孙而降一级官品。

壬午(十二日),泸州骑射兵张信等进行叛乱。

骑射营,是本州的禁军。淳熙末年,王卿月担任泸州知州,对各军的赏赐特别多,军士逐渐变得骄横。张孝芳代替他任知州,想克服过去的弊病,训练没有一定的日期,又多役使军士,军饷赏赐又不按时发放。这天,张信等作乱,清晨,进入知州衙门,杀死了张孝芳及其家人,又杀死了节度推官杜美、驻泊兵马监押安彦斌、训练官雷世明、军校张明等人。张信身披铠甲坐在阅武堂里,召通判州事张恂、安抚使属官郭仲传,让他们写奏章,列举张孝芳的罪状。这时张信自称第一将,穿着金紫色的衣服,在城中张贴告示;让术士黄叔豹担任计议官,把他的部队分为五十二队,与他共同谋划发动叛乱的五十二人,都封了官职。黄叔豹还做了一面黄旗,上面写着"不叛圣主,不杀良民"等几个大字。

当时张明的儿子张昌与甲士卞进商量要讨伐张信;癸未(十三日)夜,他们又秘密地告诉了张恂。甲申(十四日),张信在球场犒劳各军,张恂等都参加了宴会。刚开始喝酒时,张昌、卞进把张信杀死在座位上,参加宴会的人都惊骇逃散了。卞进大喊道:"不想叛乱的跟我来!"诸军连连称是。并趁势把二十多个叛乱的人抓起来杀了,余党也全都被抓起来了。

制置使京镗即将离任,还没动身,听了这个变故,调潼川所屯御前后军进行讨伐,军队还没出发张信已被杀死了,就派钤辖司属官陈缵前往泸州处理这件事,张信的余党全都被处死了。

京镗调动潼川兵马,兴元都统制吴挺,弹劾制置司擅自调兵,诏令具体分析上奏;京镗已应召赴京。邱崈刚入四川,就上奏说:"三屯驻军远在西北,军队的指挥权,一定要归属制置司,朝廷谋划事情应当这样。现在军中将帅习惯于上下失序,反而说制置司擅自兴兵,如此违背制度,难道不是太失朝廷本意吗?请交由都统制司分析说明情况,仍旧责令遵守过去的制度。"朝廷听从了他的建议。从此三屯颇知道威严和有所畏惧。邱崈讲的习惯于上下失序的话,大概是专门指吴挺。邱崈不久就上奏赠予张孝芳等人官职,张恂等被降低官品。

己亥(二十九日),金章宗对宰相说:"听说诸王的傅尉大多苟求细微,一举一动都加以防范,也不合我的本意。这种职务的设置,本意是要辅导诸王,使他们走正道,基本具备做王的条件就行了。"平章政事瓜勒佳清臣说:"请把皇上的意思全都告诉他们。"金章宗说:"已经告诉他们了。"

八月,辛亥(十一日),金国尚书省上奏说提刑司察举河中人胡光谦,年龄虽有八十三岁了,还可任用。宣召赴京,命令学士院用杂文考试他,他答得符合圣旨,特赐他进士及第,任命他为太常寺奉礼郎。过去设置这个官职,但还没有人担任过,因为胡光谦品德才能俱佳,因此特意授予他这个官职。

戊午(十八日),总领四川财赋杨辅,上奏称已经免除了东、西两川的畸零钱四十七万缗,激赏绢六万六千匹,朝廷诏令嘉奖他。从此年后就成了定例。

乙丑(二十五日),金章宗对宰相说:"任命官员是要他长久担任这个职务,如果今天叫他当礼官,明天又叫他管财政,虽然间或也有这种奇力,但能样样都行的人还是很少的。"

九月,丙申(二十七日),鼓励两淮百姓种桑。

己卯(初十),金章宗游猎秋山。

冬季,十月,壬寅(初三),修复大禹陵庙。

这天,金章宗回到京城。

丙午(初七),修筑潭州城。

辛亥(十二日),宋光宗到重华宫进香。

壬子(十三日),金国有关衙门奏称增修曲阜宣圣庙已经完工,朝廷下敕令说:"党怀英撰写碑文,我将亲自举行祭奠之礼,请查考有关的典故并上报朝廷。"

甲寅(十五日),金国下敕令说:"设置了常平仓的地方,令州府主官以本职兼任提举,县官兼管勾常平事,以买进粮食的多少作为官员升降的一个标准,永远作为定制。"

戊午(十九日),金章宗告诉尚书省去访求博学多闻的人。

癸亥(二十四日),金章宗派人对诸王傅尉说:"我分别命令诸王出镇外地,大抵是要让他们在处理政事的空余时间内,安享快乐,怡然自得罢了。但是又担心他们的言行举止,有时会违背正理,因此分别设置了傅尉,使劝导弥补,不致使他们陷于过失罢了。如果处理完公事进行游宴,只要不过度,那又有什么害处呢?现在听说你们做得太过分了,凡是诸王细碎琐事哪怕是无妨公道的,一一干预。赞助诸王的方法,怎么能这样呢!应当各自想想自己的职责,事情要办得适中,不要违背礼法体统! 还希告谕诸王,使他们了解我的心意。"

十一月,庚午朔(初一),金国的翰林侍讲学士党怀英,应诏荐举孔子的第四十八代孙孔端甫,孔端甫年高德昭,精通古学;济南府荐举魏汝翼,蔚州荐举刘震亨,益都府荐举王枢,这几人都以学问德行著称。金章宗下敕令说:"特赐魏汝翼进士及第,刘震亨等同进士出身,孔端甫等春暖时再召见他。"后来任命孔端甫为小学教授,因为他年纪太大了,享受主簿俸禄的一半,退休回乡。

壬申(初三),赈济襄阳府受了水灾的贫民。

丙子(初七),金国下诏说:"臣子和百姓的名字犯古代帝王之讳而姓又相同的一律禁用,周公、孔子的名字也要回避。"

内侍陈源被寿皇逐出朝廷,宋光宗即位以后,把他从郴州召还。陈源和他的同党杨舜卿、林亿年,朝夕离间两宫的关系,因此宋光宗的病虽有好转,但还是怀疑畏惧不去重华宫朝拜寿皇。

丙戌(十七日),冬至,丞相留正率领百官到重华宫称贺。兵部尚书罗点、给事中尤袤、中书舍人黄裳、御史黄度、尚书左选郎官叶适等人,都上疏请求宋光宗到重华宫朝拜,宋光宗不听。

秘书郎清江人彭龟年,写信责备赵汝愚,并且上疏说:"寿皇事奉高宗,尽了做儿子的孝道,这是陛下亲眼看见了的。况且寿皇现在只想着陛下一人,拳拳之心,不言可知。只是遇到皇上朝拜重华宫的日子,陛下有时迟迟未去,寿皇不得不降旨免到,大抵是为陛下开脱责任,使旁人不私下里议论陛下,寿皇的心里并不是不愿意陛下前往。自古君主处于亲骨肉之间,大多不与外臣商议而与小人商议,所以矛盾日益加深,分歧日益明显,今日两宫之间万万不能这样。然而我担心的是,外臣中没有韩琦、富弼、吕诲、司马光那样的人,而小人之中已有任守忠那样的人存在了,请陛下明察裁决。"又说:"使陛下在到重华宫请安这事上有失礼之处的,都是左右小人挑拨离间之罪,宰相、侍从、台谏,只从父子之义这方面责怪皇上,但对于猜疑分歧的根源,盘固不去,却没有一句话讲到。现今内侍中离间两宫关系的,本不止一人,只是陈源在寿皇执政时,犯了大罪,近来又被起用,外面的人都说离间两宫的动机一定是从陈源那儿开始的。应当立即明断,首先将陈源逐出朝廷,然后严肃地下令备车,承担过错向寿皇谢罪,使父子欢喜,宗庙社稷长久,岂不是幸事!"等到赵汝愚进宫面见宋光宗,又反复规劝,宋光宗内心才有所觉悟。赵汝愚又叮嘱嗣秀王赵伯圭出面维护,于是两宫的感情才得以沟通。辛卯(二十二日),宋光宗朝拜重华宫,皇后接着也去了,相处了一天,都中的人很高兴。

戊戌(二十九日),下诏说:"李纯是皇后的亲侄子,可以特意任命为阁门宣赞舍人。"

任命秘书郎彭龟年为起居舍人。彭龟年进宫谢恩,宋光宗说:"这种官职是专门授予有学识的人的,我想非你不可。"彭龟年讲述祖宗之法,写成《内治圣鉴》进献给皇上。宋光宗说:"祖宗家法很好。"彭龟年说:"我这书大抵是为了防范宦官和女宠的,他们要是见了,恐怕不能长久地被圣上御览。"宋光宗说:"不至于这样。"

十二月,癸卯(初五),宋光宗率群臣到重华宫献上《寿皇玉牒》《圣政》《会要》。

皇后日益骄奢,封她的祖宗三代为王,家庙超越规定,卫兵比太庙的还多。皇后回去拜谒家庙,施恩给亲属二十六人,使臣一百七十二人,下至李氏门客,也奏准补授官职。

金国的完颜守贞出任东平府知府以后，金章宗想念他，问宰相说："完颜守贞把东平治理得怎么样？"宰相回答说："也没费什么劲。"金章宗说："凭他的才干，治理一路确实绰绰有余。"右丞刘玮说："现在的人才没有比得上完颜守贞的，让他淹留在朝廷外面，确实可惜了！"金章宗默不作声的样子。不久改任完颜守贞为西京留守。

金国进士杨邦乂呈上密封奏疏，因为说的是世俗侈靡，影射先朝。有司决定治他的罪，金章宗说："过去张元素把文皇比做桀、纣，今天如果有人把我比做桀、纣，也不治他的罪。至于世宗的功德，怎么能容忍讥笑诋毁呢！"张万公说："讥讽先朝，本应治罪。然而过去没有这方面的规定。今天应该确立有关法规，使人们知道。"金章宗的怒意有所缓和，就命令免杨邦乂的罪，只是要停止三年迁举官职。

续资治通鉴卷第一百五十三

【原文】

宋纪一百五十三　起昭阳赤奋若【癸丑】正月,尽阏逢摄提格【甲寅】十二月,凡二年。

光宗循道宪仁明功茂德　温文顺武圣哲慈孝皇帝

绍熙四年　金明昌四年【癸丑,1193】　春,正月,己巳朔,帝朝重华宫。

辛未,金以瓜勒佳清臣为右丞相,监修国史。时议签军戍边,金主问清臣曰:"汉人与夏人孰勇?"清臣曰:"汉人勇。"金主曰:"昔元昊扰边,宋终不能制,何也?"清臣曰:"宋驭军法,不可得知,今西南路人,殊胜彼也。"

癸未,金尚书省奏大兴府推官苏德秀为礼部主事,金主曰:"朕尝语卿,百官当使久于其职。彼方任(礼)〔理〕官,复改户曹,寻又除礼部,人才岂能兼之? 若久于其职,即中材胜于新人,事既经练,亦必有济,不可轻易改除。"

金主又言:"凡称异政,谓其才也。若清廉乃本分,以贪者多,故异。"宰臣言:"近论方今孝弟廉耻道缺,乞正风俗,此盖官吏不能奉宣教化使然。今之察举官吏者,多责近效,以干办为上。巧猾之徒,虽有赃污,一旦见用,犹为能吏,此孝弟廉耻所以衰也。若尚德举廉,则教化可兴矣。"

辛卯,蠲临安民身丁钱三年。

金赈河北诸路水灾。

丙申,金东京路副使王胜进鹰,金主遣谕之曰:"民间利害,官吏邪正,略不具闻,乃以鹰进,此岂汝职耶? 后毋复尔。"

二月,戊戌朔,诏内侍陈源特与在京宫观。

金主如春水。始以春秋二仲月上戊日(癸)〔祭〕社稷。癸亥,还都。

内寅,出米七万石赈江陵饥。

金参知政事张万公,出知东平府。金主曰:"卿屡以母老乞罢,特畀乡郡以遂孝养,朕不汝忘也。"万公因进谠言,金主嘉纳。

三月,庚午,金主将幸景明宫,御史中丞董师中、侍御史贾铉等上书谏曰:"陛下下诏罪己,罢不急之役,省无名之费,天下欣幸。今方春东作,而亟遣有司修建行宫,揆之于事,似为不急。况西北二京、临潢诸路,比岁不登,加以民有养马、签军、挑壕之役,财用大困,流移未复,米价甚贵。若扈从至彼,又必增价。口籴升合者,日以万数,旧藉北京等路商贩给之,倘以物贵或不时至,则饥饿之徒,将复有如曩岁,杀太尉马,毁大府瓜果,出忿怨言,起而为乱者矣。况南北两属部荡摇可虞，若忽之而往，岂圣人万举万全之道哉？乃者太白昼见，京师地震，又，北方有赤色，迟明始散。天之示象，冀有以警悟圣意，修德销忧。矧夫远游，古人所戒，远自周、秦，近逮隋、唐与辽，皆以是生衅，可不慎哉？可不畏哉？"左补阙许安仁、右拾遗路铎亦皆上书极谏。金主召师中等赐对，即从其奏，仍谕辅臣曰："朕欲巡幸山后，不禁暑热故也。今台谏官咸言民间缺食，朕初不尽知。既知之，暑虽可畏，其忍以私奉而重民之困哉！"

金以工部尚书胥持国为参知政事。

持国，繁畤人，初以经童入（任）〔仕〕，累迁太子司仓，转掌饮令。金主在东宫识之，擢祗应司令，及即位，遂大用。持国为人，柔佞有智术，素知金主好色，阴以秘术干之。金主尝物色宫中女子，得没入宫监藉之女李师儿，宦者梁道誉其才美，劝纳之。金主好文词，师儿性慧黠，能作字，知文义，尤善伺候颜色，迎合旨意，遂大爱幸，封为昭容。持国多掠遗昭容左右用事人，昭容亦自嫌门第薄，欲藉外廷为援，数称誉持国，由是大为金主所信任。

丙子，帝朝重华宫，皇后从。

辛巳，以葛邲为右丞相，陈骙参知政事，胡晋臣知枢密院事，吏部尚书赵汝愚同知枢密院事。

御史汪义端与汝愚有隙，上言："高宗圣训，不用宗室为宰执。汝愚，楚王元佐七世孙，不宜用之。"汝愚亦力辞。给事中黄黼言："汝愚事亲孝，事君忠，居官廉，忧国爱民，至诚恳恳，所谓青天白日，奴隶亦知其清明者。义端识见，奴隶之不如，不可以备朝列。"义端由是补外。

汝愚犹以故事辞，帝遣学士谕意，谓高宗圣训，本以（析）〔折〕秦桧之奸谋，盖有为言之也。汝愚乃受命。寿皇召见之，曰："卿以宗室之贤为执政，乃国家盛事。卿在蜀时所进奏议甚善，可与《资治通鉴》并行。"

癸巳，帝从寿皇、寿成皇后幸聚景园。

甲午，金敕："御史台奏事，修起居注并令回避。"

乙未，修巢县城。

夏，四月，金百官三表请上尊号，金主曰："祖宗古先有受尊号者，盖有其德故有其名。比年五谷不登，百姓流离，正当戒慎修身之日，岂得虚受荣名耶！"不许，仍断来章。其后亲王、大臣、六学诸生屡请上尊号，竟不许。

己酉，罢括买四川沿边郡县官田。

丁巳，金敕："女真进士及第后，仍试以骑射，中选者升擢之。"

五月，己巳，赐礼部进士陈亮以下三百九十六人及第、出身。制策问礼乐刑政之要，亮以君道、师道对，且曰："臣窃叹陛下于寿皇莅政二十八年间，宁有一政一事之不在圣怀？而问安视寝之馀，所以察言而观色，因此而得彼者，其端甚众，亦既得其机要而见诸施行矣，岂徒一月四朝，为京邑之美观也哉！"时帝不朝重华宫，群臣更进迭谏，皆不听；得亮策，以为善处父子之间，亲擢第一。既知为亮，乃大喜，授亮签书建康府判官厅公事。未至官，卒。

丙子，淮西大水。

辛巳，金主谕诸路，令月具雨泽田禾分数以闻。

丙戌，绍兴大水。

召浙东副总管姜特立还。

壬辰，太尉、利州安抚使吴挺卒。挺少起勋阀，弗居其贵，虽遇小官贱吏，不敢怠忽，拊循将士，人人有恩。璘故部曲拜于庭下，辄降答之；及失律，诛治无少贷。

留正引唐宪宗召吐突承璀事，乞罢召姜特立，不报。六月，丙申朔，正出城待罪六和塔，上疏切谏。戊戌，秘书省著作郎沈有开，著作佐郎李唐卿，秘书郎范黼、彭龟年，校书郎王柟，正字蔡幼学、颜棫、吴猎、项安世，上疏乞寝特立召命，皆不报。正因缴进前后锡赉及告敕，乞归田宅，亦不许。

赈江、浙、两淮、荆湖被水贫民。

戊申，签书枢密院事胡晋臣卒，谥文靖。帝自有疾，不视朝，晋臣与留正同心辅政，中外帖然。其所奏陈，以温清定省为先，次及亲君子，后小人，抑侥幸，消朋党，启沃剀切，弥缝缜密，人无知者。

癸丑，金赐有司所举德行才能之士安州崔秉仁（者）〔等〕同进士出身。

壬戌，金右丞相瓜勒佳清臣，进封戴国公；西京留守完颜守贞为平章政事，封萧国公。右丞刘玮卒。是日，金主将击球于临武殿，闻玮卒而止。其后金主谓宰臣曰：“人为小官，或称才干，及其大用则不然。如刘玮固甚干，然自世宗朝逮事朕，于事多有知而不言者。若实愚人，不足论，若知而不肯尽心，可乎？”守贞曰：“《春秋》之法，责备贤者。”金主曰：“夫为宰相而欲收恩避怨，贤者固若是乎？”

秋，七月，己巳，留正复论姜特立，缴纳出身以来文字，待罪于范村。帝不复召正，而特立亦不至。

丙子，以旱，决滞狱。

壬午，以赵汝愚知枢密院事，吏部尚书余端礼同知院事。时知中江县游仲鸿赴召至，汝愚以仲鸿直谅多闻，访以蜀中利病。汝愚欲亲出经略西事，仲鸿曰：“宥密之地，（侯）〔斡〕旋者易，公独不闻吕申公经略西事当在朝廷之语乎？”汝愚悟而止。

以永州防御使陈源为入内内侍省押班，中书舍人陈傅良不草词。

乙酉，叙州蛮寇边，遣兵讨平之。

己丑，金以同判大睦亲府事完颜襄为枢密使。

八月，丙申，蠲绍兴丁盐茶租钱八万二千缗。

庚子，金大赦。

丁未，金主释奠孔子庙，北向再拜。

辛亥，金国史院进《世宗实录》。

戊午，赈江东、浙西、淮西旱伤贫民。

九月，戊辰，金以参知政事瓜勒佳衡为尚书右丞，户部尚书马琪为参知政事。

庚午，重明节，百官上寿，请帝朝重华宫，不听。

己卯，上寿圣皇太后尊号曰寿圣隆慈皇太后。

中书舍人陈傅良上疏曰：“陛下之不过重华宫者，特误有所疑，而积忧成疾以至此尔。臣尝即陛下之心反覆论之，窃自谓深切，陛下亦既许之矣。未几中变，以误为实而开无端之衅，以疑为真而成不疗之疾，是陛下自贻祸也。”给事中谢深甫言：“父子至亲，天理昭然，太上之爱陛下，亦犹陛下之爱嘉王。太上春秋高，千秋万岁后，陛下何以见天下！”帝感悟，甲申，命驾往朝，百官班立以俟。帝出至御屏，李后挽留曰：“天寒，官家且饮酒。”百僚侍卫相顾莫敢言。傅良趋进引帝裾，请毋入，因至屏后。后叱曰："此何地！秀才欲砍头耶？"傅良痛哭于庭，后使人问曰："此何礼也？"傅良曰："子谏父不听，则号泣而随之。"后益怒，遂传旨，罢，还内。傅良下殿径行，诏改秘阁修撰，不受。

戊子，著作郎沈有开、秘书郎彭龟年、礼部侍郎倪思、国子录王介等皆上疏请朝，不从。会上召嘉王，倪思言："寿皇欲见陛下，亦犹陛下之于嘉王也。"帝为动容。时李后寖预政，思进讲姜氏会齐侯于泺，因言："人主治国，必自齐家始。家之不能齐者，有其渐也，始于亵狎，终于恣横，卒至于阴阳易位，内外无别，甚则离间父子。汉之吕氏、唐之武、韦，几至乱亡，不但鲁庄公也。"帝悚然。赵汝愚同侍经筵，退，语人曰："说直如此，吾辈不逮也！"帝怒，出思知绍兴府。

癸未，夏国主仁孝卒，年七十，国中谥为圣德皇帝，庙号仁宗，陵号寿陵。仁孝重文学，然权臣擅国，兵政衰弱。子纯祐立，改元天庆。

冬，十月，己酉，朝献景灵宫。夜，地震。庚戌，朝献于景灵宫。夜，又地震。

壬子，秘书省官请朝重华宫，疏三上，不报。

工部尚书赵彦逾等上书重华宫，乞庆会节勿降旨免朝。寿皇曰："朕自秋凉以来，思与皇帝相见。卿等奏疏，已令进御前矣。"明日，会庆节，帝以疾，不果朝。葛邲率百官贺于重华宫。侍从上章，居家待罪，诏不许。

嘉王府翊善黄裳，力劝帝朝重华，帝曰："内侍杨舜卿告朕勿往。"裳即上疏请诛舜卿，台谏张叔椿、章颖上疏乞罢黜，太学生汪安仁等二百十八人上书请朝重华，皆不报。

起居舍人彭龟年奏言："臣所居之官，以记注人君言动为职。车驾不过宫问安，如此书者殆数十，恐非所以示后。"又言："陛下误以臣充嘉王府讲读官，正欲臣等教以君臣、父子之道。臣闻有身教，有言教，陛下以身教，臣以言教者也，言岂若身之切哉！"不报。

庚申，帝将朝重华宫，复称疾不行。丞相以下上疏自劾，请罢政，不报。

黄裳尝病疽，及是忧愤，创复作，乃上疏曰："陛下之于寿皇，未尽孝敬之道者，必有所疑也。臣窃推致疑之因，陛下无乃以焚廪、浚井之事为忧乎？夫焚廪、浚井，在当时或有之；寿皇之子唯陛下一人，陛下违豫，寿皇焚香祝天，为陛下祈祷，爱子如此，则焚廪、浚井之事，臣有以知其必无也，陛下何疑焉！又无乃以肃宗之事为忧乎？肃宗即位灵武，非明皇意，故不能无疑。寿皇当未倦勤，亲挈神器授之陛下，揖逊之风，同符尧、舜，与明皇之事不可同日而语矣，陛下何疑焉！又无乃以卫辄之事为忧乎？辄与蒯聩，父子争国；寿皇老且病，乃颐神北宫以保康宁，非有争心也，陛下何疑焉！又无乃以孟子责善为疑乎？父子责善，本生于爱，惟知者能知此理，则何至于相矣！寿皇愿陛下为圣帝，责善之心出于仁爱，非贼恩也，陛下何疑焉！乃若可疑则有之：贵为天子，不以孝闻，敌国将肆轻侮，此可疑也，而陛下不疑；小人将起为乱，此可疑也，而陛下不疑；江外官军，岂无它志？此可疑也，而陛下不疑。事有不须疑者则疑之，其必可疑者反不以为疑，颠倒错乱，莫甚于此！祸乱之萌，近在旦夕，宜及今幡然改过，整圣驾，谒两宫，则天下慕义矣。"

金主好文学，尝叹文士无及党怀英者，完颜守贞奏进士中若赵沨等甚有时誉。金主曰："出伦者难得尔。"守贞曰："间世之才，自古所难。国家培养久，则人才将自出矣。"守贞因言："国家选举之法，惟女真进士，得人居多，此举宜增取。其诸司局承应人，旧无出身，大定后才许任使。经童之科，古不常设；唐以诸道表荐，或取五人至十人，近代以为无补罢之；皇统间取及五十人，因为常选，天德间寻罢。陛下即位，复立是科，取及百人。诚恐积久不胜铨拟，宜稍裁抑，以清流品。”又言节用省费之道，金主嘉纳。旋诏有司，会试毋限人数。

赵彦逾等复力请帝朝重华。十一月，戊寅，帝始往朝。

尚书左选郎官叶适奏：“自今宜于过宫之日，令宰执、侍从先诣起居，异时两宫圣意有难言者，自可因此传到，则责任有归，不可复使近习小人增损语言以生疑惑。”不报。

庚辰，留正赴都堂视事。命姜特立还浙东。日中黑子灭。正出城待罪凡百四十日，帝遣左司郎中徐谊谕旨，乃复入。

布衣王孝礼言：“今年冬至，日影表当在十九日壬午，而《会元历》乃在二十日癸未，请将修内作所掌铜表圭降付太史局测验。”从之。

丙戌，金诏：“诸职官以赃污不职被罪、以廉能获升者，令随路京府州县列其姓名，揭之公署，以示惩劝。”

十二月，戊戌，帝朝重华宫。

金判定武军节度使郑王永蹈，以谋反伏诛。

初，崔温、郭谏、马太初，与永蹈家奴毕庆寿私说谶记灾祥，庆寿以告永蹈。谏颇能相人，永蹈乃召之，相己及妻子皆大贵，不与诸王比。复召温、太初论谶记天象，温曰：“丑年有兵灾，属兔命者，来年春当收兵得位。”谏曰：“昨见赤气犯紫微，白虹贯月，皆主丑后寅前兵戈僭乱事。”永蹈深信其说，乃阴结内侍郑〔两兔〕〔雨儿〕伺金主起居，以温为谋主，谏、太初往来游说。河南统军使布萨揆，尚永蹈妹韩国公主，永蹈谋取河南军以为助，与妹泽国公主长乐谋，使驸马都尉富察都致书于揆，且先请婚以观其意；揆拒不许结婚，使者不敢复言不轨事。永蹈家奴董寿谏，不听，以语同辈迁嘉努，迁嘉努上变。

永蹈时在京师，诏完颜守贞等鞫问，连引甚众，久不能决。金主怒，召守贞等问状。瓜勒佳清臣奏曰：“事贵速绝，以安人心。”于是赐永蹈及妃卞王〔玉〕、二子安春、阿逊、公主〔常〕〔长〕乐自尽，富察都、崔温、郭谏、马太初等皆弃市。布萨揆虽不闻问，亦坐除名。董寿免死，隶监籍。迁嘉努赏钱二千贯，特迁五官，杂班叙使。增置诸王府司马一人，监察门户出入，自是诸王制限防禁愈密矣。

金主命有司以郑王财产分赐诸王，泽国公主财物分赐诸公主。户部郎中李敬义，言恐因之生事，金主又欲以董寿为宫监籍都句管，并下尚书省议。完颜守贞奏：“陛下欲以永蹈等家产分赐懿亲，恩命已出，恐不可改。今已减诸王弓矢，府尉伺其出入，臣以为赐之无害。如董寿，罪人也，释之已幸，不宜更加爵赏。”金主从之。

壬寅，右司谏章颖，以地震请罢葛邲，疏十馀上，不报。

庚戌，判隆兴府、卫国公赵雄卒。后谥文定。

甲寅，金册长白山之神为开天弘圣帝。

以朱熹为湖南安抚〔使〕、知潭州。使者自金还，言金人问朱先生安在，故有是命。

是岁，金大有年。邢、洺、深、冀、河北十六穆昆之地，野蚕成茧。

绍熙五年　金明昌五年【甲寅，1194】　春，正月，癸亥朔，帝御大庆殿，受群臣朝，遂朝重华宫，次诣慈福宫，行庆寿礼。

乙丑，金昭容李氏，进位淑妃，追赠其祖父官。妃兄喜儿，旧尝为盗，与弟铁哥皆擢显近，势倾朝野，射利竞进之徒，争趋走其门。

己巳，金尚书省进区田法，诏其地务从民便；又言遣官劝农之扰，命提刑司禁止之。

癸酉，寿皇不豫。

乙亥，金以希尹始制女真字，诏加封赠，依苍颉立庙蠡屋例，祠于上京，春秋致祭。

丙子，大理寺奏狱空。

癸未，右丞相葛邲罢。邲为相，专守祖宗法度，荐进人才，博采士论，惟恐其人闻之。

丁酉，金诏购求《崇文总目》内所阙书籍。

金初定长吏劝课能否赏罚格。

二月，乙未，赵汝愚、余端礼以奏除西帅不行，居家待罪。

戊戌，以荆、鄂诸军都统制张诏为兴州诸军都统制。

癸丑，金命宣徽使伊喇敏等相视北边营屯，经画长久之计。

三月，壬申，金初定钱禁。

乙亥，合利州东、西为一路。

庚辰，金初定日、月、风、雨、雷师常祀。

戊子，金置弘文院，译写经书。

夏，四月，寿皇疾浸棘，群臣数请帝问疾重华宫，皆不报。

甲午，帝与皇后如玉津园，兵部尚书罗点请先过重华宫，且曰："陛下为寿皇子四十馀年，无一间言；止缘初郊违豫，寿皇尝至南内督过左右之人，自此谗间，遂生忧疑。以臣观之，寿皇与天下相忘久矣。今大臣同心辅政，百执事奉法循理，宗室、戚里、三军、百姓，皆无贰志，设有离间，诛之不疑。乃若深居不出，久亏子道，众口谤讟，祸患将作，不可以不虑。"帝曰："卿等可为朕调护之。"侍讲黄裳对曰："父子之亲，何俟调护！"点曰："陛下一出，即当释然。"帝犹未许。点乃率讲官言之，帝曰："朕心未尝不思寿皇。"点曰："陛下久阙定省，虽有此言，何以自白！"起居舍人彭龟年，连上三疏请对，不报。属帝视朝，龟年离班伏地扣额，血流渍甓。帝曰："素知卿忠直，欲何言？"龟年言今日无大于过宫，余端礼因曰："扣额龙墀，曲致忠恳，臣子至此，岂得已耶！"帝曰："知之。"然犹不往。

丙申，太师、致仕、魏国公史浩薨，年八十九。追封会稽郡王，谥文惠。

浩喜荐人才，尝拟陈之茂进职与郡，寿皇知之茂尝毁浩，曰："卿岂以德报怨耶？"浩曰："臣不知有怨，若以为怨而以德报之，是有心也。"莫济状王十朋行事，诋浩尤甚，浩荐济掌内制，寿皇曰："济非议卿者乎？"浩曰："臣不敢以私害公。"遂除中书舍人兼直学士院，待之如初，盖其宽厚类此。

己亥，朝献于景灵宫。

壬寅，以不雨，命决系囚，释杖以下。

甲辰，侍从入对，请朝重华宫。己酉，大学生陈肖说等，以帝未朝，移书大臣，事闻，帝将以癸丑朝。至期，丞相以下入宫门，俟日昃，帝复辞以疾。于是群臣请罢黜待罪者百馀人；诏不许。

乙卯，金主幸景明宫，御史中丞董师中、侍御史贾铉、路铎等各上疏极谏。金主不说，遣人谕之曰："卿等所言，非无可取；然亦有失君臣之义者，其戒之！"

丙辰，侍读黄裳、秘书少监孙逢吉等，再上疏请朝重华。丁巳，起居郎兼中书舍人陈傅良，请以亲王、执政或近上宗戚一人充重华宫使。台谏交章劾内侍陈源、杨舜卿、林亿年离间之罪,请逐之。

五月,辛酉朔,辰州猺贼寇边。

寿皇疾大渐,欲一见帝,数顾视左右。陈傅良以帝不往重华宫,乃缴上告敕,出城待罪。戊辰,留正等率宰执进见,帝拂衣起,正引帝裾谏。罗点进曰:"寿皇疾势已危,不及今一见,后悔何及!"群臣随帝入至福宁殿,内侍阖门,众恸哭而出。越二日,正等以所请不从,求退,帝令知阁门事韩侂胄传旨云:"宰执并出。"正等俱出浙江亭待罪。寿皇闻之,忧甚。侂胄奏曰:"昨传旨令宰执出殿门,乃出都门,请自往宣押入城。"于是正及赵汝愚等复还第。明日,帝召罗点入对,点言:"前日迫切献忠,举措失体,陛下赦而不诛。然引裾亦故事也。"帝曰:"引裾可也,何得辄入宫禁乎?"点引辛毗事以谢,且言:"寿皇止有一子,既付神器,惟恐见之不速耳。"

甲申,从官及彭龟年、黄裳、沈有开奏请令嘉王诣重华宫问疾,许之。王至宫,寿皇为之感动。

戊子,金以桓、抚二州旱,遣使祷于缙山。

六月,戊戌,夜,寿皇圣帝崩,年六十八。(遣)〔遗〕诏改重华宫为慈福宫,建寿成皇后殿于宫后,以便定省。以宫钱百万缗赐内外军。

是夕,重华宫内侍讣于宰执私第,赵汝愚恐帝疑,或不出视朝,持其札不上。翌日,帝视朝,汝愚以闻,因请诣重华宫成礼;帝许之,至日昃不出。大宗正丞李大性上疏言:"今日之事,颠倒舛逆。况金使祭奠,当引见于北宫素帷,不知是时犹可以不出乎?《檀弓》曰:'成人有兄死不为衰者,闻子皋将为成宰,遂为衰。成人曰:"兄则死而子皋为之衰。"'盖言成人畏子皋之来,方为制服,其服乃子皋为之,非为兄也。若陛下必待使来然后执丧,则恐贻讥中外,岂特如成人而已哉!"

辛丑,丞相率百官拜表请就丧次成服。壬寅,寿皇大敛,嘉王复入奏。诏俟病愈过宫成礼。留正与赵汝愚议介少傅吴琚,请寿圣皇太后垂帘暂主丧事,太后不许。正等附奏云:"臣等连日造南内请对不获,累上疏不得报,今当率百官恭请。若皇帝不出,百官相与恸哭于宫门,恐人心骚动,为社稷忧。请依唐肃宗故事,群臣发丧太极殿,皇帝成服禁中。然丧不可以无主,祝文称孝子嗣皇帝,宰臣不敢代行。太皇太后,寿皇之母也,请代行祭奠礼。"太后许之。是日,白气亘天。

乙巳,尊寿皇太后为太皇太后,寿成皇后为皇太后。

丁未,叶适言于留正曰:"帝疾而不执丧,将何辞以谢天下?(令)〔今〕嘉王长,若预建参决,则疑谤释矣。"正从之,率宰执入奏曰:"皇子嘉王,仁孝夙成,宜早正储位,以安人心。"不报。越六日又请,帝批云:"甚好。"明日,宰执同拟旨以进,乞帝亲批付学士院降诏。是夕,御札付丞相:"历事岁久,念欲退闲。"正得之,大惧。

是月,金主猎于呼图里巴山,行拜天礼,曲赦西北路,遂如秋山。

秋,七月,辛酉,留正因朝临,佯仆于庭,即出国门,上表请老,且云:"愿陛下速回渊鉴,追悟前非,渐收人心,庶保国祚。"

初,正始议:"帝以疾未克主丧,宜立皇太子监国;若未倦勤,当复明辟;设议内禅,太子可即位。"而赵汝愚请以太皇后、太后旨禅位嘉王。正谓建储诏未下,遽及此,它日必难处,与汝愚异,遂以肩舆五鼓遁。

甲子，太皇太后诏嘉王扩成服即位，尊帝为太上皇帝，皇后为太上皇后。

时留正既去，人心益摇。会帝临朝，忽仆于地，赵汝愚忧危不知所出。徐谊以书谯汝愚曰：“自古人臣，为忠则忠，为奸则奸，忠奸杂而能济者，未之有也。公内虽心惕，外欲坐观，非杂之谓欤？国家安危，在此一举！”汝愚问策安出，谊曰：“此大事，非太皇太后命不可。知阁门事韩侂胄与同里蔡必胜同在阁门，可因必胜招之。”

侂胄至，汝愚以内禅议遣侂胄请于太皇太后，侂胄因所善内侍张宗尹以奏，两日不获命，逡巡将退。内侍关礼见而问之，侂胄具述汝愚意。礼令少候，入见太皇太后而泣，问其故，礼对曰：“圣人读书万卷，亦尝见有如此时而保无乱者乎？”太皇太后曰：“此非汝所知。”礼曰：“此事人人知之。今丞相已出，所赖者赵知院，旦夕亦去矣。”言与泪俱下。太皇太后惊曰：“知院同姓，事体与它人异，乃欲去乎？”礼曰：“知院未去，非但以同姓故，以太皇太后为可恃耳。今定大计而不获命，势不得不去；去，将如天下何？愿圣人三思！”太皇太后问侂胄安在，礼曰：“已留其俟命。”太皇太后曰：“事顺则可，命谕好为之。”礼报侂胄，且云：“来早太皇太后于寿皇梓宫前垂帘引对。”侂胄复命，日已向夕。

汝愚始以其事语陈骙、余端礼，亟命殿帅郭杲等，夜以兵分卫南北内，关礼使傅昌期密制黄袍。

是日，嘉王谒告，不入临。时将禫祭，汝愚曰：“禫祭重事，王不可不出。”翌日，群臣入，王亦入。汝愚率百官诣梓宫前，太皇太后垂帘，汝愚率同列言曰：“皇帝疾，未能执丧，臣等乞立皇子嘉王为太子以系人心，皇帝批出有‘甚好’二字，继有‘念欲退闲’之旨，取太皇太后处分。”太皇太后曰：“既有御笔，相公当奉行。”汝愚曰：“兹事重大，播之天下，书之史册，须议一指挥。”太皇太后允诺。汝愚袖出所拟指挥以进云：“皇帝以疾，至今未能执丧，曾有御笔，欲自退闲。皇子嘉王扩，可即皇帝位。尊皇帝为太上皇帝，皇后为太上皇后，移御泰安宫。”太皇太后览毕，曰：“甚善！”汝愚曰：“自今臣等有合奏事，当取嗣君处分。然恐两宫父子间有难处者，须太皇太后主张。”又言：“上皇疾未平，骤闻其事，不无惊疑，乞令都知杨舜卿提举本宫任其责。”遂召舜卿至帘前，面谕之。

太皇太后乃命汝愚以旨谕皇子即位。皇子固辞曰：“恐负不孝名。”汝愚言：“天子当以安社稷、定国家为孝，今中外人人忧乱，万一变生，置太上皇何地？”众扶皇子入素幄，被黄袍，方却立未坐，汝愚率同列再拜。皇子诣几筵殿，哭尽哀。须臾，立仗讫，催百官班，皇子衰服出，就重华殿东庑素幄立，内侍扶掖登御座，百官起居讫，行禫祭礼。命舜卿往南内请八宝，初犹靳与，舜卿传奏皇太子即位，乃出宝与之。汝愚即丧次召还留正。寻诏：“秋暑，上皇未须移御，即寝殿为泰安宫以奉上皇。”中外晏然。

乙丑，太皇太后命立崇国夫人韩氏为皇后。后，琦六世孙也，被选入宫，能顺适两宫意，遂归嘉王邸，至是立为后。

丙寅，大赦。

丁卯，侍御史张叔椿劾留正擅去相位，徙叔椿为吏部侍郎。

戊辰，诏求直言。校书郎蔡幼学奏：“陛下欲尽为君之道，其要有三：事亲，任贤，宽民。而其本莫先于讲学。比年小人谋倾君子，为安静和平之说以排之，故大臣当兴治而以生事自疑，近臣当效忠而以忤旨摈弃，其极至于九重深拱而群臣尽废，多士盈庭而一筹不吐，自非圣学日新，求贤如不及，何以作天下之才！”帝称善。

庚午，诏秘阁修撰、知潭州朱熹诣阙。

复召留正赴都堂视事。正既去，帝即位，以为大行攒宫总护使，入谢，复出城。太皇太后复命速宣押，赵汝愚复以为请，帝手札遣使召正还。

赵汝愚首裁抑侥幸，收召四方知名之士，中外引领望治。乙亥，以汝愚为右丞相，陈骙知枢密院事，余端礼参知政事。汝愚辞不拜，曰："同姓之卿，不幸处君臣之变，敢言功乎！"

戊寅，加殿前都指挥使郭杲为武康军节度使。

辛巳，以赵汝愚为枢密使。

壬午，以知阁门事韩侂胄为汝州防御使。

初，侂胄欲推定策功，意望节钺，赵汝愚曰："吾宗臣，汝外戚也，何可以言功？惟爪牙之臣，则当推赏。"乃加杲节钺，但迁侂胄宜州观察使。侂胄大失望，然以传导诏旨，浸见亲幸。知临安府徐谊告汝愚曰："侂胄异时必为国患，宜饱其欲而远之。"不听。汝愚欲推叶适之功，适辞曰："国危效忠，职也，适何功之有！"及闻侂胄觖望，与知阁门刘弼言于汝愚曰："侂胄所望，不过节钺，宜与之。"不从。适曰："祸自此始矣。"遂力求补外。

侍御史章颖等劾内侍林亿年、陈源、杨舜卿，诏："亿年、源与外祠，舜卿与内祠。"

甲申，以兵部尚书罗点签书枢密院事。

戊子，罢杨舜卿内祠，林亿年常州居住，陈源抚州居住。

八月，辛卯，初御行宫便殿听政。

癸巳，除知潭州朱熹为焕章阁待制，兼侍讲。

先是黄裳为嘉王副翊善，上皇谕之曰："嘉王进学，皆卿之功。"裳谢曰："若欲进德修业，追迹古先哲王，须天下第一等人。"上皇问为谁，裳以熹对。彭龟年为嘉王府直讲，因讲经义，告王曰："此朱熹说也。"王善之。至是赵汝愚首荐熹，遂召入经筵。

熹在道，闻泰安朝礼尚缺，近习已有用事者，即具奏云："陛下嗣位之初，方将一新庶政，所宜爱惜名器，若使倖门一开，其弊不可复塞。至于博延儒臣，专意讲学，必求所以深得亲欢者为建极导民之本，思所以大振朝纲者为防微虑远之图。"不报。

甲午，增置讲读官，以给事中黄裳、中书舍人陈傅良、彭龟年为之。

丁酉，以生日为天祐节，寻改曰瑞庆。

壬寅，诏经筵讲官开陈经旨，救正阙失。

进封皇弟许国公抦为徐国公。

辛亥，金主还都。

金主谓宰执曰："应奉王庭筠，朕欲以诏诰委之，其人才亦岂易得！闻文士多妒庭筠者，不论其文，顾以行止为訾。大抵读书人多口颊或相党，昔东汉之士与（官）〔宦〕者分朋，固无足怪。如唐牛僧孺、李德裕、宋司马光、王安石，均为儒者，而互相排毁，何耶？"遂迁庭筠为翰林修撰。

壬子，金河决阳武故堤，灌封丘而东，尚书省奏都水监官见水势趋南，不预经画，诏王汝嘉等各削官两阶，杖七十，罢之，命参知政事冯琪往视，仍许便宜从事。

河自元符二年，东流断绝，北流合御河，至清州入海，颇为通利。南渡后，地入于金，河始离滹、滑故道，时有决溢。至是河决阳武，由封丘东注梁山泺，分为二派，北派由北清河入海，南派由南清河入淮，汲、胙之间，河流遂绝。

3619

丙辰，内批："罢左丞相留正，以赵汝愚为右丞相。"初，正言："陛下勉徇群情以登大宝，当遇事从简，示天下以不得已之意，实非颁爵之时。"时韩侂胄浸谋预政，数诣部堂，正使省吏谕之曰："此非知阁日往来之地。"侂胄怒而退。会正与汝愚议攒宫不合，侂胄因间之于帝，遂以手诏罢正，出知建康府。正谨法度，惜名器，汝愚本倚正共事，怒侂胄不以告，及来谒，辞不见，侂胄惭忿。罗点谓汝愚曰："公误矣。"汝愚悟，乃见之，侂胄终不怿。

朱熹辞新命，不许。入对，首言："乃者太皇太后躬定大策，陛下寅绍丕图，可谓处之以权而庶几不失其正。今三月矣，或反不能无疑于逆顺之际，窃为陛下忧。犹有可诿者，亦曰陛下前日未尝有求位之计，今日未尝忘思亲之心，此则所以行权而不失其正之根本也。充未尝求位之心以尽负罪引慝之诚，充未尝忘亲之心以致温清定省之理，始终不越乎此，而大伦可正，大本可立矣。"时赵彦逾按视寿皇山陵，以为土肉浅薄，下有水石；孙逢吉覆按，请别求吉兆。诏集议。熹上议言："寿皇圣德衣冠之藏，当博求名山，不宜偏信台史，委之水泉沙砾之中。"不报。

丁巳，金赐从幸山后亲军银绢有差。

九月，庚午，签书枢密院事罗点卒。点孝友端介，不为矫激崖异之行。或谓天下事非才不办，点曰："当论其心，心苟不正，才虽过人，何取哉？"时给事中黄裳亦卒，赵汝愚泣谓帝曰："黄裳、罗点，相继沦谢。二臣不幸，天下之不幸也。"

辛未，合祭天地于明堂，大赦。

壬申，以刑部尚书京镗签书枢密院事。

初，帝欲除镗帅蜀，赵汝愚谓人曰："镗望轻资浅，岂可当此方面？"镗憾之，韩侂胄乃引以自助。

冬，十月，己丑，右谏议大夫张叔椿再劾留正擅去相位，诏落正观文殿大学士。

庚寅，更泰安宫为寿康宫。

金遣户部员外郎何格赈河决被灾人户。

癸巳，雷。乙未，诏以阴阳谬盭，雷电非时，台谏、侍从各疏朝政阙失以闻。

甲辰，以朱熹言，趣后省看详应诏封事。

庚子，以久雨，命决系囚，释杖以下。

辛丑，雅州蛮寇边，土丁拒退之。寻出降。

乙巳，上大行皇帝谥，庙号孝宗。

丙午，复以朱熹奏，却瑞庆节贺表。

庚戌，改上安穆皇后谥曰成穆，安恭谥曰成恭。

金故尚书左丞张汝弼妻高陀干，以逆谋伏诛。汝弼与镐王永中，甥舅也，阴相为党。金主即位，高陀干每以邪言怵永中，觊非望。画永中母元妃张氏像，奉之甚谨，挟左道为永中祈福。事觉，有司鞫治，陀干伏诛，词连汝弼。金主以在汝弼死后，得免削夺。

是月，建福宁殿。

韩侂胄日夜谋去赵汝愚，知阁门事刘弓敬，亦以不得预内禅，心怀不平，因谓侂胄曰："赵相欲专大功，君岂惟不得节钺，将恐不免岭海之行。"侂胄愕然，因问计，敬曰："惟有用台谏耳。"侂胄问："若何而可？"敬曰："御笔批出是也。"侂胄然之，遂以内批拜给事中谢深甫为御史中丞。

会汝愚请令近臣荐御史，侂胄密以其党刘德秀属深甫，遂以内批除监察御史。朱熹忧其害政，每因进对，为帝切言之，又约吏部侍郎彭龟年同劾侂胄。会龟年充金人吊祭馆伴使，熹复贻书汝愚，当以厚赏酬侂胄之劳，勿使预政。汝愚为人疏，谓其易制，不以为虑。

右正言黄度，将上疏论侂胄之奸，侂胄觉之，以御笔出度知平江府。度言："蔡京擅权，天下所以以乱。今侂胄假御笔逐谏臣，使俯首去，不得效一言，非国之幸也。"固辞，奉祠归养。

闰月，庚申，以孝宗将祔庙，议宗庙迭毁之制。孙逢吉、〔曹〕〔曾〕三复首请并祧僖、宣二祖，奉太祖居第一室，祫祭则正东向之位；诏集议。僖、顺、翼、宣四祖祧主，宜有所归，自太祖首尊四祖之庙，治平间，议者以世数寖远，请迁僖祖于夹室。后王安石等言僖祖有庙，与稷、契无异，请复其旧。赵汝愚不以祀僖祖为然，侍从多从其说。吏部尚书郑侨欲但祧宣祖而祔孝宗，侍讲朱熹以为藏之夹室，则是以祖宗之主下藏于子孙之夹室；又拟为庙制，以为物岂有无本而生者。汝愚不从，乃祧僖、宣二祖，更创别庙以奉四祖。

戊寅，内批罢焕章阁待制兼侍讲朱熹。

熹每进讲，务积诚意以感动帝心，以平日所论著敷陈开析，坦然明白，可举而行。讲毕，有可以开益帝听者，罄竭无隐，帝亦虚心嘉纳焉。至是以黄度之去，因讲毕疏奏，极言："陛下即位未能旬月，而进退宰臣，移易台谏，皆出陛下之独断，中外咸谓左右或窃其柄。臣恐主威下移，求治反乱矣。"疏下，韩侂胄大怒，使优人峨冠阔袖象大儒，戏于帝前，因乘间言熹迂阔不可用。帝方倚任侂胄，乃出御批云："悯卿耆艾，恐难立讲，已除卿宫观。"赵汝愚袖御笔见帝，且谏且拜，不省。汝愚因求罢政，不许。越二日，侂胄使其党封内批付熹，熹附奏谢，遂行。

中书舍人陈傅良，封还录黄；起居郎刘光祖，起居舍人邓驿，御史吴猎，吏部侍郎孙逢吉，知登闻鼓院游仲鸿，交章留熹，皆不报；傅良、光祖亦坐罢。工部侍郎黄艾，因侍讲问逐熹之骤，帝曰："始除熹经筵耳，今乃事事欲与闻。"艾力辨其故，帝不听。彭龟年言："始臣约熹同论侂胄，熹罢，臣宜并斥。"不报，侂胄衔之。游仲鸿上疏曰："陛下宅忧之时，御批数出，不由中书。前日宰相留正，去之不以礼；谏官黄度，去之不以正；讲官朱熹，复去之不以道。自古未有舍宰相、谏官、讲官而能自为聪明者也。愿急还熹，毋使小人得志以养成祸乱。"王介上疏言："陛下即位未三月，策免宰相，迁移台谏，悉出内批，非治世事也。崇宁、大观间，事出内批，遂成北狩之祸。杜衍为相，常积内降十数封还。今宰相不敢封纳，台谏不敢弹奏，此岂可久之道乎！"

金主问辅臣曰："孔子庙诸处何如？"完颜守贞曰："诸县见议建立。"金主因曰："僧徒修饰宇像甚严，道流次之，惟儒者修孔子庙，最为灭裂。"守贞曰："儒者不能长居学校，非若僧道久处寺观。"金主曰："僧道以佛、老营利，故务在庄严闳侈，起人敬奉布施，非所以为观美也。"

壬午，诏："改明年为庆元元年。"

金参知政事马琪，自行省回，具奏河防利害。丙戌，以翰林待制鄂屯忠孝权户部侍郎，太府少监温仿权工部侍郎行户工部事，修治河防。

十一月，丙午，帝自重华宫还大内。

庚戌，以韩侂胄兼枢密都承旨。初，诏侂胄可特迁二官。侂胄觊觎节钺，意不满，力辞，乃止迁一官，为宜州观察使，怨赵汝愚益深；至是特迁都承旨。

诏行孝宗皇帝三年丧。

先是，有司请于易月之外，用漆纱浅黄之制。时朱熹在讲筵，言："自汉文短丧，历代因之，天子遂无三年之丧。为父且然，则嫡孙承重可知。人纪废坏，三纲不明，千有馀年，莫能釐正。寿皇圣帝至性，以日易月之外，犹执通丧，朝衣朝冠，皆用大布，所宜著在方策，为万世法程。陛下以世德承大统，承重之服，著在礼律，宜遵寿皇已行之法。一时仓卒不及详议，遂用漆纱浅黄之服，使寿皇已行之礼，举而复坠，臣窃痛之。然既往之事，不及追改，启殡发引，礼当复用初丧之服。"至是诏遵用三年之制，中外百官皆以凉衫视事，用熹言也。

升明州为庆元府。

乙卯，权攒哲文神武成孝皇帝于永阜陵。

十二月，丁巳朔，禁民间妄言宫禁事。

辛酉，金平章政事完颜守贞罢。

守贞读书通法律，明习故事。时金有国七十年，礼乐政刑，因辽、宋旧制，杂乱无贯，金主欲更定修正，为一代法，其仪式条约，多守贞裁定，故明昌之治，号称清明。又喜推毂士类，接援后进，金主疑其有党，又为胥持国所间，遂出知济南府，仍命即辞。前举守贞者董师中、路铎等皆补外。以知大兴府尼(庞)〔厐〕古鉴为参知政事。

乙丑，吏部侍郎兼侍讲彭龟年，见韩侂胄用事，权势重于宰相，上疏条奏其奸，谓："进退大臣，更易言官，皆初政最关大体。今大臣或不能知而侂胄知之，假托取势，窃弄威福。不去，必为后患！"帝览奏骇曰："侂胄，朕托以肺腑，信而不疑，不谓如此！"龟年又言："陛下逐朱熹太暴，故欲陛下亦亟去此小人，毋使天下谓陛下去君子易，去小人难。"于是龟年、侂胄俱请祠。帝欲两罢其职，陈骙进曰："以阁门去经筵，何以示天下？"既而内批："龟年与郡，侂胄进一官，与在京宫观。"

给事中林大中、同中书舍人楼钥缴奏曰："陛下眷礼僚旧，一旦龙飞，延问无虚日，不三数月间，或死或斥，赖龟年一人尚留。今又去之，四方谓其以尽言得罪，恐伤政体。且一去一留，恩意不侔。去者日远，不复侍左右；留者内祠，则召见无时。请留龟年讲筵而命侂胄以外任，则事体适平，人无可言者。"上批："龟年已为优异，侂胄本无过尤，可并书行。"

大中复同钥奏："龟年除职与郡，以为优异，则侂胄之转承宣使，非优异乎？若谓侂胄本无过尤，则龟年论事，实出于爱君之忧，岂得为过？龟年既已决出，侂胄难于独留，宜畀外任或外祠，以慰公议。"不听。由是侂胄愈横。

御史中丞谢深甫劾陈傅良，罢之。

丁卯，金免被黄河水灾今年秋税。

戊辰，以陈康伯配享孝宗庙庭。

己巳，知枢密院事陈骙罢。庚午，以余端礼知枢密院事，京镗参知政事，吏部尚书郑侨同知枢密院事。

陈骙与赵汝愚素不协，未尝同堂语。及争彭龟年事，韩侂胄语人曰："彭侍郎不贪好官，固也；元枢亦欲为好人耶？"故罢之，而引京镗居政府以间汝愚。汝愚孤立于朝，帝亦无所倚信。

辛未，监察御史刘德秀劾起居舍人刘光祖，罢之。

以工部尚书赵彦逾为四川制置使。彦逾自以有功于帝室，冀赵汝愚引居政府。及除蜀帅,大怒,遂与韩侂胄合,因陛辞,疏廷臣姓名于帝,指为汝愚之党,且曰:"老奴今去,不惜为陛下言之。"由是帝亦疑汝愚。

癸酉,上孝宗庙乐曰《大伦之乐》。

甲戌,祔孝宗神主于太庙。

戊寅,封太保郭师禹为永宁郡王。师禹,成穆皇后之弟也。

辛巳,金减修内司备营造军千人,都城所五百人。

癸未,金敕尚书省:"自今献灵芝嘉禾者,赏之。"

【译文】

宋纪一百五十三　起癸丑年(公元1193年)正月,止甲寅年(公元1194年)十二月,共二年。

绍熙四年　金明昌四年(公元1193年)

春季,正月,己巳朔(初一),宋光宗到重华宫朝拜。

辛未(初三),金国任命瓜勒佳清臣为右丞相,监修国史。当时商议调集军队防守边境,金章宗问瓜勒佳清臣说:"汉人与西夏人相比谁更勇敢呢?"瓜勒佳清臣说:"汉人勇敢些。"金章宗说:"以前元昊侵扰宋朝的边境,宋朝始终不能制服他,为什么呢?"瓜勒佳清臣说:"宋朝驾驭军队的方法,不能得知,但是现在我国西南部的汉人,远远胜过西夏人。"

癸未(十五日),金国尚书省奏请任命大兴府推官苏德秀为礼部主事,金章宗说:"我曾经告诉过你们,百官必须让他们长期地担任某一固定的职务。他刚刚担任理官,又改任户曹,马上又被任命为礼部官员,人才怎能样样兼通?如果让他长期担任一个固定的官职,即使是一般人才也比新人强,因为凡事一经熟悉,必定会获得成功的经验,因此百官不能随便改任他职。"

金章宗又说:"凡是称为异常政绩的,是说这人有异常的才能。若说清廉却是一个人的本分,但因为贪官多,因此清廉也被称为异常的政绩了。"宰相说:"近来人们批评现在缺乏孝悌廉耻道德,请求矫正风俗,这大抵是官吏不能奉命教化百姓导致的这种局面。现在考察举荐官吏,多看近期效果,以干练会办事的为上等。投机取巧的奸猾之人,虽然贪赃受贿,一旦被任用,仍然能成为有才干的官吏,这就是导致孝悌廉耻衰败的原因。如果能崇尚道德廉耻,那么教化就可以兴盛了。"

辛卯(二十三日),免除临安百姓的身丁钱三年。

金国赈济河北各路遭了水灾的地方。

丙申(二十八日),金国东京路副使王胜进献鹰,金章宗对他说:"民间的疾苦,官吏的邪恶或正派,一点都不报告,却拿鹰来进献,这难道是你的职责吗?以后不要这样了。"

二月,戊戌朔(初一),诏令将内侍陈源特别任命为京师内的宫观官。

金章宗进行春水游猎。开始时定在春季秋季第二个月的第一个戊日祭祀社稷。癸亥(二十六日),回到都城。

丙寅(二十九日),拿出七万石米赈济江陵的饥民。

金国的参知政事张万公,离京担任东平府知府。金章宗说:"你多次说因为母亲年老请求免职,特意让你担任家乡的官职以便你孝敬赡养母亲,我没有忘记你呀。"张万公乘机进献直言,金章宗高兴地接受了。

三月,庚午(初三),金章宗将赴景明宫,御史中丞董师中、侍御史贾铉等上书劝谏说:"陛下下诏责备自己,停止不急的土木建设,减省不必要的支出,天下都感到欣慰和庆幸。现在正是春耕时

铜钱 金

节,却急忙派有司修建行宫,考察这件事,似乎不是什么急事。何况西北二京、临潢诸路,连续几年收成不好,加上有养马、签军、挑壕等劳役,资财十分困窘,流亡的人也还没有回归家园,米价很贵。如果陛下的护卫随从到了那里,米价又会涨高。每人买进的米按升合计算的话,每天就需要以万计算,过去依靠北京等路的商贩供给,倘若因为物价昂贵或者不能按时送到的话,那些饥饿的人,将又会像前几年那样,杀掉太尉马,毁坏太府的瓜果,口出怨言,起来作乱。况且南北两个部属也动荡不安令人担心,如果忽视这些而去游幸景明宫,这难道是圣人万举万全的做法吗?还有太白星白天出现,京师发生地震,又,北方的天空有红色,天大亮才散去。上天显示迹象,是希望以此让陛下有所警觉和觉悟,修德行消除忧患。况且说到远游,是古人所忌讳的,远有周朝、秦朝,近有隋朝、唐朝与辽朝,都因此而引发了叛乱,能不谨慎吗?能不敬畏吗?"左补阙许安仁、右拾遗路铎也都上书极力劝谏。金章宗宣召董师中等面谈,便听从了他们的意见,并且告诉辅佐大臣们说:"我想巡幸山后,是因为受不了这里的暑热。现在台谏官都说民间缺少粮食,我开始时不大知道。现在既然知道了,暑热虽然可怕,难道就忍心为了我的私欲而困扰百姓吗?"

金国任命工部尚书胥持国为参知政事。

胥持国,是繁畤人,开始是以经童的身份步入仕途的,后历任太子司仓,后转任掌饮令。金章宗在太子宫中认识了他,提拔他为祇应司令,等到金章宗即位后,就重用他。胥持国为人,柔顺而有心计,他平素知道金章宗喜爱女色,暗中以房中术讨好金章宗。金章宗曾经物色宫中女子,找到了一个因为被抄家而落入宫监籍女子李师儿,宦官梁道称赞她的才情和美色,劝金章宗收纳她。金章宗喜好文学,李师儿生性聪慧狡黠,能书法,知晓文学,尤其善于察言观色,迎合圣上旨意,于是金章宗非常宠爱她,封她为昭容。胥持国用了很多钱财贿赂昭容左右的用事人,昭容也嫌自己门第低微,正想凭借宫外官员作为外援,因此昭容多次在金章宗面前称赞胥持国,从此金章宗对胥持国非常信任。

丙子(初九),宋光宗到重华宫朝拜寿皇,皇后也跟着去了。

辛巳(十四日),任命葛邲为右丞相,陈骙为参知政事,胡晋臣为知枢密院事,吏部尚书赵汝愚为同知枢密院事。

御史汪义端与赵汝愚有矛盾,上奏说:"高宗规定过,不任命宗室为执政大臣。赵汝愚,是楚王赵元佐的第七世孙,不应该任用他。"赵汝愚自己也极力推辞。给事中黄黼上奏说:"赵汝愚事奉双亲有孝心,事奉国君有忠心,做官廉洁,忧国爱民,诚恳踏实,可以说是青天白

日，奴隶也知道他清正廉明。汪义端的见识，连奴隶都不如，不能在朝廷做官。"汪义端由此被调出京师做官。

赵汝愚还按照过去的先例推辞，宋光宗派学士对他说，高宗的圣训，本来是为了击败秦桧的奸谋，因此才讲了那句话。赵汝愚这才接受任命。寿皇召见他，说："你作为宗室中有贤德的人被任命为执政大臣，这是国家的大好事。你在蜀地任职时进献的奏议很好，可以与《资治通鉴》并行。"

癸巳（二十六日），宋光宗跟着寿皇、寿成皇后游幸聚景园。

甲午（二十七日），金国的敕令说："御史台奏事时，修起居注的官员应该回避。"

乙未（二十八日），修筑巢县城。

夏季，四月，金国百官三次上表请金章宗上尊号，金章宗说："祖宗和古代的先王有接受尊号的，大抵都是有那种德行才有那种荣名。现在五谷连年歉收，百姓流离失所，我正应当谨慎修行，怎么能为了爱虚荣而接受尊号呢！"不准，并且撕断了表章。那以后又有亲王、大臣、儒生多次请求上尊号，金章宗始终没有同意。

己酉（十三日），停止括买四川沿边郡县的官田。

丁巳（二十一日），金国下敕令说："女真人进士及第后，仍要考试骑射，考上了的才任命官职。"

五月，己巳（初四），赐礼部进士陈亮以下三百九十六人进士及第、进士出身。制策试题考问的是礼乐刑政方面的内容，陈亮以君道、师道作答，并且说："我私下里惊叹寿皇执政二十八年间，哪里有一政一事不记挂在心呢？在问安视寝之余，考察言词观察颜色，由此及彼，数量真的很多，也已经掌握了其中的关键和要领而能付诸实行了，哪里只是一月之内四次朝拜父皇，成为京中的一大景观哩！"当时宋光宗不到重华宫朝拜，群臣纷纷劝谏，宋光宗一概不听；看了陈亮的答策，认为很好地处理了父子之间的关系，亲自选他为第一名。知道是陈亮后，非常高兴，任命陈亮为签书建康府判官厅公事。陈亮还没到任，就去世了。

丙子（十一日），淮西发大水。

辛巳（十六日），金章宗晓谕各路，命令每月把下雨润泽田里庄稼的分数报告朝廷。

丙戌（二十一日），绍兴发大水。

宣召浙东副总管姜特立回京。

壬辰（二十七日），太尉、利州安抚使吴挺去世。吴挺在功勋世家中长大，但他不以富贵自居，即使对待小官贱吏，也不怠慢，爱抚将士，人人蒙受恩惠。吴璘的老部下在庭下向吴挺行礼，吴挺每次都降阶答礼；如果有谁违犯了军纪，斩杀或惩治一点也不宽容。

留正引述唐宪宗宣召吐突承璀的故事，请求罢召姜特立，没有结果。六月，丙申朔（初一），留正出了京城在六和塔待罪，上疏恳切地劝谏。戊戌（初三），秘书省著作郎沈有开，著作佐郎李唐卿，秘书郎范黼、彭龟年，校书郎王奭，正字蔡幼学、颜棫、吴猎、项安世，都上疏请求停止签发宣召姜特立的命令，都没有答复。留正因而把前后得的赏赐物和官告敕令交给了朝廷，请求解职回乡，也不批准。

赈济江、浙、两淮、荆湖遭了水灾的贫民。

戊申（十三日），签书枢密院事胡晋臣去世，赐谥号为文靖。宋光宗自从有病，就不过问朝政，胡晋臣与留正同心辅政，朝廷内外都很服帖。他的奏请，把劝宋光宗问安定省放在前面,其次才讲到要亲近君子,疏远小人,抑制投机取巧的人,消除朋党之争,陈词恳切,弥缝过失周密细致,别人没有知晓的。

癸丑(十八日),金国赐有司所举荐的德行才能之士安州人崔秉仁等同进士出身。

壬戌(二十七日),金国右丞相瓜勒佳清臣,晋封为戴国公;任命西京留守完颜守贞为平章政事,封为萧国公。右丞刘玮去世。这一天,金章宗准备到临武殿击毬,听说刘玮去世就没去了。后来金章宗对宰相说:"人作小官时,有的被称为有才干,等他受到重用后就不是这样了。像刘玮固然是很有才干的,然而从他事奉世宗一直到事奉朕,对于事情大多是知而不言的。他如果确实是愚钝的人,那倒是不值得计较,如果知道但不肯尽心竭力,那还行吗?"完颜守贞说:"《春秋》笔法,责备贤者。"金章宗说:"作为宰相而想收揽恩情躲开仇怨,贤者本来是这样的吗?"

秋季,七月,己巳(初五),留正又弹劾姜特立,并且交出入仕以来朝廷颁赐的有关文件,在范村待罪。宋光宗不再召见留正,姜特立也没有到京城来。

丙子(十二日),因为天旱,判决积压案件。

壬午(十八日),任命赵汝愚为知枢密院事,任命吏部尚书余端礼为同知枢密院事。当时中江县知县游仲鸿应召赴京,赵汝愚认为游仲鸿正直宽厚见多识广,向他访问蜀中的利弊。赵汝愚想亲自出京管理西部事务,游仲鸿说:"枢密院这地方,容易处理各种关系,您难道没听吕夷简说过管理西部事务应当在朝廷的话吗?"赵汝愚醒悟后从而打消了念头。

任命永州防御使陈源为入内内侍省押班,中书舍人陈傅良不起草任命书。

乙酉(二十一日),叙州蛮族侵扰边境,派兵平定了。

己丑(二十五日),金国任命同判大睦亲府事完颜襄为枢密使。

八月,丙申(初二),免除绍兴的丁盐茶租钱共计八万二千缗。

庚子(初六),金国实行大赦。

丁未(十三日),金章宗祭奠孔子庙,向北拜了两次。

辛亥(十七日),金国国史院进献《世宗实录》。

戊午(二十四日),赈济江东、浙西、淮西遭了旱灾的贫民。

九月,戊辰(初五),金国任命参知政事瓜勒佳衡为尚书右丞,任命户部尚书马琪为参知政事。

庚午(初七),重明节,百官向宋光宗贺寿,并请求宋光宗到重华宫朝拜,宋光宗不听。

己卯(十六日),给寿圣皇太后献上的尊号为寿圣隆慈皇太后。

中书舍人陈傅良上疏说:"陛下不到重华宫朝拜的原因,只是错误地有所怀疑,而积忧成疾以至这样。我曾就陛下的心情反复论说,自认为很深切,陛下也已经答应了我。不久又发生变故,这真是以误会为实有其事从而引发无端的矛盾,把怀疑当成真事而造成了无法医治的疾病,这是陛下自找麻烦。"给事中谢深甫上奏说:"父子是世间最亲的,天理昭然,太上皇爱陛下,也像陛下疼爱嘉王一样。太上皇年纪大了,千秋万岁后,陛下怎么见天下的人呢!"宋光宗有所感动和省悟,甲申(二十一日),命令起驾前去朝拜寿皇,百官站着等候。宋光宗走到了宫中的屏风旁,李后挽留说:"天冷,皇上只管饮酒。"百官侍卫面面相觑没有谁敢说话。陈傅良急忙进去拉着宋光宗的衣角,请求宋光宗别进去,并且随着宋光宗到了屏风后面。李后叱骂道:"这是什么地方! 秀才想被杀头吗?"陈傅良在庭中痛哭,李后派人责问他说:"这是什么礼节?"陈傅良说:"儿子劝谏父亲,父亲不听,就号哭着跟随他。"李后更加生气,便传旨,罢朝,回到内宫。陈傅良下殿径自走出,诏令将他改任为秘阁修撰,陈傅良不接受任命。

戊子(二十五日),著作郎沈有开、秘书郎彭龟年、礼部侍郎倪思、国子录王介等都上疏请求宋光宗去朝拜寿皇,宋光宗不听。恰巧遇上宋光宗召见嘉王,倪思说:"寿皇想见陛下,也如同陛下想见嘉王一样啊。"宋光宗十分感动。当时李后正渐渐地干预朝政,倪思给宋光宗讲课正讲到姜氏在泺见齐侯的部分,于是乘机说:"君主治国,应从齐家入手。不能齐家的话,有这样一个过程,开始时随便放任,到最后放肆骄横,出现阴阳易位,内外无别,甚至离间父子关系。汉朝的吕后、唐朝的武后、韦后,几乎弄得国家都灭亡了,不只是鲁庄公啰。"宋光宗听了很畏惧。赵汝愚也在经筵旁侍候,出来后,对人说:"倪思这样正直大胆,我们这些人远远比不上哟!"宋光宗非常生气,让倪思离京担任绍兴知府。

癸未(二十日),西夏国王李仁孝去世,享年七十,国中上谥号为圣德皇帝,庙号仁宗,陵号寿陵。李仁孝重视文学,然后权臣操纵朝政,军事衰弱。他的儿子李纯祐即位,改年号为天庆。

冬季,十月,己酉(十六日),宋光宗到景灵宫朝拜祭祀。晚上,发生了地震。庚戌(十七日),宋光宗又到景灵宫朝拜祭祀。晚上,又发生了地震。

壬子(十九日),秘书省官员请求宋光宗到重华宫朝拜寿皇,三次上疏,都没有结果。

工部尚书赵彦逾等向寿皇上书,请求会庆节时不要降旨免除朝拜。寿皇说:"我自从秋凉以来,一直想与皇帝见面。你们的奏疏,我已派人转交给皇帝了。"第二天,是会庆节,宋光宗托称有病,果真不去朝拜寿皇。葛邲率百官到重华宫祝贺。侍从上奏章,等在家里准备被治罪,诏令不准许。

嘉王府翊善黄裳,极力劝谏宋光宗到重华宫朝拜,宋光宗说:"内侍杨舜卿告诉我不要去。"黄裳就上疏请求处死杨舜卿,台谏官张叔椿、章颖上疏请求罢免杨舜卿,太学生汪安仁等二百一十八人请宋光宗到重华宫朝拜,都没有结果。

起居舍人彭龟年上奏说:"我担任的官职,以记载国君的言行举止为主。陛下不到重华宫去请安,这样记载大概有几十次了,恐怕不能垂示后人。"又说:"陛下让我充任嘉王府讲读官,正是要我把君臣、父子之道教给嘉王知道。我听说有身教,有言教,陛下是以身教,我是以言教,但言教的效果怎么有身教那么深切呢!"没有结果。

庚申(二十七日),宋光宗将到重华宫朝拜,但又托病不去。丞相以下的官员上疏弹劾自己,请求罢免官职,没有结果。

黄裳曾经生了毒疮,到这时非常忧愁苦恼,伤口复发,于是上疏说:"陛下对于寿皇,没有尽孝道,其中必定有疑虑。我私下里推究造成疑虑的原因,陛下莫非是忧虑焚廪、浚井这两件事吗?焚廪、浚井,在当时或许有这么回事;寿皇的儿子只有陛下一人,陛下生病,寿皇焚香祝天,为陛下祈祷,这么爱自己的儿子,那么焚廪、浚井的事,我敢说绝对没有,陛下还疑虑什么呢!又莫非是忧虑唐肃宗那样的事呢?肃宗在灵武即位,不符合唐明皇的本意,因此肃宗不能没有疑虑。寿皇在还没有厌倦政务时,亲自把帝位让给陛下,其揖让谦逊的风格,可与尧、舜等同,与唐明皇被迫让位不可同日而语,陛下还疑虑什么呢! 又莫非是忧虑卫辄那样的事吗?卫辄与蒯瞶,父子争权;寿皇年纪大了而且又有病,就住到北宫去颐养精神以保健康安宁,没有争权的心思,陛下还疑虑什么呢！又莫非是疑虑孟子责善的事呢？父亲要求儿子十全十美,这原本是因为爱,只有聪明的人才懂得这个道理,哪里有父亲害儿子的呢！寿皇希望陛下成为一代圣明的帝王,责善是出于仁爱,并不是要损害陛下的恩德,陛下还有什么疑虑哩！至于说可堪疑虑的事是有的:贵为天子,而不孝的名声在外,敌国将会轻视凌侮我国,这是值得忧虑的,但陛下不为此感到忧虑;小人将起来作乱,这是令人忧虑的,但陛下却不去忧虑;江外的将士,难道没有异心？这是令人忧虑的,但陛下却不忧虑。不值得疑虑的事反而去疑虑,那些真正令人疑虑的事反而不去疑虑,颠倒错乱,没有比这更厉害的了！祸乱的萌发,近在旦夕,应该立即幡然改过,整备圣驾,去拜谒两宫,那么天下的人都将仰慕陛下的孝义之举了。”

金章宗喜欢文学,曾感叹文士没有赶得上党怀英的,完颜守贞上奏讲进士当中如赵沨等很有声誉。金章宗说:“出类拔萃的人是很难得到的。”完颜守贞说:“旷世英才,自古难得。如果国家长期培养的话,那么人才将会自己涌现。”完颜守贞并接着说:“国家选举人才的法规,只有女真人录取的较多,应当增加录取人数。各个司局承应差使的人,过去没有做官的,大定以后才许被任命为官吏。经童科,古代也不常设;唐朝时是要各地上表推荐,有时取五人有时取十人,近来因为没有益处就停止了;皇统年间录取五十人,因而成为一种经常性的录取人才的制度,天德年间马上又停止了。陛下即位以后,又设立了这种科目,每次录取一百人。确实担心时间一长不能一一委派官职,应该逐渐裁减,以纯洁官员队伍。”完颜守贞又谈到了节约开支的办法,金章宗高兴地采纳了。不久就诏令有司,会试不要限定人数。

赵彦逾等又极力劝请宋光宗到重华宫朝拜。十一月,戊寅(十五日),宋光宗才去朝拜。

尚书左选郎官叶适上奏说:“从今以后应当在前去朝拜的那一天,命令宰相、侍从先去问安,将来两宫心中有难言之事时,自然能够因他们而传达,那么责任就有所归属,不能再让皇上身边的小人增减语言使得产生猜疑。”没有答复。

庚辰(十七日),留正前往都堂处理政事。诏令姜特立回归浙东。太阳上的黑子消失。留正出城待罪共一百四十天,宋光宗派左司郎中徐谊传达圣旨,才又回到京城。

平民百姓王孝礼上书说:“今年冬至,日影表应当在十九日即壬午日,而《会元历》却规定在二十日即癸未日,请将修内作所掌铜表圭交付太史局检测验证。”朝廷采纳了他的意见。

丙戌(二十三日),金国下诏说:“各个官员因为贪赃渎职而被治罪的,因为廉洁能干而被迁官的,命令所在路京府州县列出姓名,在官署门口张榜公布,以示惩戒或鼓励。”

十二月,戊戌(初五),宋光宗到重华宫朝拜。

金国判定武军节度使郑王永蹈,因为谋反被处死。

起初,崔温、郭谏、马太初,与完颜永蹈的家奴庆寿私下里谈到谶记灾祥,庆寿把此事告诉了完颜永蹈。郭谏很善于给人看相,完颜永蹈将他召来,看他自己和妻子儿女的相都是非常富贵,不是诸王能够比得上的。完颜永蹈又召来崔温。马太初讨论谶记天象,崔温说:“丑年有兵灾,属兔的人,明年春天能够召集军队夺得皇位。”郭谏说:“昨天看见赤气冲犯紫微,白虹贯月,都象征着丑年以后寅年以前会发生武装叛乱的事。”完颜永蹈非常相信他们的说法,就暗中勾结内侍郑雨儿让他察看金章宗的行动,让崔温为主要谋划人,郭谏、马太初往来游说。河南统军使布萨揆,娶了完颜永蹈的妹妹韩国公主,完颜永蹈想取得河南驻军的支持,就与妹妹泽国公主完颜长乐商议,让驸马都尉富察都给布萨揆写了一封信,而且先请求联姻以观察他的意向;布萨撵拒不联姻,使者不敢再谈到图谋不轨的事。完颜永蹈的家奴谏阻他,完颜永蹈不听,家奴董寿就把此事告诉了另一个家奴迁嘉努,迁嘉努就向朝廷告发了。

完颜永蹈当时在京城,诏令完颜守贞等审问,牵连到很多人,久久不能判决。金章宗很生气,召见完颜守贞等询问案情。瓜勒佳清臣上奏说:"事情贵在速决,以安定人心。"于是赐完颜永蹈及王妃卞玉、郑王的两个儿子安春、阿逊、公主完颜长乐自尽,富察都、崔温、郭谏、马太初等都处死弃市。布萨撵虽然没有过问此事,也被除名。董寿免死,隶属宫监名籍。迁嘉奴赏钱二千贯,特别晋升五级官职,在文武百官之外安排官职。给各王府增设司马一人,监察王府的往来人员,从此对诸王的限制防范更加严密了。

金章宗命有司把郑王完颜永蹈的财产分赐诸王,把泽国公主的财物分赐给诸公主,户部郎中李敬义,说恐怕因此而生事,金章宗又要把董寿任命为宫监籍都总管,一并下发给尚书省讨论。完颜守贞上奏说:"陛下要把完颜永蹈的家产分赐给宗亲,恩命已经传出,恐怕不能更改。现在已经减少了诸王的弓矢,府尉监视王府人员的出入,我认为把郑王的财产赐给他们没有什么害处。至于董寿,本是罪人,免了他的罪已是万幸,不应该再加以赏官赐爵。"金章宗听从了他的建议。

壬寅(初九),右司谏章颖,因为发生地震请求罢免葛邲,上了十多次疏,朝廷都没有答复。

庚戌(十七日),判隆兴府、卫国公赵雄去世。后来赐谥号为文定。

甲寅(二十一日),金国册封长白山的神为开天弘圣帝。

任命朱熹为湖南安抚使、潭州知州。有使者从金国回来,说金国人问朱先生在哪里,因此有这样一项任命。

这一年,金国的收成很好。邢、洺、深、冀、河北十六穆昆的地区,野蚕结茧。

绍熙五年　金明昌五年(公元 1194 年)

春季,正月,癸亥朔(初一),宋光宗到大庆殿,接受群臣朝拜,并且朝拜重华宫,接着到慈福宫,举行庆寿礼。

乙丑(初三),金国昭容李氏,晋封为淑妃,追封她祖父和父亲的官爵。淑妃的哥哥李喜儿,过去曾当过强盗,与弟弟李铁哥都被安排到皇帝身边担任显要的官职,势倾朝野,贪利希图升官的人,争先恐后往他们家里跑。

己巳(初七),金国尚书省进献区田法,诏令各地实行区田法务必要从方便百姓这一基本点出发;又谈到派官员鼓励百姓生产的实际上是骚扰百姓,命令提刑司禁止这种做法。

癸酉(十一日),寿皇生病。

乙亥(十三日),金国因为希尹首创女真文字,诏令追加封赠,按照仓颉造字在盩厔立庙的先例,在上京立祠,每年春季和秋季进行祭祀。

丙子(十四日),大理寺上奏说监狱里空无一人。

癸未(二十一日),右丞相葛邲被免职。葛邲担任宰相,恪守祖宗法度,推荐进用人才,博采众论,唯恐被荐举的人知道。

丁酉(疑误),金国下诏购求《崇文总目》内所缺的书籍。

金国开始制定各地长官能否劝课农桑作为赏罚依据的法规。

二月,乙未(初三),赵汝愚、余端礼因为上奏选拔西帅不被实行,待在家里等待被治罪。

戊戌(初六),任命荆、鄂诸军都统制张诏为兴州诸军都统制。

癸丑(二十一日),金国诏令宣徽使伊喇敏等视察北部边境的驻军营地,筹划长久之计。

三月,壬申(十一日),金国开始制定钱币禁令。

乙亥(十四日),把利州东路和西路合为一路。

庚辰(十九日),金国首次决定把祭祀日师、月师、风师、雨师、雷师作为经常性的祭祀。

戊子(二十七日),金国设置了弘文院,翻译编写经书。

夏季,四月,寿皇病情逐渐加重,群臣多次请求宋光宗到重华宫探问病情,都没有结果。

甲午(初三),宋光宗与皇后到玉津园,兵部尚书罗点请宋光宗先到重华宫,并且说:"陛下作为寿皇的儿子四十多年,没有一句离间的话;只是因为初次郊祀生病,寿皇曾到南内督责过左右下人,从此就有了谗言,于是产生了忧虑和怀疑。据我看来,寿皇与天下相忘已经很久了。如今大臣同心辅政,百官奉守法纪,宗室、戚里、三军、百姓,都没有异心,如果有人挑拨离间,必须毫不迟疑地处死他。陛下却深居不出,久亏为子的义道,众人诋毁诟骂,将会产生祸患,不可以不忧虑啊。"宋光宗说:"你们可以替我从中调解维护。"侍讲黄裳回答说:"父子的骨肉关系,怎么要旁人调解维护!"罗点说:"陛下一出宫,就会冰释。"宋光宗还是不准许。罗点就率讲官劝谏,宋光宗说:"我的心里也未必不思念寿皇。"罗点说:"陛下很久没去朝拜寿皇了,虽然讲了这句话,怎么能给自己开脱!"起居舍人彭龟年,连着三次上疏请求面见宋光宗,没有得到答复。赶上宋光宗上朝,彭龟年出班伏在地上磕头,血染红了铺地的砖。宋光宗说:"我素来知道你忠诚正直,你要说什么?"彭龟年说今天没有比朝拜寿皇更大的事了,余端礼趁势说:"在龙庭叩头,曲折地表达忠心,臣子做到这一点,难道不是不得已吗?"宋光宗说:"知道了。"然而还是不去重华宫朝拜。

丙申(初五),退休太师、魏国公史浩去世,享年八十九岁。追封他为会稽郡王,赐谥号为文惠。

史浩喜欢举荐人才,曾经决定将陈之茂晋升为知州,寿皇知道陈之茂曾经弹劾过史浩,寿皇说:"你难道要以德报怨吗?"史浩说:"我不知道有怨,如果知道是怨用德去报答他,这是别有用心。"莫济描述王十朋的为人处事,诋毁史浩尤其厉害,史浩举荐莫济掌管内制,寿皇说:"莫济不是议论过你吗?"史浩说:"我不敢因为私仇而妨害公事。"于是任命莫济为中书舍人兼直学士院,待他像当初一样,他的宽厚大抵就像这样。

己亥(初八),宋光宗到景灵宫朝拜祭祀。

壬寅(十一日),因为天不下雨,诏令判决狱中的囚犯,把杖刑以下的都予以释放。

甲辰(十三日),侍从进宫面见宋光宗,请求宋光宗朝拜重华宫。己酉(十八日),太学生陈肖说等人,因为宋光宗没去朝拜,写信给大臣,宋光宗听说此事,准备在癸丑日(二十二日)前往朝拜。到了那一天,丞相以下的官员都进了宫门,等到太阳西斜,宋光宗又推说有病而加以推辞。因此群臣自请罢免官职在家待罪的有一百多人;诏令不允许。

乙卯(二十四日),金章宗临幸景明宫,御史中丞董师中。侍御史贾铉、路铎等分别上疏极力劝谏。金章宗不高兴,派人对他们说:"你们讲的,并不是没有可取之处;然而也有失君臣大义,请引以为戒!"

丙辰(二十五日),侍读黄裳、秘书少监孙逢吉等人,又一次上疏请求宋光宗到重华宫朝拜。丁巳(二十六日),起居郎兼中书舍人陈傅良,请求派亲王、执政大臣或皇亲中的一人充任重华宫使。台谏官员纷纷上疏弹劾内侍陈源、杨舜卿、林亿年离间之罪,请把他们驱逐出朝廷。

五月,辛酉朔(初一),辰州瑶族人侵扰边境。

寿皇病情非常沉重,想见宋光宗一面,几次环顾左右。陈傅良因为宋光宗不去重华宫朝拜,于是缴上了官告敕令,到京城外待罪。戊辰(初七),留正等率执政大臣进宫面见宋光宗,宋光宗拂衣而起,留正拉着宋光宗的衣裾劝谏。罗点说:"寿皇病情已十分危险,陛下如果不去见一次面,后悔怎么来得及哩!"群臣跟着宋光宗来到福宁殿,内侍关闭殿门,群臣痛哭而出。过了两天,留正等因为请求不被接受,请求辞官还乡,宋光宗命令知阁门事韩侂胄传旨说:"执政大臣都出去。"留正等都出京到浙江亭待罪。寿皇听到此事,非常忧虑。韩侂胄上奏说:"昨天传旨令宰执大臣出殿门,他们却出了都门,请求前往宣诏叫他们入城。"于是留正和赵汝愚等又回到家中。第二天,宋光宗召见罗点,罗点说:"前天迫切希望表达忠心,举措失体,陛下赦免而不加处罚。然而拉着衣裾进谏也是有先例的。"宋光宗说:"拉着衣裾是可以的,怎么能动辄就进入宫中禁地呢?"罗点引用辛毗的故事加以辩解,并且说:"寿皇只有您一个儿子,既然把皇位交给陛下,还真担心不能快点见他一面。"

甲申(二十四日),侍从官以及彭龟年、黄裳、沈有开上奏请求让嘉王到重华宫探问寿皇的病情,宋光宗准允了。嘉王到重华宫,寿皇为之感动。

戊子(二十九日),金国因为桓、抚二州发生旱灾,派官员到缙山祈祷。

六月,戊戌(初九),夜,寿皇驾崩,享年六十八岁。遗诏改重华宫为慈福宫,在宫的后面修建寿成皇后的宫殿,以便皇帝随时问安。拿出宫中的一百万缗钱赏赐给内外诸军。

这天晚上,重华宫的内侍到宰相执政的家里报丧,赵汝愚担心宋光宗生疑,或许不出宫上朝,把报丧的奏章不呈上。第二天,宋光宗临朝视事,赵汝愚把寿皇去世的消息报告皇上,因而请宋光宗到重华宫举行丧礼;宋光宗答应了,但到太阳西斜还没出来。大宗正丞李大性上疏说:"今天的事情,颠倒错乱。况且金国使者举行祭奠时,应当在北宫的素帷中引见,不知那时还可不可以不出来?《檀弓》上说:'成地人有人的哥哥死了不穿丧服,听说子皋将当成地的长官,于是才穿丧服。成地人说:"哥哥死了子皋替他服丧。"'大抵是说成地人担心子皋来,才服丧,他服丧是因为子皋,不是因为他的哥哥。如果陛下一定要等到金国使者来了然后才服丧,恐怕会贻笑中外,难道只是像那个成地人一样吗!"

辛丑(十二日),丞相率领百官上表请求在寿皇灵寝处服丧。壬寅(十三日),寿皇遗体入棺,嘉王又进来奏请。宋光宗下诏说等病好后前往举行丧礼。留正与赵汝愚商议通过少傅吴琚,请求寿圣皇太后垂帘暂时主持丧事,太后不答应。留正等请人代奏说:"我们连日到南内请求面见皇上都没得到批准,多次上疏又没有结果,今天率领百官恭敬地请求。如果皇上不出宫,百官痛哭在宫门前,恐怕人心骚动,为社稷担忧。请依照唐肃宗时的旧事,群臣在太极殿发丧,皇帝在宫中服丧。然而举行丧礼时不能没有为主的人,祭文结尾称孝子嗣皇帝,宰相不敢代读。太皇太后,是寿皇的母亲,请代皇帝举行祭奠仪式。"太后同意了。这一天,一道白气横亘天空。

乙巳(十六日),尊称寿皇太后为太皇太后,尊称寿成皇后为皇太后。

丁未(十八日),叶适对留正说:"皇帝生病而不服丧,将怎么向天下的人解释呢?现今嘉王长大了,如果预先立为参决,那么疑虑和流言就会消散。"留正听从了他的意见,率执政大臣上奏说："皇子嘉王,仁孝老成,应该早日明确他的王储地位,以安定人心。"没有答复。过了六天留正又奏请,宋光宗批示道:"很好。"第二天,宰执大臣共同拟旨献上,请求宋光宗吩咐学士院降诏。这天晚上,交给丞相一封御笔书札说:"参决政事的时间很久了,心里想退位赋闲。"留正见了御札,非常恐惧。

此月,金章宗到呼图里巴山打猎,举行拜天礼,遍赦西北诸路,于是游猎秋山。

秋季,七月、辛酉(初二),留正乘着上朝,假装昏倒在朝堂,便出了国门,上表请求告老还乡,并且说:"希望陛下尽快回心转意,痛改前非,慢慢收揽人心,或许能够保住国祚。"

起初,留正首先提议:"皇上因为生病不能主持丧礼,应该册立皇太子监国;如果皇上还不厌倦政事,应当明确声明临朝听政;如果决定内禅,太子可即皇位。"然而赵汝愚认为应让太皇后、太后下旨让光宗禅位给嘉王。留正认为立王储的诏书还没下达,突然这样做,今后必定难以相处,与赵汝愚意见不合,就坐上肩舆天不亮就逃跑了。

甲子(初五),太皇太后诏令让嘉王赵扩穿着丧服即位,尊奉宋光宗为太上皇帝,皇后为太上皇后。

当时留正已经离开朝廷,人心更加动摇。遇上宋光宗临朝听政,忽然昏倒在地,赵汝愚急得不知如何是好。徐谊写信责备赵汝愚说:"自古作臣子的,做忠的事就是忠臣,作奸的事就是奸臣,忠奸相杂而能成事的,从没有过。您内心虽忧患,表面上又想袖手旁观,不是忠奸相杂吗? 国家安危,在此一举!"赵汝愚问有什么办法,徐谊说:"这是大事,非太皇太后下诏不可。知阁门事韩侂胄与我的同乡蔡必胜同在知阁门,可以通过蔡必胜招他来。"

韩侂胄来后,赵汝愚把内禅的建议委托韩侂胄请示太皇太后,韩侂胄通过他的好友内侍张宗尹上奏,两天了还没得到诏命,犹豫地准备退出。内侍关礼见了就问他,韩侂胄向他全盘托出了赵汝愚的意思。关礼让他稍候,进宫见了太皇太后就哭起来,太皇太后问他为什么哭,关礼回答说:"圣人读万卷书,也曾见像现在这样混乱而能保住社稷江山的吗?"太皇太后说:"这不是你应知道的。"关礼说:"这件事人人都知道。现在丞相已经离京,能依靠的人只有赵汝愚,早晚也会离开的。"说时声泪俱下。太皇太后吃惊地说:"知院是皇室的同姓人,情况与别人不同,竟然要离开朝廷吗?"关礼说:"赵知院没有离开,不只是因为同姓的缘故,还认为太皇太后是可以依靠的。如今定下大计而没有得到批准,不得不离开;赵知院一旦离开,社稷江山怎么办呢? 请您三思!"太皇太后问韩侂胄在哪里,关礼说:"已留下他等候诏命。"太皇太后说:"事情顺理就行,命人告诉他好自为之。"关礼告诉韩侂胄,并且说:"明天早晨太皇太后在寿皇灵棺前垂帘赐见。"韩侂胄回去复命,太阳已经西斜。

赵汝愚方把这件事告诉陈骙、余端礼,急命殿帅郭杲等人,晚上派兵分别守卫南宫和北宫,关礼派傅昌期秘密地制作黄袍。

这一天,嘉王告假,没去重华宫。当时将要举行禫祭,赵汝愚说:"禫祭是大事,王不可不出。"第二天,群臣入重华宫,嘉王也入重华宫。赵汝愚率百官到寿皇的棺材前,太皇太后垂帘,赵汝愚率百官说:"皇帝生病,不能服丧,我们请求立皇子嘉王为太子以维系人心,皇帝批示里有'甚好'二字,接着有'念欲退闲'的旨意,由太皇太后决定。"太皇太后说:"既然有御笔,宰相应当遵照执行。"赵汝愚说:"这件事很重大,传播天下,载入史册,必须议定下一道诏命。"太皇太后批准了。赵汝愚从衣袖中拿出所拟的命令呈给太皇太后说:"皇帝因为患病,至今不能服丧,曾有御笔,想退位赋闲。皇子嘉王赵扩,可以即皇帝位。尊称皇帝为太上皇帝,皇后为太上皇后,移居泰安宫。"太皇太后看见,说:"很好!"赵汝愚说:"今后我们如果有事上奏,应当奏请嗣皇帝处置。然而恐怕两宫父子间有为难的地方,必须奏请太皇太后处理。"赵汝愚又说:"太上皇的病还没痊愈,突然听说这件事,不会没有惊疑,请求令都知杨舜卿担任本宫提举负起此项责任。"于是召杨舜卿到帘前,当面吩咐他。

太皇太后就命令赵汝愚让皇子遵旨即位。皇子坚决推辞说:"恐怕背负不孝的名声。"赵汝愚说:"天子应当以安定社稷国家为孝,现今内外人人扰乱不安,万一有什么变故发生,把太上皇摆到什么位置?"大臣们扶着皇子进入白色帐幄中,披着黄袍,正退后站立着不肯就座,赵汝愚率领同僚行再拜礼。皇子到几筵殿,哀哀痛哭。一会儿,仪仗排列好了,催促百官分班站立,皇子穿着丧服出来,就在重华殿东侧的素帐中站立,内侍扶着他登上御座,百官跪拜问安完毕,举行禫祭仪式。命令杨舜卿去南内取八宝,起初太上皇还舍不得给,杨舜卿传奏说皇太子已即位,太上皇才拿出八宝交给他。赵汝愚就在治丧的地方命人召还留正。不久天子下诏说:"秋季炎热,太上皇不必移居别地,就把现在的寝殿改为泰安宫以奉养太上皇。"朝廷内外相安无事。

乙丑(初六),太皇太后命令册立崇国夫人韩氏为皇后。韩皇后,是韩琦的六世孙,被选入宫,能够顺应两宫的心意,被送入嘉王府,至此被立为皇后。

丙寅(初七),实行大赦。

丁卯(初八),侍御史张叔椿弹劾留正擅自离弃相位,将张叔椿调任为吏部侍郎。

戊辰(初九),下诏征求直言。校书郎蔡幼学上奏说:"陛下要尽国君之道,主要有三点:事奉双亲,任用贤人,减轻百姓负担。而其中的根本没有比讲学更重要的了。近年小人谋划陷害君子,宣扬安静和平的学说来排挤他们,因此大臣本应讲求治国之道而因为怕被指为生事而自己怀疑自己,近臣本应效忠担心指为忤旨而被摒弃,这事发展到极点就是皇帝居住九重深宫而群臣尽被废弃,许多士人充满朝廷但却不献一条计策,如果不是圣人之学日日更新,求贤唯恐不及,怎能培养天下的人才呢!"宋宁宗连连称赞。

庚午(十一日),诏令秘阁修撰、潭州知州朱熹进京。

又宣召留正赴都堂处理政事。留正离任以后,宋宁宗就即位了,任命他为大行攒宫总护使,入京致谢,又出城了。太皇太后又命令急速宣召留正回京城,赵汝愚又上奏请求,宋宁宗亲自写命令派人宣召留正返京。

赵汝愚首先裁减侥幸得官的人,收揽四方的知名人士,中外人士都翘首期盼国家得到治理。乙亥(十六日),任命赵汝愚为右丞相,陈骙为知枢密院事,余端礼为参知政事,赵汝愚推辞不接受任命,说:"同姓宗室大臣,不幸处于君臣变化之际,敢自夸有功吗!"

戊寅(十九日),加封殿前都指挥使郭杲为武康军节度使。

辛巳(二十二日),任命赵汝愚为枢密使。

壬午(二十三日),任命知阁门事韩侂胄为汝州防御使。

起初,韩侂胄想推究拥立宋宁宗的决策功劳,心里希望得到节度使官衔,赵汝愚说:"我是宗室大臣,你是外戚,怎么可以讲功劳?只有那些充当爪牙的臣子,才应当推功行赏。"于是加封郭杲为节度使,只任命韩侂胄为宜州观察使。韩侂胄大失所望,然而他因为传达诏令圣旨,渐渐被皇帝亲近信任。临安府知府徐谊对赵汝愚说:"韩侂胄今后必定会成为国家的祸患,应当满足他的欲望而疏远他。"赵汝愚不听。赵汝愚要给叶适评功,叶适推辞说:"国家有危难时效忠,是我的职责,我有什么功劳!"等到听说韩侂胄失望,就与知阁门刘弼对赵汝愚说:"韩侂胄所希望的,不过是节度使罢了,应该给他。"赵汝愚不同意。叶适说:"祸患从这里开始了。"于是极力要求到外地任职。

侍御史章颖等弹劾内侍林亿年、陈源、杨舜卿,诏令说:"林亿年、陈源在外地任祠官,杨舜卿在京城任祠官。"

甲申(二十五日),任命兵部尚书罗点为签书枢密院事。

戊子(二十九日),罢免杨舜卿的内祠官职,林亿年到常州居住,陈源到抚州居住。

八月,辛卯(初三),宋宁宗初次到行宫便殿听政。

癸巳(初五),任命潭州知州朱熹为焕章阁待制,兼侍讲。

此前黄裳担任嘉王副翊善,太上皇告谕他说:"嘉王进学,都是你的功劳。"黄裳谦虚地说:"如果要进德修业,追迹古先哲王,必须靠天下第一等的人。"太上皇问是谁,黄裳回答说是朱熹。彭龟年担任嘉王府直讲,因为正讲解经义,告诉嘉王说:"这是朱熹的学说。"嘉王称赞他。至此赵汝愚首先举荐朱熹,便召入宫中担任侍讲。

朱熹在道中,听说朝拜泰安宫的礼仪还不具备,皇帝亲近的人已有受到重用的,就上奏说:"陛下即位之初,正要使各项政事面貌一新,应该爱惜官爵和荣誉,如果让侥幸之门一开,那弊端就不可收拾。至于广泛延揽儒臣,专意讲学,必须寻求能够深得皇上亲信的人以建立王道引导人民的根本,思考大振朝纲的办法作为防微杜渐深谋远虑的良策。"没有答复。

甲午(初六),增设讲读官,任命给事中黄裳、中书舍人陈傅良、彭龟年担任这项职务。

丁酉(初九),把宋宁宗的生日定为天祐节,不久又改作瑞庆。

壬寅(十四日),诏令经筵讲官陈述经书意旨,补救纠正失误。

进封皇弟许国公赵抦为徐国公。

辛亥(二十三日),金章宗回到都城。

金章宗对宰相说:"应奉王庭筠,我想把起草诏诰的事委托给他,这样的人才难道是容易得到的!听说文人往往妒忌王庭筠,不谈论他的文才,反而只以他的言行来指责他。大抵读书人往往口诛笔伐或拉帮结党,过去东汉的读书人与宦官分别结党,固然不值得奇怪。至于唐代的牛僧孺、李德裕,宋朝的司马光、王安石,都是儒者,但却互相排挤诋毁,这是为什么?"于是任命王庭筠为翰林修撰。

壬子(二十四日),金国境内的黄河在阳武故堤决口,淹没封丘后又流向东去,尚书省上奏说都水监官见水势向南,不预先筹划,诏令将王汝嘉等人各削夺两级官阶,杖七十,罢免他们,命令参知政事冯琪前往视察,还准许他遇事灵活处理。

黄河自从元符二年开始,向东的支流断了水,向北的支流汇合御河,到清州流入大海,非常畅通。宋室南渡以后,这个地方落到了金国手中,黄河开始偏离濬、滑境内的故道,时常决口。至此黄河在阳武决口,由封丘向东流入梁山泺,分为两支,北支流由北清河流入大海,南支流由南清河流入淮河,汲、胙之间,黄河水流便断绝了。

丙辰(二十八日),皇宫内发出批文说:"罢免左丞相留正的职务,任命赵汝愚为右丞相。"起初,留正上奏说:"陛下勉强听从群臣的请求登上皇位,应该遇事从简,向天下人表示不得已的意思,实在不是颁赏官爵的时候。"当时韩侂胄正渐渐谋划干预朝政,几次来到部堂,留正派尚书省的官员对他说:"这不是知阁每天往来的地方。"韩侂胄生气地退出去了。

遇上留正与赵汝愚讨论攒宫时意见不合，韩侂胄乘机在宋宁宗面前离间，宋宁宗于是以手诏罢免留正的职务，让他出京担任建康府知府。留正谨守法度，爱惜名器，赵汝愚本来依靠留正共同处理政事，恨韩侂胄不把这件事告诉他，等到韩侂胄前来谒见，就推辞不见，韩侂胄又气又恨。罗点对赵汝愚说："你错啦。"赵汝愚省悟，才见他，但韩侂胄始终不高兴。

朱熹想辞去新的任命，不允许。朱熹面见宋宁宗，首先就说："不久前太皇太后亲自制定重大决策，让陛下继承先辈宏图，可说是以权宜处置而又或许不失其正理。至今已三个月了，有时反而不能消除拒绝还是顺从太皇太后意旨的疑虑，我私下里替陛下担心。还有不该讲的，也说陛下前未曾有求皇位的想法，今日未曾忘思亲之心，这就是实行权宜之计而又不违背正理的根本。充实未曾求皇位的心思以竭尽负罪引咎的诚意，充实不曾忘怀双亲的心以表达问安定省的正理，始终不违背这一点，那么国家的伦理就会得到端正，根本也可以确立了。"当时赵彦逾检查视察寿皇的山陵，认为土层浅薄，下面又有水和岩石；孙逢吉又去巡察，请求另外寻找有吉兆的好地方。诏令群臣集体商议。朱熹上奏说："寿皇圣德衣冠的埋藏之地，应当广求于名山，不应偏信台史的话，把它放到水泉沙砾之中。"没有答复。

丁巳（二十九日），金国把银、绢按等级赏赐给跟着游幸山后的亲军。

九月，庚午（十三日），签书枢密院事罗点去世。罗点孝悌友爱端正耿介，没有过激奇异的行为。有人说天下的事没有才能就办不成，罗点说："应该看他的心思，如果心思不正，才能虽然超过常人，有什么可取的呢？"这时给事中黄裳也去世了，赵汝愚哭着向宋宁宗说："黄裳、罗点，相继去世。二位臣子的不幸，也是天下人的不幸啊。"

辛未（十四日），在明堂合祭天地，实行大赦。

壬申（十五日），任命刑部尚书京镗为签书枢密院事。

起初，宋宁宗要任命京镗为蜀帅，赵汝愚对人说："京镗资历声望都还很浅，怎么能担任一个方面的统帅？"京镗恨他，韩侂胄就拉拢他帮助自己。

冬季，十月，己丑（初二），右谏议大夫张叔椿两次弹劾留正擅自离弃相位，诏令取消留正观文殿大学士官衔。

庚寅（初三），把泰安宫改为寿康宫。

金国派户部员外郎何格赈济黄河决口受灾的百姓。

癸巳（初六），雷鸣。乙未（初八），诏令说因为阴阳错乱，雷电非时，台谏、侍从各自上疏论说朝政的缺失。

甲辰（十七日），根据朱熹建议，督促尚书省审阅响应诏令而上的奏疏。

庚子（十三日），因为久雨，诏令判决狱中囚犯，把杖刑以下的予以释放。

辛丑（十四日），雅州蛮族侵扰边境，土丁抗击并打退了他们。不久出来投降了。

乙巳（十八日），奉上大行皇帝谥号，庙号为孝宗。

丙午（十九日），又因为朱熹上奏，不收瑞庆节的贺表。

庚戌（二十三日），改上安穆皇后的谥号为成穆，改安恭的谥号为成恭。

金国已故尚书左丞张汝弼的妻子高陀干，因为谋反被处死。张汝弼与镐王完颜永中，是甥舅关系，暗中结为同党。金章宗即位，高陀干常常以邪言吓唬完颜永中，希望得到不该有的东西。画了完颜永中的母亲元妃张氏的像，很恭谨地供奉着，凭借左道旁门为完颜永中求福。事情被发觉，有司审讯处治，高陀干被处死，并且牵涉到张汝弼。金章宗认为事情是在张汝弼死后发生的,得以免于削夺官爵。

这个月里,修建福宁殿。

韩侂胄日夜图谋除去赵汝愚,知阁门事刘弼,也因为没有能够参与谋划内禅一事,心怀不满,于是对韩侂胄说:"赵相想独占大功,您岂止是得不到节度使的官衔,恐怕还将免不了被贬岭南的厄运。"韩侂胄显出惊愕的样子,于是问他有什么办法,刘弼说:"只有利用台谏官。"韩侂胄问道:"怎么办才好?"刘弼说:"让皇帝御笔批写就行了。"韩侂胄认为很对,就用内批的形式任命给事中谢深甫为御史中丞。

恰逢赵汝愚请令近臣举荐御史,韩侂胄暗中让他的同党刘德秀嘱咐谢深甫,于是就以内批的方式任命监察御史。朱熹担心韩侂胄扰害政务,每次借着面见皇帝的机会,对宋宁宗痛切陈词,又约吏部侍郎彭龟年一同弹劾韩侂胄。恰逢彭龟年充任金人吊祭馆伴使去了。朱熹又派人送信给赵汝愚,说应该用丰厚的赏赐酬报韩侂胄的功劳,不要让他干预朝政。赵汝愚为人粗疏,说韩侂胄容易被制服,不值得担心。

右正言黄度,准备上疏弹劾韩侂胄的奸邪,韩侂胄发现了此事,以皇帝的亲笔御旨将黄度调出京城让他担任平江府知府。黄度说:"蔡京专权,是导致天下祸乱的根源。现在韩侂胄假借皇帝亲笔手令驱逐谏官,使之低头离去,不能够进献一句效忠的话,这不是国家的幸事。"黄度坚决不接受任命,以宫观官的职衔回家养老。

闰十月,庚申(初三),因为孝宗的牌位将要安置在太庙,讨论宗庙按顺序毁废的制度。孙逢吉、曾三复首先提议把僖、宣二祖的牌位一齐移走,把太祖的牌位供奉在第一室,祭祀时就放在东边的位置;诏令集中讨论。僖、顺、翼、宣四祖的牌位,应该有妥善的安置,因为自从太祖以来就首先尊奉着四祖的牌位,治平年间,有人说代数相隔渐渐疏远了,请求把僖祖的牌位移到夹室。后来王安石等人说僖祖有庙,与周朝供奉稷、契相同,请求恢复旧制。赵汝愚对祭祀僖祖的说法不以为然。侍从大多附和他的意见。吏部尚书郑侨想只移走宣祖的牌位而放进孝宗的牌位,侍讲朱熹认为把祖先牌位藏到夹室,就是把祖宗的牌位降格放到子孙正室所附的夹室中;又说到拟定庙制,认为事物难道没有根本而能产生。赵汝愚不听从,就将僖、宣二祖的牌位移出,另外修了庙供奉四祖的牌位。

戊寅(二十一日),内批御旨宣布罢免焕章阁待制兼侍讲朱熹的官职。

朱熹每次进讲,务必以诚意感动皇帝,把平日所写的著作论点讲给皇帝听,坦然明白,可以较易实行。讲完后,有什么可以帮助皇帝开阔视听的内容,丝毫也不隐瞒,皇帝也虚心地听取采纳。这次因为黄度离职,朱熹借着讲完了奏疏的机会,极力劝说道:"陛下即位还不到一个月,就斥退宰相,更换台谏官,这都是出于陛下的独断,朝廷内外都说陛下左右的人或许窃取了权柄。我担心皇上的威权下移,想治好国家反而会搞乱国家。"奏疏颁下,韩侂胄十分恼火,让优令戴着高帽穿着袖子宽大的衣服扮成大儒,在皇帝面前演戏,并且乘机离间说朱熹迂腐不可重用。宋宁宗正信任韩侂胄,就传出御笔批示说:"可怜爱卿年老,恐怕难以站着讲学,已经任命你为宫观官。"赵汝愚将御笔手令放在衣袖里面见宋宁宗,一边劝谏一边跪拜,宁宗不搭理。赵汝愚因而要求罢免他的官职,不准许。过了两天,韩侂胄让他的同党把御笔手令密封后交给了朱熹,朱熹附上奏章表示谢恩,便走了。

中书舍人陈傅良,将录黄密封退回;起居郎刘光祖、起居舍人邓驿、御史吴猎、吏部侍郎孙逢吉、知登闻鼓院游仲鸿,纷纷上疏挽留朱熹,都没有答复;陈傅良、刘光祖也因此被罢官。

工部侍郎黄艾,乘侍讲的机会问为什么这样急于赶跑朱熹,宋宁宗说:"起先只是任命朱熹担任侍讲经书的职务,现在他却事事都要过问。"黄艾极力分析其中的原因,宋宁宗不听。彭龟年说:"起初是我约朱熹一起弹劾韩侂胄,朱熹被免职,我也应该一起被罢免。"没有答复,韩侂胄恨他。游仲鸿上疏说:"陛下居丧之时,亲笔御批多次从宫中传出,不通过中书省。前天宰相留正,免去他的职务是不合礼法的;谏官黄度,罢免他不是通过正常途径;讲官朱熹,罢免他不符合道义。自古以来没有不要宰相、谏官、讲官而能自己耳聪目明的。希望快快召回朱熹,不要让小人得志以致酿成祸乱。"王介上疏说:"陛下即位不到三个月,罢免宰相,调动台谏,都出自宫内的御批,这不是治国的好方法。崇宁、大观年间,政事由宫内传出的御批决定,因而酿成了徽、钦二帝被俘往北方的惨祸。杜衍任宰相时,常常积攒着宫内传出的御批准备退回。现在的宰相不敢退回宫内的御批手令,台谏不敢弹劾,这难道是长治久安的做法吗!"

金章宗问大臣说:"各地的孔子庙修得怎么样?"完颜守贞说:"各县正讨论建庙。"金章宗于是说:"僧徒修饰的庙宇佛像很庄严,道教的次之,只有儒者修的孔子庙,最为草率。"完颜守贞说:"儒者不能常住学校,不像僧道之徒经常住在寺庙道观中。"金章宗说:"僧人道士利用佛、老营利,因而修的寺观务必追求庄严恢宏,引起人们敬意从而布施,不是为了美观好看。"

壬午(二十五日),诏令:"改明年为庆元元年。"

金国的参知政事马琪,从行省回京,详细奏报黄河河防的利弊。丙戌(二十九日),任命翰林待制鄂屯忠孝代理户部侍郎,太府少监温仿代理工部侍郎,处理户部、工部事务,修治黄河堤防。

十一月,丙午(十九日),宋宁宗从重华宫返回皇宫。

庚戌(二十三日),任命韩侂胄兼任枢密都承旨。起初,诏令韩侂胄可以特别晋升两级官职。韩侂胄觊觎节度使的职位,心里不满意,极力推辞,就只晋升一级官职,担任宜州观察使,更加仇恨赵汝愚;至此特升为都承旨。

下诏规定为孝宗皇帝服三年丧。

这以前,有司请求在易月之外,实行漆纱浅黄的制度。当时朱熹正担任侍讲,就上奏说:"自从汉文帝缩短丧期以来,历代沿用,天子便没有了三年守丧。为父亲服丧尚且这样,那么嫡孙承担服丧重任不言可知。人纪废坏,三纲不明,已有一千多年了,没有谁能纠正。寿皇圣帝品性至高,规定以日易月之外,还按常礼服丧,朝衣朝冠,都用大布,这都应该载入书史,作为万世的楷模。陛下因世代有德继承了大统,承担服丧的重任,这在礼法上都有记载,应该遵守寿皇已颁行的礼法。一时仓促来不及仔细讨论,就用漆纱浅黄的礼制,致使寿皇已颁行的礼法,施行之后又被废弃,我私下里感到很痛心。然而已经过了的事,来不及追改,出殡发引,按礼法应当用初丧时的丧服。"因此诏令采用服丧三年的礼制,朝廷内外百官都穿凉衫处理政事,这是采纳了朱熹的建议。

把明州升为庆元府。

乙卯(二十八日),暂且把哲文神武成孝皇帝攒葬在永阜陵。

十二月,丁巳朔(初一),禁止民间乱说宫中的事。

辛酉(初五),金国平章政事完颜守贞被免职。

完颜守贞精通法律,明白熟悉历朝的典故。当时金国已建国七十年了,礼乐刑政,沿用辽、宋的旧制,杂乱而不连贯,金章宗想更正重修,作为一代的法制,其中的仪式条款,多数是由完颜守贞决定的,因此明昌年间的吏治,号称清明。又喜欢推荐士人,提拔晚辈,金章宗怀疑他结党营私,又被胥持国所离间,于是出京担任济南府知府,还命令他即时辞行。从前荐举过完颜守贞的董师中、路铎都被调往外地任职。任命大兴府知府尼庬古鉴为参知政事。

乙丑(初九),吏部侍郎兼侍讲彭龟年,见韩侂胄受到重用,权势比宰相还大,就上疏弹劾他的奸邪,说:"进退大臣,更换言官,都是皇帝处理政事时最关大局的事。现今大臣有的不能知道的但韩侂胄知道,假托皇帝声势,私下里作威作福。不把他除去,必定会成为祸害!"宋宁宗看完奏章吃惊地说:"韩侂胄,我把肺腑都交托给他,毫不怀疑地信任他,不会这样!"彭龟年又说:"陛下赶走朱熹太粗暴,因此想要陛下也快点除去这个小人,不要让天下的人说陛下除去君子很容易,除去小人很难。"于是韩侂胄、彭龟年都请求担任宫观官。宋宁宗要把他们两人都免去官职,陈骙上奏说:"因为罢免了阁门的官职就要罢免侍讲的官职,这叫天下的人怎么看呢?"不久宫内传出御批说:"彭龟年出京任知州,韩侂胄晋升一级官职,改任在京宫观官。"

给事中林大中、同中书舍人楼钥上奏说:"陛下眷顾并且礼遇过去的僚属,一旦作了皇帝,接见探问没有一天间断过,不到几个月的时间,大臣们有的死了有的被罢斥了,只有彭龟年一人还留任。现在又把他赶走了,人们说他是因为言无不尽而获罪的,恐怕有伤政体。况且一个免职一个留任,皇上的恩德也不公平。被免职的一天一天被疏远,不再在左右侍奉;留下来的担任京中的宫观官,随时可以召见。请把彭龟年留下担任侍讲而命令韩侂胄到外地去任职,那么事体恰好公平,人们也没有什么说的。"宋宁宗御批道:"对彭龟年已算是格外优待,韩侂胄本来没有什么过错,可一并写成文告颁行天下。"

林大中又与楼钥上奏说:"彭龟年被免除官职去任知州,被认为是格外优待,那么韩侂胄改任承宣使,就不算格外优待吗?至于说韩侂胄本没有过错,那么彭龟年议论朝中政事,实在是出于敬爱陛下的一片忠心,难道是过错吗?彭龟年既然已经决意出京,韩侂胄也难于单独留京,应该让他到外地去任职或者担任京外宫观官,以安慰众人之心。"宋宁宗不听。从此以后韩侂胄更加骄横了。

御史中丞谢深甫弹劾陈傅良,罢免了他的官职。

丁卯(十一日),金国免除了遭受黄河水灾地区的当年的秋税。

戊辰(十二日),以陈康伯的牌位配享孝宗的牌位旁边。

己巳(十三日),知枢密院事陈骙被免职。庚午,任命余端礼为知枢密院事,任命京镗为参知政事,任命吏部尚书郑侨为同知枢密院事。

陈骙与赵汝愚历来不和,不曾同堂讲过话。到争论彭龟年的事,韩侂胄对人说:"彭侍郎不贪做好官,这是他的本性决定的;元枢也想做好人吗?"因而罢免了他,而荐举京镗在政府里任职以离间赵汝愚。赵汝愚在朝中很孤立,宋宁宗也不依靠信任他。

辛未(十五日),监察御史刘德秀弹劾起居舍人刘光祖,罢免了他。

任命工部尚书赵彦逾为四川制置使。赵彦逾自以为对皇室有功,希望赵汝愚推荐他到政府中任职。等到被任命为蜀帅,非常气愤,于是与韩侂胄勾结,借着上殿辞行的机会,开列了一张朝中大臣的名单交给宋宁宗,并说是赵汝愚的同党,而且说:"老奴今天离京,不惜一切对陛下讲这个事。"从此宋宁宗也猜疑赵汝愚。

癸酉(十七日),献上孝宗的庙乐名为《大伦之乐》。

甲戌(十八日),把孝宗的灵位安放到太庙里。

戊寅(二十二日),封太保郭师禹为永宁郡王。郭师禹,是成穆皇后的弟弟。

辛巳(二十五日),金国减少修造内司备营造的军士一千人、都城所的军士五百人。

癸未(二十七日),金国下敕令给尚书省说:"从今以后献灵芝、嘉禾的人,朝廷赏赐他们。"

续资治通鉴卷第一百五十四

【原文】

宋纪一百五十四　起旃蒙单阏【乙卯】正月,尽强圉大荒落【丁巳】十二月,凡三年。

宁宗法天备道纯德茂功　仁文哲武圣睿恭孝皇帝

讳扩,光宗第二子,母曰慈懿皇后李氏。光宗为恭王,慈懿梦日坠于庭,以手承之,已而有娠,乾道四年十月丙午,生帝于王邸。五年五月,赐今名。淳熙五年十月,封英国公。七年二月,初就傅。十二年三月,封平阳郡王。十六年三月,光宗受禅,三月,进封嘉王。

庆元元年　金明昌六年【乙卯,1195】　正月,丁巳朔,蠲两淮租税。旋蠲台、严、湖三州贫民身丁折帛钱一年。

辛卯,金敕有司给天水郡公家属田宅。

壬辰,金主如春水。

壬寅,黎州蛮寇安静寨,义勇军正将杨师杰及将佐王全等战却之。寻以师杰充成都府路兵马都监。

辛亥,金〔主〕谕参知政事胥持国曰:“河上役夫聚居,恐生疾疫,可廪医护视之。”

二月,丁巳朔,诏两淮诸州劝民耕垦荒田。

金敕有司,行宫侧及猎所,有农者弗禁。

己未,金始祭高禖。

壬戌,诏嗣秀王伯圭赞拜不名。

庚午,金主还都。

丁丑,金京师地震,大雨雹,昼晦,震应天门右鸱尾。

戊寅,右丞相赵汝愚罢。初,韩侂胄欲逐汝愚而难其名,京镗曰:“彼宗姓也,诬以谋危社稷,则一网打尽矣。”侂胄然之,以秘书监李沐有怨于汝愚,引为右正言,使奏汝愚以同姓居相位,将不利于社稷。汝愚出浙江亭待罪,遂以观文殿大学士出知福州。

甲申,谢深甫等论汝愚冒居相位,今既罢免,不当加以书殿隆名,帅藩重寄,乃命提举洞霄宫。

直学士院郑湜草制,有云:“顷我家之多难,赖硕辅之精忠。持危定倾,安社稷以为悦;任公竭节,利国家无不为。”坐无贬词,亦免官。

兵部侍郎章颖侍经帏,帝曰:“谏官有言赵汝愚者,卿等谓何?”同列漫无可否。颖言:“天地变迁,人情危疑,加以敌人嫚侮,国势未安,未可轻退大臣。愿降诏宣谕汝愚,毋听其去。"颖遂以汝愚党罢。

国子祭酒李祥言:"去岁寿皇崩,两宫隔绝,中外汹汹,留正弃宰相而去,官僚几欲解散,居丧无主,国命如发。汝愚不畏灭族,决策立陛下,风尘不摇,天下复安,社稷之臣也。奈何无念功至意,使精忠臣节,怫郁黯阊,何以示后世?"知临安府徐谊,素为汝愚所器,凡有政务,多咨访之,谊随事裨助,不避形迹。又尝劝汝愚早退及预防侂胄之奸,侂胄尤怨之。及是与国子博士杨简,亦抗论留汝愚;李沐劾为党,皆斥之。

时余端礼在枢府,与汝愚同心辅政,汝愚尝曰:"士论未一,非余处恭不能任。"及汝愚被逐,端礼不能救,但长吁而已。处恭,端礼字也。

三月,丙戌朔,日有食之。

甲午,金以翰林直学士富珠哩子元为右司谏,监察御史田仲礼为左拾遗,翰林修撰布萨额尔克兼右拾遗。谕曰:"国家设置谏官,非取虚名,盖责实效,庶几有所裨益。卿等皆朝廷选擢,宜直言无隐。路铎左迁,本以它罪,卿等勿以被责,遂畏避不敢言!"

癸丑,诏侍从、台谏、两省集议江南沿江诸州行铁钱利害。

夏,四月,丁巳,太府寺丞吕祖俭上封事曰:"陛下初政清明,登用忠良。然曾未逾时,朱熹,老儒也,彭龟年,旧学也,有所论列,则亟许之去。至于李祥,老成笃实,非有偏比,盖众听所共孚者,今又终于斥逐。臣恐自是天下有当言之事,必将相视以为戒,钳口结舌之风一成而未易反,是岂国家之利耶?"又曰:"今之能言之士,其所难非在于得罪君父,而在忤意权势。姑以臣所知者言之:难莫难于论灾异,然言之而不讳者,以其事不关于权势也。若乃御笔之降,庙堂不敢重违,台谏不敢深论,给舍不敢固执,盖以其事关贵倖,深虑乘间激发而重得罪也。故凡劝导人主事从中出者,盖欲假人主之声势以渐窃威权耳。比者闻之道路,左右瞽御,于黜陟废置之际,间得闻者,车马辐辏,其门如市,恃权怙宠,摇撼外庭。臣恐事势浸淫,政归倖门,凡所荐进,皆其所私,凡所倾陷,皆其所恶,岂但侧目惮畏,莫敢指言!而阿比顺从,内外表里之患,必将形见。臣因李祥获罪而深言及此者,是岂矫激自取罪戾哉?实以士气颓靡之中,稍忤权臣,则去不旋踵。私忧过计,深虑陛下之势孤,而相与维持宗社者浸寡也。"疏既上,命安置韶州。

中书舍人邓驿,缴奏祖俭不当罪遣。会楼钥进读吕公著元祐初所上十事,因进曰:"如公著社稷臣,犹将十世宥之,祖俭乃其孙也,今投之岭外,万一即死,陛下有杀言官之名,臣窃惜之。"帝问:"祖俭所言何事?"人始知韶州之贬,不出上意。韩侂胄谓人曰:"复有救祖俭者,当处以新州。"众乃不敢言。

或谓侂胄曰:"自赵承相去,天下已切齿;今又投祖俭瘴乡,不幸或死,则怨益重,曷若少徙内地?"侂胄后亦悟,改送吉州。

己未,以余端礼为右丞相,郑侨参知政事,京镗知枢密院事,谢深甫签书枢密院事。

庚申,太学生杨宏中、周端朝、张道、林仲麟、蒋傅、徐范六人上书曰:"自古国家祸乱之由,初非一端,惟小人中伤君子,其祸尤惨。党锢弊汉,朋党乱唐,大率由此。元祐以来,邪正交攻,卒成靖康之变。近者谏官李沐论罢赵汝愚,中外咨愤,而沐以为父老欢呼;蒙蔽天听,一至于此。陛下独不念去岁之事乎?人情惊疑,变在朝夕,假非汝愚出死力,定大议,虽有百李沐,罔知攸济。当国家多难,汝愚位枢府,本兵柄,指挥操纵,何向不可!不以此时为利,今上下安妥,乃有异意乎?章颖、李祥、杨简,发于中激,力辩其非,即遭逐斥,六馆之士,拂膺愤怨。李沐自知邪正不两立,思欲尽覆正人以便其私,于是托朋党以罔陛下之听。臣恐君子小人消长之机,于此一判,则靖康已然之验,何堪再见于今日耶?愿陛下念汝愚之忠勤,察祥、简之非党,灼李沐之回邪,窜沐以谢天下,还祥等以收士心。"疏上,诏宏中等悉送五百里外编管。当时号为"六君子"。傅久居太学,忠鲠有闻,扣阍之事,皆所属稿。

邓驿言:"国家开设学校,教养士类,德至渥也。自建太学以来,上书言事者无时无之。累朝覆涵,不加之罪,甚者,押归本贯或它州听读而已。绍熙间,有布衣余古,上书狂悖,若以指斥之罪坐之,诚不为过。太上始者震怒,降旨编管;已而臣僚论奏,竟从宽典。陛下今日编管杨宏中六人,若以扇摇国是非之,则未若指斥乘舆之罪大也;以六辈言之,则一夫为至寡也。圣明初政,仁厚播闻;睿断过严,人情震骇。所有录黄,未敢书行。"是日,知临安府钱象祖捕诸生押送贬所。未几,驿罢,出知泉州。

癸亥,金敕有司以增修曲阜宣圣王庙毕,赐衍圣公以下三献法服及登歌乐一部,仍送太常旧工往教孔氏子弟,以备祭礼。

甲子,金以尚书左丞乌凌阿愿为平章政事,右丞瓜勒佳衡为尚书左丞。

戊寅,金以修河防毕工,参知政事胥持国等进阶、赐银币有差。

庚辰,金以右丞相瓜勒佳清臣为左丞相,监修国史,封密国公;枢密使襄为右丞相,封任国公。迁胥持国为尚书右丞。持国与李淑妃表里,筦擅朝政,士之好利躁进者,争趋走其门。四方为之语曰:"经童作相,监婢为妃。"

五月,乙未,金判平阳府事镐王永中赐死,并其二子璋、璬。

初,傅尉希望风旨,过为苛细。永中自以世宗长子,且老矣,动有掣制,情思郁郁,乃表乞闲居,不许。及郑王永蹈以谋逆诛,增置诸王司马,球猎游宴,皆有制限;家人出入,多禁防之。河东提刑判官巴哩哈,坐私谒永中,杖一百,解职。同知西京留守费摩克斯,坐受永中请托免。

先是永中舅张汝弼妻高陀干以诅咒诛,金主疑事在永中,未有以发也。会傅尉奏永中第四子璬,因防禁严密,语涉不道,诏同签大睦亲府事膏、御史中丞孙即康鞫问,并得第二子璋所撰词曲,有不逊语。家奴德格首永中尝与侍妾瑞雪言:"我得天下,子为大王,以尔为妃。"诏遣官覆按,再遣礼部尚书张暐、兵部尚书乌库哩庆裔覆之。金主谓宰臣曰:"镐王只以语言得罪,与永蹈罪异。"马琪曰:"罪状虽异,人臣无将则一也。"金主又曰:"王何故辄出此言?"瓜勒佳清臣曰:"素有妄想故也。"遂令百官杂议,请论如律。诏赐永中死,鄂兰哈、璋、璬等皆弃市,永中妻子威州安置。

戊戌,诏戒百官朋比。

丙午,诏诸路提举司置广惠仓。

庚戌,金命瓜勒佳清臣行省于临潢府。

六月,丙辰,金右谏议大夫贾守谦、右拾遗布萨额尔克坐议镐王永中事奏对不实,削官二阶,罢之。御史中丞孙即康、右补阙蒙古呼喇、右拾遗田仲礼并罚金。

丁巳,复留正观文殿大学士、充醴泉观使。

韩侂胄用事,士大夫素为清议所摈者,教以凡与为异者皆道学之人,疏姓名授之,俾以次斥革。或又言道学何罪,当名曰"伪学",善类自皆不安。由是有"伪学"之目。

右正言刘德秀上言:"邪正之辨,无过真与伪而已。彼口道先生之言,而行如市人所不为，在兴王之所必斥也。昔孝宗锐意恢复，首务核实，凡言行相违者，未尝不深知其奸。臣愿陛下以孝宗为法，考核真伪，以辨邪正。"诏下其章。由是博士孙元卿、袁燮、国子正陈武皆罢。司业汪逵入札子辨之，德秀以逵为狂言，亦被斥。

己未，复置台谏言事簿。

丙寅，金以枢密副使唐古贡为枢密使。

庚午，诏："三衙、江上诸军主帅、将佐，初除举自代一人，岁举所知三人。"

癸酉，以韩侂胄为保宁军节度使、提举万寿观。

秋，七月，丁酉，御史中丞何澹言："顷岁有为专门之学者，以私淑诸人为己任，非不善也。及其久也，有从而附和之者，有从而诋毁之者，有畏而不敢窃议者。附和之者，则曰此致知格物、精义入神之学，而古圣贤之功用在是也。一人倡之，千百人和之。幸其学之显行，则不问其人之贤否，兼收而并蓄之，以为此皆贤人也，皆善类也，皆知趋向者也。诋毁之者，则曰其说空虚而无补于实用，其行矫伪而不近于人情，一入其门而假借其声势，小可以得名誉，大可以得爵禄，今日宦学之捷径，无以易此。畏之而无敢窃议者，则曰利其学者曰烦而护其局者甚众，言一出口，祸且及身。独不见某人乎？因言其学而弃置矣。又不见某人乎？因论其人而摈斥矣。彼欲以此箝人之口，莫若置而不问。

"臣尝平心而论，以为附和者或流而为伪，诋毁者或失其为真，或畏之而无敢窃议，则真伪举无所别矣，是非何自而定乎？有人于此，行乎闺门，达乎乡党，其践履可观而不为伪行，其学术有用而不为空言，其见于事也，正直而不私，廉洁而无玷，既不矫激以为异，亦不诡随以为同，则真圣贤之道学也，岂不可尊尚哉？苟其学术之空虚而假此以盖其短拙，践履之不笃而借此以文其奸诈，或者又凭藉乎此以沽名誉而钓爵禄，甚者屠沽赃秽，士论之不齿，而夤缘假托以借重，则为此学之玷累尔。及人之窃议，则不知自反，又群起而攻之曰：彼其不乐道学也，彼其好伤善类也。彼此是非，纷呶不已，则为汉甘陵、唐牛李，国家将受其害，可不虑哉？

"臣闻绍兴(闻)〔间〕，谏臣陈公辅尝言程颢、王安石之学皆有尚同之弊，高宗皇帝亲洒宸翰，有曰：'学者当以孔、孟为师。'臣愿陛下以高宗之言风厉天下，使天下皆师孔、孟。有志于学者，不必自相标榜，使众人得而指目，亦不必以同门之故，更相庇护。是者从其为是，非者从其为非，朝廷亦惟是之从，惟善之取，而无彼此同异之说。听言而观行，因名而察实，录其真而去其伪，则人知勉励而无敢饰诈以求售矣。士风纯而国是定，将必由此。"帝是之，诏榜于朝堂。

既而吏部郎官糜师旦，复请考核真伪，迁左司员外郎。又有张贵模者，指论《太极图》，亦被赏擢。

澹复上疏言："朝廷之臣，熟知其邪迹，然亦不敢白发以招报复之祸。望明诏大臣，去其所当去者。"

诏赵汝愚以观文殿大学士罢祠。

八月，己巳，诏内外诸军主帅条奏武备边防之策。

九月，壬午朔，蠲临安府水灾贫民赋。

甲申，金册静宁山神为镇安公，呼图里巴山神为瑞圣公。

乙酉，以久雨，决系囚。

丙戌,金以知河间府事伊喇仲方为御史大夫。

辛卯,金主如秋山;冬,十月,丙辰,还都。

乙丑,升秀州为嘉兴府,舒州为安庆府,嘉州为嘉定府,英州为英德府。

壬申,封子恭为安定郡王。

金瓜勒佳清臣受命出师,侦知虚实,自选精兵一万,进至合勒河。前队宣徽使伊喇敏等,于栲栳泺攻营十四,下之,回迎大军;属部斜出,掩其所获羊马资物以归。清臣遣人责其赎罚,北准布由此叛去,大侵掠。

乙亥,金主命瓜勒佳衡行省于抚州,命选亲军武卫军各五百人以从。十一月,戊子,清臣罢,命右丞相襄代之。

初议征讨,清臣主其事,既而领军出征,虽屡获捷,而贪小利,遂致北边不宁者数岁。

戊戌,加上太皇太后、太上皇、太上皇后尊号。

乙巳,金以枢密使唐古贡、御史大夫伊喇仲方、礼部尚书张昉等二十二人充计议官,凡军事则议之。

丙午,窜故相赵汝愚于永州。

初,韩侂胄忌汝愚,必欲置之死。既罢宫观,监察御史胡纮遂上言:"汝愚倡引其徒,谋为不轨,乘龙授鼎,假梦为符。"因条奏其十不逊,且及徐谊。诏责汝愚永州安置,谊南安军安置。时汪义端当制,遂用汉诛刘屈氂、唐戮李林甫事,迪功郎赵师召亦上书乞斩汝愚,帝不从。汝愚怡然就道,谓诸子曰:"观侂胄之意,必欲杀我。我死,汝曹或可免也。"

丁未,命宰执大阅。

余端礼、郑侨言:"福建地狭人稠,无以赡养,生子多不举。福建提举宋之瑞乞免鬻建、剑、汀郡没官田,收其租,助民举子之费。"从之。

十二月,乙卯,金主命招抚北边军民。

戊午,金礼部尚书张昉等进《大金仪礼》。

丁卯,金应奉翰林文字、同知制诰滏阳赵秉文,上书论宰相胥持国当罢,宗室守贞可大用。金主召问,言颇差异,命知大兴府事内族膏等鞫之。秉文初不肯言,诘其仆,遍数交游者,秉文乃曰:"初欲上言,尝与修撰王庭筠、御史周昂、省令史潘豹、郑赞道、高坦等私议。"庭筠等皆下狱,决罚有差。有司论秉文上疏狂妄,法当追解,金主不欲以言罪人,特免之。当时为之语曰:"古有朱云,今有秉文。朱云攀槛,秉文攀人。"士大夫莫不耻之,坐是久废。

乙亥,金诏加五镇、四渎王爵。

焕章阁待制、提举南京鸿庆宫朱熹,始以庙议自劾,不许;以疾再乞休致,诏:"辞职谢事,非朕优贤之意,依旧秘阁修撰。"

是月,金右丞相襄率驸马都尉布萨揆等自临潢进军大盐泺,分兵攻取诸营。

金完颜守贞既罢相出守,胥持国等犹忌之。俄有言守贞在政府日,尝与近侍窃言宫掖事而妄称奏下。金主命有司鞫问,守贞款伏。夺官一阶,解职,遣中使持诏切责之,仍以守贞不公事宣谕百官于尚书省。

庆元二年 金承安元年【丙辰,1196】 春,正月,甲申,金大盐泺群牧使伊喇伊都等为广吉喇部兵所败,死之。

丁亥,金国子学斋长张守愚上《平边议》,特授本学教授,以其议付史馆。

庚寅，以余端礼为左丞相，京镗为右丞相，谢深甫参知政事，郑侨知枢密院事，何澹同知枢密院事。

赵汝愚行至衡州，病作。衡守钱鍪，承韩侂胄风旨，窘辱百端；庚子，汝愚暴卒。天下冤之。帝命追复原官，许归葬，中书舍人吴宗旦缴还复官之命。

汝愚学问有用，尝以范仲淹、韩琦、富弼、司马光自期，凡平昔所闻于师友之言，欲次第行之，未果而罢政。初，汝愚尝梦孝宗授以汤鼎，背负白龙升天；后翼嘉王以素服即位，谗者遂以为罪。

甲辰，右谏议大夫刘德秀劾前丞相留正四大罪，首言引用伪学之党以危社稷。诏正落职，罢祠。

二月，端明殿学士叶翥知贡举。同知贡举、右正言刘德秀言："伪学之魁，以匹夫窃人主之柄，鼓动天下，故文风未能丕变。请将语录之类尽行除毁。"故是科取士，稍涉义理者，悉皆黜落；《六经》《语》《孟》《中庸》《大学》之书，为世大禁。

淮西总领张釜上言："迩者伪学盛行，赖陛下圣明斥罢，天下皆洗心涤虑，不敢为前日之习。愿陛下明诏在位之臣，上下坚守勿变，毋使伪言伪行乘间而入，以坏既定之规模。"乃除釜尚书左司郎官。

辛未，蠲临安民身丁钱三年。

是月，金初造虎符发兵。

三月，己亥，进封嘉国公柄为吴兴郡王。

癸卯，金以久旱，敕尚书省曰："刑狱虽已奏行，其间恐有疑枉，其再议以闻。人命至重，不可不慎也。"

丙午，有司上《庆元会计录》。

夏，四月，壬子，金遣使审决冤狱。

戊午，金初行区种法，民十五以上六十以下有土田者，丁种一亩。

甲子，左丞相余端礼罢。时韩侂胄擅权，摈斥正士，端礼称疾罢政。

壬申，以何澹参知政事，吏部尚书叶翥签书枢密院事。

五月，乙酉，申严狱囚瘐死之罚。

金以久旱徙市；庚寅，诏复市如常。

辛卯，赐礼部进士邹应龙以下四百四十九人及第、出身。

甲午，减诸路和市折帛钱三年。

建华文阁，藏《孝宗御集》。

乙未，金参知政事尼厖古鉴卒。

甲辰，更慈福宫曰寿慈。

六月，甲寅，金主以仲夏始得雨足，百姓艰食，出仓粟十万石，减价粜之。

乙丑，命监司、帅守藏否县令，分三等，从张釜之请也。后迄不行。

丁卯，金御史大夫伊喇仲方罢。

金定僧、道、女冠剃度之制。

金主尝问谏议大夫张晖曰："僧道三年一试，八十取一，不已少乎？"晖曰："此辈浮食，无益有损，不宜滋益也。"金主曰："周武帝、唐武宗、后周世宗皆贤君，其寿不永，虽曰偶然，似亦有因也。"对曰:"三君矫枉太过。今不崇奉,不毁除,是谓得中矣。"

丙子,皇子埈生。

秋,七月,庚辰,金主御紫宸殿,受诸王、百官贺,赐诸王、宰执进酒。敕有司以酒万尊置通衢,赐民纵饮。

金主遣西北路招讨使完颜安国等趋多泉子,密诏右丞相襄进兵。乃令支军出东道,襄由西道。支军至龙驹河,为准布所围,三日不得出,间使出求援。或请俟诸军集乃发,襄曰:"我军被围数日,驰救之犹恐不及,岂可后时!"即鸣鼓夜发。或谓先遣人报围中,使知援至,襄曰:"所遣者倘为敌得,使知吾兵寡而粮在后,则吾事败矣。"乃益疾驰。迟明,距敌近,众欲少憩,襄曰:"所以乘夜疾驰者,欲掩其不备耳,缓则不及。"乡晨,压敌,突击之,围中将士亦鼓噪出,大战,准布败奔。使安国追蹑,金言:"粮道不继,不可行也。"安国曰:"人得一羊,可食十馀日。不如驱羊以袭之便。"遂从其计。安国统所部万人,疾驱以薄之,准布散走。会大雨,冻死者十八九,降其部长。捷闻,金主遣使厚赐以劳之,许便宜赏赉士卒。

乙酉,金命有司收瘗西北路阵亡骸骨。

戊子,量徙流人吕祖俭等于内郡。祖俭移高安,寻卒,高安知县徐应龙经纪其丧。祖俭受业于兄祖谦,尊信不渝,在谪所,读书卖药以自给。尝言:"因世变有所摧折,失其素履者,固不足言;因世变而意气有所加者,亦私心也。"

时中书舍人汪义端,引唐李林甫故事,以伪学之党皆名士,欲尽除之,太皇太后闻而非之。帝乃诏台谏、给舍:"论奏不必更及旧事,务在平正,以副朕建中之意。"诏下,刘德秀遂与御史张伯垓、姚愈等疏言:"自今旧奸宿恶,或滋长不悛,臣等不言,则误陛下之用人;言之,则碍今日之御札;若俟其败坏国事而后进言,则徒有噬脐之悔。三者皆无一而可。望下此章,播告中外,令旧奸知朝廷纪纲尚在,不敢放肆。"从之,乃改为"不必专及旧事"。自是侂胄之党攻击愈急矣。

殿中侍御史黄黻上言:"治道在黜首恶而任其贤,使才者不失其职而不才者无所憾。故仁宗尝曰:'朕不欲留人过失于心。'此皇极之道也。至于前事,有合论列,事体明证,有关国家利害者,臣不敢不以正对。"己丑,改黻为起居郎、权兵部郎中,以愈代为殿中侍御史。黻未几罢去。

戊戌,以韩侂胄为开府仪同三司、万寿观使。

金左司郎中高汝砺,奏事紫宸,时侍臣皆回避,金主所持凉扇坠案下,汝砺以非职,不敢取以进。奏事毕,金主谓宰臣曰:"高汝砺不进扇,可谓知体矣。"汝砺,金城人也。

八月,丙辰,太常少卿胡纮上言:"比年以来,伪学猖獗,图为不轨,动摇上皇,诋毁圣德,几至大乱。赖二三大臣、台谏出死力而排之,而元恶殒命,群邪屏迹。自御笔有救偏建中之说,或者误认天意,急于奉承,倡为调停之议,取前日伪学之奸党次第用之,或与宫观,或与差遣,以冀幸其它日不相报复。往者建中靖国之事,可以为戒,陛下何不悟也?汉霍光废昌邑王贺,一日而诛其群臣一百馀人;唐五王不杀武三思,不旋踵而皆毙于三思之手。今纵未能尽用古法,宜令退伏田里,循省愆咎。"乃诏伪学之党,宰执权住进拟。自是学禁愈急。

大理(寺)〔司〕直邵(哀)〔褒〕然言:"三十年来,伪学显行,场屋之权,尽归其党。请诏大臣审察其所学。"诏:"伪学之党,勿除在内差遣。"已而言者又论伪学之祸,乞鉴元祐调停之说,杜其根源,遂有诏:"监司、帅守荐举改官,并于奏牍前声说非伪学之人。"会乡试,漕司前期取家状,必令书"系不是伪学"五字。抚州推官柴中行独申漕司云:"自幼习《易》,读程氏《易传》以取科第。如以为伪,不愿考校。"士论壮之。

壬戌,皇子埈卒,追封兖王,谥冲惠。后屡举皇子,皆不育,俱加封谥。

甲子,金以陕西西路转运董师中为御史大夫。

癸酉,金左丞瓜勒佳衡丁父忧;寻起复。

九月,辛巳,金右丞相襄自军中赴阙,拜左丞相,监修国史,封常山郡王。宴庆和殿,金主亲举酒饮之,解所服玉具佩刀以赐,命即服之。迁完颜安国为左翼都统。

丁亥,复分利州路为东、西路。

癸巳,嗣濮王士歆薨,追封韶王。

冬,十月,丙午(朔),金选亲军八百人戍抚州。

戊申,帝率群臣上册宝于慈福、寿康宫。

准布复叛,金主命左丞相襄行省于北京,签书枢密院事完颜匡行院于抚州。会契丹德寿等据信州叛,建元身圣,众号数十万,远近震骇;襄闲暇如平日,人心乃安。襄之出镇也,至石门镇,谓僚属曰:"北部犯塞奚足虑!第恐奸人乘隙而动,北京近地军少,当预为之备。"即遣官发上京等军六千,至是果得其用。临潢总管乌库哩道远、富察守纯分道进讨,擒德寿等,送京师。

先是金诸臣以北鄙用兵,请改郊期,金主问谏议大夫兼礼部侍郎张晖曰:"南郊大祀,今用度不给,俟它年,可乎?"晖曰:"陛下即位,于今八年,大礼未举,宜亟行之。"金主曰:"北方未宁,致斋之际,有不测奏报,何如?"对曰:"岂可逆度而妨大礼?今河平岁丰,正其时也。"既而诸臣仍请罢祀,又欲用正月上辛;金主使问丞相襄,襄奏曰:"郊为重礼,且先期诏天下。又,藩国已报表贺,今若中罢,何以副四方倾望之意?祀用上辛,乃祈谷之礼,非郊见上帝之本意。大礼不可轻废,请决行之。臣请于祀前灭贼。"既而贼破,果如所料。

丙辰,金袷享于太庙。

甲戌,大阅。

十一月,戊子,金参知政事马琪,出(知)镇安武军,寻致仕,卒。琪性明敏,习吏事,其治钱谷尤长。然性吝好利,颇为金主所少。

庚寅,帝诣寿康宫,上太上皇宽恤诏令。

金以御史大夫董师中、北京留守斋并为参知政事。

壬辰,京镗等上孝宗宽恤诏令。

丁酉,金朝享太庙。戊戌,有事于南郊,大赦,改元承安,进封丞相襄为南阳郡王。

癸卯,赏宜州捕降峒寇功。

金丞相襄之讨契丹也,金主命自龙虎卫上将军、节度使以下,承制授之。襄以为赏罚之柄,非人臣所预,不敢奉诏。贼平,请委近臣谕旨将士使知意。

十二月,戊申,以知宁国府陈贾为兵部侍郎,以贾在淳熙末曾论朱熹故也。

己酉,金遣提点太医、近侍局使李仁惠赐北边将士,授官者万一千人,授赏者几二万人。仁惠,即喜儿之赐名也。

是月,朱熹落职,罢祠。

熹家居,自以蒙累朝知遇之恩,且尚带从臣职名,义不容默,乃草封事数万言,陈奸邪蔽

3647

主之祸,因以明赵汝愚之冤。子弟诸生更迭进谏,以为必贾祸,熹不听。蔡元定请以蓍决之,遇《遁》之《同人》。熹默然,取稿焚之,遂上奏,力辞职名,诏仍充秘阁修撰。

时台谏欲论熹,无敢先发者。胡纮未达时,尝谒熹于建安,熹待学子惟脱粟饭,遇纮不能异也。纮不悦,语人曰:"此非人情。只鸡斗酒,山中未为乏也。"及为监察御史,乃锐然以击熹自任,物色无所得,经年酝酿,章疏乃成。会改太常少卿,不果。

有沈继祖者,尝采撦熹《语》《孟》之语以自售,至是以追论程颐,得为御史。纮以疏章授之,继祖谓立可致富贵,遂论熹:"资本回邪,加以狡忍,剽窃张载、程颐之绪馀,寓以吃菜事魔之妖术,簧鼓后进,张浮驾诞,私立品题,收召四方无行义之徒以益其党伍,相与褒衣博带,食淡餐粗,或会徒于广信鹅湖之寺,或呈身于长沙敬简之堂,潜形匿迹,如鬼如魅。士大夫沽名嗜利,觊其为助者,又从而誉之荐之。"因诬熹大罪有六,且曰:"熹为大奸大憝,请加少正卯之诛,以为欺君罔世、污行盗名者戒。其徒蔡元定,佐熹为妖,亦请编管别州。"诏熹落职,罢祠,窜元定于道州。

已而选人余嚞上书,乞斩熹以绝伪学,谢深甫抵其书于地,语同列曰:"朱元晦、蔡季通,不过自相讲明耳,果何罪乎!"元晦,熹字;季通,元定字也。

时逮捕元定赴谪所甚急,元定色不为动,与季子沈徒步就道。熹与从游者百馀人饯别萧寺中,坐客兴叹,有泣下者。熹微视元定,不异平时,因喟然曰:"友朋相爱之情,季通不挫之志,可谓两得之矣!"众谓宜缓行,元定曰:"获罪于天,天可逃乎?"至道州,远近来学者日众。爱元定者谓宜谢生徒,元定曰:"彼以学来,何忍拒之! 若有祸患,亦非闭门塞窦所能避也。"贻书训诸子曰:"独行不愧影,独寝不愧衾,勿以吾得罪故,遂懈其志。"在道逾年卒。

韩侂胄为其父诚请谥。诚乃神宗外孙,娶太皇太后女弟,积官阁门使,未尝更历事任。时福州黄唐为考功郎,言其不可,因求去。遂命馆职官暂权考功,谥诚曰忠定;左迁唐为枢密院检详文字,寻改江淮提点铁钱。

庆元三年 金承安二年【丁巳,1197】 春,正月,丁酉,金主如安州春水。

壬寅,知枢密院事郑侨罢。癸卯,以谢深甫知枢密院事。

诏朱熹仍依前官,与祠。

丁酉,金主还都。

二月,己酉,右丞相京镗等上《神宗玉牒》《高宗实录》。

丙寅,诏以昭庆军承宣使、内侍省押班王德谦为节度使。德谦,帝藩邸内侍也,于是骤见擢用。中书舍人吴宗旦,事德谦甚谨,夜,辄易服谒之。德谦乃荐宗旦为刑部侍郎、直学士院。宗旦为德谦草制,引天宝、同光故事为比。制出,参知政事何澹不押制书;右谏议大夫刘德秀率台谏交章言其不可;丁卯,京镗复以为言;遂寝其命。于是德谦除在外宫观,吏部尚书兼给事中许及之奏驳之;台谏请窜斥德谦,帝未许。殿中侍御史姚愈,劾宗旦交结德谦;辛未,宗旦夺三官,癸酉,送南康军居住。

是月,金命袭封衍圣公孔元措世袭兼曲阜令。

三月,壬午,金命户部尚书温昉行六部尚书于抚州。

庚寅,金主幸西园,阅军器。

癸巳,金平章政事乌凌阿愿罢。

丙申,窜内侍王德谦。临安府劾德谦为人求官,赃以巨万计,服食拟乘舆。狱未成,诏降德谦团练使,抚州居住。权中书舍人高文虎请改为安置,帝从之。然狱卒不竟。

丁酉,金以参知政事裔代左丞相襄行省于北京。

庚子,禁浙西围田。

壬寅,诏:"自今有司奏谳死罪不当者,论如律。"

夏,四月,丙午,封武功郎不耘为嗣濮王。

甲子,金尚书省奏:"比岁北边调度颇多,请降僧道空名度牒,以助军需。"从之。

癸酉,金亲王宣敕始用女真字。

五月,甲戌朔,金主谓宰臣曰:"比以军需,随路赋调,司县不度缓急,促期征敛,使民费及数倍,胥吏又乘之以侵暴,其令提刑司究察之。"

丙子,金主集官吏于尚书省,谕曰:"今纪纲不立,官吏弛慢,迁延苟简,习以成弊。职官多以吉善求名,计得自安,国家何赖焉! 至于徇情卖法,省部令史尤甚,尚书省其戒谕之。"

丁丑,金北京行省参知政事裔移驻临潢府。

庚辰,金升抚州为镇宁(州)〔军〕。

丁亥,金丞相襄诣临潢府。

金召知大名府赫舍哩执中签书枢密院事,从丞相襄征伐。执中不欲行,奏曰:"臣与襄有隙,且杀臣矣。"金主恶其言不逊,事下有司,既而赦之。执中本名呼沙呼,阿苏之裔孙也。

己丑,金皇子洪辉生。命礼部尚书张玮报祀高禖。

六月,戊申,金以澄州刺史王遵古为翰林直学士,仍敕无与撰述,入直则奏闻,或霖雨免入直,以遵古年老,且尝侍讲读也。

戊辰,颁淳熙宽恤诏令。

闰月,甲戌,内出铜器付尚书省毁之。申严私铸器之禁。

甲午,朝散大夫刘三杰,免丧入见,论"今日之忧有二:有边境之忧,有伪学之忧。边境之忧,有大臣以任其责,臣未敢轻论。若夫伪学之忧,姑未论其远,请以三十馀年以来而论之:其始有张栻者,谈性理之学,言一出口,嘘枯吹生,人争趋之,可以获利,栻虽欲为义,而学之者已为利矣。又有朱熹者,专于为利,借《大学》《中庸》以文其奸而行其计,下一拜则以为颜、闵,得一语即以为孔、孟,获利愈广,而肆无忌惮,然犹未有在上有势者为之主盟。已而周必大为右相,欲与左丞相王淮相倾而夺之柄,知此曹敢为无顾忌大言而能变乱黑白也,遂诱而置之朝列,卒藉其力倾去王淮,而此曹愈得志矣。其后留正之来,虽明知此曹之非,顾势已成,无可奈何,反藉其党与心腹。至赵汝愚,则素怀不轨之心,非此曹莫与共事,而此曹亦知汝愚之心也,垂涎利禄,甘为鹰犬以觊俸非望,故或驾姗笑君父之说于邻国,或为三女一鱼之符以惑众庶,扇妖造怪,不可胜数,盖前日为伪学,至此变而为逆党矣。赖陛下圣明,去之之早,此宗庙社稷无疆之福。然今此曹潜形匿影,日夜伺隙。雨旸稍愆,则喜见颜色;闻敌国侵扰之报,则移过于吾之君父。如此鬼蜮,百方害人,防之不至,必受其祸。臣谓今日之策,惟当销之而已。其习伪深而附逆固者,自知罪不容诛,终不肯为国家用;其它能革心易虑,则勿遂废斥,使之去伪从正,以销今日之忧。"

疏入,韩侂胄大喜,即日除三杰右正言。留正贬邵州居住。

是夏,大溪山岛民作乱。

大溪山者,广东海中岛也。提举茶盐徐安国,遣人入岛捕私盐,岛民不安,啸聚千馀人,入海为盗,揭榜疏安国之罪,掠商旅,杀平民。经略使雷濮,素与安国有隙,至是安国乞遣兵讨之,濮不即发兵,而以安国生事闻于朝。未几,濮、安国俱罢。

秋,七月,壬寅朔,金主幸天庆观,建普天大醮,禁屠宰,七日无奏刑,百司权停决罚。

庚午,监察御史沈继祖,录淹囚四百馀条来上,诏进二官。

八月,庚辰,以军器监钱之望为秘阁修撰、知广州。

金敕计议官所进奏帖可直言利害,勿用浮词。

辛巳,金主以边事未宁,集六品以上官于尚书省,问攻守之策。凡中外臣僚,不以职位高下,或有方略材武,或长于调度,各举三五人以备选用,期五日封章以进。议者凡八十四人,言攻者五,言守者四十六,且攻且守者三十三,召对睿思殿,论难久之。

金北部复叛,参知政事裔战败。丙戌,以丞相襄为左副元帅莅师。裔旋罢。

金右丞胥持国,席宠擅政,多结党援。御史台劾右司谏张复亨,右拾遗张嘉贞,同知安丰军节度使事赵枢,同知定海军节度使事张光庭,户部主事高元甫,刑部员外郎张岩叟,尚书省令史傅汝梅、张翰、裴元、郭郓,皆趋走权门,人戏谓“胥门十哲”。复亨、嘉贞尤卑佞苟进,不称谏职,俱宜黜罢。奏可。于是持国致仕,嘉贞等皆补外。

金左丞瓜勒佳衡罢,以参知政事董师中为左丞,以左宣徽使膏为右丞,以户部尚书杨伯通参知政事。

庚寅,金枢密使唐古贡致仕。寻以襄为枢密使、平章政事。

辛卯,钱之望遣兵入大溪山,尽杀岛民。

九月,壬寅,以四川旱,蠲民赋。

金遣官分诣上京、东京、北京、咸平、临潢、西京等路招募汉军,不足则签补之。时北京民方艰食,枢密使襄出粂仓粟以济之。或以兵食方阙为言,襄曰:“乌有民足而兵不足者!”卒行之。民皆悦服。

癸丑,金以上京留守钮祜禄额特喇为平章政事。

辛酉,金以枢密使〔襄〕知大兴府事;胥持国为枢密副使、权参知政事,行省于北京。

它日,金主与翰林修撰路铎论董师中、张万公优劣,铎曰:“师〔古〕〔中〕附胥持国进,持国小人,不宜典军马。以臣度之,不惟不允人望,亦必不能服军心。若回日复相,必乱天下。”金主曰:“人臣进退人难,人君进退人易,朕岂以此人复为相耶?”持国旋卒于军。

是日,诏:“监司、帅守荐举改官,勿用伪学之人。”

冬,十月,庚午朔,金初设讲议所官六员,共议钱谷,以中都转运使孙铎、户部侍郎高汝砺等为之。

庚辰,金尚书省奏:“高丽国牒报,其主以老疾,令母弟晫权国事。”

十一月,辛丑,加谥孝宗曰绍统同道冠德昭功哲文神武明圣成孝皇帝。

太皇太后吴氏崩于寿慈宫,年八十三。遗诰:“太上皇帝疾未瘳,宜于宫中承重;皇帝服齐衰五月。”

后实以辛卯崩,时郊祀期迫,或谓韩侂胄曰:“上亲郊,不可不成礼,且有司所费既夥,奈何已之?”侂胄入其言。甲辰,祀圜丘。乙巳,始发丧,诏服期年。及侂胄诛,以刘光祖言,乃改从本日。

十二月,己巳朔,金敕御史台纠察谄佞趋走有实迹者。

丙子,帝始御正殿。

己卯,金始铸承安宝货。

丁酉,知绵州王(抗)〔沈〕疏请置伪学之籍,仍自今曾受伪学举荐关陞及刑法廉吏自代之人,并令省部籍记姓名,与间慢差遣;从之。

于是伪学逆党得罪著籍者,宰执则有赵汝愚、留正、周必大、王蔺四人,待制以上则有朱熹、徐谊、彭龟年、陈傅良、薛叔似、章颖、郑湜、楼钥、林大中、黄由、黄黼、何异、孙逢吉十三人,馀官则有刘光祖、吕祖俭、叶适、杨芳、项安世、李埴、沈有开、曾三聘、游仲鸿、吴猎、李祥、杨简、赵汝谠、赵汝谈、陈岘、范仲黼、汪逵、孙元卿、袁燮、陈武、田澹、黄度、詹体仁、蔡幼学、黄颢、周南、吴柔胜、王厚之、孟浩、赵巩、白炎震等三十一人,武臣则有皇甫斌、危仲壬、张致远三人,士人则有杨宏中、周端朝、张道、林仲麟、蒋傅、徐范、蔡元定、吕祖泰八人,共五十九人。

时黄由尚为吏部侍郎,言人主不可待天下以党与,不必置籍以示不广。殿中侍御史张岩劾由附阿,罢之。擢(抗)〔沈〕为利州路转运判官。

金高汝砺上言:"国家置谏臣以备侍从,盖欲周知时政以参得失,非徒使排行就列而已。故唐自凡中书、门下及三品以上入阁,必遣谏官随之,俾与闻政事,冀其有所开说。今台省以下,遇朝奏事则一切回避,与诸侍卫之臣旅进旅退,殿廷论事,初莫得闻。及其已行,又不详其始末,遂事而谏,斯亦难矣,顾谏职为何如哉?若曰非材,择人可也,岂可置之言责而疏远若是?自今以往,有司奏事,谏官得以预闻,庶几少补。"从之。

金李淑妃兄弟仁惠等干预朝政,监察御史姬端修上书乞远小人。金主遣仁惠传诏问端修:"小人谓谁?其以姓名对。"端修对曰:"小人者,李仁惠兄弟。"仁惠不敢隐,具奏之,金主虽责仁惠兄弟而不能去。端修又劾签书枢密院事完颜匡,叠被眷遇,行院于抚州,不知自洁。转运使温昉,行六部事,主军中馈饷,屈意事匡,以马、币为献,及私以官钱佐匡宴会费。金主方委匡以边事,寝其奏。

【译文】

宋纪一百五十四　起乙卯年(公元1195年)正月,止丁巳年(公元1197年)十二月,共三年。

宋宁宗名讳赵扩,宋光宗的第二个儿子,母亲慈懿皇后李氏。宋光宗还是恭王的时候,慈懿梦见太阳坠落到庭院,以手承接了,不久便有了身孕。乾道四年(公元1168年)十月丙午(十九日),在恭王府生下宁宗皇帝。五年(公元1169年)五月,被赐名赵扩。淳熙五年(公元1178年)十月,封为英国公。七年(公元1180年)二月,开始跟随师傅学习。十二年(公元1185年)三月,封为平阳郡王。十六年(公元1189年)三月光宗受禅,同月,宁宗晋封为嘉王。

庆元元年　金明昌六年(公元1195年)

正月,丁亥朔(初一),免除两淮的租税。不久又免除台、严、湖三州贫民一年的身丁折帛钱。

辛卯(初五),金国敕令有司拨给天水郡公的家属田地和房屋。

壬辰(初六),金章宗举行春水游猎。

壬寅(十六日),黎州蛮族侵扰安静寨,义勇军正将杨师杰和将佐王全等击退了他们。不久就任命杨师杰为成都府路兵马都监。

辛亥(二十五日),金章宗对参知政事胥持国说:"黄河上面役夫聚居,恐怕会发生疾疫,可派医生看护他们。"

二月,丁巳朔(初一),诏令两淮各州鼓励百姓开发耕种荒田。

金国敕令有司,行宫旁边以及打猎的地方,如果有农民从事农业生产不得禁止。

己未(初三),金国开始祭祀高禖。

壬戌(初六),诏令嗣秀王赵伯圭拜见皇上时可以不称名字。

庚午(十四日),金章宗回到京城。

宋宁宗像

丁丑(二十一日),金国的京城一带发生地震,降大雨冰雹,白天昏暗,震坏应天门右侧的鸱尾。

戊寅(二十二日),右丞相赵汝愚被免职。起初,韩侂胄想搞垮赵汝愚但难以找到他的罪名,京镗就说:"他是宗姓,以图谋危害国家的罪名指控他,就一网打尽了。"韩侂胄认为有道理,因为秘书监李沐与赵汝愚有仇,举荐他为右正言,让他上奏说赵汝愚与皇室同姓而担任宰相,将对国家不利。赵汝愚出京到浙江亭待罪,就以观文殿大学士的身份出京担任福州知州。

甲申(二十八日),谢深甫等上奏说赵汝愚冒居宰相职位,现今既然被罢免了,就不应当加封书殿学士这样的荣衔和帅臣这样的显职,于是任命赵汝愚为洞霄宫提举。

直学士院郑湜起草制书,其中写道:"不久前我国家多灾多难,幸赖首辅精忠为国。扶危定倾,以使社稷安定为乐事;为国事竭尽臣节,有利于国家的事无所不为。"因为其中没有贬低的言辞,也被免去官职。

兵部侍郎章颖在宫中给宋宁宗讲学,宁宗说:"有的谏官议论赵汝愚,你们看他怎么样?"其他人都泛泛而谈不置可否。章颖说:"天地变迁,人情危疑,加上敌人轻侮,国家的形势不稳定,不能轻易斥退大臣。请求陛下下诏告诉赵汝愚,不要听任他离开朝廷。"章颖被指控为赵汝愚的同党而遭罢免。

国子祭酒李祥上奏说:"去年寿皇驾崩,两宫之间有隔阂,朝廷内外人情汹汹,留正离弃宰相职位走了,官吏们几乎要解散了,没有人为主主持丧事,国家的命运犹如千钧一发。赵汝愚不惜冒灭族之罪,决定拥立陛下,风尘不摇,天下又安定下来,他是忠于社稷的忠臣啊。

无奈陛下没有为他记功的心意,使忠心耿耿的臣子,郁郁不得志以致黯然贬退,怎么能昭示后世呢?"临安知府徐谊,平素为赵汝愚所器重,凡有政务,多去征求他的意见,徐谊对赵汝愚的事也鼎力相助,不掩饰形迹。徐谊又曾劝赵汝愚早日隐退以及预防韩侂胄的奸邪,韩侂胄尤其恨他。这时他与国子博士杨简,也上奏挽留赵汝愚;李沐弹劾他们是赵汝愚的同党,将二人一齐罢斥。

当时余端礼在枢密院,与赵汝愚同心同德辅佐朝政,赵汝愚曾说:"众说纷纭,非余处恭不能胜任。"到赵汝愚被罢逐,余端礼不能救他,只好长叹罢了。处恭,是余端礼的字。

三月,丙戌朔(初一),出现日食。

甲午(初九),金国任命翰林直学士富珠哩子元为右司谏,任命监察御史田仲礼为左拾遗,任命翰林修撰布萨额尔克兼任右拾遗。下诏说:"国家设置谏官,不是为了图虚名,大抵是为了求得实效,或许有所裨益。你们都是朝廷选派的,应该直言不讳。路铎被贬职,原本是因为其他过失,你们不要因为他遭了责难,就畏避不敢进忠言!"

癸丑(二十八日),诏令侍从、台谏官、两省官员共同讨论江南沿江各州使用铁钱的利弊。

夏季,四月,丁巳(初二),太府寺丞吕祖俭上密奏说:"陛下刚执政时政治清明,重用忠良。但是没过多久,朱熹,是一代大儒,彭龟年,是学识很高的人,只因他们对朝中的个别大臣有所议论,就立即准许他们离去。至于李祥,老实笃诚,并非拉帮结派,大抵是众人都很信服的,现在终于又被罢斥。我担心从此以后天下有应该讲的事体,必将面面相觑以他们为戒,钳口结舌的风气一旦形成就不易改变,这难道对国家有利吗?"又说:"现今敢议论朝政的人,他们感到为难的不是怕得罪君父,而是怕忤逆了权贵。姑且就我所知道的说说吧:讲到为难没有比议论灾异更让人感到为难的了,然而讲时并不避讳,因为这种事并不关系到权势人物。至于说皇帝御笔降旨,朝廷大臣不敢有大的违抗,台谏官不敢深入议论,给事中和中书舍人不敢坚持原则,大抵是因为事情牵涉到权贵人物,很担心其中有刺激他们的地方以至大大得罪了他们。因此凡是劝导皇上让皇上在内宫决定朝廷政事的,大抵是想假借皇上的声势以便窃取威信和权力的人。近来在路上听人说,皇上左右的人,在升迁罢免官员时,时时事先得以知道,车马辐辏,门庭若市,依仗皇帝的恩宠,控制朝廷的局面。我担心情形逐渐严重,政事由佞幸之门决定,凡是举荐什么人,都是他们的私友,凡是遭倾陷的,都是他们所憎恶的人,人们岂止是侧目畏惧,简直会没有人敢置一言!而且阿谀奉承,内外勾结的祸患,必定会出现。我就李祥获罪一事而深入论说及此的原因,难道是矫枉过正自取其罪吗?实在是因为士气颓靡,稍微忤逆了权臣,就会马上被除去。我私下里忧虑错误地估计,深深地担心陛下势单力孤,而帮助皇上维持宗庙社稷的人逐渐少了。"奏疏呈上以后,命令将他安置到韶州。

中书舍人邓驲,上奏说吕祖俭不应当怪罪而被贬往远方。恰遇楼钥进献吕公著在元祐初年所呈上的议论十件事的奏章,并且乘势说:"像吕公著这样忠于国家的臣子,他的十世的后代还必须得到朝廷的关照和原谅,吕祖俭是他的孙子,如今将他放逐到岭外,万一很快死了,陛下就有杀言官的名声,我私下里觉得太可惜了。"宋宁宗问道:"吕祖俭议论的是什么事?"人们这才知道吕祖俭被贬往韶州,不是皇上的意思。韩侂胄对人说:"再有救助吕祖俭的,应把他贬往新州。"众人才不敢再说。

有人对韩侂胄说:"自从赵丞相去职以后,天下人已切齿痛恨;现在又把吕祖俭贬到瘴疫流行的地方,如果不幸死了,那怨恨就会加深,怎么不略微贬到内地离这里近一点的地方呢?"韩侂胄后来也省悟了,将吕祖俭改为贬往吉州。

己未(初四),任命余端礼为右丞相,任命郑侨为参知政事,任命京镗为知枢密院事,任命谢深甫为签书枢密院事。

庚申(初五),太学生杨宏中、周端朝、张道、林仲麟、蒋傅、徐范六人上书说:"自古以来国家发生祸乱的根源,本不一样,只有小人中伤君子,造成的祸害特别悲惨。党锢之禁使汉朝受害。朋党之争使唐朝的政局混乱,大抵都是由于此。元祐年间以来,邪正互相攻讦,终于酿成了靖康之耻。近来李沐弹劾罢免了赵汝愚,朝廷内外人人气愤,而李沐认为是父老欢呼;蒙蔽天子的视听,到了这种程度。陛下难道单单不记得去年的事了吗?当时人情惊疑,朝夕之间都会有变故发生,如果不是赵汝愚出死力,做出重大决策,即使有一百个李沐,也无济于事。当国家多灾多难的时候,赵汝愚位居枢府,掌握兵权,指挥操纵,什么事做不成!他没有在这个时候谋私利,现在上下安定,反而会有异心吗?章颖、李祥、杨简,发自内心的激愤,极力论辩是非,立即遭到逐斥,六馆的学子,义愤填膺。李沐自己知道邪正不并立,想要把正人君子全都搞垮以便谋求私利,于是假托朋党的罪名以干扰陛下的视听。我担心君子小人彼消此长的事情,在这里一次就见出分晓,那么靖康年间已经发生的事情,怎能禁得起再在现在重现呢?希望陛下顾念赵汝愚的忠心和勤勉,察觉出李祥、杨简并非拉帮结党,洞察出李沐的奸邪,将李沐流放以向天下人致歉,召回李祥等人以收揽众人之心。"奏疏呈上去后,朝廷诏令将杨宏中等全部押送五百里外的地方编管。当时号称"六君子"。蒋傅长期在太学里,忠诚耿直远近闻名,上书皇帝的事,都是他拟写的稿子。

邓驿上奏说:"国家开设学校,培养士人,这是莫大的德政。自从建立太学以来,上书言事的无时不有。历朝包涵,不给定罪,最严重的,押归原籍或者别州听课罢了。绍熙年间,有个普通百姓名叫余古,上书狂悖,如果以诽谤朝廷的罪名指控他,确实不算过分。太上皇开始时十分生气,降旨将余古加以编管;后来大臣们上奏议论,最后从宽处理。陛下现今编管杨宏中等六个人,如果以非议朝政的罪名指控他们,那还不如诽谤皇上的罪过大;按他们有六个人讲来,那余古一个人就显得太少了。陛下初理朝政,仁爱宽厚的名声远播四海;睿断过于严厉,人们感到吃惊害怕。所降录黄,也不敢书写颁行。"这一天,临安府知府钱象祖逮捕六位太学生并把他们押送编管地。不久,邓驿被罢免,出京担任泉州知州。

癸亥(初八),金国敕令有司因为增修曲阜宣圣王庙的工程完毕,赏给衍圣公以下三献法服和一部登歌乐,仍然派太常旧工前去教导孔家的子弟,以备祭礼。

甲子(初九),金国任命尚书左丞乌凌阿愿为平章政事,任命右丞瓜勒佳衡为尚书左丞。

戊寅(二十三日),金国因为修筑黄河堤防的工程完毕,参知政事胥持国等人按不同等级分别升迁官职、赐给银币。

庚辰(二十五日),金国任命右丞相瓜勒佳清臣为左丞相,监修国史,封为密国公;任命枢密使完颜襄为右丞相,封为任国公。胥持国升任尚书右丞。胥持国与李淑妃内外勾结,控制朝政,那些谋求私利希望升官的人,争着奔走到他们门下。四方的人给他们编了一句俗话说:"经童做宰相,监婢当皇妃。"

3654

五月,乙未(十一日),金国的判平阳府事镐王完颜永中被赐死,跟他一同被赐死的还有两个儿子完颜璋、完颜瑑。

起初,傅尉希图迎合圣旨,对王府的事过问得很苛细。完颜永中认为自己是世宗的长子,而且年老,动辄被掣肘限制,心情很悒郁,就上表请求闲居,没有得到批准。到郑王完颜永蹈因谋反被处死,增设诸王司马,踢球游猎宴饮,都受到限制;家里人出入,大多受到禁止防范。河东提刑判官巴哩哈,犯了私下里谒见完颜永中的罪,处一百杖刑,被解除官职。同知西京留守费摩克斯,犯了私受完颜永中请托的罪也被免除官职。

此前完颜永中的舅舅张汝弼的妻子高陀干因为诅咒朝廷被处死,金章宗怀疑事情出自完颜永中,没有找到证据不便发作。恰遇傅尉上奏说完颜永中的第四个儿子完颜璩,因为防范限制太严密,出言不逊,诏令同签大睦亲府事完颜膏、御史中丞孙即康负责审讯,并且找到完颜永中的第二个儿子完颜璋所写的词曲,有犯上的语句。家奴德格自首供出完颜永中曾与侍妾瑞雪说:"我一旦得了天下,我的儿子就做大王,册封你做贵妃。"诏令派官员前往查核,再派礼部尚书张晖、兵部尚书乌库哩庆裔复查此事。金章宗对宰相说:"镐王只因出言不当犯了罪,与完颜永蹈犯的罪是不同的。"马琪说:"罪状虽然不同,违反作臣子的准则是一样的。"金章宗又说:"镐王为什么总是讲这种话?"瓜勒佳清臣说:"平素有妄想的缘故。"于是命令百官集体讨论,百官请求按国法处置。下诏赐完颜永中死,鄂兰哈、完颜璋、完颜璩都处死弃市,完颜永中的妻子儿女发配到威州安置。

戊戌(十四日),诏令百官必须力戒结党。

丙午(二十二日),诏令各路提举司设置广惠仓。

庚戌(二十六日),金国命令瓜勒佳清臣在临潢府建立行省。

六月,丙辰(初三),金国的右谏议大夫贾守谦、右拾遗布萨额尔克犯了议论镐王完颜永中的事时不如实奏对的罪,降两级官阶,并罢去官职。御史中丞孙即康、右补阙蒙古呼喇、右拾遗田仲礼一并被处以罚金。

丁巳(初四),恢复留正观文殿大学士、充醴泉观使的职衔。

韩侂胄当政,士大夫中那些为清议所不耻的人,教导他说凡是与他意见不合的人都是道学之人,并列了名单给他,让他将这些人一个一个地罢斥革除。又有人说道学有什么罪,应当把他们称作"伪学",从此那些贤人君子都深感不安。从此就有了"伪学"的名目。

右正言刘秀德上奏说:"邪与正的辨别,无非就是真与伪罢了。那些人口里讲的是先儒的言论,而做的事却是市井小人都不会去做的,在兴盛王道之际是必须加以罢斥的。以前孝宗锐意恢复中原,首务必核查,凡是言与行相违背的,没有不深知他的奸险的。我希望陛下以孝宗为榜样,考查核实真伪,分辨出邪与正。"诏令颁发他的奏章。因此博士孙元卿、袁燮、国子正陈武都被罢免。司业汪逵呈上札子替他们辩解,刘德秀认为汪逵说话狂妄,也被罢斥。

己未(初六),又设置台谏言事簿。

丙寅(十三日),金国任命枢密副使唐古贡为枢密使。

庚午(十七日),诏令说:"三衙、江上各军主帅、将佐、刚任职的可以举荐一人代替自己,每年举荐三个自己了解的人。"

癸酉(二十日),任命韩侂胄为保宁军节度使,提举万寿观。

秋季,七月,丁酉(十四日),御史中丞何澹上书说:"近年有人专治一家之学,以私下传授予人为己任,这并非不好。等到时间长了,就有人附和他,也有人诋毁他,有人因畏惧而不

3655

敢私下里议论。附和的，就说这是致知格物、精义入神的学问，古代的圣人贤哲都在这方面用功。一个人提倡，千百个人响应。希望这种学说盛行，就不去过问这人是不是贤能，兼收并蓄，认为这些人都是贤人，都是好人，都是了解大趋向的。诋毁的，就说这种学说空虚幻诞没有实用价值，说那些人的行为矫饰伪善不近人情，一旦进了他的门户就能假借声势，小则可以得到名誉，大则可以得到爵禄，现今由做学问而进入仕途的捷径，没有比这更容易的了。因为畏惧而不敢议论的，就说靠这种学问得利的人越多而维护局面的人也越多，言一出口，祸患就降临到了身上。难道没有看见某某人吗？就是因为谈论这种学说而被罢斥了。又不见某某人吗？因为批评他们而被排斥。他们想要以此钳制人们的口舌，不如置之不问。

"我曾平心而论，认为附和的或许流于作伪，诋毁的或许失之于真，而畏惧不敢议论的，就真伪并举没有什么区别了，那是与非又怎么判定呢？如果有人做到了这样一点，行于家室，出到乡里，他的行为可观而又不虚矫伪饰，他的学术有用而又不是空谈，他表现在处理事情时，正直无私，廉洁而没有玷污，既不故弄玄虚，也不附和苟同，那真是圣贤的道学呀，难道不值得推崇尊敬吗？如果他学术空虚而借此掩盖他的短处和拙劣，实行起来又不务实而借此以文饰他的奸诈，或者又借此沽名钓誉捞取官爵禄位，甚至像屠夫酒贩贪赃秽浊之徒，为士人所不齿，而攀附假冒以借重其势力，那就是这种学说的玷污和累赘了。等到人们私下里议论，又不知反悔，又群起而攻之说：他们不喜欢道学，他们喜欢中伤好人。彼此之间争论是非，纷扰不休，就会成为汉朝的甘陵、唐朝的牛李，国家将受祸害，难道不值得担心吗？

"我听说在绍兴年间，谏臣陈公辅曾说程颢、王安石的学说都有尚同的毛病，高宗皇帝亲笔批示，写道：'学者应当以孔、孟作为老师。'我希望陛下把高宗的话颁行天下，使天下的人都师从孔、孟。有志于做学问的人，不必自相标榜，使得众人侧目而视，也不必因为同门的缘故，互相庇护。正确的就跟着说正确，不正确的就跟着说不正确，朝廷也惟正确是从，惟善是取，而没有彼此同异的说法。听其言而观其行，根据名义而去考察实际，去伪存真，那就会人人知道发奋努力而不敢文饰欺诈以图一逞了。士风纯正而且国事处理有方的局面，将必定由此开始。"宋宁宗认为他说得对，诏令在朝堂出榜公布。

不久吏部郎官糜师旦，又请求考核真伪，升任左司员外郎。又有个名叫张贵模的，批评《太极图》，也升了官。

何澹又上疏说："朝廷的大臣，熟知他的邪恶行迹，然而也不敢揭发以招致报复的祸患。希望明确下诏给大臣，革除应当革除的。"

诏令赵汝愚以观文殿大学士的身份免去宫观官的职务。

八月，己巳（十七日），诏令内外各军主帅上疏奏报关于武备边防的策略。

九月，壬午朔（初一），免除临安府受了水灾的贫民的赋。

甲申（初三），金国册封静宁山神为镇安公，册封呼图里巴山神为瑞圣公。

乙酉（初四），因为长期下雨，判决狱中囚犯。

丙戌（初五），金国任命河间府知府伊喇仲方为御史大夫。

辛卯（初十），金章宗秋山游猎；冬季，十月，丙辰（初五），回到都城。

乙丑（十四日），升秀州为嘉兴府，升舒州为安庆府，升嘉州为嘉定府，升英州为英德府。

壬申（二十一日），册封皇子赵恭为安定郡王。

金国瓜勒佳清臣受命出征，侦探虚实，自己挑选了一万精兵，进军到合勒河。前队宣徽使伊喇敏等,在栲栳泺攻打十四座营盘,攻下了,回师迎接大军;另一支军队斜向出击,截获了敌人掠夺的羊马物质回营。瓜勒佳清臣派人前去索要赎罪罚款,北准布因此叛变离去,大肆侵扰掠夺。

乙亥(二十四日),金章宗命令瓜勒佳衡在抚州建立行省,命令他挑选亲军和武卫军各五百人相随。十一月,戊子(初七),瓜勒佳清臣被免职,命令右丞相完颜襄代替他。

起初讨论征讨的问题,瓜勒佳清臣主持其事,不久率领军队出征,虽然屡次获得胜利,但因他贪图小利,终于导致北部边境有几年不得安宁。

戊戌(十七日),给太皇太后、太上皇、太上皇后加上尊号。

乙巳(二十四日),金国任命枢密使唐古贡、御史大夫伊喇仲方、礼部尚书张晖等二十二人为计议官,凡是军事问题就共同讨论。

丙午(二十五日),将过去的宰相赵汝愚流放到永州。

当初,韩侂胄忌恨赵汝愚,必欲置之于死地。赵汝愚被罢免了宫观官以后,监察御史胡纮上奏说:"赵汝愚勾结他的同党,图谋不轨,编造乘龙授鼎的梦话。"因而列举了赵汝愚十不逊的罪状,而且涉及徐谊。下诏责令将赵汝愚安置到永州,徐谊安置到南安军。当时轮到汪义端草拟制书,就用汉朝处死刘屈氂、唐朝斩杀李林甫的史实,迪功郎赵师召也上书请斩赵汝愚,宋宁宗不同意。赵汝愚高高兴兴地上了路,并且对几个儿子说:"看韩侂胄的意思,必定想杀我。我死的话,你们或许可以避免。"

丁未(二十六日),命令宰执大臣举行盛大的阅兵式。

余端礼、郑侨上奏说:"福建地少人多,无法养老抚小,生了孩子大多不能养活。福建提举宋之瑞请求停止出卖建、剑、汀三郡没收入官的田产,交给百姓耕种,收取地租,资助百姓养育子女的费用。"朝廷准奏。

十二月,乙卯(初五),金章宗命令招抚北部边境的军民。

戊午(初八),金国礼部尚书张晖等献上《大金仪礼》。

丁卯(十七日),金国应奉翰林文字、同知制诰滏阳人赵秉文,上书说宰相胥持国应当免职,宗室完颜守贞可以重用。金主召问,所说与所上书有很大差异,命令大兴府知府皇族完颜膏等负责审问。赵秉文开始时不肯讲,盘问他家的仆人,遍数与他有来往的人,赵秉文才说:"当初要上书,是因曾与修撰王庭筠、御史周昂、省令史潘豹、郑赞道、高坦等私下里议论。"郑庭筠等都被捕入狱,受到不同的处罚。有司说赵秉文上疏很狂妄,依法应当追究收押,金章宗不想凭上书就给人定罪,特免追究。当时有句俗话说:"古时有朱云,现在有秉文。朱云攀折殿槛,赵秉文攀连他人。"士大夫没有人不以为耻的,因此他长期没被起用。

乙亥(二十五日),金国诏令加封五镇、四渎王的爵位。

焕章阁待制,提举南京鸿庆宫朱熹,开始时因议论太庙牌位的放置问题而自我弹劾,得不到允许;后又说自己有病请求退休,下诏说:"辞职不与政事,不合我优待贤者的本意,你仍旧任秘阁修撰。"

此月,金国右丞相完颜襄率附马都尉布萨揆等从临潢向大盐泺进军,分兵攻取各个营寨。

金国的完颜守贞被罢免丞相出任郡守以后,胥持国等还忌恨他。不久有人说完颜守贞任丞相时,曾与近侍私下里谈论宫闱中的事而且诡称已得到皇帝的批准。金章宗命令有关官员进行审问,完颜守贞诚恳伏罪。降一级官阶,解除职务,派内宫使者拿着诏书痛切地责备他,还把完颜守贞办事不公的情况在尚书省向百官宣布。

庆元二年 金承安元年(公元 1196 年)

春季,正月,甲申(初四),金国的大盐泺群牧使伊喇伊都等被广吉喇部的军队打败,战死了。

丁亥(初七),金国的国子学斋长张守愚献上《平边议》,朝廷特授他为本学教授,将他的奏议交付国史馆。

庚寅(初十),任命余端礼为左丞相,任命京镗为右丞相,任命谢深甫为参知政事,任命郑侨为知枢密院事,任命何澹为同知枢密院事。

赵汝愚走到衡州,病情发作。衡州知州钱鍪,秉承韩侂胄的旨意,百般迫害羞辱赵汝愚;庚子(二十日),赵汝愚暴死。天下人都认为他冤枉。宋宁宗诏令追复他的原有官爵,允许回乡安葬,中书舍人吴宗旦截留了复官的命令。

赵汝愚治学讲求实用,曾期望自己成为范仲淹、韩琦、富弼、司马光那样的人,凡是平时从老师和友人那里听来的话语,想一一加以实行,没有实现就被罢免了官职。起初,赵汝愚曾梦见孝宗把一只汤鼎交给他,自己背着白龙升天;后来拥立嘉王穿着孝服即位,进谗的人就把这作为他的罪行。

甲辰(二十四日),右谏议大夫刘德秀弹劾以前的丞相留正四大罪状,首先就是引用治伪学的同党以危害国家。诏令将留正削夺官职,罢免宫观官。

二月,端明殿学士叶翥主持科举。同时主持科举的右正言刘德秀说:"伪学的首领,以一介匹夫的身份窃取君主的权柄,鼓动天下的人,因此文风没有大的变化。请将语录之类全部废除销毁。"因此这次科举取士,凡是稍稍涉及了义理的,全都没有录取;《六经》《论语》《孟子》《中庸》《大学》等书,被当世严厉禁止。

淮西总领张釜上奏说:"近来伪学盛行,幸赖陛下圣明加以罢斥,天下的人都洗心革面,不敢沿袭以前的陋习。希望陛下明确诏令在位的大臣,上下一心坚守不变,别让伪言伪行乘虚而入,以致破坏了已经定好的规矩。"于是任命张釜为尚书左司郎官。

辛未(二十一日),免除临安府百姓三年的身丁钱。

此月,金国开始造虎符发兵。

三月,己亥(十九日),进封嘉国公赵柄为吴兴郡王。

癸卯(二十三日),金国因为久旱无雨,敕令尚书省说:"刑事案件虽然已经上奏准行,其中恐怕有可疑之处或冤枉的,请再次讨论后上报。人命关天,不可不谨慎呀。"

丙午(二十六日),有关部门献上《庆元会计录》。

夏季,四月,壬子(初三),金国派遣使者审判决断冤狱。

戊午(初九),金国开始实行区种法,百姓十五岁以上六十岁以下有土有田的,每丁耕种一亩。

甲子(十五日),左丞相余端礼被免职。当时韩侂胄专权。摈弃正人君子,余端礼称病离开丞相职位。

壬申(二十三日),任命何澹为参知政事,任命吏部尚书叶翥为签书枢密院事。

五月,乙酉(初六),申明对囚犯在狱中饿死的事情严肃处理。

金国因为久旱迁移市场;庚寅(初八),诏令像平常一样恢复市场。

辛卯(十二日),赐礼部进士邹应龙以下四百四十九人进士及第、进士出身。

甲午(十五日),减免各路三年的和市折帛钱。

修建华文阁,收藏《孝宗御集》。

乙未(十六日),金国的参知政事尼厖古鉴去世。

甲辰(二十五日),将慈福宫改名为寿慈宫。

六月,甲寅(初六),金章宗认为到仲夏才雨量充足,百姓吃粮困难,调出十万石粟,削价出卖。

乙丑(十七日),命令监司、帅守评价县令的优劣,分为三等,这是根据张釜的请求。后来最终却没有实行。

丁卯(十九日),金国御史大夫伊喇仲方被免职。

金国制定了和尚、道士、尼姑剃度的制度。

金章问曾问谏议大夫张昁说:"僧人道士三年才进行一次考试,八十人中录取一人,不是太少吗?"张昁说:"这些人白吃饭,有害无益,不应该增加数量。"金章宗说:"周武帝、唐武宗、后周世宗都可称为一代贤君,他们的寿命都不长,虽说是事出偶然,似乎也有原因。"张昁回答说:"三位国君都是矫枉过正。现今既不崇奉,也不毁除,这可以说是得乎其中。"

丙子(二十八日),皇子赵垕出生。

秋季,七月,庚辰(初三),金章宗驾临紫宸殿,接受诸王、百官的朝贺,把酒赐给诸王、宰相执政大臣。敕令有司将一万尊酒摆放在大路上,赏赐给百姓任意饮用。

金章宗派西北路招讨使完颜安国等进军多泉子,密诏右丞相完颜襄进兵。还命令一支军队从东道出发,完颜襄由西道出发。那支军队到了龙驹河,被准布的军队包围,三天还没能突出包围,派人从小路冲出来求援。有人提议等各军都集中后才出发,完颜襄说:"我军被包围几天了,急驰前去解救还恐怕来不及,怎么能耽搁时间!"立即鸣鼓连夜出发。有人说先派人到包围圈中去报信,让他们知道援军到了,完颜襄说:"所派的人倘若被敌人抓住,让他们知道我军兵力很少而且粮草还在后面,那我们的行动就会失败。"于是加速进军。天亮时,距离敌人很近了,将士们想稍微休息一会,完颜襄说:"之所以乘着夜色驰援,就是要趁敌人没有防备时进攻,动作迟缓就来不及了。"清晨,压向敌阵,突然攻击,被包围的将士也擂鼓呐喊冲出,经过一场大战,准布败逃。派完颜安国追击,都说:"粮草不济,不能追击。"完颜安国说:"只要每人有一只羊,可以吃十多天。不如赶着羊去袭击敌人便利。"于是采纳了他的计策。完颜安国率领所部一万人,急驱着压向敌人,准布的军队分散逃跑。遇上大雨,被冻死的有十分之八、九,敌部落酋长投降。捷报传到朝廷,金章宗派使者给予丰厚的赏赐以慰劳军队,准许根据具体情况赏赐士兵。

乙酉(初八),金国命令有司收埋西北路阵亡将士的骸骨。

戊子(十一日),酌情考虑将被流放的吕祖俭等迁往内地的州郡。吕祖俭迁到高安,不久就去世了,高安知县徐应龙主持他的丧事。吕祖俭从他的哥哥吕祖谦那里接受学问,始终不渝,在被贬谪的地方,读书卖药为生。他曾说:"因为世道变化遭受摧残,失去了他的原有节操的,固然就不值一提;因为世道变化而意气用事的人,也有私心。"

当时中书舍人汪义端,引用唐朝李林甫的史实,认为伪学的同党都是名士,想要把他们全部除去，太皇太后听了就批评他。宋宁宗就诏令台谏、给舍说："论奏时不必再提及过去的事，务必要公平正直，以便符合我凡事适中的用意。"诏令颁布下去后，刘德秀就与御史张伯垓、姚愈等上疏说："从此以后过去的奸邪之人，可能会冒出来而且不知悔改，我们不说的话，就会贻误陛下的用人；要是说哩，就与今天的御札有挂碍；如果等到他们败坏了国事时再来进言，那就会犹如噬脐莫及一样后悔不已。三种情况没一种是可行的。希望颁发这道奏章，播告朝廷内外，使过去的那些奸邪之人知道朝廷的纪纲仍在，使他们不敢放肆。"朝廷准奏，就改为"不必一味地提及旧事"。从此以后韩侂胄及其同伙攻击异己更加急切了。

殿中侍御史黄黻上奏说："治国之道在于罢黜邪恶而任用贤人，使有才的人不失掉他应有的职位而无才的人没有遗憾。因此仁宗曾经说：'我不想把人家的过失记在心里。'这是最中肯的道理。至于过去的事，有应该议论的，事情已经明白了，有关国家利害的，我不敢不按正理回答。"己丑（十二日），将黄黻改任为起居郎、代理兵部郎中，以姚愈取代他担任殿中侍御史。黄黻不久被罢免官职。

戊戌（二十一日），任命韩侂胄为开府仪同三司、万寿观使。

金国的左司郎中高汝砺，到紫宸殿奏事，当时侍臣都回避，金章宗手中拿的凉扇掉到桌案下去了，高汝砺认为拾扇不是自己的职责，不敢把凉扇捡起来交给金章宗。奏事完了以后，金章宗对宰相说："高汝砺不拾扇，可说是知道君臣的体统。"高汝砺，是金城人。

八月，丙辰（初三），太常少卿胡纮上奏说："近年以来，伪学猖獗，图谋不轨，动摇上皇，诋毁圣德，几乎导致大乱。幸亏二、三大臣、台谏官出死力排斥他们，为首的邪恶之人死了，其他人也敛迹了。自从御笔有纠偏讲求适中的说法出台，或者是误会了圣意，急于奉承，首倡调停的议论，将以前伪学的奸党依次任用，有的充任宫观官，有的担任了官职，以希望今后不互相报复。过去提倡建中之说以致出现靖康年间的祸事，可以引以为戒，陛下怎么不省悟呢？汉朝的霍光废掉昌邑王刘贺，一天之内诛杀了一百多个臣子；唐朝时五位亲王因为没有杀掉武三思，不久都死于武三思之手。现今即使不能完全照古时的做法，应该诏令他们退归乡里，反省罪过。"于是下诏说伪学的党徒，宰相暂且停止对他们加以任用。从此以后关于伪学的禁限更加严厉了。

大理司直邵褒然上奏说："三十年来，伪学盛行，科举的权利，全部归他们掌握。请诏令大臣审察他们的学说。"下诏说："伪学党人，不能安排在京中任职。"不久言官又提到伪学的祸害，请求把元祐年间提倡调停作为借鉴，杜绝它的根源，于是下诏说："监司、帅守荐举什么人担任官职，都必须在奏章前面声明不是治伪学的人。"遇上举行乡试，转运司事先收取考生的家状，必须写明"系不是伪学"五个字。抚州推官柴中行单独上报转运司说："从小学习《易》，因读程氏《易传》以期科考及第。如果认为是伪学，不愿意参加考试。"士子们都很钦佩他。

壬戌（十五日），皇子赵埈死了，追封为兖王，谥号为冲惠。后来有多个皇子降生，但都没成活，都加上了封爵谥号。

甲子（十七日），金国任命陕西西路转运使董师中为御史大夫。

癸酉（二十六日），金国尚书左丞瓜勒佳衡因为父亲服丧而离职；不久应召复职。

九月，辛巳（初五），金国右丞相完颜襄从军中赴京，被任命为左丞相，监修国史，封为常山郡王。在庆和殿举行宴会，金章宗亲自向他敬酒，解下身上的玉器佩刀赐给他，命令他随即佩戴好。将完颜安国升任为左翼都统。

丁亥（十一日），又将利州路分为东、西两路。

癸巳（十七日），嗣濮王赵士歆去世，追封为韶王。

冬季，十月，丙午（初一），金国挑选八百亲军防守抚州。

戊申（初三），宋宁宗率群臣到慈福宫、寿康宫进献册宝。

准布又进行叛乱，金章宗命令左丞相完颜襄在北京设立行省，命令签书枢密院事完颜匡在抚州设立行院。遇上契丹人德寿等占据信州进行叛乱，年号为身圣，部众号称几十万，远近震动害怕；完颜襄像平时一样从容不迫，人心才安定。完颜襄出外镇抚军队，来到石门镇，对部下说："北方的敌人侵扰边境有什么可怕的！只是担心奸人乘机而动，北京附近军队很少，应当有所防备。"就派将官到上京等地调来了六千人马，至此果真有了可用之处。临潢总管乌库哩道远、富察守纯分路进军讨伐，活捉德寿等，押送京师。

此前金国的大臣因为北部边境有战事，请改变郊祀日期，金章宗问谏议大夫兼礼部侍郎张晖说："南郊的重大祭祀活动，如今费用不足，等它一年再举行，可以吗？"张晖说："陛下即位，到今年已经八年了，从未举行过郊祀大礼，应该马上举行。"金章宗说："北方不安宁，祭祀的时候，有什么重大情况奏报，怎么办？"张晖回答说："怎能因为事先推测不利情况而妨碍举行郊祀？今年黄河平安无事各地收成很好，正是举行郊祀的好时光。"后来大臣们仍然奏请停止这次郊祀，又想定在正月的第一个辛日；金章宗派人去问丞相完颜襄，完颜襄上奏说："郊祀是一项重大的活动，暂且先诏告天下。又，藩国已经献表致贺，现在如果半途而废，怎能负天下人的期望呢？上辛日举行郊祀，这是祈谷的仪式，不是郊祭上天的本意。这样重大的仪式不能轻易废除，请坚决举行。我请求在郊祀举行前剿灭贼寇。"不久果真打败了敌人，果真像预料的那样。

丙辰（十一日），金国在太庙里举行祫祭。

甲戌（二十九日），举行盛大阅兵式。

十一月，戊子（十三日），金国的参知政事马琪，出京镇守武安军，不久退休，去世。马琪生性聪明敏锐，熟习吏事，他抓钱谷工作很有办法。然而他生性吝啬贪利，这一点很让金章宗看不起。

庚寅（十五日），宋宁宗到寿康宫，献上太上皇的宽恤诏令。

金国同时任命御史大夫董师中、北京留守完颜裔为参知政事。

壬辰（十七日），京镗等献上孝宗的宽恤诏令。

丁酉（二十二日），金国在太庙朝拜祭祀。戊戌（二十三日），在南郊举行祭祀，实行大赦，改年号为承安，进封丞相完颜襄为南阳郡王。

癸卯（二十八日），赏赐宜州围捕降服峒人贼寇的有功之人。

金国丞相完颜襄讨伐契丹，金章宗命令自龙虎卫上将军、节度使以下的将佐，按制度任命。完颜襄认为赏罚的权力，不是臣子应该干预的，不敢奉诏。贼寇被平定，他请求皇帝派亲信大臣告诉将士让他们知道他的心意。

十二月，戊申（初三），任命宁国府知府陈贾为兵部侍郎，因为陈贾在淳熙末年曾批评过朱熹。

己酉（初四），金国派提点大医、近侍局使李仁惠前往北边赏赐将士，有一万一千人被授予官职,差不多有两万人得到了各种赏赐。李仁惠,就是皇帝赐给李喜儿的名字。

此月,朱熹被削夺官职,罢免了宫观官的职位。

朱熹回乡隐居,自认为蒙历朝知遇之恩,而且还拥有从臣的职名,从道义上讲不容沉默,就草拟了几万字的密奏,陈说奸邪蒙蔽君主的祸患,乘此为赵汝愚申冤。子弟诸生纷纷劝他,认为上奏必会招来灾祸,朱熹不听。蔡元定请以占卜的方法决定,遇上《遯》与《同人》的卦象。朱熹默不作声,将奏稿取出烧了,于是上奏,极力请求辞去职名,诏令让他仍然担任秘阁修撰。

当时台谏官想弹劾朱熹,没有人敢首先发难。胡纮没做官时,曾到建安去拜见朱熹,朱熹招待学子只是脱粟饭,对胡纮也没有两样。胡纮不高兴,对别人说:"这不合人情。一只鸡一斗酒,山中应该是不缺乏的。"到他当了监察御史后,就毅然以攻击朱熹作为己任,寻找把柄找不到,经一年的酝酿,奏章才写成。遇上自己改任太常少卿,未能实现。

有个叫沈继祖的人,曾摘录了朱熹论《论语》《孟子》的语句以自我标榜,至此因为批驳程颐,做了御史。胡纮将奏章交给他,沈继祖说马上可以带来富贵,于是批评朱熹说:"资质本来邪恶,加上刚愎残忍,剽窃张载、程颐学说的余绪,加上吃菜不吃肉事奉魔王的妖术,用如簧之舌鼓动后进,虚浮荒诞,私立标准,召收四方没有品性节操的人来扩大他的党徒队伍,一个个宽衣博带,吃粗茶淡饭,有时在广信鹅湖的庙中集会,有时在长沙的敬简堂公开亮相,潜形匿迹,如同鬼魅。士大夫中那些沽名贪利、希望获得他们的帮助的,又跟着称赞他们举荐他们。"于是诬奏朱熹有六条大罪,而且说:"朱熹是非常奸邪恶毒的人,请求像杀少正卯一样杀掉他,作为欺君罔世、污行盗名的人的鉴戒。他的门徒蔡元定,帮助朱熹干坏事,也请押送到它州加以编管。"诏令朱熹削夺官职,罢去他的宫观官职务,将蔡元定流放到道州。

不久选人余嚞上书,请斩朱熹以禁绝伪学,谢深甫将他的上书丢到地上,对同僚说:"朱熹、蔡元定,不过是讲解阐明经义而已,果真有什么罪哩!"

当时将蔡元定逮捕押赴贬谪地的风声很紧,蔡元定面色不改,与小儿子蔡沈徒步上路。朱熹与一百多个与他有交往的人在萧寺中饯别,座中客人有的叹息,有的流下了眼泪。朱熹暗中看了看蔡元定,跟平时没什么两样,因而感叹说:"朋友相爱之情,蔡元定不挫其志,可说是两全了!"众人说应该慢点出发,蔡元定说:"得罪了上天,天是能够逃避的吗?"到了道州,远近来求学的人每天都很多。关心蔡元定的人说应该谢绝教授生徒,蔡元定说:"他们因为求学而来,怎么忍心拒绝他们哩!如果有什么祸患,也不是闭门塞听所能逃避的。"他还写信训导儿子们说:"独行时不愧对自己的影子,独寝时不愧对被衾,不要因为我遭了罪,就懈怠自己的心志。"蔡元定在道州过了一年多就去世了。

韩侂胄为他的父亲韩诚请求谥封。韩诚是神宗的外孙,娶了太皇太后的妹妹,官至阁门使,不曾担任过更高的官职。当时福州人黄唐担任考功郎,说韩诚不能谥封,随后请求辞职。于是命令馆职官暂时代理考功郎,给韩诚的谥号为忠定;将黄唐降职为枢密院检详文字,不久改任江淮提点铁钱。

庆元三年 金承安二年(公元1197年)

春季,正月,丁酉(二十三日),金章宗到达安州进行春水游猎。

壬寅(二十八日),知枢密院事郑侨被罢免。癸卯(二十九日),任命谢深甫为知枢密院事。

诏令朱熹仍然担任前官,给予宫观官。

丁酉(二十三日),金章宗回到京城。

二月,己酉(初五),右丞相京镗等献上《神宗玉牒》《高宗实录》。

丙寅(二十二日),下诏任命昭庆军承宣使、内侍省押班王德谦为节度使。王德谦,是宋宁宗作藩王时的内侍,在这时骤然被提拔重用。中书舍人吴宗旦,事奉王德谦非常谦谨,晚上,总是换了衣服去拜见他。王德谦就举荐吴宗旦为刑部侍郎、直学士院。吴宗旦起草王德谦的任命书,引用天宝年间、同光年间的史事做比。任命书一发出,参知政事何澹就不在上面签字画押;右谏议大夫刘德秀率台谏官纷纷上疏说不行;丁卯(二十三日),京镗又提起这件事;于是取消了这道任命。于是王德谦担任京外的宫观官,吏部尚书兼给事中许及之上奏反对这项任命;台谏官请求流放王德谦,宋宁宗没有批准。殿中侍御史姚愈,弹劾吴宗旦交结王德谦;辛未(二十七日),吴宗旦被削夺三级官阶,癸酉(二十九日),押送南康军居住。

此月,金国诏令袭封衍圣公孔元措世袭兼曲阜县令。

三月,壬午(初八),金国命令户部尚书温昉在抚州担任行六部尚书。

庚寅(十六日),金章宗临幸西园,检阅兵器。

癸巳(十九日),金国平章政事乌凌阿愿被罢免。

丙申(二十二日),将内侍王德谦流放。临安府弹劾王德谦替人谋求官职,受贿的赃款以万万计算,穿的吃的可与皇帝相比。案子未结,诏令将王德谦贬为团练使,到抚州居住。代理中书舍人高文虎请改为安置,宋宁宗听从了他的建议。然而案子最终未了结。

丁酉(二十三日),金国以参知政事完颜裔代左丞相完颜襄在北京设立行省。

庚子(二十六日),禁止浙西围田。

壬寅(二十八日),下诏说:"从今以后有司上奏说判死罪不当的,依法论罪。"

夏季,四月,丙午(初三),封武功郎赵不秬为嗣濮王。

甲子(二十一日),金国尚书省上奏说:"近年北边军队调动很多,请颁降僧道空名度牒,以资助军需。"朝廷准奏。

癸酉(三十日),金国决定有关封亲王的敕令开始用女真文。

五月,甲戌朔(初一),金章宗对宰相说:"近来因为军需,按路征收,县令不考虑缓急,限时征收,使百姓花费多达数倍,胥吏又乘机侵夺,希望命令提刑司追究考察这件事。"

丙子(初三),金章宗在尚书省召集百官,告诉他们说:"如今纪纲没能建立,官吏办事拖沓缓慢,因循苟且,已形成弊端。官员大多以吉言善行求得名誉,千方百计保全自己,国家靠谁呻!至于徇私枉法,省部的令史尤其严重,尚书省应当告诫晓谕他们。"

丁丑(初四),金国北京行省参知政事完颜裔移驻临潢府。

庚辰(初七),金国将抚州升为镇宁军。

丁亥(十四日),金国丞相完颜襄到达临潢府。

金国任命大名府知府赫舍哩执中为签书枢密院事,跟随丞相完颜襄出征。赫舍哩执中不想去,上奏说:"我与完颜襄有过矛盾,他将会杀掉我。"金章宗厌恶他出言不逊,交有司惩处他,不久又赦免了他。赫舍哩执中本名呼沙呼,是阿苏的嫡孙。

己丑(十六日),金国的皇子完颜洪辉出生。命令礼部尚书张晖祭祀高禖报答他的恩德。

六月,乙巳(初三),金章宗命礼部尚书张晖祭祀高禖报谢功德。

戊申(初六),金国任命澄州剌史王遵古为翰林直学士,还敕令他不要参与撰述,入值时就申奏皇帝,如遇大雨就免予入值,因为王遵古年老,而且又曾任侍讲官。

戊辰(二十六日),颁行淳熙宽恤诏令。

闰六月,甲戌(初二),从宫里拿出铜器交给尚书省毁掉。严厉申明私铸铜器的禁令。

甲午(二十二日),朝散大夫刘三杰,停止服丧进宫谒见,说:"现在值得担心的事有两件:有边境的忧患,有伪学的忧患。边境的忧患,有大臣专门负责,我不敢轻易发表议论。至于伪学的忧患,姑且不讲远了,请将三十余年以来的情况说一说:开始是张栻,谈性理的学说,言一出口,死的吹得活,人们争相趋奉他,可以得到好处,张栻虽然想探究义,而学他的人则是为着利而去的。又有朱熹,专门讲究利,假借《大学》《中庸》来掩饰他的奸险而实现他的诡计,屈身一拜就认为是颜渊、闵损,得一句话就以为是孔子、孟子,获得了许多好处,而且肆无忌惮,然而还没有有权有势的人作他们的盟主。后来周必大担任右丞相,想与左丞相王淮相互倾轧而夺取他的权柄,知道他们这些人敢于毫无顾忌地说大话而且能混淆黑白,于是就利诱他们将他们弄到朝廷任职,终于借助他们的力量搞垮了王淮,这些人就更加得意了。那以后留正又来了,虽然明白这些人一无是处,但考虑到他们已形成了一股势力,无可奈何,反而将他们中的党徒引为心腹。到了赵汝愚当丞相时,因他一贯怀着不轨之心,不是这些人没有人会与他共事,他们这些人也知道赵汝愚的心思,于是贪图利禄,甘心做鹰犬以便奢望非分的东西,因此有时向邻国传播讥笑君主的说法,有时散布三女一鱼的妖符以欺骗民众,兴妖作怪,不可胜数,大抵是以前治伪学,到这时已变成逆党了。幸赖陛下圣明,很早就除去了他们,这是宗庙社稷无限的福气。然而现在这些人潜形匿迹,日夜窥测。雨晴稍有异常,他们就喜形于色;听说有敌国侵犯的奏报,就将过错归咎到君主头上。像这样的鬼蜮,千方百计害人,防范不周到时,必定会受他们的祸害。我看现在的办法,只有消除他们罢了。那些受伪学毒害深而又顽固追随逆党的人,自己知道罪不容诛,终究不肯为国家效力;其他能够改邪归正的,就不要急急忙忙加以罢斥,使他们去伪从正,以消除现在的忧患。"

奏章呈进去,韩侂胄非常高兴,当天就任命刘三杰为右正言。留正被贬谪到邵州居住。

这年夏天,大溪山岛民发生叛乱。

大溪山,是广东海中的一个岛。提举茶盐徐安国,派人进岛捕捉贩卖私盐的人,岛民不安,聚集了一千多人,入海为盗,张贴布告揭露徐安国的罪行,抢劫商人财物,屠杀平民。经略使雷渊,平素与徐安国有矛盾,这时徐安国请求派军队去讨伐,雷渊不立即发兵,而将徐安国生事的情况向朝廷报告。不久,雷渊、徐安国一起被罢免。

秋季,七月,壬寅朔(初一),金章宗驾临天庆观,建普天大醮,禁止屠宰,七天内不许上奏刑事,百司暂时停止判决处罚。

庚午(二十九日),监察御史沈继祖,收录因拖延未判决的囚犯的情况共四百多条呈报朝廷,诏令晋升两级官阶。

八月,庚辰(初九),任命军器监钱之望为秘阁修撰,广州知州。

金国敕令计议官上奏时可以直陈利害,不要用虚浮的词语。

辛巳(初十),金章宗认为边境还不安宁,在尚书省集中了六品以上的官员,询问攻守计策。凡是朝廷内外的臣僚,不论职位高低,凡是有方略材武的,或是擅长用兵作战的,分别举荐三五人以供选用,规定五天之内密封奏章呈进。参加议事的共有八十四人,主张进攻的有五人，主张防守的有四十六人，主张攻守结合的有三十三人，宣诏到睿思殿论辩，争论了很久。

金国北部又发生了叛乱，参知政事完颜裔战败。丙戌，任命丞相完颜襄为左副元帅指挥军队。不久完颜裔被罢免。

金国尚书左丞胥持国，恃宠专断朝政，多方勾结同党。御史台弹劾右司谏张复亨，右拾遗张嘉贞，同知安丰军节度使事赵枢，同知定海军节度使事张光庭，户部主事高元甫，刑部员外郎张岩叟，尚书省令史傅汝梅、张翰、裴元、郭郹，都巴结权贵，人们戏称为"胥门十哲"。张复亨、张嘉贞尤其卑劣无耻，不胜任台谏官职，都应该罢免。上奏被批准。于是胥持国退休，张嘉贞等都被调往外地。

金国尚书左丞瓜勒佳衡被罢免，任命参知政事董师中为尚书左丞，任命左宣徽使完颜膏为尚书右丞，任命户部尚书杨伯通为参知政事。

庚寅（十九日），金国枢密使唐古贡退休。不久任命完颜襄为枢密使、平章政事。

辛卯（二十日），钱之望派兵进入大溪山，将岛民全部杀死。

九月，壬寅（初二），因为四川遭受旱灾，免除百姓的赋。

金国派官员分别到上京、东京、北京、咸平、临潢、西京等路招募汉军，不足则抽签指派补充。当时北京的百姓正缺粮食，枢密使完颜襄调出国库中的粟救济他们。有人说军队正缺粮，完颜襄说："哪有百姓足而军队不足的！"终于还是实行了，百姓都心悦诚服。

癸丑（十三日），金国任命上京留守钮祜禄额特喇为平章政事。

辛酉（二十一日），金国任命枢密使完颜襄为知大兴府事；任命胥持国为枢密副使、代理参知政事，在北京设立行省。

有一天，金章宗与翰林修撰路铎议论董师中、张万公的优劣，路铎说："董师中是巴结胥持国而获得官职的，胥持国是小人，不适宜指挥军队。依我看来，不只是不负人望，也必定不能使军队信服。假若回来时再任丞相，必定会搞乱天下。"金章宗说："作臣子的进人退人难，国王进人退人就容易，我怎么还会让他担任宰相呢？"胥持国不久就在军中去世了。

这一天，下诏说："监司、帅守荐举人担任官职，不要用伪学之人。"

冬季，十月，庚午朔（初一），金国初次设六个讲议所官，共同商议钱谷，任命中都转运使孙铎、户部侍郎高汝砺等充任。

庚辰（十一日），金国尚书省上奏说："高丽国谍报，他们的国王又老又有病，命令他的舅舅王晫代管国事。"

十一月，辛丑（初二），给孝宗加谥号为"绍统同道冠德昭功哲文神武明圣成孝皇帝"。

太皇太后吴氏在寿慈宫贺崩，享年八十三岁。遗诰："太上皇帝病体没有恢复，应该在宫内主持丧事；皇帝服丧五个月。"

太皇太后实际上是辛卯日（疑误）去世的，当时郊祀日期临近，有人对韩侂胄说："皇上亲自主持祭祀，不能不完成仪式，而且有司在这件事上花费很多，怎么能中止呢？"韩侂胄向皇帝传达了这个意思。甲辰（初五），祭祀圜丘。乙巳（初六），才发丧，诏令服丧一周年。到韩侂胄被处死，听从刘光祖的建议，才改为原本日期。

十二月，己巳朔（初一），金国敕令御史台追究核查那些巴结趋奉权贵确有实据的人。

丙子（初八），宋宁宗开始驾临正殿。

己卯(十一日),金国开始铸造承安宝货。

丁酉(二十九日),绵州知州王沇奏请设置伪学的簿籍,另外规定从今以后曾受到伪学之人举荐晋升以及被荐懂刑法或廉洁被荐代替自己的人,一律命令三省六部登记姓名,授予闲散差使,朝廷采纳了他的建议。

因此伪学逆党得罪被写入名籍的,宰相有赵汝愚、留正、周必大、王蔺四人,待制以上有朱熹、徐谊、彭龟年,陈傅良、薛叔似、章颖、郑湜、楼钥、林大中、黄由、黄黻、何异、孙逢吉十三人,其余官职的有刘光祖,吕祖俭、叶适、杨芳、项安世、李塈、沈有开、曾三聘、游仲鸿、吴猎、李祥、杨简、赵汝谠、赵汝谈、陈岘、范仲黼、汪逵、孙元卿、袁燮、陈武、田澹、黄度、詹体仁、蔡幼学、黄颢、周南、吴柔胜、王厚之、孟浩、赵巩、白炎震等三十一人,武将有皇甫斌、危仲壬、张致远三人,学子则有杨宏中、周端朝、张道、林仲麟、蒋傅、徐范、蔡元定、吕祖泰八人,共五十九人。

当时黄由还担任吏部侍郎,说君主不能用划分党派的办法来对待天下人,不必设置名借以示胸怀不宽广。殿中侍御史张岩弹劾黄由讨好伪学,罢免了他。提拔王沇担任利州路转运判官。

金国的高汝砺上奏说:"国家设谏官的目的是侍奉皇帝左右,大抵要让他们周详地了解时事政治以便参加议论得失,不只是让他们排在朝臣行列中而已。因此唐朝时凡是中书、门下及三品以上官入朝,必定派谏官相随,使他们得知政事,希望他们有所议论。如今台省以下,遇上朝臣奏事台谏官就一律回避,与那些侍卫官一起进退,朝堂上议论的事,开始时不能得知。等到已开始实行,又不详细知道它的始末,就事论事,这也太难为他们了,到底谏官是干什么的呢?如果说不合格,选择合格的就是,怎么能将他置于谏官的职位上却又如此疏远他呢?自今以后,有司奏事,谏官应当参与进去议论,或许稍有益处。"朝廷采纳了这一建议。

金国李淑妃的兄弟李仁惠等干预朝政,监察御史姬端修上书请求金章宗疏远小人。金章宗派李仁惠传诏责问姬端修:"小人是指谁,希望指出姓名。"姬端修说:"小人呀,就是李仁惠兄弟。"李仁惠不敢隐瞒,详细奏报,金章宗虽然批评了李仁惠兄弟但不能罢免他们。姬端修又弹劾签书枢密院事完颜匡,说他多次蒙受皇恩,在抚州设行院,不知自洁。转运使温昉,行六部事,主持军中的馈饷,违心地巴结完颜匡,将马、币献给他,以及私自用公家的钱资助完颜匡的宴会开支。金章宗正把边防的事委托完颜匡,便压下了姬端修的奏疏。

续资治通鉴卷第一百五十五

【原文】

宋纪一百五十五　起著雍敦牂【戊午】正月,尽上章涒滩【庚申】十二月,凡三年。

宁宗法天修道纯德茂功　仁文哲武圣恭睿孝皇帝

庆元四年　金承安三年【戊午,1198】　春,正月,己亥朔,日有食之。

癸卯,金谕有司:"凡馆接伴并奉使者,毋以语言相胜,务存大体,奉使者务得其人。"

乙卯,上钦宗朱皇后谥曰仁怀皇后。后北迁,无凶问。

金罢讲议所。

丙辰,以赵师𥅥为工部侍郎,仍知临安府事。师𥅥尹临安,谄事韩侂胄,无所不至;私市北珠以遗侂胄诸妾,诸妾元夕出游,市人称羡,诸妾俱喜,争为师𥅥求迁官,遂有是擢。

金主如城南春水。

丁巳,金并上京、东京两路提刑司为一,提刑司副兼安抚使副;安抚使专掌教习武事,毋令改其本俗。

己未,金以都南行宫名建春宫。

甲子,金主还都。

丙寅,以签书枢密事叶翥同知枢密院事。

丁卯,以两浙、江、淮、荆、湘、四川多流民,诏有司举行宽恤之政。

二月,己巳朔,金主如建春宫。

辛未,诏:"两省、侍从、台谏各举所知一二人,毋举宰执子弟、亲党。"

丙子,上太皇太后谥曰宪圣慈烈皇后。

辛巳,金主谕宰臣曰:"自今内外官有阙,有才能可任者,虽资历未及,亦具以闻,虽亲故无有所避。"

甲申,金主还宫。

先是,金议北讨,枢密使襄奏遣同判大睦亲府事宗浩出军泰州,又请左丞瓜勒佳衡于抚州行枢密院,出军西北路以邀准布,而自帅兵出临潢。金主从其策,赐内库物,即军中用之。丙戌,色库部族诣抚州降。金主使问襄,襄以为受之便。金主赐襄宝剑,命进军以逼之。

辛卯,金平章政事钮祜禄额特喇薨。额特喇性温厚,尝为赫舍哩良弼所荐,世宗称许之。在相位十馀年,甚见宠遇。其没也,厚加赗赠,谥成肃。

三月,戊戌,金以礼部尚书张岿为御史大夫。

壬寅,金始榷醋。

丁巳,金敕:"随处盗贼,毋以强为窃,以多为少,以有为无,啸聚二十人以上奏闻;违者杖百。"

甲子,权攒宪圣慈烈皇后于永思陵。

乙丑,蠲临安、绍兴租税有差。

是月,臣僚言:"闻诏旨择日开讲,望陛下遵用仁宗、高宗故事,令侍讲之臣,仰稽《三朝宝训》所举外治数条,详悉讲明,以备观览。凡武备之设,何者为先;军旅之制,何者为重;边圉拒守,孰为要害;敌人情伪,孰得要领;考古验今,必有至计,商略而施行之,足以为思患预防之策。"帝从之。

金自北陲多警,连年用兵,枢密使襄请用步卒穿壕筑障,起临潢,左界北京路,以为阻塞。议者皆言其不足恃。金主以问襄,襄曰:"今兹之费虽百万贯,然功一成,则边防固而戍兵可减,半岁省三百万贯;且宽民转输之力,实为永便。"诏可。襄亲督视之,军民并役,又募饥民以佣,即事五旬而毕。既而西北、西南路亦治塞,如所请。无何,泰州军与敌接战,宗浩督其后,杀获过半。诸部相率送款,襄纳之。于是北陲告宁,襄还临潢,减屯兵四万、马三万匹。

夏,四月,丙戌,祔仁怀皇后、宪圣慈烈皇后神主于太庙。丙申,始御正殿。

金主谕御史台曰:"随朝大小官,虽有才能,率多苟简。朕甚恶之,其察举以闻。提刑司所举贤能污滥官,皆当殿奏,馀事可转以闻。"

五月,己亥,加韩侂胄少傅,赐玉带。

己酉,姚愈复上言:"近世行险徼倖之徒,但为道学之名,窃取程颢、张载之说,张而大之,聋瞽愚俗。权臣力主其说,结为死党。陛下取其罪魁之显然者,止从窜免,馀悉不问,所以存全之意,可谓至矣。奈习之深者,怙恶不悛,日怀怨望,反以元祐党籍自比。如近日徐谊令弟芸援韩维谪筠州日,诸子纳官赎罪以求归侍,此皆借假元祐大贤之名以欺天下后世。当元祐时,宰辅如司马光辈,其肯阴蓄邪谋,窥伺神器,自谓梦寿皇授鼎,白龙登天,如汝愚之无君者乎?侍从如苏轼辈,其肯阿附权臣,妄谓风雷之变,为今天动威以彰周公之德,如刘光祖者乎?其肯当揖逊之际,有但得赵家一块肉足矣,以助汝愚之为奸,如徐谊者乎?其馀百执事如秦观辈,其肯推寻宗派,以为汝愚乃楚王之裔,宜承大统,如游仲鸿者乎?其肯献佞汝愚,以为外间军民推戴相公,如沈清臣者乎?其肯阴受汝愚指教,图兼握兵柄,如张知远者乎?如此之类,见于论疏,不一而足。此天下之所共知,安可诬也!夫元祐之党如此,而今伪党如彼!愿特奉明诏,播告天下,使中外晓然知邪正之实,庶奸伪之徒,不至假借疑似以盗名欺世。"于是命直学士院高文虎草诏,有云:"窃附元祐之众贤,实类绍圣之奸党。"韩侂胄大喜,即迁文虎于要职。

是月,禁女冠毋入大内及三宫。先是江州僧道隆自言能知人休咎,愚民称为"散圣",往来都下,贵戚竞施之。寿康宫卫士詹康妻,故倡也,出入禁中,号为部头;以病归外舍,道隆因之,使求赐金于北内以为建塔费,后宫多有施与。赵师𡟼闻之,执道隆属吏,录其囊,得金钱三万馀缗。诏杖黥,隶英德府土牢。旋有是禁。

金监察御史路铎,劾参知政事杨伯通引用乡人李浩,以公器结私恩,左司郎中贾益除授承望风旨,御史大夫张晖抑言路;金主命同知大兴府事贾铉诘问。伯通待罪于家。晖辨曰:"铎尝面白伯通私李浩,因告以弹劾大臣,须有实迹,恐所劾不当,台纲愈坏,令再体察,非抑之也。"益亦辨除授皆宰执公议。铉具以闻,金主责铎言事轻率,慰谕伯通,视事如故。

秋,七月,己未,四川都大茶马丁逢入对,极论元祐、建中调停之害,且引苏辙、任伯雨之言为证。时薛叔似、叶适坐汝愚党久斥,皆起为郡,故逢有是言。京镗、何澹深悦之,荐为军器监。

辛酉,同知枢密院事叶翥罢。

以姚愈为兵部尚书。

愈浮沈州县,忽忽不得志,阿附韩侂胄,遂得骤迁。寻以病免。

八月,丁卯,以久雨,决系囚。

丙子,以谢深甫知枢密院事,吏部尚书许及之同知院事。及之谄事韩侂胄,居二年不迁,见侂胄,流涕叙其知遇之意,衰迟之状,不觉屈膝。侂胄怜之,故有是命。侂胄尝值生辰,及之后至,阍人掩关,及之从门间俯偻而入。当时有"由窦尚书、屈膝执政"之语。

庚辰,金以护卫石(知)〔和〕尚为押军万户,率亲军八百人、武卫军千六百人戍西北路。

是月,京镗等以帝未有嗣,请择宗室子育之。诏育太祖后燕懿王德昭九世孙与愿于宫中,时年六岁。

九月,癸卯,太白经天。

丁未,京镗上《重修敕令格式》,诏颁天下。

先是太史言月蚀于昼,而草泽言蚀于夜;验视,草泽言是。诏改造历,以秘书省正字临邛马履为参定官。履尝从故直徽猷阁张行成习数学,故以命之。

冬,十月,金定官民存留见钱之数,设回易务,更立行用钞法。

十一月,金主以信符召枢密使襄还都,遣近臣迎劳于途;既至,复抚问于第。入陈边机十事,皆为施行,仍厚赐之。癸卯,复拜左丞相、监修国史。

襄之将至也,金主谓宰臣曰:"襄筑立边堡完固。古来立一城一邑,尚有赏赉。即欲拜三公,三公非赏功官,如左丞相,亦非赏功者。虽然,可特授之。"仍降诏褒谕。

辛亥,金定属托法,定军前官吏迁赏法。以边事定,诏中外减死罪,徒以下释之。赐左丞相襄以下将士有差。

金顺义军节度使李愈上书论边事,谓退地千里而争言其功,因陈屯田利害。金主遣使宣谕,仍降金牌,俾领屯田事。

十二月,甲子朔,金主猎于酸枣林。大风寒,罢猎,冻死者五百馀人。

丙戌,蠲临安府民身丁钱三年。

金右丞膏罢。

高丽权国事王晫奉表告于金。

庆元五年 金承安四年【己未,1199】　春,正月,庚子,夺前起居舍人彭龟年等官。

初,赵汝愚定策时,枢密院直省官蔡琏从旁窃听,因而漏之;汝愚窘之,既而逃还临安。韩侂胄闻之,乃使琏诬告汝愚定策时有异谋,具列宾僚所言凡七十馀纸,议送大理捕鞫彭龟年、曾三聘、沈有开、叶适、项安世等以实其事。中书舍人范仲艺谓韩侂胄曰:"相公今日得君,凡所施为,当一以魏公为法。章惇、蔡确之权,不为不盛,然至今得罪于清议者,以同文狱故耳。相公勋业如此,胡为蹈之?"侂胄曰:"侂胄初无此心,以诸公见迫,不容但已。"盖京镗、刘德秀主其议也。侂胄取录黄藏之,事遂格。张釜、刘三杰、张岩、程松等论之不已,诏累经赦宥,宜免。然犹夺龟年、三聘官,而擢璡进义副尉。

乙巳,金右丞董师中致仕。师中练达典宪,处事精详,尝言曰:"宰相不当事细务,要在知人才,振纲纪,但一心正、两目明足矣。"然论者尝讥其附胥持国云。

辛酉,金监察御史姬端修,以妄言下吏。

金以左丞相襄为司空,职如故,枢密使瓜勒佳衡为平章政事,前知济南府事张万公起复为平章政事,参知政事杨伯通为左丞,签书枢密院事完颜匡为右丞。金主问万公曰:"胥持国已死,其为人竟何如?"万公曰:"持国素行不谨,如货酒乐平楼一事,其好利可知矣。"金主曰:"此亦非好利;如马琪鬻省酝,乃为好利也。"

辛酉,命:"漕臣无出身者,勿差官考试。"先是果州学官王莘,被檄考试昌州,发策以王凤、牛仙客为问。礼部摘其语以告韩侂胄,谓其讥刺;侂胄怒,遂罢莘官。议者谓漕臣汪德辅以祖任入官,故择考官不善,张岩请自今漕臣不由科第进,更委它监司一员选官校试;从之。

壬戌,建玉堂。

二月,乙丑,胡纮罢。

金主如建春宫春水;己巳,还宫。庚午,御宣华门观迎佛。辛未,如建春宫。赦姬端修罪,令居家俟命。

金西南路招讨使布萨揆沿边筑垒九百里,营栅相望,烽堠相应,人得资田牧,北边遂宁。辛未,司空襄言揆治边有功,金主以手诏褒谕,且欲大用;以知兴中府赫舍哩子仁代之,敕尽以方略授子仁。

壬申,金主谕有司:"自三月一日为始,每旬,三品至五品官各一人转对,六品亦以次对,台谏勿与;有应奏事,与转对官相见,如无面对者,上章亦听。"

乙亥,金主还宫。戊寅,仍如建春宫。

庚辰,金主谕点检司曰:"自蒲河至长河及细河以东,朕尝所经行地,官为和买其地,令百姓耕之,仍免租税。"

甲寅,金主还宫。

乙酉,谏议大夫张釜劾刘光祖佐业不成、蓄愤、怀奸、欺世、罔上五罪。时光祖撰《涪州学记》,谓:"学者明圣人之道以修其身,而世方以道为伪,而以学为弃物。好恶出于一时,是非定于万世。学者盍谨其所先入以待豪杰之兴!"语闻于朝,釜因劾之。光祖落职,房州居住。

金以布萨揆为参知政事,起姬端修为太学博士。

金主如建春宫。戊子,还宫。

三月,甲午,罢监司臧否郡守之制。先是淳熙中,严臧否之令,且申稽缓之罚。其后士大夫往往以人情之厚薄为臧否,论者颇患其不公。知汉阳军蒋用之尝疏论之,至是正言陈自强复以为言,于是臧否遂罢。自强,闽县人,尝为韩侂胄童子师,待铨入临安,欲见侂胄,无以自通,适僦居主人出入侂胄家,为言于侂胄。一日,召自强,比至,则从官毕集;侂胄设褥于堂,向自强再拜,次召从官同坐。侂胄徐曰:"陈先生老儒,汩没可念。"明日,从官交荐其才。除太学录,半载,叠迁至右正言,未几遂大用。

丁酉,金同判大睦亲府事宗浩为枢密使,封崇德公。

己亥,金主如建春宫。户部尚书孙铎,郎中李仲略,国子祭酒赵忱,始转对香阁。

金遣使册王暐为高丽国王。

戊申,四川行对销钱引法,从制置袁说友之请也。

金主尝敕尚书议官员除改,其日月浅者毋数改易。己卯,尚书省奏减亲军武卫军额及太学女真、汉人生员,罢小学官及外路教授。诏学校仍旧,武卫军额再议,馀报可。

金主好更定制度,议设清闲职位如宋宫观使,以待年高致仕之官。司空襄言:"年老致仕,朝廷养以俸廪,恩礼至渥。老不为退,复有省会之法,所以抑贪冒,长廉节,若拟别设,恐涉于滥。"襄复与完颜匡、布萨揆上言曰:"省事不如省官。今提刑官吏,多无益于治,徒乱有司事。议者以为斯乃外台,不宜罢,臣恐混淆之词,徒烦圣听。且宪台所掌者,察官吏非违,正下民冤枉,亦无提点刑狱、举荐之权。若已设难以遽更,其采访廉能,不宜隶本司,宜令监察御史岁终体究,仍不时选官廉访。"金主嘉纳。

夏,四月,金改提刑司为按察使司。

壬申,金左丞杨伯通致仕。御史大夫张昕以奏事不实追一官,侍御史路铎追两官,并罢之;姬端修杖七十,论赎。

壬申,金英王从宪进封瀛王。

是月,定理官历县法。

初,改官人必作令,谓之"须入"。绍兴中,数申严之,后浸废。庆元初,复诏除殿试上三人、南省元,并作邑。旋用御史程松言,诏大理评事已改官未历县人并令亲民一次,著为令;旧捕盐改官人并试邑。至是,正言陈自强,请初任未终之人,先注签判一次,方许亲民。自后虽宰相子,殿试甲科人,无有不宰邑者矣。

五月,壬辰朔,颁《统天历》。先是诏造新历,以冯履参定。御史张岩言履倡为陂辞,摇撼国是,遂罢去,诏诸道有通晓天文、历算者,所在具其名来上。至是历成,赐名《统天》。议者谓自渡江以来,历法屡改,《统天》尤为疏谬。

金主以旱,下诏责躬,求直言,避殿,减膳,审理冤狱。

丁酉,以久雨民疫,命临安府赈之。

戊戌,赐礼部进士曾从龙以下四百十一人及第、出身。

己亥,金应奉翰林文字陈载言四事:其一,言边民苦于寇掠;其二,农民困于军需;其三,审决冤滞,一切从宽,苟纵有罪;其四,行省官员,例获厚赏,而沿边司县,曾不霑及。金主是之。

庚戌,金主谕宰相曰:"诸路旱或关执政,今惟大兴、宛平两县不雨,非其守令之过欤?"司空襄、平章政事张万公、参知政事布萨揆上表待罪,金主以罪己答之,令各还职。

金户部尚书孙铎言:"比年号令,或已行而中辍,或既改而复行,更张太烦,百姓不信。请自今,凡将下令,再三讲究,如有益于治则必行,无恤小民之言。"国子司业赫舍哩善才,亦言颁行法令,丝纶既出,尤当固守。金主然之。

金以胥鼎为著作郎。鼎,持国之子也。金主问宰臣曰:"鼎故家子,其才如何?"宰臣曰:"其人甚干济。"金主曰:"著作职闲,缘今无它阙,姑授之。"未几,迁右司郎中。

壬子,命诸州学置武士斋舍。

庚申,金平章政事瓜勒佳衡薨,谥贞献。

六月,甲戌,金以雨足,报谢庙社。

丁丑,金右补阙杨廷秀言:"自转对官外,复令随朝八品以上、外路五品以上及出使外路有可言者,并许移检院以闻,则时政得失,民间利病,可周知矣。"从之。

丁亥,金定宫中亲戚非公事传达语言、转递诸物及书简出入者罪。

是月,盗窃太庙金宝。

参知政事何澹之弟涤,通判临安府;自临安还处州,舟子市私盐万馀斤,为逻卒所捕,涤仗剑伤逻卒。事下临安府,司农卿丁逢知府事,当舟子杖罪,而逻卒杖脊编管。御史程松劾之,诏逢与宫观,而以工部侍郎朱晞颜知府事。澹乞免,帝慰留之,澹即起视事。寻内批付大理,以伏暑恐致淹延,命有司据见追到人结绝。秋,七月,甲午,狱成,涤罢通判,逢罢祠。乙未,澹疏言:"臣顷为中丞,首论枢密使王蔺不能钤束其弟,蔺遂去国。今训饬无素,罪何所逃! 望赐黜责。"诏不许。

癸丑,刘德秀罢。

甲寅,禁高丽、日本商人博易铜钱。

八月,辛巳。太祖庙楹生芝,帝率群臣诣寿康宫上寿,始见太上皇,成礼而还。以入内内侍省押班甘昺宣力两宫,备竭忠勤,特迁二官。昺,昇之弟也。帝之过寿康,昺与有力焉,颇贵宠。

壬午,京镗率百官赴太庙观芝。丙戌,诏减诸路流囚,释杖以下。推恩如庆贺故事。丁亥,进京镗等官一级。

戊子,立沿边诸州武举取士法。

九月,庚寅朔,加韩侂胄少师,封平原郡王。

己亥,金主如苏州秋山;冬,十月,丙寅,还都。

金主以顺义节度使李愈为可用,议召之。宰臣或言愈病,金主曰:"愈比陈言,有'退地千里而争言其功'之语,卿等定恶此人多言邪?"遂召为刑部尚书。旧制,陈言者漏所言事于人,并行科罪,仍给告人赏。愈言:"此盖所以防闲小人也。比年以来,诏求直言及命朝臣转对,又许外路官言事,此皆圣朝乐闻忠谠之意。请除去旧条,以广言路。"从之。

甲申,金初置审官院。

乙未,金敕京府州县设普济院,每岁十月至明年四月,设粥以食贫民。

是月,右谏议大夫陈自强上紧要政目三十事,先叙前代帝王施行得失,而证以祖宗故事,及今日事体所宜,请令侍从、两省、讲读官一旬讲一事,则一岁之间便有三四十事,不过二年,朝廷之大事讲究毕矣;从之。既而翰林学士高文虎又以二十事上之。

十一月,己丑朔,诏复右司一员。

甲寅,金定护卫改充奉御格。

十二月,己未,金初以除授文字送审官院。

辛酉,金更定考试随朝检知法。

金右补阙杨廷秀请类集太祖、太宗、世宗三朝圣训,以时观览;从之,仍诏增熙宗为四朝。

庚午,建安仁宅、惠济仓库于广东诸州,以给士大夫之死而不能归者。

太尉韩同卿卒。皇后之父也,赠太师。同卿季父侂胄,声势熏灼,同卿每惧满盈,不敢干政。时天下皆知侂胄为后族,不知同卿乃后父也,后乃服其善远权势云。

京镗、何澹等令言者上疏曰:"向来伪徒,其大者已屏斥禁锢,用惩首恶;其次者亦投闲置散,使省愆咎。盖为天下后世计,使已往者得以悔过,方来者可以远罪,融会党偏,咸归皇极也。今此类苟有洗濯自新者,请明诏大臣,仰遵皇祖之训,姑与祠禄,使知小惩大戒之福。其长恶弗悛者,必重置典宪,投之荒远,庶几咸知惩创,守道向方,悉为皇极至正之归,以成圣明极辨之治。"自胡纮、刘德秀去位,侂胄亦厌前事,故镗等令言者以建极之说投之,侂胄用其言,学禁渐弛。

癸未,金主谓宰臣曰:"科举一场而分二榜,非也。自今廷试,令词赋、经义通试时务策,止选一人为首。"有司言:"自宋王安石为相,作新经,始以经义取人。且词赋、经义,人所素习之本业,策论则兼习者也。今舍本业,取兼习,恐不副陛下公选之意。"遂定御试同日各试本业,词赋居首,(诗赋)〔经义〕次之。

金李淑妃有宠,尝从金主幸蓬莱院,陈玉器及诸玩好,款式多宣和间物。金主恻然动色,妃进曰:"作者未必用,用者未必作,宣和作此以为陛下用耳。"金主为之意解。妃尝与金主同辇过雕龙桥,见白石莹润,爱之,归白金主,自苏山辇至,筑岩洞于芳华阁,用工二万人,牛马七百乘,道路相望。会妃赏菊于东明园,见壁间画《宣和艮岳图》,问内侍余琬,琬曰:"宣和帝运东南花石筑艮岳,致亡其国。先帝命图之以为戒。"妃怒曰:"宣和之亡,不缘此石,乃用童贯、梁师成故尔。"妃意以讥琬,其黠辨类此。

自钦怀皇后殂,中宫虚位久,金主意属李氏。而祖宗故事,皆图克坦、唐古、富察、赫舍哩、乌凌阿、乌库哩诸部部长之家,世为婚姻,娶后尚主。李氏微甚,恐为众所格,至是遂欲立之。大臣固执,台谏亦以为言,金主不得已进封为元妃,而势位熏赫,与皇后侔矣。

是冬,编庆元宽恤诏令。

是岁,赈浙东、江西、广东被水州县贫民。

庆元六年 金承安五年【庚申,1200】 春,正月,乙未,金尚书省言:"会试取策论、词赋、经义不得过六百人,合格者不及其数则阙之。"

丙申,金主如春水。

庚子,金命左右司五月一转奏事。

辛丑,金主谕点检曰:"车驾所至,仍令百姓市易。"庚戌,定明安、穆昆军前怠慢罢世袭制。

二月,戊辰,减诸路杂犯死罪囚,释徒以下,皇子生故也。

辛未,金主还都。

戊寅,上《太上皇玉牒》《圣政》《日历》《会要》于寿康宫。

甲申,封婕妤杨氏为贵妃。

闰月,庚寅,以京镗为左丞相,谢深甫为右丞相,何澹知枢密院事兼参知政事。

乙巳,复留正少保、观文殿大学士、致仕。

癸卯,金定纳粟补官之家存留弓箭制。

丁未,金主与宰臣论置相曰:"图克坦镒,朕志先定。贾铉何如?"司空襄举知延安府孙即康,金主曰:"不轻薄否?"襄曰:"可再用为中丞以观之。"张万公曰:"即康及第,先铉一榜。"金主曰:"论相安论榜次!朕意以贾铉才可用也。"旋以即康为御史中丞。

金右补阙杨廷秀言:"请令尚书省及左右官一人,应入史事编次日历,或一月或一季封送史院。"金主是其言,仍令送著作局润色付之。

辛亥,以殿前都指挥使吴曦为昭信军节度使。曦,挺之子也。

三月,庚申,金大睦亲府进重修玉牒。

甲子,提举南京鸿庆宫朱熹卒。

自伪学有禁,士之绳趋尺步,稍以儒自名者,无所容其身。从游之士,特立不顾者,屏伏丘壑,依阿巽懦者,更名它师,过门不入,甚至变易衣冠,狎游市肆,以自别其非党。而熹日与诸生讲学不休,或劝其谢遣生徒,笑而不答。及疾革,以深衣及所著书授门人黄干而卒。

熹平居惓惓,无一念不在于国。闻时政之阙失,则戚然有不豫之色;语及国势未振,则感慨以至泣下。然难进易退,不贬道以求合,故与世动辄龃龉。历事四朝,仕于外者仅九考,立朝才四十日,天下惜之。

将葬,右正言施康年言:"四方伪徒,欲送伪师朱熹之葬。臣闻伪师在浙东则浙东之徒盛,在湖南则湖南之徒盛。每夜三鼓,聚于一堂,伪师身据高坐,口出异言,或吟哦怪书,如道家步虚之声,或幽默端坐,如释氏入定之状;至于遇夜则入,至晓则散,又如奸人事魔之教。今熹已殁,其徒画像以事之,设位以祭之,会聚之间,非妄谈世人之短长,则谬议时政之得失。望令守臣约束。"从之。于是门生故旧不敢送葬,惟李燔等数人视窆,不少怵。

熹自少有志于圣道,其为学,大抵穷理以致其知,反躬以践其实,而以居敬为主。尝谓圣贤道统之传,散在方册,自经旨不明而道统之传始晦,于是竭其精力以研究圣贤之经训,所著书为学者所宗。

戊辰,金定妻亡服内婚娶听离制。

庚午,金以知大兴府卞为御史大夫。时言官谓御史大夫久阙,宪纪不振,宜选刚正疾恶之人,肃清庶务,遂以卞为之。

丙子,金尚书省奏拟同知商州事富察(南)〔西〕京为济南府判官。金主曰:"宰相岂可止徇人情,要当重惜名器。此人不堪,朕尝记之,与七品足矣。"

庚辰,金以上京留守图克坦镒为平章政事。金主尝问宰臣:"镒与崇浩孰优?"张万公对曰:"皆才能之士,镒似优。镒有执守,崇浩多数耳。"金主曰:"何为多数?"万公曰:"崇浩微似迎合。"金主曰:"卿言是也。"

夏,四月,金尚书省进《律义》。

己酉,封宗子不墨为嗣濮王。

辛亥,监都进奏院邓友龙,请明诏大臣,用舍从违,谨所决择,无用伪党。友龙寻擢监察御史。

五月,丙辰,以旱决中外系囚。

己未,金敕诸路按察司,纠察亲民官以大杖棰人者。先是贾铉上书曰:"亲民之官,任情立威,所用决杖,分径长短,不如法式,甚者以铁刃置于杖端,因而致死。愿下州郡申明旧章,检量封记,按察官检察不如法者,具以名闻。内廷敕断,亦依已定程式。"故有是命。

丙寅,诏大理、三衙、临安府及诸路阙雨州县释杖以下囚。

戊辰,诏侍从、台谏、两省、卿监、郎官、馆职疏陈阙失及当今急务。辛未,以久旱,诏中外陈朝廷过失及时政利害。知兴国县庄夏上封事曰:"君者,阳也;臣者,君之阴也。今威福下移,此阴胜也。积阴之极,阳之气散乱而不收,其弊为火灾,为旱蝗。愿陛下体阳刚之德,使后宫戚里,内省黄门,思不出位,此抑阴助阳之术也。"召为太学博士。

壬申,雨。

庚辰,金地震。

六月,乙酉朔,日有食之。

戊子,太上皇后李氏崩于寿康宫,年五十六。

戊申,同知枢密院事许及之,以母丧去位。

秋,七月,癸亥,金定居祖父母丧婚娶听离法。

丁卯,以御史中丞陈自强签书枢密院事。自强自选人至枢府,首尾仅四年。

金平章政事张万公乞致仕。时北部虽罢兵,而边事方殷,连岁旱暵,灾异数见;又多变更制度,民以为不便,旋又改之,纷纷无定。万公素沈厚深谨,务安静少事,与同列议多不合。然颇嫌畏,不敢犯颜强谏,须金主有问,然后审察利害而质言之,金主虽称善而弗行,故万公以衰病丐间。辛未,金主谕曰:“近卿言数事,朕未尝行,乃朕之过。卿年未老而遽告病,今特赐告两月,复起视事。”

提举洞霄宫黄洽卒。

八月,辛卯,太上皇崩于寿康宫,年五十四。

丙申,上太上皇后谥曰慈懿。

丁酉,左丞相京镗卒。镗居政府,唯奉行韩侂胄风旨,又尝荐刘德秀,排击善类。“伪学”之名,镗实发之。

癸卯,权攒慈懿皇后于修吉寺。

丁未,金敕审官院奏事,其院官皆许升殿。

戊申,金更定镇、防军犯徒配役法。

九月,乙卯,祔慈懿皇后神主于太庙。

臣僚言:“比年以来,浸成内重之弊。祖宗成宪,改秩者必宰邑,典郡者方除郎,寺监之既更,则出守千里之地,郎官卿监之已历,必出分一道之节,此不易之良法。日往月迈,莫克遵守,恐内重外轻,其弊难革。望令中外之官,更出迭入,以均其任。”

金边臣言:“比岁征伐,军多败衄。盖屯田地寡,无以养赡,至有不免饥寒者,故无斗志。愿括民田之冒税者分给,则战士气自倍矣。”朝议从之,张万公独上书言其不可者五,大略以为:“军旅之后,疮痍未复,百姓抚摩之不暇,何可重扰!一也。通检未久,田有定籍,括之必不能尽,适足以增猾吏之弊,长告讦之风,二也。侈费妄用,不可胜计,推之以养军,可敛不及民而无待于夺民之田,三也。兵士失于选择,强弱不别,而使同田共食,振厉者无以尽其力,疲劣者得以容其奸,四也。夺民而与军,得军心而失天下之心,其祸有不可胜言者,五也。必不得已,请以冒地之已括者,召民莳之,以所入赡军,则军有坐获之利,民无被夺之怨矣。”书奏,不报。戊午,以枢密使崇浩,礼部尚书贾铉,佩金符行省山东等路括地。

先是金有司议于西南、西北路沿边筑壕堑以备蒙古,役未就,御史台言所开旋为风沙所平,无益于御侮而徒劳民。金主尝以旱,问张万公致灾之由,万公对曰:“劳民之久,恐伤和气,宜从御史台言罢之。”既而司空襄以枢密使莅边,卒筑之。然工役迫促,虽有墙隍,无女墙副堤。西北路招讨使通吉思忠增缮之,用工七十五万,止用屯戍军卒,役不及民,至是工竣。己未,尚书省以闻,诏奖之曰:“直乾之维,扼边之要,正资守备,以靖翰藩。垣垒未完,营屯未固,卿督兹事役,唯用戍兵,民不知劳,时非淹久,已臻休毕,仍底工坚。赖尔忠勤,办兹心画,有嘉乃心,式副予怀。”遂厚赐以银币。论者谓金之国势自兹弱矣。

金修《玉牒》成。定皇族收养异姓男为子者,徒三年,姓同者,减二等。立嫡违法者,徒一年。

癸亥,金主如蓟州秋山。

甲子,婺州进士吕祖泰上书请诛韩侂胄。祖泰,祖俭之从弟也,性疏达,尚气谊,论世事无忌讳。先是祖俭以言事贬,祖泰语其友曰:"自吾兄之贬,诸人箝口。我必以言报国,当少须之,今亦未敢以累吾兄也。"至是祖俭卒,祖泰乃击登闻鼓上书,论侂胄有无君之心,请诛之以防祸乱。其略曰:"道与学,自古所恃以为国者也。丞相赵汝愚,今之有大勋劳者也。立伪学之禁,逐汝愚之党,是将空陛下之国,而陛下不知悟耶?陈自强何人,徒以韩侂胄童稚之师,蹿致宰辅,陛下旧学之臣若彭龟年等,今安在哉!苏师旦,平江之吏胥,周筠,韩氏之厮役,人共知之。今师旦乃以潜邸随龙,筠以皇后亲属,俱得大官。不知陛下在潜邸时,果识所谓苏师旦者乎?椒房之亲,果有厮役之周筠者乎?侂胄之徒,自尊大而卑朝廷,一至于此。愿亟诛侂胄、师旦、筠而逐罢自强之徒。故大臣在者,独周必大可用,宜以代之。不然,事将不测。"

书下三省,朝论杂起。御史施康年以为必大实使之,遂露章奏劾,且谓:"淳熙之季,王淮为首相,必大尝挤而夺之位,首倡伪徒,私植党与。今屏居田野,不自循省,而诱致狂生,叩阍自荐,以觊召用。"林采言:"伪学之成,造端自周必大。宜加贬削。"遂镌必大一官;吕祖泰挟私上书,语言狂妄,拘管连州。右谏议大夫程松与祖泰友,惧,曰:"人知我素与游,其谓我与闻乎?"乃独奏言:"祖泰有当诛之罪,且其上书必有教之者,今纵不杀,犹当杖脊黥面,窜之远方。"殿中侍御史陈说亦以为言。乃杖祖泰一百,配钦州牢城。

初,当路欲文致必大以罪,而难其重名,意必大或有辨论,乃致于贬。及必大上书谢,惟自引咎,诏复其秩。

祖泰自期必死,无惧色。既至府庭,府尹赵善坚为好语诱之曰:"谁教汝为者?"祖泰笑曰:"此何事?可受教于人乎?"善坚曰:"汝病风丧心耶?"祖泰曰:"以吾观之,若今之附韩氏得美官者,乃病风丧心耳!"善坚据案作色莅行杖,祖泰大呼曰:"公为天族,同国休戚,祖泰乃为何人家计安危而受斯辱也!"善坚亦惭,趣使去。

己巳,命右丞相谢深甫朝献景灵宫。庚午,命嗣濮王不𤩽朝飨太庙。辛未,合祀天地于明堂,大赦。

冬,十月,丙戌,加韩侂胄太傅。

庚寅,金主还都。

庚子,金地风霾。辛丑,金主命集百官于尚书省,问:"间者亢旱,近则久阴,岂政有错谬而致然欤?其各以所见对。"张万公言:"天久阴晦,由人君用人邪正不分。用人之道,君子当在内,小人当在外。"金主召问之曰:"卿言有理。然孰为小人?"万公不敢斥言李仁惠兄弟,对曰:"户部员外郎张晖,文绣署丞田栎,都水监(承)〔丞〕张嘉贞,虽有干才,无德而称,好奔走以取势利。大抵论人当先才德。"金主即命三人皆补外。

金主又谓万公曰:"赵秉文曩以言事降授,闻其人有才藻,工书翰,又且敢言,朕虽弃不用,以北边军事方兴,姑试之耳。"其后秉文果召用。

金图克坦镒应诏上疏,略曰:"仁、义、礼、智、信,谓之五常。父义、母慈、兄友、弟敬、子孝,谓之五德。今五常不立,五德不兴,搢绅学古之士,弃礼义,忘廉耻,细民违道畔义,迷不知返,背毁天常,骨肉相残,动伤和气,此非一朝一夕之故也。今宜正薄俗,顺人心,父父、子子、夫夫、妇妇,各得其道,然后和气普洽,福禄荐臻矣。"

因论为政之术,其急有二:"一曰正臣下之心。窃见群下不明礼义,趋利者众,何以责小民之从化哉!其用人也,德器为上,才美为下,兼之者待以不次,才下行美者次之,虽有才能,行义无取者,抑而下之,则臣下之趋向正矣。其二曰导学者之志。教化之行,兴于学校。今学者失其本真,经史雅奥,委而不习。藻饰虚词,钓取禄利。请令取士兼问经史故实,使学者皆守经学,不惑于近习之靡,则善矣。"

又曰:"凡天下之事,从来者非一端,形似者非一体,法制不能尽隐于形似,乃生异端。孔子曰:'义者,天下之断也。'《记》曰:'义为断之节。'望陛下临制万机,事有异议,少碍圣虑,寻绎其端,则裁断有定而疑可辨矣。"

时李元妃兄弟恣横,镒言皆切时弊。金主虽纳其说,而不能行。

金主尝问宰臣:"汉高帝、光武孰为优劣?"张万公对曰:"高帝优甚。"图克坦镒曰:"光武再造汉业,在位三十年,无沈湎冒色之事;高帝惑戚姬,至于乱。由是言之,光武为优。"金主默然。镒盖以李元妃隆宠过盛,故微讽云。

癸巳,吏部侍郎费士寅,请历十五考以上,无赃私罪犯者,听免职司举主一员;从之。

十一月,癸丑朔,日有食之。

诏宗子与愿更名㕜,除福州观察使,令资善堂(授)〔受〕书。

乙卯,金定品官过阙则下制。

金以国史院编修官吕卿云为右补阙兼应奉翰林文字,审官院以资浅驳奏。金主谕曰:"明昌间,卿云尝上书言宫掖事,辞甚切直,皆它人不能言者,卿辈盖不知也。臣下言事,不令外人知,乃是谨密,正当显用。卿等宜悉之。"

金李元妃尝遣人以皂币易内藏红币,左藏库副使高竑拒不肯易,元妃奏之。金主大喜,使谕竑曰:"所执甚善。今姑与之,后不得为例。"旋转竑为仪鸾局少府少监。

己未,皇后韩氏崩,谥恭淑。

丙寅,东北地震。

十二月,(朔)癸未〔朔〕,金诏改明年为泰和元年。

辛卯,权攒宪仁圣哲慈孝皇帝于永崇陵,庙号光宗。

乙未,金定管军官受所部财物辄放离役及令人代役法。

辛丑,金诏:"宫籍监户,百姓自愿以女为婚者听。"

壬寅,权攒恭淑皇后于广教寺。

癸卯,祔光宗神主于太庙。

太庙自仁宗以来,皆祀七世。崇宁初,蔡京秉政,乃建九庙,奉翼祖、宣祖。绍兴中,徽宗祔庙,以与哲宗同为一世,故无所祧。及祔钦宗,始祧翼祖。高宗与钦宗同为一世,亦不祧。由是淳熙末年,太庙祀九世、十二室。追阜陵复土,赵汝愚为政,遂祧僖、宣二祖而祔孝宗。及光宗祔庙,复不祧,又祀九世。

诏改明年为嘉泰元年。

金定造作不如法、三年内有损坏者,罪有差。

己酉,加吴曦太尉。

庚戌,祔恭淑皇后神主于太庙。

四川关外四州营田,半为吴、郭诸家所据,租入甚轻,计司知之而不敢问。司农少卿江阴王宁,总领四川财赋,有隆州教授张钧,献策于宁,以为营田租可增。宁用其说,是冬,分遣官属八人按行诸郡。所遣官知其难行,仅略增之;惟金州签判元鼎分括凤州,遂尽集属邑之民,纠决升降,累月不已。兴州都统制郭杲,旧与宁同僚相善,至是宁欲核其军阙员将佐,杲不肯,互奏于朝,诏用杲言,由是两人有隙。及宁括营田,杲尤以为不便。宁命鼎近边三十里毋得增括,鼎匿之,营田户数自诣鼎,请其榜以示人,鼎不与。俄而营田户数百户噪于庭,突执鼎殴之,搜其橐,得赂遗无算,即执鼎,使自具所得主名,鼎词伏。杲因出榜招谕,且以闻。诏罢四川所增营田租,改宁直徽猷阁、湖北转运副使。

先是兴州催锋、踏白二军戍黑谷者,骑士月给刍钱甚厚,宁议损之。是秋,戍卒张威等百馀人亡入黑谷为盗,有奔金境者。金边帅械其二十七人还都统司,杲戮之而不敢奏。未几,杲卒。

【译文】

宋纪一百五十五　起戊午年(公元 1198 年)正月,止庚申年(公元 1200 年)十二月,共三年。

庆元四年　金承安三年(公元 1198 年)

春季,正月,己亥朔(初一),出现日食。

癸卯(初五),金国诏令有司:"凡在客馆接待外国使者,不要用言语压倒对方,务必顾全大局,奉命出使也要务必选择合适的人。"

乙卯(十七日),献上钦宗朱皇后的谥号为仁怀皇后。朱皇后被掳往金国,未得到死讯。金国撤销讲议所。

丙辰(十八日),任命赵师𥳑为工部侍郎,仍旧兼任知临安府事。赵师𥳑任临安尹,巴结韩侂胄,无微不至;私下里买了北珠送给韩侂胄的几个小妾,小妾元宵节晚上出游,市人称赞羡慕,几个小妾都很高兴,争相为赵师𥳑请求升官,于是有这项任命。

金章宗到城南举行春水游猎。

丁巳(十九日),金国将上京、东京两路提刑司合二为一,提刑司副兼任安抚使副;安抚使专门主管教习武事,不要让百姓改变本来的习俗。

己未(二十一日),金国将都南行宫命名为建春宫。

甲子(二十六日),金章宗回到都城。

丙寅(二十八日),任命签书枢密院事叶翥为同知枢密院事。

丁卯(二十九日),因为两浙、江、淮、荆、湘、四川有很多流民,诏令有司实行宽恤政策。

二月,己巳朔(初一),金章宗驾幸建春宫。

辛未(初三),下诏说:"两省、侍从官、台谏官各自举荐一、二个自己了解的人,不要举荐宰相的子弟、亲戚朋友。"

丙子(初八),给太皇太后献上宪圣慈烈皇后的谥号。

辛巳(十三日),金章宗对宰相说:"从今以后朝内朝外官职出现空缺的,有才能可以胜任的,即使资历不够,也上报朝廷,即使是亲人老友也不要回避。"

甲申（十六日），金章宗回到皇宫。

此前，金国讨论北征，枢密使完颜襄上奏说派同判大睦亲府事完颜宗浩率军从泰州出发，又奏请让尚书左丞瓜勒佳衡在抚州设立行枢密院，出军西北路以便袭击准布，自己则率军从临潢出发。金章宗赞同他的计策，将内库的物资拿出来进行赏赐，供军队使用。丙戌（十八日），色库部族到抚州请降。金章宗派人问完颜襄，完颜襄认为接受他们投降为宜。金章宗将宝剑赐给完颜襄，命令他进军逼近对方。

辛卯（二十三日），金国平章政事钮祜禄额特喇去世。钮祜禄额特喇天性温和厚道，曾被赫舍哩良弼所举荐，金世宗赞许他。在相位十多年，很受器重。他去世后，朝廷给予了丰厚的赏赐，赐谥号为成肃。

三月，戊戌（初二），金国任命礼部尚书张㬸为御史大夫。

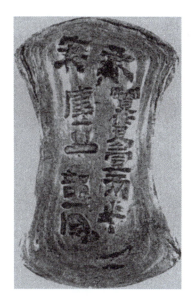

"承安宝货"银锭　金

壬寅（初五），金国开始实行食醋专卖。

丁巳（二十日），金国敕令："各处出现盗贼，不要认为抢是偷，将多说成少，将有说成无，盗贼聚集二十人以上就上报朝廷；违反的处一百杖刑。"

甲子（二十七日），暂且将宪圣慈烈皇后攒埋在永恩陵。

乙丑（二十八日），免除临安、绍兴的租税，数额不等。

这个月，有官员上奏说："听说诏旨宣布择日开讲，希望陛下遵照运用仁宗、高宗时的旧例，诏令侍讲的臣子，谦恭地参考《三朝宝训》中所举的外治的几条，详细周到地讲明，以备皇上观览。大凡武备的设施，哪一种为先；军中的制度，那些最重要；边防拒守，哪是要害；敌人的情伪，怎么得知；考验古今，必定能求得最好的计策，商议后施行，足以作为预防的对策。"宋宁宗采纳了这一建议。

金国因为北部边境多次出现重大军情，连年用兵，枢密使完颜襄请求用步兵挖壕沟设障碍，从临潢开始，左面界临北京路，作为屏障。议事官员都说这种设施不能依靠。金章宗以此问完颜襄，完颜襄说："现今这项工程虽说开支百万贯，然而大功告成的话，边防就可巩固而且驻军可以减少，半年可节约三百万贯；而且宽缓了百姓运输的负担，确实是一劳永逸的事。"诏令批准。完颜襄亲自监督视察，军民同劳，又招募饥民做工，这项工程五十天就完工了。后来西北、西南路也修了要塞工事，按他的请求做的。不久，泰州驻军与敌人交战，完颜宗浩在后面督阵，将敌人杀死俘虏一多半。各部族相继归顺，完颜襄接纳了。因此北方边境才告安宁，完颜襄回到临潢，减少了驻军四万，马三万匹。

夏季，四月，丙戌（十九日），将仁怀皇后、宪圣慈烈皇后的牌位安放到太庙。丙申（二十九日），宋宁宗开始驾临正殿。

金章宗诏令御史台说："满朝大小官员，虽然有些有才能，但大多苟且简慢，我很讨厌这种风气，希望审察核查上报朝廷。提刑司所荐举的贤能官员和揭发的贪官滥官，都应到朝廷奏报，其余的事可以转奏。"

五月，己亥（初二），加封韩侂胄为太子少傅，赐给他玉带。

己酉（十二日），姚愈又上奏说："近些年为人阴险心存侥幸之徒，只是假借道学的名义，窃取程颢、张载的学说，加以引申夸大，蒙昧世听。权臣极力主张这种学说，结为死党。陛下选取其中劣迹昭彰的罪魁，也只是流放免职，其余的都不过问，所以要保全的意思，是很周至的。无奈那些人积习太深，怙恶不悛，经常怨望，反而以元祐党人自比。像近几天徐谊让弟弟徐芸援引韩维被贬筠州时，几个儿子纳官赎罪以求归侍，这都是假借元祐大贤的名声来欺骗天下后世之人。在元祐年间，宰相中像司马光那样的人，难道肯阴蓄邪谋，窥伺神器，自己说梦见寿皇授鼎，白龙癸天，如同赵汝愚一样目无君主吗？侍从中像苏轼那样的人，难道肯阿附巴结权臣，胡说风雷的变化，是因为上天显威以彰显周公之德，如同刘光祖一样吗？难道会在皇位交替时，说什么只要是赵家的骨肉就行了，以帮助赵汝愚施行奸计，如同徐谊一样的吗？其余百官像秦观那样的，难道有肯推溯宗谱，认为赵汝愚是楚王后代，应当继承皇位，像游仲鸿一样的吗？难道有肯向赵汝愚献媚，认为外面军民推戴相公，像沈清臣一样的吗？难道有肯暗中受赵汝愚指教，图谋夺取兵权，像张知远一样的人吗？像这样的，在奏疏中出现，不一而足。这是天下人都知道的，怎么敢诬奏！元祐党人像这样，而现今的伪党却像那样！希望特降明确的诏令，播告天下，使朝廷内外知晓邪正的实质，或许奸伪之人，不至于假借似是而非的东西以欺世盗名。"于是命令直学士院高文虎草拟诏书，其中写道："私下里以元祐年间的众贤相标榜，实际上类似于绍圣年间的奸党。"韩侂胄非常高兴，随即晋升高文虎担任要职。

此月，禁止女道士进入大内和三宫。此前有个江州僧人道隆自吹说能知祸福，愚民称他为"散圣"，在京城进出来往，贵戚争相布施。寿康宫卫士詹康的妻子，原先是个倡优，出入皇宫，称为部头；因害病回到宫外的家中，道隆通过她，使她到北内宫乞求赐金作为建塔费用，后宫大多给了布施。赵师羼听说这件事，逮捕道隆交给属吏，查抄他的行囊，找到了三万多缗金钱。诏令施杖刑黥面，关押在英德府的土牢中。不久就有这道禁令。

金国监察御史路铎，弹劾参知政事杨伯通引荐任用同乡李浩，说他拿国家赋予的职权结私恩，左司郎中贾益任用官吏时迎合权贵旨意，御史大夫张暐堵塞言路；金章宗命令同知大兴府事贾铉诘问。杨伯通在家中待罪。张暐辩解说："路铎曾当面向我说杨伯通私遇李浩，我因而告诉他弹劾大臣，必须有实据，恐怕弹劾失当，台谏纲纪败坏，令他再调查，不是压制他。"贾益也辩解说任用官吏是宰相共同商议决定的。贾铉将情况申报朝廷，金章宗责备路铎言事轻率，安慰杨伯通，让他像往常一样处理政事。

秋季，七月，己未（二十三日），四川都大茶马丁逢入宫面见皇帝，极力论说元祐年间、建中年间提倡调停学说的害处，并且引用苏辙、任伯雨的话作为证据。当时薛叔似、叶适因为是赵汝愚的同党而长期被闲置，都又被任命为知州，因此丁逢有这种说法。京镗、何澹非常赏识他，荐举他担任军器监。

辛酉（二十五日），同知枢密院事叶翥被罢免。

任命姚愈为兵部尚书。

姚愈在州县任职，郁郁不得志，后来巴结韩侂胄，便得到骤然提升。不久因为生病免职。

八月，丁卯（初二），因为长期下雨，判决狱中的囚犯。

丙子（十一日），任命谢深甫为知枢密院事，任命吏部尚书许及之为同知院事。许及之攀附韩侂胄,过了二年没升官,见了韩侂胄,流着泪述说自己与韩侂胄的知遇之意,年迈衰弱的状况,不知不觉屈膝下跪。韩侂胄可怜他,因此才有这项任命。韩侂胄有次过生日,许及之来晚了,守门人已关了门,许及之从门的间隙中屈身而进。当时有"从门洞中进去当尚书,屈膝下跪作执政"的说法。

庚辰(十五日),金国任命护卫石和尚为押军万户,率领亲军八百人、武卫军一千六百人驻守西北路。

此月,京镗等认为宋宁宗没有亲生儿子,请选取宗室的儿子加以哺育。诏令将太祖的后代燕懿王赵德昭的九世孙赵与愿带到宫中抚养,当时赵与愿只有六岁。

九月,癸卯(初八),太白星经过天空。

丁未(十二日),京镗献上《重修敕令格式》,诏令颁行天下。

此前太史说白天出现月蚀,而民间却说晚上出现月食;经过事实验证,民间的说法是正确的。诏令修改历法,任命秘书省正字临邛人马履为参定官。马履曾经跟着从前的直徽猷阁张行成学习数学,因此任命他。

冬季,十月,金国确定官民存留现钱的数额,设立回易务,重新确立行用钞法。

十一月,金章宗用信符将枢密使完颜襄宣召回京,派心腹近臣到途中迎接他犒劳他;完颜襄回京以后,又到府第慰问。完颜襄奏论的关于边境军机的十件事,都施行了,又给予了丰厚的赏赐。癸卯(初十),又任命他为左丞相、监修国史。

完颜襄将回京时,金章宗对宰相说:"完颜襄在边境修筑的工事堡垒完善巩固。古时修建一座城邑,尚且有赏赐。即使想封他为三公,三公不是嘉奖功臣的官职,至于左丞相,也不是嘉奖功臣的官职。虽然如此,可以特授给他。"还降诏嘉奖。

辛亥(十八日),金国制定了属托法,制定了军中官吏升迁奖赏法。因为边境事态平静,诏告中外死罪减刑,徒罪以下的予以释放。按等级差别赏赐左丞相完颜襄以下各级将士。

金国顺义军节度使李愈上书论说边境军机,说放弃上千里土地而争着说自己有功,因而陈说屯田的利害。金章宗派使者传旨,还颁降金牌,让他主管屯田事务。

十二月,甲子朔(初一),金章宗到酸枣林行猎。天上刮着大风,天气十分寒冷,行猎完后,冻死五百多人。

丙戌(二十三日),免除临安府百姓三年的身丁钱。

金国右丞相完颜膏被罢免。

高丽暂时处理国事的王晫向金国上表奏告。

庆元五年　金承安四年(公元 1199 年)

春季,正月,庚子(初八),削夺前起居舍人彭龟年等的官爵。

起初,赵汝愚制定禅位决策时,枢密院直省官蔡璉在旁边偷听,因而泄漏了此事;赵汝愚将他流放,不久逃回临安。韩侂胄听说此事,就指使蔡璉诬告赵汝愚制定禅位决策时有异谋,将赵汝愚的宾客幕僚所讲的话写录了七十多张纸,决定送大理寺逮捕审讯彭龟年、曾三聘、沈有开、叶适、项安世等要他们证实这件事。中书舍人范仲艺对韩侂胄说:"相公现在深得皇上信任,凡是政策的制定与实施,应当以魏公韩琦为榜样。章惇、蔡确的权势,不能说不盛,然而到现在还被舆论所不容,是因为同文馆一案的缘故。相公有这样的勋业,怎么能重蹈覆辙呢?"韩侂胄说:"我起初本无这种心思,因为诸公逼迫,不容就此停止。"大抵是京镗、刘德秀坚持上述意见。韩侂胄将录黄收藏起来，此事就此不了了之。张釜、刘三杰、张岩、程松等议论不休，诏令说已经实行过多次大赦，应当免予追究。然而还是削夺了彭龟年、曾三聘的官爵，提升蔡琏为进义副尉。

乙巳(十三日)，金国尚书右丞董师中退休。董师中精通典宪，处事精干周详，曾说："宰相不应处理小事，主要在于了解人才，振兴纲纪，只要心正目明就行了。"然而论事的人讥刺他攀附胥持国。

辛酉(二十九日)，金国监察御史姬端修，因为妄言胡说而受审。

金国任命左丞相完颜襄为司空，官职与从前一样，任命枢密使瓜勒佳衡为平章政事，前济南府知府张万公被起用为平章政事，参知政事杨伯通为尚书左丞，签书枢密院事完颜匡为尚书右丞。金章宗问张万公说："胥持国已经死了，他的为人究竟怎么样?"张万公说："胥持国平素行为不谨慎，比如在乐平楼卖酒一事，他贪利就可知一斑。"金章宗说："这也不算贪利;像马琪那样卖公家的酒，才算真正贪财好利哩。"

辛酉(二十九日)，下诏说："转运司官员不是科举出身的，不能任命为主考官。"此前果州学官王莘，被派往昌州主持考试，出了关于王凤、牛仙客的考题。礼部将其中的语句摘录下来告诉韩侂胄，说他是暗含讥讽;韩侂胄很生气，就罢了王莘的官职。议事者说转运司官员汪德辅是凭祖荫做官的，因此选择的主考官不行，张岩请求从今以后转运司官员不是由科举出身的，另外委派其他监司选出一名官员主持考试;朝廷采纳了这一建议。

壬戌(三十日)，修建玉堂。

二月，乙丑(初三)，胡纮被罢免。

金章宗到建春宫春水游猎;己巳(初七)，回到宫中。庚午(初八)，金章宗到宣华门观看迎佛。辛未(初九)，到建春宫。赦免了姬端修的罪，命令他在家中待罪。

金国的西南路招讨使布萨揆沿着边境修筑了九百里长的堡垒，营栅相望，烽火台彼此呼应，百姓能够安心从事农牧业，北部边境遂告安宁。辛未(初九)，司空完颜襄说布萨揆治理边疆有功，金章宗下手令给以褒奖，而且要重用他;任命兴中府知府赫舍哩子仁代替他，敕令布萨揆将方针策略尽数授予赫舍哩子仁。

壬申(初十)，金章宗诏令有司："从三月一日开始，每隔十天，三品至五品官各一人轮流与我面谈，六品官也按秩序面见，台谏官不参与;有应当上奏的事，与轮到面谈的官员相见，如果不是当面上奏的事，递上奏章也行。"

乙亥(十三日)，金章宗回到宫中。戊寅(十六日)，还是去了建春宫。

庚辰(十八日)，金章宗告诉点检司说："从蒲河至长河和细河以东，我曾去过这些地方，官府应和买田地，令百姓耕种，依旧免除租税。"

甲寅(疑误)，金章宗回到宫中。

乙酉(二十三日)，谏议大夫张釜弹劾刘光祖佐业不成、积蓄私愤、心怀奸诈、欺哄世人、蒙蔽皇上五条罪状。当时刘光祖著了《涪州学记》，其中写道："学者明白圣人之道以修身，而世人却将道说成伪学，把学问看成废物。好坏是出于一时的感情用事，是非由千秋万世评说。学者怎么不谨守他的学说以待豪杰的兴起!"这些话报知朝廷，张釜因此弹劾他。刘光祖被削夺官职，到房州去居住。

金国任命布萨揆为参知政事，起用姬端修为太学博士。

金章宗到建春宫。戊子(二十六日),回到皇宫。

三月,甲午(初二),取消监司评定郡守优劣的制度。先是淳熙年间,严格实行评定郡守优劣的政令,而且说拖延不办的就受处罚。后来士大夫往往凭感情的深浅评定郡守的优劣,人们说这很不公道。知汉阳军蒋用之曾上奏说过此事,至此正言陈自强又说起此事,因此这种制度被废除了。陈自强,是闽县人,曾是韩侂胄的童子师,到临安等待吏部安排官职,想见韩侂胄,无法自己通报,恰好房东主人出入韩侂胄家,托言给韩侂胄。有一天,韩侂胄召见陈自强,等他去后,侍从官员全部到齐;韩侂胄在大堂上摆上褥垫,向陈自强行再拜礼,然后招呼侍从官同坐。韩侂胄缓缓地说:"陈先生是老儒,埋没了很可惜。"第二天,侍从官纷纷称赞陈自强的才学。任命陈自强为太学录,半年的时间,连续升迁直至右正言,不久又被重用。

丁酉(初五),金国的同判大睦亲府事完颜宗浩被任命为枢密使,封崇德公。

己亥(初七),金章宗到建春宫。户部尚书孙铎,郎中李仲略,国子祭酒赵忱,开始在香阁与金章宗对答。

金国派使者册封王晫为高丽国王。

戊申(十六日),四川实行对销钱引法,这是根据制置袁说友的请求。

金章宗就改任官吏一事敕令尚书省官员,那些任职时间不长的不要频繁调动。己卯(疑误),尚书省奏请减少亲军和武卫军的数额以及太学中女真、汉人生员,取消小学官及外地各路的教授。诏令学校仍旧不变,武卫军的数额另外再议,其余的批准。

金章宗喜欢变更制度,提议设清闲职位像宋朝的宫观使,安置年老退休的官。司空完颜襄说:"年老退休,朝廷给了他们俸禄,恩礼有加。年老不退休的,又有省会之法,这是抑制贪污受贿,助长廉洁,如果又决定另外设官,恐怕会太滥。"完颜襄又与完颜匡、布萨揆上奏说:"减少事物不如减少官员。现在的提刑官吏,大多对治国没什么助益,只是干扰了有司处理事务。有说法认为提刑官是外地的御史官,不应该撤销,我担心这种混淆视听的话,白白地烦扰皇上。况且御史台所掌管的,是察举官吏的违法行为,澄清百姓受的冤枉,也没有提点刑狱荐举官员的权力。如果已经设了难以一下子变更,察访廉能的事,不能归本司,应该命令监察御史年终考察,而且还须不时派官员察访。"金章宗高兴地采纳了。

夏季,四月,金国将提刑司改为按察使司。

壬申(十一日),金国的尚书左丞杨伯通退休。御史大夫张晊因奏事不符合实际被追夺一级官阶,侍御史路铎追夺两级官阶,都被罢免职务;姬端修受七十杖刑,判为用钱赎罪。

壬申(十一日),金国的英王完颜从宪晋封为瀛王。

此月,制定理官历县法。

起初,改官的人必须担任县令,称作"须入。"绍兴年间,多次严申,后来渐渐废止了。庆元初年,又诏令除了殿试的前三名,南省的第一名,其余的都须担任县令。不久又采纳御史程松的意见,诏令大理评事中已改官而未任县令的人一律遵令担任一次亲民官,写入法令;过去的捕盐改了官的都须担任县令。至此,正言陈自强,请将初任官职还未任满的人,先注签判一次,才准许担任亲民官。从此以后即使是宰相的儿子,殿试的甲科人,没有不担任县令的。

五月,壬辰朔(初一),颁行《统天历》。先是诏令修订新的历法,让冯履参定。御史张岩说冯履提倡奇谈怪论,动摇国家决策,于是将他罢免,诏令各道有通晓天文、历算的,当地将他的名字呈报上来。到这种历法修成后,赐名为《统天》。人们议论说自从渡江以来,历法多次改订,以《统天》最为荒谬。

金章宗因为天旱,下诏自责,征求直言,避殿,减膳,审理冤案。

丁酉(初六),因为久雨百姓中流行疾疫,诏令临安府赈济百姓。

戊戌(初七),赐礼部进士曾从龙以下四百十一人进士及第、进士出身。

己亥(初八),金国应奉翰林文字陈载上奏讲四件事:其一,边境百姓苦于敌人侵扰;其二,百姓困于军需;其三,办案拖延,一切从宽,随便放过有罪的人;其四,行省的官员,援例可获厚赏,而沿边监司县令,却得不到赏赐。金章宗认为他说得在理。

庚戌(十九日),金章宗对宰相说:"诸路出现旱情或许与执政大臣有关,现在大兴、宛平两县没下雨,难道不是那里的守令的过错吗?"司空完颜襄、平章政事张万公、参知政事布萨揆上表待罪,金章宗以责备自己来答复他们,令各自回到岗位。

金国户部尚书孙铎上书说:"近年的号令,有的已实行却中途而废,有的更改了却实行原先的,变动太多,百姓不相信了。请从今以后,凡是将颁行号令,再三研究,如果有益治道必须坚决推行,不必在乎小民的话。"国子司业赫舍哩善才,也说颁行法令,一经颁行,更应坚持。金章宗认为他们说得中肯。

金国任命胥鼎为著作郎。胥鼎,是胥持国的儿子。金章宗问宰相说:"胥鼎是已故大臣的儿子,他的才气怎么样?"宰相说:"这个人很干练。"金章宗说:"著作郎是闲职,因为现在没有其他职缺,姑且让他任此职。"不久,升任他为右司郎中。

壬子(二十一日),命令各地州学设置武士斋舍。

庚申(二十九日),金国平章政事瓜勒佳衡去世,赐谥号为贞献。

六月,甲戌(十四日),金国因为雨量充足,到宗庙社稷报谢。

丁丑(十七日),金国右补阙杨廷秀说:"除轮流与皇帝面谈的官外,又命令在朝中的八品以上、外地的五品以上以及出使外地有事申奏的官员,一律准许由检院转奏朝廷,那么时政的得失,民间的利弊,可以全部知晓。"这个建议被采纳。

丁亥(二十七日)、金国规定宫中亲戚如果没有公事传达语言、转递物质及信件的被认定有罪。

这个月,盗贼窃去了太庙的金宝。

参知政事何澹的弟弟何涤,任临安府通判;从临安回到处州,船工买私盐一万多斤,被巡逻士兵抓获,何涤拿剑刺伤士兵。事情告到临安府,司农卿丁逢知府事,判决船工杖刑,巡逻士兵杖脊编管。御史程松弹劾他,诏令丁逢任宫观官,任命工部侍郎朱晞颜为临安府知府。何澹请求免职,宋宁宗慰留他,何澹便回衙门处理政事。不久内宫批示大理寺,因为天热恐怕拖延,命有司根据现有犯罪证据结案。秋季,七月,甲午(初四),案子了结,何涤被免去通判职务,丁逢免去宫观官。乙未(初五),何澹上疏说:"我不久前任御史中丞,首先弹劾枢密使王蔺不能管束他的弟弟,王蔺因此离京。现在我对弟弟训导无方,有罪难逃。请将我罢黜。"下诏不允许。

癸丑(二十三日),刘德秀被罢免。

甲寅(二十四日),禁止高丽、日本商人兑换铜钱。

八月,辛巳(二十一日),太祖庙中柱子上生出灵芝,宋宁宗率群臣到寿康宫祝寿,这是宁宗即位后首次朝拜太上皇,完成寿礼回宫。因为入内内侍省押班甘昺努力事奉两宫,十分忠心勤勉,特升两级官职。甘昺,是甘昇的弟弟。宋宁宗去寿康宫,甘昺出了大力,非常得宠。

壬午(二十二日),京镗率百官到太庙观看灵芝。丙戌(二十六日),诏令减轻诸路流囚的刑罚,将杖刑以下的释放。推恩依照庆贺大典惯例。丁亥(二十七日),晋升京镗等一级官阶。

戊子(二十八日),制定沿边诸州武举取士的法规。

九月,庚寅朔(初一),加封韩侂胄为少师,封为平原郡王。

已亥(初十),金章宗到蓟州秋山游猎;冬季,十月,丙寅(初七),回到京城。

金章宗认为顺义军节度使李愈可堪任用,提议宣召他。宰相说李愈有病,金章宗说:"李愈前不久上奏,有'丢失疆土千里而争相论功'的话,你们肯定是怪这个人多言吧?"于是任命他为刑部尚书。旧制,上奏者向人泄漏奏章内容,要定罪,并赏赐告发人。李愈说:"这大抵是防小人的办法。近年以来,下诏征求直言及命朝臣轮流面对,又准许外地官言事,这都是圣朝爱听直言的表现。请废除旧规,以拓宽言路。"皇上采纳了。

甲申(二十五日),金国初次设置审官院。

乙未(疑误),金国敕令京府州县设立普济院,每年十月至第二年四月,施粥给贫民吃。

此月,右谏议大夫陈自强奏陈三十件紧要的政事,先叙前代帝王治国的得失,而且用祖宗故事来证实,又讲到现在应做的事,请命令侍从、两省、讲读官每十天讲一事,那么一年可讲三、四十件事,不须两年,朝廷的大事都会讲到;这个建议被采纳。不久翰林学士高文虎又奏陈了二十件事。

十一月,己丑朔(初一),诏令恢复右司一员。

甲寅(二十六日),金国决定将护卫改为奉御。

十二月,己未(疑误),金国首次将任命官员的文件送往审官院。

辛酉(初三),金国重新制定考试随朝检知的法规。

金国右补阙杨廷秀请求分类收集太祖、太宗、世宗三朝圣训,以便随时阅览;同意,还诏令增加熙宗共是四朝。

庚午(十二日),在广东诸州修建安仁宅、惠济仓库,以供给士大夫死而不能归葬的。

太尉韩同卿去世。他是皇后的父亲,赠予太师衔。韩同卿的叔父是韩侂胄,炙手可热,韩同卿常常担心物极必反,不敢干政。当时天下人都知道韩侂胄是皇后的亲戚,但不知道韩同卿是皇后的父亲,后来人们都佩服他善于远离权势。

京镗、何澹指使言官上疏说:"以前的伪学之徒,大的已被屏斥禁锢,以惩治首恶;次点的也被投闲置散,使自知罪讨。为天下后世着想,使已往者能够悔过,后来者正可远离罪过,消除党派偏见,都归化皇极。现在这类人如果有改过自新的,请明诏大臣,谨遵祖训,姑且授予宫观官,使他们知道小惩大戒之福。那些不知悔改的,一定要依法严惩,流放荒远之地,或许都会知道惩创,守道向方,都为皇极至正之归,以实现圣明极辨之治。"自从胡纮、刘德秀离开朝廷,韩侂胄也讨厌以前的事,因此京镗等令言官以建极之说迎合他。韩侂胄听取了这一意见,伪学的禁令渐渐放松了。

癸未(二十五日),金章宗对宰相说:"科举一场而分两榜,不好。从今以后的廷试,令考辞赋、经义的再考时务策论,只选一个人为状元。"有司说:"自从宋朝的王安石任宰相,作新经,才开始以经义取人。而且辞赋、经义,是人平素学习的本义,策论是兼习的。如今舍弃本业,取兼习,恐怕不合陛下公平选人的心意。"于是决定御试的同一天各试本业,辞赋为主,经义次之。

金国的李淑妃受宠,曾跟随金章宗游幸蓬莱院,陈列的玉器和各种玩物,式样都是宣和年间的。金章宗恻然动色,李淑妃说:"制作的未必用,用的未必制作,宣和年间制作的给陛下用。"金章宗脸色恢复平静。李淑妃曾与金章宗同车过雕龙桥,见白石莹润,很喜爱,回来告诉金章宗,从苏山用车将白石运进宫,在芳华阁筑岩洞,用工二万人,牛马七百乘,道路相望。李淑妃在东明园赏菊,见壁间画《宣和艮岳图》,问内侍余琬,余琬说:"宋徽宗运东南花石筑艮岳,以致亡国。先帝命画成图作为鉴戒。"李淑妃生气地说:"宋徽宗亡国,不是因为花石,而是重用童贯、梁师成。"李淑妃想以此讥讽余琬,她就像这样善于诡辩。

自从钦怀皇后去世,皇后位久虚,金章宗想册封李淑妃为皇后。但祖宗惯例,都是图克坦、唐古、富察、赫舍哩、乌凌阿、乌库哩各部的世家,与皇室世代通婚,立为皇后或尚公主。李淑妃出身很卑微,恐怕被众人阻挠,到现在便想立她。大臣坚决反对,台谏也反对,金章宗不得已将她晋封为元妃,而势位显赫,与皇后相同。

这年冬天,编定庆元宽恤诏令。

这年,赈济浙东、江西、广东遭了水灾的州县的贫民。

庆元六年　金承安五年(公元 1200 年)

春季,正月,乙未(初六),金国尚书省说:"会试录取策论、辞赋、经义不能超过六百人,合格的人达不到此数就空着。"

丙申(初九),金章宗到春水游猎。

庚子(十三日),金国命令左右司每隔五个月轮流奏一次事。

辛丑(十四日),金章宗对点检说:"车驾到的地方,仍让百姓买卖交易。"

庚戌(二十四日),决定实施明安、穆昆军前急慢取消世袭的制度。

二月,戊辰(十二日),减轻诸路杂犯死囚的刑罚,徒罪以下的释放,因为有皇子出生。

辛未(十五日),金章宗回京。

戊寅(二十二日),到寿康宫献上《太上皇玉牒》《圣政》《日历》《会要》。

甲申(二十八日),封杨婕妤为贵妃。

闰二月,庚寅(初四),任命京镗为左丞相,谢深甫为右丞相,何澹知枢密院事兼参知政事。

乙巳(十九日),恢复留正少保、观文殿大学士的职衔,退休。

癸卯(十七日),金国制定纳粟补官的人家存留弓箭的制度。

丁未(二十一日),金章宗与宰臣讨论置相的问题说:"图克坦镒,我先定了。贾铉怎么样?"司空完颜襄举荐知延安府孙即康,金章宗说:"不嫌威望太低吗?"完颜襄说:"可再用为中丞以观察他。"张万公说:"孙即康及第,比贾铉早一榜。"金章宗说:"论相怎么论榜次的先后! 我认为贾铉才堪任用。"不久孙即康担任御史中丞。

金国右补阙杨廷秀说:"请令尚书省及左右官一人,应写入的史事须按日期编写,或一月或一季密封送往史院。"金章宗认为说得有理,仍令送著作局润色后送去。

辛亥(二十五日),任命殿前都指挥使吴曦为昭信军节度使。吴曦,是吴挺的儿子。

三月,庚申(初五),金国大睦亲府进重修玉牒。

甲子(初九),提举南京鸿庆宫朱熹去世。

自从禁止伪学以来,士人中循规蹈矩,稍以儒学自名的,无所容身。与他交游的人,行为独特没有顾忌的,被迫屏伏丘壑,阿顺柔懦的,更名它师,过门不入,甚至变易衣冠,狎游市肆,以自我区别分清界线。但朱熹每天与诸生讲学不休,有人劝他遣散生徒闭门谢客,笑而不答。等到病危,将深衣及所著的书交给门人黄幹,就去世了。

朱熹平居惓惓,没有一念不是想着国家。听说时政的得失,就面有忧色;讲到国势不振,就感慨流泪。然难进易退,不贬低道学以求苟合,因此与世俗动辄发生矛盾。历事四朝,在外地做官仅九年,在朝中任职只有四十天,天下人感到惋惜。

将下葬时,右正言施康年说:"四方伪学之徒,想给伪学大师朱熹送葬。我听说他在浙东时浙东的伪学之徒就多,在湖南时湖南的伪学之徒就多。每夜三鼓,聚集一堂,朱熹身据高坐,口出异言,有时吟哦怪书,像道家步虚之声,有时默然无语,像和尚坐禅一样;至于遇夜则入,至晓则散,又像奸人事奉魔教。如今朱熹已死,他的学生画像侍奉他,设灵位祭他,聚会时,不是妄谈世人的短长,就是谬议时政的得失。希望命令守臣加以约束。"听从了他的。因此门生故旧不敢送葬,只有李燔等几个人参加下葬,一点也不畏惧。

朱熹从小就有志于圣人之道,他治学,大抵深究义理以求理解,反省自己加以实践,而以居敬为主。曾说圣贤传下来的道统,分散在典册之中,因此经旨不明而道统的流传才晦暗,因此竭尽精力来研究圣贤的经训,所著的书被学者奉为经典。

戊辰(十三日),金国制定妻子去世后丧期内可以结婚可以离异的制度。

庚午(十五日),金国任命大兴府知府完颜卞为御史大夫。当时言官说御史大夫久缺,纪纲不振,应该选取刚正不阿的人,肃清庶务,于是选中了完颜卞。

丙子(二十一日),金国尚书省上奏拟报同知商州事富察西京担任济南府判官。金章宗说:"宰相怎能只徇私情,要爱惜官爵。此人不行,我曾记得他,给个七品官足够了。"

庚辰(二十五日),金国任命上京留守图克坦镒为平章政事。金章宗曾问宰相说:"图克坦镒与崇浩谁更强?"张万公回答说:"都是有才能的人,图克坦镒似乎更好。他有操守,崇浩多数罢了。"金章宗说:"多数指什么?"张万公说:"崇浩似乎有点迎合心理。"金章宗说:"你说得对。"

夏季,四月,金国尚书省进献《律义》。

己酉(二十四日),封宗室之子赵不瞾为嗣濮王。

辛亥(二十六日),监都进奏院邓友龙,请求明诏大臣,官吏的任用与舍弃,应谨慎决定,别任用伪党。邓友龙不久升为监察御史。

五月,丙辰(初二),因为天旱判决京城内外的囚徒。

己未(初五),金国敕令诸路按察司,检举那些用大杖棰人的亲民官。此前贾铉上书说:"亲民官,任情立威,所用的刑杖,粗细长短,不合法定标准,甚至有的在杖端安置铁刃,因而杖人致死。希望诏令州郡申明过去的规定,检查度量做出标记,按察官检查时不合法规的,奏报朝廷。内廷敕断,也按已定的章程。"因而有这个命令。

丙寅(十二日),诏令大理、三衙、临安府及诸路缺雨州县释放杖刑以下的犯人。

戊辰(十四日),诏令侍从、台谏、两省、卿监、郎官、馆职上奏议论朝政得失以及当今的急务。辛未(十七日),因为久旱,诏令朝廷内外议论朝廷过失及时政利害。兴国县知县庄夏上密奏说:"君主,是阳;臣子,是君主的阴。现今威权下移,这是阴胜阳的表现。阴胜到极点,阳气就会散乱而收不拢,其弊害就是火灾,就表现为旱灾蝗灾。希望陛下体现出阳刚之德,使后宫亲戚,内省黄门,想的事不越位,这是抑阴助阳的办法。"宣召他任太学博士。

壬申(十八日),下雨。

庚辰(二十六日),金国发生地震。

六月,乙酉朔(初一),发生日食。

戊子(初四),太上皇后李氏在寿康宫去世,享年五十六岁。

戊申(二十四日),同知枢密院事许及之,因母亲去世离职。

秋季,七月,癸亥(初九),金国制定在祖父母丧期内可以结婚离婚的法规。

丁卯(十三日),任命御史中丞陈自强为签书枢密院事。陈自强从选人到枢密官,首尾只有四年。

金国平章政事张万公请求退休。当时北部虽然没有战争,但边防正吃紧,连年旱灾,灾异经常发生;又多次变更制度,百姓深感不便,不久又更改,纷纷不定。张万公平素沉稳谨慎,务求安静少事,与同僚议论总不相投。然而他很畏惧怕事,不敢犯颜直谏,一定要金章宗问起,他才权衡利害后讲出实话,金章宗虽然称好但不照着做,因此张万公以老病请求闲居。辛未(十七日),金章宗对他说:"近来你讲的几件事,我没实行,是我的错。你年纪并不大却突然说有病,今特批假两月,假满后重新起用。"

提举洞霄宫黄洽去世。

八月,辛卯(初八),太上皇在寿康宫去世,享年五十四岁。

丙申(十三日),给太上皇后上谥号为"慈懿"。

丁酉(十四日),左丞相京镗去世。京镗任宰执,只奉行韩侂胄的旨意,又曾举荐刘德秀,排斥好人。"伪学"的名目,实际上是京镗首先提出的。

癸卯(二十日),将慈懿皇后暂且攒葬在修吉寺。

丁未(二十四日),金国敕令审官院奏事,院官都准许登殿。

戊申(二十五日),金国重新制定镇、防军犯徒配役的法令。

九月,乙卯(初二),将慈懿皇后的牌位安放在太庙里。

有官员上奏说:"近年以来,渐渐形成了内重的弊病。祖宗旧制,改任京官必先任县令,当过州郡长官的才能任郎官,任过寺监官以后,必须到千里之外任地方官,任过郎官卿监职务,必定出京任一路的长官,这是不能更改的好办法。日月流逝,没能遵守,恐怕内重外轻,其中弊害难以消除。希望让京内京外的官,轮流调换,以便均衡他们的职任。"

金国边防官员上奏说:"近年征伐,军队多次打败仗。可能是屯田地少,无法养军,以致军士难免饥寒,因此没有斗志。希望收括百姓田地偷漏赋税的部分供给军队,那么军中士气自会倍增。"朝中官员都赞成,只有张万公上书说有五不可,大致这样认为:"战乱之后,疮痍未恢复,对百姓安抚尚且来不及,怎么能又去骚扰,这是其一。全面清查田产还不久,田产有固定的册籍,收括必定不能尽,反而让猾吏从中渔利,助长告讦之风,这是其二。挥霍浪费,难以计算,节省下来供养军队,可以不苛敛百姓不夺百姓的田产,这是其三。兵士没有经过选择,强弱没有分别开来,如果让他们同田共食,强壮有力的无法尽力,倦怠低劣者在里面偷懒耍奸,这是其四。掠夺百姓以供养军队,得军心但失去了天下人之心,其祸患无法用言语来表述,这是其五。必不得已,请将没交赋税已被没收的田地,招百姓来耕种,将所收田赋交给军队,那么军队可以坐而获利,百姓也不会因为被夺去田产而心怀不满。"书呈递上去,没有答复。戊午(初五),派枢密使崇浩,礼部尚书贾铉,佩戴金符行省山东等路负责括地。

此前金国有司商议在西南、西北路的边境修筑壕堑以防备蒙古,工程还没有完成,御史台就说所筑的壕堑不久就被风沙填平了,对抵御外侮没有益处而白白地劳民伤财。金章宗曾因为旱灾问张万公出现旱灾的原因,张万公回答说:"长期使百姓劳累,恐伤和气,应该听从御史台的建议停止筑壕堑。"不久司空完颜襄以枢密使的身份亲临边疆,终于筑成了壕堑。然而因为工期太紧,虽筑成了墙隍,但没有女墙副提。西北路招讨使通吉思忠增补完善了它,用工七十五万,只用了屯戍军士,没有役使百姓,至此竣工。己未(初六),尚书省将此事上报朝廷,金章宗下诏嘉奖他说:"真是国家的纲维,扼守边境的要害,正有助于防守备敌,足以捍卫边疆。垣垒没完成,营屯不巩固,你负责这项工程,只用戍兵,没有役使百姓,时间又不太久,已经完工,而且确实坚固。靠你的忠心与勤勉,完成这一任务,志向可嘉,符合我的心意。"于是赏赐了很多银币。爱议论的人说金国的国力从此衰弱了。

金国修成《玉牒》。规定皇族收养异姓男孩做儿子的,判三年徒刑,收养同姓的,减二等。立嫡违法的,判一年徒刑。

癸亥(初十),金章宗到蓟州举行秋山游猎。

甲子(十一日),婺州进士吕祖泰上书请求处死韩侂胄。吕祖泰,是吕祖俭的堂弟,生性豪放豁达,崇尚气节,议论世事没有忌讳。此前吕祖俭因为议论国事被贬,吕祖泰对友人说:"自从吾兄被贬,人们都箝口不言了。我一定要凭言词报效国家,应当稍等一下,现在我不敢连累我的哥哥。"到这时吕祖俭去世了,吕祖泰就击登闻鼓上书,说韩侂胄目无国君,请处死他以防祸乱。其中大略说:"道与学,自古凭着它们治国。丞相赵汝愚,是现在的大功臣。颁布伪学的禁令,赶走赵汝愚的同党,这是架空陛下,陛下还不知道吗?陈自强是什么人,仅凭着是韩侂胄的启蒙老师,官至宰辅,陛下的讲学的臣子像彭龟年等,如今在哪里!苏师旦,是平江的小吏,周筠,是韩侂胄的仆人,人所共知。如今苏师旦凭着是陛下即位前的旧僚,周筠因为是皇后的亲属,都当了大官。不知陛下未即位时,果真认识苏师旦吗?皇后的亲戚,果真有周筠这样的仆役吗?韩侂胄这班人,妄自尊大而轻视朝廷,到了这种地步。请马上处死韩侂胄、苏师旦、周筠,罢逐陈自强等人。以前的大臣还健在的,只有周必大可重用,应该以他代替韩侂胄。否则,将会发生不测之事。"

奏书发到三省,朝廷上下议论纷纷。御史施康年认为是周必大指使的,于是上奏弹劾,他说:"淳熙末年,王淮当首相,周必大曾排挤他夺取了他的职位,首倡伪学,私下里培植党羽。现在屏居田野,不自我反省,反而诱导狂妄的人,到朝廷推荐自己,期望被召任用。"林采说:"伪学的形成,是从周必大开始的。应该贬官削爵。"于是降周必大一级官职;吕祖泰怀着私心上书,语言狂妄,拘管连州。右谏议大夫程松与吕祖泰是朋友,很害怕,说:"人人知道我平素与他交游,会不会说我知道此事呢?"于是单独上奏说:"吕祖泰罪该处死,他上书必定受人指使,现在即使不杀掉他,还是应当杖脊黥面,流放到远方去。"殿中侍御史陈谠也这样说。于是将吕祖泰杖打一百下,发配钦州牢城。

起初,当权者想罗织周必大的罪名,因为找不到大罪而犯难,料想周必大或许会辩解,就先将他贬职。到周必大上书谢罪,引咎自责,诏令恢复他的官阶。

吕祖泰料想自己必定会被处死,没有惧色。到了府衙后,府尹赵善坚用花言巧语劝他说:"谁教你这样做的?"吕祖泰笑着说:"这算什么事,还要别人教吗?"赵善坚说:"你丧心病狂了是不是?"吕祖泰说:"据我看来,像现在那些依附韩侂胄谋得了美差的人,才是丧心病狂哩!"赵善坚撑着桌案阴着脸监视施行杖刑,吕祖泰大喊道:"你是皇族,与国家休戚与共,我这是为哪个人家考虑安危而受这种侮辱哟!"赵善坚很惭愧,催促赶紧带他离开。

己巳(十六日),命令右丞相谢深甫到景灵宫朝拜献祭。庚午(十七日),命令嗣濮王赵不檌到太庙朝拜祭祀。辛未(十八日),在明堂合祭天地,大赦天下。

冬季,十月,丙戌(初三),加封韩侂胄为太傅。

庚寅(初七),金章宗回到京城。

庚子(十七日),金国风尘蔽天。辛丑(十八日),金章宗命令百官在尚书省集中,问道:"以前久旱,近来久阴,难道是施政有错误而导致这样吗?希望你们各抒己见。"张万公说:"天长期阴晦,是由于君主用人邪正不分。用人的方法,应当让君子在朝廷内,小人在外地。"金章宗又问道:"你说得有道理,然而小人是指谁?"张万公不敢直接讲小人是李仁惠兄弟,于是回答说:"户部员外郎张嵲,文绣署丞田栎,都水监丞张嘉贞,虽然有才干,但没有值得称道的德性,喜欢四处奔走谋取权势。大抵论人应当先论才德。"金章宗随即命令上述三人都调往外地任职。

金章宗又对张万公说:"赵秉文前不久因为议论朝政被降职,听说这个人很有才干,善书法,又敢讲真话,我虽舍弃不加任用,因为北边军事吃紧,暂且考验他罢了。"这以后赵秉文果真被宣诏任用。

金国图克坦镒响应诏令上疏,大略说:"仁、义、礼、智、信,称为五常。父义、母慈、兄友、弟敬、子孝,谓之五德。现在五常没有树立,五德得不到推崇,士大夫中学习古礼的人,背弃礼义,忘廉耻,小民违背道义,迷途而不知反,背毁天常,骨肉相残,动辄伤和气,这并非一朝一夕造成的。现在应该端正鄙薄的世风,理顺人心,父父、子子、夫夫、妇妇,各自遵循各自的准则,这样人与人之间的关系才会融洽,福禄才会到来。"

并论说施政的方法,其中急需处理的有两件事:"一是端正臣子的心思。我私下里觉察群臣不明白礼义,很多人唯利是图,怎么能够要求小民服从教化!用人时,品德好为上,有才的为下,两者兼备的要破格提拔,才能低下品德高尚的稍次,虽有才能,德性不行的等而下之,这样臣子才会趋向正道。二是引导求学者的志向。实行教化从学校开始。如今的求学者失去了应有的本色和纯真,经史典雅深奥,放弃不学,藻饰虚词,捞取利禄。请求下令科举取士时兼问经史典故,使求学者都注重经学,不被近年流行的浮靡风气所迷惑,那就好了。"

又说:"凡是天下的事,纷纭而来者并非一端,形似而实质不一样,法制不能将形似的东西区分开的话,就会产生异端。孔子说:'义,是判断天下万物的标准。'《礼记》上说;'义是判断万物的关键。'希望陛下亲临万机,有异议的事,稍微扰乱陛下的思绪,寻求它的根本,那么就能做出裁断澄清疑虑。"

当时李元妃的兄弟骄横跋扈,图克坦镒的话都切中时弊。金章宗虽然认为他说得有理,但不能照着实行。

金章宗曾经问宰相说:"汉高祖、光武帝谁优谁劣?"张万公说:"汉高祖好得多。"图克坦镒说："汉光武重建汉朝,在位三十年,没有沉湎酒色的事;汉高祖宠爱戚姬,导致祸乱。由此看来,汉光武帝好些。"金章宗默不作声。图克坦镒大概认为李元妃太受宠幸,因此婉言讽谏。

癸巳(初十),吏部侍郎费士寅,请求经历十五考以上,没有犯贪赃罪的,可以免去主管其事的举主一员;朝廷听从了他的意见。

十一月,癸丑朔(初一),日食。

诏令皇族子弟赵与愿改名为赵㬊,任福州观察使,让他在资善堂读书。

乙卯(初三),金国制定官员经过皇宫门前要下马的制度。

金国任命国史院编修官吕卿云为右补阙兼应奉翰林文字,审官院认为他资历太浅驳回任命书。金章宗说:"明昌年间,吕卿云曾上书谈宫中的事,措辞恳切忠直,都是别人不敢讲的,你们大概不知道。臣子奏事,不让别人知道,这样严谨周密,应当提拔重用。你们应当了解我的意思。"

金国的李元妃曾派人以皂币兑换内藏库的红币,左藏库副使高竑拒绝兑换,李元妃将此事上奏。金章宗非常高兴,派人对高竑说:"你坚持原则很好。这次姑且换给她,下不为例。"不久让高竑转任仪鸾局少府少监。

己未(初七),皇后韩氏去世,谥号为"恭淑"。

丙寅(十四日),东北地区发生地震。

十二月,癸未朔(初一),金国下诏将明年改为泰和元年。

辛卯(初九),将宪仁圣哲慈孝皇帝暂且安葬在永崇陵,庙号光宗。

乙未(十三日),金国制定了掌管军队的官员收受部下财物和自让士兵离役的惩治办法。

辛丑(十九日),金国下诏:"宫籍监户,百姓有自愿将女儿嫁给他们的听随自主。"

壬寅(二十日),将恭淑皇后暂时葬在广教寺。

癸卯(二十一日),将光宗的牌位安放在太庙。

太庙自从仁宗以来,都祭祀七代。崇宁初年,蔡京操纵朝政,于是修了九庙,祭祀翼祖、宣祖。绍兴年间,徽宗的灵位放进了太庙,与哲宗属于同一代,因此没有迁出神位牌位。到将钦宗牌位放进去以后,才将翼祖的牌位移出。高宗与钦宗属同一代,也不需将牌位移出。因此淳熙末年,太庙祭祀九代、十二室。等到孝宗葬于阜陵后,赵汝愚当政,就将僖祖、宣祖的牌位移出而将孝宗的放进去。到光宗的牌位放进太庙后,又没有迁出,又祭祀九代祖先。

诏令将明年改为嘉泰元年。

金国规定造作不合规格、三年内损坏了的,按情节轻重治罪。

己酉(二十七日),加封吴曦为太尉。

庚戌(二十八日),将恭淑皇后的牌位放入太庙。

四川关外四州的营田,有一半被吴、郭等家占有,交租很少,计司知道但不敢过问。司农少卿江阳人王宁,总管四川财赋,隆州教授张钧,向王宁献计,说可以增收营田租赋。王宁听取了他的意见,这年冬天,派了八名官员分别到各郡巡察。派去的官知道此事难办,只略微增加了一点;只有金州签判元鼎分管凤州,他将那里的百姓全部集中,落实亩数升降户等,一连几个月未罢休。兴州都统制郭杲,以前与王宁是同僚关系很好,此时王宁要核查他军中空缺的将佐人数,郭杲不同意,两人都向朝廷上奏,朝廷认为郭杲有理,从此两人有了矛盾。到王宁检括营田,郭杲特别恼火。王宁命令元鼎沿边境三十里的范围不能增括,元鼎将命令收起,营田户多次找元鼎,请他张榜公布命令,元鼎不同意。不久营田户有几百户在衙门前吵闹,突然抓住元鼎便打,搜查他的行李箱,发现无数的受贿钱财,就抓住元鼎,让他自己讲出贿赂者的姓名,元鼎服罪。郭杲因而出榜安民,且上报朝廷。诏令停征四川增加的营田租。王宁改任直徽猷阁、湖北转运副使。

此前兴州催锋、踏白两军驻守黑谷,骑兵每月发给很多草料钱,王宁建议减少。这年秋天,士兵张威等一百多人逃入黑谷当强盗,有的投奔金国。金国守边的将帅将二十七名宋兵押送到兴州都统司,郭杲将这些逃兵杀了但不敢上奏朝廷。不久,郭杲便去世了。

续资治通鉴卷第一百五十六

【原文】

宋纪一百五十六　起重光作噩【辛酉】正月,尽阏逢困敦【甲子】三月,凡三年有奇。

宁宗法天备道纯德茂功　仁文哲武圣睿恭孝皇帝

嘉泰元年　金泰和元年【辛酉,1201】　春,正月,戊午,申严福建科盐之禁。

壬戌,谢深甫等荐士二十有五人,诏籍名中书,以待选擢。

丁卯,命路钤按阅(都)〔诸〕州兵士,毋受馈遗及擅招军,违者置诸法。

己巳,金太府监孙复言:"方今在仕者三万七千馀人,而门荫补叙居三之二。诸司待阙,动至累年,盖由补荫猥多,流品混淆,本(未)〔末〕相舛。至于进纳之人,既无劳绩,又非科第,而亦荫子孙,无所分别。欲流之清,必澄其源。"金主然之,诏更定荫叙法。

金尚书省奏杖式轻细,民不知畏,请用大杖;诏不许过五分。

庚午,以葛邲配享光宗庙庭。

金主如长春宫春水。辛未,金主以方春,禁杀食胎兔,犯者罪之,告者赏之。

甲戌,金初命文武官职至三品者,许赠其祖。

二月,戊子,诏诸州访求明历之士。

壬辰,开资善堂,以秘书郎娄机兼小学教授。机以累朝事亲、修身、治国、爱民四事手书以献。

癸巳,修《光宗实录》。

言者称:"四川制置司遇类省试年分,仿礼部附试学官,许有出身人具所业赴制置司陈乞,委有出身通判或教授看详。"蜀人试教官自此始。

丁未,金主还都。金主尝与司空襄言秋山之乐,意将有事于春蒐也,顾视平章政事张万公,万公曰:"动何如静?"金主改容而止。

三月,丙寅,雨雪雨雹。

戊辰,颁《庆元宽恤诏令》《役法撮要》。

丁丑,金更定镇、防千户、穆昆放老入除格。

戊寅,行都大火,四日乃灭,焚居民五万三千馀家。帝下诏罪己,避殿,减膳,命临安府察奸民纵火者,罪以军法;出内府钱十六万,米六万馀斛,赐被火之家。

金内侍李新喜有宠用事,借大兴府妓乐,知大兴府事完颜承晖拒不与,新喜惭。金主闻而嘉之。豪民与人争种稻水利,不直,厚赂左宣徽使李仁惠,使人属承晖。承晖杖豪民而遣之,谓其人曰:"此可以报宣徽也。"承晖先为提刑,豪猾屏迹,及尹京,尤以刚正称,而权贵多不悦。寻罢,以赫舍哩执中代之。

是春,以和州防御使姜特立为宁远军节度使。

夏,四月,辛卯,诏曰:"风俗侈靡,日甚一日,服食器用,无复差等。今被焚之馀,其令官民,营造室屋,一遵制度,务从简朴,销金铺翠,毋得服用。今以宫中所有,焚之通衢。中外士庶,令有司严立禁防,贵近之家,尤当遵奉。苟违斯令,必罚无赦!"

龙州蕃部寇边。先是龙州蕃人常至浊水寨互市,寨有豪民,受而储之。及苏肃之知龙州,以豪民擅利,乃罪而移之,自是蕃人盐、粮、米、茶之属,皆不可得。奸民李蒙大,以作过窜入龙州蕃部,诱之入寇。四川制置司以闻,诏遣官军讨之。

戊戌,以潜邸为开元宫。

甲辰,金谕:"契丹人户累经签军立功者,官赏恩例与女真人同,仍许养马、为吏。"知大兴府事赫舍哩执中格诏不下,金主责之曰:"汝虽意在防闲,而不知朝廷自有定格。自今勿复如此烦碎生事也。"乃下诏行之。

五月,甲寅,金主击球于临武殿,令都民纵观。

丙辰,金枢密使崇浩罢。

戊午,以旱,祷于天地、宗庙、社稷。诏大理、三衙、临安府、两浙州县决系囚。癸亥,释诸路杖以下囚,除茶盐赏钱。丁卯,命有司举行宽恤之政十有六条。

乙亥,监太平惠民局夏允中,请用文彦博故事,以韩侂胄平章军国重事。侂胄上疏,历叙家世荣庞,言:"臣不能自奋,滥叨世赏。陛下龙飞之日,面奉宪圣皇后旨,俾臣朝夕仰裨初政。臣深惟绵薄,不足以副使令。忽闻局务官有札子,引文彦博故事,肆为狂妄之言,臣骇汗如雨。斯人固不足责,而臣之出处岂容不明!乞许臣守本官致仕,以全愚分。"帝手批慰留,允中坐免,仍令临安府押出国门。

丙子,雨。

六月,辛卯,金祈雨于北郊。

己亥,金敕尚书省举行奢僭之禁。

金用尚书省言,申明旧制:"明安、穆昆户,每田四十亩树桑一亩,毁树木者有禁,鬻地土者有刑。其田多污莱,人户阙乏,并坐所临长吏,按察使以时劝督,有故慢者,量决罚之。仍减牛头税三之一。"

乙巳,金初许诸科铺马、黄河夫、军须等钱折纳银一半,愿纳钱钞者听。

丙午,太白经天。

秋,七月,乙卯,知枢密院事何澹罢。时吴曦自以祖父世守西蜀,为国藩屏,而身留行都,不得如志,乃厚赂宰辅,规图帅蜀。未及赂澹,韩侂胄已许之,澹持不可。侂胄怒曰:"始以君肯相就,黜伪学,汲引至此,今顾立异耶!"遂罢为资政殿学士、知太平州。翼日,改大学士。

丁巳,复以旱祈祷。壬戌,恤囚。

甲子,以陈自强参知政事,张釜签书枢密院事。

金主谕刑部官,凡上书言及宰相者,不得申省。

己巳,以吴曦为兴州都统制,兼知兴州。

先是郭杲在武兴,多刻剥军士,黑谷逃卒为盗,经时未平,杲卒,副都统制王大节摄帅事,语诸将曰："是迫于饥寒，非有它。"揭榜招还之，斩为首者以徇，流配其馀。吴氏世守西蜀，蜀人习而安之，承郭杲之后，闻曦除帅，延颈望其来。曦尽载辎重，大舰连属，溯嘉陵而上。及至，首为璘建庙，大殿费十万缗。又命士卒负土筑江滨地，际山为园，广袤数里，日役数千人，士始失望。既而曦僭大节，罢其副都统制，于是蜀之兵权悉归于曦。

金禁庙讳同音字。金主尝问孙即康曰："太宗庙讳同音字有读作'成'字者，既非同音，便不当阙点画。睿宗庙讳改作'崇'字，其下却有本字全体，若将'示'字依《兰亭帖》写作'未'字。'允'字合阙点画，如'统'傍之'允'，似不合缺。"即康对曰："唐太宗讳世民，偏傍犯如'葉'字作'桒'字，'泯'字作'汦'字。"乃拟"熙宗庙讳从'面'从'且'；睿宗庙讳上字从'未'，下字从'(卉)〔吉〕'；世宗庙讳从'糸'；显宗庙讳如正犯字形，止书斜画，'铳'字、'流'字各从口，'兑'、'悦'之类，各从本体。"从之。自此不胜曲避矣。

八月，己卯，减奏荐恩，以言者论官冗恩滥故也。

庚辰，金命绝户之田宅，以二分之一付其女及女孙。

甲申，张釜罢。以陈自强兼知枢密院事，给事中张岩参知政事，右谏议大夫程松同知枢密院事。岩、松并附韩侂胄，松谄之尤甚，侂胄怜之，遂得佐枢。

壬寅，金制："明安、穆昆并隶按察司；监察御史止按部纠举，有罪并坐监临之官。"

直龙图阁致仕李详卒。详直谅老成，以植公论，因罹党祸。后谥肃简。

西辽主珠勒呼出猎，奈曼库楚类伏兵擒之而据其位，袭辽衣冠，尊珠勒呼为太上皇，皇后为皇太后，朝夕问起居。珠勒呼在位三十四年，寻死，辽祀遂绝。

九月，戊申朔，金更定赡学养士法。生员给民佃官田，人六十亩，岁支粟三十石；国子生人百八亩，岁给以所入，官为掌其数。

先是户部尚书袁说友等言："浙西围田相望，皆千百亩，陂塘淡渎，悉为田(涛)〔畴〕，潦则无地可潴，旱则无水可戽，不严禁之，后将益甚。"辛亥，遣大理司直留佑贤、宗正寺主簿李澄往浙西行视。自淳熙十一年立石之后，凡官民田围裹者，悉开之。

甲寅，金主如秋山。

甲戌，令礼部集孝宗朝典礼。

丙子，金主还都。

冬，十月，乙酉，金祫享于太庙。

丙戌，起居郎王容请以韩侂胄定策事迹付史馆，从之。

壬辰，金御史台言："在制，按察(使)〔司〕官，比任终，遣官考核，然后尚书省遣官覆察之。今监察御史添设员多，宜分路巡行，每路女真、汉人各一人同往。"从之，仍敕分四路。

壬寅，金敕有司购遗书，宜高其价，以广搜访。其藏书之家，有珍袭不愿送官者，官为誊写，毕，复还之，仍量给其值之半。

甲申，编《光宗御集》。

十一月，辛亥，金敕尚书省："凡役众劳民之事，勿轻行之。"

丁巳，金主谕工部曰："比闻怀州有橙结实，官吏检视，已尝扰民。今复进柑，得无重扰乎？其诫所司，遇有则进，无则已。"

庚申，蠲潭州民旧输黄河铁缆钱。

金陕西路转运使高汝砺言："旧制，捕告私盐、酒麴者，计斤给赏，钱皆征于犯人。然监官获之则充正课,巡捕官则不赏,巡捕军则减常人之半,免役弓手又半之,是罪同而赏异也。请以司县巡捕官不赏之数及巡捕弓手所减者,皆征以入官,则罪赏均矣。"金主从其言。

十二月,己卯,太白经天。

辛巳,金敕原庙春秋祭祀改称朝献。

金新修律成,凡十有两篇,一曰名例,二曰卫禁,三曰职制,四曰户婚,五曰厩库,六曰擅兴,七曰贼盗,八曰斗讼,九曰诈伪,十曰杂律,十一曰捕亡,十二曰断狱,实唐律也。但加赎铜皆倍之,增徒至四年、五年为七,削不合于时者四十七条,增时用之制百四十九条,因而略有所增益者二百八十有二条,馀百二十六条皆从其旧,又加分其一为二,分其一为四者六条,凡五百六十三条,为三十卷,附注以明其义,疏义以释其疑,名曰《泰和律义》。自《官品令》《职员令》之下,曰《祠令》《户令》《学令》《选举令》《封爵令》《封赠令》《宫卫令》《军防令》《仪制令》《衣服令》《公式令》《禄令》《仓库令》《厩牧令》《田令》《赋役令》《关市令》《捕亡令》《赏令》《医疾令》《假宁令》《狱官令》《杂令》《僧道令》《营缮令》《河防令》《服制令》附以年月之制,曰《律令》二十卷。又《新定敕条》三卷,《六部格式》三卷。丁酉,司空襄具以进,诏以明年五月颁行之。

乙巳,金初定廉能官升注法。

是岁,浙西、江东、两淮、利州路旱,赈之,仍蠲其赋。

嘉泰二年　金泰和二年【壬戌,1202】　春,正月,乙卯,金始朝献于衍庆宫。

癸亥,以苏师旦兼枢密院都承旨。初,韩侂胄为平江兵马钤辖时,师旦以刀笔吏事之,侂胄爱其辨慧。帝登极,审姓名于藩邸吏士内,遂以随龙恩得官。至是权势日甚。

丁卯,陈自强等上《高宗实录》。

侍御史林采、右正言施康年上疏曰:"臣闻习伪者,名教之僇人;欺君者,臣子之大罪。欺与伪,实人材风俗之所深患,不可不察也。苟有人焉,方伪习之炽则从之,及伪习之衰则攻之,彼自以为媒身干进之计,而不知堕于欺君之罪。臣尝谓由庆元初迄今,人之趋向,一归于正,谨守而堤防之,权在二三执政大臣,其次在给、舍,又其次在台谏。设使朝廷未知其人,有所除授,给、舍不缴驳,台谏不论列,百执事从而指其人,声其罪,可也。今乃不然,徒肆诸空言,遂使当世哗然指攻,伪为钓取爵禄之资,凡投匦而上书,陛辞而进说,召见而赐对,其论一本于此。望下臣此章,播告中外,继自今,专事忠恪,毋肆欺谩,不惟可以昭圣朝公正之心,抑亦可以杜伪习淆乱之患。"

时禁学之祸,虽本韩侂胄欲去异己以快所私,然实京镗创谋。及镗死,侂胄亦厌前事之纷纭,欲稍更张以消中外之议,且欲开边,而往时废退之人,又有以复仇之说进者,故言官遂有此疏。

癸酉,金归德军节度副使韩琛,以强市民布帛,削一官,罢之。

甲戌,金主如建春宫。时金主将幸长乐川,刑部尚书李愈谏曰:"方今戌卒贫弱,百姓骚然,三叉尤近北陲,恒防外患。兼闻泰和宫在两山间,地势狭隘,雨潦遄集,固不若北宫池台之胜,优游闲暇也。"金主不从。

二月,甲申,弛伪学、伪党禁。

张孝伯知韩侂胄已厌前事,因谓之曰:"不弛党禁,恐后不免报复之祸。"籍田令陈景思,韩侂胄之姻也,亦谓侂胄当勿为已甚,侂胄从之。于是赵汝愚追复资政殿学士。党人见在者,徐谊、刘光祖、陈傅良、章颖、薛叔似、叶适、曾三聘、项安世、范仲黼、黄颢、詹体仁、游仲鸿等诸人,皆先后复官自便。又削荐牍中"不系伪学"一节,俾勿复有言。

丁亥,修《高宗正史》《宝训》。

(戌)〔戊〕子,颁《治县十二事》,以风厉县令。

癸巳,禁私史。有商人私持起居郎熊克《中兴小纪》及《九朝通略》等书欲渡淮,盱眙军以闻,遂命诸道郡邑书坊所鬻书,凡事干国体者,悉令毁弃。言者因请取礼部员外郎李焘《续通鉴长编》、知龙州王偁《东都事略》、监都盐仓李丙《丁未录》及通家语录、家传等书下史房考订,或有裨于公议者存留;从之。

戊戌,金初制内侍寄禄官。

乙巳,金主还宫。

三月,辛亥,诏:"宰执各举可守边郡者二三人。"

甲寅,金初制宫院司都监、同监各一人。

己未,初命提刑以五月按部理囚。

己巳,诏:"诸路帅臣、总领、监司,举任将帅者,与本军主帅列上之。"

自渡江以来,员多阙少。绍兴末,寺监丞、簿、学官、大理司直、枢密院编修官,始皆有待次者。乾道中,东南郡守率待阙五六年,蜀中亦三四年,由是朝士罕肯丐外,而势要之人多攘阙者。淳熙中,诏存留州郡十五阙,庆元初又增为三十阙,然庙堂牵于丐请,率多借用。夏,四月,辛卯,言者请以嘉兴府、处、台、衢、严、信、池、袁、抚、江、潮、漳、泰、温、徽州十五阙,令中书再行注籍,专待职事官,馀如有经营留阙之人,令给舍缴驳,台谏论奏;从之。

己亥,金定迁三品官法,复扑买河添法。

辛丑,金主谕御史台:"诸诉事于台,当以实上闻,不得辄称察知。"

癸卯,金主如万宁宫。李愈复谏曰:"北部侵我旧疆,千有馀里。不谋雪耻,复欲北幸,一旦(不)〔有〕警,臣恐丞相襄、枢密副使安国等不足恃也。况皇嗣未立,群心无定,岂可远事逸游哉!"金主异其言。

是月,复太学混补法。

先是太学补弟子员,每三岁科举后,差官锁院,凡四方举人皆得就试,取合格者补入之,谓之混补。淳熙后,朝议以就试者多,欲为之限制,乃立待补之法。诸路漕司及州军皆以解试终场人数为准,每百人取六人,许赴补试,率以开院后十日揭榜。然远方士人多不就试,则为它人取其公据代之,冒滥兹甚;庆元中,罢之。至是复行混补,就试者至三万七千馀人,分六场十八日引试云。

五月,甲辰朔,日有食之。

戊申,金主如泰和宫。

辛亥,金初荐新于太庙。

壬戌,金谕有司曰:"金井(巴纳)〔纳巴〕,不过二三日留,朕之所止,一凉厦足矣,若加修治,徒费人力。其藩篱不急之处,用围幕可也。"

甲子,金更泰和宫曰庆宁,长乐川曰云龙。

己巳,赐礼部进士傅行简以下四百九十七人及第、出身。

金敕御史台:"京师拜庙及巡幸所过州县,止令洒扫,不得以黄(上)〔土〕覆道,违者纠之。"

六月,己卯,行都火。

壬午,浚浙西运河。

辛卯,禁都民以火说相惊者。

金谕尚书省:"诸路禾稼及雨多寡,令州郡以闻。"

秋,七月,乙卯,金朝献于衍庆宫。

癸亥,以旱释诸路杖以下囚。

己巳,命有司举行宽恤之政;庚午,复推广之。

八月,丙子,以吏部尚书袁说友同知枢密院事。

癸未,建宝谟阁,以藏《光宗御集》。

己丑,作寿慈宫,请太皇太后还内。

丙申,金有司奏凤凰见于磁州武安县鼓山石圣台。

甲午,谢深甫等上《庆元条法事类》。

丁酉,金主还宫。皇子特哩生,李元妃所生也。群臣上表贺。金主宴群臣于神龙殿,遣官报谢太庙、山陵、太清宫、北岳、长白山。

九月,己酉,帝朝于寿慈宫。

甲寅,金遣拱卫直都指挥使完颜瑭、侍讲学士张行简来使。金主戒瑭曰:"卿过界勿饮酒,每事听于行简。"谓行简曰:"宋人行礼,好事末节,苟有非是,不可不正。旧例所有,不可不知。"又曰:"颇闻前奉使者过淮,每至中流,即以分界争渡船,此殊非礼,卿自戒舟人,且语宋使曰:'两国和好久矣,不宜争细故,伤大体。'丁宁谕之,使悉此意也。"

壬戌,奉安光宗皇帝、慈懿皇后神御于景灵宫、万寿观。

丙寅,嗣秀王伯圭薨;追封崇王,谥宪靖。

金皇子特哩弥月,金主将加封三等国号,无惬意者。金主念世宗在位最久,年最高,初封葛王,庚午,封特哩为葛王。

是秋,诏监司、帅臣就送还人之官,以省将迎之费也。时黄人杰自隆州守除夔州路提刑,已解官矣,得此旨,遂檄隆州再索送还人,而夔之迓使已至,遂两用之。其奉行失指如此。

冬,十月,壬申,诏诸州起发总领所(赋财)〔财赋〕,以通判为主管官。

乙亥,,上太皇太后尊号曰寿成惠圣慈祐太皇太后。

是月,追复朱熹焕章阁待制,致仕。

十一月,甲辰,金更定国运为土,腊用辰。

金以西京留守崇浩为枢密使。

乙巳,重修吏部七司法。

庚戌,以陈自强知枢密院事,前同知枢密院事许及之参知政事。

庚午,命赃吏毋便予祠。时言者论臣僚赃累巨万,具载章疏,投闲数月,便得祠禄,请自今皆须三年,故有是命。

十二月,癸酉,金以皇子特哩晬日,放僧、道度牒三千,设醮于元真观,为特哩祈福。丁丑,金主御庆和殿浴皇子,诏百官用元旦礼仪,进酒称贺,五品以上进礼物。

金翰林修撰王庭筠卒。金主知其贫,诏有司赙钱给丧事。制诗赐其家,其引云:"王遵古,朕之故人也。乃子庭筠,又以才选,直禁林者首尾十年,今兹云亡,玉堂、东观,无复斯人矣。"

甲申,立贵妃杨氏为皇后。

自恭淑皇后崩,贵妃与曹美人俱有宠,韩侂胄以后颇涉书史,知古今,性警敏,任权术,而曹美人柔顺,劝帝立曹氏。帝不从,竟立后,后由是怨侂胄。

加韩侂胄太师。

侂胄渐收罗知名之士,又意在开边,士大夫之好言恢复者,亦多见擢用。然政府、枢密、台谏、侍从多其私人,而苏师(且)〔旦〕、周筠以吏胥厮役预闻国政,权势熏灼,不为正论所与。

庚寅,大阅。

闰月,丁未,诏:"讲官陈经义有当开释者,许依读官例,随事开陈。"

金司空襄,以报谢祀嵩岳,庚戌,还次芝田之府,以疾薨,谥武昭。襄明敏,才武过人,金主待之厚,故所至有功。其驻军临潢也,有以伪书遗西京留守图克坦镒,欲构以罪;书闻,金主还畀襄,其相信如此,既而果获为伪书者。在政府,练习故事,简重能决,器局宽大,人多称之。

癸丑,金初命监察御史,非特旨不许举官。

己卯,以福建观察使(瞰)〔厓〕为威武军节度使,封卫国公。

复周必大少傅、观文殿大学士。

金主以交钞事,令户部尚书孙铎、侍郎张复亨议于内殿。复亨以三合同钞可行。铎言:"民间钞多,宜收敛。院务课程及诸窠名钱,须要全收交钞。秋夏税本色外,尽令折钞,不拘旧例。农民知之,迤渐重钞。比来州县抑配行市买钞,无益,徒扰之耳。请罢诸处钞局,惟省库仍旧。小钞无限路分,可令通行。"金主令速行之。自是而后,国虚民贫,经用不足,专以交钞愚百姓,而法又不常,世宗之业衰焉。

是岁,蒙古部长鄂特特穆津击奈曼,败之。

特穆津之十世祖勃端察尔,生有异征,数传之后,遂长诸部;金人置东北招讨使以统辖之。至伊苏克依,并吞诸部落,势益盛大,后追谥烈祖神元皇帝。

初,伊苏克依之妻谔楞生子,手握凝血如赤石,伊苏克依异之,将卜名,特璊者至其地,遂以特穆津名之。

族人泰楚特部,号最强,旧与伊苏克依相善,后生嫌隙,绝不与通。及伊苏克依卒,特穆津幼,泰楚特率众来攻,特穆津大集诸部兵,分十三翼,与战,破走之。时泰楚特诸部,多苦其主非法,见特穆津宽仁,时赐人以裘马,心悦之,往往慕义求降。

特穆津有弟奇尔固岱、哈萨尔,骁勇善射,摧锋陷阵,不避艰险。特穆津曰:"有奇尔固岱之力,哈萨尔之射,可以取天下矣。"又有齐拉衮、博勒呼、博尔济、穆呼哩,俱侍左右,以忠勇称,号"都尔木库楚克",犹言"四杰"也。

会塔塔尔部背金约,金主遣丞相襄帅兵逐之,北走。特穆津闻之,发近兵自鄂端河合击,破之,以功授特穆津为"察衮图鲁",犹言"招讨使"也。

先是特呼部长托哩汗,受金封,爵为王,所称为"汪罕"者也。托哩汗多杀戮昆弟,其叔父奇尔举兵攻之,托哩汗以百馀骑奔蒙古。伊苏克依亲将兵逐奇尔走西夏,复夺部众归。托哩汗德之。后复为奈曼所败，托哩汗出奔而复归，中道粮绝，困乏殊甚。特穆津以父交好，遣人往招托哩汗，安置军中，赈给之，遂会于图乌喇河上，尊之为父。托哩汗因此部众稍集，欲复奈曼之仇，乞援于特穆津；乃命博尔济、穆呼哩、博勒呼、齐拉衮四将助之，大败奈曼，尽夺所掠以归托哩汗。已而特穆津与弟哈萨尔伐奈曼，大败之，尽杀其诸将族众，积尸以为京观，奈曼之势遂弱。

时泰楚特犹强，特穆津会托哩汗，大战于鄂诺河上，败走之，斩获无算。

是岁，奈曼又会诸部众来侵。特穆津与托哩汗倚阿兰塞为壁，大战于徒伊坛之野。奈曼使神巫祭风雪，欲因其势进攻。既而反风，逆击其阵，奈曼军不能战，欲引还，雪满沟涧，特穆津勒兵乘之，奈曼大败。是时萨穆哈部起兵援奈曼，闻其败，即还。

嘉泰三年 金泰和三年【癸亥，1203】 春，正月，己卯，金以枢密使崇浩为右丞相，右丞完颜匡为左丞，参知政事布萨揆为右丞，御史中丞孙即康、刑部尚书贾铉并参知政事。时孙铎久为尚书，不见擢，对客诵前人句云："唯有庭前老柏树，春风来似不曾来。"御史大夫卜劾其怨望，降同知河南府事。

庚辰，右丞相谢深甫罢。初，深甫力求罢政，帝曰："卿能为朕守法度，惜名器，不可言去。"至是固请，乃许之。

戊子，龙川蕃寇边，掠大崖铺。既而陷浊水寨，执知寨范浩，屠其家，以浩首罪土豪，绝其博易故也。知兴州吴曦命李好义讨之。好义，下邦人也。

甲午，参知政事张岩罢。丙申，以陈自强兼参知政事。

戊戌，视太学，御化原堂，命国子祭酒李寅仲讲《尚书·周官篇》。遂幸武学，监学官进秩一级，诸生推恩赐帛有差。

以袁说友参知政事，翰林傅伯寿签书枢密院事。伯寿以老疾辞不拜。

二月，乙巳，以端明殿学士费士寅签书枢密院事。

甲子，金定诸职官省亲拜墓给假例。

三月，壬申朔，金平章政事张万公致仕。

万公历举朝臣有名者以自代，求去甚力。金主知其不能留，谕曰："朕初即位，擢卿执政，继迁相位，以卿先朝旧人，练习典故，朕甚重之。且年虽高，精力未衰，故以机务相劳。为卿屡求退去，故勉从之，甚非朕意也。"

丙子，诏相度铁钱利害。

丁丑，以久雨，诏大理、三衙、临安府决系囚。

丙申，金以殿前都点检布萨端为御史大夫。

夏，四月，己亥朔，日有食之。

乙巳，金祫于太庙。

金敕点检司："致仕官入宫，年高艰步履者，并许策杖，仍令舍人、护卫扶之。"

丙午，出封桩库两淮交子一百万，命转运使收民间铁钱。

乙卯，陈自强等上《徽宗玉牒》《孝宗、光宗实录》。

丁巳，金敕有司祈雨，仍颁土龙法。

己未，金命吏部侍郎李炳等再详定礼仪。

庚申，金主谕有司："宫中所用物，如民间难得，勿强市之。"

辛酉，诏：“宰执、台谏子孙毋就试。”

癸亥，金尚书省遣官分路覆实御史所察事。

五月，戊寅朔，以陈自强为右丞相，许及之知枢密院事。时韩侂胄凡所欲为，宰执慑息，不敢为异，自强至印空名敕札授之，惟其所用，三省不知也。言路阨塞，每月按举小吏一二人，谓之月课。又有泛论君德、时事，皆取其陈熟缓慢、略无撄拂者言之。或问之，则愧谢曰：“聊以塞责耳。”自强尤贪鄙，四方致书，必题其缄云“某物若干并献”，凡书题无“并”字则不开。纵子弟亲戚关通（贷）〔货〕赂，仕进干请，必谐价而后予。尝语人曰：“自强惟一死以报师王。”每称侂胄为恩王，苏师旦为叔，堂吏史达祖为兄。侂胄怙权专国，自强表里之功为多。

庚辰，以旱，释杖以下囚。

壬午，金以重午，拜天射柳。金主三发三中。四品以上官侍宴鱼藻殿，以天暑，命兵士甲者释之。

癸未，命有司搜访旧闻，修三朝正史，以书来上者赏之。

丙戌，金以定律令，正土德，凤凰来，皇嗣建，大赦。

辛卯，金皇子葛王特哩卒。

丙申，金作太极宫。

是月，以苏师旦为定江军承宣使。

六月，金主命选聪明方正之士修起居注。

戊申，金定职官追赠法，唯犯赃罪者不在追赠之列。

癸亥，太白经天。

秋，七月，辛未，命殿前司造战舰，出封桩库钱十万缗给之。

颁《庆元条法事类》。

壬午，权罢同安、汉阳、蕲春三监铸钱。

癸未，禁两浙州县抑纳逃赋。

丁亥，金主谕宰臣曰：“凡奏事，朕欲徐思，若除授事，可俟三五日再奏，馀并二十日奏之。”

乙未，加光宗皇帝谥曰循道宪仁明功茂德温文顺武圣哲慈孝皇帝。

是月，李好义等讨龙川蕃部，以选士二百人深入，渡大鱼河。蕃人望见，即走人深菁，官军追之，斩八级。蕃人走险，官军不能进，乃还，焚其部帐。蕃人怒，复纠合以追官军，凡三十馀里。会日暮，好义等仅得济河。翼日，还至浊水寨。既而蕃人约降，制置司不能决。

八月，壬寅，增置襄阳骑军。

初，吴（璘）〔玠〕第四子挦，尝提举四川茶马，坐事贬秩，旋与祠。挦与从了曦不相中，每丐任使，曦数阴沮之。时胡大成为茶马，尽核诸场额外之茶，且损蕃商中马之值。旧制，买马必四尺四寸以上，及大成损马值，而马至益稀，所市仅四尺一寸，而毙者复众。朝议不以为便，挦乃与殿司统制官彭辂谋，纳贿于苏师旦，且说之曰：“马政积弊如此，非西人谙其利病，不能更张，不若复委吴挦。”师旦然之。诏以挦仍提举茶马，为给事中所驳，改知潼川府，而提举仍未得其人。辂乘间见师旦，自言世西人，今西蕃多善马，特茶司损其值，故以驽驹入市；诚以善价招之，宜可得。师旦喜曰：“无逾公者矣。”遂引之见韩侂胄。

3701

丁未，诏曰：“茶马司所发纲马，全不及格，积弊极深，宜有更革。自今差文武官各一员，令三省、枢密院条具来上。"辛亥,命直秘阁、知泸州王大过与辖分领之。大过置司成都,辖置司兴元府。辖至司,而马终不及格,以深蕃道梗自解,朝议始悟其诈。揔至蜀,以谒璘庙为名,与曦乐饮结欢而去。

丙辰,陈自强等上《皇帝会要》。

甲子,诏:"刑部岁终比较诸路瘐死之数,以为殿最。"

九月,庚午,参知政事袁说友罢。

壬申,以宗子希瑺为庄文太子嗣,更名揖,授右千牛卫将军。

癸酉,命坑冶铁冶司毋得毁私钱为铜。

戊子,金以万宁宫提举司隶工部。

己丑,诏南郊加祀感生帝、太子、庶子星、宋星。

金自边境多故,征调滋繁,国内多盗。壬辰,诏:"千户穆昆受随处备盗官公移,盗急,不即以众应之者,罪有差。"

先是萨哩部犯金边寨,丞相崇浩以兵追蹑,与布萨揆军合击之,杀获甚众,敌遁去。诏崇浩还朝,优奖厚赐之。

冬,十月,庚子,诏宥吕祖泰,任便居住。

癸卯,以费士寅参知政事,华文阁学士、知镇江府张孝伯同知枢密院事。

甲辰,申酉间,天大赤,夜将旦,亦如之。金宰相荐信安杜时升博学知天文,可大用。时升谓所亲曰:"吾观正北赤气如血,东西亘天,天下当大乱,乱而南北当合为一。消息盈虚,循环无端,察往考来,孰能为之!"时金国风俗侈靡,纪纲大坏,时升乃南渡河,隐居嵩、洛山中。

丙午,命两淮诸州以仲冬教阅民兵万弩手。

戊申,龙川蕃部降,李蒙大率其徒二百人至浊水寨,守臣杨熹遣江油令马崇谦往受其降,蕃人献六牛为礼。朝议,蒙大本以汉人衅蕃界,诱之入犯,应逮治,论死;制置司言恐失蕃人向化心,乃止。蕃人献水银、朱砂窟,制置司谓此皆蕃人养生之具,奏给还之。复增浊水寨屯兵,自是蕃部稍帖息。

壬子,金右丞布萨揆至自北边。丙辰,金主召至香阁,慰劳之。

庚申,金左丞完颜匡等进《世宗实录》。

壬戌,金奉御完颜阿噜岱使宋还,言宋权臣韩侂胄市马厉兵,将谋北侵。金主以为生事,笞之五十,出为彰德府推官。

十一月,甲戌,朝飨于太庙。乙亥,祀天地于圜丘,大赦。

十二月,邓友龙使金,有赂驿使夜半求见者,具言金为蒙古所困,饥馑连年,民不聊生,王师若来,势如拉朽。友龙大喜,归告韩侂胄,且上倡兵之书,北伐之议遂起。

辛亥,金诏:"诸亲王、公主每岁寒食、十月朔,听朝谒兴、裕二陵,忌辰亦如之。"

癸丑,金诏:"监察御史分按诸路,所遣者女真人,即以汉人朝臣偕往,所遣者汉人,即以女真朝臣偕往。"

丙辰,命四川提(与)〔举〕茶马通治茶马事;以彭辖言不验,故复旧制。

戊午,金定行宫之名曰先春。

辛酉,诏禁将帅掊克。

是冬,起参知政事张岩帅淮东,同知枢密院事程松帅淮西,侍郎邱崈守明州,大卿辛弃疾帅浙东,以李奕为荆、鄂副都统兼知襄阳,声言备金人启衅,其实韩侂胄欲用兵北伐也。

是岁,初以诸司官理通判。

蒙古特穆津为长子卓沁求婚于托哩汗,托哩汗之子图萨哈亦求婚于特穆津,俱不谐,自是有违言。

初,特穆津与托哩汗合军攻奈曼,约明日战,萨穆哈言于托哩汗曰:"我与君家是白翎雀,它人鸿雁耳,白翎雀寒暑常在北方,鸿雁遇寒则南飞就暖。"喻特穆津心不可保也。托哩汗疑之,遂移部众于别所。

及议婚不成,萨穆哈乘隙谓托哩汗子伊喇哈曰:"君能加兵蒙古,我助君。"伊喇哈大喜,数遣使言于托哩汗。托哩汗曰:"吾身之存,实太子是赖。髭须已白,遗骸冀得安寝,汝乃喋喋不已耶?善自为之,毋贻吾忧。"太子,谓特穆津也。

是岁,托哩汗父子谋杀特穆津,遣使来曰:"向所议姻事,今当相从,请来饮酒。"特穆津以为然,率十骑赴之。至中道,心有所疑,命一骑往谢,遂还。托哩汗谋既不成,即举兵来侵。特穆津整兵出战,屡败之,射伊喇哈中颊,托哩汗引兵退。

特穆津遣人责之曰:"我有大功于君,奈何易恩为仇!"托哩汗意悔。伊喇哈曰:"今日唯力战以决胜负,多言何为?"特穆津还,至班朱泥河,河水方浑,饮之以誓众。时托哩汗盛强,特穆津微弱,众颇危惧。凡与饮河水者,谓之饮浑水,言其曾同艰难也。托哩汗复至,与之战,托哩汗大败。遂令军士衔枚夜袭之,尽降其部众,托哩汗父子挺身遁去。托哩汗叹曰:"儿误我!"路逢奈曼部将,遂为所杀。伊喇哈走至龟兹,龟兹王以兵讨杀之。特穆津既灭托哩汗,大猎于特默格川,宣布号令,振凯而归。

嘉泰四年 金泰和四年【甲子,1204】 春,正月,辛未,金主如先春宫春水。

壬申,金中都阴雾、木冰。

金大理司直姬端修迁大理丞。金主谓端修曰:"前汝为御史,以干能见用。汝言多细碎,不究其实,亦不汝罪。及为司直,乃能称职,用是擢汝为丞。尽乃心力,惟法是守,勿问上位宰执,汝其志之。"

乙亥,浚天长县壕。

戊辰,内侍甘昺贬信州居住。

壬辰,琼州西浮洞逃军作乱,寇掠文昌县;官军讨平之。

时金为北鄙准布等部所扰,无岁不兴师讨伐,府仓空匮,赋敛日烦。有劝韩侂胄立盖世功名以自固者,侂胄然之,遂定议伐金,聚财募卒,出封桩库黄金万两,以待赏功,命吴曦练兵西蜀。既而安丰守臣厉仲方,言淮北流民咸愿归附;浙东安抚使辛弃疾入见,言金必乱亡,愿属元老大臣备兵为仓卒应变之计;侂胄大喜。郑挺、郑友龙等又附和其说,侂胄用师之意益锐。

张孝会如金贺正,还,至庆都,卒。金主遣防御使尼伊呼致祭及赙,仍命送伴使张云护丧以归。

时关上积粮八百馀万斛,然陈陈相因,庾吏率全其扃钥以相授,至可食者无几。会筹议诏下,制置司遣官盘量,且令防其腐败折阅之数,免累界官吏失点检之罪,降度牒二万五千道,下总所收籴偿补。

二月,乙未朔,金主还宫。

丁酉，置庄文太子府小学教授。

金以山东、河北旱，诏祈雨东、北二岳。

庚戌，金始祭三皇、五帝、四王。寻诏定前代帝王合致祭者。尚书省言："三皇、五帝、四王，已行三年一祭之礼，若夏少康、殷太甲、太戊、武丁，周成王、康王、宣王，汉高祖、文、景、武、宣、光武、明帝、章帝，唐高祖、文皇，十有七君，致祭为宜。"从之。

辛亥，命内外诸军射铁帖转资。

壬子，蠲临安府逋负酒税。

癸丑，金诏："刺史州郡无宣圣庙学者，并增修之。"

己未，立试刑法避亲格。

金以河平节度使孟铸为御史中丞。金主谓之曰："朕自知卿，非因人荐举也。御史责任甚重，往者台官乃推求细故，弹劾小官；至于巨室重事，则畏徇不言。其勤乃职，无废朕命！"

三月，丁卯，行都大火，迫太庙，权奉神主于景龙宫。

是月，太皇太后生辰，免过宫。

金中都日昏无光，大风，毁宣阳门鸱尾。

庚午，命临安府赈焚室。辛未，修太庙。甲戌，下罪己诏曰："朕焦劳庶务，宵旰十年，临民怀朽索之危，履位凛坚冰之惧。皇图增壮，甫还旧日之观；回禄降灾，复值季春之月。属乖扑灭，骤至延烧，宣荷眷于三灵，迄巩安于九庙。奈民庐之焚毁，暨宫寺之蔓延，厥咎何由？繁予不德。退省菲凉之质，敢忘战慄之思！书焚室以宽征，用广及民之泽；务侧身而修行，聿严避殿之规。尚期中外之同寅，勉辅眇冲之不逮，庶销谴异，式迓休祥。"

陈自强三上疏，引罪避位，诏不许。火之作也，自强主簿吏请筦钥于自强，自强闻变，口呿不知所为，故囊橐尽毁。事定，韩侂胄语人曰："丞相生事一委于火，须少助之。"侂胄首遗万缗，于是馈赂踵至，诸道列城皆有助，不数月，得六十万，遂倍所失之数。

乙亥，诏百官疏陈时政阙失。秘书省著作郎娄机上封事，力言："朝列务为奉承，不能出己见以裨国论；外臣不称职，至苛刻以困民财；将帅偏裨，务为交结，而不知训阅以强军律。"不报。

壬辰，金辽阳府判官锡默留嘉，以上书论列朝臣，削官一阶，罢之。

【译文】

宋纪一百五十六　起辛酉年（公元1201年）正月，止甲子年（公元1204年）三月，共三年有余。

嘉泰元年　金泰和元年（公元1201年）

春季，正月，戊午（初七），严厉申明福建路向百姓科派食盐的禁令。

壬戌（十一日），谢深甫等荐举士人二十五名，下诏令中书省登记名籍，以待选拔。

丁卯（十六日），命令路钤检阅诸州兵士，不准收受馈赠及擅自招兵，违反的依法惩处。

己巳（十八日），金国太府监孙复说："现在做官的共有三万七千多人，而靠门荫做官的人占了三分之二。诸司等待官阙，动辄要经多年，大抵是因为靠门荫做官的人大多，良莠混杂，本末错乱。至于献纳钱财作了官的人，既没有功劳，也不是科举出身，也荫子孙，没有区别。要想水流清澈，必须澄清源头。"金章宗认为他说得对，诏令重新制定荫官的法令。

金国尚书省说刑杖太轻太细,百姓不知道害怕,请求用大杖;诏令刑杖不准超过五分。

庚午(十九日),将葛邲的牌位配享光宗庙堂。

金章宗到长春宫进行春水游猎。辛未(二十日),金章宗认为正是春天,禁止宰杀怀胎的母兔,违反的治罪,告发的有赏。

甲戌(二十三日),金国初次命令文武官达到三品的,准许赠给他先祖官职。

二月,戊子(初七),诏令诸州访求明白历法的人。

壬辰(十一日),开资善堂,让秘书郎娄机兼小学教授。娄机将历朝事亲、修身、治国、爱民四件事的史实抄录后献上。

癸巳(十二日),修《光宗实录》。

有人上奏说:"四川制置司遇上类省试的年份,仿照礼部的办法附试学官,准许科举出身的人到制置司申报资格,委托科举出身的通判或教授审定。"四川考试教官从这时开始。

丁未(二十六日),金章宗回到京城。金章宗曾向司空完襄山讲秋山游猎的快乐,意思是想去春猎,回头看严章政事张万公,张万公说:"动怎么比得上静?"金章宗变了脸色不再讲了。

三月,丙寅(十六日),天降雪和冰雹。

戊辰(十八日),颁行《庆元宽恤诏》《役法撮要》。

丁丑(二十七日),金国修改镇、防千户、穆昆年老解脱除名的制度。

戊寅(二十八日),行都发生大火灾,四天才扑灭,烧毁五万三千多家民房。宋宁宗下诏罪己、避殿、减膳,命临安府访察纵火的奸民,按军法论处;调出内府的十六万钱,六万多斛米,赐给遭了火灾的人家。

金国内侍李新喜得到宠用,向大兴府借妓乐,知大兴府事完颜承晖拒不给他,李新喜很羞愧。金章宗听说了夸奖完颜承晖。豪民与人争夺种稻谷的水源,没有道理,就贿赂左宣徽使李仁惠,派人跟完颜承晖讲情。完颜承晖杖打豪民然后将他打发走了,对那个讲情的人说:"这件事可以报告李仁惠。"完颜承晖先任提刑,豪

铜钱　金

强敛迹,任尹京,特别以刚止著称,权贵大多不喜欢他。不久被免职,让赫舍哩执中取代他。

这年春天,任命和州防御使姜特立为宁远军节度使。

夏季,四月,辛卯(十二日),下诏说:"风俗侈靡,一天比一天厉害,服食器用,没有等级差别。现在遭了火灾之后,命令官民,营造室屋,一律遵守有关制度,务必简朴,销金铺翠,不准使用。现将宫中所有的这些物品。在大街当众烧毁。中外士人百姓,令有司严厉查禁,贵族近幸人家,更应遵守。如果违反这项禁令,必罚不赦!"

龙州蕃族人侵扰边境。此前龙州蕃人经常到濁水寨互市,寨中豪强,将货物囤积。到苏肃之担任龙州知州时,因为豪强垄断贸易谋利,就将他们治罪并将他们迁走,从此蕃人的盐、

粮、米、茶之类,都得不到供给。奸民李蒙大,因为犯罪逃入龙州蕃部,引诱他们入侵。四川制置司上报朝廷,诏令派官军征伐。

戊戌(十九日),将宋宁宗即位前的府第命名为开元宫。

甲辰(二十五日),金国下诏令说:"契丹人家多次被征兵并立有军功的,官方的赏赐标准与女真人一样,仍准许养马、做官。"知大兴府事赫舍哩执中扣留诏书不下发,金章宗责备他说:"你的意思虽是防范,但不知朝廷自有规定。从今以后别再如此琐碎生事了。"便下诏实行。

五月,甲寅(初五),金章宗在临武殿击球,令京城百姓随意观看。

丙辰(初七),金国枢密使崇浩被罢免。

戊午(初九),因为旱灾,向天地、宗庙、社稷祈祷。诏令大理寺、三衙、临安府、两浙州县判决在押囚犯。癸亥(十四日),将诸路杖刑以下的囚犯予以释放,免除茶盐赏钱。丁卯(十八日),命令有司推行十六条宽恤政令。

乙亥(二十六日),监太平惠民局夏允中,请求用文彦博的旧例,任命韩侂胄处理军国大事。韩侂胄上疏,叙说家世光荣显赫,说:"我不能自我奋起,滥竽充数地冒领世代的恩赏。陛下即位之时,我当面领取宪圣皇后的旨意,让我朝夕帮助陛下处理朝政。我深深感到才薄德轻,与我承担的使命不相符。忽闻局务官有奏疏,引用文彦博的旧例,放肆地口出狂妄之言,我惊骇得汗如雨下。这个人本不值得责怪,但我的心思怎能不表明呢!请求允许我保留原有官阶退休,以保全愚蠢的本分。"宋宁宗亲自慰留,夏允中因此事被免职,并且命令临安府将他押出京城。

丙子(二十七日),下雨。

六月,辛卯(十三日),金国在北郊祈雨。

己亥(二十一日),金国敕令尚书省实行禁止奢侈和超越本分的法令。

金国采纳尚书省的建议,申明旧制:"明安、穆昆户,每四十亩田就种一亩桑树,禁止毁坏树木,卖掉土地受刑罚。土地荒芜过多,百姓贫困,当地长官要被治罪。按察使按时鼓励督促,有故意怠慢的,根据情况做出处罚。还减免三分之一的牛头税。"

乙巳(二十七日),金国开始允许诸科铺马、黄河夫、军需等钱折纳银一半,愿意交纳钱钞的听便。

丙午(二十八日),太白星经过天空。

秋季,七月,乙卯(初七),知枢密院事何澹被免职。当时吴曦自认为祖父、父亲世世代代镇守西蜀,是国家的藩屏,但自己留在行都,不得志,就用很多钱财贿赂宰相,想做西蜀的将帅。没来得及贿赂何澹,韩侂胄已许诺了他,何澹坚持不同意。韩侂胄生气地说:"开始认为你肯与我协力。罢黜伪学,提拔你到如此高的位置,现在反而要标新立异吗!"便将他罢免,改任资政殿学士,知太平州。第二天,改任大学士。

丁巳(初九),又因旱灾祈祷。壬戌(十四日),给囚犯减刑。

甲子(十六日),任命陈自强为参知政事,任命张釜为签书枢密院事。

金章宗告诉刑部官员,凡是上书讲宰相的,不准申报三省。

己巳(二十一日),任命吴曦为兴州都统制,兼知兴州。

此前郭杲在武兴,经常刻剥军士,黑谷的逃兵成了强盗,经过很久还不能平定。郭杲死后,副都统制王大节代理主帅职务,他对众将说:"那些人是被饥寒所迫,没有别的原因。"出告示将他们召回,将为首的斩首示众,其余的流放充军。吴氏世世代代镇守西蜀,蜀人很习惯、很安定,继郭杲之后,听说吴曦被任命为蜀帅,翘首等待他的到来。吴曦尽是载的辎重,大舰相连,溯嘉陵江而上。到了以后,首先为吴璘建庙,大殿耗费十万缗。又命令士兵背土铺垫江边的地,以山为界修建庙园,方圆数里,每天役使几千人,民众开始大失所望。不久吴曦诬告王大节,罢免了他的副都统制职务,从此蜀地的兵权全部归于吴曦。

金国禁止使用与已故皇帝名字同音的字。金章宗曾问孙即康说:"太宗庙讳同音字有读作'成'的,既然读音不同,便不应该缺那一点。睿宗庙讳改作'崇'字,它的下面却有本字的全体,不如将'示'字依《兰亭帖》写作'未'字。'允'字应当少写一点,像'统'字偏傍的'允',似乎不应缺点。"孙即康回答说:"唐太宗讳世民,偏傍涉及像'葉'字写作'萊''泯'字写作'泒'。"于是拟定"熙宗庙讳从'面'从'且';睿宗庙讳上字从'未',下字从'垚';世宗庙讳从'糸';显示庙讳如正犯字形,只写斜画,'流'字、'铳'字各从口,'兑'、'悦'之类,各从本体。"金章宗听从了他的意见。从此使用文字时便须不断地避讳。

八月,己卯(初二),减少官员上奏推荐亲戚、门客做官的数额,因为有人说官员冗多是因为滥施恩赏。

庚辰(初三),金国命令绝户的田宅,将二分之一给他的女儿和女孙。

甲申(初七),张釜被免职。任命陈自强兼知枢密院事,给事中张岩为参知政事,右谏议大夫程松同知枢密院事。张岩、程松都攀附韩侂胄,程松尤其巴结韩侂胄,韩侂胄可怜他,于是任命他为同知枢密院事。

壬寅(二十五日),金国规定:"明安、穆昆都隶属按察司;监察御史只按部纠举,有罪并坐监督管理的官员。"

直龙图阁退休的李详去世。李详正直老成,因讲直话,因而遭了结党营私的灾祸。后来赐谥号为"肃简"。

西辽国皇帝珠勒呼出外行猎,奈曼库楚类埋伏士兵擒住他并夺了他的皇位,沿用辽的制度,尊奉珠勒呼为太上皇,皇后为皇太后,朝夕请安。珠勒呼在位三十四年,不久死去,辽朝便灭亡了。

九月,戊申朔(初一),金国重新制定赡学养士的政策。生员分给百姓租种的官田,每人六十亩,每年支取三十石粟;国子生每人一百八十亩,每年将田租收入给他本人,官府代为掌握数额。

此前户部尚书袁说友说:"浙西围田彼此相望,都有成千上万亩,堤坝池塘沟渠,都成了田,遇涝就没有地方蓄水,天旱就无水可供灌溉,不严禁的话,以后将更加严重。"辛亥(初四),派大理司直留佑贤、宗正寺主簿李澄前往浙西巡视察看。自从淳熙十一年立界石之后,凡是官府民间围湖开垦的田,全部挖为湖。

甲寅(初七),金章宗举行秋山游猎。

甲戌(二十七日),令礼部收集孝宗朝的典章礼仪。

丙子(二十九日),金章宗回到京城。

冬季,十月,乙酉(初八),金国在太庙举行祫祀。

丙戌(初九),起居郎王容请将韩侂胄制定禅位决策的史实交史馆,听从。

壬辰(十五日),金国御史台上奏说:"按照制度,按察司官,到任期满时,派官员考核,然后尚书省派官员复查。现在监察御史增添了许多,应分路巡行,每路女真、汉人各一人同去。"这一建议被采纳,敕令分为四路。

壬寅(二十五日),金国敕令有司求购遗书,应出高价,广泛搜求。那些藏有遗书的人家,如果珍惜不愿交送官府的,官府派人誊写,抄写完,仍然还给他,估量付给书价的一半。

甲申(初七),编《光宗御集》。

十一月,辛亥(初四),金国敕令尚书省说:"凡是劳役百姓的事,别轻易实行。"

丁巳(初十),金章宗告诉工部说:"近来听说怀州的橙树结了果,官吏察看时,已曾骚扰过百姓。现在又进献柑子,会不会又骚扰了百姓呢?告诫有司,有进的就进,没有就算啦。"

庚申(十三日),免除潭州百姓过去输纳的黄河铁缆钱。

金国陕西路转运使高汝砺说:"过去的制度,抓住或告发私自贩卖盐、酒、曲的,按斤两给赏,赏钱都向犯人征收。然而监官抓住就充作正式税收,巡捕官抓住的不给赏,巡捕士兵抓住就给常人赏额的一半,免役弓手抓住又减半,这是罪名相同但赏赐不同。请将司县巡捕官得不到的那笔赏钱和巡捕弓手减掉的那一半,都收归官府,那么处罚与奖赏就均衡了。"金章宗采纳了他的建议。

十二月,己卯(初三),太白星经过天空。

辛巳(初五),金国敕令将原庙的春秋祭祀改名为朝献。

金国修成新的法律,共有十二篇,第一篇是名例,第二篇是卫禁,第三篇是职制,第四篇是户婚,第五篇是厩库,第六篇是擅兴,第七篇是盗贼,第八篇是斗讼,第九篇是诈伪,第十篇是杂律,第十一篇是捕亡,第十二篇是断狱,实质上是唐律的翻版。只是将赎罪的钱增加了一倍,徒刑从四、五年增加到七年,删削了四十七条不合时宜的条文,增加了一百四十九条,在原有条文上略有增加的有二百八十二条,其余的一百二十六条都与原来一样,又将原有法律一条分成二条,一条分成四条而增加到六条,共五百六十三条,三十卷,有附注解释其中的疑难,名叫《泰和律义》。从《自品令》《职员令》以下,名为《祠令》《户令》《学令》《选举令》《封爵令》《封赠令》《宫卫令》《军防令》《仪制令》《衣服令》《公式令》《禄令》《仓库令》《厩牧令》《田令》《赋役令》《关市令》《捕亡令》《赏令》《医疾令》《假宁令》《狱官令》《杂令》《僧道令》《营缮令》《河防令》《服制令》,附加年月的制度,称为《律令》二十卷。还有《新定敕令》三卷,《六部格式》三卷。丁酉(十一日),司空完颜襄将法律文本呈献给金章宗,诏令在明年五月颁行。

乙巳(二十九日),金国初次规定廉洁能干的官员升迁的办法。

这年,浙西、江东、两淮、利州路发生了旱灾,开仓赈济,还免除赋税。

嘉泰二年　金泰和二年(公元1202年)

春季,正月,乙卯(初九),金国首次在衍庆宫举行朝献礼。

癸亥(十七日),任命苏师旦兼枢密院都承旨。起初,韩侂胄任平江兵马钤辖时,苏师旦以刀笔吏的身份追随他,韩侂胄喜欢他聪明机智。宋宁宗即位,苏师旦的姓名被塞进宁宗当藩王时的下属人员当中,因而凭着这层关系捞到了官职。至此权势一天比一天大。

丁卯(二十一日),陈自强等献上《高宗实录》。

侍御史林采、右正言施康年上疏说:"我听说习伪学的人,是名教的罪人;欺骗国君,是臣子的大罪。欺诈与虚伪,实在是培养人才的大祸患,不能不留意。如果有这样的人,当虚伪盛行时就跟着弄虚作假,当虚伪不吃香时就加以攻击,他自认为这是谋求官职的好办法,却不知这是犯了欺君之罪。我曾说从庆元初年至今,人们的趋向,都归于正道,谨守严防,实权在两三个执政大臣手中,其次在给事中、中书舍人手中,再次在台谏官手中。假使朝廷不了解那个人,却任用他,给事中、中书舍人不驳回任命,台谏官也不劝谏,其他百官可以指责那个人,声讨他的罪行,这是可以的。现在却不是这样,只要说些空话大话,就使世人一片哗然群起而攻,伪装起来钓取官爵俸禄,凡是秘密上书的,上朝辞行时讲的,召见时讲的,全是根据这些虚言假话讲的。希望将我的这道奏章颁行下去,告知朝廷内外,从今以后,只认忠心耿直,不准欺骗隐瞒,这样就不只是能够昭示圣朝的公正之心,或许也可以杜绝虚伪恶习带来的混乱和弊害。"

当时禁伪学造成的祸害,虽然本是韩侂胄想排斥异己谋私利的做法,然而实在是京镗首先提出的。到京镗死后,韩侂胄也厌烦了禁伪学造成的纷纭混乱,想稍微加以更改以便消除中外的异议,而且想发动对金战争,而以前被斥退的人,又向朝廷提出了向金国复仇的主张,因此台谏官才上了这道奏章。

癸酉(二十七日),金国归德军节度副使韩琛,因为强行购买百姓的布帛,被降一级官阶,并且撤职。

甲戌(二十八日),金章宗到建春宫。当时金章宗准备游幸长乐川,刑部尚书李愈劝谏说:"现在守边士卒贫困没有斗志,百姓不安定,尤其是三叉一带靠近边境,应一心一意防备外患。还听说泰和宫在两山之间,地势狭隘,雨水淤积,根本不如北宫湖泊台榭优美,陛下可以放心地优游闲在。"金章宗不听。

二月,甲申(初九),解除了伪学、伪党的禁令。

张孝伯知道韩侂胄已经厌倦从前的事,就对他说:"不解除党禁的话,恐怕今后不免有报复的祸患。"籍田令陈景思,是韩侂胄的姻亲,也对韩侂胄说不要做得太过分了,韩侂胄听从了他们的话。于是赵汝愚追认恢复资政殿学士。党人中还健在的,徐谊、刘光祖、陈傅良、章颖、薛叔似、叶适、曾三聘、项安世、范仲黼、黄颢、詹体仁、游仲鸿等人,都先后恢复了官爵或听其自便。又将推荐材料中"不系伪学"一节删去,让人们不再议论这件事。

丁亥(十二日),修《高宗正史》《宝训》。

戊子(十三日),颁发《治县十二事》,用以指导激励县令。

癸巳(十八日),严禁私人修史。有个商人私下里拿着起居郎熊克写的《中兴小纪》和《九朝通略》等书想北渡淮河,盱眙军将此事报告朝廷,于是命令各地书店中出卖的书,凡是与国事有关的,全部毁弃。有人提议将礼部员外郎李焘的《续通鉴长编》、知龙州王偁的《东都事略》、监都盐仓李丙的《丁未录》及通家语录、家传等书交给史房考订,或许有利于保留客观公正的史实和评论;这个建议被采纳。

戊戌(二十三日),金国初次制定内侍寄禄官的制度。

乙巳(三十日),金章宗回到京城。

三月,辛亥(初六),下诏说:"宰执大臣每人举荐两三个可任边郡郡守的人。"

甲寅(初九),金国初次规定宫院司都监、同监各设一人。

己未(十四日),首次命令提刑每年五月巡察部署审理囚犯。

己巳（二十四日），诏令："诸路帅臣、总领、监司，举荐将帅人选时，与本军主帅联名申报。"

自从渡江以来，官员多而空缺的职位少。绍兴末年，寺监丞、簿、学官、大理司直、枢密院编修官，开始时都是等待职位空缺。乾道年间，东南郡守一般须等待五六年才有空缺，蜀中的郡守也要等三、四年，因此朝中的官员很少有愿去外地任职的，有权势的人往往争有空缺官职。淳熙年间，诏令保留十五个州郡的缺职，庆元年间又增加到三十个缺职，然而由于某些人的请求而受到牵制，往往有人借用空缺职位。夏季，四月，辛卯（十七日），有人说请将嘉兴府、处、台、衢、严、信、池、袁、抚、江、潮、漳、泰、温、徽州十五州的缺职，令中书省另行登记，专待授给职事官，另外如果有想保留空缺职位的，命令给舍官予以驳回，台谏官可以上奏弹劾；这个建议被采纳了。

己亥（二十五日），金国确立了升三品官的法规，恢复了承包河湖的法律。

辛丑（二十七日），金章宗告诉御史台说："有向御史台告状的，应当如实上报朝廷，不能总是说已经审察清楚了。"

癸卯（二十九日），金章宗到万宁宫。李愈又劝谏说："北方敌人侵占我国原有疆土，达一千多里。不想法雪耻，又要北幸，如果有什么不测，我担心丞相完颜襄、枢密副使完颜安国等不能够依靠。况且还未立太子，人心不定，怎么能到远方游玩呢！"金章宗认为他的话非同一般。

此月，恢复了太学混补法。

此前太学补充生员，每三年一次的科举后，派官员关闭院门，各地的举人都可以参加考试，录取合格的补充进去，称为混补。淳熙年间以后，朝中议论是参试的人太多了，要加以限制，就制定了待补法。各路转运司和州军都以解试终场人数为准，每一百人选取六人，允许参加补试，一般在十天以后揭榜公布。然而远方的士子大多不参加补试，就被别人拿了他的材料代替他参加补试，冒充的情况很严重；庆元年间，废止了这个办法。到这时又实行混补，参加考试的达三万七千多人，分六场用了十八天才考完。

五月，甲辰朔（初一），发生日食。

戊申（初五），金章宗到泰和宫。

辛亥（初八），金国首次在太庙举行荐新仪式。

壬戌（十九日），金章宗告诉有司说："金井纳巴，不过逗留二、三天，我住的地方，有一间凉快点的大房子就行了，如果加以修治，白白浪费人力。四周的藩篱不要紧的地方，用布围着就行了。"

甲子（二十一日），金国将泰和宫改称庆宁宫，将长乐川改称云龙川。

己巳（二十六日），赐礼部进士傅行简以下四百九十七人进士及第、进士出身。

金国敕令御史台："皇上到京中拜庙以及巡幸时所经过的州县，所到之处只准洒扫，不准用黄土铺路，违反的予以检举。"

六月，己卯（初六），行都发生火灾。

壬午（初九），疏通浙西运河。

辛卯（十八日），禁止京城中的百姓议论有关火灾的情况而自相惊扰。

金国告诉尚书省说："各路庄稼的长势以及雨量的多少，命令州郡上报朝廷。"

秋季，七月，乙卯（十三日），金国在衍庆宫举行朝献仪式。

癸亥（二十一日），因为发生旱灾，将各路杖刑以下的囚犯释放。

己巳（二十七日），命令有司实行宽恤政令；庚午（二十八日），又在全国推广这项政令。

八月，丙子（初五），任命吏部尚书袁说友为同知枢密院事。

癸未（十二日），修建宝谟阁，以便收藏《光宗御集》。

己丑（十八日），建寿慈宫，请太皇太后回到宫内。

丙申（二十五日），金国有关部门上奏说：“在磁州武安县鼓山石圣台发现了凤凰。”

甲午（二十三日），谢深甫等献上《庆元条法事类》。

丁酉（二十六日），金章宗回到皇宫，皇子完颜特哩出生，是李元妃生的。群臣上表祝贺。金章宗在神龙殿宴请群臣，派官员到太庙、山陵、太清宫、北岳、长白山报谢。

九月，己酉（初八），宋宁宗到寿慈宫朝拜。

甲寅（十三日），金国派遣拱卫直都指挥使完颜瑭、侍讲学士张行简出使宋朝。金章宗告诫完颜瑭说：“你到了宋朝后，不要喝酒，每事都听从张行简的。”金章宗又对张行简说：“宋朝的礼仪，喜欢讲究细枝末节，如果有做得不对的，不可不改正。过去有过的礼仪，不可不了解。”又说：“经常听说以前的使者过淮河时，每到河的中流，就因为到了分界线争着渡河，这很不礼貌，你们要告诫船工，并且对宋朝使者说：‘两国和好很久了，不应当在这些小事上争夺，有伤大局。’反复讲述，使大家都知道这个意思。”

壬戌（二十一日），将光宗皇帝、慈懿皇后的塑像安置在景灵宫、万寿观。

丙寅（二十五日），嗣秀王赵伯圭去世；追封为崇王，谥号是“宪靖”。

金国皇子完颜特哩满月，金章宗将他加封为三等国号，没有想到一个满意的国号。金章宗考虑到世宗在位的时间最长，年寿最高，起初被封为葛王，庚午（二十九日），将完颜特哩封为葛王。

这年秋季，诏令监司、帅臣随同卸任官员的车马前去赴任，以便省去送往迎来的费用。当时黄人杰由隆州守调任夔州路提刑，已经离开隆州任所，得到这项命令便写公文要隆州派人送他去上任，而夔州迎接他的人到了，于是他将两支人马一起调用。地方官奉行旨意违背原意竟然到了这种地步。

冬季，十月，壬申（初一），诏令诸州调拨起运总领所的财赋，以通判为主管官。

乙亥（初四），给太皇太后献上“寿成惠圣慈祐太皇太后”的尊号。

这个月里，追认恢复朱熹焕章阁待制，退休。

十一月，甲辰（初三），金国规定国运是土，腊祭定在辰日。

金国任命西京留守崇浩为枢密使。

乙巳（初四），重新修订吏部七司法。

庚戌（初九），任命陈自强为知枢密院事，任命前同知枢密院事许及之为参知政事。

庚午（二十九日），命令犯贪赃罪的官吏不准担任宫观官。当时有人说有的官吏贪赃成千上万，罪行记录在案，免职后几个月便被任命为宫观官，请求从今以后都必须在三年以后才予以任命，因此才有这项命令。

十二月，癸酉（初三），金国因为皇子完颜特哩满周岁，发放僧、道度牒三千，在元真观设坛祈祷，为完颜特哩求福。丁丑（初七），金章宗到庆和殿给皇子洗澡，诏令百官采用元旦礼仪,献酒祝贺,五品以上官员进献礼物。

金国翰林修撰王庭筠去世。金章宗知道他家里穷,诏令有司拨专款给他家里办丧事。写诗赐给他家,诗前的引言说:"王遵古,是我的老朋友。他的儿子庭筠,又因为有文才被选用,在翰林院供职前后达十年,如今去世,玉堂、东观,再没有这样的人才了。"

甲申(十四日),将贵妃杨氏立为皇后。

自从恭淑皇后去世后,杨贵妃与曹美人都受到宋宁宗的宠爱,韩侂胄因为杨贵妃爱读史书,知晓古今事物,性机敏,好玩弄权术,而曹美人温顺柔和,劝宋宁宗立曹氏为皇后。宋宁宗不听,最后立杨氏为皇后,杨皇后从此恨韩侂胄。

加封韩侂胄为太师。

韩侂胄逐渐收罗知名人士,又想与金国开战,士大夫中喜欢谈论抗金北伐的,也大多被任用。然而政府、枢密、台谏、侍从大多是他的私党,苏师旦、周筠因为是他先前的下属和差役都参与国家政务,权势熏天,不为正人君子所耻。

庚寅(二十日),举行大规模阅兵。

闰十二月,丁未(初七),下诏说:"讲官陈述经义有应当展开解释的,允许依照读官惯例,随时进行解释。"

金国司空完颜襄,在报谢时祭祀了嵩山,庚戌(初十),回到芝田的老家,因病去世,赐谥号武昭。完颜襄聪明敏锐,才识武略过人,金章宗很器重他,因此所到之处都能立功。他驻军临潢时,有人拿着伪造的书信送给西京留守图克坦镒,想诬陷他,使他有罪;信被传到朝廷,金章宗把信还给完颜襄,皇帝就是这样相信他,不久,果然查获了伪造书信的人。在政府任职时,熟悉典故,办事干练善于决断襟怀宽广,人们大多称赞他。

癸丑(十三日),金国初次命令监察御史,如果没有特旨不许举荐官吏。

乙卯(十五日),任命福建观察使赵呴为威武军节度使,封为卫国公。

恢复周必大少傅、观文殿大学士的职务。

金章宗因为交钞的事,令户部尚书孙铎、侍郎张复亨到内殿商议。张复亨认为三合同钞可以使用。孙铎说:"民间的纸钞很多,应当回收。院务课税和其他名目的税收,必须全部征收交钞。秋夏税除征收部分铜钱外,其余全部折合成交钞交纳,不必拘泥于旧例。农民知道了,会渐渐重视纸钞。近来州县强行摊派让商行购买交钞,这没有益处,徒然扰害商人罢了。请取消各地的钞局,只有省库依旧保留。小钞不受地区的限制,可让它全国流通。"金章宗命令赶快实行。从此以后,国虚民贫,费用不足,专门以交钞愚弄百姓,而且法规又经常变更,世宗的基业开始走向衰落。

这年,蒙古部族首领邲特特穆津攻打奈曼,打败了他。

邲特特穆津的十世祖勃端察尔,出生时有奇异的征兆,几代以后,就统治各个部族;金国设置了东北招讨使统辖他们。到了伊苏克依这一代,并吞了各个部落,势力更加强大,后来追认他的谥号为烈祖神元皇帝。

起初,伊苏克依的妻子谔楞生的儿子,手中握着一块赤石一样的凝血,伊苏克依觉得很奇怪,将经占卜后给他命名,有个叫特璊的人来到了他的领地,于是就将儿子命名为特穆津。

3712

同族人泰楚特部族,自称势力最强大,过去与伊苏克依相好,后来产生了矛盾,双方绝交不通往来。到伊苏克依死后,特穆津年幼,泰楚特率兵来进攻,特穆津全力集合各部兵马,分成十三队，与泰楚特交战，将他打跑了。当泰楚特各部，大多苦于他们的首领的压迫，见特穆津宽厚仁慈，经常将裘衣马匹赐给部下，心里很喜欢他，常常因敬慕他的品格而投降他。

郤特特穆津有两个弟弟名叫奇尔固岱、哈萨尔，勇猛善于射箭，冲锋陷阵，不避艰险。特穆津说："有奇尔固岱的勇力，哈萨尔的射技，可以夺取天下。"还有齐拉衮、博勒呼、博尔济、穆呼哩，都随侍左右，以忠诚勇敢著称，号称"都尔木库楚克"，意为"四杰"。

遇上塔塔尔部背叛金国，金章宗派丞相完颜襄率兵追击他们，塔塔尔部败逃。特穆津听说，调集身边的军队由鄂端河合击塔塔尔部，打败了他们，因功任命特穆津为"察衮图鲁"，意即"招讨使"。

此前特呼部首领托哩汗，接受金国的赐封，被封为王，称为"汪罕"。托哩汗大肆杀戮自己的兄弟，他的叔父奇尔起兵攻打他，托哩汗率领一百多骑兵逃奔蒙古。伊苏克依亲自率领将奇尔赶得逃往西夏，又把特呼部的百姓夺回。托哩汗很感激他。后来托哩汗又被奈曼打败，托哩汗出奔而后又回来，途中粮绝，非常狼狈。特穆津因为他是父亲的好友，派人去招托哩汗，将他安置在军中，接济他，在图乌喇河上相会，尊称他为父亲。托哩汗因此部众逐渐聚集拢来，要向奈曼报仇，向特穆津求援；特穆津于是命令博尔济、穆呼哩、博勒呼、齐拉衮四将帮助他，大败奈曼，将奈曼掠夺的东西全部夺回归还托哩汗。后来特穆津与弟哈萨尔攻打奈曼，将他打得大败，将奈曼的将领部众全部杀死，把尸体堆积起来作为京观，奈曼的势力便削弱了。

当时泰楚特还很强大，特穆津联合托哩汗，与泰楚特在鄂诺河上展开激战，将他打得大败而逃，斩杀俘虏难以计数。

这年，奈曼又联合各部前来进犯。特穆津与托哩汗倚靠阿兰塞作为工事，在徒伊坛的原野上与奈曼大战。奈曼让神巫祭风雪，想借助风雪的力量进攻。不久风向变了，向奈曼的阵中吹去，奈曼的军队不能作战，想要撤退，雪填满沟涧，特穆津率军乘势进攻，奈曼大败。这时萨穆哈部起兵准备援助奈曼，听说他败了，就回去了。

嘉泰三年　金泰和三年（公元 1203 年）

春季，正月，己卯（初九），金国任命枢密使崇浩为右丞相，任命尚书右丞完颜匡为尚书左丞，任命参知政事布萨揆为尚书右丞，任命御史中丞孙即康、刑部尚书贾铉同为参知政事。当时孙铎长期任尚书没被提拔，当着客人的面背诵前人的诗句："唯有庭前老柏树，春风来似不曾来。"御史大夫完颜下弹劾他说他对朝廷不满，降为同知河南府事。

庚辰（初十），右丞相谢深甫被免职。起初，谢深甫极力要求辞职，宋宁宗说："你能为我遵守法令制度，爱惜官爵不乱授人，不能说离开朝廷的话。"至此坚决要求，才允许。

戊子（十八日），龙川蕃人侵扰边境，到大崖铺进行掠夺。不久攻陷了浊水寨，抓住了知寨范浩，杀了他全家，因为范浩首先治土豪的罪，断绝了与蕃人的贸易的缘故。知兴州吴曦命令李好义前往讨伐。李好义，是下邽人。

甲午（二十四日），参知政事张岩被罢免。丙申（二十六日），任命陈自强兼参知政事。

戊戌（二十八日），宋宁宗视察太学，到化原堂，命令国子祭酒李寅仲讲授《尚书·周宫篇》。随后巡察了武学，给监学官提高了二级俸禄，每个学生分别赏赐了帛。

任命袁说友为参知政事，任命翰林傅伯寿为签书枢密院事。傅伯寿说自己年老有病不接受任命。

二月,乙巳(初六),任命端明殿学士费士寅为签书枢密院事。

甲子(二十五日),金国制定百官省亲拜墓给予假期的条例。

三月,壬申朔(疑误),金国平章政事张万公退休。

张万公举荐朝中有名的臣子代替自己,极力要求离任。金章宗知道他不想留下,对他说:"我刚即位时,提拔你担任执政大臣,继着升为宰相,因为你是前朝的老臣,熟悉典故,我很器重你。况且年纪虽然大了,但精力未衰,因此将政事交你处理。因为你多次要求退休,因此勉强听从你的,其实这根本不合我的本意。"

丙子(初七),诏令考虑使用铁钱的利害。

丁丑(初八),因为久雨,诏令大理、三衙、临安府判决在押囚犯。

丙申(二十七日),金国任命殿前都点检布萨端为御史大夫。

夏季,四月,己亥朔(初一),发生日食。

乙巳(初七),金国在太庙举行禘祭。

金国敕令点检司:"退休官员入宫,年高行走困难的,允许拄拐杖,并让舍人、护卫扶着他。"

丙午(初八),从封桩库调出两淮交子一百万,命令转运使收兑民间铁钱。

乙卯(十七日),陈自强等献上《徽宗玉牒》、孝宗、光宗《实录》。

丁巳(十九日),金国敕令有司祈雨,并且颁行土龙法。

己未(二十一日),金国命令吏部侍郎李炳等人再详细制定礼仪。

庚申(二十二日),金章宗告谕有司说:"宫中用的东西,如果民间难得找到,不要强行购买。"

辛酉(二十三日),下诏说:"宰执、台谏的子孙不准参加科举考试。"

癸亥(二十五日),金国尚书省派官员分路核实御史所检举的事。

五月,戊寅朔(疑误),任命陈自强为右丞相,任命许及之为知枢密院事。当时韩侂胄想做什么事,宰执谨慎听命,不敢有异议,陈自强甚至印好朝廷的空白敕札给他,听他自己随意填写,三省不知道。言路阻塞,每月检举小吏一、二人,称作月课。又有泛论君主品道,当时政事的奏章,尽选那些充满陈词滥调、不痛不痒的奏章呈递上去。有人问他,他就惭愧地道歉说:"这不过是敷衍本职工作罢了。"陈自强特别贪财,各地写来的信,必定在信封上题写"某物若干并献",凡是信封上没有"并"字的就不拆封。他纵容子弟亲戚收受贿赂,托人求官的,必须给足贿赂然后才给你官做。他曾对人说:"自强只有用死来报答师王。"常称韩侂胄为恩王,苏师旦为叔,堂吏史达祖为兄。韩侂胄专断朝政,陈自强多方维护的功劳居多。

庚辰(十三日),因为发生旱灾,释放杖刑以下的囚犯。

壬午(十五日),金国因为这天是端午节,祭天并举行射柳活动。金章宗三发三中。四品以上的官员都在鱼藻殿侍宴,因为天热,命令兵士将铠甲脱掉。

癸未(十六日),命令有司搜访旧日传闻,修三朝正史,拿有关书籍来献的给予赏赐。

丙戌(十九日),金国因为制定了律令,端正了士风,凤凰出现,立了太子,实行大赦。

辛卯(二十四日),金国皇子葛王完颜特哩夭折。

丙申(二十九日),金国建太极宫。

这月,任命苏师旦为定江军承宣使。

六月，金章宗命令选出聪明正直的人修起居注。

戊申(十一日)，金国制定职官追赠法，只有犯了贪赃罪的不在追赠之列。

癸亥(二十六日)，太白星经过天空。

秋季，七月，辛未(初五)，命令殿前司修造战船，从封桩库拨出十万缗钱给殿前司。

颁布《庆元条法事类》。

壬午(十六日)，暂时停止同安、汉阳、蕲春三处铸钱。

癸未(十七日)，禁止两浙州县强迫征收逃亡百姓的赋税。

丁亥(二十一日)，金章宗对宰相说："凡是奏事，我要慢慢考虑，如果是任命官吏的事，可等三、五天后再奏，其他事一律等二十天后再奏。"

乙未(二十九日)，给光宗皇帝上的谥号是循道宪仁明功茂德温文顺武圣哲慈孝皇帝。

这个月，李好义等征讨龙川蕃部，选派了二百兵士深入，渡过大鱼河。蕃人见了，就逃入竹林深处，官军追击他们，斩杀了八人。蕃人逃往险处，官军不能前去，就返回，焚烧了他们的帐篷。蕃人气极了，又集合起来追击官军，共追了三十多里。恰巧天将黑了，李好义等人才得以渡过大鱼河。第二天，回到浊水寨。不久蕃人请求归降，制置司不能决定。

八月，壬寅(初七)，增设襄阳骑军。

起初，吴玠的第四个儿子吴揔，曾提举四川茶马，因犯罪被削减俸禄，不久改任宫观官。吴揔与侄子吴曦合不来，每次请求职务，吴曦多次暗中阻挠。当时胡大成任茶马官，将各场的额外之茶全部核查一遍，而且压低蕃商的马价。过去的规定，买的马必须在四尺四寸以上，到胡大成压低马价，前来卖马的就一天比一天少了，所买的马只有四尺一寸，而且死掉的又多。朝廷议论认为这样做不妥，吴揔就与殿司统制官彭辂商量，向苏师旦行贿，并且对他说："马政积弊这样深，不是深知其中利病的西部人，就不能改变现状，不如又让吴揔办这件事。"苏师旦认为有理。诏令任命吴揔仍然为提举茶马，被给事中驳回，吴揔改任潼川知府，但提举仍未找到合适的人选。彭辂乘机去见苏师旦，说自己世世代代是西部人，现在西蕃有很多好马，只因茶司压低他们的马价，因此将劣马卖给官府；如果以好价招引他们，应该说可买到好马。苏师旦高兴地说："没有比你更好的人选了。"就引他去见韩侂胄。

丁未(十二日)，下诏说："茶马司送来的马，都不及格，马政积弊太深，应该有所改革。从今以后派文武官各一员去办理马政，命令三省、枢密院申报朝廷。"辛亥(十六日)，命令直秘阁、知泸州王大过与彭辂分管马政。王大过在成都设衙门，彭辂在兴元府设衙门。彭辂那里送来的马还是不及格，他以远处蕃人道路受阻自我辩解，朝廷才知道他欺诈。吴揔到了四川，以拜谒吴撝庙为名，与吴曦畅饮一番结为友好就离开了。

丙辰(二十一日)，陈白强等献上《皇帝会要》。

甲子(二十九日)，下诏说："刑部年终比较诸路狱中病死人数的多少，作为评定最优劣的依据。"

九月，庚午(初五)，参知政事袁说友被免职。

壬申(初七)，让宗子赵希瞿作为庄文太子的后嗣，改名赵㯽，任命他为右千牛卫将军。

癸酉(初八)，命令坑冶铁冶司不准毁私钱为铜。

戊子(二十三日)，金国将万宁宫提举司隶工部。

己丑(二十四日)，诏令南郊时增加祭祀感生帝、太子、庶子星、宋星。

金国由于边境总是出事，征调频繁，国内出现了许多盗贼。壬辰（二十七日），下诏说："千户穆昆接到各地备盗官的公文，盗贼为患严重时，如不即时率兵应战的，按情况分等治罪。"

此前萨哩部进犯金国的边寨，丞相崇浩派兵追击，与布萨揆的军队合击敌人，斩杀俘虏了很多敌人，敌人逃跑。诏令崇浩回朝，给予了丰厚的赏赐。

冬季，十月，庚子（初五），诏令赦免吕祖泰，听随他自由居住。

癸卯（初八），任命费士寅为参知政事，任命华文阁学士、知镇江府张孝伯为同知枢密院事。

甲辰（初九），申时至酉时之间，天空非常红，夜间将天亮时，也是这样。金国宰相举荐信安人杜时升，说他博学知晓天文，可以重用。杜时升对亲近的人说："我看正北方的天空红得像血，从东到西横亘天空，天下将会大乱，乱后南北应该会统一。消息盈虚，循环变化没有头绪，考察过去未来，谁能做好这种事！"当时金国风俗侈靡，纪纲败坏，杜时升就南渡黄河，隐居嵩、洛一带的山中。

丙午（十一日），命令两淮各州在仲冬训练民兵万弩手。

戊申（十三日），龙川蕃人部落归降，李蒙大率部下二百多人来到浊水寨，知龙州杨熹派江油县令马崇谦前往接受蕃人投降，蕃人送六头牛作为礼物。朝廷上议论，李蒙大本是汉族人流窜到蕃人地界，引诱蕃人入侵，应逮捕治罪，判死刑；制置司说这样做恐怕失去蕃人归顺的心愿，才停止。蕃人献出水银、朱砂的矿穴，制置司认为这些都是蕃人生活的来源，上奏归还蕃人。又增加了浊水寨的驻军，从此以后蕃部逐渐顺服了。

壬子（十七日），金国尚书右丞布萨揆从北部边疆回京。丙辰（二十一日），金章宗将他召到香阁，慰劳他。

庚申（二十五日），金国尚书左丞完颜匡等进献《世宗实录》。

壬戌（二十七日），金国奉御完颜阿噜岱出使宋朝归来，说宋朝的实权人物韩侂胄买马训练军队，准备向北侵犯。金章宗认为他无事生非，将他鞭打五十，调出京城担任彰德府推官。

十一月，甲戌（初六），在太庙朝拜祭祀祖先。乙亥（十一日），在圜丘祭祀天地，大赦天下。

十二月，邓友龙出使金国，有人买通驿站官员半夜求见，详细说金国被蒙古所困扰，连年饥荒，民不聊生，宋军如果去北伐，势如摧枯拉朽。邓友龙非常高兴，归来报告韩侂胄，而且上书倡议北伐，北伐的议论便兴起了。

辛亥（十七日），金国下诏说："各位亲王、公主在每年寒食节、十月初一，听任朝谒兴、裕二陵，世宗去世的日子也一样。"

癸丑（十九日），金国下诏说："监察御史分别巡视诸路，派去的是女真人，就让汉人大臣一同前往，派去的是汉人，就让女真大臣一同前往。"

丙辰（二十二日），命令四川提举茶马统一管理茶马事；因为彭辂讲话不算数，因此恢复旧制。

戊午（二十四日），金国将行宫定名为先春宫。

辛酉（二十七日），诏令不准将帅克扣军饷。

这年冬天，任命参知政事张岩为淮东驻军的主帅，任命同知枢密院事程松为淮西驻军的主帅，任命侍郎邱崈为明州知州，让大卿辛弃疾统率浙东驻军，任命李奕为荆、鄂副都统兼知襄阳，声明这是为了防备金国的挑衅，其实是韩侂胄准备用兵北伐。

这年，初次决定让诸司官员担任通判。

蒙古首领特穆津替长子卓沁向托哩汗求婚，托哩汗的儿子图萨哈也向特穆津求婚，都没成功，从此以后两人产生了矛盾。

起初，特穆津与托哩汗合军攻打奈曼，约定第二天交战，萨穆哈对托哩汗说："我与你是白翎雀，别人不过是鸿雁罢了，白翎雀天冷天热时都在北方，鸿雁遇上天冷时就飞向南方暖和的地方去了。"暗示特穆津这人不可靠。托哩汗怀疑他，便领着部众到别的地方去了。

到求婚不成，萨穆哈乘机对托哩汗的儿子伊喇哈说："你如果去攻打蒙古，我帮助你。"伊喇哈非常高兴，多次派人向托哩汗讲此事。托哩汗说："我的生命得以保全，实在是靠了太子。如今我胡子都白了，希望死后能够安息，你这样喋喋不休干什么？好自为之，不要让我担心。"太子，是指特穆津。

这年，托哩汗父子阴谋杀死特穆津，派人来说："以前求婚的事，现在应当允从，请你去饮酒。"特穆津深为相信，率领十骑前往。到途中，心中怀疑，命令一名骑兵前去道歉，便返回了。托哩汗的阴谋未得逞，就举兵侵犯。特穆津整顿好兵马出战，多次打败托哩汗，用箭射中了伊喇哈的额头，托哩汗带着人马败退。

特穆津派人责备他说："我为你立过大功，为什么恩将仇报！"托哩汗心中后悔。伊喇哈说："今天只有死战决出胜负，讲这么多废话干什么？"特穆津撤军，走到班朱泥河，河水很浑浊，饮河水誓师。当时托哩汗势力强大，特穆津势力弱，部下很畏惧。凡是饮了河水的，称为饮浑水，即曾同过患难。托哩汗又来了，特穆津率军与他交战，托哩汗大败。特穆津命令军士衔枚夜袭托哩汗，使他的部下全部投降，托哩汗父子只身逃走。托哩汗叹息说："儿子害了我！"路上遇到奈曼的部将，就将托哩汗杀死了。伊喇哈逃到龟兹，龟兹国王派兵将他杀了。特穆津灭掉了托哩汗以后，在特默格川进行大规模的狩猎活动，宣布号令，凯旋而归。

嘉泰四年　金泰和四年（公元1204年）

春季，正月，辛未（初七），金章宗到先春宫春水游猎。

壬申（初八），金国的中都阴天多雾，树上结冰。

金国大理司直姬端修升任大理丞。金章宗对姬端修说："以前你作御史，因为办事干练而被任用。你上奏大多讲的是琐碎小事，不讲究实事，也不责怪你。到作了司直，你能称职，因此提升你任大理丞。你要尽心尽力，遵守法纪，不要管上司怎么说，你要记住。"

乙亥（十一日），疏通天长县的护城河。

戊辰（初四），内侍甘昺被贬往信州居住。

壬辰（二十八日），琼州西浮洞逃兵作乱，骚扰抢掠了文昌县；官军讨伐他们并将叛乱平定了。

当时金国被北部边境的准布等部困扰，没有哪年不调兵讨伐的，国库空虚，赋税一天比一天繁多。有人劝韩侂胄建立盖世功名以便巩固自己的地位；韩侂胄认为说得有理，于是决定攻打金国，筹集军费招募军队，从封桩库取出一万两黄金，以待赏赐立了功的人，命令吴曦在四川训练军队，不久安丰守臣厉仲方，说淮北的流民都愿意归附；浙东安抚使辛弃疾入京

3717

求见,说金国必定会败乱灭亡,希望托付元老大臣整顿军队做好紧急应变的准备;韩侂胄十分高兴。郑挺、邓友龙等人随声附和赞同这种主张,韩侂胄用兵的意志更加坚定。

张孝会到金国祝贺新春,回来,走到庆都,就去世了。金章宗派防御使尼伊哷前往祭奠并送了钱物,又命令送伴使张云护丧返回宋朝。

当时关上积存了八百多万斛粮食,但是陈陈相因,管仓库的官吏只是将没使用过的钥匙互相移交,以至可以食用的粮食很少。遇上筹粮的诏令下达,制置司派官员前来盘底,并且命令计算腐烂耗减的数量,免去历届官吏有失清点检查的罪过,发放二万五千道度牒,将这笔钱交给总所籴进粮食补足。

二月,乙未朔(初一),金章宗回到宫中。

丁酉(初三),设置庄文太子府小学教授。

金国因为山东、河北发生旱灾,诏令在东、北二岳祈雨。

庚戌(十六日),金国初次祭祀三皇、五帝、四王。不久诏令确定应该予以祭祀的前代帝王。尚书省上奏说:"三皇、五帝、四王,已经有了三年一祭的制度,至于夏少康、殷太甲、太戊、武丁、周成王、康王、宣王、汉高祖、文帝、景帝、武帝、宣帝、光武帝、明帝、章帝、唐高祖、唐太宗,这一十七个君主,应该予以祭祀。"这项建议被采纳。

辛亥(十七日),命令内外各军将射铁靶的成绩作为升迁的条件。

壬子(十八日),免除临安府拖欠的酒税。

癸丑(十九日),金国下诏说:"刺史州郡没有宣圣庙学校的,一律增设修建。"

己未(二十五日),确定了考试、执行刑法时亲戚回避的制度。

金国任命河平节度使孟铸为御史中丞。金章宗对他说:"对你我是了解的,不是通过人家举荐的。御史的责任很重大,过去台官专门检举一些小事,弹劾小官;至于大是大非,就畏惧而不敢讲了。希望你恪尽职守,不要辜负了我的任命!"

三月,丁卯(初四),行都发生大火,火势蔓延到太庙附近,暂且将牌位供奉在景龙宫。

这个月,是太皇太后的生辰,免去了过宫庆贺的礼仪。

金国中都日色昏暗无光,刮大风,毁坏了宣阳门的鸱尾。

庚午(初七),命令临安府赈济遭了火灾的人家。辛未(初八),维修太庙。甲戌(十一日),宋宁宗下罪己诏说:"我忙于政务,早起晚睡已有十年,治理百姓时怀着命悬朽索的危机感,履行职责时有一种如履薄冰的惊惧。皇家的事业日益兴旺,很快将恢复往日的壮观;老天降灾,又是季春时节。下属没能及时扑灭,突然延烧,祈求三灵庇祐,幸喜九庙平安无事。无奈民房被焚毁,宫室也遭火蔓延,这是谁的过错呢?或许是我失德。回宫后我不断反省,怎么敢忘掉那令人战栗的灾难!决心减免受灾百姓的赋税,以便对百姓广施恩惠;务必侧身修行,更加严守避殿思过的规范。而且期望内外一心,尽力弥补我的不足,或许能消除灾异,迎接美好祥和的明天。"

陈自强三次上疏,引罪避位,诏令不准许。火起时,陈自强家管库房的官吏向他要钥匙,陈自强得知灾变的消息,张口结舌不知所措,因此家中的财物全被烧毁了。事后,韩侂胄对人说:"丞相维持生计的物品全被火烧毁了,应当稍微帮助他一点。"韩侂胄首先送给他一万

缗,于是人们纷纷相助,各地也有捐助,不到几个月的时间,就得六十万捐钱,是损失的财产数目的两倍。

乙亥(十二日),诏令百官上疏陈述时政的得失。秘书省著作郎娄机上密封奏章,尖锐地指出:"朝中百官一味奉承,不能提出自己的意见以对国事有所裨益;地方官员不称职,以至苛求勒索以搜括百姓的财物;军中将官,只知彼此交结,而不知道加紧训练军队严肃军纪。"没有答复。

　　壬辰(二十九日),金国辽阳府判官锡默留嘉,因为上奏弹劾朝中官员,被降低一级官阶,罢免职务。

续资治通鉴卷第一百五十七

【原文】

宋纪一百五十七　起阏逢困敦【甲子】四月,尽柔兆摄提格【丙寅】十二月,凡二年有奇。

宁宗法天备道纯德茂功　仁文哲武圣睿恭孝皇帝

嘉泰四年　金泰和四年【甲子,1204】　夏,四月,甲午朔,命内外诸军详度纯队法。

立韩世忠庙于镇江。

甲辰,知枢密院事许及之罢。时兵端已开,韩侂胄欲令及之守建康,及之辞不行,遂罢。

赈恤江西水、旱州县。

丙申,金定县令以下考课法。庚子,增定关防奸细法。

乙巳,以张孝伯参知政事;吏部尚书钱象祖赐出身,同知枢密院事。

丙午,金定衣服制。

甲寅,金以久旱,下诏责躬,避正殿,减膳,撤乐,免旱灾州县徭役及今年夏税,遣使审囚,理冤狱。乙卯,金宰臣上表待罪。金主答诏曰:“朕德有愆,上天示异。卿等各趋乃职,思副朕怀。”

丙辰,诏:“严科举请属奔竞之弊,有辄私遗书及受私书不以闻者,重置于理。”

壬戌,金万宁宫端门灾。

五月,癸酉,金平章政事图克坦镒、右丞完颜匡罢。

甲戌,雨。

先是金御史中丞孟铸言:“今岁愆阳,已近五月,比至得雨,恐失播种之期。可依种麻菜法,择地形稍下处,拨畦种谷,穿土作井,随宜灌溉。”金主从其言。区种法自此始。

乙亥,诏:“诸军主帅各举部内将材三人,不如所举者坐之。”

癸未,追封岳飞为鄂王。飞先已赐谥,至是韩侂胄欲风厉诸将,乃追封之。寻追封刘光世为鄜王,赠宇文虚中少保。

六月,壬辰朔,金罢兼官俸给。

丙申,置诸军帐前雄校,以军官子孙补之。

壬寅,诏侍从、台谏、两省集议裁抑滥赏。

乙巳,金始祭中雷。

壬子,诏沿江四川军帅简练军实。

丁巳,增庐州强勇军为千人。

秋,七月,甲子,以旱,诏大理、三衙、临安府、两浙及诸路决系囚。

戊辰,金主朝献于衍庆宫。

己巳,蠲内外诸军逋负营运息钱。辛未,蠲两浙州县阙雨州县逋租。

戊子,命诸路提刑、提举司措置保伍法。

八月,金大理丞姬端修罢,以议知大兴府赫舍哩执中罪不当也。执中鞫魏廷实狱,廷实无罪而破其家,时论以为冤。御史台请移问,执中奏府断尚未决,御史台遽令移推,下大理寺议。端修谓执中言涉私,当治罪。诏以端修别出情见,削一官,解职。寻令吏部侍郎李炳等推问,炳等言御史台理直,金主但切责执中而已。孟铸疏劾之曰:“京(帅)〔师〕百郡之首,四方取则。知府执中,贪残专恣,不奉法令,自奉圣州罪解以后,怙罪不悛,蒙朝廷恩贷,转生跋扈。雄州诈夺人马;平州冒支己俸;无故破魏廷实家,发其冢墓;拜表,以调鹰不至;祈雨,聚妓嬉戏,殴詈同僚,擅令住职,失师帅之体。”金主以执中旧为东宫护卫,颇右之,谓铸曰:“执中粗人,似有跋扈尔。”铸曰:“明天子在上,岂容有跋扈之臣!”金主悟,乃罢执中为武卫军都指挥使。

丁酉,金以右丞相崇浩为左丞相,右丞布萨揆为平章政事,参知政事孙即康为右丞,御史大夫布萨端为左丞,吏部尚书通吉思忠为参知政事。

己亥,陈自强等上《皇帝玉牒》。

癸丑,金以西京留守崇肃为御史大夫。

先是,金以旱求直言。癸卯,尚书省奏河南府卢显达、汝州王大材所陈,言涉不逊,请以情理切害除其罪;从之,仍遍谕中外。

丁巳,金弛围场远地禁,纵民耕、捕、樵采,减教坊长行五十人,渤海教坊长行三十人,文绣署女工五十人,出宫女百六十人。

戊午,参知政事张孝伯罢。

九月,丙寅,金主如蓟州秋山。

冬,十月,丙申,金诏:“亲军三十五以下,令习《孝经》《论语》。”

庚子,以资政殿大学士、淮东安抚使张岩参知政事。

时以吴猎帅湖北,将赴镇,见监石门酒库黄干,访以兵事。干曰:“闻议者欲为大举深入之谋。果尔,必败。此何时,而可进取哉!”

先是猎以户部员外郎总领湖广、江西、京西财赋,知韩侂胄将开边,荆襄必受兵,乃贻书当路,请号召义士以保疆场,刺子弟以补军伍,增枣阳、信阳之戍以备冲突,分屯阳逻五关以捍武昌,杜越境诱窃以谨边隙,选试良家子弟以卫府库。输湖南米五十万石于襄阳,又以湖北漕司和籴米三十万石分输荆、郢、安、信四郡,蓄银帛百万计,以备赏犒。拔董达、孟宗政、柴发等,分列要郡。至是赴镇,计金攻襄阳,则荆州尤为重镇,乃修高氏三海,筑金銮、内湖、通济、保安四匮,达于上海而注之中海;筑拱辰、长林、药山、枣林四匮,达于下海;分高沙、东奖之流,由寸金堤外历青泥纪、楚望诸门,东汇沙市为南海。又于赤湖城西南,遏走马湖、熨斗陂之水,西北置李氏匮,水势四合,可限戎马。高氏三海者,高保融据荆南时,分江流,潴为大泽,以遏北方戎马者也。太祖并天下,虑窃据者为后世患,乃决而去之。猎复修治,以为荆州之险。

癸卯,金主还都。

十一月,己未朔,诏:"两淮、荆襄诸州,值荒歉奏请不及者,听先发廪以闻。"

癸酉,金木冰,凡三日。

监察御史娄机知韩侂胄锐意欲用兵,极口沮之,谓:"恢复之名非不美。今士卒骄逸,遽驱于锋镝之下,人才难得,财用未裕,万一兵连祸结,久而不解,奈何?"侂胄不悦,其议愈密,外廷罔测。机又上疏极谏:"密谋虽人莫得知,而羽书一驰,中外惶惑。"侍御史邓友龙方主用兵之议,机诘之曰:"今日孰可为大将?孰可为计臣?正使以殿岩当之,能保其可用乎?"友龙不能答。

十二月,癸巳,以宰相陈自强请,遵孝宗典故,创国用司,总核内外财赋。户部尚书李大性条陈利害,谓兵不宜轻举,忤韩侂胄意,出知平江府。遂以自强兼国用使,费士寅、张岩同知国用事;掊克民财,州郡骚动。

己亥,诏改明年为开禧元年。

壬寅,禁州县私籍没民产。

甲辰,再蠲临安府民丁身钱三年。

少傅致仕周必大卒,谥文忠。

奈曼部长迪延汗,心忌蒙古特穆津,遣使谋于白达勒达部主阿喇呼斯曰:"吾闻东方有称帝者。天无二日,民岂有二王耶?君能益吾右翼,吾将夺其弧矢也。"阿喇呼斯即以报特穆津,寻举部来归。

是岁,特穆津大会于特默格川,议伐奈曼。众以方春马瘦,宜俟秋高为言。特穆津弟鄂齐坚曰:"事所当为,断之在早,何可以马瘦为辞!"奇尔固岱曰:"奈曼欲夺我弧矢,是小我也。我辈义当同死。彼恃其国大而言夸,苟乘其不备攻之,功当可成也。"特穆津悦,曰:"以此众战,何忧不胜!"遂进兵。

迪延汗以诸部兵至,营于杭爱山。萨穆哈见蒙古军容整肃,谓左右曰:"奈曼初举兵,视蒙古兵若粘䎃羔儿,意谓蹄皮亦不留。今吾观其气势,殆非往时矣。"遂引所部兵遁去。

是日,特穆津与奈曼军大战,至晡,禽杀迪延汗,诸部军一时皆溃,夜,走绝险,坠崖死者不可胜纪。明日,馀众悉降;于是塔塔尔诸部亦来降。已而复伐默尔奇部,部长托克托奔迪(阳)〔延〕汗之兄博噜裕汗,其属岱尔乌逊献女迎降;俄复叛去,特穆津遣军往平之。

开禧元年　金泰和五年【乙丑,1205】　春,正月,癸酉朔,初置澉浦水军。

乙亥,金主诏有司:"自泰和三年,郡县三经行幸,民尝供亿者,赐今年租税之半。"

丁卯,金主如先春宫春水。

壬申,金主朝献于衍庆宫。

丁丑,金调山东、河北军夫改治漕渠。

二月,己卯朔,金主谕曰:"近制,按察司以静镇而知大体为称职,苛细而暗于大体为不称。由是各路按察,以因循为事,莫思举刺;郡县以贪黩相尚,莫能畏戢。自今若纠察得实,民无冤滞,能使一路镇静者,为称职;其或烦紊,使民不得伸诉者,是为旷废。"

癸卯,诏国用司立《考核财赋之法》。

三月，庚申，太白昼见。

金主还都。

癸亥，金更定两税输限。

辛巳，以淮西安抚司所招军为强勇军。

金唐州得宋谍者，言韩侂胄屯兵鄂、岳，将谋北侵。

癸未，参知政事费士寅罢。韩侂胄欲以士寅镇兴元，为宣威之渐，士寅固辞，遂罢。

金群臣屡请上尊号，是月，复以为请，金主不许。诏侍讲学士张行简作批答，因问行简宋范祖禹作《唐鉴》论尊号事，行简对曰："司马光亦尝谏尊号事，不若祖禹之词深至，以为臣子生谥君父，颇似惨切。"金主曰："卿用祖禹意答之。仍曰太祖虽有尊号，太宗未尝受也。"行简乞不拘对偶，引祖禹以微见意，金主从之。

夏，四月，戊子朔，以钱象祖参知政事，吏部尚书刘德秀签书枢密院事。

癸卯，以江陵副都统李奕为镇江都统，皇甫斌为江陵副都统，兼知襄阳府。

金边臣奏宋兵入秦州界，又入巩州（定）〔来〕远镇。癸巳，金主命枢密院移宋，依誓约撤新兵，毋纵入境。

甲寅，武学生华岳上书，谏朝廷未宜用兵启边衅，且乞斩韩侂胄、苏师旦、周筠以谢天下。侂胄大怒，下岳大理，编管建宁。

五月，己巳，赐礼部进士毛自知以下四百三十三人及第、出身。自知对策，言当乘机以定中原，韩侂胄大喜，遂擢为第一。

乙亥，诏以卫国公㬊为皇子，进封荣王。

甲申，镇江都统戚拱，遣忠义人朱裕结弓手李全，焚金涟水县。全，潍州人，锐头蜂目，权谲善下人，以弓马趫捷，能运铁枪，时号"李铁枪"。

金主闻南朝将用兵，召诸大臣问之。承晖、孟铸及太常卿赵之杰皆曰："宋败衄之馀，自救不暇，恐不敢叛盟。"完颜匡独曰："彼置忠义保捷军，取先世开宝、天禧纪元，岂忘中国者哉？"通吉思忠亦言宋人败盟有状，金主然之，乃命平章政事布萨揆为河南宣抚（司）〔使〕，籍诸道兵以备宋。

六月，辛卯，诏内外诸军密为行军之计。

戊戌，诏诸路安抚司教阅禁军。

庚子，进程松资政殿大学士，为四川制置使。

辛丑，淮东安抚使郑挺坐擅纳北人牛真及劫涟水军，事败，夺二官，罢。

壬寅，天鸣有声。

复同安、汉阳、蕲春三监。

己酉，金制驻防军逃亡及边事失措陷败户口者罪。

秋，七月，庚申，以陈自强及侍御史邓友龙等请，诏韩侂胄平章军国事，立班丞相上，三日一朝，赴都堂治事。论者谓侂胄系衔比吕夷简省"同"字则其体尤尊，比文彦博省"重"字则所与者广，于是三省印并纳其第。侂胄自置机速房，甚者假作御笔，升黜将帅，人莫敢言。

命兴元都统司招增战兵。

丙寅，以苏师旦为安远军节度使，令阁〔门〕事。

戊辰,赠赵汝愚少保。

壬申,金主朝献于衍庆宫。

己卯,韩侂胄等上《高宗御集》。

癸未,以韩侂胄兼国用使。

以旱,决系囚。

八月,丁亥,命湖北安抚使增招神劲军。

辛卯,金罢河南宣抚司。

初,布萨揆至汴,移文来责败盟,三省、枢密院答言:"边臣生事,已行贬黜,所置兵亦已抽去。"揆信之。会殿前副都指挥使郭倪,濠州守将田俊迈,诱虹县民苏贵等为间,言于揆曰:"宋之增戍,本虞他盗。及闻行台之建,益畏耆,不敢轻去备。以其皆白丁,自裹粮糒,穷(戚)〔蹙〕饥疾,死者甚众。"揆益驰备,以其言白于金主。群臣有劝先举者,金主曰:"南北和好四十馀年,民不知兵,不可。"河南统军使赫舍哩子仁使宋还,言宋主修敬无它。金主以问完颜匡,匡曰:"子仁言是。"金主曰:"汝变议耶?"匡曰:"子仁守疆圉,不妄生事。然有备无患,在陛下宸断耳。"金主然之。及闻揆言,遂命罢宣抚司及临洮、德顺、秦、巩新置弓箭手。

权礼部侍郎李壁,使金贺生辰,行次扬州,会朱裕袭破涟水,金人愤甚,乞枭裕首境上,诏从其请。壁至燕,与金人言,披露肝胆,金人之疑顿释。壁,焘之子也。

癸巳,雨。

乙巳,以郭倪为镇江都统,兼知扬州。

闰月,戊寅,韩侂胄等上《钦宗玉牒》。

九月,丁亥,签书枢密院事刘德秀罢。

戊子,金中都西北方黑云间,有赤气如火色,次及西南、正南、东南方皆赤,有白气贯其中。至中夜,赤气满天,四更乃尽。

戊戌,攻金比阳(等)〔寺〕庄,杀副巡检阿哩恩腾嘉努。

甲辰,焚金黄涧,虏其巡检高颢。

韩侂胄欲审敌虚实,丁未,遣陈景俊使金贺正旦。

以邱崈为江淮宣抚使,崈辞不拜。初,韩侂胄以北伐之议示崈,崈曰:"中原沦陷且百年,在我固不可一日而忘;然兵凶战危,若首倡非常之举,兵交,胜负未可知,则首事之祸,其谁任之?此必有夸诞贪进之人,侥倖万一,宜亟斥绝。不然,必误国矣。"侂胄不纳。至是命崈宣抚江淮,崈手书力论:"金人未必有意败盟,中国当示大体,宜申儆军实,使吾常有胜势,若衅自彼作,我有词矣。"侂胄不悦。

冬,十月,甲子,江州守臣陈铸,以岁旱,图献瑞禾;诏夺一官。

丙寅,升嘉定府为嘉庆军。

丁丑,袭金比阳,杀其军事判官萨都。

十一月,乙酉,置殿前司神武军五千人,屯扬州。

是日,兵入金内乡,攻洛南之商县,至丹河,为金商州司狱寿祖所败。

3724

丁酉,金诏山东、陕西帅臣训练士卒以备非常。仍以银十五万两分给边帅,募民侦伺,复遣武卫军副都指挥完颜太平、殿前右卫副将军富察阿哩赴边,伺边部阑入,伏兵掩之。

金以张行简为顺天军节度使。临行,金主问之曰:"卿未更治民,今至保州,民之情伪,卒难臆度,如何治之则可?"行简对曰:"臣奉行法令,不敢违失,狱讼之事,以情察之,钤制公吏,禁抑豪强,以镇静为务,庶几万分之一。"金主曰:"在任半岁或一年,所得利害上之。"行简至保州,上书曰:"比者括官田给军,既一定矣,有告欲别给者,辄从其告,至今未已;名曰官田,实取之民以与之。夺彼与此,徒启争端。臣所管已拨深泽县地三百馀顷,复告水占沙碱者三之一,何时可定,臣谓当限以月日,不许再告为便。"下尚书省议,奏请如实有水占者,为按视改拨,若沙碱瘠薄,当准已拨为定;从之。

召辛弃疾知绍兴府,兼两浙安抚使,又进宝文阁待制,皆辞免;进枢密都承旨,未受命而卒。

王阮有文武干略,尝知濠州,请复曹玮方田、种世衡射法,日讲守备,至是改知抚州。韩侂胄素闻其名,特召入奏,将诱以美官,夜遣密客诣阮,阮不答,私谓所亲曰:"吾闻公卿择士,士亦择公卿。刘歆、柳宗元失身匪人,为万世笑。今政自韩氏出,吾肯出其门哉!"对毕,拂衣出关,侂胄大怒,降旨与祠。

十二月,庚午,增刺马军司弩手。

癸酉,诏永除两浙身丁钱。

戊寅,金遣赵之杰来贺明年正旦,入见,礼甚倨。韩侂胄请帝还内,诏使人更以正旦朝见。著作郎东阳朱质上书请斩金使,不报。

是岁,蒙古特穆津伐夏,拔拉吉哩寨,经罗索城,大掠而还。

开禧二年 金泰和六年,蒙古太祖称帝之元年【丙寅,1206】 春,正月,癸未朔,蠲两浙路身丁绸绵。

丁亥,贺金正旦使陈景俊辞还,金主使孟铸就馆谕曰:"大定初,世宗许宋世为侄国,朕遵守至今。岂意尔国屡有盗贼犯我边境,以此遣大臣宣抚河南。及得尔国公移,料已罢黜边臣,抽去兵卒,朕即罢司;未几盗贼甚于前日。群臣以尔国渝盟为言,朕惟和好岁久,委曲涵容,恐侄宋皇帝或未详知,卿归国,当具言之。"金主本无意用兵,故再三申谕。景俊还,以告陈自强,戒勿言,由是用兵益决。

癸巳,以金使悖慢,馆伴使、副以下夺官有差。

乙未,增太学丙舍生为百二十人。

丙申,吴曦遣兵围抹熟龙堡,为金将富鲜长安所败。

辛丑,更名国用司曰国用参计所。

丁未,金主如春水。

庚戌,西河州守将约金陕西统军判官完颜固喇、巩州兵马钤辖完颜齐锦会境上,伏兵袭之,杀金木波长赵彦雄等七人。(图)〔固〕喇马陷于淖,中流矢,齐锦仅以身免。

辛丑,诏:"坑户毁钱为铜者不赦,仍籍其家。著为令。"

时以举人奸弊滋多,命诸道漕司、州、府、军、监,凡解举人,合格试卷姓名,类申礼部。举人于考官,自缌麻以上亲及大功以上婚姻之家,皆回避。惟临轩亲试,谓之天子门生,虽父兄为考官亦不避。

是月,雅州蛮高吟师寇边,遣官军讨之。

夏镇夷郡王安全,废其主纯佑而自立。纯佑卒于废所,年三十,谥昭简皇帝,庙号桓宗,墓曰庄陵。安全,崇之孙,越王仁友之子也。

乙卯,以火灾,彻乐,避正殿。

丁巳,以久雨,命决系囚。

甲戌,孟铸言于金主曰:"提刑改为按察司,又差官覆察,权削而望轻,于政体不便。"下尚书省议,贾铉曰:"按察使既差监察体访,复遣官覆察,诚为繁冗。请自今差监察时,即便遣官偕往,更不覆察。诸疑狱并令按察使从正与决。"从之。

己卯,复御正殿。

二月,癸丑,寿慈宫火,太皇太后移居大内。

三月,癸巳,以程松为四川宣抚使,吴曦为宣抚副使。松移司兴元东,以军三万属之;曦进屯河池西,以军六万属之,仍听节制财赋,按劾计司。曦由是益得自专,松无所关预。松始至,欲以执政礼见曦,责其庭参;曦闻之,及境而还。松用东西军一千八百自卫,曦多抽摘以去,松不悟。知大安军安丙,陈"十可忧"于松,既而松开府汉中,夜,延丙议,丙为松言"曦必误国"。丙,广安人,尝为吴挺客,素知曦,松亦不省。

乙巳,参知政事钱象祖罢。

韩侂胄锐意用兵,象祖执不可,遂以怀奸避事罢之。寻夺二官,信州居住。

己酉,知处州徐邦宪入见,请立太子,因以肆赦弭兵;侍御史徐柟劾罢之。

雅州蛮犯碉门砦,知砦曹琦断其桥,蛮人不得归,肆掠,制置司委卢操权知砦。又遣通判汉州张师夔同知雅州,节制军马;师夔尝献安边十策,故用之。既而作檄谕降,高吟师见檄词俚拙,笑掷于地。夏,四月,壬子,师夔率兵次始阳,蛮人惧,欲求款,寨将彭安不可,议闭砦门以困之。蛮怒,攻砦门,又掠水渡村,绵州校屈彦言于操曰:"贼今无备,可开门击破之。"操曰:"上官只令防遏,安得生事?"师夔见事亟,以三百兵自卫,还雅州。贼遂焚碉门,官军失利,准备将张谦战死。

丙辰,金亳州同知防御使圣贤努,闻宋师围寿春,率步骑六百赴之,师退。

癸亥,金河南统军使赫舍哩子仁上言:"谍知皇甫斌遣兵四万规取唐,三万人规取邓,故不敢无备。"乃聚郑、汝、阳翟之兵于昌武,以南京副留守兼兵马副都总管赫舍哩毅统之;聚亳、陈、襄邑之兵于归德,以河南路副统军图克坦铎统之;自以所部驻汴。及拟山东西路军七千付统军赫舍哩执中,驻大名,河北东、西路军万七千屯河南,皆给以马,有老弱者易其人。"金主皆从之。

甲子,以京湖宣谕使薛叔似为湖北、京西宣抚使,御史中丞邓友龙为两淮宣谕使。

下纳粟补官令。

程松遣兵攻天水界,至东柯谷,为金将刘铎所败。

金主诏大臣议南伐。左丞相崇浩、参知政事贾铉曰:"宋边卒狗盗鼠窃,非举兵也。"左丞布萨端曰:"小寇当昼伏夜出,岂敢白日列阵,犯灵璧,入涡口,攻寿春耶?此宋人欲多方误我。不早为之所,一旦大举,将堕其计中。"金主深然之。丙寅,诏布萨揆领行省于汴,许以便宜从事。尽征诸道籍兵,分守要害。

戊辰,以吴曦兼陕西、河东路招抚使。

己巳，调三衙兵增戍淮东。

权礼部侍郎李壁奏言：“秦桧首倡和议，使父兄百世之仇不复开于臣子之口，宜亟贬桧以示天下。”庚午，削桧王爵，改谥缪丑，制词有曰：“兵于五材，谁能去之！首弛边疆之备；臣无二心，天之道也，忍忘君父之仇？”又曰：“一日纵敌，遂贻数世之忧；百年为墟，谁任诸人之责？”当时传诵之。

乙亥，以郭倪兼山东、京、洛招抚使，鄂州都统赵淳兼京西北路招抚使，皇甫斌兼京西北路招抚副使。

郭倪遣武义大夫充人毕再遇与镇江都统陈孝庆取泗州，克日进兵。金人闻之，闭榷场、塞城门为备。再遇曰：“敌已知吾济师之日矣。兵以奇胜，当先一日，出其不意。”孝庆从之，丁丑，进兵薄泗州。泗有东、西两城，再遇令陈戈旗、舟楫于石匼下，如欲攻西城者，自以麾下兵从（陟）〔陆〕山径趣东城南角，先登杀敌。金人大溃，从北门遁。西城犹坚守，再遇立大将旗，呼曰：“我，大宋毕将军也，中原遗民可速降。”旋有淮平知县缒城乞降，于是两城皆定。郭倪来犒士，出御宝刺史牙牌授再遇。再遇曰：“国家河南八十一州，今下泗州两城，即得一刺史，继此何以赏之？”固辞不受。

江州统制许进复新息县，光州忠义人孙成复褒信县。

五月，辛巳朔，陈孝庆复虹县。

吴兴郡王抦卒，追封沂王，谥靖惠。

癸未，禁边郡官吏擅离职守。

丙戌，江州都统王大节引兵攻蔡州，不克，军大溃。

丁亥，韩侂胄闻已得泗州及新息、褒信、颍上、虹县，遂请帝下诏伐金，直学士院李壁所草也。初，兵部侍郎叶适论对，尝言：“甘弱而幸安者衰，改弱而就强者盛。”侂胄闻而嘉之，以为直学士院，欲籍其草诏以动中外，而适以疾辞职，乃改命壁。

戊子，金以平章政事布萨揆兼左副元帅，陕西兵马都统使充为右监军，知真定府事乌库哩谊为右都监。

辛卯，金主以宋兵方炽，东北新调之兵、河南之众不足支，命河北、大名、北京、天山之兵万五千屯真定、河间、清县等以为应。

壬辰，金主谕尚书省曰：“今国家多故，凡言军国利害，五品以上官，以次奏陈，朕将亲问之，六品以下，具帖子以进。”

癸巳，金以枢密副使完颜匡为右副元帅。

马军司统制田俊迈入蕲县，金布萨揆谓诸将曰：“符离、彭城，齐、鲁之蔽。符离不守，是无彭城。彭城陷，则齐、鲁危矣。”乃遣纳兰邦烈、穆延斯赉塔以精骑三千戍宿州。俊迈率众往袭，为金人所败。甲午，池州副都统郭倬，主管军马行司公事李汝翼，以众五万继至，遂围城，攻之甚力，城中丛射，不能逼。会淫雨潦溢，南师露处劳倦，邦烈遣骑二百出南军后，突击之，南军乱；斯赉塔率骑蹂之，杀伤数千人。俊迈等夜遁，金人追击，复大败。郭倬执俊迈以与金人，乃得免。

郭倪遣毕再遇取徐州，行至虹，遇郭倬、李汝翼兵，裹创而问之。曰：“宿州城下大水，我师不利，统制田俊迈已为敌擒矣。”再遇督兵疾次灵璧，遇陈孝庆驻兵凤凰山，将引还，再遇曰:"宿州虽不捷,然兵家胜负不常,岂宜遽自挫! 吾奉招抚命取徐州,假道于此,宁死灵璧北门外,不死南门外也!"会倪以书抵孝庆,令班师,再遇曰:"郭、李兵溃,金必追蹑,吾当自御之。"金果以五千馀骑分两道至,再遇令敢死士二十人守灵璧北门,自领兵冲阵。金人见其骑,惊曰:"毕将军耶?"遂遁。再遇手挥双刀,绝水追击,杀敌甚众,甲裳尽赤,逐北三十里。金将有持双铁简跃马而前,再遇以左刀格其简,右刀斩其胁,金将堕马死。诸军发灵璧,再遇独留未动,度军行三十馀里,乃火灵璧。诸将问:"夜不火,火今日,何也?"再遇曰:"夜则照见虚实,昼则烟埃莫睹。彼已败,不敢迫,诸军乃可安行无虞。汝辈焉知兵易进而难退耶?"乃还泗州。以功除左骁卫将军。

(甲辰)〔癸巳〕,京西北路招抚副使皇甫斌引兵攻唐州,为金刺史乌克逊鄂屯等所败。

兴元都统秦世辅出师至城固县,军大乱。

甲午,诏以宗室均为沂王抚嗣,赐名贵和。均父希瞿,太祖九世孙也。

庚戌,太白经天。

金主以时方用兵,山东重地,须大臣安抚,乃以完颜守贞知济南府。守贞寻卒,金主闻而悼之,敕有司致祭,赙、赠依故平章政事富察通例,谥曰肃。

吴曦谋据蜀以叛,与其从弟晛、徐景望、赵富、朱胜之、董镇等日夜密计,欲遣人求封于金。金人亦欲诱曦降,使其从梁、益南下。

六月,金主赐曦诏曰:"宋自佶、桓失守,构窜江表,僭称位号,偷生吴会。时则乃祖武安公玠,捍御两川,洎武顺王磷,嗣有大勋,固宜世祚大帅,遂荒西土,长为藩镇,誓以河山,后裔纵有栾黡之汰,犹当十世宥之。然威略震主者身危,功盖天下者不赏,自古如此,非止于今。卿家专制蜀汉,积有岁年,猜嫌既萌,进退维谷,代之而不受,召之而不赴,君臣之义,已同路人,譬之破桐之叶,不可以复合,骑虎之势,不可以中下矣。此事流传,稔于朕听,每一思之,未尝不当馈叹息,而卿犹偃然自安。且卿自视翼赞之功,孰与岳飞? 飞之威名战功,暴于南北,一旦见忌,遂被惨夷之祸,可不畏哉? 故知者顺时而动,明者因机而发,与其负高世之勋,见疑于人,惴惴然常惧不得保其首领,曷若顺时因机,转祸为福,建万世不朽之功哉? 今赵扩昏孱,受制强臣,比年以来,顿违誓约,增屯军马,招纳叛亡。朕以生灵之故,未欲遽行讨伐,姑遣有司移文,复因来使宣谕;而乃不顾道理,愈肆凭陵,虔刘我边陲,攻剽我城邑。是以忠臣扼腕,义士痛心,家与为仇,人百其勇。失道至此,虽欲不亡,得乎? 朕已分命虎臣,临江问罪,长驱并骛,飞渡有期,此正豪杰分功之秋也。卿以英伟之姿,处危疑之地,必能深识天命,洞见事机。若按兵闭境,不为异同,使我师并力巢穴,而无西顾之虞,则全蜀之地,卿所素有,当加封册,一依皇统册构故事。更能顺流东下,助为掎角,则旌麾所指,尽以相付。天日在上,朕不食言。今送金宝一钮,至可领也。"命蜀汉安抚使完颜纲相机设间以诱之。

建康都统李爽,以兵围寿州,金刺史图克坦羲拒守,逾月不能下。壬子,河南统军判官奇珠及迈格等来援,羲出兵应之,爽大败。

甲寅,韩侂胄以师出无功,罢两淮宣抚使邓友龙,而以邱崈代之,驻扬州。崈至镇,部署诸将,悉以三衙江上军分守江、淮要害。侂胄遣人来议招收溃卒,且求自解之计,崈谓宜明苏师旦、周筠等偾师之奸,正李汝翼、郭倬等丧师之罪。崈欲全淮东兵力,为两淮声援,奏:"泗州孤立淮北,所屯精兵几二万。万一金人南出清河口及侵天长等城,则首尾中断。莫若弃

3728

之,还军盱眙。”从之。于是王大节、李汝翼、皇甫斌、李爽等皆坐贬。

雅州蛮未平,张师夔罢,以通判遂宁府冯瑜权州事,兴元统领王钺将兵六千往讨之。乙卯,钺入碉门,蛮人降,唯高吟师不至。钺遣人谕之,吟师乃出,即擒斩之,并杀其酋六十三人。

金初置急递铺,腰铃转递,日行三百里;非军期、河防,不许起马。

丁巳,金诏:“彰德府宋韩侂胄祖琦坟,毋得损坏,仍禁樵采。”辛酉,金诏有司:“宋宗族所居,各具以闻,长官常加提控。”

戊辰,金升寿州为防御,以图克坦羲为防御使。

韩侂胄既丧师,始觉为苏师旦所误;召李壁饮,酒酣,语及师旦始谋事。壁微摘其过以觇之,因极言“师旦怙势招权,使明公负谤,非窜谪此人不足以谢天下。”侂胄然之。秋,七月,辛巳,罢师旦,籍其家,旬日,除名,韶州安置。

初,彭龟年闻师旦建节,曰:“此韩氏之阳虎,其祸韩氏必矣!”既而闻将用兵,曰:“祸其在此乎!”竟如其言。

召倪思试礼部侍郎兼直学士院。韩侂胄先以书致殷勤曰:“国事如此,一世人望,岂宜专以洁己为贤哉?”思报曰:“但恐方拙不能徇时好耳。”时赴召者,未引对,先谒侂胄。或劝用近例,思曰:“私门不可登,矧未见君乎!”逮入见,首论言路不通:“自吕祖俭谪徙,而朝士不敢输忠;自吕祖泰编窜,而布衣不敢极说;胶庠之士欲有吐露,恐之以去籍,谕之以呈稿,谁肯披肝沥胆,冒触威尊!近者北伐之举,仅有一二人言其不可。如使未举之先,相继力争之,更加详审,不致轻动。”又言:“苏师旦赃以巨万计,胡不黥戮以谢三军?皇甫斌丧师襄汉,李爽败绩淮甸,秦世辅渎败蜀道,皆罪大罚轻。”又言:“士大夫寡廉鲜耻,列拜于势要之门,甚者匍匐门窦,称门生不足,称恩座、恩主甚至于恩父者,谀文丰赂,又在所不论也。”侂胄闻之,大怒。思既退,谓侂胄曰:“公明有馀而聪不足。堂中剖决如流,此明有馀;为苏师旦蒙蔽,此聪不足也。周筠与师旦,并为奸利,师旦已败,筠尚在。人言平章骑虎不下之势,此李林甫、杨国忠晚节也。”侂胄悚然曰:“闻所未闻。”司谏毛宪劾思,与祠。

梁、洋义士统制毋思袭和尚原,取之。

壬午,雅州蛮出降。

商荣攻东海县,金命完颜卞僧(福)败之。还,中流矢死。

甲申,金朝献于衍庆宫。

丁亥,金命翰林直学士陈大任专修《辽史》。召张行简为礼部尚书,兼侍讲,同修国史。秘书监进《太　新历》,金主命行简校之。

甲午,统制戚春以舟师攻邳州,金刺史完颜从正败之,春赴水死。

癸卯,以张岩知枢密院事,礼部尚书李壁参知政事。先是韩侂胄尝与朝士论人才,有乏贤之叹,因言:“今从官中,薛象先沈毅有谋,然失之把持;邓伯允忠义激烈,然失之轻;李季章通今知古,然失之弱。”象先,叔似字;伯允,友龙字;季章,壁字也。壁使北还,言兵未可动,故侂胄以为弱。至是叔似、友龙俱无功,壁乃秉政。

是月,魏国公留正卒,谥忠宪。

宝谟阁直学士杨万里卒。韩侂胄用事,欲网罗四方知名士,尝筑南园,属万里为之记,许以掩垣。万里曰:"官可弃,记不可作也。"闻侂胄用兵,亟呼纸,书曰:"韩侂胄奸臣,专权无上,动兵残民,谋危社稷。吾头颅如许,报国无路,惟有孤愤!"笔落而逝。

夏镇夷郡王安全使桓宗母罗氏上表于金,言纯佑不能自守,与大臣定议,立安全为王。金主赐罗氏诏,询其意,夏人复以罗氏表来,乃册安全为夏国王。

八月,丁卯,斩郭倬于镇江。

辛未,诏:"诸州无证有佐之狱毋奏裁。"

程松遣将袭取方山原,为金元帅右都监富察贞所败。

壬申,太白昼见,经天。

以淮东安抚使所招军为御前强勇军。

乙亥,金赦唐、邓、颍、蔡、宿、泗六州,免来年租税三分之一。

九月,辛巳,金富察贞取和尚原。

己丑,朝献景灵宫。庚寅,朝献太庙。辛卯,合祭天地于明堂,大赦。

戊戌,金左丞布萨端行省于汴。己亥,户部侍郎梁镗行六部尚书事于山东。时完颜守贞已卒,金主特起张万公知济南府、山东路安抚使。山东连岁旱、蝗,沂、密、莱、莒、潍五州尤甚。万公虑民饥盗起,当预备赈济,而兵兴,国用不给,乃请将僧、道度牒并盐引付山东行部给买,纳粟易换,又言督责有司禁戢盗贼之方,金主皆从之。

冬,十月,辛酉,以将士暴露,罢瑞庆节宴。

金主召布萨揆赴阙,密授以成算,俾还军,分兵为九道南下:揆以行省兵三万出颍、寿,元帅完颜匡以兵二万五千出唐、邓,河南路统军使赫舍哩子仁以兵三万出涡口,左监军赫舍哩执中以山东兵二万出清河口,左监军完颜充以关中兵一万出陈仓,右都监富察贞以岐、陇兵一万出成纪,蜀汉路安抚使完颜纲以汉、蕃步骑一万出临潭,临洮路兵马都总管舒穆噜仲温以陇右步骑五千出盐川,陇州防御使完颜璘以兵五千出来远。

丙子,赫舍哩执中自清河口渡淮,遂围楚州,宣抚使檄知盱眙军毕再遇援之,而以段政、张贵代守盱眙。金人知再遇既去,即攻盱眙,政等惊溃,金人遂入盱眙。再遇闻之,还军复定盱眙,乃行。时金兵七万在楚州城下,三千人守淮阴粮草,又载粮三千艘泊大清河。再遇谍知之,曰:"敌众十部,难以力胜,可计破也。"乃遣统领许俊间道趋淮阴,夜二鼓,衔枚至敌营,各携火伏粮车间五十馀所,闻哨声举火。敌惊窜,擒乌(哩库)〔库哩〕帅勒、富察元努等二十三人。

十一月,辛巳,金完颜匡破枣阳军。

甲申,以邱崈金书枢密院事,督视江淮军马。金人攻淮南日急,或劝崈弃庐、和州,为守江计,崈曰:"弃淮则与敌共长江之险。吾当与淮南共存亡。"乃增兵防守。

金完颜匡侵光化军及神马坡,江陵副都统魏友谅突围趋襄阳。

乙酉,招抚使赵淳焚樊城。

金布萨揆引兵至淮,遣人密测淮水,惟八叠滩可涉,即遣鄂屯襄扬兵下蔡,声言欲渡。守将何汝砺、姚公佐以为诚然,悉众屯花黡以备之。揆乃遣完颜萨布等潜渡八叠,驻南岸。南军不虞其至,遂皆溃走,自相蹂践死者不可胜计。揆遂夺颍口,下安丰军及霍邱县,遂攻合肥。

戊子，金人侵庐州，田琳拒却之。

是日，金富察贞攻湫池堡，破天水，肆掠关外四州，吴曦置不问。

己丑，金尚书省奏减朝官及承应人月俸折支钱，以军兴故也。

乙未，以湖广总领陈谦为湖北、京西宣抚副使。

丁酉，金人侵旧岷州，守将王喜遁去。

丙申，金赫舍哩子仁破滁州。

乙巳，金富察贞破西和州。

金人破信阳军及随州，又围襄阳府。金主遣使谕布萨揆曰："前得卿奏，先锋已得颍口，偏师又下安丰，斩馘之数，或以万计。近又西师奏捷，枣阳、光化既为我有，樊城、邓城亦自溃散。又闻随州阖城归顺，山东之众久围楚州，陇右之军克期出界，卿提大军攻合肥。赵扩闻之，料已破胆，失其神守，度彼之计，乞和为上。昔尝书三事付卿，以今事势计之，径度长江，亦其时矣。淮南既为我有，际江为界，理所宜然。如使赵扩奉表称臣，岁增贡币，缚送贼魁，还所俘掠，亦可罢兵。卿宜广为渡江之势，使彼有必死之忧。从其所请而纵之，馀息偷生，岂敢复萌它虑！卿于此时经营江北，劳来安集，除其虐政横赋，以良吏抚字疲民，以精兵分守要害，虽未系赵扩之颈，而朕前所画三事，上功已成矣。机会难遇，卿其勉之！"

癸卯，太皇太后赐钱一百万缗犒赏军士。诏诸路招募禁军，以待调遣。

十二月，丁未朔，金布萨揆进军攻和州，中军副统穆延斯赍塔中流矢死。斯赍塔形不过中人，而拳勇善斗，所用枪长二丈，军中号为"长枪副统"。又工用手箭，箭长不盈握，每用百数，散置铠中，遇敌抽箭，以鞭挥之，或以指钳取飞掷，数矢齐发，无不中，敌以为神。克安丰，战霍丘、花靥，功居多，及死，将士皆惋惜之。

时宋军万五千骑屯六合，揆侦知之，即以右翼掩击，斩首八千级，进屯瓦梁河，以扼真扬诸路之冲，乃整列军骑，沿江上下，毕张旗帜，江表大震。

戊戌，金完颜匡围德安府，别以兵徇下安陆、应城、云梦、孝感、汉川、京山等县。

壬子，金富察贞破成州。

〔癸丑〕，金人去和州。甲寅，攻六合县，郭倪遣前军统制郭馔救之，遇于胥浦桥，大败，倪弃扬州走。倪性轻躁，素以诸葛亮自许。其出师也，陈景俊为随军漕，谓之曰："木牛流马，则以烦公。"闻者匿笑。及屡败，自度不复振，对客泣数行。法曹彭法面讥之曰："此带汁诸葛亮也。"寻谪南康军安置。

吴曦将叛前数月，神思昏扰，夜数跃起，寝中叱咤四顾，或终夕不得寝，意颇悔，欲且已。吴晛怂恿之曰："此事宁得中止耶？"金完颜纲以金主之命欲招降曦，进兵水洛，访得曦族人吴端，署为水洛城巡检使，遣人报曦，曦反意遂决。然以程松在兴元，未敢发，诈称杖杀端而阴遣使送款于纲。及富察贞入成州，曦自焚河池，退屯清野原。自是金人无复顾虑。

己未，金赫舍哩子仁破真州。时真州兵数万保河桥，布萨揆遣子仁往攻之，分军涉浅，潜出其后。宋军大惊，不战而溃，斩首二万馀级，骑将刘挺、常思敬、萧从德、莫子容并为所擒，真州遂陷。士民奔逃渡江者十馀万，知镇江府宇文绍节亟具舟以济，又廪食之。

镇江副都统制毕再遇，在楚州与金人相持，濠、滁相继失守，谓诸将曰："楚州城坚兵多，而敌粮草已空，所虑独淮西耳。六合最要害，敌必并力攻之。"乃引兵赴六合。

金人屯竹镇，距六合二十五里。再遇登城，偃旗鼓，伏兵南门，列弩手于城上；敌方临濠，众弩俱发，遂出战，闻鼓声，城上旗帜尽举，金人惊遁，大败之。

金散将完颜图拉等以十万骑驻成家桥、马鞍山，进兵围城数重，欲烧坝木，决濠水，再遇令劲弩射退之。既而赫舍哩子仁合兵进攻益急，城中矢尽，再遇令人张青盖往来城上，金人意其主兵官也，争射之，须臾，矢集楼墙如猬，获矢二十馀万。旋又增兵环城四面，营帐亘三十里。再遇令临门作乐以示闲暇，而间出奇兵击之。金人昼夜不得休，乃引退；再遇追至滁，大雨雪，乃还。时金围楚州已三月，列屯六十里，再遇遣将分道挠击，遂解围去。

再遇乃更造轻甲，长不过膝，披不过肘，兜鍪亦杀重为轻，马甲以皮，车牌易以木，而设转轴其下，使一人之力可推可擎，军中甚以为便。

金人常以水柜取胜，再遇夜缚藁人数千，衣以甲胄，持旗帜戈矛，俨立成行，昧爽，鸣鼓；金人惊视，亟放水柜。后知其非，意甚沮。乃出攻之，金人大败。

又尝引金人与战，且前且却，至于数四，视日已晚，乃以香料煮豆布地，复前搏战，佯败走。金人乘胜追逐，马饥，闻豆香，皆就食，鞭之不前；反攻之，金人死者不可胜计。

又尝与金人对垒，度金兵至者日众，难与争锋，一夕拔营去，留旗帜于营，缚羊，置前足于鼓上，击鼓有声；金人不觉为空营，相持数日，及觉，欲追之，则已远矣。

时诸将用兵皆败，惟再遇数有功。诏以为镇江都统，权山东、京东招抚司公事。

时吴曦已布腹心于金，将士未之知，犹力战，金人窃笑之。

曦退壁鱼关，招集忠义，厚赐以收众心。兴元都统制毋思以重兵守大散关，曦因撤蔎关之戍，令人由板堠各绕出大散关后；思孤军不能支，遂溃。曦退屯兴州之置口。举人陈国饬投匦上书，言曦必叛，韩侂胄不省。

完颜纲遣张仔会曦于置口，曦言愿附金之情，仔请曦告身为报，曦尽出以付仔，仍献阶州。纲乃以金主命，遣马良显持诏书、金印，立曦为蜀王，曦密受之。

李好义败金人于七方关，曦不上其捷，还兴州。是夜，天赤如血，光烛地如昼。翼日，曦召幕属谕意，谓东南失守，车驾幸四明，今宜从权济事。王翼、杨骙之抗言曰："如此，则相公忠孝八十年门户，一朝扫地矣。"曦曰："吾意已决。"即遣兴州团练使郭澄提举仙人关，使任辛奉表献《蜀地图志》及《吴氏谱牒》于金。

金布萨揆欲通和罢兵，有韩元靖者，自言琦五世孙，揆遣之渡淮，邱崈获之，诘所以来之故，元靖言："两主交兵，北朝皆谓韩太师意。今相州宗族坟墓皆不可保，故来依太师耳。"崈使毕其说，始露讲解之意，崈密使人护送北归，俾叩其实。元靖既回，崈得金行省文书，以闻于朝。韩侂胄方以师出屡败，悔其前策，输家财二十万以助军，而谕崈持书币赴敌营议和。崈乃遣陈璧充小使，持书与揆，愿讲好息兵。揆曰："称臣、割地、献首谋之臣，乃可。"崈复遣王文往言："用兵乃苏师旦、邓友龙、皇甫斌等所为，非朝廷意，今三人皆已贬黜。"揆曰："侂胄若无意用兵，师旦等岂敢专擅?"文还，崈复遣使相继，因许还其淮北流移人及今年岁币。揆以方春地湿，不可久居，欲休养士马，乃许之。戊辰，揆自和州退屯下蔡，独濠州留一军守之。

庚午，薛叔似、陈谦罢。叔似夙以功业自期，及临事，绝无可称，属郡多陷，故罢。以京湖北路安抚使吴猎为湖北、京西宣抚使。

复两浙围田,募两淮流民耕种。

壬申,金诏完颜匡权尚书右丞,行省事、右副元帅如故。金主以赫舍哩执中纵下掳掠,遣人杖其属官,诏放还所掠。

金完颜绰哈攻凤州,程松求援于吴曦,曦绐言当发三千骑往,松信之。及曦受金诏,自称蜀王,宣言金使者欲得阶、成、和、凤四州以和,驰书讽松使去,松不知所为。会报金兵至,百姓奔走,自相蹂躏。乙亥,松亟趋米仓山而遁,自阆州顺流至重庆,以书抵曦丐赆礼,称曦为蜀王。曦以匣封致馈,松望见,疑为剑,亟逃奔,使者追与之,乃金宝也。松受而兼程出峡,西望掩泪曰:"吾今始获保头颅矣!"

宝谟阁待制彭龟年卒。龟年学识正大,忠君爱国之忱,先见之识,敢言之气,皆人所难。晚既投闲,悠然自得,几微不见于颜面。

是岁,蒙古诸部长尊立特穆津为皇帝,建九斿白旗,即位于鄂诺河之源,诸部长共上尊号曰青吉斯皇帝。蒙古主首命穆呼哩、博尔济为左、右万户,从容谓曰:"国内平定,汝等之力居多。我与汝,犹车之有辕,身之有臂也。汝等切宜体此,勿替初心。"

先是蒙古主宗亲咸辅堪汗为金所戕,尝欲复仇。会金降俘具言其主暴虐,乃定议伐金,然未敢轻动也。遂举兵复伐奈曼,擒博啰裕汗以归。迪延汗子库楚类汗与托克托奔额尔迪实河。

【译文】

宋纪一百五十七 起甲子年(公元 1204 年)四月,止丙寅年(公元 1206 年)十二月,共两年有余。

嘉泰四年 金泰和四年(公元 1204 年)

夏季,四月,甲午朔(初一),命令内外诸军详细考虑纯队法。

在镇江修建韩世忠的庙。

甲辰(十一日),知枢密院事许及之被罢免。当时宋金开战,韩侂胄想让许及之守建康,许及之推辞不去,于是被罢免。

赈济江西遭了水、旱灾的州县。

丙申(初三),金国制定了县令以下的考核办法。庚子(初七),增定关防奸细法。

乙巳(十二日),任命张孝伯为参知政事;赐吏部尚书钱象祖进士出身,任命他为同知枢密院事。

丙午(十三日),金国制定衣服的等级制度。

甲寅(二十一日),金国因为久旱,下罪己诏,避正殿,减膳,撤乐,免除遭受了旱灾的州县的徭役和今年的夏税,派官员审决囚犯,平反冤案。乙卯(二十二日),金国宰执大臣上表待罪。金章宗下诏回答说:"我的行为有过失,上天显示异常现象。你们各自做好本职工作,想着不要辜负我的期望。"

丙辰(二十三日),下诏说:"要严厉革除科举考试时走后门的弊病,有随意递书信以及接受私人信不报告的,严加惩处。"

壬戌(二十九日),金国万宁宫端门发生火灾。

五月，癸酉（十一日），金国平章政事图克坦镒、尚书右丞完颜匡被罢免。

甲戌（十二日），下雨。

此前金国御史中丞孟铸上奏说："今年天旱，已快五月份了，等到下雨时，恐怕会错过播种日期。可依照种麻种菜的方法，选择地势稍微低洼的地方，平整土地种谷，掘地挖井，因地制宜施行灌溉。"金章宗采纳了这个建议。区种法从此开始。

乙亥（十三日），下诏说："诸军主帅各自举荐部下的将才三人，实际才能与举荐时不相符的依法治罪。"

癸未（二十一日），追封岳飞为鄂王。岳飞以前赐过谥号，这时韩侂胄要激励诸将，便追封他。不久追封刘光世为鄜王，赠授宇文虚中少保官衔。

六月，壬辰朔（初一），金国取消官员兼职的俸禄。

丙申（初五），设置诸军帐前雄校，由军官的子孙担任。

金代人物砖雕

壬寅（十一日），诏令侍从、台谏、两省集中讨论裁抑滥赏。

乙巳（十四日），金国开始祭中雷。

壬子（二十一日），诏令沿江四川军帅训练军队检查装备。

丁巳（二十六日），增庐州强勇军为千人。

秋季，七月，甲子（初三），因为发生旱灾，诏令大理、三衙、临安府、两浙及诸路判决狱中囚犯。

戊辰（初七），金章宗到衍庆宫朝献。

己巳（初八），免除内外诸军拖欠的营运息钱。辛未（初十），免除两浙州县中缺雨州县拖欠的租。

戊子（二十七日），命令诸路提刑、提举司实行保伍法。

八月，金国大理丞姬端修被罢免，因为议论知大兴府赫舍哩执中的罪时措词不当。赫舍哩执中审问魏廷实一案，魏廷实没有罪却使他家破产，人们认为他冤枉。御史台请将此案移交给他们审理,赫舍哩执中说还没结案,御史台要他马上办移交,交给大理寺评议。姬端修说赫舍哩执中话中涉及私人感情,应当治罪。诏令因为姬端修的看法是出于个人成见,降低一级官阶,解除官职。不久令吏部侍郎李炳等调查,李炳等认为御史台有理,金章宗只好痛责赫舍哩执中。孟铸上疏弹劾他说:“京师是百郡之首,四方的榜样。知府赫舍哩执中,贪婪残忍胡作非为,不守法令,自从奉圣州的罪被饶恕以后,坚持错误不知悔改,蒙朝廷的恩德,反而变得骄横跋扈。在雄州诈夺别人的马;在平州冒领俸禄;无故使魏廷实家破产,挖他的祖坟;拜表时,因为玩猎鹰不去;祈雨时,与妓女嬉戏,殴打辱骂同僚,擅自令他人停职,有失师帅的体统。”金章宗因为赫舍哩执中曾是东宫护卫,很袒护他,对孟铸说:“他是个粗人,似乎是跋扈了一点。”孟铸说:“圣明的天子在上,怎能容忍跋扈的臣子!”金章宗省悟,就罢免了赫舍哩执中知府的职务,改任武卫军都指挥使。

丁酉(初七),金国任命右丞相崇浩为左丞相,任命尚书右丞布萨揆为平章政事,任命参知政事孙即康为尚书右丞,任命御史大夫布萨端为尚书左丞,任命吏部尚书通吉思忠为参知政事。

己亥(初九),陈自强等献上《皇帝玉牒》。

癸丑(二十三日),金国任命西京留守崇肃为御史大夫。

此前,金国因为发生旱灾征求直言。癸卯(十三日),尚书省上奏说河南府卢显达、汝州王大材所讲的话,对皇上不尊敬,请因为他们是根据皇上的要求讲了直话而免除他们的罪;金章宗采纳了这个建议,并且遍告朝廷内外。

丁巳(二十七日),金国解除了围场远地的禁令,让百姓耕种、捕捉、砍樵,裁减教坊固定演员五十人,裁减渤海教坊固定演员三十人,裁减文绣署女工五十人,放出一百六十名宫女。

戊午(二十八日),参知政事张孝伯被免职。

九月,丙寅(初七),金章宗到蓟州举行秋山游猎。

冬季,十月,丙申(初七),金国下诏说:“亲军年龄在三十五岁以下的,命令学习《孝经》《论语》。”

庚子(十一日),任命资政殿大学士、淮东安抚使张岩为参知政事。

当时让吴猎指挥湖北的军队,将赴任,拜见监石门酒库黄幹,向他请教军事方面的问题。黄幹说:“听有人说欲大举进攻深入敌境。果真这样,必将失败。这是什么时候,可以发动进攻吗!”

这以前吴猎以户部员外郎的身份总领湖广、江西、京西财赋,知道韩侂胄将要北伐,荆襄必定会受到敌人进攻,就写信给当权者,请求号召义士保卫疆场,给了弟刺面后补充到军队里去,增强枣阳、信阳的防守以防备敌人进攻,分兵驻扎阳逻五关以拱卫武昌,杜绝偷越国境的现象以谨慎处理边界争端,选试良子弟保卫府库。从湖南运五十万石米到襄阳,又将湖北漕司的三十万石和籴米分别运到荆、郢、安、信四郡,储备了数以百万计的银帛,以备犒赏。提拔董达、孟宗政、柴发等人,让他们镇守各要郡。吴猎此时赴任,料想金国肯定会进攻襄阳,那么荆州就显得十分重要,于是修治了高氏三海,修筑了金銮、内湖、通济、保安四个蓄水库,向上游通到上海,向下游流入中海;筑了拱辰、长林、药山、枣林四个水库,直通下海;分散高沙、东奖的水流,由寸金堤外经南纪、楚望诸门,向东在沙市附近汇聚成为南海。又在赤湖城西南,遏制走马湖、熨斗陂的水流,在西北修了李氏水库,水势四合,可以阻止人马前进。高氏三海,是高保融割据荆南时,分开江流,贮水形成大湖泊,以阻止北方的骑兵。太祖统一天下,担心割据的人成为后世的祸患,就决开高氏三海将它废了。吴猎又修治,作为荆州的军事屏障。

癸卯(十四日),金章宗回到京城。

十一月,己未朔(初一),下诏说:"两淮、荆襄诸州,遇上荒年歉收奏请来不及时,可以先开仓赈济然后再申报朝廷。"

癸酉(十五日),金国树枝上结冰,共三天。

监察御史娄机知道韩侂胄执意要用兵,极力劝阻他,说:"恢复中原的名义不是不好。现今士卒骄逸,骤然将他们驱上战场,将才没有,军费不充足,万一兵连祸结,久久解决不了,怎么办?"韩侂胄不高兴,加紧了对北伐的谋划,外面的人无法知道。娄机又上疏极力劝谏:"密谋虽然没有人能够知道,但羽书一驰,中外惶惑。"侍御史邓友龙主张用兵,娄机质问他说:"现在谁可担任大将?谁能当谋士?即使让三衙长官担任,能保证他们可以胜任吗?"邓友龙哑口无言。

十二月,癸巳(初五),根据宰相陈自强请求,遵照孝宗时的制度,创立国有司,统一核算内外财赋。户部尚书李大性上奏讲明利害,说不应轻易举兵,忤逆了韩侂胄的心意,出任知平江府。于是任命陈自强兼国用使,费士寅、张岩同知国用事;勒索民财,州郡骚动。

己亥(十一日),诏令将明年改为开禧元年。

壬寅(十四日),禁止州县私自没收百姓的财产。

甲辰(十六日),第二次免除临安府百姓三年的丁身钱。

退休的少傅周必大去世,赐谥号文忠。

奈曼部首领迪延汗,心中忌恨蒙古特穆津,派人与白达勒达部首领阿喇呼斯商量说:"我听说东方有称帝的。天上没有两个太阳,百姓怎能有两个王呢?你如果在右侧帮助我,我将夺取他的弧矢。"阿喇呼斯就将这事报告特穆津,不久率部前来归顺。

这年,特穆津在特默格川举行盛大聚会,讨论攻打奈曼。众人认为正是春天马瘦时,应该等秋高马肥才是时候。特穆津的弟弟鄂齐坚说:"事在人为,早做决断,怎么能以马瘦为遁词!"奇尔固岱说:"奈曼要夺我的弧矢,这是小看我。我们应当同心协力。他依仗他国大而大言不惭,如果乘他不防备时攻击他,定会获得成功。"特穆津很高兴,说:"率领这样的军队去作战,担心什么不能取胜呢!"于是进兵。

迪延汗率各部军队到来,在杭爱山扎营。萨穆哈见蒙古军容整肃,对左右说:"奈曼当初举兵,把蒙古兵看得像山羊羔一样,意思是说打得它蹄皮不留。今天我看他们军队的气势,与过去大不相同了。"于是带着本部兵马逃跑了。

这天,特穆津与奈曼大战,到了午后,擒杀了迪延汗,各部人马一下子都溃散了,夜间,走险路,坠崖死的不可胜数。第二天,残部全部投降了;这时塔塔尔各部也来归降。不久又攻打默尔奇部,首领托克托投奔迪延汗的哥哥博噜裕汗,他的部下岱尔乌逊献女迎降;不久又叛逃,特穆津派兵平定了他。

开禧元年　金泰和五年(公元 1205 年)

春季,正月,癸酉朔(疑误),开始建立溆浦水军。

乙亥(十七日),金章宗诏令有司说:"自从泰和三年以来,我三次行幸各地郡县,百姓曾供应了物资的,免除今年一半的租税。"

丁卯(初九),金章宗到先春宫举行春水游猎。

壬申(十四日),金章宗到衍庆宫朝献。

丁丑(十九日),金国调山东、河北的军队和民夫改治漕渠。

二月,己丑朔(初一),金章宗说:"近年的制度,按察司以静镇而知大体为称职,以苛细而暗于大体为不称职。因此各路按察,因循苟且,不想检举揭发;郡县主官以贪污搜括为荣,无所顾忌。如此看来,如果纠察检举情况属实,百姓没受冤枉,能使一路安定的,算称职;那些只关心琐细小事,使百姓有冤无处申的,就是失职。"

癸卯(十五日),诏令国用司制定考核财赋收支的法规。

三月,庚申(初三),太白星白天出现。

金章宗回到京城。

癸亥(初六),金国重新规定两税输纳期限。

辛巳(二十四日),将淮西安抚司所招募的军命名为强勇军。

金国唐州抓获宋朝的特务,说韩侂胄在鄂州、岳州集结了军队,准备北伐。

癸未(二十六日),参知政事费士寅被罢免。韩侂胄想让费士寅镇守兴元,作为显示军威的开始,费士寅极力推却,于是被罢免。

金国群臣多次请求上尊号,这个月,又提起这件事,金章宗不同意。诏令侍讲学士张行简作批答,就此向张行简打听宋朝范祖禹作《唐鉴》论尊号的事,张行简回答说:"司马光也曾劝谏上尊号的事,但不如范祖禹讲得深切,认为这是臣子在皇帝还活着的时候就给皇帝加谥号,言词很惨切。"金章宗说:"你就用范祖禹的话答复他们。还告诉他们太祖虽有尊号,但太宗却未受尊号。"张行简请求允许不拘对偶形式,引用范祖禹的原话表达这个意思,金章宗听从了他的意见。

夏季,四月,戊子朔(初一),任命钱象祖为参知政事,任命吏部尚书刘德秀为签书枢密院事。

癸卯(十六日),任命江陵副都统李奕为镇江都统,任命皇甫斌为江陵副都统,兼知襄阳府。

金国的边境官员上奏说宋朝军队进犯秦州边界,还侵犯了巩州来远镇。癸巳(初六),金国命令枢密院照会宋朝,要宋朝遵守盟约撤走军队,不要让宋军进入金国境内。

甲寅(二十七日),武学生华岳上书,劝谏朝廷不应该调动军动挑起边境冲突,而且请求处决韩侂胄、苏师旦、周筠以向天下人表示歉意。韩侂胄十分生气,将华岳交给大理寺,押送到建宁编管。

五月,己巳(十三日),赐礼部进士毛自知以下四百三十三人进士及第、进士出身。毛自知答策论题时说,应当乘机平定中原,韩侂胄十分高兴,便录取他为第一名。

乙亥(十九日),诏令将卫国公赵㫛立为皇子,进封荣王。

甲申(二十八日),镇江都统戚拱,派忠义人朱裕联络弓手李全,焚烧了金国的涟水县。

李全,是潍州人,尖脑袋金鱼眼,有权谋智诈善于屈己待人,因为能跑马射箭步伐矫健,能舞动铁枪,人们称他为"李铁枪"。

金章宗听说宋朝将用兵,宣召大臣们讨论这件事。完颜承晖、孟铸及太常卿赵之杰都说:"宋朝刚打了败仗不久,自救不暇,恐怕不敢背弃盟约。"唯独完颜匡说:"他们设置忠义保捷军,取用前代的开宝、天禧为"开禧"作年号,怎能说忘了中原呢?"通吉思忠也说宋朝有违背盟约的迹象,金章宗认为言之有理,就任命平章政事布萨揆为河南宣抚使,整顿各路兵马以防备宋军进犯。

六月,辛卯(初五),诏令内外诸军秘密做好出发的准备。

戊戌(十二日),诏令诸路安抚司检阅禁军。

庚子(十四日),进封程松为资政殿大学士,任命他为四川制置使。

辛丑(十五日),淮东安抚使郑挺因擅自接纳金国人牛真以及袭击涟水军而犯罪,事情败露,降两级官阶,罢免官职。

壬寅(十六日),天上发出叫声。

恢复同安、汉阳、蕲春三监。

己酉(二十三日),金国制定了驻防军人逃亡以及在边境作战时失措战败被敌人掠走了人口的定罪办法。

秋季,七月,庚申(初五),根据陈自强及侍御史邓友龙的请求,诏令韩侂胄全权处理国家的军政大事,列朝时站在丞首的上首,每三天朝拜一次,到都堂处理政事。有人说韩侂胄职衔比吕夷简少个"同"字但地位更加尊崇,比文彦博少个"重"字但过问的政事更多更广,这时三省的官印都归他掌管。韩侂胄私自设立了机要室,甚至假作御笔,提拔或罢免将帅,没有人敢说他。

命令兴元都统司增招兵马。

丙寅(十一日),任命苏师旦为安远军节度使,领阁门事。

戊辰(十三日),赠封赵汝愚为少保。

壬申(十七日),金章宗到衍庆宫朝献。

己卯(二十四日),韩侂胄等献上《高宗御集》。

癸未(二十八日),让韩侂胄兼任国用使。

因为干旱,判决在押囚犯。

八月,丁亥(初二),命令湖北安抚使扩充神劲军。

辛卯(初六),金国撤销河南宣抚司。

起初,布萨揆到了开封,发来照会抗议宋朝破坏盟约,三省、枢密院回复说:"边境官员惹事,已被罢免,布置的军队也已调走。"布萨揆相信了。遇上殿前都指挥使郭倪,濠州守将田俊迈,引诱虹县百姓苏贵等作间谍,对布萨揆说:"宋朝增兵,原本是防备别的盗贼。到听说宣抚司建立,更加惧怕,不敢轻易撤走守备力量。因为他们都是普通百姓,自带干粮,贫病交加,死的人很多。"布萨揆更加放松戒备,将这个话报告了金章宗。群臣劝金章宗先发动进攻,金章宗说:"南北和好四十多年,百姓不了解战争,不可。"河南统军使赫舍哩子仁出使宋朝回来,说宋朝遵守双方签订的和约没别的意思。金章宗问完颜匡,完颜匡说:"赫舍哩子仁说得对。"金章宗说："你改变了主张吗?"完彦匡说："赫舍哩子仁守卫边疆,不惹事端。然而有备无患,关键在于陛下的明断。"金章宗认为他说得有理。听了布萨揆的话,就命令撤销宣抚司及临洮、德顺、秦、巩新近增设的弓箭手。

权礼部侍郎李壁,出使金国庆贺金章宗的寿辰,到扬州时,遇上朱裕攻破涟水,金国人很气愤,请求在边境上将朱裕斩首示众,诏令采纳这个建议。李壁到了中都,与金国人交谈,披肝沥胆,金国人的疑虑顿时消除了。李壁,是李焘的儿子。

癸巳(初八),下雨。

乙巳(二十日),任命郭倪为镇江都统,兼知扬州。

闰月,戊寅(二十四日),韩侂胄等献上《钦宗玉牒》。

九月,丁亥(初四),签书枢密院事刘德秀被罢免。

戊子(初五),金国中都北方的黑云中间,有一道火一样的红光,后来西南、正南、东南方都红了,有一道白光横贯其中。到半夜,满天红光,四更天才消失。

戊戌(十五日),宋军攻打金国的比阳寺庄,杀死副巡检阿哩恩腾嘉努。

甲辰(二十一日),火烧金国的黄涧,俘虏金国的巡检高颙。

韩侂胄想探听敌人的虚实,丁未(二十四日),派陈景俊出使金国庆贺新年。

任命邱崈为江淮宣抚使,邱崈推辞没接受任命。起初,韩侂胄将北伐的事情告诉邱崈,邱崈说："中原沦陷将近百年,对于我们来说固然是念念不忘;然而战争是残酷的,如果首先倡议这种不同寻常的举动,战争一旦打起来,胜负难以预料,那首先生事的责任,由谁来承担呢? 这中间必定有口出狂言贪图利禄的人,心存侥幸,应该立即加以斥退。否则,必定会贻误国家。"韩侂胄不听。这时命令邱崈任江淮宣抚使,邱崈亲自写信尖锐地指出："金国未必有意违背盟约,我国应当从全局着想,约束军队,使我国常有胜利的把握,如果是他们挑起战争,我国就有话可说了。"韩侂胄不高兴。

冬季,十月,甲子(十一日),江州守臣陈铸,因为天旱,画了瑞禾图进献;诏令降一级官阶。

丙寅(十三日),将嘉定府升为嘉庆军。

丁丑(二十四日),袭击金国的比阳,杀了军事判官萨都。

十一月,乙酉(初三),练成殿前司神武军五千人,屯驻扬州。

这一天,宋军攻入金国的内乡,攻击洛水南岸的商县,到丹河,被金国商州司狱寿祖打败。

丁酉(十五日),金国诏令山东、陕西的帅臣训练军队以便应付非常情况。还将十五万两银分给边帅,招募百姓侦察敌情,又派武卫军副都指挥完颜太平、殿前右卫副将军富察阿哩赶赴边疆,等宋军刚一入境,就设兵伏击。

金国任命张行简为顺天军节度使。临行前,金章宗问他说："你没治理过百姓,现在去保州,民间的情况,一下子难以熟悉,怎么治理他们才好呢!"张行简回答说："我奉行法令,不敢违背,官司案件,按情理审判,约束官吏,抑制豪强,休养生息,或许道出了其中万一吧。"金章宗说："赴任半年或一年后,将获得的体会告诉我。"张行简到保州,上书说："前些时检括官田交给军队,已经成了一定之规,却有人上告想另外拨给的,往往听从了他们的请求,至今未能完结;名为官田,实际上夺百姓的田给军队。夺彼与此,白白地造成争端。我所管辖的地区已拨三百多顷地给深泽县,又有人申说被水淹的和沙碱占了三分之一,什么时候才可定下来,我认为应当规定期限,不准再申报为好。"金章宗将奏章发给尚书省讨论,尚书省上奏请求如果确实有被水淹没的,察看核实以后改拨,至于沙碱瘠薄,应当以已拨给的为定;金章宗听从了这个意见。

宣召任命辛弃疾为知绍兴府,兼两浙安抚使,又晋封为宝文阁待制,他都推辞未接受;进封他为枢密都承旨,辛弃疾没接到这项任命就去世了。

王阮文才武略,曾任过濠州知州,请求恢复曹玮提倡的方田法、种世衡射法,经常关心加强防卫的事,这时改任抚州知州。韩侂胄平素听说过他的名气,特意宣召他入奏,准备用美差引诱他,夜里秘密派人去见他,王阮不答应,私下里对亲近的人说:"我听说公卿选择士人,士人也选择公卿。刘歆、柳宗元因为错误地追随过不适当的人,被后人耻笑。如今韩侂胄专权,我肯出入他的门下吗!"说完,生气地出了城。韩侂胄非常生气,降旨将他调任宫观官。

十二月,庚午(十八日),增招刺马军司弩手。

癸酉(二十一日),诏令永远免除两浙的身丁钱。

戊寅(二十六日),金国派赵之杰前来祝贺明年元旦,入宫朝见,态度很倨傲。韩侂胄请宋宁宗回宫,下诏让金国使者在元旦那天朝见。著作郎东阳人朱质上书请斩掉金国使者,没有答复。

这一年,蒙古特穆津进攻西夏,攻克拉吉哩寨,穿过罗索城,大肆抢掠一番就回去了。

开禧二年 金泰和六年,蒙古太祖称帝的元年(公元1206年)

春季,正月,癸未朔(初一),免除两浙路的身丁绸绵税。

丁亥(初五),到金国祝贺元旦的使者陈景俊辞行回宋朝,金章宗派孟铸到驿馆对他说:"大定初年,世宗答应让宋朝世世代代做侄儿国,我一直遵守到现在。哪里料想到你们国家经常有盗贼侵犯我国边境。因此我国派大臣宣抚河南。后来接到你国的公文,料想已罢黜生事的边境官员,撤走军队,我国就撤销了宣抚司;不久盗贼的侵扰却比以前更加严重了。群臣都说你们国家违背盟约,我想到两国间和好已很久了,委曲包涵,恐怕侄儿宋朝皇帝或许还不详细了解,你回国,应当详细讲明。"金章宗根本无意动武,因此再三申述。陈景俊回国,将这事告诉陈自强,陈自强要他别对人说,从此用兵的意志更加坚决。

成吉思汗像

癸巳(十一日),因为金国使者傲慢无礼,馆绊使、副使以下的官员分别给以降职处分。

乙未(十三日),将太学丙舍生增加到一百二十人。

丙申(十四日),吴曦派兵围攻抹熟龙堡,被金国将领富鲜长安打败。

辛丑(十九日),将国用司改名为国用参计所。

丁未(二十五日),金主举行春水游猎。

庚戌(二十八日),西河州守将约金国陕西统军判官完颜固喇、巩州兵马钤辖完颜齐锦在边境相会,埋伏了军队袭击他们,杀死金国木波长赵彦雄等七人。完颜固喇的马陷在泥淖中,被流矢射中,完颜齐锦只身投脱。

辛丑(二十九日),下诏说:"坑户将钱销毁为铜的决不赦免,还要没收他的家产。特此规定。"

当时因为举人考试时舞弊现象严重,命令诸道漕司、州、府、军、监,凡是向朝廷推荐举人,合格试卷以及姓名,分类申报礼部。举人与考官,凡是缌麻以上的亲戚和大功以上姻亲之家,都必须回避。只有皇帝亲临的殿试,称为天子门生,即使是父亲、哥哥当考官也不需回避。

此月,雅州蛮人高吟师侵扰边境,派官军讨伐他。

西夏镇夷郡王李安全,废掉西夏皇帝李纯佑而自立为帝。李纯佑在被废黜后的住所去世,终年三十岁,谥号昭简皇帝,庙号桓宗,陵墓称为庄陵。李安全,是李崇的孙子,越王李仁友的儿子。

乙卯(二月,初四),因为发生了火灾,撤乐,避正殿。

丁巳(初六),因为长期降雨,命令判决在押囚犯。

甲戌(二十三日),孟铸对金章宗说:"提刑改为按察司,又派官员复察,权力小了威望低了,对于施政不利。"交尚书省议论,贾铉说:"按察使既然派了监察官员前去查访,又派官复查,确实繁琐多余。请求从今以后派监察官员去查访时,顺便派有关官员一同前往,不必再复查。那些疑案就令按察使依法秉公判决。"这个建议被采纳了。

己卯(二十八日),宋宁宗又驾临正殿。

二月,癸丑(初二),寿慈宫发生火灾,太皇太后移居大内。

三月,癸巳(十二日),任命程松为四川宣抚使,吴曦为宣抚副使。程松将衙门移到兴元以东,指挥三万军队;吴曦进驻河池以西,指挥六万军队,还主管财政赋税,监督计司。吴曦从此更加独断专行,程松不能过问。程松刚到四川时,要按执政大臣的礼节接见吴曦,责令他在庭中行参拜礼;吴曦听了,到程松的辖境就返回了。程松调用一千八百东西军自卫,吴曦抽调走了一大部分,程松不省悟。知大安军安丙,向程松讲有"十可忧",不久,程松在汉中设衙门,夜里,请安内谈话,安内给程松讲了"吴曦必将贻误国家"的话。安内,是广安人,曾经是吴挺的幕僚,对吴曦一贯很了解,程松也不省悟。

乙巳(二十四日),参知政事钱象祖被罢官。

韩侂胄坚决要求用兵,钱象祖坚持不同意,就以心怀奸诈逃避责任的罪名将他罢免。不久将他降两级官阶,押送到信州居住。

己酉(二十八日),知处州徐邦宪入京求见,请册立太子,并要大赦天下停止用兵;侍御史徐柟弹劾他将他罢免。

雅州蛮人进犯碉门砦,知砦曹琦拆断桥梁,断了蛮人的归路,蛮人大肆抢掠,制置司委派卢操代理知砦。又派通判汉州张师夔同知雅州,节制军马;张师夔曾经献十条安边的策略,因此这次任用他。后来写檄文要蛮人投降,高吟师见檄文措辞粗俗拙劣,笑着将它丢到地上。夏季,四月,壬子(初一),张师夔领兵驻扎始阳,蛮人害怕,想归降,寨中守将彭安不准许,决定关闭寨门困住蛮人。蛮人大怒,攻打寨门,还抢掠了水渡村,绵州军校屈彦对卢操说:"敌人现在没有防备,可开门打败他们。"卢操说:"上司只命令防备阻击,怎么能够生事呢?"张师夔见事情紧急,带三百兵自卫,退回雅州。敌人就焚烧碉门,官军失利,准备将张谦战死。

丙辰(初五),金国亳州同知防御史圣贤努,听说宋朝军队围攻寿春,率领步兵骑兵六百前去驰援,宋军撤退。

癸亥(十二日),金国河南统军使赫舍哩子仁上奏说:"间谍报告说皇甫斌派兵四万计划夺取唐州,派三万人计划夺取邓州,因此不能不有所防备。"就将郑、汝、阳翟的军队集中到昌武,让南京副留守兼兵马副都总管赫舍哩毅指挥;将亳、陈、襄邑的军队集中到归德,让河南路副统军图克坦铎指挥;自己率领一支军队驻守开封。还决定将山东西路军七千交统军赫舍哩执中指挥,驻扎大名,河北东、西路军一万七千人屯驻河南,都配备战马,将军中的老弱士兵换掉。"金章宗都听从了。

甲子(十三日),任命京湖宣谕使薛叔似为湖北、京西宣抚使,任命御史中丞邓友龙为两淮宣谕使。

颁布纳粟补官的法令。

程松派兵进攻天水界,到东柯谷,被金将刘铎打败。

金章宗诏令大臣讨论南伐的事。左丞相崇浩、参知政事贾铉说:"宋朝边防部队狗盗鼠窃,不是大举进攻。"尚书左丞布萨端说:"小股敌人应当昼伏夜出,怎么敢白天列阵,进犯灵璧,攻入涡口,围攻寿春呢?这是宋人想多方面迷惑我们。不早做打算。一旦敌人大举进攻,就会中他们的诡计。"金章宗认为很有道理。丙寅(十五日),诏令布萨揆在开封设行省,准许灵活处理有关情况。将诸路应服兵役的人全部征入军队,分别防守各地要害。

戊辰(十七日),任命吴曦兼任陕西、河东路招抚使。

己巳(十八日),调三衙兵加强淮东的防卫。

代理礼部侍郎李壁上奏说:"秦桧首倡和议,使臣子不敢讲父兄百世的深仇大恨,应该立即追贬秦桧以向天下人表明他的罪过。"庚午(十九日),取消秦桧的王爵,改谥为缪丑。制诏中说道:"战争归入五材之中,谁能取消他!带头放松边疆防备;臣无二心,这合乎天道,怎么忍心忘记君父的仇恨呢?"又写道:"一时放纵敌人,就留下了几世的隐患;中原故土百年以来沦为废墟,谁来承担这一责任。"这几句话被传诵一时。

乙亥(二十四日),任命郭倪兼山东、京、洛招抚使,鄂州都统赵淳兼京西北路招抚使,皇甫斌兼京西北路招抚副使。

郭倪派武义大夫兖州人毕再遇和镇江都统陈孝庆攻取泗州,限期进兵。金国人听说了,关闭榷场和城门作为防备。毕再遇说:"敌人已经知道我军渡河的时间了。兵不厌诈,应当提前一天,出敌不意。"陈孝庆听从了他的,丁丑(二十六日),进兵直逼泗州。泗州有东、西两城,毕再遇命令将兵器军旗、战船摆放在石呞下,好像准备攻打西城,自己亲自率兵从陡峭的山间小路直趋东城南角,率先登城杀敌。金军大败,从北门逃跑。西城还在顽抗,毕再遇站在大将旗下,喊道:"我,是大宋的毕将军,中原遗民可快快归降。"不久有淮平知县缒城乞降,于是两城都被攻克。郭倪来慰劳将士,拿出御宝刺史牙牌授给毕再遇。毕再遇说:"国家黄河以南有八十一州,如今攻下了泗州的两城,就得一刺史,接着攻下了其他地方又拿什么赏给我呢?"坚决推辞不接受。

江州统制许进光复新息县,光州忠义人孙成光复褒信县。

五月,辛巳朔(初一),陈孝庆光复虹县。

吴兴郡王赵抦去世,追封为沂王,谥号是靖惠。

癸未(初三),禁止边郡官吏擅离职守。

丙戌(初六),江州都统王大节领兵攻打蔡州,没有攻下,宋军败退。

丁亥(初七),韩侂胄听说已经攻克泗州以及新息、褒信、颍上、虹县,便请求宋宁宗下诏对金国宣战,宣战诏书是直学士院李壁起草的。起初,兵部侍郎叶适与宋宁宗面谈,曾说:"甘于软弱可欺而又侥幸安乐的国家必然会衰落,改软弱而变得坚强的必然会兴盛。"韩侂胄听了便夸奖他,让他担任直学士院,想让他草拟诏书以便感动朝廷内外,叶适称有病而辞职,于是改为任命李壁。

戊子(初八),金国任命平章政事布萨揆兼左副元帅,任命陕西兵马都统使完颜充为右监军,任命真定府事乌库哩谊为右都监。

辛卯(十一日),金章宗认为宋军正势力强劲,东北新调来的军队、河南的军队不能支持,命令河北、大名、北京、天山的一万五千军队进驻真定、河间、清县等地作为策应。

壬辰(十二日),金章宗对尚书省说:"如今国家正处在多事之秋,凡是议论军国大事,五品以上的官员,按顺序上奏,我准备亲自问他,六品以下的官员,将意见写成帖子呈上来。"

癸巳(十三日),金国任命枢密副使完颜匡为右副元帅。

马军司统制田俊迈攻入蕲县,金国的布萨揆对众将说:"符离、彭城,是齐、鲁的屏障。如果符离弃守,就会丢失彭城。彭城陷落的话,齐、鲁就会危险。"于是派纳兰邦烈、穆延斯贲塔率三千精锐骑兵防守宿州。田俊迈率军去偷袭,被金军打败。甲午(十四日),池州副都统郭倬,主管军马行司公事李汝翼,率军五万跟进,于是包围了宿州,发动猛攻,城中箭如雨下,宋军无法接近。遇上淫雨连天河水泛滥,宋军露天扎营非常疲劳困倦,纳兰邦烈派二百骑兵出击宋军阵后,突然出击,宋军一片混乱;穆延斯贲塔率骑兵踩宋军,杀伤几千人。田俊迈等连夜逃跑,金军追击,又大败宋军。郭倬抓住田俊迈送给金军,才得以逃脱。

郭倪派毕再遇攻取徐州,走到虹县,遇上郭倬、李汝翼的人马,为他们包扎伤口并探问情况。他们说:"宿州城下水很大,我军不利,统制田俊迈已被敌人抓住了。"毕再遇率军迅速进抵灵璧,遇上陈孝庆驻兵凤凰山,准备撤退,毕再遇说:"攻打宿州虽没取胜,然而胜败乃兵家常事,怎能挫伤自己的士气!我奉招抚的命令攻取徐州,从这里进军,宁愿死在灵璧的北门外,不愿死在南门外!"恰巧郭倪派人送信给陈孝庆,命令他班师回朝,毕再遇说:"郭、李兵败,金军必定会追击,我亲自率军抵抗。"金军果然以五千多骑兵分两路追来,毕再遇令一支二十人的敢死队坚守灵璧北门,亲自领兵冲击敌阵。金军看见他的战马,惊呼:"那不是毕将军吗?"于是就逃跑了。毕再遇手舞双刀,渡河追击,杀伤很多敌人,铠甲都被血染红了,追击了三十里。有个持双铁简的金将跃马向前,毕再遇用左刀格开金将的铁简,右刀向他的胁部砍去,金将堕马而死。各军从灵璧出发,毕再遇独自留下没有动,估计军队已经走了三十多里,就火烧了灵璧。将士们问道:"夜里不放火,现在放火,为什么?"毕再遇说:"晚上放火照见虚实,白天放火有烟尘看不见。敌人已败退,不敢追击,各军就能安全撤退不必担心。你们怎么知道兵易进难退呢?"于是退回泗州。毕再遇因立了功被任命为左骁卫将军。

甲辰(二十四日),京西北路招抚副使皇甫斌率军攻打唐州,被金国刺史乌克逊鄂屯打败。

兴元都统秦世辅进军到城固县,军队大乱。

甲午(十四日),诏令让宗室赵均作为沂王赵抦的后代,赐名为赵贵和。赵均的父亲是赵希瞿,是太祖的九世孙。

庚戌(三十日),太白星经过天空。

金章宗认为当时正在用兵,山东是重地,必须派大臣去安抚,就任命完颜守贞为济南府知府。完颜守贞不久就去世了,金章宗听了便悼念他,敕令有司致祭,助丧金、赏赐的财物都依照已故平章政事富察通的规格,赐谥号为肃。

吴曦阴谋占据四川后叛国投敌,与他的堂弟吴晛、徐景望、赵富、朱胜之、董镇等人日夜密谋,想派人向金国请求封赏。金国人也想引诱吴曦投降,让他从梁、益南下。

六月,金章宗赐给吴曦的诏书说:"宋朝自从赵佶、赵桓亡国后,赵构流窜江南,非法地自立为皇帝,在吴、会之间苟且偷生。当时你的祖父武安公吴玠,守卫两川,直到武顺王吴璘,都立有大功,本来应该世世代代当大帅,占有西部,长久作为藩镇,誓同山河,后代中即使有人犯了栾黡那样不服从命令的大罪,也应当享有十代人免罪的特权。然而威略震主的人自身危险,功盖天下的人反而得不到赏赐,自古以来都是这样,并不只是现在。你在四川大权独揽,已有几年,对你的猜疑已开始,进退维谷,派人代替不被接受,召你赴京又不去,君臣之间的情义,已同路人,犹如破桐的叶子,不能再合拢了,骑虎之势,实已难下。此事流传,我也听熟了,每一次想起,未尝不为你叹息,而你却无动于衷。况且你想想你辅佐宋朝的功劳,与岳飞相比怎么样?岳飞的威名战功,尽人皆知,一旦遭猜忌,就身遭惨祸,能不令人畏惧吗?因此聪明的人能顺应时势,与其自负功高,被人猜疑,战战兢兢常常担心保不住自己的脑袋,怎比得上把握机会,转祸为福,建立万世不朽的功劳呢?如今赵扩昏聩,受制于强臣,近年以来,忽然违背盟约,增加边境驻军,招引接收我方叛变逃亡人员。我为使生灵免遭涂炭,未立即实行讨伐,姑且有司送去照会,后又通过使者转告;但宋朝全然不顾道理,更加目中无人,侵扰我边境,剽掠我国的城邑。因此忠臣扼腕叹息,义士痛心疾首,人人同仇敌忾,勇气百倍。失道寡助到了这种地步,虽然想不亡国,做得到吗?我已分别命令虎臣,临江问罪,长驱并驾,飞渡有期,这正是英雄豪杰立功的好时期。你以英伟之姿,处在危险受猜疑的境地,必定能深刻认识天命,洞见事机。如果能按兵不动保住四川,不干扰我军的行动,使我军全力进军敌人的巢穴,而没有西顾之忧,那么整个四川,你素来占有,应当加以册封,一切依照皇统年间册封赵构的先例。如果还能顺流东下,助为掎角,那么旌麾所指的地方,全部交给你管辖。老天在上,我决不食言。现在送给你一钮金宝,送到了你就接受。"命令蜀汉安抚使完颜纲找机会施反间计诱降吴曦。

建康都统李爽,派兵围攻寿州,金国刺史图克坦羲坚守,宋军过了一个多月都没攻克。壬子(初二),河南统军判官奇珠及迈格等来增援,图克坦羲出兵策应,李爽大败。

甲寅(初四),韩侂胄因为师出无功,罢免了两淮宣抚使邓友龙,让邱崈代替他,驻节扬州。邱崈到了扬州,部署诸将,将三衙江上军全部调去分别防守江、淮之间的要害地区。韩侂胄派人来与他商量招收溃兵的事,并问自我解脱的办法,邱崈说应当昭明苏师旦、周筠等人轻率倡议兴兵的奸诈,惩治李汝翼、郭倬等丧师失地的罪行。邱崈想保全淮东的兵力,作为两淮的声援,于是上奏说:“泗州孤悬在淮北,驻扎的精兵差不多有两万。万一金军南出清河口并进入天长等城,那就会首尾中断。不如放弃它,退守盱眙。”这个策略被采纳了。因此王大节、李汝翼、皇甫斌、李爽等都因作战无功而被贬职。

雅州蛮人的叛乱没有平定,张师夔被免职,让通判遂宁府冯瑜暂时处理雅州的政务,兴元统领王钺领六千兵去讨伐蛮人。乙卯(初五),王钺攻入碉门,蛮人投降,只有高吟师没来投降。王钺派人晓谕他,他才出来,马上被捉住杀掉,一同被杀的还有六十三个首领。

金国开始设置急递铺,腰上系铃传递公文,每天行三百里。不是军情、黄河的汛情,不许用马。

丁巳(初七),金国下诏说:“彰德府的宋朝韩侂胄的祖坟,不准损坏,并且禁砍樵。”辛酉(十一日),金国诏令有司:“宋朝宗族居住的地方,分别申报,长官经常加以关照管理。”

戊辰(十八日),金国将寿州升为防御,任命图克坦曦为防御使。

韩侂胄出兵失利以后,开始觉得被苏师旦所害;喊来李壁一起饮酒,酒酣,提起苏师旦首先倡议出兵的事。李壁指出他的一些小过错试探韩侂胄,后来又激烈地批评道:“苏师旦仗势揽权,使您受人指责,不将他流放贬职就无法向天下人交代。”韩侂胄觉得有理。秋季,七月,辛巳(初二),罢免了苏师旦,抄没了他的家产,过了十天,将他除名,押送到韶州安置。

起初,彭龟年听说苏师旦担任节度使,就说:“这是韩某的阳虎,他必定会使韩某遭殃!”不久听说将用兵,他又说:“祸患就应在这事上了!”竟然像他说的一样应验了。

宣召倪思担任试礼部侍郎兼直学士院。韩侂胄先写信献殷勤说:“国事到了这个地步,一代人所景仰的人,怎能专门以洁身自好作为贤德?”倪思回信说:“只怕粗鲁愚直不能顺应时势罢了。”当时赴召的人,还没与皇帝面谈时,一般先拜访韩侂胄。有人劝倪思依照惯例也去拜访,倪思说:“私门不能进,况且还没见皇上!”及入见,首先说言路不通:“自从吕祖俭被贬谪流放后,朝中士人不敢表忠心;从吕祖泰被编管以后,布衣不敢上书;学校的士子想吐露真情,担心被取消学籍,告诉他们上奏以前先将草稿呈上,谁肯披肝沥胆,冒犯当权者的威严! 近来的北伐,只有一、二人说不可行。如果没有出兵之前,群臣据理力争,详细讨论,不致轻举妄动。”又说:“苏师旦贪赃以亿万计,为什么不将他刺面或斩首以向三军致歉? 皇甫斌在襄、汉失败,李爽在淮河畔战败,秦世辅在蜀道溃败,都罪行严重但受处罚很轻。”又说:“士大夫寡廉鲜耻,奔走权门,甚至从门洞里爬进去,自称门生还不够,竟然有称对方为恩座、恩主甚至于恩父的,阿谀奉承和丰厚的贿赂,就更不用说了。”韩侂胄听了,非常生气。倪思出来后,对韩侂胄说:“公明有余而聪不足。堂上分析决断如流,这是明有余;被苏师旦蒙蔽,这是聪不足。周筠与苏师旦,狼狈为奸谋取私利,苏师旦已身败名裂,周筠还在。人们说犹如骑虎难下,这是李林甫、杨国忠晚年的情景。”韩侂胄毛骨悚然地说:“听都没听说过。”司谏毛宪弹劾倪思,倪思改任宫观官。

梁、洋义士统制毋思袭击和尚原,攻占了这里。

壬午(初三),雅州蛮人出来投降。

癸未(初四),商荣攻打东海县,被金国的完颜卜僧打败。败退时,商荣被乱箭射死。

甲申(初五),金国在衍庆宫举行朝献。

丁亥(初八),金国命令翰林直学士陈大任专修《辽史》。任命张行简为礼部尚书,兼侍讲,同修国史。秘书监进献《太一新历》,金章宗命令张行简予以校正。

甲午(十五日),统制戚春率水军攻打邳州,金国刺史完颜从正打败了他,戚春落水而死。

癸卯(二十四日),任命张岩为知枢密院事,任命礼部尚书李壁为参知政事。此前韩侂胄曾与朝中官员论人才,有人才难得的感叹,就说:"现在的侍从官中,薛象先沉稳有谋略,但太独断;邓伯允忠义激烈,但太轻浮;李季章通今博古,但太软弱。"象先,是薛叔似的字;伯允,是邓友龙的字;季章,是李壁的字。李壁出使金国回来,说不可动兵,因此韩侂胄认为他软弱。至此薛叔似、邓友龙都没有建功。便让李壁任执政大臣。

此月,魏国公留正去世,赐谥号为忠宪。

宝谟阁直学士杨万里去世。韩侂胄当权,想网罗四方名士,曾修筑南园,嘱咐杨万里为之作记,许诺让他任翰林学士。杨万里说:"官可以不做,记不能作。"听说韩侂胄用兵,急忙喊拿纸来,写道:"韩侂胄是奸臣,专权无视皇上,动兵害民,阴谋危害社稷。我头颅如此,报国无门,只有孤愤!"写完便去世了。

西夏镇夷郡王李安全让桓宗的母亲罗氏向金国上表,说李纯佑不能守国,与大臣议定,立李安全为王。金章宗赐罗氏诏书,询问她的意思,西夏人又让罗氏上表,于是册封李安全为夏国王。

八月,丁卯(十八日),在镇江将郭倬斩首。

辛未(二十二日),下诏说:"各州没有真实证据只有佐证材料的案子不准上奏请求裁决。"

程松派将领去攻打方山原,被金国元帅右都监富察贞打败。

壬申(二十三日),白天出现太白星,并且经过天空。

将淮东安抚使招募的军队编为御前强勇军。

乙亥(二十六日),金国赦免唐、邓、颍、蔡、宿、泗六州,免除明年租税的三分之一。

九月,辛巳(初三),金国富察贞攻占和尚原。

己丑(十一日),到景灵宫朝献。庚寅(十二日),到太庙朝献。辛卯(十三日),在明堂合祭天地,实行大赦。

戊戌(二十日),金国尚书左丞布萨端在开封设立行省。己亥(二十一日),户部侍郎梁镗在山东行六部尚书事。当时完颜守贞已经去世,金章宗起用张万公任知济南府、山东路安抚使。山东连年发生旱灾、蝗灾,沂、密、莱、莒、潍五州尤其严重。张万公因担心百姓因饥荒而作盗贼,应当预备赈济,而兵兴,国用不足,就请将僧、道度牒并盐引交给山东行部出粜,纳粟交换,又说督责有司拿出防范盗贼的方法,金章宗都听从了。

冬季,十月,辛酉(十四日),因将士暴露野外,停止瑞庆节的宴会。

金章宗召布萨揆赴京,密授军机,让他回军中以后,兵分九路南下:布萨揆领行省兵三万从颍、寿出发,元帅完颜匡领二万五千兵马出唐、邓,河南路统军使赫舍哩子仁领兵三万出涡口,左监军赫舍里执中领山东兵二万出清河口,左监军完颜充领关中兵一万出陈仓,右都监富察贞领岐、陇兵一万出成纪,蜀汉路安抚使完颜钢领汉蕃步兵一万出临潭,临洮路兵马都总管舒穆噜仲温领陇右步骑五千出盐川,陇州防御使完颜璘领五千兵出来远。

丙子(二十九日),赫舍哩执中从清河口渡过淮河,围攻楚州,宣抚使令知盱眙军毕再遇驰援,而让段政、张贵代守盱眙。金军得知毕再遇离开后,立即进攻盱眙,段政等惊慌溃散,金军攻占盱眙。毕再遇得知,回军夺取盱眙,才去。当时有七万金兵在楚州城下,三千人守淮阴粮草,还有三千艘载满粮的船停泊在大清河。毕再遇的谍报人员得知,说:"敌人有十路,难以力胜,用计可打败他们。"毕再遇派统领许俊从小路急趋淮阴,当晚二鼓天,悄悄摸到敌营前,各个带着火种隐伏在五十多辆粮车旁,听到哨声就点火。敌人惊慌四窜,活捉乌库哩帅勒、富察元努等二十三人。

十一月,辛巳(初四),金国的完颜匡击破枣阳军。

甲申(初七),任命邱崈为签书枢密院事,检查督导江淮军马。金军猛攻淮南,有人劝邱崈放弃庐州、和州,作防守长江的打算,邱崈说:"放弃淮河一线就与敌人共同占有长江天险。我准备与淮南共存亡。"就增兵防守。

金国的完颜匡进犯光化军以及神马坡,江陵副都统魏友谅突围后奔向襄阳。

乙酉(初八),招抚使赵淳火烧樊城。

金国的布萨揆领兵到淮河边,秘密派人测淮水,只有八叠滩可以渡河,就派鄂屯襄在下蔡炫耀武力,说要渡淮河。宋将何汝砺、姚公佐信以为真,将全军驻守在花黶加以防备。布萨揆就派完颜萨布等从八叠秘密渡过淮河,驻南岸。宋军不料金军会来,都溃散逃跑了,自相残踏死的人马不计其数。布萨揆于是夺取了颍口,攻下安丰军及霍邱县,并进攻合肥。

戊子(十一日),金军进犯庐州,田琳将其击退。

这一天,金将富察贞攻打湫池堡,攻占天水,大肆抢掠关外四州,吴曦置之不问。

己丑(十二日),金国尚书省上奏削减朝中官员以及承应人的月俸折支钱,因为战争的缘故。

乙未(十八日),任命湖广总领陈谦为湖北、京西宣抚副使。

丁酉(二十日),金军进犯旧岷州,守将王喜逃跑。

丙申(十九日),金将赫舍哩子仁攻破滁州。

乙巳(二十八日),金将富察贞攻破西和州。

金军攻破信阳军及随州,又围攻襄阳府。金章宗派人对布萨揆说:"前不久得到你的奏章,得知前锋部队已夺取颍口,另一支部队又夺取了安丰,杀敌的数目,或许要以万计。近段又在西线获胜,枣阳、光化已被我军攻占,樊城、邓城的敌军自行溃散。又听说随州全城归顺,山东的军队长期围攻楚州,陇右的军队克期出界,你领大军攻合肥。赵扩听了,料已破胆,丧魂落魄,想他的出路,乞和为上。过去我曾写信告诉你三件事,现在看来,横渡长江,也是时候了。淮南已被我军占领,以长江为界,理所当然。如果赵扩上表称臣,每年缴纳贡币,将罪魁祸首绑送来,归还从我国掠走的财物和战俘,也可以休战。你应当大造渡江的声势,使他们有必被灭亡的忧虑。然后答应他们的请求而饶了他们,让他们苟延残喘,怎么敢产生其他念头!你在此时经营江北,慰劳前来归降的安抚本地百姓,废除宋朝的暴政,派良吏安抚百姓,让精兵分守要害,虽未活捉赵扩,但我以前筹划的三件事,已经成功了。机会难得,你应努力!"

癸卯(二十六日),太皇太后赐钱一百万缗犒赏军士。诏令诸路招募禁军,以待调遣。

十二月,丁未朔(初一),金将布萨揆攻打和州,中军副统穆延斯赉塔被乱箭射死。穆延斯赉塔中等体形,但拳勇善斗,他用的枪有两丈长,军中称为"长枪副统"。又善于用手箭,箭长不盈握,常常将上百支箭,散放在铠甲中,遇敌抽箭,用鞭挥打射出,或用手指夹着飞掷,几支齐发,没有不中的,敌人认为很神奇。攻克安丰,激战霍丘、花靥,立了很多功,他死后,将士都惋惜他。

当时有一万五千宋军驻扎在六合,布萨揆侦察得知,就让右翼部队出击,杀敌八千,进驻瓦梁河,以便扼守真扬诸路要冲,于是将军队排得整整齐齐,沿江上下,到处竖起旗帜,江南受到很大的震动。

戊戌(疑误),金将完颜匡围攻德安府,另外派兵攻击安陆、应城、云梦、孝感、汉川、京山等县。

壬子(初六),金将富察贞攻破成州。

癸丑(初七),金军撤出和州。甲寅(初八),攻打六合县,郭倪派前军统制郭馔去增援,在胥浦桥与金军相遇,被打得大败,郭倪放弃扬州逃跑。郭倪轻率浮躁,平素以诸葛亮自许。他出兵时,陈景俊是随军漕,他对陈说:"木牛流马,就拜托你了。"听了的人窃笑。到多次战败,自己料想不能振作了,面对宾客流下了泪。法曹彭法当面讥笑他说:"这是带汁的诸葛亮。"不久被贬到南康军安置。

吴曦叛变前几个月,神思昏扰,夜里多次惊跳而起,睡梦中惊呼四顾,有时整夜失眠,心里很后悔,想不叛变。吴晛怂恿他说:"这事怎能半途而废呢?"金国完颜钢按照金章宗的命令想招降吴曦,进兵水洛,找到吴曦的族人吴端,让他任水洛城巡检使,派人告诉吴曦,吴曦反叛的意志便坚决了。然而因为程松在兴元,没敢起事,假说杖杀吴端而暗中派人向完颜纲送降书。到富察贞进入成州,吴曦自己火烧河池,退驻清野原。从此金军没有了顾虑。

己未(十三日),金将赫舍哩子仁攻破真州。当时真州有几万兵保卫河桥,布萨揆派赫舍哩子仁去进攻,分军从水浅处渡河,隐蔽地攻到宋军阵后。宋军大惊,不战自溃,被杀死二万多人,骑兵将领刘挺、常思敬、萧从德、莫子容被金军活捉,真州于是陷落了。士民奔逃渡过长江的有十多万,知镇江府宇文绍节马上准备船只帮助难民渡江,还发放食物给他们。

镇江副都统制毕再遇,在楚州与敌人相持,濠州、滁州相继失守,他对部下说:"楚州城防坚固兵力又多,敌人的粮草已空,担心的只是淮西罢了。六合最重要,敌人必定会全力进攻。"就率军赴六合。

金军驻在竹镇,离六合二十五里。毕再遇登城,不张旗帜不击鼓,将军队埋伏在南门,在城上排列了弓箭手;敌人冲近壕沟,万箭齐发,宋军出战,鼓声大作,城上树满旗帜,金军惊逃,大败。

金国散将完颜图拉等率十万骑兵驻扎成家桥、马鞍山,进兵将六合城重重包围,准备烧坝上的树木，决开濠水，毕再遇命令用劲弩将金军射退。后来赫舍哩子仁合兵加以猛攻，城中箭用完了，毕再遇令人张起青盖在城上来往走动，金军以为是宋军的主将，争先用箭射，一会儿，楼墙上集满了箭就像刺猬一样，共得了二十多万支箭。不久金军又增兵包围六合，连营三十里。毕再遇令在城门口奏乐以示闲暇，不时出奇兵攻击金军。金军日夜不得安宁，就退走了；毕再遇追到滁州，天降大雨大雪，就撤回了。当时金军围攻楚州已有三个月，连营六十里，毕再遇派部下分路出击，于是解除了金军对楚州的包围。

毕再遇又造了轻型铠甲，长不过膝，披不过肘，头盔也改轻了，用皮革作马甲，改用木作车牌，在它的下面设转轴，让一个人也能推动举起，军中认为很方便。

金军常常依靠水柜取胜，毕再遇夜里扎了几千个草人，给草人穿上甲胄，让它们手里拿着旗帜戈矛，站成一行一行的，天快亮时，擂响战鼓；金军惊慌失措，急忙放出水柜中的水。后来得知不是宋军来攻，心情很沮丧。宋军乘机出击，金军大败。

又曾引金军出战，宋军一会儿前进一会儿后退，连续多次，看看天色已晚，就用香料煮豆撒到地上，宋军又前去挑战，假装败退。金军乘胜追击，马饿了，闻到豆香，就吃起来，用鞭子抽都抽不跑；宋军反攻，金军死伤无数。

又曾与金军对垒，估计金军人数日益增多，难与争锋，有天晚上忽然撤离军营，在营中留下旗帜，把羊捆住，将羊的前足放在鼓上，击鼓出声；金军不知道宋军营垒已空，相持了几天，等到发现，想追击，宋军却已走远了。

当时诸将用兵都失败了，只有毕再遇多次立功。诏令他担任镇江都统，代理山东、京东招抚司公事。

当时吴曦已向金国表露了真心，但将士还不知道，还拼死作战，金军暗暗发笑。

吴曦退守鱼关，招集忠义之士，给以丰厚的赏赐以收揽人心，兴元都统制毋思领重兵防守大散关，吴曦因而撤走了蓍关的守军，令人从板桥分别出现在大散关后面；毋思孤军不能支撑，就溃散了。吴曦退到兴州的置口驻扎。举人陈国饬上书，说吴曦必定会叛变，韩侂胄不理会。

完颜纲派张仔与吴曦在置口相会，吴曦表露了愿意降金的心情，张仔要吴曦将宋朝颁赐的文告等交出来以便申报，吴曦将有关关防印信全部拿出来交给张仔，还献出了阶州。完颜纲就按照金章宗的命令，派马良显拿着诏书、金印，立吴曦为蜀王，吴曦秘密地接受了。

李好义在七方关打败了金军，吴曦不向朝廷报捷，回到兴州。这天晚上，天空红得像血，光亮照得大地如同白昼。第二天，吴曦召集幕僚说，东南失守，皇帝到了四明，如今应该暂且降金。王翼、杨骙之抗议说："这样的话，那相公忠孝八十年的门户，一下子就名声扫地了。"吴曦说："我的主意已经定了。"就派兴州团练使郭澄提举仙人关，派任辛向金国上表献出《蜀地图志》和《吴氏谱牒》。

金国的布萨揆想议和停战，有个叫韩元靖的人，自己说是韩琦的第五代孙，布萨揆派他渡过淮河。邱崈抓住了他，问他来干什么，韩元靖说："两国交战，北朝都说是韩太师的意思。如今相州的祖宗坟墓都保不住，因此前来投靠太师。"邱崈让他如实交代，他才说出前来讲和的意思，邱崈派人护送他回北方，让他了解金国的真实意图。韩元靖回去以后，邱崈得到了金国行省的文书，于是报告了朝廷。韩侂胄正因为出兵以来屡遭失败，对自己以前的决策十分后悔,拿出二十万家产资助军队,要邱崈拿着文书信件和钱物到敌营议和。邱崈就派陈壁充当小使者,拿着书信文件去见布萨揆,愿意停战和好。布萨揆说:"称臣、割地、交出主谋的大臣,才行。"邱崈又派王文前往说:"用兵是苏师旦、邓友龙、皇甫斌等提出的,不是朝廷的意思,如今三个人都已被贬斥罢黜。"布萨揆说:"韩侂胄如果不同意用兵,苏师旦等人怎么擅自决定呢?"王文回来,邱崈又相继派了使者赴金,并答应遣还淮北的流民以及今年进献岁币。布萨揆认为正是春天地方潮湿,不可久留,想让军队得到休整,就答应了。戊辰(二十二日),布萨揆从和州撤退到下蔡,只留一支军队驻守濠州。

庚午(二十四日),薛叔似、陈谦被罢免。薛叔似常想建功立业,到让他处理政事,无足称道,他管辖的郡大多陷落了,因此被免职。任命京湖北路安抚使吴猎为湖北、京西宣抚使。

恢复两浙围湖造田的做法,招募两淮的流民耕种。

壬申(二十六日),金国诏令完颜匡代理尚书右丞,行省事、右副元帅还是照旧。金章宗因为赫舍哩执中放纵部下掳掠,派人杖打他的属官,并诏令归还所抢掠的财物。

金将完颜绰哈攻凤州,程松向吴曦求援,吴曦骗他说派三千骑兵去驰援,程松相信了他。到吴曦接受金国诏书,自称蜀王,并说金国使者要得到阶、成、和、凤四州才准议和,派人送信给程松暗示他离去,程松不知所措。遇上有人报告说金兵来了,百姓奔逃,自相践踏。乙亥(二十九日),程松急趋米仓山逃跑,从阆州顺流至重庆,写信给吴曦向他索要礼物,称吴曦为蜀王。吴曦将礼物用匣子装了送来,程松一看,怀疑里面是剑,赶忙逃跑,使者追上将礼物给他,原来却是金宝。程松受了礼物后就日夜兼程出了三峡,望着西边擦着泪说:"我到现在才算保住了脑袋!"

宝谟阁待制彭龟年去世。彭龟年有学识人又光明正大,忠君爱国的赤诚,预见事物的见识,敢说直话的勇气,都是别人难以做到的。晚年赋闲,悠然自得,脸上毫无失意的神色。

这一年,蒙古各部首领拥戴特穆津称皇帝树立九穗白旗,在鄂诺河的源头即位,各部首领共上尊号为青吉斯皇帝。蒙古国主首先任命穆呼哩、博尔济为左、右万户,平静地说:"国内和平安定,你们出了很多力。我与你们,就像车与辕的关系,身与臂的关系。你们千万要体会这点,不要改变初衷。"

此前蒙古国主的宗亲咸辅堪汗被金国杀害,曾想报仇。遇上金国的俘虏详细讲述了他们的皇帝暴虐的情况,于是决定攻打金国,但又没敢轻率行动。于是举兵又去攻打奈曼,活捉博啰裕汗归国。迪延汗的儿子库楚类汗与托克托逃向额尔迪实河。

续资治通鉴卷第一百五十八

【原文】

宋纪一百五十八　起强圉单阏【丁卯】正月,尽屠维大荒落【己巳】十二月,凡三年。

宁宗法天备道纯德茂功　仁文哲武圣睿恭孝皇帝

开禧三年　金泰和七年,蒙古太祖二年【丁卯,1207】　春,正月,丁丑朔,两淮宣抚使邱崇罢。己卯,命知枢密院张岩督视江淮军马。

时金已有和意,崇上疏请移书金帅以成前议,且言金人既指韩侂胄为元谋,若移书,宜暂免系衔。侂胄大怒,以岩代崇。李壁力争,言崇素有人望,侂胄变色曰:"今天下独有一邱崇耶?"

金完颜匡进攻襄阳。先是匡进所掠女子百人。金主方喜于吴曦之降,赐匡诏曰:"陕西一面,虽下四州,吴曦之降,朕所经略。自大军出境,惟卿所部众力为多。今南伐之事,责成卿等,区区俘获,不足羡慕。彼恃汉水以为险阻,棰马而渡,如涉坦途,荆楚削平,不为难事。虽天佑助,亦卿筹划之效也。益宏远图,以副朕意。"匡得诏,遂进师,旋遣完颜福海败宋援兵于白石峪。

戊寅,金敕宰臣举材干官。

庚辰,以陈自强兼枢密使。

癸未,金人破阶州。

乙酉,金赠故寿州军士魏全官,赐钱百万。初,李爽围寿州,刺史徒单曦募人往斫营,全在选中,为爽兵所执。爽谓全曰:"若为我骂金主,免若死。"全至城下,反骂宋主,爽乃杀之。

戊子,金主召完颜纲赴中都,旋以为陕西宣抚副使,还军中。

辛卯,吴曦招通判兴元府权大安军事杨震仲,震仲不屈,饮药死。

甲午,吴曦遣将利吉引金兵入凤州,以四郡付之,表铁山为界。曦即兴州为行宫,改元,置百官,使人告其伯母赵氏。赵怒,绝之。叔母刘日夜号泣,骂不绝口。曦又遣董镇至成都治宫殿,分其所统兵十万为统帅,遣禄祁等戍万州,泛舟下嘉陵江,声言约金人夹攻襄阳。下黄榜于成都、潼川、利州、夔州四路,以兴州为兴德府,召随军转运使安丙为丞相长史,权行都省事。

吴晛为曦谋,宜收用蜀名士以系民心。于是陈咸自髡其发,史次秦自瞽其目,李道传、邓性甫、杨泰之悉弃官去。

吴曦所遣使郭澄等将归蜀,金主谕之曰:"汝主效顺,以全蜀归附,朕甚嘉之。然立国日浅,恐宋兵侵轶,人心不安,凡有当行事,已委完颜纲移文计议。"旋以同知临洮府事珠赫呼果勒齐为曦封册使,谕之曰:"卿以边面宣力,加之读书,蜀人识卿威名,勿以财贿动心,失大国体。"

金布萨揆有疾,丙申,命左丞相崇浩兼都元帅,行省于南京,以代之。

金主既杀其叔永蹈、永中,久颇悔之,尝以密札赐张行简曰:"朕念镐、郑二王,误干天常,自贻伊戚,藁葬郊野,多历年所,朕甚悼焉。欲追复前爵,备礼改葬,卿可详阅故事以闻。"行简乃具汉淮南厉王长、楚王英、唐隐太子建成、巢刺王元吉、谯王重福故事,并草诏以进。时永中已改葬,二月,丁巳,金主命复镐王永中、郑王永蹈爵,谥永中曰厉,其子瑜等仍禁锢。以周王永济子璪为郑王後。

己未,程松罢。以杨辅为四川制置使,吴曦逐之。

初,辅知成都,常言吴曦必反。帝意辅能诛曦,乃密诏授辅制置使,许以便宜从事。青城山道人安世道献书于辅曰:"世道虽方外人,而大人先生亦尝发以入道之门。窃以为公初得曦檄,即当还书,诵其家世,激以忠孝,聚官属军民,素服号恸,因而散金发粟,鼓集忠义,闭剑门,檄夔、梓,兴仗义之师,以顺讨逆。而士大夫皆酒缸饭囊,不明大义,尚云少屈以保生灵,何其不知轻重如此!此非曦一人之叛,乃举蜀士大夫之叛也。且曦虽叛逆,犹有所忌,未敢建正朔,杀士大夫,尚以虚文见招,亦以公之与否卜民之从违也。今悠悠不决,徒为妇人女子之悲,远近失望。区区行年五十二矣,古人言:'可以生而生,福也;可以死而死,亦福也;'决不忍污面戴天,同为叛民也。"辅有重名,蜀士大夫多劝举义兵,而世道之言尤切。辅自以不习兵事,且内郡无兵,迁延不发。曦移辅知遂宁府,辅以印授通判韩植,弃成都去。

以知建康府叶适兼江淮制置使。适谓三国孙氏尝以江北守江,自南唐以来始失之,乃请于朝,兼节制江北诸州,诏从之。时羽檄旁午,而适治事如平时,军须皆从官给,民以不扰,其防守皆尽法度。

庚申,以旱,诏决系囚。

癸亥,金主如建春宫;丙寅,还宫。

丁卯,罢江、浙、荆湖、福建招军。

戊辰,金平章政事兼左副元帅布萨揆卒于下蔡。丧归,金主亲临奠,谥武肃。揆体刚内和,与物无忤,临民有惠政。其为将也,军门镇静,赏罚必行。初渡淮,即命撤去浮梁,所至皆因粮于敌,无馈运之劳。未尝轻用士卒,与之同甘苦,人亦乐为用。

金完颜匡久围襄阳,士卒疾疫;会闻崇浩至汴,庚午,引师还。

辛未,蠲两淮被兵诸州租赋。

癸酉,金判平阳府事卫王永济改武定军节度使,兼奉圣州管内观察使。

监兴州合江仓益昌杨巨源谋讨吴曦,乃阴与曦将张林、朱邦宁及忠义士朱福等深相结。眉州人程梦锡知之,以告安丙。丙时称疾,未视事,乃属梦锡以书致巨源,延至卧所。巨源曰:"先生而为逆贼丞相长史耶?"丙号哭曰:"目前兵将,我所知,不能奋起。必得豪杰,乃灭此贼。"巨源曰:"非先生不足以举此事,非巨源不足以了此事。"会兴州中军正将李好义,亦结军士李贵、进士杨君玉、李坤辰、李彪等数十人谋诛曦。好义曰:"此事誓死报国,救四蜀生灵。但曦死后,若无威望者镇抚,恐一变未已,一变复生。"欲立长史安丙以主事,使坤辰邀巨源与会。巨源往与约,还报丙,丙始出视事。君玉与白子申共草密诏。

乙亥，未明，好义率其徒七十四人入伪宫。时伪宫门洞开，好义大呼而入曰："奉朝廷密诏，以安长史为宣抚，令我诛反贼，敢抗者夷其族。"曦卫兵千馀，闻有诏，皆弃梃而走。巨源持诏乘马，自称奉使，入内户。曦启户欲逸，李贵前执之，刃中曦颊。曦反扑贵仆于地，好义即呼王换斧其腰，曦始纵贵，贵遂斫其首，驰告丙。宣诏，持曦首抚定，城中市不易肆，尽收曦党，杀之。众推丙权四川宣抚使，巨源权参赞军事。丙陈曦所以反及矫制平贼便宜赏功状，上疏自劾，待罪，函曦首及违制法物与曦所受金人诏印送于朝。曦僭立凡四十一日。

先是韩侂胄闻曦反，大惧，与曦书，许以茅土之封，且召知镇江府宇文绍节问计。绍节云："安丙必能讨贼。"侂胄乃密以帛书谕丙云："若能图曦报国以明本心，即当不次推赏。"书未达而诛曦，露布已至，举朝大喜。

曦首至临安，献于庙社，枭之市三日。诏诛曦妻子，家属徙岭南，夺曦父挺官爵，迁曦祖璘子孙出蜀，存璘庙祀，珍子孙免连坐。

金珠赫呼果勒齐未至蜀而吴曦已诛，金主闻之，意殊沮，遣使责完颜纲曰："曦之降，自当进据仙人关，以制蜀命，且为曦重。既不据关，复撤兵，使安丙无所惮，是宜有今日也！"

三月，丁丑，斩伪四川都转运使徐景望于利州。

庚子，以杨辅为四川宣抚使，安丙副之，许奕为宣谕使。

金以完颜匡为左副元帅。

壬寅，四川宣谕使程松落职，筠州安置；寻徙澧州。

杨巨源、李好义谓安丙曰："曦死，贼破胆矣。关外西和、成、阶、凤四州，为蜀要害，宜乘势复取之；不然，必为后患。"丙从之。好义进兵，次于独头岭，会忠义及民兵夹击，金人死者蔽路。七日，至西和州，金将完颜钦遁去。好义整众而入，军民欢呼迎拜，好义籍府库以归于官。于是张林、李简复成州，刘昌国复阶州，张翼复凤州，孙忠锐复大散关。金巩州钤辖完颜阿实战死，金主命完颜纲撤五州之兵，退保要害。好义进趣秦州，军声大振，丙心忌之。

夏，四月，丙辰，金以赫舍哩子仁为右副元帅。

己未，以方信孺为国信所参议官，如金军。时韩侂胄募可以报使金帅府者，近臣荐信孺可使，自萧山丞召赴行在，命以使事。信孺曰："开衅自我，金人设问首谋，当以何词答之？"侂胄瞿然。信孺遂持张岩书以行。

丁卯，召杨辅还，以吴猎为四川制置使。时朝廷察安丙与辅异，召辅赴阙。辅抵建康，引咎不进。著作佐郎杨简言辅弃成都，不当召，遂命辅知建康。

戊辰，以资政殿学士钱象祖参知政事。

己巳，改兴州为沔州，以李好义为副都统制。

庚午，赠杨震仲官，仍官其子一人。

癸酉，金人复破大散关。安丙素恶孙忠锐，至是大散关失守，丙檄忠锐还，欲杀之，先命杨巨源偕李邦宁以沔兵二千策应。巨源至凤州，因忠锐出迎，伏壮士于幕后，突出杀之，及其子揆。丙遂以忠锐附伪表闻于朝。

五月，戊寅，诏："吴曦党李绅之等十六人，除名，编管两广及湖南诸州。"

己卯，金主幸东园，射柳。

辛卯，太皇太后谢氏崩。

戊戌，复以杨辅为四川制置使，召吴猎还。

李好义攻秦州，围皂角堡，金都统珠赫呼果勒齐以兵赴之。好义列陈山谷，以武车为左、右翼，伏弩其下，径前搏战，果勒齐御之。南师阳却，果勒齐追之，遇伏，不得前，乃退而结陈。好义麾众复至，凡五战，南师陈益坚。果勒齐患之，分骑为二，轮番出战；久之，潜遣兵自山驰下合击，南师陈动，士卒多死，好义乃解围去。

是月，金放宫女二十人。

六月，乙巳朔，金诏：“朝官六品、外官五品以上及亲王，举通钱谷一人，不举者罚，举不当者论如律。”

己酉，金以山东多盗，制：“同党能自杀捕者，官赏有差。”

戊午，金以乌库哩谊为元帅左监军，完颜萨喇为元帅左都监。

己未，李好义遇毒死。时吴曦旧将王喜，遣其党刘昌国赴西和州，听好义节制。好义与之酬酢，欢饮达旦，好义心腹暴痛死，昌国遁去。既殓，口鼻爪指皆青黑，居民号恸如私亲。朝廷虑喜为变，授节度使，移荆鄂都统制。既而昌国疽发死。

癸酉，安丙杀参议官杨巨源。初，吴曦之诛，实杨巨源、李好义首倡，安丙以劳绩上于朝，伪言以巨源、好义为首，实则独后二人。及奖谕诛叛诏书至沔州，巨源谓人曰：“诏命一字不及巨源，疑有蔽其功者。”俄报王喜授节度使，而巨源仅得通判，心益不平，乃为启以谢丙曰：“飞矢以下聊城，深慕鲁仲连之高谊；解印而去彭泽，庶几陶靖节之清风。”既又诉功于朝。或谓丙曰：“巨源谋为乱。”丙令王喜鞫其党，皆抵罪。时巨源方与金人战于凤山之长桥，丙密使兴元都统制彭辂收巨源，械送阆州狱，至大安龙尾滩，丙使将校樊世显取刀断其首，不绝者逾寸，遂以巨源自殪闻。忠义之士，闻者莫不扼腕流涕。剑外士人张伯威为文以吊，其辞尤悲切。李壁在政府，闻丙上巨源败状，叹曰：“嘻，巨源其死矣！”丙以人情汹汹，上章求免。杨辅亦谓丙杀巨源，必召变，请以刘甲代之。

秋，七月，己卯，封不傅为嗣濮王。

庚辰，金朝献于衍庆宫。

壬午，金诏：“民间交易典贸，一贯以上，并用交钞，毋用钱。”

大旱，飞蝗蔽天，食浙西豆、粟皆尽。乙酉，下诏罪己，命郡邑赈恤之。

金敕尚书省：“自今初受监察者，令进利害帖子，以待召见。”

甲午，金左副元帅完颜匡自许州还都。

八月，庚戌，金割汝州襄城县隶许州。

初，方信孺至濠州，赫舍哩子仁止之于狱，露刃环守之，绝其薪水，要以五事。信孺曰：“反俘、归币，可也；缚送首谋，自古无之；称藩、割地，则非臣子所敢言。”子仁怒曰：“若不望生还耶？”信孺曰：“吾将命出国门时，已置生死度外矣。”子仁遣至汴见元帅崇浩，出就传舍。崇浩使将命者来，坚持五说，且谓称藩、割地自有故事。信孺曰：“昔靖康仓卒割三镇，绍兴以太母故暂屈，今日可用为故事耶？请面见丞相决之。”崇浩坐幄中，陈兵见信孺，曰：“五事不从，兵即南下矣。”信孺辩对不少屈，崇浩叱之曰：“前日兴兵，今日求和，何也？”信孺曰：“前日兴兵复仇，为社稷也；今日屈己求和，为生灵也。”崇浩不能诘，授以报书曰：“和与战，俟再至决之。”

信孺还，诏侍从、两省、台谏官议所以复命，众议还俘获，罪首谋，增岁币五万，遣信孺再往。时吴曦已诛，金人气颇索，然犹执初议。信孺曰：“本朝谓增币以为卑屈，况名分、地界哉！且以曲直校之，本朝兴兵在去年四月，若移书诱吴曦，则去年三月也，其曲固有在矣。如以强弱言之，若得滁、濠，我亦得泗、涟水；若夸胥浦桥之胜，我亦有凤凰山之捷；若谓我不能下宿、寿，若围庐、和、楚，果能下乎？五事已从其三，而犹不我听，不过再校兵耳！"金人乃曰："割地之议姑寝，但称藩不从，当以叔为伯，岁币外别犒师可也。"信孺固执不许。崇浩遂密与定约，复命。

朝廷以林拱辰为通谢使，与信孺执国书誓草，及许通谢百万缗。至汴，崇浩怒信孺不曲折建白，遽以誓书来，有诛戮禁锢语，信孺不为动。将命者曰："此非犒军可了，别出事目以示之。"信孺曰："岁币不可再增，故代以通谢钱。今得此求彼，吾有陨首而已。"会蜀兵入大散关，崇浩益疑之，乃遣信孺还，复书于张岩曰："若能称臣，即以江、淮之间取中为界，欲世为子国，即尽割大江为界，且斩元谋奸臣，函首以献，及添岁币五万两匹，犒师银一千万两，方可议和好。"信孺还，致其书。韩侂胄问之，信孺言："敌所欲者五事：一，割江、淮；二，增岁币；三，索归正人；四，犒军银；五，不敢言。"侂胄固问之，信孺徐曰："欲得太师头耳。"侂胄大怒。

九月，庚戌朔，金左丞相兼都元帅崇浩卒于军，谥通敏。崇浩与布萨揆、穆延斯图赉皆金之宿将也，相继而殁。临战易将，兵家所忌，而宋人不知乘，举朝惴惴，以和议得成为幸，故金人每笑南朝无人。

壬午，方信孺以忤韩侂胄，坐用私觌物擅作大臣馈遗金将，夺三官，临江军居住。信孺三使，金人虽未许即和，然书问往来，亦不拒其请。信孺既贬，欲再遣使，顾在廷无可者，近臣以王柟荐；乃命柟假右司郎中，持书北行。柟，伦之孙也。

甲申，金以左丞布萨端为平章政事，封申国公。命完颜匡代崇浩统师于汴，晋平章政事兼左副元帅，封定国公。

乙酉，权攒成肃皇后于永阜陵。

辛卯，以殿前都指挥使赵淳为江淮制置使。乙未，张岩罢。韩侂胄闻金人欲罪首谋，意怀惭愤，复欲用兵，乃以淳镇江淮而罢张岩。岩开督府九月，耗县官钱三百七十万缗。

壬寅，祔成肃皇后神主于太庙。

是秋，蒙古再伐西夏，克斡啰该城。

冬，十月，乙卯，复珍州、遵义军。

丙辰，以边事诏谕军民曰："朕忧勤弗怠，敢忘继志之诚；寡昧自量，尤谨交邻之道。属边臣之妄报，致兵隙之遂开。第惟敌人阴诱曦贼，计其纳叛之日，乃在交锋之前，是则造端岂专在我！况先捐四州已得之地，亟谕诸将敛戍而还，盖为修好之谋，所谓不远之复，无非曲为于生民，讵意复乖于所约，议称谓而不量彼此，索壤地而拟越封疆；规取货财，数逾千万。虽盟好之当续，念膏血之难胶。当知今日之师，愧非得已而应，岂尤忠义，共振艰虞！"

辛未，金陕西宣抚使图克坦镒遣将攻下苏岭关。

先是，金大定中，定学校所习诸史，《五代》并用薛居正、欧阳修新、旧本。十一月，癸酉，诏："新定学令内削去薛居正《五代史》，止用欧阳修所撰。"

韩侂胄窃柄久，中外交愤，及妄开边衅，怨者益众。金人来索首谋，礼部侍郎史弥远，时兼资善堂翊善，密建去凶之策。皇后素怨侂胄，因使皇子荣王曮疏言："侂胄再启兵端，将不利于社稷。"帝不答，后从旁力赞之，帝犹未许；后请命其兄杨次山择群臣可任者与共图之，帝始允可。次山遂语弥远，得密旨。以钱象祖尝陈用兵忤侂胄，乃先白象祖。象祖许之，以告

3755

李壁,壁谓事缓恐泄,乃命主管殿前司公事夏震统兵伺之。乙亥,侂胄入朝,至太庙前,呵止于途,拥至玉津园侧,杀之。弥远、象祖以闻,帝犹未信;既乃知之,遂下诏暴侂胄罪恶于中外。盖其谋始于弥远,而成于杨后及次山,帝初无意也。论功,进弥远为礼部尚书,加震福州观察使。

自侂胄专政,宰执、侍从、台谏、藩阃皆出其门。尝凿山为园,下瞰太庙,出入宫闱无度。孝宗思政之所,偃然居之,老宫人见之,往往垂涕。颜棫草制,以为得圣之清;易祓撰答诏,以元圣褒之;余嘉请加九锡;赵师𡏇乞置平原王府官属;侂胄皆当之不辞。其嬖妾皆封郡国夫人,每内宴,与妃嫔杂坐,恃势骄倨,掖庭皆恶之。

初,侂胄为南海尉,延一士人作馆客,甚贤而文,既别,音问不通。侂胄当国,尝思其人,一日忽至,已改名登第有年矣,一见欢甚,馆遇极厚。尝夜阑酒罢,侂胄屏左右,促膝问曰:"侂胄谬当国秉,外间议论如何?"其人太息曰:"平章家族危如累卵,尚复何言!"侂胄愕然问故,对曰:"是不难知也。椒殿之立,非立于平章,则椒殿怨矣。皇子之立,非出于平章,则皇子怨矣。贤人君子自朱熹、彭龟年、赵汝愚而下,斥逐贬死不可胜数,则士大夫怨矣。边衅既开,三军暴骨,孤儿寡妇之哭声相闻,则三军怨矣。并边之民,死于杀掠,内地之民,死于科需,则四海万姓皆怨矣。丛是众怨,平章何以当之?"侂胄默然久之,曰:"何以教我?"其人辞谢再三。固问,乃曰:"仅有一策,主上非心黄屋,若急建青宫,开陈三圣家法,为揖逊之举,则皇子之怨可变而为恩,而椒殿退居德寿,虽怨无能为矣。于是辅佐新君,焕然与海内更始,曩日诸贤,死者赠恤,生者召擢。遣使聘金,释怨请和,以安边境。优犒诸军,厚恤死士,除苛解慝,尽去军兴无名之赋,使百姓有更生之意。然后选择名儒,逊以相位,乞身告老,为绿野之游,易危为安,其庶几乎!"侂胄犹豫不能决,欲留其人,处以掌故,其人力辞去。未几,祸作。

韩侂胄既死,钱象祖探怀中堂帖授陈自强曰:"有旨,丞相罢政。"自强即上马,顾曰:"望大参保全。"丁丑,贬自强永州居住。戊寅,贬苏师旦韶州安置。己卯,师旦伏诛。周筠杖脊,刺配岭外。诏:"奸臣窜殛,当首开言路以来忠谠,中外臣僚,各具所见以闻。"

辛巳,以邱崈为资政殿学士、知建康府。

贬邓友龙南雄州安置,旋徙循州。

乙酉,置御前忠锐军。

丙戌,以御史中丞卫泾签书枢密院事。

丁亥,立皇子荣王曮为皇太子,更名(愭)〔𫍢〕,寻又更名询。

戊子,贬郭倪梅州,郭僎连州,并安置,籍其家。贬李壁抚州居住。癸巳,贬张岩徽州居住。

金参知政事贾铉漏言指授事,金主谓铉曰:"卿罪自知之矣,然卿久参机务,补益良多,不深罪也。"戊戌,出为安武军节度使。

十二月,壬寅朔,金修《辽史》成。

癸卯,以邱崈为江淮制置大使。

以许奕为大金通问使。

丙午,金诏:"策论进士,免试弓箭、击球。"

己酉,落叶适宝文阁待制。庚戌,贬许及之泉州、薛叔似福州居住。再贬皇甫斌英德府安置。

癸丑，金人复破随州。

庚申，金以右丞孙即康为左丞，参知政事通吉思忠为右丞，中都路都转运使孙铎为参知政事。

辛酉，以钱象祖为右丞相，兼枢密事；卫泾及给事中雷孝友并参知政事；吏部尚书林大中签书〔枢密〕院事。

初，韩侂胄欲纳交于大中，大中不许，而上书极论其奸，因辞官屏居，绝口不及时事。侂胄当国，或劝其通问以免祸，大中曰："福不可求而得，祸可惧而免耶?"不听，凡十二年而复起。

甲子，太尉杨次山除开府仪同三司。次山谨畏，不敢以外戚自骄，人无恶之者。

乙丑，以礼部尚书史弥远同知枢密院事。

丙寅，赠吕祖俭朝奉郎、直秘阁，官其子一人。

丁卯，诏改明年为嘉定元年。

金山东安抚使张万公乞致仕，许之，仍给平章政事俸之半。寻薨，命依宰臣故事赙葬，谥文贞。万公淳厚刚正，门无杂宾，所荐引多廉让之士焉。

嘉定元年　金泰和八年，蒙古太祖三年【戊辰，1208】　春，正月，壬申，金主朝谒衍庆宫。

癸酉，金以左都监完颜萨喇为参知政事。

乙亥，安丙遣兵袭鹘岭关，败还。

丙子，金左司郎中刘昂等坐与蒲阴令大中私议朝政，下狱。孙铎进曰："昂等非敢议朝政，但如郑人游乡校耳。"金主悟，乃杖而释之。

戊寅，右谏议大夫叶时等，请枭韩侂胄首于两淮以谢天下；不报。

辛巳，下诏求言。

癸未，金主如春水。

丙戌，叶时复请枭韩侂胄首于两淮。

金主如先春宫。

壬辰，以史弥远知枢密院事。

权兵部尚书倪思求对，言："大权方归，所当防微，一有干预端倪，必且仍蹈覆辙。今侂胄既诛，而国人之言犹有未靖者，盖以枢臣犹兼宫宾，不时宣召。宰执当同班同对，枢臣亦当远权以息外议。"枢臣，谓史弥远也。

时方召娄机为吏部侍郎，机还朝，即言："惟至公可以服人。权臣以私意横生，败国殄民，今当行以至公。若曰私恩未报，首为汲引，私仇未复，且为沮抑，一涉于私，人心将无所观感矣。"

以许奕为大金通谢使。

二月，戊申，追复赵汝愚观文殿大学士，谥忠定。

以韩侂胄冒定策功，诏史官："自绍熙以来侂胄事迹，悉从改正。"

甲寅，金主如建春宫。

戊午，再贬程松宾州安置。

庚申，金谕有司曰："方农作时，虽在禁地，亦令耕种。"

己巳，金主还宫。

是月，柳州黑风洞寇罗世传作乱；招降之。

三月，癸酉，以毛自知首论用兵，夺进士第一人恩例。

戊子，复秦桧王爵、赠谥。当时用事者亟欲反韩侂胄之政，而不顾公议如此。

王枏至金，请依靖康故事，世为伯侄之国，增岁币为三十万，犒军钱三百万贯，苏师旦等，俟和议定后，当函首以献。完颜匡具以枏言奏于金主，命匡移书索韩侂胄首以赎淮南地，改犒军钱为银三百万两。会钱象祖移书金帅府，谕已诛韩侂胄事，枏未之知也。匡问枏曰："韩侂胄贵显几年矣？"枏曰："已十馀年，平章国事才二年矣。"匡曰："今欲去此人，可乎？"枏曰："主上英断，去之何难！"匡顾笑，和议始定，因遣枏还。

己丑，诏百官集议。倪思谓有伤国体。吏部尚书楼钥曰："和议重事，待此而决，奸究已毙之首，又何足惜！"因命临安府斫棺取首，枭之两淮，遂以侂胄及师旦首付枏送金师，以易淮、陕侵地。

初、方信孺为侂胄所贬，至是枏奏："和约之成，皆方信孺备尝险阻，再三将命之功，信孺当其难，臣当其易。每见金人，必问信孺安在，公论所推，虽仇敌不能掩也。乞录信孺功而蠲其过。"乃诏信孺自便，寻除知韶州。

庚寅，金主以与宋和谕尚书省。壬辰，金宰臣上表谢罪。

召江西常平提举袁燮为都官郎，迁司封。燮入对，言："陛下即位之初，委任贤相，正士鳞集，而窃威权者从旁睨之。彭龟年逆知其必乱天下，显言其奸，龟年以罪去，而权臣遂根据，几危社稷。陛下思追龟年，盖尝临朝太息曰：'斯人犹在，必大用之。'固已深知龟年之忠矣。今正人端士不乏，愿陛下常存此心，急闻剀切，崇奖朴直，一龟年虽没，众龟年继进，天下何忧不治！臣昨劝陛下勤于好问，而圣训有曰：'好问则明。'臣退与朝士言之，莫不称善。而侧听十旬，陛下之端拱渊默犹昔也，臣窃惑焉。夫既知如是而明，则当知反是而暗，明则光辉旁烛，无所不通；暗则是非得失，懵然不辨矣。"迁国子司业、秘书少监，进祭酒、秘书监。延见诸生，必迪以反躬切己，忠信笃实，是为道本。闻者悚然，士气益振。时史弥远主和，燮争益力。台谏劾燮，罢之，提举鸿庆宫。

临安大火，凡四日，焚御史台等官舍十馀所，民舍五万八千馀家，死者甚众。城中庐舍，十毁其七，百官多僦舟以居。民讹言相惊，无赖因而纵火为奸。

夏，四月，戊申，金禘于太庙。

庚戌，金主如万宁宫。时蒙古日强，特未尝与金绝，金主遂以为北边无事。甲寅，命东北路招讨使还治泰州，就兼节度使，其副招讨仍置于边。

丙辰，赠彭龟年宝谟阁直学士；落李沐宝文阁学士，寻贬信州居住。

戊午，再贬陈自强雷州安置，籍其家。

闰月，辛未，置拘榷安边钱物所，凡韩侂胄与它权幸没人之田及围田、湖田之在官者，皆隶焉。所输钱租，籍以给行人金缯之费。迨后与北方绝好，军需边用，每于此取之。

金翰林侍讲学士富察思忠，言使宋当慎择人。金主曰："思忠所言甚当，彼通谢使虽未到阙，其报聘人当先议择。此乃更始，凡有礼数，皆在奉使，今既行之，遂为永例，不可不慎也。"

甲申，诏："自今视事，令皇太子侍立。"

辛卯，以旱，祷于天地、宗庙、社稷。乙未，蠲两浙阙雨州县贫民通赋。命大理、三衙、临安府、两浙州县决系囚。丁酉，诏求直言。

五月，王柟以韩侂胄、苏师旦首至金，丁未，金主御应天门，备黄麾立仗受之，百官上表称贺。悬二首并画像于通衢，令百姓纵观，然后漆其首，藏军器库。遂命完颜匡等罢兵，更元帅府为枢密院，遣使来归大散关及濠州。

金主问右司郎中王维翰曰：“宋人请和，复能背盟否？”维翰曰：“宋主怠于政事，南兵佻弱，两淮兵后，千里萧条，其臣惩韩侂胄、苏师旦，无敢执其咎者，不足忧也。唯北方当劳圣虑耳。”

辛酉，赐礼部进士郑自成以下四百六十二人及第、出身。

丁卯，以蝗灾，诏侍从、台谏疏奏阙政，监司、守令条上民间利害。太子詹事娄机言：“和议甫成，先务安静，葺罅漏以成纪纲，节财用以固邦本，练士卒以壮国威。”俄迁礼部尚书。

金遣使分路捕蝗。

六月，金主谒谢于衍庆宫。

乙亥，参知政事卫泾罢。

癸未，金以许宋平，诏中外，免河南、山东、陕西等六路夏税，河东、河北、大名等五路半之。

甲申，签书枢密院事林大中卒，谥正惠。大中清修寡欲，退然如不胜衣；及遇事而发，凛乎不可犯。

丁亥，金以左都监乌库哩谊为御史大夫。

辛卯，以史弥远兼参知政事。

秋，七月，辛丑，诏吕祖泰特补上州文学。

乙巳，金朝献于衍庆宫。诏颁捕蝗图于中外。

癸丑，召江淮制置大使邱崈同知枢密院事，未至，卒。崈尝慷慨曰：“生无以报国，死愿为猛将以复仇！”

录用赵汝愚子奉议郎、知南昌县崇宪为籍田令，崇宪上疏力辞，以为：“先臣之冤未悉昭白，而其孤先被宠光，非公朝所以劝忠孝、厉廉耻之意。”俄改监行在都进奏院，又引陈瓘论司马光、吕公著复官事申言之，“乞以所陈下三省集议，若先臣心迹有一如言者所论，即近日恩典皆为冒滥，先臣复官赐谥与臣新命，俱合追寝。如公论果谓诬蔑，乞昭示中外，使先臣之谗谤既辨，忠节自明，而宪圣慈烈皇后拥佑之功德益显，然后申饬史馆，改正诬史，垂万世之公。”又请正赵师召妄贡封章之罪，究蔡琏与大臣为仇之奸，毁龚颐正《续稽古录》之妄，诏两省、史馆考定以闻。吏部尚书兼修国史楼钥等请施行如章，从之。

已而诬史尚未正，崇宪复言：“前日史官徒以权臣风旨，刊旧史，焚元稿，略无留难；今被诏再三，莫有慨然奋直笔者，何小人敢于为恶，而谓之君子者顾不能勇于为善耶？”闻者愧之。其后玉牒、日历所卒以《重修龙飞事实》进呈，因崇宪请也。

八月，辛巳，以礼部尚书娄机同知枢密院事，吏部尚书楼钥签书枢密院事。钥持论坚正，忤韩侂胄意，奉祠累年，至是与机同入枢府。值干戈甫定，信使往来，机裨赞之功为多。尤惜名器，守法度，进退人物，直言可否，不市私恩，不避嫌怨。

庚寅，金主如秋山。

甲午，发粟三十万石，赈粜江、淮流民。

九月，辛丑，金使完颜侃、乔宇入见。诏以和议成谕天下。中书议表贺，又有以此为二府功，欲差次迁秩。权兵部尚书倪思曰："澶渊之役，捷而班师，天子下诏罪己，中书、枢密待罪。今屈己以盟，奈何君相反以为庆？"乃止。

壬子，出安边所钱百万缗，命江淮制置大使司籴米赈济饥民。

史弥远渐作威福，倪思进对，因言："臣前日论枢臣独班奏事，恐蹈往辙。宗社不堪再坏，宜亲擢台谏以革权臣之弊，并任宰辅以防专权之失。"弥远闻而恚恨，思遂求去，出知镇江府。

召太学〔正〕浦城真德秀为博士。入对，首言："权臣开边，南北涂炭，今兹继好，岂非天下之福！然日者行人之遣，金人欲多岁币之数，而吾亦曰可增；金人欲得奸人之首，而吾亦曰可与；往来之称谓，犒军之金帛，根括归明流徙之民，皆承之惟谨，得无滋嫚吾乎？抑善谋国者，不观敌情，观吾政事。今号为更化，而无以使敌情之畏服，正恐彼资吾岁略以厚其力，乘吾不备以长其谋，一旦挑争端而吾无以应，此有识所为寒心。"又言："侂胄自知不为清议所容，至诚忧国之士，则名以好异，于是忠良之士斥而正论不闻；正心诚意之学，则诬以好名，于是伪学之论兴而正道不行。今日改弦更张，正当褒崇名节，明示好尚。"

召李道传为太学博士，迁太常博士兼沂王府小学教授。会沂府有母丧，遗表，官吏例进秩，道传曰："有襄事之劳者，推恩可也，吾属何预焉！"于是皆辞不受。迁著作佐郎，见帝，首言："忧危之言不闻于朝廷，非治世之象。今民力未裕，民心未固，财用未阜，储蓄未丰，边备未修，将帅未择，风俗未能知义而不偷，人才未能汇进而不乏，而八者之中，复以人才为要。愿陛下搜罗人才，以待天下未至之忧。"帝嘉纳之。

初，道传为蓬州学教授，吴曦党以意胁道传，道传弃官去，且贻书安抚使杨辅，谓曦可坐而缚。至是曦平，诏以道传抗节不挠，召入。执政有不喜道学者，道传略不为动。

甲子，金遣吏部尚书贾守谦等十三人与各路按察司推排民户物力。

乙丑，金主还都。

冬，十月，丙子，以钱象祖为左丞相，史弥远为右丞相，雷孝友知枢密院事，楼钥同知枢密院事，娄机参知政事。

陈晦草弥远制，用"昆命元龟"语，倪思叹曰："董贤为大司马，册文有'允执厥中'一语，萧咸以为尧禅舜之文，长老见之，莫不心惧。今制词所引，此舜、禹揖逊也，天下有如萧咸者读之，得不大骇乎？"乃上省牍，请帖改麻制，诏下分晰。弥远遂除晦殿中侍御史，即劾思藩臣，僭论麻制，镌职，罢之，自是思不复起。

诏："朱熹特赐谥，令有司议奏，仍与遗表恩泽一名。"

己卯，褒录庆元上书杨宏中等六人。

庚辰，封伯(祝)〔柷〕为安定郡王。

辛巳，蔡琏除名，配赣州牢城。

十一月，丁酉朔，金初设三司使，掌判盐铁、度支、劝农事，以枢密使赫舍哩子仁为之。诏诸路按察使并兼转运使。

癸卯，金主戒谕尚书省曰："国家之治，在于纪纲；纪纲所先，赏罚必信。今乃上自省部之重，下逮司县之间，律度弗循，私怀自便，迁延旷废，苟且成风，习此为恒，从何致理！朝廷者，百官之本；京师者，诸夏之仪。其勖自今，各惩已往，遵绳奉法，竭力赴功，无枉挠以徇情，无依违而避势，一归于正，用范乃民。"

丁未，金谕临潢、泰州路兵马都总管承裔等修边备。

金主得嗽疾，颇困，时承御贾氏、范氏皆有娠，未及乳月。会卫王永济自武定军来朝，金主无嗣，疏忌宗室，以永济柔弱，鲜智能，故爱之，欲传以位。朝辞之日，力疾与之击球，谓卫王曰："叔王不欲作主人，遽欲去耶？"李元妃在旁，谓金主曰："此非轻言者。"乙卯，金主疾革，卫王未发。元妃与黄门李新喜议立卫王，使内侍潘守恒召之。守恒曰："此大事，当与大臣议。"乃使守恒召平章政事完颜匡。匡，显宗侍读，最为旧臣，有征伐功，故独召之。匡至，遂与定策立卫王。

丙辰，金主殂于福安殿，年四十一。遗诏："皇叔卫王即皇帝位。"且曰："朕内人见有娠者两位，如其中有男，当立为储贰，皆男，则择可立者立之。"卫王承诏举哀，即皇帝位。

戊午，右丞相史弥远以母忧去位。

十二月，戊辰，左丞相钱象祖罢。

庚午，四川初行当五大钱。

升嘉兴府为嘉兴军节度。

戊寅，遣曾从龙使金吊祭。己丑，遣宇文绍彭使金，贺即位。

是冬，蒙古再伐托克托及库楚类汗。时斡伊喇部等遇蒙古前锋，不战而降，因用为乡导，至苏儿迪实河，讨默尔奇部，灭之，托克托中流矢死，库楚类汗奔契丹。

嘉定二年 金大安元年，蒙古太祖四年【己巳，1209】 春，正月，庚子，诏内外有司条陈节用事。

辛丑，金太史奏："飞星如火，起天市垣，有尾，迹若赤龙。"

金遣费摩正来告哀。

丁巳，以楼钥参知政事，御史中丞章良能同知枢密院事，吏部尚书宇文绍节签书院事。

钥上书曰："诸道置帅官，称安抚，兼兵民之权，有分阃之制，朝廷选择甚重。比来遇盗贼窃发，州县所不能制者，必使帅臣亲行，虽多成功，臣窃虑之。水旱、饥馑既不能免，则安保无潢池弄兵者？若自此以为故事，帅臣动辄临戎，恐非国家之长策也。神宗皇帝垂意边事，庙谟深远，乃熙宁九年，知成都府蔡延庆言，乞发陕西兵援茂州，候兵集自将以往，令转运司摄府事，诏以朝廷已遣将部兵，延庆务在持重，毋得轻去成都；元丰六年，河东经略司言西贼入麟州神堂寨，知州訾虎等领兵出战有功，诏虎自今毋得轻易出入，遇有边患，止令裨将出兵掩逐。神宗之虑深矣！盖帅守之臣，民之司命，一有失宜，众心易动。当令指授方略，调度军食，持重镇抚，以靖四方，虽有摧衄，根本不摇。若其轻出，利害甚大。盖帅臣之行，建牙郊野，堪战之士，咸在行陈，从行兵卒，必是单弱，而又随宜迁次，登陟险隘，脱有桀黠之盗，伏隐篁竹，乘间捷出以犯大帅之颜行，则贼势易张，国威难振，仓卒之顷，可胜言哉？"

庚申，诏："侍从、两省、台谏各举监司、郡守治行尤异者二三人。"

金遣富察知刚来，致遗留物。

壬戌，金改元大安，大赦天下，立元妃图克坦氏为皇后。

二月，己巳，金遣使来告即位。

庚午，黎州蛮蓄卜犯良溪寨，官军败绩。

壬午，诏："会子折阅日甚，侍从、两省以下各条上所见。"

丁亥，罢法科，试经义，复六场旧法。

金平章政事布萨端、尚书左丞孙即康奏："先帝承御贾氏，当以十一月免乳，今则已出三月。范氏产期合在正月,医称胎形已失。范氏愿削发为尼。"壬辰,金主以其事诏中外。寻封皇子从恪等六人为王。

金东京留守图克坦镒过阙入见,金主曰:"卿两朝旧德,欲用卿为相;太尉匡,卿之门人,朕不可屈卿下之。"迁开府仪同三司,充辽东安抚副使。

金以同知中都路转运使孟奎为博州防御使。先是奎上言:"亲民之寄,不宜轻其选。今吏部使武夫计资而得,权归胥吏,安望其澄吏治乎?宜参用士人,使纪纲其事。"及奎莅博州,裁断明决,下令:"凡属县事应赴州者,不得泊于逆旅,以防吏奸。"州人便之。

三月,甲辰,金葬宪天光运仁文义武神圣英孝皇帝于道陵,庙号章宗。大赦。以布萨端为右丞相。

己酉,诏:"民以减会子之直籍没家财者,有司立还之。"

戊午,禁两淮官吏私贾民田。

是春,辉和尔国降于蒙古。辉和尔,即唐之高昌也。

蒙古主入河西,夏主安全遣其太子率师拒战。败之,获其副元帅高令公,克兀剌海城,俘其太傅西壁氏。进至克夷门,复败夏师,获其将威明令公,薄其中兴府,引河水灌之,堤决,水外溃,遂撤围还。遣太傅额克入中兴招谕,夏主纳女请和。

夏,四月,戊辰,放庐、濠二州忠义军归农。

金主命议黄门李新喜罪,廷臣皆以为当诛。参知政事孙铎曰:"此先朝用之太过耳。"金主曰:"卿今日始言之,何耶?"既而复曰:"后当尽言,勿以此介意。"顷之,迁左丞,兼修国史。

庚辰,金主下诏暴章宗元妃李氏之罪,言:"章宗储嗣未立,李氏与其母王盼儿及李新喜谋,令侍御贾氏诈称有身,俟将临月,于李家取儿以入,日月不偶,则规别取以为皇嗣。章宗崩,谋不及行。又,章宗平昔或有幸御,李氏嫉妒,令女巫李定奴作纸木人、鸳鸯符以事魇魅,致绝圣嗣。今事既发露,遣大臣按问,俱已款服。有司议法当极刑;以其久侍先帝,令赐自尽。王盼儿、李新喜各正法;李氏兄安国军节度使喜儿,弟少府监铁格于远地安置;诸连坐并依律施行;贾氏亦赐自尽。"

初,完颜匡与李氏同受遗诏立卫王,匡欲专定策功,遂构杀李氏。数日,匡拜尚书令,封申王。左副点检乌库哩庆寿,坐与李新喜题品诸王,免死,除名。

金以皇子胙王从恪为左丞相,布萨端为右丞相,孙即康为平章政事,封崇国公。

戊子,赐杨震仲谥曰节毅。

五月,丙申,起复右丞相史弥远。弥远以母忧归治丧,太子请赐第行在,令就第持服,以便咨访。

丁酉,以旱,诏诸路监司决系囚,劾守令之贪残者。

戊戌,罗日愿谋为变,伏诛。日愿,江西人,以策干韩侂胄,借补训武郎,充忠义军统制。侂胄既诛,其党有获罪者,词连日愿,得宽免。日愿不自安,潜结党羽,欲伺史弥远起复过江,百官迎谒于浙江亭,举火为号,尽杀宰执以下官,突入大内,胁下诏书。部分已定,守阙进勇副尉景德常知其事,投匦上变。日愿磔于市,补德常为武德郎。弥远方辞起复,又别奏待罪,具言:"陛下昨诛元恶,臣获密赞,故其馀党切齿。"优诏答之。

辛丑,命州县捕蝗。

是月,金试宏词科。

六月,辛卯,以京湖制置使言,放诸州新军及忠义人归农。

秋,七月,乙未,诏:"荒歉州县,七岁以下男女,听异姓收养。著为令。"

癸卯,募民以赈饥免役。

八月,甲子,行铁钱于沿江六州。

乙丑,以安丙为四川制置大使,罢宣抚司。

丙戌,发米十万石,赈两淮饥民。

九月,己亥,朝献景灵宫。庚子,朝飨太庙。辛丑,合祭天地于明堂。

是月,金主如大房山,谒奠睿陵、裕陵、道陵。

冬,十月,己卯,金主诏戒励风俗。

丁亥,命京湖制置司募逃卒及放散忠义人以补其阙,因放散人聚而为盗故也。

十一月,辛卯朔,沔州统制张林等谋作乱,事觉,贷死,除名,广南羁管。

甲午,诏浙西监司募饥民修水利。

丙申,金平阳地震,有声如雷,自西北来。戊戌,又震,浮山县尤甚。

金翰林学士承旨张行简荐上京等路按察司杨云翼之才,且精术数,召授提点司天台,兼翰林修撰。

是月,郴州黑风峒寇李元砺作乱,众数万,连破吉、郴诸县,诏遣江、鄂、荆、池四州军讨之。

初,罗世传之降,峒中实苦乏食,而江西帅急欲以买降为功,遂馈之以粮,并饷以盐。贼喜,谋益逞,外虽送款,阴治器械,而主兵者更奏授以官爵。峒中义丁皆恚,曰:"作贼者得官,赴义者殒命,岂足以服人哉!"于是五合六聚,各以峒名其乡,元砺及陈廷佐之徒,并起为贼,江西列城皆震。

丙辰,知临安府徐邦宪免,以御史陈晦等论其不能区处饥民也。旋命兵部尚书赵师𥯤代之,学士蔡行之当草诏,奏言:"师𥯤为人与其行事,众耳目素具也,诏必有褒语,臣无词以草。"旋与行之外祠,卒用师𥯤。时师𥯤四为京尹矣。

十二月,壬戌,赐李显忠谥忠襄。

安丙遣统领官董炤、正将李实,以飞虎军二百戍雅州,讨蓄卜,复遣其子癸仲视师黎州。癸仲豫檄州备船筏干糗,为深入计。比至,遣实往安静相山川形势,实言蓄卜之碉,去大渡河二十里,入之易耳。飞虎军皆选士,锐欲进攻。癸仲大犒士众,令炤统飞虎军,实统禁军,合沿河诸寨士兵千馀人,甲子,昧爽,涉河,分为三部。山高箐深,积雪拥路,蛮人于山之要害立石珊以俟,官军或为所压。既而蛮人大呼突出,官军惊溃,逃入山谷,蛮人纵猎犬随之,尽为所掩。日暮,炤先遁归,实被围数日乃得脱。于是癸仲还黎州,炤留守安静。

乙巳,赐朱熹谥曰文。

乙亥,诏诸州毋籴职田租。

是月,金尚书令申王完颜匡薨。匡早受知于显宗,复侍章宗讲读,最亲幸,致位将相,怙宠自用,官以贿成。承安中,拨赐官口地土,匡乃自占济南、真、定、代州上腴田,百姓旧业辄夺之,及限外自取。章宗闻其事,不以为罪,惟用安州边吴泊旧放围场地、奉圣州在官闲田易之,以向自占者悉还百姓。及金主立,复专定策功,故金主优礼之。

3763

金进封越王永功为谯王。

金布萨端进左丞相，以右丞通吉思忠为平章政事，以御史大夫张行简为太子太保，召知兴中府事完颜承晖为御史大夫，知临潢府事完颜承裕为御史中丞。

初，蒙古主入贡于金，金主时为卫王，章宗使受贡于静州，蒙古主见卫王不为礼，卫王欲请兵攻之。会章宗殂，金主嗣位，有诏至蒙古，传言当拜受，蒙古主问金使曰："新君为谁？"金使曰："卫王也。"蒙古主遽南面唾曰："我谓中原皇帝乃天上人，此等庸懦，亦为之耶？何以拜为！"即乘马北去。金使还奏，金主益怒，欲俟蒙古主再入贡，就进场杀之。蒙古主知之，遂与金绝，益严兵为备。

【译文】

宋纪一百五十八　起丁卯年（公元 1207 年）正月，止己巳年（公元 1209 年）十二月，共三年。

开禧三年　金泰和七年蒙古太祖二年（公元 1207 年）

春季，正月，丁丑朔（初一），两淮宣抚使邱崈被罢免。己卯（初三），命令知枢密院张岩督率江淮军马。

当时金国已有议和的意向，邱崈上疏请求致信金军主帅以便达成以前定下的协议，并且说金国既然指控韩侂胄是这次出兵的主谋，如果写信去，应该暂时不写韩侂胄的名字。韩侂胄十分生气，让张岩取代了邱崈。李壁力争，说邱崈平素很有威望，韩侂胄沉着脸说："如今天底之下就只有一个邱崈吗？"

金将完颜匡进攻襄阳。此前完颜匡将掠得的一百名女子进献给金章宗。金章宗正对吴曦归降一事高兴万分，于是赐诏给完颜匡说："陕西一面，虽攻下了四州，吴曦归降，是我一手操办。自从大军出境，只有你部兵力最强。如今南伐的事，就交给你们了，区区俘获，不足挂齿。宋军仗恃有汉水作为险阻，我军拍马横渡，如履平地，削平荆楚，不算难事。虽说是老天相助，但也少不了你筹划的功劳。你要大展宏图，不辜负我的期望。"完颜匡得到诏书，便进军，不久就派完颜福海在白石峪打败了宋军的援兵。

戊寅（初二），金国敕令宰相举荐有才干的官员。

庚辰（初四），让陈自强兼任枢密使。

癸未（初七），金军攻克阶州。

乙酉（初九），金国赠予已故寿州军士魏全官职，赏赐一百万钱。起初，李爽围攻青州，刺史徒单曦招募人去袭击宋军，魏全被选中，被李爽的士兵抓住。李爽对魏全说："你给我骂金国的皇帝，就免你一死。"魏全来到城下，反而骂宋朝的皇帝，李爽就将他杀了。

戊子（十二日），金章宗把完颜纲召到中都，不久就任命他为陕西宣抚副使，回到军中。

辛卯（十五日），吴曦招降通判兴元府权大安军事杨震仲，杨震仲顽强不屈，服毒自杀。

甲午（十八日），吴曦派部将利吉带金兵进入凤州，将四郡交给金兵，划定以铁山为界。吴曦就以兴州为行宫，改年号，设置百官，派人将此事告诉他的伯母赵氏。赵氏非常气愤，同他断绝了关系。叔母刘氏日夜号哭，骂不绝口。吴曦又派董镇到成都修宫殿，将他的十万军队分属十个统帅指挥，派禄祁等驻守万州，从嘉陵江乘船而下，扬言说约金人夹攻襄阳。在成都、潼川、利州、夔州四路张贴文告，将兴州改为兴德府，任命随军转运使安丙为丞相长史，暂时处理都省政事。

吴昵为吴曦出主意,说应该收用蜀地的名士以维系民心。于是陈咸自己剃去头发,史次秦自己弄瞎自己的眼睛,李道传、邓性甫、杨泰之都弃官出走。

吴曦派遣的使者郭澄等将回四川,金章宗对他们说:"你们的主人投效归顺,以整个四川归附我国,我很欣赏。然而你们建国的日子不长,恐怕宋兵会来侵犯,人心不安,凡是有什么事情,已经委派完颜纲传递文书共同计议。"不久任命同知临洮府事珠赫呀果勒齐为吴曦的封册使,金章宗对他说:"你因为在捍卫边疆的战争中出力很多,加上又

卖子孝父母砖雕　金

读书识礼,四川人知道你的威名,不要见财动心,以致有失大国的体面。"

金国的布萨揆有病,丙申(二十日),任命左丞相崇浩兼都元帅,在南京设行省,以取代布萨揆。

金章宗杀了他的叔父完颜永蹈、完颜永中以后,很久都很后悔,曾将密札赐张行简说:"我想镐、郑二王,错误地违犯了君臣之道,自己招来丧身的祸患,草草地埋葬在郊野,已过了多年,我很悼念。想追认恢复原有的官爵,备礼改葬,你可以详细地查阅过去此类事情的材料来报告我。"张行简详细查阅了汉淮南厉王刘长、楚王刘英、唐隐太子李建成、巢剌王李元吉、谯王李重福的有关材料,并草拟诏书进献给金章宗。当时完颜永中已改葬,二月,丁巳(十二日),金章宗命令恢复镐王完颜永中、郑王完颜永蹈的爵位,赐完颜永中的谥号为厉,他的儿子完颜瑜等仍被禁锢。以周王完颜永济的儿子完颜璪为郑王的后代。

己未(十四日),程松被罢官。任命杨辅为四川制置使,吴曦将他赶跑了。

起初,杨辅知成都,常说吴曦必定会反叛。宋宁宗认为杨辅能杀掉吴曦,就密诏任命杨辅为制置使,允许他随机应变。青城山道人安世道给杨辅写了一封信说:"我虽是世俗之外的人,而大人先生也未曾有过入道修行的愿望。我私下里认为你刚得到吴曦的文书时,就应当给他回报一封信,讲清他的家世,以忠君孝道激励民众,聚结官员军民,穿着素服恸哭,乘机散发钱粮,号召集合忠义之士,闭守剑门关,传令夔、梓,兴仗义之师,以忠顺讨伐叛逆。而士大夫都是酒囊饭袋,不识大义,还说是稍微委屈以保黎民百姓,这是多么不知轻重! 这不是吴曦一个人反叛,而是全蜀士大夫的反叛。况且吴曦虽已反叛,但还有所顾忌,未敢建立正朔,杀士大夫,还以虚情假意的文告招揽名士,也以您是否合作来判断人心的向背。如今您却迟迟不决,只是像妇人一样悲伤,使远近人士失望。我今年已五十二岁了,古人说:'可以活时就好好地活,这是福;应该死时就义无反顾地去死,这也是福。'决不能同流合污,同为叛逆之民。"杨辅有很高的名望,蜀地的士大夫大多劝他举义兵,而安世道的话最为恳切。杨辅自认为不懂军事,而且内地无兵,因而迟迟没采取行动。吴曦让杨辅改任知遂宁府,杨辅将官印交给通判韩植,逃离了成都。

任命知建康府叶适兼江淮制置使。叶适说三国时孙氏曾凭借江北守长江,自从南唐以来开始失去江北地区,就向朝廷请求,要求兼管江北诸州,诏令听从他的请求。这时紧急公文纷至沓来,而叶适处理政事仍像平时一样从容不迫,军队需要的物质都由官府供给,百姓没受骚扰,他布置防守都合乎法度。

庚申(十五日),因为天旱,诏令判决狱中的囚犯。

癸亥(十八日),金章宗到建春宫;丙寅(二十一日),回到皇宫。

丁卯(二十二日),让江、浙、荆湖、福建停止招军。

戊辰(二十三日),金国平章政事兼左副元帅布萨揆在下蔡去世。回京治丧,金章宗亲临祭奠,赐谥号为武肃。布萨揆外刚内柔,做事不违背原则,统治百姓施仁政。他作将帅,军心稳定,赏罚严明。刚渡过淮河,就命人撤去浮桥,所到之处都从敌人那里弄到粮食,没有运输的劳累。未尝轻易役使士兵,与士兵同甘共苦,士兵也乐于听从他的调遣。

金将完颜匡长期围困襄阳,士兵染上疾疫;听说崇浩到了开封,庚午(二十五日),率军撤退。

辛未(二十六日),免除两淮遭受战乱诸州的租赋。

癸酉(二十八日),金国判平阳府事卫王完颜永济改任武定军节度使,兼奉圣州管内观察使。

监兴州合江仓监官益昌人杨巨源谋划讨伐吴曦,就暗中与吴曦的部将张林、朱邦宁以及忠义之士朱福等结为好友。眉州人程梦锡知道了这件事,将此事告诉了安丙。安丙当时声称有病,没管事,就嘱咐程梦锡写信给杨巨源,将他请到卧室。杨巨源说:"先生怎么当了逆贼丞相长史呢?"安丙号哭说:"目前的兵将,我知道,不能奋起。必须有英雄豪杰,才能消灭这个逆贼。"杨巨源说:"非先生不足以发动此事,非我不足以了断此事。"恰好兴州中军正将李好义,也结交军士李贵、进士杨君玉、李坤辰、李彪等几十人图谋诛杀吴曦。李好义说:"这件事是为了誓死报国,拯救四川百姓。只是吴曦死后,如果没有有威望的人来镇守,恐怕一变未结束,另一变又发生了。"想立丞相长史安丙出来主事,派李坤臣邀请杨巨源参加会议。杨巨源前去与他们约定,回去报告了安丙,安丙才出来管事。杨君玉与白子申共同草拟密诏。

乙亥(三十日),天还没亮,李好义率领七十四人攻入伪宫。当时伪宫门大开,李好义大喊而入说:"奉朝廷密诏,让安长史任宣抚,命令我们诛杀反贼,敢顽抗的就灭他的族。"吴曦的一千多名卫兵听说有诏令,都丢掉武器跑了。杨巨源拿着诏书骑着马,自称奉使,进入里面。吴曦开门想逃,李贵上前将他抓住,用刀砍中吴曦的脸颊。吴曦反扑,将李贵仆倒在地,李好义就喊王换用斧头砍他的腰,吴曦才放了李贵,李贵就砍下他的头,飞跑去告诉安丙。宣读诏书,拿着吴曦的脑袋安抚稳定百姓,城中照常做生意,将吴曦的余党全部抓起来,杀掉了。众人共推安丙代理四川宣抚使,杨巨源暂时参赞军事。安丙陈述吴曦反叛的原因以及矫制平贼因功论赏的情形,上疏自我弹劾,待罪,用匣子装着吴曦的脑袋以及违制法物与他所接受的金人的诏书印信送到朝廷。吴曦僭立共四十一天。

这以前,韩侂胄听说吴曦反叛,非常惊惧,派人给吴曦送信,答应封他为王,并且诏知镇江府宇文绍节探问办法。宇文绍节说:"安丙必定能讨伐这个叛贼。"韩侂胄于是秘密给安丙送去帛书说:"你如果能够除掉吴曦报效国家表明忠心,就应当破格赏拔。"信还没送到,吴曦就被杀了,捷报已经送到朝廷,朝廷大喜。

吴曦的首级送到临安,在宗庙社稷献祭,在街上示众三天。诏令诛杀吴曦的妻子儿女,其余亲属被流放岭南,剥夺吴曦父亲吴挺的官爵,将吴曦祖父吴璘的子孙迁出四川,保存吴璘的庙,吴玠的子孙免于连坐。

金国的珠赫呼果勒齐还没到四川吴曦已经被杀了,金章宗听了,心里很沮丧,派使者责备完颜纲说:"吴曦归降,你应当进据仙人关,以便控制四川,并且作为吴曦的依靠。因为没有进据仙人关,又撤兵,使安丙无所顾忌,这是活该有今天这样的结局!"

三月,丁丑(初二),在利州处斩了伪四川都转运使徐景望。

庚子(二十五日),任命杨辅为四川宣抚使,安丙做他的副手。任命许奕为宣谕使。

金国任命完颜匡为左副元帅。

壬寅(二十七日),四川宣谕使程松被罢免,安置到筠州,不久又迁往澧州。

杨巨源、李好义对安丙说:"吴曦死后,叛贼吓破了胆。关外的西和、成、阶、凤四州,是四川的要害,应该乘胜收复这四州;否则,必然成为后患。"安丙听从了他的话。李好义进兵,在独头岭扎营,会合忠义之士及民兵夹击金军,金军死伤惨重。七天后到西和州,金将完颜钦逃走。李好义整顿好兵马入城,军民欢呼迎拜,李好义登记府库财物归入官府。在这时张林、李简收复了成州,刘昌国收复了阶州,张翼收复凤州,孙忠锐收复了大散关。金国巩州钤辖完颜实战死,金章宗命令完颜纲从上述五州撤走人马,退保要害之地。李好义进迫秦州,军威大振,安丙心中忌妒他。

夏季,四月,丙辰(十二日),金国任命赫舍哩子仁为右副元帅。

己未(十五日),任命方信孺为国信所参议官,赴金军营中。当时韩侂胄征招能够出使金军大帅府的人,近臣推荐方信孺说他可以出使,于是将他从萧山县丞任上召到京城,任命他为使者。方信孺说:"挑起战端的是我方,金国人如果问主谋是谁,应当怎么回答呢?"韩侂胄惶然。方信孺于是拿着张岩的信就出发了。

丁卯(二十三日),召回杨辅,任命吴猎为四川制置使。当时朝廷察觉出了安丙与杨辅之间的分歧,召杨辅回到京城。杨辅到了建康,就自动引咎不肯进京了。著作佐郎杨简说杨辅放弃成都,不应召入京城,于是任命杨辅为知建康。

戊辰(二十四日),任命资政殿学士钱象祖为参知政事。

己巳(二十五日),改兴州为沔州,任命李好义为副都统制。

庚午(二十六日),赠予杨震仲官职,并让他的一个儿子出来任职。

癸酉(二十九日),金军又攻破大散关。安丙历来厌恶孙忠锐,到此次大散关失守,安丙命令孙忠锐回来,要杀掉他,先命令杨巨源与李邦宁带沔州兵两千策应。杨巨源到凤州,趁着孙忠锐出来迎接,在幕后埋伏壮士,突然冲出将他杀了,并杀了他的儿子孙揆。安丙于是向朝廷报告说孙忠锐曾依附吴曦。

五月,戊寅(初四),下诏说:"吴曦的同党李绅之等十六人,除名,编管两广及湖南各州。"

己卯(初五),金章宗游幸东园,射柳。

辛卯(十七日),太皇太后谢氏去世。

戊戌(二十四日),又任命杨辅为四川制置使,将吴猎召回京城。

李好义进攻秦州,包围皁角堡,金国都统珠赫呼果勒齐带兵迎战。李好义在山谷中列好阵式,用战车作为左、右翼,在车下埋伏了弓箭手,冲到前面挑战,珠赫呼果勒齐率军抵抗。宋军假装败退,珠赫呼果勒齐追击,遇上埋伏,金军无法前进,就后退列阵。李好义率军又冲来,总共战了五个回合,宋军的阵式更加坚固。珠赫呼果勒齐很忧虑,将骑兵一分为二,轮番出战;很久以后,金军暗中派兵从山上冲下合击,宋军的阵地动摇了,死伤很多,李好义就突围走了。

此月,金国放出了二十名宫女。

六月,乙巳朔(初一),金国下诏说:"京官六品、外地官五品以上及亲王,荐举一名善于理财的人,不举荐的受处罚,举荐的人不合适的依法论处。"

己酉(初五),金国因为山东盗贼多,下令说:"盗贼如果将自己的同党杀死或抓住送官,可按照不同情况分别赏给官职。"

戊午(十四日),金国任命乌库哩谊为元帅左监军,任命完颜萨喇为元帅左都监。

己未(十五日),李好义被毒死。当时吴曦过去的部将王喜,派他的同党刘昌国到西和州,听从李好义指挥。李好义与他应酬,通宵达旦饮酒,李好义心腹突然剧痛而死,刘昌国逃走了。入殓以后,李好义的口鼻手指都是青黑色,百姓像亲人去世时一样痛哭。朝廷担心王喜叛变,任命他为节度使,调任荆鄂都统制。不久刘昌国毒疮发作而死。

癸酉(二十九日),安丙杀了参议官杨巨源。起初,吴曦被杀,实际上是杨巨源、李好义首先提议的,安丙向朝廷请功时,谎称以杨巨源、李好义为首功,实际上偏偏将他们排在最后。到嘉奖诛杀叛逆的诏书下达沔州以后,杨巨源对人说:"诏命里没有一字提到我,我怀疑有人隐瞒了我的功劳。"不久得知王喜被授予节度使衔,而杨巨源只当了个通判,心里更加不平,就写信跟安丙告辞说:"飞矢攻下聊城,深深敬慕鲁仲连有功不居的高风亮节;解下官印离开彭泽,或许我很激赏陶渊明的清风洁质。"后来又向朝廷表述自己的功劳。有人对安丙说:"杨巨源图谋作乱。"安丙命令王喜审讯他的同党,都治了罪。当时杨巨源正与金军在凤山的长桥作战,安丙密令兴元都统制彭辂逮捕杨巨源,押送阆州监狱囚禁,走到大安龙尾滩,安丙让将校樊世显拿刀斩了他的首,留下一寸多没砍断,向朝廷上报说杨巨源自杀身亡。忠义之士,听说以后没有人不扼腕流泪的。剑外的读书人张伯威写了祭文凭吊他,言词特别悲切。李璧在朝中,听了安丙上报杨巨源身死的情况,叹息说:"唉,杨巨源就死了!"安丙因为群情激愤,上奏章请求免职。杨辅亦说安丙杀了杨巨源,必然会导致变乱,请求让刘甲代替他。

秋季,七月,己卯(初六),封赵不傳为嗣濮王。

庚辰(初七),金国在衍庆宫举行朝献。

壬午(初九),金国下诏说:"民间做生意,一贯以上的,都要用交钞,不使用钱币。"

大旱,飞蝗铺天盖地,将浙西的豆、粟都吃光了。乙酉(十二日),下罪己诏,命令郡县赈济百姓。

金国敕令尚书省说:"从今以后,初次担任监察的官员,令他呈上陈说朝政利弊的帖子,以便等待召见。"

甲午(二十一日),金左副元帅完颜匡从许州回到京城。

八月,庚戌(初七),金国将汝州襄城县划归许州。

当初,方信孺到濠州,赫舍哩子仁将他关在监狱里,四面派兵监视他,断绝他的柴和水,以五件事要挟他。方信孺说："遣返战俘,赔款,行;将首谋绑送来,自古没有这种事;称藩、割地,那不是我敢说的。"赫舍哩子仁说:"你不想活着回去吗?"方信孺说:"我奉命出国门时,就已将生死置之度外了。"赫舍哩子仁派人到开封去见元帅崇浩,让方信孺出来住在传舍里。崇浩派来的人,坚持五项条件的说法,并说称藩、割地过去有先例。方信孺说:"昔日靖康年间仓促割让三镇,绍兴年间因为太后的缘故暂时委屈,现在怎么能用那种先例呢? 请求当面见丞相后再作决定。"崇浩坐在帐幕中,门外站满了武士,接见方信孺,说:"不答应五项条件的话,我军立即南下。"方信孺辩论一点也不屈服,崇浩叱骂他说:"以前兴兵,今天求和,为什么?"方信孺说:"以前兴兵复仇,是为了国家;今天屈己求和,是为了百姓。"崇浩不能再诘问,将答复的文书交给他说:"和还是战,等再来时决定。"

方信孺回国,朝廷诏令侍从、两省、台谏官商讨答复金国的问题,众人认为可以遣返战俘,将首谋治罪,将岁币增加五万,派方信孺第二次前往。当时吴曦已被杀,金国的气势消沉,然而还是坚持当初的条件。方信孺说:"我国认为增加岁币已经是委屈自己了,何况是名分、地界哩! 而且从理直理亏来说,我国兴兵是在去年四月,你们写信诱降吴曦,却是在去年三月,本来是你方理屈。如果就强弱来说,你方攻下了滁州、濠州,我方也夺取了泗州、涟水;你方夸耀胥浦桥的胜利,我方也取得了凤凰山大捷;你方说我方不能攻克宿、寿,你方围攻庐、和、楚,最后攻下了吗? 五项条件已答应了三项,如果还不听从我方的要求,不过就是再次兵戎相见罢了!"金国人就说:"割地的说法暂且别提,只是不称藩的话,应当改称叔父为称伯父,岁币外另加犒劳我军的费用才行。"方信孺坚决不同意。崇浩便秘密地与他议定了和约,方信孺回国复命。

朝廷任命林拱辰为通谢使,与方信孺拿着国书誓约草稿,以及答应的百万缗通谢钱,到了开封。崇浩因为方信孺没有委婉地陈述,突然送来了誓书,因而很生气,说要杀他或将他关押,方信孺不为所动。崇浩的传信人说:"这不是出点劳军费能了结的,另外还有其他条件。"方信孺说:"岁币不能再增加了,因此,以通谢钱代替。现在你们得了这里想那里,我只有死而已。"恰遇蜀兵攻入大散关,崇浩更加怀疑,就派方信孺回国,又给张岩写信说:"如果能够称臣,就以江、淮之间的中点作为界,要世世代代自称我国的儿子国,就将江北完全割让而以长江为界,而且将元谋奸臣斩首,用匣子装着他的首级送来,还要增加五万两匹的岁币,劳军费一千万两,才可议和友好。"方信孺回国,上交此信。韩侂胄问他,方信孺说:"敌国要求五件事:一,割江、淮;二,增加岁币;三,要回俘虏;四,劳军费;五,不敢说。"韩侂胄坚持要问他,方信孺慢慢地说:"要太师的脑袋。"韩侂胄非常气愤。

九月,甲戌朔(初一),金国左丞相兼都元帅崇浩在军中去世,赐谥号为通敏。崇浩与布萨揆、穆延斯图赉都是金国的宿将,相继去世。临战换将,是兵家大忌,但宋朝人不知道利用机会,反而举朝惶恐不安,认为能达成和议就是万幸,因此金国常常讥笑宋朝国中无人。

壬午(初九),方信孺冒犯了韩侂胄,犯了将礼物私自送给金国将领的罪,降三级官职,让他到临江军居住。方信孺三次出使金国,金国虽未答应立即议和,然而书信使者相往来,也不拒绝议和的要求。方信孺被贬职以后,宋朝想再派人出使金国,看看在朝廷中再找不出这样的人了,近臣推荐王柟;就任王柟代理右司郎中,持着国书北上。王柟,是王伦的孙子。

甲申(十一日),金国任命尚书左丞布萨端为平章政事,封为申国公。任命完颜匡在开封代理崇浩的统帅职务,晋升为平章政事兼左副元帅,封为定国公。

乙酉(十二日),暂时将成肃皇后葬在永阜陵。

辛卯(十八日),任命殿前都指使赵淳为江淮制置使。乙未(二十二日),张岩被罢免。韩侂胄听说金国欲将首谋问罪,心里很气愤,又想用兵,就让赵淳镇守江淮而罢免了张岩。张岩设立督府九个月,就耗费了国家三百七十万缗钱。

壬寅(二十九日),将成肃皇后的灵位放到太庙里。

这年秋季,蒙古第二次攻打西夏,攻克斡啰该城。

冬季,十月,乙卯(十三日),复设珍州、遵义军。

丙辰(十四日),宋宁宗将边境战争的事下诏告诉军民说:"我忧劳国事,不敢懈怠,不敢忘记继承祖宗遗愿;我自知愚昧,特别谨慎处理与邻国的关系,由于边境官吏乱报军情,致使两国开战。只因为敌人暗中引诱叛贼吴曦,考虑到金国诱降叛贼的日期,是在开战之前,这就是说战争的起因不在我国!况且我方已经放弃收复的四州土地,急令诸将撤回,就是为了作和好的打算,所以忍辱负重,无非是为了百姓,不料敌人却违背和议,妄自尊大,索要土地大大超过原有的边界;谋取钱财,数量超过千万。虽然友好的盟约应当继续,但想起实在不能再搜刮民脂民膏。应当知道现在出师,是惭愧之下不得已而应战,难道没有忠义之人,共同挽救艰难的时局!"

辛未(二十九日),金国陕西宣抚使图克坦镒派将领攻下了苏岭关。

这以前,金大定年间,规定学校学习的历代史书,《五代史》同时采用薛居正、欧阳修的新、旧本。十一月,癸酉(初二),下诏说:"新规定学的史书中删除薛居正的《五代史》,只用欧阳修写的《新五代史》。"

韩侂胄长期专权,朝廷内外愤愤不平,到他轻率地挑起战争,恨他的人更多了。金国人要交出首谋,礼部侍郎史弥远,当时兼资善堂翊善,秘密制定除去元凶的计策。皇后平素很恨韩侂胄,因而派皇子荣王赵㬉上疏说:"韩侂胄再次发动战争的话,将不利于国家。"宋宁宗不作声,皇后在旁边极力赞同皇子的话,宋宁宗还没有允许;皇后请求命令她的哥哥杨次山在群臣中选择一个可以共图大事的人,宋宁宗才同意。杨次山对史弥远说自己得了密旨。因为钱象祖曾讲用兵的事而触犯了韩侂胄,就先将此事告诉钱象祖。钱象祖答应了,又将此事告诉李壁,李壁认为如果行动迟缓恐怕泄密,就命令主管殿前司公事夏震带兵伺机动手。乙亥(初四),韩侂胄入朝,走到太庙前,途中被喝令止步,被推到玉津园旁边,杀掉了。史弥远、钱象祖把此事报告朝廷,宋宁宗还不相信;既然知道了,就下诏向朝廷内外揭露韩侂胄的罪恶。这件事是史弥远首先谋划的,是杨皇后和杨次山促成的,宋宁宗开始时没有这个意思。论功,将史弥远晋升为礼部尚书,加封夏震为福州观察使。

自从韩侂胄专权以来,宰执、侍从、台谏、藩阃都出于他的门下。曾在一座山上修了一个花园,下瞰太庙,任意出入皇宫不受限制。宋孝宗思考国事的地方,韩侂胄公然坐在那里,老宫人见了,常常暗自流泪。颜棫草拟制书,认为他得到了圣人的清思;易祓撰写答诏,褒奖韩侂胄说他是元圣;余嘉请加九锡;赵师𥊍请求设置平原王府的官吏;韩侂胄都不加推辞地接受了。他的宠妾都被封为郡国夫人,每当皇宫举行宴会时,就与妃嫔坐在一起,仗势骄横,宫中人都很厌恶他们。

3770

当初,韩侂胄作南海尉,请了一个读书人作他的馆客,这个人贤明文雅,分别以后,不通音讯。韩侂胄当权后,曾想起那个人,有一天那个人忽然来了,已经改了名字中了进士有一年多了,相见之下都很高兴,招待非常热情。有一次夜深喝完酒,韩侂胄屏退左右,促膝问道:"我现在当权,外面是怎么议论的?"那个人叹了一口气说:"您的家族已经危如累卵,还有什么可说的!"韩侂胄愕然,问其中的原因,那个人回答说:"这不难知道。现在立的皇后,不是你立的,皇后肯定恨你。立皇子,不是出于您的提议,皇子肯定恨你。贤人君子自朱熹、彭龟年、赵汝愚以下,被流放被罢斥被贬谪被害死的不计其数,这样士大夫也很恨你。挑起边境战争,三军将士尸骨露于野,孤儿寡妇的哭声随处可听到,这样三军也很恨你。边境百姓死于战乱,内地百姓死于苛税军需,这样,天下百姓都很恨你。怨声载道,你怎么能挡得住呢?"韩侂胄沉默了很久,说:"你有什么赐教我的吗?"那个人再三推辞。韩侂胄坚持要问,那个人才说道:"只有一个办法,皇上不想长久理政,如果你提出迅速修建太子宫,讲明高宗、孝宗、光宗三朝家法,做出逊位的举动,那么皇子的怨恨就会变为感恩,而且皇后也会退居德寿宫,即使恨你也无能为力了。从此辅佐新的皇帝,使天下局面焕然一新,昔日的各位贤人,死了的要追赠抚恤,在世的要召见任用。派使者出使金国,消除怨恨,请求和好,使边境得到安宁。优待诸军,厚恤死难将士,免除因为战争而征收的苛捐杂税,使百姓得到休养生息。然后选择著名的学者,将相位让给他,告老还乡,为绿野之游,转危为安,或许可以免除祸患!"韩侂胄犹豫不决,想留下那个人,让他执掌典故,那人坚决推辞离他而去。不久,韩侂胄的杀身之祸便来临了。

　　韩侂胄死后,钱象祖从怀中取出堂帖交给陈自强说:"有圣旨,罢免你的丞相职务。"陈自强立刻上马,回头对钱象祖说:"希望你保全我。"丁丑(初六),将陈自强贬到永州居住。戊寅(初七),贬苏师旦韶州安置。己卯(初八),苏师旦被处死。周筠处以杖刑,刺面后流放到岭外。下诏说:"奸臣已被贬黜诛杀,首先应广开言路以招纳忠诚正直之人,朝廷内外的官员,各自将所见所闻上报朝廷。"

　　辛巳(初十),任命邱崈为资政殿学士、知建康府。

　　将邓友龙贬到南雄州安置,不久流放到循州。

　　乙酉(十四日),建立御前忠锐军。

　　丙戌(十五日),任命御史中丞卫泾为签书枢密院事。

　　丁亥(十六日),立皇子荣王赵曮为皇太子,改名为赵𫍯,不久又改名为赵询。

　　戊子(十七日),将郭倪贬往梅州,将郭僎贬往连州,并安置,抄没家产。将李壁贬到抚州居住。癸巳(二十三日),将张岩贬到徽州居住。

　　金国参知政事贾铉泄漏皇帝委托他办的事,金章宗对贾铉说:"你的罪应该自己知道,然而你长期参与机要大事,贡献很多,不深究你的罪。"戊戌(二十七日),让他出任安武军节度使。

　　十二月,壬寅朔(初一),金国修成《辽史》。

　　癸卯(初二),任命邱崈为江淮制置大使。

　　任命许奕为大金通问使。

　　丙午(初五),金国下诏说:"进士考试策论,免试弓箭、击球。"

　　己酉(初八),免去叶适的宝文阁待制。庚戌(初九),将许及之贬到泉州、薛叔似贬到福州居住。将皇甫斌贬到英德府安置。

　　癸丑(十一日),金军又攻破随州。

庚申(十九日),金国任命右丞孙即康为左丞,任命参知政事通吉思忠为右丞,任命中都路转运使孙铎为参知政事。

辛酉(二十日),任命钱象祖为右丞相,兼枢密事;同时任命卫泾和给事中雷孝友为参知政事;任命吏部尚书林大中为签书枢密院事。

当初,韩侂胄想要结交林大中,林大中不愿意,上书极力论说韩侂胄的奸邪,并辞官隐居,绝口不谈时事。韩侂胄当权时,有人劝他与韩侂胄往来以免祸,林大中说:"福是求不来的,祸难道因为惧怕就可免掉吗?"不听,共过了十二年才再出来做官。

甲子(二十三日),太尉杨次山被授予开府仪同三司。杨次山谨慎小心,不敢因为是外戚而骄横,人们不厌恶他。

乙丑(二十四日),任命礼部尚书史弥远为同知枢密院事。

丙寅(二十五日),追赠吕祖俭朝奉郎、直秘阁,让他的一个儿子做官。

丁卯(二十六日),诏令改明年为嘉定元年。

金国山东安抚使张万公请求退休,同意,仍然给平章政事俸禄的一半。不久去世,命令依照宰臣去世的惯例送安葬费,赐谥号为文贞。张万公淳厚刚正,门下没有闲杂宾客,举荐的大多是廉洁谦让的人。

嘉定元年　金泰和八年,蒙古太祖三年(公元 1208 年)

春季,正月,壬申(初二),金章宗到衍庆宫朝拜。

癸酉(初三),金国任命左都监完颜萨喇为参知政事。

乙亥(初五),安丙派兵袭击鹃岭关,败退回来。

丙子(初六),金国左司郎中刘昂等犯了与蒲阴令大中私议朝政的罪,被关入监狱。孙铎进谏说:"刘昂等人不敢私议朝政,只是像郑人在乡校交往一样罢了。"金章宗省悟,就对他们施了杖刑然后将他们释放了。

戊寅(初八),右谏议大夫叶时等人,请求将韩侂胄的首级在两淮示众以向天下人谢罪;没有答复。

辛巳(十一日),下诏征求有益的建议。

癸未(十三日),金章宗举行春水游猎

丙戌(十六日),叶时又请求将韩侂胄首级在两淮悬挂示众。

金章宗到先春宫。

壬辰(二十二日),任命史弥远为知枢密院事。

代理兵部尚书倪思要求与宋宁宗面谈,他说:"大权刚归于陛下,应当防微杜渐,一有权臣干预朝政的迹象,必将仍蹈覆辙。现在韩侂胄被处死,但国人言谈中说还有不安定因素,大抵是因为枢密大臣还兼宫宾,不时被召见。宰执大臣应当同时召见,枢密大臣也应当疏远权力以平息外面的议论。"枢密大臣,是指史弥远。

当时正宣召娄机入京担任吏部侍郎,娄机回到朝廷,说:"只有大公无私才能服人。权臣因为私意横生,祸国殃民,如今处事应当抱着最公正的态度。如果说私恩未报,首先就举荐引见,私仇未复,首先就压制异己,一牵扯到私欲,人心将没有是非标准了。"

任命许奕为大金通谢使。

二月,戊申(初八),追认恢复赵汝愚观文殿大学士的职衔,赐谥号为忠定。

因为韩侂胄假冒策划让宋宁宗即位的功劳,诏令史官说:"自从绍熙年间以来的有关韩侂胄的事迹,全部予以改正。"

甲寅(十四日),金章宗到建春宫。

戊午,(十八日)再次将程松贬到宾州安置。

庚申(二十日),金国谕令有司说:"正是农耕时节,即便是禁地,也允许耕种。"

己巳(二十九日),金章宗回到皇宫。

这个月,柳州黑风洞的盗贼罗世传作乱;朝廷将他招降了。

三月,癸酉(初四),因为毛自知首先建议用兵,剥夺进士第一的资格。

戊子(十九日),恢复秦桧的王爵,追赠谥号。当时当权的人因为急于要反对韩侂胄的政策,就是这样不顾公众的议论。

王枏到了金国,请求按照靖康年间的做法,宋朝皇帝世世代代称金国皇帝为伯父,将岁币增加到三十万,犒劳金军的钱是三百万贯,苏师旦等人,等和议签订后,就将他们的首级用匣子装着送到金国。完颜匡把王枏讲的话详细报告了金章宗,命令完颜匡写信索要韩侂胄的首级以赎取淮南的土地,将犒军费由三百万贯钱改为三百万两银。恰好钱象祖致书金国元帅府,说已诛杀了韩侂胄,王枏还不知道。完颜匡问王枏说:"韩侂胄富贵显赫了几年?"王枏说:"已有十多年了,任平章国事只有二年。"完颜匡说:"要除掉这个人,可以吗?"王枏说:"皇上英明睿断,除去他有什么难的!"完颜匡看着他笑,和议从此决定了,于是送王枏回国。

己丑(二十日),诏令百官共同商议。倪思说有伤国家的体面。吏部尚书娄钥说:"和议是大事,就等着这事来决定,奸臣的首级,有什么可惜的!"因而命令临安府砍开韩侂胄的棺材割下他的首级,送到两淮示众,于是将韩侂胄及苏师旦的首级交给王枏让他送往金国,以换取淮、陕被侵占的领土。

当初,方信孺被韩侂胄贬斥,到这时王枏说:"和约达成,都是方信孺历尽艰险,再三奉命出使的功劳,方信孺把难做的做了,我做的是容易的。每次见了金国人,他们必会问方信孺在哪里,可见公论所推重的人,即使是仇敌也不能视而不见。请求记下方信孺的功劳免去他的过错。"就下诏恢复方信孺的自由,不久任命他为韶州知州。

庚寅(二十一日),金章宗将与宋朝议和的事告诉尚书省。壬辰(二十三日),金国的宰臣上表谢罪。

任命江西常平提举袁燮为都官郎,又改命他为司封。袁燮面见宋宁宗说:"陛下即位的初年,委任贤相,正直之士云集,而窃取威权的人从旁窥伺。彭龟年预知这人必乱天下,明显地指出他的奸邪,彭龟年因而获罪离开朝廷,而权臣就站稳了脚跟,几乎危害国家。陛下追思彭龟年,曾临朝叹息说:'这人还在的话,必将重用他。'原本是已经深知彭龟年的忠心了。如今正人君子并不缺乏,希望陛下常有这种心情,急于听到忠直恳切的话,崇尚纯朴正直的风气,一个彭龟年虽去了,千万个彭龟年会接着涌现,怎么还担心天下治不好哩!我以前劝陛下勤于好问,而且圣训说道:'好问则明。'我回去与朝中官员讲,没有人不称好。我从侧面观察多日,陛下的深沉静默还是像过去一样,我私下里感到困惑。既然知道像这样做就明,就应当知道不这样做就暗,明则光耀四方,无所不通;暗则是非得失,糊涂分辨不清。"袁燮被任命为国子司业、秘书少监,晋升为祭酒、秘书监。接见诸生,必定启发他们让他们反身自问,忠信笃实,这是做人的根本。听的人肃然起敬,士气更加振奋。当时史弥远主和,袁燮极力反对。台谏官弹劾袁燮,罢免了他,提举鸿庆宫。

临安发生大火,共烧了四天,烧坏了御史台等官舍十多处,民房五万八千多家,死了很多人。城中房舍,烧毁了十分之七,百官大多租船居住。民间谣言四起导致自相惊扰,无赖之徒乘机放火作恶。

夏季,四月,戊申(初九),金章宗在太庙祭祖。

庚戌(十一日),金章宗到万宁宫。当时蒙古日益强大,只是还没有与金国绝交,金章宗因而认为北部边境平安无事。甲寅,命令东北路招讨使回驻泰州,就地兼任节度使,该路副招讨仍旧留在边境。

丙辰(十七日),追赠彭龟年宝谟阁直学士;剥夺李沐宝文阁学士衔,不久将他贬往信州居住。

戊午(十九日),再次将陈自强贬到雷州安置,抄没他的家产。

闰四月,辛未(初三),设置拘榷安边钱物所,凡是韩侂胄以及其他权贵没收入官的田地和围田、湖田,都归它管理。所交纳的钱租,充做出使金国的人的置装费用。到后来和金国断绝了友好关系,军费的支用,常常从这里开支。

金国翰林侍讲学士富察思忠,说派往宋朝的使者应当选择合适的人。金章宗说:"富察思忠讲的很有理,宋朝的通谢使虽然还没有到来,我国派去回报的使者应当首先选择好。这是从头开始,所有礼节,都在于使者,如今既然实行了,就作为永久的定例,不可不谨慎。"

甲申(十六日),下诏说:"自今以后皇上处理政务时,令皇太子在旁边侍立。"

辛卯(二十三日),因为发生旱灾,向天地、宗庙、社稷祈祷。乙未(二十七日),免除两浙缺雨的州县的贫民拖欠的赋。命令大理、三衙、临安府、两浙州县判决狱中的囚犯。丁酉(二十九日),下诏征求直言。

五月,王枏将韩侂胄、苏师旦的首级送到金国,丁未(初九),金章宗亲临应天门,准备了黄麾仪仗来接受,百官上表称贺。金国将韩侂胄和苏师旦的首级和画像悬挂在大路旁,让百姓随意观看,然后将首级涂漆,存放在兵器库。于是金国命令完颜匡等撤军,将元帅府改为枢密院,派使者到宋朝来归还大散关和濠州。

金章宗问右司郎中王维翰说:"宋朝求和,还会背弃盟约吗?"王维翰说:"宋朝皇帝荒废政事,宋军轻俘而没有战斗力,两淮地区经历了这场战乱后,千里萧条,宋朝的大臣都以韩侂胄、苏师旦为戒,没有人再敢犯他们那样的错误了,不值得担心了。只有北方的敌人要多费陛下的心思了。"

辛酉(二十三日),赐礼部进士郑自成以下四百六十二人进士及第、进士出身。

丁卯(二十九日),因为蝗灾,诏令侍从、台谏官上疏议论朝政的得失,监司、守令逐条陈述民间的疾苦。太子詹事娄机说:"和议刚刚达成,首先务求安定,弥补疏漏以整顿纪纲,节约开支以巩固国家的根本,训练军队以壮国威。"不久娄机升任礼部尚书。

金国派官员到各路指导捕蝗。

六月,金章宗到衍庆宫拜谒致谢。

乙亥(初八),参知政事卫泾被罢官。

3774

癸未(十五日),金国将允许宋朝求和的消息,诏告朝廷内外,免除河南、山东、陕西等六路的夏税,免除河东、河北、大名等五路的夏税的一半。

甲申(十六日),签书枢密院事林大中去世,赐谥号为正惠。林大中清心寡欲,谦恭礼让好像十分软弱;但遇事一旦发作起来,却凛然不可侵犯。

丁亥(十九日),金国任命左都监乌库哩谊为御史大夫。

辛卯(二十三日),任命史弥远兼参知政事。

秋季,七月,辛丑(初四),诏令吕祖泰特授上州文学。

乙巳(初八),金国在衍庆宫举行朝献仪式。诏令向朝廷内外颁发捕蝗图。

癸丑(十六日),任命江淮制置使邱崈为同知枢密院事,没到任,去世。邱崈曾经慷慨激昂地说:"在生时没能报效国家,死后愿变成猛将向金国复仇!"

录用赵汝愚的儿子奉议郎、知南昌县赵崇宪为籍田令,赵崇宪上疏极力推辞,他说:"先父臣的冤情还没有彻底昭雪,而他的儿子却先被宠信任用,这不合朝廷激励忠孝、廉耻的人的本意。"不久改任监行在都进奏院,他又援引陈瓘论司马光、吕公著复官的事申述说:"请将我的奏论下发三省集体讨论,如果先父的心迹有一点像那些指责他的人说的一样,那么最近的恩典都是不合理的,先父恢复官爵赐谥号与我所受的新的任命,都应当追夺取消。如果公认为那是诬蔑,请求昭示朝廷内外,使先父受到谗言诽谤得到辨明,忠诚气节自然显明,而且宪圣慈烈皇后拥立保佑陛下的功德更加彰显,然后命令史馆,改正诬史,让公道永垂千古。"又请求将乱上密封奏章的赵师召治罪,追究蔡璉与大臣为仇的奸邪,废掉龚颐正《续稽古录》的妄言,诏令两省、史馆考定后申报朝廷。吏部尚书兼修国史楼钥请求按赵崇宪的奏章施行,宋宁宗同意。

过了一段时间,史书上的诬蔑不实之词还没更正,赵崇宪又说:"以前的史官只按权臣的旨意行事,篡改旧史,烧掉原稿,没有一点拖延和困难;如今朝廷再三下诏,没有人出来慨然奋笔直书,为什么小人敢于为恶,而称为正人君子的人反而不能勇于为善呢?"听了这话的史官感到很惭愧。后来玉牒、日历所终于将《重修龙飞事实》呈献给了朝廷,是因为赵崇宪的要求。

八月,辛巳(十四日),任命礼部尚书娄机为同知枢密院事,任命吏部尚书楼钥为签书枢密院事。楼钥坚持原则为人正直,触犯了韩侂胄,多年只任宫观官,到这时才与娄机同时进入枢密院。当时正是战争刚刚结束,宋、金之间信使往来不断,娄机在这方面赞助谋划了很多力。他特别注重名分礼制,遵守法度,任免官吏,敢于直言不讳,不求私人感情,不避猜嫌抱怨。

庚寅(二十三日),金章宗举行秋山游猎。

甲午(二十七日),发放三十万石粟,赈济江、淮一带的流民。

九月,辛丑(初五),金国使者完颜侃、乔宇入见宋宁宗。诏令将和议达成的事晓谕天下。中书省决定上表祝贺,还有人认为这是二府的功劳,要按等级晋升官职。代理兵部尚书倪思说:"澶渊之战,我军得胜班师,天子下诏罪己,中书、枢密待罪。如今我国委曲求全与金国签订盟约,为什么君臣反而要互致庆贺呢?"于是才停止庆贺。

壬子(十六日),从安边所支出一百万缗钱,命令江淮制置大使司买米赈济饥民。

史弥远渐渐作威作福,倪思面见宋宁宗,他说:"我前天讲枢密官独自入宫奏事,恐怕重蹈覆辙。国家不能再次遭受破坏,应该亲自选拔台谏官员以革除大臣专权的弊端,同样信任其他大臣以防个别大臣专权带来的失误。"史弥远听了很恨他,倪思于是请求离开朝廷,出任镇江府知府。

召见太学正浦城人真德秀并任命他为博士。真德秀进宫与宋宁宗面谈,他首先说:"权臣挑起边境战争,南北生灵涂炭,现在两国和好,难道不是天下之福吗! 但不久前派使者去,金国要增加岁币的数额,而且我方也说可以增加;金国要奸贼的首级,我方也说可以;双方往来的称呼,犒劳金军的金帛,包括遣返北方的流民,都小心谨慎地承诺,难道不会滋长轻视我国的心情吗? 或许善于为国家着想的人,不必看敌国的情况,只了解自己国家的政局就行了。现在号称更新,却没有让敌国畏服的东西,反倒担心敌国得了我国的岁币以后增强了国力,趁我方不防备助长他们的阴谋,一旦挑起争端就会使我国无法应付,这才是有识之士寒心的地方。"又说:"韩侂胄自知不能被公正的评论所容忍,于是对忠诚忧国的人,就说是标新立异,因此忠良之士被罢斥而听不到公正的评论;正心诚意的学说,被说成是好图浮名,于是伪学的说法盛行一时而正道行不通。如今改弦更张,正应当褒奖崇尚名节,明确指出提倡什么。"

召见李道传任命他为太学博士,后又升任太常博士兼沂王府小学教授。恰遇沂王母亲的丧礼,留下遗言,官吏按例进升一级,李道传说:"有辅佐办事功劳的,推恩进升一级是可以的,这与我有什么相干呢!"因此全都推辞不接受。升任著作佐郎后,李道传面见宋宁宗,他说:"如果在朝廷听不到忧虑危险的话,这不是天下大治的迹象。如今百姓还不富裕,民心还不稳定,财用还不充足,储备还不丰富,军备没有整顿,将帅没有选择好,社会风气还没达到人人知道礼义而不苟且的程度,人才还不是层出不穷而不缺乏,这八个方面中,又以人才为最重要。希望陛下广泛搜罗人才,以防备国家将来的忧患。"宋宁宗高兴地采纳了他的建议。

当初,李道传担任蓬州州学教授,吴曦的同党胁迫他参加叛乱,李道传弃官而去,而且送信给安抚使杨辅,说吴曦可很容易被擒获。到这时吴曦的叛乱被平定以后,下诏说因为李道传保全名节不屈不挠,宣召入京。权臣有不喜欢道学的,李道传毫不因此而动摇。

甲子(二十八日),金国派吏部尚书贾守谦等十三人与各路按察司一起用推排法清查百姓的财产。

乙丑(二十九日),金章宗回到京都。

冬季,十月,丙子(初十),任命钱象祖为左丞相,任命史弥远为右丞相,任命雷孝友为知枢密院事,任命楼钥为同知枢密院事,任命娄机为参知政事。

陈晦任命史弥远的制书,用了"昆命元龟"一词,倪思感叹说:"董贤任大司马,册封书中有'允执厥中'的话,萧咸认为这是尧禅位给舜的文字,德高望重的人见了,没有谁不担忧的。如今的制书中引用的,这是舜逊位给禹的文辞,天下如果有像萧咸一样的读了,能不大惊失色吗?"于是呈上中书省起草的任命书,请求修改其中的措辞,下诏令有关部门辨析。史弥远于是任命陈晦为殿中侍御史,立即弹劾倪思作为主管军政的大臣,越权评论朝廷的文告,削职,罢官,从此倪思没有再被起用。

诏令:"朱熹特赐谥号,令有司议定后上奏,还可施恩泽让他的一个儿子担任官职。"

己卯(十二日),褒奖录用庆元年间上书的杨宏中等六人。

庚辰(十三日),封赵伯栈为安定郡王。

辛巳(十四日),蔡琏被除名,发配赣州牢城。

十一月,丁酉朔(初一),金国开始设立三司使,主管盐铁、度支、劝农事,任命枢密使赫舍哩子仁为三司使。诏令让诸路按察使同时兼任转运使。

癸卯(初七),金章宗训诫尚书省说:"国家的治理,在于纪纲;强调纪纲时首先要做到的,就是要赏罚严明。如今上自三省和各部,下至州县之间,有纪律而不遵守,感情用事,拖延旷废,苟且成风,习以为常,怎么能实现天下大治的愿望呢!朝廷,是百官的根本;京师,是各地的榜样。希望从今以后各自努力,惩戒过去的错误,遵纪守法,努力做出成绩,不要徇私枉法,不要因为畏惧权势而依违苟且,一切归于公正,做百姓的典范。"

丁未(十一日),金国命令临潢、泰州路兵马都总管承裔等整顿边防加强战备。

金章宗得了咳嗽病,很严重,当时妃嫔贾氏、范氏都怀了孕,还没到临产期。恰巧卫王完颜永济从武定军前来朝见,金章宗没有儿子,又对宗室疏远猜忌,因为完颜永济柔弱,智能低下,因此章宗爱他,想传位给他。完颜永济辞行那天,金章宗带病与他击球,并对卫王说:"叔王不想做国主,急着要离京吗?"李元妃在旁边,对金章宗说:"这不是说着玩的。"乙卯(十九日),金章宗病重,卫王没走。李元妃与黄门李新喜决定拥立卫王,派内侍潘守恒见卫王。潘守恒说:"这是大事,必须与大臣商议。"就派潘守恒去召平章政事完颜匡。完颜匡,是金显宗的侍读,是资格最老的大臣,立有战功,因此只召他来。完颜匡到后,就做出决定拥立卫王为帝。

丙辰(二十日),金章宗在福安殿去世,享年四十一岁。留下遗诏说:"皇叔卫王即皇帝位。"还说:"我的内人中有两位怀了孕,如其中生了男孩,应当立为皇储,两个都是男孩的话,就选择可以立的立为皇储。"卫王接受诏书发丧举哀,即皇帝位。

戊午(二十二日),右丞相史弥远因为母亲去世而离职。

十二月,戊辰(初二),左丞相钱象祖被罢免。

庚午(初四),四川开始使用当五大钱。

将嘉兴府升为嘉兴军节度使。

戊寅(十二日),派曾从龙出使金国吊祭。己丑(二十三日),派宇文绍彭出使金国,祝贺新皇帝即位。

这年冬季,蒙古第二次攻打托克托和库楚类汗。当时斡伊喇部等遇上蒙古前锋,不战而降,蒙古因而利用他们为向导,挺进到苏儿迪实河,讨伐默尔奇部,灭掉了该部。托克托被乱箭射死,库楚类汗逃奔契丹。

嘉定二年　金大安元年,蒙古太祖四年(公元1209年)

春季,正月,庚子(初五),诏令朝廷内外各部门上奏陈述节约费用的问题。

辛丑(初六),金国太史上奏说:"有飞星像火一样,出现在天市垣星座,有尾,形迹像一条红色的龙。"

金国派费摩正来告哀。

丁巳(二十二日),任命楼钥为参知政事,任命御史中丞章良能为同知枢密院事,任命吏部尚书宇文绍节为签书枢密院事。

楼钥上书说:"诸道设置帅官,称为安抚使,兼管该道的军事和民政,是独当一面的封疆大吏,朝廷的选择极为慎重。近来遇上盗贼出现,州县不能制服的,必定要帅臣亲自前去,虽然大多成功,但我私下里担心。水旱、饥荒既然无法避免,怎能保证没有犯上作乱的人呢?如果以此作为惯例,帅臣动辄亲临战地,恐怕不是国家的长久之策。神宗皇帝关注边防,考虑得很深远,就在熙宁九年,知成都府蔡延庆说,请求调陕西兵援助茂州,等军队集中后自己率领前往,令转运司暂时处理府事,诏令因为朝廷已派将领带兵,蔡延庆务必要持重,不能轻易离开成都;元丰六年,河东经略司报告说西面的盗贼侵入麟州神堂寨,知州訾虎等人领兵出战有功,诏令訾虎从今以后不能轻易出击,遇有敌人侵犯边境,只令副将出兵驱逐。神宗的考虑真深远啊!大抵因为作为帅守,掌握百姓的命运,一旦有什么闪失,人心容易动摇。应当让他们制定方略,调度军粮,沉着地坐镇指挥,安定四方,即使有时会受到挫折,根本不会动摇。如果轻率出击,害处很大。大抵帅臣出行,要在郊野竖立牙旗,能够作战的士兵都在队伍中,跟随帅臣的士兵,必定单薄,而且又随时迁徙驻所,登高涉险,如果有凶悍狡猾的盗贼,隐伏在竹丛中,乘机突然袭击大师所在的队伍,那么盗贼的气焰就会更加嚣张,国威难振,仓促之际,危险就很难说了!”

庚申(二十五日),下诏说:“侍从、两省、台谏各荐举监司、郡守治绩特别突出的二三人。”

金国派富察知刚来宋朝,送金章宗的遗留物。

壬戌(二十七日),金国改年号为大安,大赦天下,立元妃图克坦氏为皇后。

二月,己巳(初四),金国派使者来告知新皇帝继位的消息。

庚午(初五),黎州蛮蓄卜进犯良溪寨,官军溃败。

壬午(十七日),下诏说:“会子贬值日益严重,侍从、两省以下官员各列举建议上报朝廷。”

丁亥(二十二日),废止法科考试,考试经义,恢复六场旧法。

金国平章政事布萨端、尚书左丞孙即康上奏说:“先帝的宫人贾氏,应当在十一月分娩,现在已过了三个月。范氏的产期应当在正月,医生说胎形已经消失。范氏愿意削发为尼。”壬辰(二十七日),金主将此事诏告朝廷内外。不久封皇子完颜从恪等六人为王。

金国东京留守图克坦镒经过中都入朝拜见,金主说:“你是两朝旧臣,想任用你为丞相;太尉完颜匡,是你的门人,我不能让你屈居他之下。”于是将他升为开府仪同三司,充任辽东安抚副使。

金国任命同知中都路转运使孟奎为博州防御使。此前孟奎上奏说:“亲民官的委任,不应草率选择。于今吏部派武夫计算资历便可,实权被下级官员掌握,怎么能够指望澄清吏治呢?应该任用部分士人,使政事有纪纲可循。”孟奎到了博州,裁断明决,下令说:“凡是县里的事应到州里解决的,不要在中途停留,以防吏员舞弊。”州人认为很适当。

三月,甲辰(初十),金国在道陵安葬宪天光运仁文义武神圣英孝皇帝,庙号章宗。大赦天下。任命布萨端为右丞相。

己酉(十五日),下诏说:“百姓因为减少会子的价值而被没收了家产的,有司立即归还。”

戊午(二十四日),禁止两淮官吏私买民田。

这年春季,辉和尔国向蒙古投降。辉和尔国,就是唐朝时期的高昌国。

蒙古主进入河西,西夏国王李安全派他的太子率军作战。蒙古打败了西夏军,活捉西夏军的副元帅高令公,攻克兀剌海城,俘虏西夏国太傅西壁氏。进军到克夷门,又打败西夏军,俘虏西夏国将军威明令公,进逼中兴府,引黄河之水灌城,堤决口,水向外流,蒙古军撤去包围返回。派太傅额克进入中兴府发出通告,西夏国主将女儿送给蒙古请求议和。

夏季,四月,戊辰(初四),遣散庐、濠二州的忠义军归家务农。

金主命令讨论黄门李新喜的罪过,朝廷大臣都认为应当处死。参知政事孙铎说:"这人在先朝过于受到信任。"金主说:"你到现在才这样说,为什么?"后来又说:"以后应当畅所欲言,不要因此而介意。"不久,升为尚书左丞,兼修国史。

庚辰(十六日),金主下诏揭露章宗元妃李氏的罪行,说:"章宗还没立皇储时,李氏与她的母亲王盼儿及李新喜谋划,让宫人贾氏假称怀了孕,等到临产时,从李家抱一个男孩来,如果出生日期不合的话,就想办法另外弄个男孩来作为皇储。章宗驾崩,他们的阴谋来不及施行。还有,章宗平日偶尔宠幸某个宫人,李氏嫉妒,让女巫李定奴作纸木人、鸳鸯符装神弄鬼,以致使章宗没有后嗣。如今事情已被揭发,派大臣调查审问,已全部承认。有司认为应当依法处以极刑;因为她长期侍奉先帝,令赐自尽。王盼儿、李新喜分别正法;李氏的哥哥安国军节度使李喜儿,弟弟少府监李铁格押送边远地方安置;株连受处罚的也依法施行;贾氏也赐令自尽。"

起初,完颜匡与李氏同受遗诏拥立卫王,完颜匡想独占拥立新皇帝的功劳,于是图谋杀李氏。几天以后,完颜匡被任命为尚书令,封申王。左副点检乌库哩庆寿,犯了与李新喜品评诸王的罪,免除死罪,吏部除名。

金国任命皇子胙王完颜从恪为左丞相,任命布萨端为右丞相,任命孙即康为平章政事,封为崇国公。

戊子(二十四日),赐杨震仲谥号为节毅。

五月,丙申(初三),起用恢复史弥远的右丞相职务。史弥远因为母亲去世回家治丧,太子请求为他在行都建府第,命令他在府第服丧,以便随时咨询访问。

丁酉(初四),因为旱灾,诏令诸路监司判决在押囚犯,弹劾守令中贪婪残暴的人。

戊戌(初五),罗日愿阴谋叛乱,被处死。罗日愿,江西人,因为向韩侂胄献计有功,借补训武郎,任忠义军统制。韩侂胄被处死后,他的同党中有获罪的,供词牵连到罗日愿,得到宽大处理。罗日愿内心不安,暗中勾结党羽,准备等史弥远被起用恢复官职过江时,百官在浙江亭迎接,举火为号,将宰执以下官全部杀死,冲入皇宫,胁迫宋宁宗下诏书。布置分派已定,守阙进勇副尉景德常知道这件事,投匦告密。罗日愿在市中被处以磔刑,将景德常任命为武德郎。史弥远正推辞复官,又上奏请求待罪,他说:"陛下昨天诛杀了元凶,我有幸参与了秘密赞划,因此他的余党会切齿恨我。"宋宁宗下诏夸奖他安慰他。

辛丑(初八),命令州县捕杀蝗虫。

这月,金国考试宏词科。

六月,辛卯(二十八日),根据京湖制置使的建议,遣散各州的新军及忠义之人让他们回家务农。

秋季,七月,乙未(初三),下诏说:"受灾歉收的州县,七岁以下的男孩和女孩,允许异姓人收养。特此下令。"

癸卯(十一日),招募百姓以赈济饥民免去劳役。

八月,甲子(初二),在沿长江的六个州发行铁钱。

乙丑(初三),任命安丙为四川制置大使,撤销宣抚司。

丙戌(二十四日),发放十万石米,赈济两淮的饥民。

九月,己亥(初八),宋宁宗朝献景灵宫。庚子(初九),宋宁宗在太庙祭享。辛丑(初十),在明堂合祭天地。

此月,金主到大房山,拜谒祭奠睿陵、裕陵、道陵。

冬季,十月,己卯(十八日),金主下诏告诫鼓励人们纯化风俗。

丁亥(二十六日),命令京湖制置司招募逃兵和被遣散的忠义人以补充军队中的空缺,因为被遣散的忠义人聚集为盗的缘故。

十一月,辛卯朔(初一),沔州统制张林等人阴谋发动叛乱,事情被发觉,饶恕死罪,削去功名,押送广南羁管。

甲午(初四),诏令浙西监司招募饥民兴修水利。

丙申(初六),金国平阳发生地震,有像响雷一样的声音,从西北方传来。戊戌(初八),又发生地震,浮山县的灾情最严重。

金国翰林学士承指张行简推荐上京等路按察司张云翼的才能,而且精通术数,朝廷将他宣诏入京任命他为提点司天台,兼翰林修撰。

这个月,郴州黑风峒寇李元砺叛乱,聚众几万,接连攻破吉、郴各县,朝廷下令派江、鄂、荆、池四州的军队前往讨伐。

当初,罗世传归降,峒中特别缺乏粮食,江西帅守急于欲招降以立功,于是送粮食给他们,还送了盐。盗贼非常高兴,阴谋更加得逞,表面上虽然归降,暗中却在制造兵器,而带兵的人却上奏要授予盗贼首领官爵。峒中的忠义之人都很气愤,说:"作盗贼可以封官,为忠义作战的人反而丧命,难道能让人信服吗?"于是五个六个聚为一伙,分别以峒名作为自己的乡名,李元砺和陈廷佐这些人,都起来作盗贼,江西各城都为之震动。

丙辰(二十六日),临安府知府徐邦宪被罢免,因为御史陈晦等说他不能区别处理饥民。不久,命令兵部尚书赵师𩾃代替他,学士蔡行之应当起草任命书,他却上奏说:"赵师𩾃的为人处事,众人已经耳闻目睹,诏书中一定要有赞扬他的话,我找不出适当的词。"不久朝廷将蔡行之调到外地担任宫观官,终于还是任用赵师𩾃。当时赵师𩾃已经四次担任临安府知府了。

十二月,壬戌(初二),赐李显忠的谥号为忠襄。

安丙派统领官董炤、正将李实,带两百飞虎军驻守雅州,讨伐蓄卜,又派他的儿子安癸仲到黎州视察军队。安癸仲预先通知黎州准备船只干粮,做深入敌境的打算。等他到了以后,安癸仲派李实前往安静察看山川地形,李实说蓄卜的碉堡,距离大渡河有二十里,容易进入。飞虎军都是选出来的勇士,很想立即去进攻敌人。安癸仲重赏将士,命令董炤指挥飞虎军,李实指挥禁军,联合沿河各寨的士兵千多人,甲子(初四),天没亮,渡过大渡河分为三路。山高竹林茂密,积雪掩路,蛮人在山上的险要地方修筑石棚以待官军,官军有的被石头压住。不久蛮人大呼着冲出来,官军受惊溃散,逃入山谷,蛮人放出猎犬追击,都被掩杀。天黑以后,董炤先逃回,李实被围困了好几天才逃回来。这以后安癸仲返回黎州,董炤留守安静。

己巳(初九),赐朱熹谥号为文。

乙亥(十五日),诏令各州不要籴进职田租

此月,金国尚书令申王完颜匡去世。完颜匡过去受到金显宗的宠信,又担任金章宗的讲读,最受宠信,位居将相,依仗皇帝的恩宠而刚愎自用,卖官鬻爵。承安年间,负责划分赐给官员的土地,完颜匡自己却占有济南、真、定、代州的上等肥沃田地,百姓的旧有田宅随意夺取,还在限额之外自己占取。金章宗听了这件事,没有治他的罪,只是用安州边吴泊旧放围场地、奉圣州官有的闲置田地进行调换,以前私自多占的田地全部归还百姓。到金卫绍王即位,又独占了定策拥立的功劳,因此金卫绍王优待他礼遇他。

金国进封越王完颜永功为谯王。

金国布萨端升任左丞相,任命尚书右丞通吉思忠为平章政事,任命御史大夫张行简为太子太保,任命知兴中府事完颜承晖为御史大夫,任命知临潢府事完颜承裕为御史中丞。

起初,蒙古国主向金国进贡,后来的金国皇帝当时是卫王,金章宗派他在静州接受贡品,蒙古国主见了卫王不行礼,卫王要请求派兵攻打他。恰遇金章宗去世,金卫绍王即位,送诏书到蒙古,传话的说应当拜受,蒙古国主问金国使者说:"新皇帝是谁?"金国使者说:"是从前的卫王。"蒙古国主立刻向南面唾着说:"我以为中原皇帝是天上人,这种平庸懦弱的人,也能当皇帝吗?下拜干什么?"随即乘马向北驰去。金国使者回来禀奏,金卫绍王更加愤怒,想等蒙古国主再进贡时,就当场杀了他。蒙古国主知道后,就与金国绝了交,对金国严加防备。

续资治通鉴卷第一百五十九

【原文】

宋纪一百五十九　起上章敦牂【庚午】正月,尽昭阳作噩【癸酉】八月,凡三年有奇。

宁宗法天备道纯德茂功　仁文哲武圣睿恭孝皇帝

嘉定三年　金大安二年,蒙古太祖五年【庚午,1210】　春,正月,庚辰朔,金太史奏:"日中有流星出,大如盆,其色碧,向西行,渐如车轮,尾长数丈,没于(蜀)〔浊〕中,至地复起,光散如火。"

甲辰,下诏招谕群盗,复诏戒监司、守令曰:"岁比旱、蝗,民食不登,捐瘠流亡,良可哀痛。而监司、守令,卤莽具文,未悉朕志,其能案发而无拘挛与?抚字而无刻薄与?不然,何吾民不安业而忍为盗贼之归也?"

金左丞孙铎,以议钞法不合,降濬州防御使,犹以前论李新喜忤旨故也。

二月,辛酉,黎州蛮自艮溪寨用皮船渡河,攻相岭寨,统领官董焰引所部兵百馀,由寨后突出御之。贼登堡子城,焰又逐之,贼自旦至晚不得食,走河岸西汉地,土丁知贼饥困,欲会剿,焰恐分其功,戒勿动。会日暮,焰移泊姜地寨,夜,贼潜益兵,诘朝再战,焰不能支,贼乃收兵而去。安癸仲旋还眉州。

壬午,以工部侍郎王居安知隆兴府,督捕峒寇。

是月,金以礼部侍郎耿端义参知政事。

金地大震。

三月,己亥,以湖南转运判官曹彦约知潭州,督捕峒寇。

庚子,赐彭龟年谥曰忠肃。

甲寅,诛楚州渠贼胡海。

丙辰,以久雨,释两浙州县系囚。

夏,四月,癸亥,峒寇李元砺伪请降,以书辞侮嫚,不许。元砺遂犯南雄州,官军大败。

戊辰,出内库钱赈行在军民。

是月,金主命校《大金仪礼》。

会徐、邳二州奏河清五百馀里,金主以告宗庙、社稷,诏中外。临洮杨珪上书曰:"河性本浊而今反清,是水失其性也,正犹天动地静,使当动者静,当静者动,其为灾异明矣。且《传》曰:'黄河清,圣人生。'假使圣人生,恐不在今日。又曰:'黄河清,诸侯为天子。'正当戒惧以消灾变,而复夸示四方,臣所未喻。"宰相以为妖言,议欲诛之,又虑绝言路,乃诏大兴府锁还本管。

五月，乙未，淮东贼悉平，诏完恤残破州县。

甲辰，以去岁旱、蝗，百官应诏封事，命两省择可行者以闻。

乙巳，命沿海诸州督捕海寇。

戊申，经理两淮屯田。

庚戌，以江陵忠勇军为御前忠勇军。

癸丑，以久雨，发丰储仓米赈贫民。

是月，赠朱熹中大夫、宝谟阁直学士，赠蔡元定迪功郎。

六月，丁巳朔，日有食之。

丙寅，金地震。

己卯，封杨次山为永阳郡王。

诏："三衙、江上、四川诸军主帅核实军籍，欺冒者以赃论。"

是月，李元砺犯江西，池州副都统制许俊、江州副都统制刘元鼎战不利；知潭州曹彦约又与贼战，为贼所败，贼势益炽。江西帅李珏、漕使王补之议平之，而各持其说。运司干办李璠曰："寇非吾民耶？岂必皆恶！有司贪刻者激之，将校之邀功者逼成之耳。反是而行之，则皆民矣。"珏等曰："干办议是。谁可行者？"璠请往，乃驻兵万安。会近峒诸巡尉，察隅保之尤无良者易置之，分兵守险，驰辨士谕以逆顺祸福，于是旁峒颇有慕义而起者。

金大旱。金主下诏罪己，赈贫民阙食者，曲赦西京、太原两路，杂犯死者减一等，徒以下免。

秋，七月，辛卯，申严围田增广之禁。

癸卯，定南班宗室为三十员。

是月，金地震，后累月皆震。

八月，乙丑，金立皇子胙王从恪为皇太子。

是月，临安府蝗。

夏自天会初与金议和，八十馀年，未尝交兵，至是为蒙古所攻，求救于金。金主新立，不能出师，夏人怨，遂侵葭州，金庆善努击却之。

九月，丙戌朔，诏："三衙、江上诸军升差将校，必以材艺年劳；其徇私者，台谏及制置总领劾之。"

金主以地大震，诏求直言，招勇敢，抚流亡。

先是金纳哈塔迈珠守北鄙，知蒙古将侵边，奔告于金主。金主曰："彼何敢然！且无衅，何能入犯！"迈珠曰："近见其诸部附从，西夏献女，而造箭制盾不休；凡行营则令男子乘车，盖欲惜民力也。非图我而何？"金主以为擅生边隙，囚之。

会边将筑乌舍堡，欲以逼蒙古，蒙古主命哲伯袭杀其众，遂略地而东。金承平日久，骤闻蒙古用兵，人情怔惧，流言四起。丙午，中都戒严。金主日出巡抚，百官请视朝，不允。既而知蒙古未尝大举，始解严，旋禁百姓不得传说边事。

冬，十月，乙丑，诏四川总领所毋受宣制。

十一月，乙巳，议收浮盐。

李元砺迫赣州、南安军,诏以重赏募人讨之。

金同知兴中府事伊喇福僧督民缮城濬隍,先事为守御之备,百姓颇怨。顷之,蒙古兵果至,攻其北城。福僧战其北,使备其西;薄暮,果攻其西,以有备,解围去。时安国军节度使贾益,亦豫修城郭为战守备,按察司止之,不听,曰:"治城,守臣事也,按察何为!"及蒙古兵至,亦以有备,引还。

十二月,戊午,参知政事娄机罢。机立朝能正言,好称奖人才,疏列姓名及其可用之实,以备采取。至是以老罢。

丙寅,罗世传缚李元砺以降。

时四州兵讨元砺者皆失利,王居安以书晓许俊曰:"贼胜则民皆为贼,官胜则贼皆为民,势之翕张,皆决于此举。将军素以勇名,为山贼所挫,可乎?"俊得书惶恐,乃为之尽力,败贼于黄山。贼始惧,走韶州。居安驻军庐陵,召土豪问便宜,皆言:"贼勇健矫捷,陟降险阻如猿猱,若钞吾粮运,吾事危矣。"居安曰:"吾自有以破之。"

先是世传虽已降,而实阴与元砺相表里,自黄山之败,元砺有悔心,而练木桥贼首李才全,世传之党也。居安欲斗罗、李,乃令人谓元砺曰:"汝能擒送才全,则贳尔之罪。"元砺从其言。居安赏元砺而厚抚才全,世传果疑元砺之贰己,遂交恶。元砺率众攻世传,居安语俊曰:"两虎斗于穴,吾可成卞庄之功矣。"世传嗾才全之党袭元砺巢穴,俘其孥。元砺无所归,世传擒之以献。元砺伏诛,峒寇悉平。

临安尹赵师𪩘擅挞武学生,为诸生所讼,史弥远颇右之,诸生益不平,乃追列其诣附韩侂胄事,诋以丑语。师𪩘不自安,疏言:"陛下以都城楮贱米贵,牵挽用臣。今臣未能调剂,乞解职。"许之。侂胄之启衅也,师𪩘度其必召祸,每持异论,遂与侂胄绝。侂胄诛,其党多坐谪,师𪩘获免,至是始罢。

辛巳,黎州蛮请降。

是岁,临安、绍兴、严、衢大水;赈之,仍蠲其赋。

金大饥。

嘉定四年 金大安三年,蒙古太祖六年【辛未,1211】 春,正月,乙酉朔,马湖蛮攻嘉定犍为之利店寨。马湖蛮者,西爨昆明之别种也,始欲寇中镇寨,寨有备,不可入,闻利店稍富实而寨丁少,乃攻利店。知寨、保义郎段松,遣寨丁七十馀人迎敌,或死或逃,蛮遂围之。寨地势洼,蛮乘高投木石击之,众莫能抗。己丑,蛮以云梯登城,松力战无援,被执,脔割死。安抚使许奕调兵援之,蛮已焚掠而去。

丙午,诏:"湖南、江西诸州县经贼蹂践者,监司、守臣考县令安集之实,第其能否以闻。"
西域哈喇鲁部降于蒙古。

二月,壬戌,授罗世传武翼郎、阁门祗候。旋赐黑风峒名效忠,赐以铜印。世传乞补文资,乃以为通直郎、签书镇南军节度判官厅公事。世传疑不出。

蒙古伐金。时金将鼎苏拥重兵守野狐岭,蒙古主使察罕觇虚实,还,言彼马足轻动,不足畏也。蒙古主鼓行而前,遂破其军,取大水泺、丰利等县。师还,以察罕为御帐前首千户。

金人复筑乌舍堡。

伊喇尼尔,故辽人也,金召为参议、留守等官,皆辞不受;闻蒙古兵至,私语所亲曰:"为国复仇,此其时也!"率其党百馀人诣军门,献十策。蒙古主召见,与语,奇之,问:"尔生何地?"曰:"霸州。"因号为霸州元帅。

闰月,辛亥,诏:"诸路格朝廷赈恤之令及发盗不即捕者,重罪之。"

三月,丙子,沔州将刘世雄等,谋据仙人原作乱,伏诛。

临安大火,焚省部等官舍,延及太庙,诏迁神主于寿慈宫;三日,火息,乃还太庙。省部皆寓治驿寺,焚民居二千馀家。

金中都大悲阁灾,延及民居。

金括民间马,令职官出马有差。

金平章政事孙即康致仕,寻卒。金以御史中丞完颜承裕为参知政事。

夏,四月,甲申,禁福建、两浙州县科折盐酒。

国子司业刘爚请开伪学禁。

己丑,以吴曦没官田租代输关外四州旱伤秋税。

金主闻蒙古主自将南下,大惧,释纳哈塔迈珠之囚,令西北路招讨使钮祜禄哈达请和于蒙古,蒙古主不许。金主乃命平章政事通吉思忠、参知政事完颜承裕行省事于抚州,西京留守赫呼舍哩执中行枢密院事,以备边。

金以参知政事鄂屯忠孝为右丞,户部尚书梁镗为参知政事。

金主集三品以上官议兵事,相持莫决。尚书令史李英上疏言:"珠赫呼果勒齐、穆延尽忠等,先朝尝任使,可与商略大计。"又曰:"比来增筑城郭,修完楼橹,事势可知。山东、河北不大其声援,则京师为孤城矣。"金主召平定州刺史赵秉文论备边之策,秉文言:"我军聚于宣德,城小,列营其外,涉暑雨,器械弛散,人且病,深秋敌至,将不利。可遣临潢一军捣其虚,则山西之围可解,兵法所谓出其不意,攻其必救者也。"金主不能用。

是月,四川制置大使置安边司以经制蛮事,命成都路提刑李壁、保州路安抚许奕共领之。先是安丙议发兵讨蛮,壁以为然,奕谓旷日持久,不如招降,议久不决。会叙州获蛮人数十,鞫之,其与于利店之乱者只三人。奕榜境上,谕蛮人能以利店所掠人口来归,即释此三人;又遣谍入蛮中,怵以利害。蛮人请如约,未几中悔;壁声言某日以兵出寨,蛮人悚惧;寻知为扬声给己,蛮人益无所惮。

五月,乙亥,赐礼部进士赵建大以下四百六十五人及第、出身。

六月,丁亥,遣(金)〔余〕嵘贺金主生辰。时金有蒙古之难,不暇延使者,至涿州而还。

辛丑,更定四川诸军军额。

壬寅,金更定军前赏罚格。

秋,七月,壬戌,太白昼见。

丙寅,诏:"四川官吏尝受伪命者,毋得叙用。"

丁丑,诏:"军兴以来爵赏冒滥者,听自陈,除其罪。"

八月,夏国主安全卒,年四十二,谥为敬穆皇帝,庙号襄宗,墓曰康陵。族子大都督府主遵顼立,改元光定。

先是金遣耶律阿哈使于北部,阿哈见蒙古主姿貌异常,归心焉,阴输以国事。阿哈善骑射,通诸国语,蒙古主爱之,问曰:"汝肯臣我,以何为信?"对曰:"愿以子弟为质。"未几,偕其弟图哈至,蒙古主命图哈直宿卫,阿哈参预机谋。金人讶其使久不还,系其家属,阿哈殊不介意,蒙古主妻以贵臣之女。至是命左帅哲伯略地,以阿哈为先锋。

金通吉思忠、完颜承裕缮乌舍堡,未及设备,蒙古哲伯遣阿哈以轻兵奄至,拔乌舍堡及乌云营,思忠等败走。时汾阳郡公郭宝玉屯定州,举其军降于蒙古。蒙古遂破白登城,进攻西京,七日,赫舍哩执中等惧,率麾下百骑弃城突围走。蒙古主以精骑三千驰之,金兵大败。追至翠屏山,承裕不敢拒战,退至宣平县界。土豪请以土兵为前锋,行省兵为声援,承裕畏怯不能用,但问此去宣德间道而已。土豪嗤之曰:"溪涧曲折,我辈谙知之,行省不知用地利力战,但谋走耳。"其夜,承裕引兵南行,蒙古蹑击之,至会河堡,金兵大溃,承裕脱身走入宣德。蒙古穆呼哩乘胜进薄宣德,遂克德兴。

九月,辛酉,马湖蛮复寇边。

先是蛮人以黄纸作牒移嘉州,其语殊倨,安边司俾寨官却之。既而提刑司令寨官谕以先归所掠,蛮人语益嫚,遂犯叙州,至宣化之二十里。李壂怒守臣史师道文报稽迟,劾之,镌二级,罢归。

乙亥,罗世传为其徒胡有功所杀,诏以世传官授之。峒寇为患三年,至是平,人皆相庆。

丁丑,诏:"附会开边得罪之人,自今毋得叙用。"

蒙古兵薄居庸关,守将完颜福寿弃关遁,哲伯遂入关。金中都戒严,禁男子不得辄出城。蒙古游弈至都城下,金主议以细军五千自卫奔南京。会细军五百人自相激厉,誓死迎战,蒙古兵多伤,问所俘乡民:"此军有几?"乡民绐之曰:"二十万。"蒙古惧,遂袭群牧监,驱其马而归。金主乃止。

郭宝玉既以军降,穆呼哩引之见蒙古主,问取中原之策。宝玉曰:"中原势大,不可忽也。西南诸蕃,勇悍可用,宜先取之。藉以图金,必得志焉。"又言:"建国之初,宜颁新令。"蒙古主从之,于是颁条画五章。如出军不得妄杀;刑狱惟重罪处死,其馀杂犯,量情笞决;军户,蒙古、色目人每丁起一军,汉人有田四顷、人三丁者签一军,年十五以上成丁,六十破老,站户与军户同;民匠限地一顷;僧道无益于国有损于民者,悉行禁止之。类皆宝玉所陈也。

冬,十月,甲辰,以金国有难,命江淮、京湖、四川制置司谨边备。

时和议方坚,皆漫不置意,唯赵方在江陵,知金人北逼于蒙古,计必南迁,乃增修三海、八匮以壮形势。荆门有东、西两山,最为险要,乃筑堡于其上,增戍兵以遏敌冲。又拔土豪孟宗政等补以官,日夜为严备。

金命泰州刺史珠赫呼果勒齐屯兵通玄门外,金主自出巡抚诸军。未几,罢宣德行省,升缙山县为镇州,以果勒齐为防御使,权元帅右都监。

十一月,己酉朔,日有食之。

先是金上京留守图克坦镒上言:"自国家与蒙古交兵以来,彼聚而行,我散而守;以聚攻散,其败必然。不若入保大城,并力备御。昌、桓、抚三州,素号富实,人皆健勇,可内徙之以益兵势,人畜财货,不至亡失。"参政梁镗曰:"如此,是自蹙境土也。"金主从镗谋。镒复奏曰:"辽东,国家根本,距中都数千里,万一受兵,州府顾望,必须报可,误事多矣,可遣大臣行省以镇之。"金主不悦,曰:"无故置行省,徒摇人心耳。"不从。镒乃遣同知乌克逊鄂屯将兵二万人卫中都,金主嘉之,征拜右丞相。

金签中都在城军。

金杀河南陈言人郝赞。

蒙古主复遣其子卓沁、察罕台、谔格德依分徇云内、东胜、武、朔等州,下之。于是德兴府、弘州、昌平、怀来、缙山、丰润、密云、抚宁、集宁、东过平、滦,南至清、沧,由临潢逾辽河,西南抵忻、代,无不残破。

金赫舍哩执中之弃西京而还也,至蔚州,擅取官库银五千两及衣币诸物,夺官民马与从行人,入紫荆关,杀涞水令。至中都,金主皆不问。以为右副元帅。执中益无所忌惮,自请兵二万北屯宣平。金主与之三千,令屯妫川,执中不悦。

金平章政事通吉思忠,参知政事完颜承裕,坐覆全军,思忠除名,承裕责授咸平路兵马总管。将士以其罚轻,益不用命。

金益都人杨安国,少无赖,以鬻鞍材为业,市人呼为杨鞍儿,遂自名杨安儿。泰和中,金人南侵,山东无赖往往相聚剽掠,命州县招捕之。安儿时为群盗,亦请降,隶名军中,累官至防御使。及蒙古兵薄中都,诏招铁亢敢战军,得千馀人,以唐古哈达为都统,安儿副之,以戍边。安儿至鸡鸣山,不进,金主驿召问状,安儿乃曰:“平章、参政军数十万在前,无可虑者。屯聚鸡鸣山,所以备间道透漏者耳。”金主信之。安儿亡归山东,与张汝楫聚党攻劫州县,杀掠官吏,山东大扰。

夏人数扰邠、岐,金陕西安抚使檄同知转运使事韩玉以凤翔总管判官为都统府募军,旬日得万人,与夏人战,败之。时夏兵方围平凉,又战于北原,夏人疑大军至,解去。当路者忌其功,驿奏玉与夏人有谋,金主疑之,使使者授玉河平府节度副使,且觇其军。

先是华州李公直,以中都被围,谋举兵入(授)〔援〕,而玉恃其军为可用,亦欲为勤王之举,乃传檄州县云:“事推其本,祸有所基。始自贼臣,私容奸赂,继缘二帅,贪固威权。”又云:“裹粮坐费,尽膏血于生灵;弃甲复来,竭资储于国计。要权力而望形势,连岁月而守妻孥。”又云:“人谁无死,有臣子之当然;事至于今,忍君亲之弗顾!勿谓百年身后,虚名一听史臣;只如今日目前,何颜再居人世!”公直军行有日,有违约者,辄以军法从事,京兆统军因谓公直据华州反,遣都统杨珪袭杀之。公直曾为书约玉,玉不预知,其书为安抚所得;及使者觇玉军,且疑预公直之谋,即实其罪。玉囚死于华州。

十二月,辛巳,奉议郎张镃,坐扇摇国本,除名,象州羁管。镃,俊之孙也。初,史弥远欲去韩侂胄,镃预其谋,方议所以处侂胄,镃曰:“杀之足矣。”弥远语人曰:“真将种也!”心忌之,至是乃构以罪。

癸未,以会子折阅不行,遣官体访江、浙诸州。

著作佐郎真德秀轮对,因论灾异曰:“近岁以来,旱蝗频仍,饥馑相踵。陛下严恭寅畏,不敢荒宁,忧闵元元,形于玉色,上天降康,遂以有年,亦足以观感格之诚矣。而比者乾度告愆,星文示异。夫宫庭屋漏之邃,起居动作之微,一念方萌,天已洞监。陛下诚能守兢业之志,防慢易之私,孜孜履行,屡省无怠,则将不待善言之出,而有退舍之感矣。况今年虽告稔,民食仅充,然荐饥之馀,公私并竭。如人久病甫瘳,而血气未平,筋骨犹惫,药败扶伤,正须加意,朝廷之上,未可遽忘矜恤之念也。间者内廷屡建醮事,固足以见陛下畏天之诚;然而修德行政者本也,祆祷祈请者末也,举其末而遗其本,恐终不足以格天。矧今冬令已深,将雪复止,和气尚郁,嘉应未臻,此古人所谓天有忧结未解,民有怨望未塞者也。"

著作郎李道传奏言:"故侍讲朱熹,有《论语、孟子集注》《大学、中庸章句》《或问》,学者传之,所谓择之精而语之详者。愿陛下诏有司取是四书,颁之太学,使诸生以次诵习,俟其通贯浃洽,然后次第以及诸经,务求所以教育人材,为国家用,且使四方之士,闻其风节,传其议论,得以慕而效之。"又言:"绍兴中,从臣胡安国尝欲请于朝,以邵雍、程颢、程颐、张载四人从祀孔子之庙。淳熙中,学官魏掞之,言宜罢王安石父子勿祀而祀颢、颐兄弟。厥后虽诏罢安石之子雱,而它未及行。儒者相与论说,谓宜推而上之,以及二程之师周敦颐。愿陛下诏有司,考安国、掞之所尝言者,议而行之,上以彰圣朝崇儒正学之意,下以示学者所宗,其益甚大,其所关甚重,非特以补祀典之阙而已。"会西府中有不喜道学者,未及施行。

金签陕西两路汉军五千人赴中都。

金主命太子太保张行简、左丞相布萨端宿禁中,议军事。旋出端为南京留守。

是冬,蒙古主驻金之北境。

是岁,金贺瑞庆节使不至。

嘉定五年 金崇庆元年,蒙古太祖七年【壬申,1212】 春,正月,己巳,诏:"诸路通行两浙倍役法,著为令。"

壬申,赐李好义谥曰忠壮。

是月,金改元崇庆。

金右副元帅赫舍哩执中,请退军屯南口,或屯新庄,移文尚书省曰:"蒙古兵来,必不能支。一身不足惜,三千兵为可忧,十二关、建春、万宁宫且不保。"金主恶其言,下有司按问,诏数其十五罪,罢归田里。

蒙古攻云中、九原诸郡,拔之,进取抚州,金命招讨使赫舍哩纠坚、监军完颜万努等援之。或谓纠坚曰:"蒙古新破抚州,方以所得赐其下,马牧于野,宜乘其不备掩击之。"纠坚曰:"此危道也。不若马步俱进,为计万全。"乃遣其麾下舒穆噜明安曰:"汝尝使北方,素识蒙古国主,其往问以举兵之由,不然,即诟之。"明安至蒙古军中,如纠坚所教,俄请降,蒙古主命缚以俟,陈于獾儿觜。时金兵三十万,号四十万,蒙古穆呼哩曰:"彼众我寡,弗力战,未易破也。"率敢死士,策马横戈,大呼陷阵。蒙古主麾诸军并进,大败金兵,追至浍河,僵尸百里。

蒙古主召明安诘之曰:"尔何先誓而后降也?"明安对曰:"臣素有归志,向为纠坚所使,恐其见疑,故如所言;不尔,何由瞻奉天颜?"蒙古主善其言,释之,使领蒙古军抚定云中东、西两路。既而蒙古主欲休兵于北,明安谏曰:"金有天下一十七路,今我所得,惟云中东、西两路而已。若置不问,待彼成谋,并力而来,则难敌矣。且山前民庶,久不知兵,今以重兵临之,传檄可定。兵贵神速,岂宜犹豫!"蒙古主然之,即命明安引兵而南。

蒙古兵围威宁,金防城千户刘伯林,逾城诣军门请降,蒙古主许之,遣还,即以城降。伯林善骑射,为蒙古主所喜,问:"在金国居何官?"对曰:"都提控。"即授以元职,命选士卒为一军,与乡导图哈同征讨、招降山后诸州。

二月,壬午,罢两淮军兴以来借补官。

诏成都路帅臣兼领叙州兵事。

三月,庚戌,马湖蛮酋米在请降。

先是四川制置大使知蛮不可致,遣兴元后军统制刘雄等将西兵土人,自嘉、叙二州并进,又遣提刑司检法官安伯恕往叙州节制之。官军入蛮境,方战,有土丁断小酋之首,蛮人惊溃,官军小捷。米在据羊山江之水囤,坚不肯降。囤在峻滩中,官军不能至。安丙闻之,遗书李壑曰:"但声言伐木造大舟进攻水囤,则蛮自降矣。"从之。米在果请降,令其徒数十诣寨纳款,安边司厚犒之。米在以堕马为词,终不出。

戊辰,以久雨,诏大理、三衙、临安府、两浙州县决系囚。

金大旱。

金以御史大夫完颜承晖为参知政事,以参知政事孟铸为御史中丞。

时驸马都尉图克坦穆延与其父知大兴府南平干政事,大为奸利,承晖面质其非,金主不问。南平益贵显用事,势倾中外,遣所亲诱治中李革以进取,革拒之。

金册李遵顼为夏国王,夏人旋攻葭州。金人方有蒙古之难,夏人乘其兵败,侵掠边境,而通聘如故。

夏,四月,壬寅,诏:"自今告人从伪者,必指事实;诬告者坐之。"

五月,庚午,诏:"诸路坑冶,以通判、令、丞主之。"

癸酉,安南国王李龙(翰)〔翰〕卒,子昊旵嗣;寻卒,无子,以女昭圣主国事,其婿陈日(照)〔煚〕因袭取之。李氏自公蕴八传,凡二百二十馀年。

金武安军节度使致仕贾铉,起复参知政事,以完颜承晖为左丞。

金签陕西勇敢军二万人、射粮军一万人赴中都。括陕西马。以南京留守布萨端为河南、陕西安抚使,提控军马。

金河东、陕西大饥,斗米钱数千,流殍满野。辽东招抚副使伊喇福僧出沿海仓粟,先赈其民而后奏,金主(扰)〔优〕诏奖谕。

金泰安刘二祖兵起,寇掠淄、沂二州。

六月,乙酉,禁铜钱过江。

秋,七月,戊辰,以雷雨坏太庙屋,避殿,减膳。权直学士院真德秀上疏曰:"臣博观经籍史传所志,自非甚无道之世,未闻震霆之惊及于宗庙者。鲁之展氏,人臣耳,己卯之异,《春秋》犹谨书之。盖震霆者,上天至怒之威,宗庙者,国家至严之地;以至怒之威而加诸至严之地,其为可畏也明矣。古先哲王,遇非常之变异,则必应之以非常之德政,未尝仅举故事而已;今日避殿、损膳之外,咸无闻焉。乃者孟秋之朔,流星示异,其占为兵,而上下恬然若不知闻,故相距才九日而震霆之变作,天于我国家欲扶持而安全之,其心至惓惓也。臣愿陛下内揆之一身,外察诸庶政,勉进君德,博通下情,深求致异召和之本,庶几善祥日应,咎征日消矣。"

八月,甲戌朔,命左右司置进状籍,察前断之冤抑者罪之。

金主以有兵事,罢万秋节之宴。

蒙古围金西京,元帅左都监鄂屯襄率师来援。蒙古主遣兵诱之密谷口,逆击之,一军尽殪,襄仅以身免。蒙古主复攻西京,中流矢,乃解围去。遣萨巴勒使于金,金人不礼之,既而悔之,议通和,未决。

舒穆噜额森言于蒙古主曰:"东京为金根本之地,荡其根本,中原可传檄而定。"蒙古主然之。额森，故辽人，世为后族，辽亡，其祖率部落远徙。额森年十岁，从其父问辽为金灭之事，即大愤曰："儿能复之。"及长，勇力过人，善骑射，多智略，豪服诸部，金人闻其名，征为奚部长，即让其兄，遂深自藏匿，居北野山，射狐鼠而食。至是归于蒙古。

九月，丙午，太白昼见。

己酉，有司上《续中兴礼书》。

辛未，罢沿海诸州海船钱。

是月，四川复榷石脚井盐。先是石脚井盐已闭，民有犯法私炼者，制置大使安丙因复榷之。然盐既苦恶，率以抑售土人，而私贩肆行，民间不以为便。

蒙古察罕攻克金奉圣州。

冬，十月，辛巳，诏："诸路总领官岁举可为将帅者，安抚、提刑司举可备将材者二人。"

金曲赦西京、辽东、北京。

十一月，庚申，朝献景灵宫。辛酉，朝享太庙。壬戌，祀天地于圜丘，大赦。

金赈河东南路、南京路、陕西东路、山东西路、卫州旱灾。

十二月，丁丑，再蠲濠州租税一年。

壬午，诏诸路转运使参考州县新旧税籍，蠲其横增之数。

甲申，蒙古左帅哲伯攻金东京，不拔，即引去，获金使者，遣往谕之。部将索济伦布哈曰："东京，金旧都，备严而守固，攻之未易下，以计破之可也。请易服与其使偕往说之，彼将不疑。俟其门开，继以大军赴之，则可克矣。"如其言，夜袭克之。

金主闻抚、桓等州俱失，始思图克坦镒之言，叹曰："早从丞相之言，不至是！"继闻东京不守，语近臣曰："我见丞相，且耻哉！"

是冬，收兑旧会子，从湖广总领王釜之请也。

国子司业刘爚，请以朱熹《论语、孟子集注》立学；从之。爚又言："两淮之地，藩蔽江南，干戈盗贼之后，宜加经理，必于招集流散之中，就为足食足兵之计。臣观淮东，其地平博膏腴，有陂泽水泉之利，而荒芜实多；其民劲悍勇敢，习边鄙战斗之事，而安集者少。诚能经画郊野，招集散亡，约顷亩以授田，使无广占抛荒之患；列沟洫以储水，且备戎马驰突之虞。为之具田器，贷种粮，相其险易，聚为室庐，联以什伍，教以击刺，或乡为一团，里为一社，建其长，立其副，平居则耕，有警则守，有馀力则战。"帝嘉纳之，进国子祭酒。

先是辽人耶律瑠格仕金为北边千户，及蒙古主起兵朔方，金人疑辽遗民有它志，下令："辽民一户，以二女真户夹居防之。"瑠格不自安，是岁，遁至隆安韩州，纠壮士剽掠其地。州发卒追捕，瑠格皆击走之，因与耶的合势募兵，数月，众至十馀万，推瑠格为都元帅，耶的副之，营帐百里，威震辽东。

蒙古主命按陈那衍、浑都古行军至辽，遇之，问所从来，瑠格曰："我契丹军也，往附大国，道阻马疲，逗留于此。"按陈曰："我奉命讨女真，适与尔会，庸非天乎！然尔欲效顺，何以为信？"瑠格乃率所部会按陈于金山，刑白马、白牛，登高北望，折矢以盟。按陈曰："吾还奏，当以征辽之责属尔。"

3790　金遣完颜承裕帅军六十万，号百万，攻瑠格，声言得瑠格骨一两者赏金一两，肉一两者赏银亦如之，仍世袭千户。瑠格度不能敌，告急于蒙古。蒙古主命按陈、孛都欢、阿鲁都罕引千骑会瑠格,与金兵对陈于迪吉诺尔。瑠格以侄安努为先锋,横冲承裕军,大败之,以所俘辎重献。蒙古主召按陈还,而以楚特格副瑠格屯其地。

嘉定六年 金至宁元年、贞祐元年,蒙古太祖八年【癸酉,1213】 春,正月,(甲午)〔庚申〕,签书枢密院事宇文绍节卒,谥忠惠。

诏:"侍从、台谏、两省官、帅守、监司各举一二人。"

二月,丁丑,太白昼见。

丙戌,有司进《吏部条法总类》。

乙未,诏:"宗室毋得与胥吏通姻。著为令。"

金知大名府乌古论谊谋不轨,伏诛。

三月,癸亥,参知政事楼钥罢。

太阴、太白与日并行,相去尺馀。

是春,耶律瑠格自立为辽王,改元元统。

金以完颜弼为元帅左监军,捍御辽东。弼请"自募二万人为一军,万一京师有急,亦可以回戈自救。今驱市人以应大敌,往则败矣。"金主曰:"我以东北路为忧,卿言京师有急,何耶?就如卿言,我自有策。以卿皇后连姻,故相委寄,乃不体朕意耶?"弼曰:"陛下勿谓皇后姻亲俱可恃也。"时提点内侍局、驸马都尉图克坦穆延侍侧,弼意讥之。金主怒甚,顾谓穆延曰:"何不叱去?"穆延乃引弼起,付有司,论以奏对无人臣礼。诏免死,杖一百,谪云内防御使。

夏,四月,丙子,以章良能参知政事。

甲午,复(发)〔法〕科试经义法,杂流进纳人不与。

五月,癸亥,流星昼陨。

丁卯,以不雨,命大理、三衙、临安府决系囚。

戊辰,修庆元以来宽恤诏令。

是月,金改元至宁。陕西大旱。

初,金主将召赫舍哩执中至中都预议军事,左谏议大夫张行信上书曰:"执中专逞私意,不循公道,蔑省部以示强梁,媚近臣以求称誉,斁法行事,妄害平民。行院山西,出师无律,不战先退,擅取官物,杖杀县令,屯驻妫川,乞移内地,其谋略概可见矣。欲使改易前非,以收后效,不亦难乎?"行信,行简之弟也。丞相图克坦镒亦以执中不可用,参知政事梁镗亦言其奸恶,乃止。

执中善结近倖,交口称誉,金主寻诏给半俸,预议军事。行信复谏曰:"伏闻以执中老臣,欲起用之。人之能否,不在新旧,彼向之败,朝廷既知之矣;今又用之,无乃不可乎!"乃寝其命。至是复用为右副元帅,领武卫军五千人,屯通玄门外。

六月,丁丑,遣董居谊贺金主生辰。会金国乱,不至而还。

丁亥,复监司臧否守令及监司、郡守举廉吏所知。

丙辰,诏三衙、江上诸军主帅各举堪为将帅者二三人。

是月,金以户部尚书胥鼎、刑部王维为参知政事。

夏人破金之保安州及庆阳府。

秋,七月,金命左丞完颜纲行省于缙山。丞相图克坦镒使人谓纲曰:"果勒齐驻兵缙山,甚得人心,士皆思奋,与其行省亲往,不若益兵为便。"纲既行,镒复使人止之曰:"果勒齐措画已定,彼之功,即行省之功也。"纲不从。

蒙古兵克宣德府,遂攻德兴府。皇子图垒、驸马齐奇先登,拔之。蒙古主进至怀来,金副统军王槩守隘,鏖战三日,兵败,见执。完颜纲、果赫呼果勒齐复以师拒战于缙山,蒙古兵击败之,僵尸四十馀里。蒙古乘胜至北口。

王槩既见执,将就戮,神色不变。蒙古主问之曰:"汝曷敢抗我师!独不惧死乎?"槩曰:"吾以布衣蒙恩,誓捐躯报国。今既偾军,得死为幸!"蒙古主义而释之,授都统,佩以金符,令招集山西溃兵。槩,槩县人也。

金人恃居庸之塞,冶铁锢关门,布铁蒺藜百馀里,守以精锐。蒙古兵距关百馀里不能前,乃召萨巴勒问计。萨巴勒曰:"从此而北,黑树丛中有间道,骑行可一人,臣向尝过之。若勒兵衔枚以出,终夕可至。"蒙古主留克特卜齐与金军相持,乃自简锐卒与哲伯潜发,令萨巴勒前导。日暮,入谷,黎明,诸军已在平地。疾驱入紫荆口,金人犹睡,未知也。比惊起,仓卒逆战于五回岭,大败,流血被野。耶律阿哈言于蒙古主曰:"好生乃圣人之大德,兴创之始,愿止杀掠以应天心。"蒙古主纳之。进拔涿、易二州。辽人呼噜布勒等献北口,哲伯遂取居庸,与克特卜齐会。

八月,己巳朔,诏诸路监司、帅臣举所部官吏之才行卓绝、绩用章著者。

庚午,知思州田宗范谋作乱,夔州路安抚司遣兵讨平之。

金右副元帅赫舍哩执中,与其党完颜绰诺、富察禄锦、乌库哩道喇等谋作乱。会金主以蒙古兵日近,而执中日务驰猎,不恤军事,遣使责之。使者至,执中方饲鹞,掷杀之,遂妄称知大兴府图克坦南平及其子驸马都尉穆延谋反,奉诏入讨。南平姻家福哈别将兵屯城北,执中以好语招而杀之,夺其兵。壬辰,自通玄门入,先遣一骑驰抵东华门,大呼曰:"达勒达至北关,已接战矣!"既又遣一骑往,亦如之。乃使其党图克坦金寿召南平,南平行至广阳门,执中手枪刺〔之堕马,金寿斫〕杀之,并杀穆延。符宝祗候善延、护卫十夫长完颜实古讷闻乱,遽召汉军五百人赴难,与执中战,不胜,皆死之。

执中至东华门,门闭,金主遣其子蒋王持诏书投于门下,募能杀执中者,白身除大兴尹,世袭千户,军民无应者。

执中欲纵火焚门,护卫色埒奇尔开门纳之。执中进至大安殿,金主遥呼曰:"圣主令臣何往?"执中曰:"归旧邸耳。"金主退入后宫。执中尽以其党易宿卫,自称监国都元帅,居大兴府,陈兵自卫。夜,召声妓,与其党会欢,明日,以兵逼金主出居卫邸。

执中欲封拜其党,令黄门入宫收玺。尚宫左夫人郑氏掌宝玺,拒之曰:"玺,天子所用,呼沙呼人臣,取将何为?"黄门曰:"今天时大变,主上且不保,何有一玺!御侍当思自脱计。"郑氏厉声骂曰:"若辈宫中近侍,恩遇尤隆,君难,不以死报,反为逆竖夺玺耶?我可死,玺必不与!"遂瞑目不语,黄门出。执中卒取宣命之宝,除拜其党数十人。召孟铸、张行信至大兴府,问曰:"汝辈向来弹我者耶?"铸等各以正言对,执中乃遣之出,曰:"且须后命。"

丞相图克坦镒,时以坠马伤足在告,闻难作,命驾将入省,或告之曰:"省府皆以军士守之,不可入矣。"少顷,军士索人于间巷,镒乃还第。

执中欲僭位,召礼部令史张好礼,欲铸监国元帅印。好礼曰:"自古无异姓监国者。"执中乃止。以镒人望,乃诣镒访之。镒从容谓曰:"升王,章宗之兄,显宗长子,众望所属,元帅决策立之,万世之功也。"执中默然。乃遣宦者李思中弑金主于邸。

时完颜纲将兵在外,执中使纲子安和作家书,使亲信人召纲。纲至,囚之悯忠寺。旋押至市口,数以失四(川)〔州〕、败缙山之事,杀之。因尽撤沿边诸军赴中都、平州骑兵屯蓟州以自重。遣图克坦铭等迎升王从嘉于彰德。甲辰,至中都,即皇帝位。拜执中太师、尚书令、元帅,封泽王。

【译文】

宋纪一百五十九　起庚午年(公元1210年)正月,止癸酉年(公元1213年)八月,共三年有余。

嘉定三年　金大安二年,蒙古太祖五年(公元1210年)

春季,正月,庚辰朔(初一),金国太史上奏说:"日中有流星出现,大如盆,颜色碧绿,向西飞去,渐渐变得像车轮一样大,尾有好几丈长,落在浊水中,到地上又起来,散射的光芒像火一样。"

甲辰(二十五日),下诏招降晓谕群盗,又下诏告诫监司、守令说:"近年连续发生旱灾、蝗灾,百姓的粮食歉收,被迫流亡,确实令人痛心。而监司、守令,十分鲁莽地发文告,没有了解我的心思,他们能够审查案件而不感拘束吗?爱抚而不刻薄吗?否则,为什么我的百姓不安居乐业而心甘情愿去做盗贼呢?"

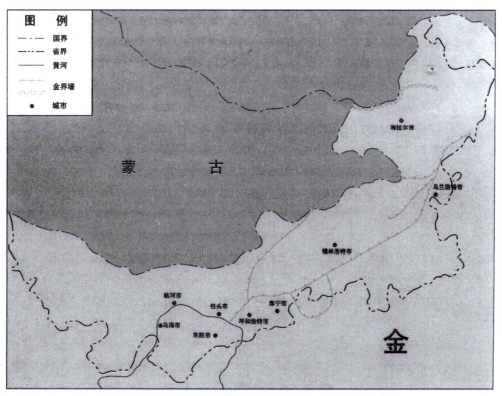

金朝为防御北方蒙古各部的攻势而修建的界壕分布示意图

金国尚书左丞孙铎,因为议论钞法不当,降为濬州防御使,还因为以前评论李新喜不合圣旨的缘故。

二月,辛酉(初二),黎州蛮从艮溪寨用皮船渡河,进攻相岭寨,统领官董炤带领一百多士兵,从寨后突然冲出抵抗。盗贼登上堡子城,董炤又追击他们。盗贼从早到晚没有吃饭,逃到河岸西汉地,土丁知道盗贼又饥又困,想与官军一起围剿,董炤担心分了他的功劳,告诫他们不要行动。恰好到了晚上,董炤让军队移驻姜地寨,夜里,盗贼偷偷地增加兵力,第二天清晨第二次交战,董炤不能坚持,盗贼收兵离去。安癸仲不久回到眉州。

壬午(二十三日),任命工部侍郎王居安为隆兴府知府,督促剿捕峒寇。

这月,金国任命礼部侍郎耿端义为参知政事。

金国发生大地震。

三月,己亥(十一日),任命湖南转运判官曹彦约为潭州知州,督促剿捕峒寇。

庚子(十二日),赐彭龟年的谥号为忠肃。

甲寅(二十六日),处死楚州盗贼首领胡海。

丙辰(二十八日),因为长期下雨,释放两浙州县监狱中的囚犯。

夏季,四月,癸亥(初六),峒寇李元砺假意请求归降,因为他的降书措辞傲慢,朝廷不应允。李元砺于是进犯南雄州,官军惨败。

戊辰(十一日),支出内库钱财赈济行都的军队和百姓。

这月,金卫绍王命令校正《大金仪礼》。

徐、邳二州上奏说黄河水清的地段有五百多里,金卫绍王以此祭告宗庙、社稷,诏告朝廷内外。临洮人杨珪上书说:"黄河本是浑浊的,如今反而变清了,这是水失去了它的本性,正好像是天动地静,如果应当动的反而静,应当静的反而动,那就是灾异的征兆。况且《传》上说:'黄河清,圣人生。'假使有圣人出世,恐怕不是在现在。《传》上又说:"黄河清,诸侯为天子。"正应当警惕戒备以消除灾变,如今反而向四方夸耀,我不理解。"宰相认为杨珪的话是妖言,本想杀了他,又担心因此而绝了言路,就诏令大兴府将他逮捕收管。

五月,乙未(初八),淮东盗贼被剿灭,诏令安抚整顿残破的州县。

甲辰(十七日),因为去年发生旱灾、蝗灾,百官响应朝上密奏,命令两省从中选择可行的上报朝廷。

乙巳(十八日),命令沿海各州督促剿捕海盗。

戊申(二十一日),经营两淮的屯田。

庚戌(二十三日),改江陵忠勇军为御前忠勇军。

癸丑(二十六日),因为长期降雨,发放丰储仓的米赈济贫民。

此月,追赠朱熹为中大夫、宝谟阁直学士,追赠蔡元定为迪功郎。

六月,丁巳朔(初一),发生日食。

丙寅(初十),金国发生地震。

己卯(二十三日),封杨次山为永阳郡王。

诏令说:"三衙、江上、四川各军的主帅核实军籍,谎报假冒的按贪赃罪论处。"

此月,李元砺进犯江西,池州副都统制许俊、江州副都统制刘元鼎出战失利;潭州知州曹彦约又与盗贼交战,被盗贼打败,盗贼的气焰更加嚣张。江西主帅李珏、转运使王补之讨论剿平的办法,但各持己见。转运司干办李璠说:"盗贼不是我们的百姓吗?难道都是邪恶的人!是有司贪婪苛刻激怒的,是将校为了邀功请赏逼迫的。如果反其道而行之,那就都会变成朝廷的顺民。"李珏说:"干办说得对。谁可以前往呢?"李璠请求前往,于是将军队驻扎在万安。会同近峒的各巡尉,考察这一带乡保中特别不好的就更换他,又分兵把守险要之处,派能言善辩的人前往讲明利害关系,于是附近峒人中有许多人因仰慕忠义起而响应。

金国发生大旱灾。金卫绍王下诏罪己,赈济缺粮的贫民,赦免西京、太原两路,杂犯和死罪减刑一等,徒罪以下的免罪。

秋季,七月,辛卯(初六),严厉申明围田增广的禁令。

癸卯(十八日),规定南班宗室的人数为三十名。

此月,金国发生地震,以后的几个月里不断发生地震。

八月,乙丑(初十),金国册立皇子胙王赵从恪为皇太子。

这月,临安府发生蝗灾。

西夏自从天会初年与金国议和,已有八十多年,没有发生过战争,到这时受到蒙古的进攻,向金国求救。金卫绍王初即位,不能出兵相助,西夏人很怨恨,于是侵犯葭州,金国的庆善努将西夏军队击退。

九月,丙戌朔(初一),下诏说:"三衙、江上各军将校的升迁,必须按照才能武艺年龄军功进行;徇私情的,台谏和制置总领必须弹劾他。"

金卫绍王因为发生了地震,下诏求直言,招募勇士,安抚流民。

这以前金国的纳哈塔迈珠戍守北部边境,知道蒙古准备侵犯边境,便急忙报告金卫绍王。金卫绍王说:"他们怎么敢这样!况且你不向他们挑衅的话,怎么会入侵!"纳哈塔迈珠说:"近来见蒙古的各部都依附归顺,西夏献美女,而且不停地制造箭、盾;凡是迁移军营便让男子乘车,大概是要爱惜民力。不是想侵犯我国又是为了什么呢?"金卫绍王认为他擅自挑起边界争端,将他关押起来。

金国的边境守将修筑乌舍堡,要进逼蒙古国,蒙古国主命令哲伯袭杀金兵,并且向东进犯。金国长期处在和平时期,骤然听说蒙古用兵,人心恐惧,流言四起。丙午(二十一日),中都戒严。金卫绍王每天外出巡视镇抚,百官请他临朝听政,不允。不久知道蒙古没有大举进攻,才解除戒严,不久禁令百姓不准传说边境战事。

冬季,十月,乙丑(初十),诏令四川总领所不受宣抚司的制约。

十一月,乙巳(二十一日),诏令征收浮盐。

李元砺进逼赣州、南安军,诏令出重赏招募人前往讨伐。

金国同知兴中府事伊喇福僧督促百姓缮城濬隍,预先做好御敌的准备,百姓很怨恨。不久,蒙古兵果然来了,攻打北城。伊喇福僧在北城应战,同时加强了西城的守备;傍晚,蒙古兵果然攻打西城,因为金兵有防备,蒙古军队撤围而去。当时安国军节度使贾益,也预先修城墙做好应战的准备,按察司阻止他,不听,他说:"修治城墙,是守臣的事,关按察司什么事!"蒙古兵来后,也因为金军有防备,蒙古兵只好撤走。

十二月,戊午(初四),参知政事娄机被罢免。娄机在朝中能伸张正义,喜欢称赞他人的

3795

才能,列出有才能的人的姓名和可用的有关事实,以备采用。至此因为年纪大了而被罢官。

丙寅(十二日),罗世传捆绑着李元砺来归降。

当时四州的军队讨伐李元砺都失利,王安居写信给许俊说:"盗贼胜利了的话百姓都会变为盗贼,官军胜利的话盗贼都会变成好百姓,形势的好坏,都取决于这一举了。将军历来以勇武著称,被山贼打败,行吗?"许俊得了信很惶恐,就努力作战,在黄山打败了山贼。盗贼开始惧怕,逃往韶州。王居安驻军庐陵,召来土豪了解情况,都说:"山贼勇健矫捷,跋涉险阻如同猿猱,如果他们抄袭了我军的粮道,我们就危险了。"王居安说:"我自有办法打败他们。"

这以前罗世传虽然已归降,但实际上暗中与李元砺相勾结,自从在黄山失败,李元砺有悔改之心,练木桥的盗贼首领李才全,是罗世传的同党。王居安为了让罗世传、李元砺互相勾心斗角,就派人对李元砺说:"你如果能将李才全捉住送来,就免你的罪。"李元砺听从了他的话。王居安奖赏了李元砺而又厚抚了李才全,罗世传果真怀疑李元砺对他有二心,于是两人关系恶化。李元砺率众攻打罗世传,王居安对许俊说:"两虎相斗,我可以获得下庄那样的成功了。"罗世传指使李才全的部下去偷袭李元砺的巢穴,俘虏了他的妻子儿女。李元砺无处安身,罗世传将他捉住献来了。李元砺被处决,峒寇被彻底平定。

临安尹赵师睪擅自鞭挞武学生,被众武生告到公堂,史弥远很袒护他,诸生更加愤愤不平,就追述列出他巴结韩侂胄的事,并且用难听的话攻击他。赵师睪心里不安,就上疏说:"陛下因为都城纸币贱而米价贵,提拔任用我。如今我没有将这件事调剂好,请求解除官职。"宋宁宗同意了。韩侂胄挑起边衅时,赵师睪估计他必定会召来祸患,常常同他唱反调,于是与韩侂胄断绝了关系。韩侂胄被处死后,他的同党大多被贬谪,赵师睪被免罪,到这时才罢官。

辛巳(二十七日),黎州蛮请求归降。

这年,临安、绍兴、严州、衢州发生大水灾;朝廷诏令赈济灾民,还免除这些地方的赋税。

金国发生严重的饥荒。

嘉定四年 金大安三年,蒙古太祖六年(公元1211年)

春季,正月,乙酉朔(初一),马湖蛮攻打嘉定犍为的利店寨。马湖蛮,是西爨昆明的一支,开始时想侵犯中镇寨,由于寨里有防备,不能侵入,听说利店寨比较富裕而且寨中男子少,就攻打利店寨。知寨、保义郎段松,派七十多名寨丁迎敌,寨丁有的死了有的逃跑了,马湖蛮于是将寨子包围。该寨地势低洼,马湖蛮从高处抛下木头和石头,寨丁无法抵抗。己丑(初五),马湖蛮用云梯登城,段松力战无援,被捉住,脔割而死。安抚使许奕调兵援助他,但马湖蛮已将寨子烧掠一番后离去了。

丙午(二十二日),朝廷下诏说:"湖南、江西被盗贼蹂躏过的各州县,监司、守臣考察县令安抚百姓的情况,只将他们办事能力的优劣上报朝廷。"

西域哈喇噜部向蒙古投降。

二月,壬戌(初九),任命罗世传为武翼郎、阁门祗候。不久赐黑风峒名为效忠,赐给铜印。罗世传请求补授文职,就让他担任通直郎、签书镇南军节度判官厅公事。罗世传起了疑心而不上任。

蒙古攻打金国。当时金将鼎苏拥重兵守野狐岭，蒙古国主派察罕探听虚实，回去，说金军的战马很少跑动，不值得害怕。蒙古国军擂鼓向前，于是打败了金军，夺取了大水泺、丰利等县。班师后，任命察罕为御帐前首千户。

金国又修筑乌舍堡。

伊喇尼尔，是原辽国人，金国要任命他为参议、留守等官，他都推辞不接受；听说蒙古兵来了，私下里对他亲近的人说："为国复仇，现在是时候了！"于是领着他的一百多名同党到了蒙古军门，献了十条计策。蒙古国主召见他，与他交谈，对他另眼相待，问道："你出生在什么地方？"伊喇尼尔说："霸州。"因而称为霸州元帅。

闰二月，辛亥(二十八日)，下诏说："各路如有不执行朝廷赈济抚恤百姓的法令以及发现盗贼不去剿捕的，要重重地治罪。"

三月，丙子(二十四日)，沔州守将刘世雄等，阴谋占据仙人原进行叛乱，被处死。

临安发生大火，焚毁了省部等官舍，延及太庙，诏令将祖宗灵位迁到寿慈宫；三天以后，大火熄灭，又将灵位放回太庙。省部都借用驿站和寺庙办公，被烧毁的民房有两千多家。

金国中都大悲阁发生火灾，大火殃及民房。

金国收集民间的马，在职官员按级别献马。

金国平章政事孙即康退休，不久去世。金国任命御史中丞完颜承裕为参知政事。

夏季，四月，甲申(初三)，禁止福建、两浙州县强迫百姓上交盐酒税。

国子司业刘爚请求取消关于伪学的禁令。

己丑(初八)，用吴曦没收入官的田的田租代为交纳关外四周因为旱灾而无法交纳的秋税。

金卫绍王听说蒙古国主将率军南下，非常恐惧，将纳哈塔迈珠从监狱中释放出来，命令西北路招讨使钮祜禄哈达向蒙古求和，蒙古国主不允许。金卫绍王就命令平章政事通吉思忠、参知政事完颜承裕在抚州设行省，西京留守赫舍哩执中行枢密院事，守卫边疆。

金国任命参知政事鄂屯忠孝为尚书右丞，任命户部尚书梁镗为参知政事。

金卫绍王召集三品以上的官员讨论军事问题，没有形成一致的决议。尚书令史李英上疏说："珠赫呼果勒齐、穆延尽忠等人，先朝曾加任用，可以与他们商讨大计。"又说："近来增筑城郭，修缮楼橹，事态严重可以想见。山东、河北如果不壮大声势，那么京师就会变成一座孤城。"金卫绍王召见平定州刺史赵秉文讨论防守边境的策略，赵秉文说："我军集中在宣德，城小，部队在城外扎营，淋了夏天的雨，兵器散坏，人将生病，深秋时敌人来进攻的话，将不利。可以派临潢的一支军队直捣敌人的虚弱之处，那么山西的包围就能解除，这就是兵法上所讲的出其不意，攻其必救。"金卫绍王没能采用。

这月，四川制置大使设置安边司主管蛮事，命令成都路提刑李壆、保州路安抚许奕共同负责。这以前安丙决定发兵讨蛮，李壆认为可以，许奕说会旷日持久，不如招降，此事久久不能决定。恰好叙州俘获了几十个蛮人，经过审问，其中参与了利店之乱的只有三人。许奕在边境出了告示，告诉蛮人如果能将在利店寨抢掠的人口送来，就释放这三人；又派人潜入蛮人居住的地方，晓以利害，蛮人请求按约定行事，不久又反悔；李壆扬言某天将派兵出寨，蛮人惊惧；不久知道那是虚张声势，欺骗自己，蛮人更加无所忌惮。

五月，乙亥（二十四日），赐礼部进士赵建大以下四百六十五人进士及第、进士出身。

六月，丁亥（初七），派余嵘祝贺金卫绍王的生辰。当时金国有蒙古与他为难，没有时间接见使者，宋使到涿州就回来了。

辛丑（二十一日），重新规定四川各军的军额。

壬寅（二十二日），金国重新制定军前赏罚的标准。

秋季，七月，壬戌（十三日），太白星白天出现。

丙寅（十七日），下诏说："四川官吏曾经接受吴曦任命的，不能任用。"

丁丑（二十八日），下诏说："用兵以来冒领滥受了赏赐和官爵的，允许自己申报，免除罪责。"

八月，西夏国王李安全去世，享年四十二岁，谥号为敬穆皇帝，庙号襄宗，陵墓称为康陵。皇族子弟大都督府主李遵顼即位，改年号为光定。

这以前金国派耶律阿哈出使蒙古，耶律阿哈见蒙古国主姿貌异常，心中向往，暗中向他讲了金国的有关情况。耶律阿哈善于骑射，精通几国语言，蒙古国主很喜欢他，问他说："你肯归顺我，用什么作凭证？"耶律阿哈说："愿意以子弟作人质。"不久，与他的弟弟耶律图哈一起来了，蒙古国主让耶律图哈值宿卫，耶律阿哈参与机密大事。金国对耶律阿哈久久不归国感到怀疑，将他的家属抓起来，耶律阿哈一点也不介意，蒙古国主给他娶了贵族的女儿做妻子。于是命令左帅哲伯出征，任命耶律阿哈为先锋。

金将通吉思忠、完颜承裕修缮乌舍堡，还没有来得及做好防敌准备，蒙古哲伯派耶律阿哈率轻兵忽然来攻，夺取了乌舍堡和乌云营，通吉思忠等败逃。当时汾阳郡公郭宝玉驻防定州，率全军向蒙古投降。蒙古军攻破白登城，进攻西京，连续攻了七天，赫舍哩执中等很害怕，率部下一百多骑兵弃城突围逃跑。蒙古国主派三千精锐骑兵追击，金军惨败。追到翠屏山，完颜承裕不敢抵抗，退到宣平县界。土豪请求让士兵作先锋，行省兵为后援，完颜承裕畏怯不能用，只是打听从此地去宣德的小路。土豪嗤笑他说："溪涧曲折，我们很熟悉，行省不知道利用有利的地形努力作战，只想逃命。"这天夜里，完颜承裕率兵南行，蒙古军跟踪追击，追到会河堡，金军全部溃散，完颜承裕只身逃到宣德。蒙古将军穆呼哩乘胜进逼宣德，攻克德兴。

九月，辛酉（十三日），马湖蛮又侵扰边境。

这以前蛮人用黄纸写牒文送到嘉州，文辞狂傲无礼，安边司要寨官不接受。不久提刑司要寨官告诉他们先归还抢掠的人口财产，蛮人出语更加傲慢，于是进犯叙州，到了离宣化二十里的地方。李壂不满守臣史师道通报情况迟缓，弹劾他，降两级官阶，罢官归故里。

乙亥（二十六日），罗世传被他的部下胡有功杀死，诏令将原来授予罗世传的官职转授予他。峒寇为患三年，到这时才平定，人人相互庆贺。

丁丑（二十八日），下诏说："附和开边说法而获罪的人，从今以后不能任用。"

蒙古军队进逼居庸关，金将完颜福寿弃关逃跑，哲伯于是进入了居庸关。金国中都戒严，禁令男子不准随便出入都城。蒙古军队巡逻到都城城墙下，金卫绍王提出要带细军五千自卫奔往南京。恰好细军中有五百人互相激励，决心誓死迎战，蒙古军队被杀伤很多，问抓获的乡民说："这支军队有多少人？"乡民骗他们说："有二十万。"蒙古军很畏惧，于是袭击群牧监,驱赶着马匹回去了。金卫绍王才停止南逃。

郭宝玉率军投降后,穆呼哩带他去见蒙古国主,蒙古国主向他问夺取中原的策略。郭宝玉说:"中原势力强大,不能轻视。西南诸蕃,勇敢强悍可以利用,应该先夺取西南。利用他们图谋金国,必然成功。"又说:"建国的初年,应该颁布新的政令。"蒙古国主采纳了,因此颁布了五项政令。如果出兵作战不能妄杀无辜;刑狱只有重罪就处死,其余杂犯,根据罪行轻重处以笞刑;军户,蒙古、色目人每个成年男子都必须当兵,汉人中有四顷田、有三个成年男子的抽一人当兵,十五岁以上成年,六十岁以上称老人,站户与军户相同;民间匠人限定占一顷田;僧人、道士对国家无益对百姓有害的,一律禁止。这些都是郭宝玉陈述的内容。

冬季,十月,甲辰(二十六日),因为金国遭到蒙古进攻,命令江淮、京湖、四川制置司严加戒备。

当时议和的风气正浓,百官都漫不经心,只有赵方在江陵,知道金国在北方受到蒙古的进逼,必定会南迁,就增修三海、八匮以加强防御力量。荆门有东、西两座山,地势最险要,就在山上修筑了堡垒,增派守军以便遏止敌人进攻。又提拔土豪孟宗政等人做官,日夜严加戒备。

金卫绍王命令泰州刺史珠赫呼果勒齐驻军在通玄门外,金卫绍王亲自巡视军队。不久,撤销了宣德行省,将缙山县升为镇州,任命珠赫呼果勒齐为防御使,代理元帅右都监。

十一月,己酉朔(初一),发生日食。

这以前金国上京留守图克坦镒上奏说:"自从我国与蒙古交战以来,他们集中兵力前来,我方分兵把守;以集中进攻分散,必然失败。不如退保大城,并力防御。昌、桓、抚三州,历来号称富实,人又都很强健勇敢,可将他们迁到内地以增强军队势力,人畜财产,不会损失。"参政梁镗说:"象这样,这是自己紧缩疆土。"金卫绍王听从了梁镗的主意。图克坦镒又上奏说:"辽东,是国家的根本所在,距离中都几千里,万一受到攻击,州府互相观望,必须上报获准后才能采取行动,太误事了。可派大臣在那里设立行省进行镇抚。"金卫绍王不高兴,说:"无故设立行省,只会动摇人心罢了。"不听,图克坦镒就派同知乌克逊鄂屯率二万军队前来保卫中都,金卫绍王嘉奖他,任命他为右丞相。

金国登记中都内的军队。

金国杀死河南上书言事的郝赞。

蒙古国主又派他的儿子卓沁、察罕台、谔格德依分别进攻云内、东胜、武、朔等州,攻下了。于是德兴府、弘州、昌平、怀来、缙山、丰润、密云、抚宁、集宁,往东越过平、滦,南到清、沧,由临潢过辽河,西南抵达忻、代,无一不是一幅残破景象。

金国赫舍哩执中放弃西京逃回,走到蔚州,擅自支取官库银五千两及衣帛等物,抢夺官府百姓的马给随从的人员,进入紫荆关,杀死了涞水县令。到了中都,卫绍王并不问他的罪,反而任命他为右副元帅。赫舍哩执中更加肆无忌惮,请求带二万军队到北面的宣平驻扎。金卫绍王给了他三千兵马,命令他驻守妫川,赫舍哩执中不满。

金国平章政事通吉思忠,参知政事完颜承裕,因为犯了全军覆没的罪,通吉思忠被除名,完颜承裕贬为咸平路兵马总管。将士认为他们受的处罚太轻了,更加不愿听从命令。

金国益都人杨安国,从小就是个无赖,以卖马鞍为职业,街上的人称他为杨鞍儿,于是他就自称为杨安儿。泰和年间,金人南侵,山东的无赖常常聚在一起抢劫掠夺民财,朝廷命令州县招安、搜捕他们。杨安儿当时也作盗贼,也请求归降,被招入军中,做官一直做到防御史。到蒙古军队进逼中都时,朝廷下诏招募铁仴敢战军,招了一千多人,任命唐古哈达为都统,杨安儿任副都统,去守卫边疆。杨安儿走到鸡鸣山,不再前进,金卫绍王派驿使前来问他的原因,杨安儿却说:"平章、参政带几十万军队在前线,没有什么可担心的。我率军屯聚鸡鸣山,是为了防备从小路过来的敌人。"金卫绍王相信了他。杨安儿潜回山东,与张汝楫聚结盗贼打劫州县,杀掠官吏,山东局势大乱。

西夏多次侵扰邠、岐,金国陕西安抚使命令同知转运使事韩玉以凤翔总管判官的名义为都统府招募军队,十天之内招了一万人,与西夏军交战,打败了西夏军。当时西夏军正围攻平凉,又在北原交战,西夏军怀疑金国的大军来了,解围离去。当权者忌妒他的功劳,派驿使上奏说韩玉与西夏有密谋,金卫绍王猜疑他,派使者任命韩玉为河平府节度副使,并且派人暗中监视他的军队。

这以前华州李公直,因为中都被围困,准备率军前去援助,韩玉仗着他的军队可派用场,也想派兵前去勤王,就向各县发文告说:"凡事必须追根溯源,祸患的产生有它的根由。开始是因为朝中的奸臣,徇私受贿,接着是因为两位将帅,贪图权柄。"又说:"这些人耗费军粮,吸尽百姓的膏血;丢盔弃甲,耗尽了国家的储备。追求权力观望形势,一年四季守着自己的老婆孩子。"又说:"人谁不会死,作臣子的义不容辞;事情到了今天,难道忍心不顾国君! 不要说百年之后,虚名全由史官定;只说目前的局势,还有什么面目再活在人世!"李公直率军行进了几天,凡有违反纪律的,一律军法从事,京兆统军因此说李公直占据华州造反,派都统杨珪袭杀了他。李公直曾写信约韩玉一起勤王,韩玉事先不知道,那封信被安抚得到了;到派人监视韩玉的军队时,怀疑他参与了李公直的阴谋,就使韩玉的罪名得到了证实。韩玉被囚禁,死在华州的监狱中。

十二月,辛巳(初三),奉议郎张镃,犯了扇摇国本的罪,被除名,押送象州羁管。张镃,是张俊的孙子。当初,史弥远想除掉韩侂胄,张镃参与了谋划,正议论怎么处置韩侂胄时,张镃说:"杀掉他就行了。"史弥远对人说:"真是将种!"心中很忌恨他,到这时便罗织了张镃的罪名。

癸未(初五),因为纸币贬值无法流通,派有关官员到江、浙各州调查。

著作佐郎真德秀面见宋宁宗,趁势论说灾异说:"近年以来,旱灾蝗灾连连发生,饥荒不断。陛下严肃恭谨,不敢荒废朝政,爱抚百姓,形于颜色,上天降福,已有许多年,也足以感动上天。但近来天象异常,星象不同以往。宫廷屋漏的小洞,起居动作细微,心中刚萌发一种想法,上天就已洞鉴。陛下如果能兢兢业业,严防简慢怠惰,孜孜以求,经常不倦地省察,那么就不必待人来讲好话,星象自然就会出现正常。何况今年收成虽好,百姓的粮食却仅能自给,然而饥荒之后,公私的储备都空竭了。如同一个人久病之后刚刚痊愈,血气没有恢复,筋骨还很疲惫,用药调理,应当小心翼翼,朝廷,不能够忘却爱护和安抚百姓。近来内廷多次进行祭祀活动,固然可以看出陛下敬畏上天的一片诚心;然而修养君德却是治国的根本,祈祷祭祀却是无关紧要的细枝末节,推崇末节而忘记根本,恐怕终究不能感动上天。况且如今已是深冬了,天将降雪但又停止了,说明和气还是郁积不畅,吉兆还没有到来,这就是古人所讲的忧结没有解开,百姓有满腔的怨望。"

著作郎李道传上奏说:"已故侍讲朱熹,著有《论语·孟子集注》《大学·中庸章句》《或问》,为学者所传说,认为选择精当而且语言详备。希望陛下诏令有司选取这四部著作,颁发给太学,让诸生依次诵读学习,等他们读到融会贯通了,然后依次诵读其他经书,务求培养出来的人才,能对国家有用,而且要使天下的人,仰慕先圣们的风度气节,传播他们的言论思想,使人们仰慕并且效法他们。"又说:"绍兴年间,侍臣胡安国曾向朝廷请求,让邵雍、程颢、程颐、张载四人在庙中作孔子的陪祭。淳熙年间,学官魏掞之,说应当停止祭祀王安石父子而祭祀程颢、程颐兄弟。那以后虽然诏令停止祭祀王安石的儿子王雱,但其他建议没有来得及实行。学者们纷纷说,应该推而上之,还必须祭祀二程的老师周敦颐。希望陛下诏令有司,查考胡安国、魏掞之曾说过的话,讨论以后加以实行,从大的方面说可以彰显圣朝尊崇儒学端正学风的本意,从小的方面说可以向学者指明他们做学问的方向,其益处非常大,其关系也很重大,并不只是弥补祭祀仪式的缺陷罢了。"恰巧西府中有不喜欢道学的人,因此这个建议没有来得及实行。

金国征调陕西两路汉军五千人赴中都。

金卫绍王命令太子太保张行简、左丞相布萨端宿住在宫内,讨论军事问题。不久将布萨端外调任南京留守。

这年冬季,蒙古国主率军驻扎在金国的北部边境。

这年,金国祝贺瑞庆节的使者没有来。

嘉定五年　金崇庆元年,蒙古太祖七年(公元1212年)

春季,正月,己巳(二十一日),下诏说:"各路普遍实行两浙的倍役法,特此下令。"

壬申(二十四日),赐给李好义谥号为忠壮。

这月,金国改年号为崇庆。

金国右副元帅赫舍哩执中,请求退军屯驻南口,或者屯驻新庄,他向尚书省行文说:"蒙古军队如果前来进攻,必定不能抵挡。我个人的性命没什么可惜的,最担心的是三千将士,而且十二关、建春、万宁宫将会保不住。"金卫绍王厌恶他说的话,将他交有关部门调查审问,诏令列数他十五条罪行,罢免官职返归故里。

蒙古进攻云中、九原各郡,攻下了,又去攻打抚州,金国命令招讨使赫舍哩纠坚、监军完颜万努等前去援助。有人对赫舍哩纠坚说:"蒙古刚攻下抚州,正将战利品赐给部下,马在野外放牧,应该乘他们不防备去进行袭击。"赫舍哩纠坚说:"这是危险的方法。不如骑兵、步兵一同去进攻,才是万全之计。"就派部下舒穆噜明安说:"你曾出使过北方,以前认识蒙古国主,你去问他为什么率军进犯我国,不然的话,就痛骂他。"舒穆噜明安到了蒙古军中后,就像赫舍哩纠坚教的一样做了,不久又请求归降,蒙古国主命令将他捆起来让他在一旁等着,率军在獾儿觜摆开阵式。当时金军有三十万,号称四十万,蒙古的穆呼哩说:"敌众我寡,不拼死作战的话,不能打败敌人。"率领敢死队,策马横戈,大喊着冲入敌阵。蒙古国主率领各军一齐攻上来,将金兵打得大败,追到浍河,尸横遍野。

蒙古国主召来舒穆噜明安责问他说:"你为什么先骂我后来却又要归降我呢?"舒穆噜明安回答说:"我一直有归降的意思,从前是赫舍哩纠坚的使者,担心被他怀疑,因此照他说的做了;否则,怎么能有机会瞻仰您的天颜呢?"蒙古国主认为他说得好,将他松绑,让他率领蒙古军安抚平定云中东、西两路。不久蒙古国主想要在北方停止战争,舒穆噜明安劝谏说:"金国占有天下的十七路,如今我国夺得的,只有云中东、西两路。如果置之不理,等敌人想好的办法,全力来攻,就难以对付了。而且山前的百姓,很久没有打仗了,现在如果派重兵进逼,就能不战而胜。兵贵神速,怎么能犹豫!"蒙古国主认为他说得有理,就命令舒穆噜明安率军向南方进攻。

蒙古兵围攻威宁,金国的防城千户刘伯林,翻越城墙到军营请求归降,蒙古国主同意了,派他回城,就献城归降。刘伯林擅长骑马射箭,蒙古国主很喜欢他,问道:"你在金国担任什么官职?"他回答说:"都提控。"蒙古国主就授予他同样的官职,命令他挑选士卒组成一支军队,与向导图哈一同去征讨、招降山后各州。

二月,壬午(初五),罢免两淮战争以来借补的官员。

诏令成都路帅臣兼管叙州的军事。

三月,庚戌(初三),马湖蛮首领米在请求归降。

这以前四川制置大使知道马湖蛮不会受招安,就派兴元后军统制刘雄等率领军队和土人,从嘉州、叙州合力进攻,又派提刑司检法官安伯恕前往叙州指挥作战。官军进入蛮人境内,刚交战,有个土丁斩了一个小头目的首级,蛮人惊慌溃散,官军获小胜。米在占据羊山江的水囤,死不投降。水囤在险滩中,官军上不去。安丙听了,派人送信给李壾说:"只扬言伐木造大船准备进攻水囤,那么蛮人就会自动归降。"听从了他的。米在果真请求归降,命令他的部下几十人到寨中缴械,安边司重赏了他们。米在以从马上摔下受伤为由,始终不肯出来。

戊辰(二十一日),因为久雨,诏令大理、三衙、临安府、两浙州县审判在押因犯。

金国发生大旱灾。

金国任命御史大夫完颜承晖为参知政事,任命参知政事孟铸为御史中丞。

当时驸马都尉图克坦穆延与他的父亲知大兴府南平干预朝政,胡作非为,完颜承晖当面质问他们为非作歹的事,金卫绍王不问他们的罪。南平更加显贵受重用,权倾朝野,派他的亲信以升官去引诱大兴府治中李革,李革拒绝。

金国册封李遵顼为西夏国王,西夏军队不久攻打葭州。金国正忙于对付蒙古,西夏乘他们被蒙古打败的机会,侵掠边境,但使节往来却与过去一样。

夏季,四月,壬寅(二十六日),下诏说:"从今以后状告别人通敌的,必须指出事实;诬告的治罪。"

五月,庚午(二十五日),下诏说:"各路的矿冶,让通判、县令、县丞主管。"

癸酉(二十八日),安南国王李龙翰去世,他的儿子李昊旵即位;不久也去世了,没有儿子,由女儿李昭圣主持国事,她的夫婿陈日煚趁机夺取政权。李氏从李公蕴开始共传了八代,共二百二十多年。

金国武安军节度使贾铉本已退休,又被起用任命为参知政事,任命完颜承晖为尚书左丞。

金国从陕西抽调勇敢军二万人、射粮军一万人赴中都。征用陕西马。任命南京留守布萨端为河南、陕西安抚使,统领兵马。

金国河东、陕西发生大饥荒,每斗米值几千钱,饿殍遍野。辽东招抚副使伊喇福僧拿出沿海一带官仓中的粮食,先赈济饥民而后再上报朝廷,金卫绍王下诏夸奖他。

金国泰安刘二祖起兵,骚扰掠夺淄、沂二州。

六月,乙酉(初十),宋朝禁止铜钱过长江。

秋季,七月,戊辰(二十四日),因为雷雨损坏了太庙的房屋,宋宁宗避殿,减膳。代理直学士院真德秀上疏说:"我广泛地阅读了经书史书中记载的有关内容,如果不是特别无道的时期,没有听说过雷霆震坏太庙的。鲁国的展氏,是一个臣子,但是己卯元年的异常现象,《春秋》还是十分谨慎地记下来了。雷霆,是上天动怒发威,宗庙,是国家最庄严的地方;将最愤怒的威严加在最庄严的地方,其令人可怕之处是十分明显的。古代的贤君,遇上不正常的灾异,就相应地实行不一般的德政,不是只按惯例行事;如今陛下除了避殿、减膳外,没听说采取其他措施。还有秋季第一个月的初一,流星出现,占卜说是会发生战乱,但君臣上下怡然自得好像没听到这事一样,因此相隔只有九天又发生了雷击太庙的事,上天想要保佑扶持我们的国家,心意极为诚恳。我希望陛下内修德政,亲理朝政,沟通下情,深入探求导致灾异召来祥和的本源,或许祥和吉兆就会到来,灾变马上就会消失。"

八月,甲戌朔(初一),命令左右司将诉状文本上交朝廷,将其中制造冤案的人治罪。

金卫绍王因为有战事,停止了万秋节的宴会。

蒙古围攻金国的西京,金国元帅左都监鄂屯襄率兵来救援。蒙古国主派兵将他引诱到密谷口,迎头痛击,金军全军覆没,鄂屯襄只身脱逃。蒙古国主又攻打西京,被乱箭射中,于是撤围离去。蒙古派萨巴勒出使金国,金国对他不礼貌,不久又后悔,商议派人去议和,最后没形成决议。

舒穆噜额森对蒙古国主说:"东京是金国的根本,如果能荡平它的根本,中原就只需将檄文发出而一举平定。"蒙古国主认为有道理。舒穆噜额森,是辽国人,世代为皇后亲族,辽国灭亡后,他的祖上率部迁到遥远的地方。舒穆噜额森十岁时,就向祖父探问辽国被金国灭亡的事,当即很愤慨地说:"我能向金国复仇。"长大后,勇力过人,善于骑马射箭,很有谋略,诸部都很服他,金国听说了他的大名,征他为奚部长,他随即将职位让给他的哥哥,自己却去隐居起来,住在北野山,射杀狐鼠当食物。到这时归向蒙古。

九月,丙午(初三),太白星白天出现。

己酉(初六),有司献上《续中兴礼书》。

辛未(二十八日),停征沿海各州的海船钱。

此月,四川又对石脚井盐实行专卖。此前石脚井盐已关闭,百姓中有人违法私自炼制,制置大使安丙因而又决定实行专卖。但井盐味道很苦,一般强制卖给土人,私人贩盐的现象严重,民间认为很不便利。

蒙古察罕攻克金国的奉圣州。

冬季,十月,辛巳(初九),下诏说:"各路的总领官每年举荐可以当将帅的人,安抚、提刑司举荐两个可以成为将材的人。"

金国在西京、辽东、北京实行大赦。

十一月，庚申（十八日），宋宁宗在景灵宫举行祭祀。辛酉（十九日），在太庙祭祀。壬戌（二十日），在圜丘祭祀天地，实行大赦。

金国赈济河东南路、南京路、陕西东路、山东西路、卫州等受了旱灾的地区。

十二月，丁丑（初五），第二次免除濠州一年的租税。

壬午（初十），诏令各路转运使查核州县的新旧税籍，免除增加的数额。

甲申（十二日），蒙古左帅哲伯攻打金国的东京，没有攻下，就撤退了，俘获了金国的使者，派他去说服守军归降。哲伯的部将索济伦布哈说："东京，是金国以前的首都，戒备森严防守稳固，不容易攻下，可以用计去攻破它。请让我换掉衣服与金国使者一起去劝说守军，他们不会怀疑。等他们将城门打开，大军跟进，就可攻克东京。"哲伯照他说的做了，夜袭东京并攻下了。

金卫绍王听说抚、桓等州都丢了，才想起图克坦镒的话，叹息说："早听丞相的话，不会出现这种局面！"接着听说东京失守，就对近臣说："我再见到丞相，会感到羞耻啊！"

这年冬季，收兑旧会子，这是听从了湖广总领王釜的建议。

国子司业刘爚，请求将朱熹的《论语·孟子集注》作为学校的教材；这个建议被采纳。刘爚又说："两淮地区，是江南的屏障，经历了战乱和盗贼的劫掠后，应当加以治理，必须招集流民，作为足食足兵的办法。我看淮东，地势平坦土地肥沃，灌溉方便，但田地荒芜很多；那里的百姓强悍勇敢，习惯于边境打仗的事，安居乐业的人少。如果能在郊野实行规划经营，招集流民，实行授田，不再有占地多而让它抛荒的现象；开沟渠便于储水，而且能防备战马奔驰冲突。给流民准备农具，贷给他们种子粮食，根据地形的险要平坦，修筑房屋，建立什伍制度，教他们冲锋刺杀，或者以一乡为一团，一里为一社，任命长官，并给他们配备副手，平时耕种，有紧急情况就防守，再有能力就去作战。"宋宁宗高兴地采纳了，晋升他为国子祭酒。

这以前辽国人耶律瑠珞在金国担任北边千户，到蒙古国主在朔方起兵时，金国怀疑辽国的遗民有异心，下令说："每一户辽民，让二户女真人夹居防备他。"耶律瑠珞心里不安，这一年，他逃到隆安韩州，纠集了一批壮士在那一带剽掠。韩州发兵追捕，耶律瑠珞将他们全部击退，因而与耶的联合招兵，几个月之内，人数达十多万，众人推举耶律瑠珞为都元帅，耶的为副帅，营帐百里，威震辽东。

蒙古国主派按陈那衍、浑都古率军到辽东地区，遇上了他们，问他们从哪里来，耶律瑠珞说："我们是契丹军，前去投奔大国，路上人马疲惫，因而在这里逗留。"按陈那衍说："我奉命讨伐女真，恰好与你遇着了，这不是天意吗！然而你说要效顺我国，用什么作凭证呢？"耶律瑠珞就率军与按陈那衍在金山会盟，宰杀了白马、白牛，登高北望，折箭为盟。按陈那衍说："我回国上奏，一定将征讨辽东的任务交给你。"

金国派完颜承裕率军六十万，号称百万，进攻耶律瑠珞，扬言说得到耶律瑠珞一两骨头就赏金一两，得到一两肉就赏银一两，并且世袭千户。耶律瑠珞估计不能抵敌，就向蒙古告急。蒙古国主命令按陈那衍、孛都欢、阿鲁都罕率一千骑兵与耶律瑠珞会合，与金军在迪吉诺尔对阵。耶律瑠珞让侄儿耶律安努为先锋，向完颜承裕军猛冲，将他打得大败，将俘获的辎重献给了蒙古国。蒙古国主召回按陈那衍，而让楚特格做耶律瑠珞的副手率军驻扎在那里。

嘉定六年 金至宁元年、贞祐元年，蒙古太祖八年（公元1213年）

春季，正月，庚申（十八日），签书枢密院事宇文绍节去世，赐谥号为忠惠。

宋朝下诏说："侍从、台谏、两省官、帅守、监司各举荐一、二人。"

二月，丁丑（初六），太白星白天出现。

丙戌（十五日），有司进献《吏部条法总类》。

乙未（二十四日），宋朝下诏说："宗室不准与胥吏通婚。特此下令。"

金国知大名府乌古论谊图谋不轨，被处死。

三月，癸亥（二十二日），参知政事楼钥被免职。

太阴、太白与太阳并行，相距一尺多。

这年春季，耶律瑠珞自立为辽王，改年号为元统。

金国让完颜弼担任元帅左监军，保卫辽东。完颜弼请求"自行招募二万人为一军，万一京师告紧，也可以回师相救。如今是驱市井之人去迎战大敌，去就会失败。"金卫绍王说："我担心东北路，你说京师告紧，为什么？就算像你说的一样，我自有办法。因为你是皇后的姻亲，因此委以重任，难道不体察我的意思吗？"完颜弼说："陛下不要认为皇后姻亲都是可靠的。"当时提点内侍局、驸马都尉图克坦穆延在皇帝身边，完颜弼有意讥刺他。金卫绍王气极了。回头对图克坦穆延说："为什么不将他叱骂下去？"图克坦穆延就拉起完颜弼，将他交付有司，以上朝奏对不按人臣礼节罪论处。诏令免死，杖一百，贬为云内防御使。

夏季，四月，丙子（初五），任命章良能为参知政事。

甲午（二十三日），恢复了法科考试经义的做法，不是通过科举做了官的不能参加。

五月，癸亥（二十三日），流星白天陨落。

丁卯（二十七日），因为天不下雨，命令大理、三衙、临安府判决在押的囚犯。

戊辰（二十八日），修订庆元年间以来的宽恤诏令。

此月，金国改年号为至宁。陕西发生大旱灾。

起初，金卫绍王准备召赫舍哩执中到中都参与商讨军事，左谏议大夫张行信上书说："赫舍哩执中专逞私欲，不讲究公道，蔑视省部以表示自己强横，讨好近臣以求得他们在皇帝面前称赞他，违法行事，任意伤害平民。在山西设立行院，军中纪律涣散，不战先退，擅自夺取公家的财物，杖杀县令，屯驻妫川，请求驻扎到内地，他的谋略也就可想而知了。想要让他痛改前非，以观后效，不也太难了吗？"张行信，是张行简的弟弟。丞相图克坦镒也认为赫舍哩执中不能重用，参知政事梁镗也说他奸险恶毒，于是朝廷就打消了召见他的念头。

赫舍哩执中善于巴结皇帝身边的近臣，这些人对他交口称誉，金卫绍王不久就诏令给他一半薪俸，参与讨论军事。张行信又进谏说："我听说陛下认为赫舍哩执中是老臣，想起用他。一个人有无才能，不在乎是他是老臣还是年轻的臣子，他以前打的败仗，朝廷已经知道了；如今又任用他，恐怕不好吧！"于是就取消了对他的任命。到这时又任命他为右副元帅，指挥武卫军五千人，驻扎在通玄门外。

六月，丁丑（初八），派董居谊前去祝贺金国皇帝的生辰。恰巧金国发生战乱，他没有到金国就中途返回了。

丁亥（十八日），又恢复监司评论守令以及监司、郡守举荐自己所知的廉吏的做法。

丙申(二十七日)，诏令三衙、江上各军主帅各自举荐可以担任将帅的二、三人。

此月，金国任命户部尚书胥鼎、刑部王维为参知政事。

西夏军攻破了金国的保安州和庆阳府。

秋季，七月，金国命令尚书左丞完颜纲在缙山设立行省。丞相图克坦镒派人对完颜纲说："果勒齐驻扎在缙山，很得人心，士气高昂，与其亲自前往设行省，不如给他加派援军为佳。"完颜纲走后，图克坦镒又派人劝他说："果勒齐已经筹划好了，他的功劳，也就是行省的功劳。"完颜纲不听。

蒙古军队攻克宣德府，又进攻德兴府。皇子图垒、驸马齐奇率先登城，攻占了德兴府。蒙古国主进军怀来，金国副统军王楲守住关隘，激战三天，金兵失败，王楲被俘。完颜纲，果赫呼果勒齐率军与蒙古军在缙山交战，蒙古军击败金军，伏尸四十多里。蒙古军乘胜进攻北口。

王楲被俘后，将被处死，但他面不改色，蒙古国主问他说："你为什么敢于抵抗我军！难道不怕死吗？"王楲说："我本是平民出身，但受皇帝的恩宠，决心捐躯报国。今天既然失败了，能够以死报国是件幸事！"蒙古国主认为他很有节义而将他释放了，任命他为都统，让他佩戴金符，令他招集山西的溃兵。王楲，是虢县人。

金军依仗居庸关的险要，铸铁门挡住关口，在周围一百多里的范围内布满了铁蒺藜，命令精锐部队守关。蒙古兵走到距关一百多里远的地方就不能前进了，就召来萨巴勒向他问计。萨巴勒说："从这里往北，黑树林中有条小路，可通过一个骑马的人，我从前曾走过那条路。如果率军悄悄地出发，一个晚上可以到。"蒙古国主留下克特卜齐与金军对峙，自己挑选了一支精兵与哲伯悄悄出发，让萨巴勒当前导。傍晚，进入了山谷，黎明，各军已到达平原地区。疾速进军紫荆口，金军还在睡梦中，一点也没察觉。等到他们惊起，仓促到五回岭迎战，被打得大败，流血遍野。耶律阿哈对蒙古国主说："爱护生灵是圣人的美德，创业还刚开始，希望停止杀掠以顺应天道人心。"蒙古国主听从了他的话。又攻取了涿、易二州。辽国人呼噜布勒等献出了北口，哲伯于是攻克了居庸关，与克特卜齐会师。

八月，己巳朔(初一)，诏令各路监司、帅臣向朝廷举荐品德高洁、政绩显著的部下。

庚午(初二)，思州知州田宗范阴谋叛乱，夔州路安抚司派兵讨伐并平定了叛乱。

金国右副元帅赫舍哩执中，与他的同党完颜绰诺、富察禄锦、乌库哩道喇等人图谋作乱。恰好金卫绍王因为蒙古军队一天天逼近，而赫舍哩执中每天只知道骑马打猎，不关心军事，派使者去责怪他。使者去时，赫舍哩执中正在养鹘，他将鹘猛地摔死了，于是乱说知大兴府图克坦南平和他的儿子驸马都尉图克坦穆延谋反，奉诏进城讨伐。南平的亲家福哈另外率一支军队驻扎在城北，赫舍哩执中将他诱来杀了，夺取了他的军队。壬辰(二十四日)，他从通玄门进京，先派一名骑兵飞跑到东华门，大喝道："达勒达到北关，已交战了！"不久又派一名骑兵去，又这样大喊。于是派他的同党图克坦金寿将南平召来，南平走到广阳门，赫舍哩执中用矛将他刺落马下，图克坦金寿将他砍死了，图克坦穆延也一起被杀。符宝祇候善延、护卫十夫长完颜实古讷听说发生了叛乱，马上带了汉军五百人来平叛，与赫舍哩执中交战，没有获胜，全部战死了。

赫舍哩执中到东华门，门关了，金卫绍王派他的儿子蒋王拿着诏书丢到门下，招募能杀死赫舍哩执中的人,从平民直接任命为大兴尹,世袭千户,但军民中无人响应。

赫舍哩执中要纵火烧东华门,护卫色埒奇尔开门放他进去。赫舍哩执中到大安殿,金卫绍王从很远的地方喊道:"圣主要命令我到哪儿去?"执中说:"回到你的旧邸去。"金卫绍王退入后宫。执中将宫中卫士全部换成了自己的同党,自称为监国都元帅,住在大兴府,派兵自卫。晚上,召来歌妓,与他的同党一起狂欢,第二天,派兵逼金卫绍王出居卫王府。

执中要封官给他的同党,令黄门进宫取玉玺。尚宫左夫人郑氏掌管玉玺,拒绝他说:"玉玺,是天子用的,呼沙呼是臣子,取玉玺去做什么?"黄门说:"如今形势大变,皇上命将难保,还要玺干什么!你也要想法脱身。"郑氏厉声骂道:"你们是宫中的近侍,天子对你们恩遇有加,天子有难,不以死相报,反而替小子夺玺吗?我宁可死,玺坚决不给!"说完就瞑目不语,黄门出去了。赫舍哩执中最终还是夺到了玉玺,将他的几十个同党都授予了官职。他将孟铸、张行信召到大兴府,问道:"你们就是以前弹劾我的吧?"孟铸等人正气凛然地答对,赫舍哩执中将他们打发走,说:"暂且等着听候我以后的命令。"

丞相图克坦镒,当时因为骑马摔伤了腿而告假,听说发生了叛乱,令人备车准备面见皇帝,有人告诉他说:"省府都让士兵把守着,不能进去。"一会儿,军士在街上抓人,图克坦镒就回了家。

赫舍哩执中想篡夺帝位,召来礼部令史张好礼,要铸造监国元帅印。张好礼说:"自古以来没有异姓监国的。"赫舍哩执中才打消了此念。因为图克坦镒是一时人望,他就夜里去拜访图克坦镒。图克坦镒从容地对他说:"升王,是章宗的哥哥,是显宗的长子,众望所归,元帅做出决定拥立他,那是千秋万代的功勋啊。"赫舍哩执中默不作声。就派宦官李思中将金卫绍王杀死在府中。

当时完颜纲带兵在外,赫舍哩执中派完颜纲的儿子完颜安和写了一封家信,派亲信将完颜纲召进京。完颜纲来后,被囚禁在悯忠寺。不久又将完颜纲押到街口,历数他丧失四州、兵败缙山的罪,杀死了他。赫舍哩执中于是将沿边各军全部撤到中都,将平州的骑兵调到蓟州以便拥兵自重。派图克坦铭到彰德去迎接升王完颜从嘉。甲辰(初七),完颜从嘉到达中都,即皇帝位。拜赫舍哩执中为太师、尚书令、元帅,封他为泽王。

【原文】

宋纪一百六十　起昭阳作噩【癸酉】九月,尽强圉赤奋若【丁丑】六月,凡三年有奇。

宁宗法天备道纯德茂功　仁文哲武圣睿恭孝皇帝

嘉定六年　金贞祐元年,蒙古太祖八年【癸酉,1213】　九月,乙巳朔,金主谕尚书省:"事有规画者,悉依世宗所行行之。"

丁未,金主临奠前主于卫王邸第,有司奏旧礼当坐哭,金主命撤坐,伏哭尽哀,敕有司以礼改葬。

金主诏求直言。戊申,御仁政殿,视朝,赐赫舍哩执中坐,执中不辞而坐。

辛亥,金封皇子守礼为遂王,守纯为濮王。夔王永升薨,金主亲临奠。

壬子,金改元贞祐,大赦。丙辰,右丞相图克坦镒进左丞相,封广平郡王。左谏议大夫张行信上言崇节俭、广听纳、明赏罚三事。

庚申,金赫舍哩执中议废故卫王为庶人。金主曰:"朕徐思之。"旋诏百官议于朝堂,议者二百馀人,太子少傅鄂屯忠孝、侍读学士富察思忠阿附执中,议曰:"窃人之财,犹谓之盗,况偷大位以私己乎?请废为庶人。"户部尚书武都、拾遗田庭芳等三十人,请降为王侯;太子少保张行简,请用汉昌邑王、晋海西公故事;(得)〔侍〕御史完颜寓等十人,请降复王封。执中固执前议,金主不得已,乃降封东海郡侯。

金昭雪章宗元妃李氏,承御贾氏,诏曰:"大安之初,颁谕天下,谓李氏与其母王盼儿及李新喜同谋,令贾氏虚称有身,各正罪法。章宗皇帝圣德聪明,岂容有此欺绐! 近因集议,提点近侍局完颜达,霍王傅大政德,皆言贾氏事内有冤。朕亲临问左证,其事暧昧。当时被罪谴责者,可俱放免还家。"

丙寅,金主命六品以下官,事有可言者,言之无隐。

是月,初以京朝官监省门。

闰月,戊辰朔,诏御史台考课监司。

金主拜日于仁政殿。自是每月吉为常。

金主旧名珣,泰和中,改赐名从嘉。庚午,复旧名。诏:"前所更名二字,自今不须回避。"

辛未,金主追尊其(后)〔母〕刘氏为皇太后。

甲申,金立皇子守忠为皇太子,从张行信请也。

丙戌,以金主新立,命四川谨边备。

己丑，以湖北旱伤，诏监司、守令赈恤。

癸巳，雷。

甲午，史弥远等上二祖下七世《仙源类谱》《高宗宝训》《皇帝玉牒、会要》。帝命取孝宗《敬天图》置左右，备省览。

乙未，大雷。丙申，下罪己诏。

金以珠赫呼果勒齐为元帅右监军。金主谕之曰："闻军中事皆中覆，得无失机宜乎？自今当即行之，朕但责成功耳。"旋命自镇州守御中都。

冬，十月，丁酉朔，金中都戒严。

戊申，遣真德秀贺金主即位；庚戌，遣李𡊥使金贺正旦。会金乱，皆不至而还。

蒙古选诸部精兵五千骑，使奇尔台、哈台二将趣中都。蒙古游骑至高桥，金宰执以闻。金主使人问执中，执中曰："计画已定矣。"既而让宰执曰："吾为尚书令，岂得不先与议而遽奏耶！"宰执逊谢而已。

提点近侍局庆善努，副使惟弼，奉御惟康，请除执中。金主念援立功，隐忍不许。执中遣果勒齐出战，辄败，执中欲斩之，金主谕免。执中乃益其兵，戒之曰："胜则赎罪，不胜斩汝矣！"辛亥，果勒齐出战，自夕至晓，北风大作，吹石扬沙，不能举目，金兵大溃。果勒齐自度必为执中所杀，乃以乿军入中都，围执中第。执中闻难，弯弓注矢外射，不胜，登后垣欲走，衣絓，堕而伤股，军士就斩之。果勒齐取其首，诣阙请罪。金主赦之，谓近侍局密达诏旨，为果勒齐解，因以果勒齐为左副元帅。执中之党驱市人与乿军斗，乿军多死。金主使近侍局慰谕之，乃止。壬子，出执中之党于外。

甲寅，金张行信上封事曰："《春秋》之法，国君立不以道，若尝与诸侯盟会，即列为诸侯。东海在位已六年矣，为其臣者，谁敢干之！执中握兵入城，躬行弑逆，当是时，惟善延、实古讷率众赴援，至于战死，论其忠烈，在朝食禄者皆当愧之。陛下始亲万机，海内望化，褒显二人，延及子孙，庶几少慰贞魂。宋徐羡之、傅亮、谢晦，弑营阳王，立文帝，文帝诛之，以江陵奉迎之诚，免其妻子。执中，国之大贼，虽已死而罪名未正，宜暴其过恶，宣布中外，除名削爵，缘坐其家，然后为快。陛下若不忍援立之劳，则依元嘉故事，亦足示惩戒。"乃下诏暴执中过恶，削其官爵。赠善延、实古讷官，录其后。庆善努、惟康、惟弼皆迁赏。近侍局自此用事。

蒙古穆呼哩统兵侵金，所向残破。永清人史秉直聚族谋曰："方今国家丧乱，吾家百口何以自保？"既而知降者皆得免，乃率里中数千人诣涿州军门降。穆呼哩欲用秉直，秉直辞，乃以其子天倪为万户，领降人家属屯霸州。

癸亥，金放宫女百三十人。

十一月，戊辰，夏人寇金会州，图克坦绰尔出兵击走之。

金主欲与蒙古议和，遣使报之。庚午，诏百官议于尚书省。

时握兵者皆畏缩不敢战，曰恐坏和议。张行信上言曰："和之与战，本是二事，奉使者自专议和，将兵者惟当主战，岂得以和事为辞？自崇庆来，皆以和误。若我军时肯进战，稍挫其锋，则和事成也久矣。顷北使既来，然犹破东京，略河东，今我使方行，将帅辄案兵不动，于和议卒无益也。事势益艰，乿粮益竭，和之成否，盖未可知，岂当闭门自守以待敝哉？宜及士马尚壮，择猛将锐兵，防卫转输，往来拒战，使之少沮，则附近蓄积皆可入京师，和议亦不日可成矣。"金主心知其善而不能行。

金以横海节度使承晖为右丞，以耿端义参知政事。

癸未，虚恨蛮寇中镇寨。

蒙古兵攻金观州，刺史高守约死之。

十二月，丁酉朔，金以图克坦公弼为右丞，承晖进都元帅兼平章政事，果勒齐进平章政事，仍兼左副元帅。

壬寅，蠲琼州丁盐钱。

夏取金泾州。

蒙古主留奇尔台、哈台屯金中都城北，分降人杨伯遇、刘伯林汉军四十六都统并蒙古兵为三道：命其子卓沁、察罕台、谔格德依为右军，循太行而南，破保、遂、中山、邢、洺、磁、相、卫辉、怀、孟诸郡，径抵黄河，掠泽、潞、平阳、太原之间；弟哈萨尔及克特卜齐等为左军，遵海而东，破滦、蓟及辽西诸郡；蒙古主自将与子图垒为中军，破雄、莫、清、沧、景、献、河间、滨、棣、济南等郡。三道兵还，复屯大口，以逼中都。时诸路兵皆往山后防遏，乃签乡民为兵，上城守御。蒙古尽驱其家属来攻，父子兄弟，往往遥呼相应，由是人无固志，故所至郡邑皆下。凡破金九十馀郡，两河、山东数千里，人民杀戮几尽，金帛、子女、羊畜牛马席卷而去，屋庐焚毁，城郭丘墟。惟中都、通、顺、真定、清、沃、大名、东平、德、邳、海州十一城不下。

金张行信言："自兵兴以来，将帅甚难其人。愿陛下令重臣各举所知，才果可用，褒显奖谕，令其自效，必有奋命报国者。昔李牧为赵将，军功爵赏，皆得自专，出攻入守，不从中覆，遂能北破大敌，西抑强秦。命将若不以文法拘绳、中旨牵制，委任责成，使得尽其智能，则克复之功可望矣。"金主善其言。

蒙古兵围中都。金置招贤所于东华门内外，士庶皆得言事，或不次除官，由是闾阎细民，往往炫鬻求售。王守信者，本一村夫，敢为大言，以诸葛亮为不知兵，完颜寓荐于朝，诏署行军都统。募市井无赖为兵，教阅进退跳跃，大概似童戏；大书"古今相对"四字于旗上，作黄布袍、缁巾、镴牌各三十六事，牛头响环六十四枚，欲以怖敌而走之，大率皆诞妄；因与其众出城，杀百姓之樵采者以为功。贾耐儿者，本岐路小说人，俚语诙嘲以取衣食，制运粮车千辆，是时材木甚艰，所费浩大，观者皆窃笑之。草泽李栋，在大安末，尝事司天监李天惠，依附天文，假托占卜，趋走贵臣，得为天文官。栋尝密奏："白气贯紫微，主京师兵乱，幸不贯彻，得不成祸。"既而果勒齐杀执中，金主益信之。张行信上言："《易》称'开国承家，小人弗用'，圣人所以垂戒后世者，其严如此。今敌兵纵横，人情恟惧，应敌兴理，非贤智莫能。狂子庸流，猥蒙拔擢，参预机务，甚无谓也。"于是金主皆罢之。

金珠赫呼果勒齐辟御史李英为经历官。英上书于果勒齐曰："中都之有居庸，犹秦之有崤、函，蜀之〔有〕剑门也。迩者撤居庸兵，我势遂去。今土豪守之，朝廷当遣官节制。失此不图，忠义之士，将转为它矣。"又曰："可镇抚宣德、德兴馀民，使之从戎，所在自有宿藏，足以取给，是国家不费斗粮尺帛，坐收所失之关隘也。居庸咫尺，在都之北，而不能卫护，英实耻之。"果勒齐奏其书，即除工部员外郎，充宣差都提控，居庸等关隘悉隶焉。

金元帅右都监内族额尔克率兵五千护粮通州，遇蒙古兵辄溃。张行信上言曰："御兵之道，无过赏罚。使其临敌有所慕而乐于进，有所畏而不敢退，然后将士用命而功可成。若额尔克败衄，宜明正其罪。朝廷宽容，一切不问，臣恐御军之道未尽也。"金主报曰："卿意具悉，额（而）〔尔〕克已下狱矣。"

金山东被兵，郡县望风而遁，泰安州刺史和速嘉安礼独城守。或劝其去，安礼曰："我去，城谁与保？且为人臣而避难，不负国家之恩乎？"乃团练缮完，为守御计。已而蒙古兵至，攻旬日，不能下，谓之曰："此孤城耳，内无粮储，外无兵援，不降，无遗类矣。"安礼不听。城破，被执，或指为酒监，安礼曰："我刺史也，何以讳为！"使之跪，安礼不屈，遂以戈桩其胸而杀之。诏赠泰定军节度使，谥坚贞。安礼，大名路人也。

是岁，两浙诸州大水，赈之。

嘉定七年　金贞祐二年，蒙古太祖九年【甲戌，1214】　春，正月，丁卯朔，金以边事未息，免朝贺。

四川制置使安丙，遣提举阜郊博马务何九龄等率诸将及金人战于秦州城下，败还。沔州都统制王大才，执九龄等七人，斩之，枭首境上，而讼丙于朝，谓有异志。

辛未，蒙古兵攻金彰德府，知府洪果玖珠死之。玖珠，临潢人也。

丁丑，参知政事章良能卒。

乙未，蒙古兵入怀州，金沁南军节度使宛平宋宸死之。

是月，金李英乘夜与壮士李雄、郭仲元等四百九十人出中都城，缘西山进至佛岩寺，令雄等下山招募军民，旬日，得万馀人，择众所推服者领之，诡称土豪，屡与蒙古兵战，被创，召还。

金知大兴府事胥鼎，以在京贫民阙食者众，宜立法赈救，上言："京师官民有能赡给贫民者，宜计所赡，迁官升秩，以劝奖之。"遂定权宜鬻恩例格。

二月，丁未，青羌卜笼十二骨来降。卜笼，青羌部族也，性残忍，多器械，仰掳掠为生。十二骨者，十二种也。

三月，丁卯，召安丙为同知枢密院事，以成都路安抚使董居谊为四川制置使。

庚辰，金遣使来督二年岁币。

金参知政事耿端义，以中都围久，将帅皆不肯战，言于金主曰："今日之患，东海启之。士卒纵不可使，城中军自都统至穆昆不啻万馀，遣此辈一出，或可以得志。"议竟不行。

癸未，金主以粮运道绝，下令括粟，中都大扰。张行信上书曰："近日朝廷令知大兴府胥鼎便宜计画军食，因奏许人纳粟买官。既又遣参知政事鄂屯忠孝括官民粮，户存两月，馀悉令输官，酬以爵级、银钞。时有粟者，或先具粟于鼎，未及入官。忠孝复欲多得，以明己功，凡鼎所籍者，不除其数，民甚苦之。今米价踊贵，无所从籴，民粮止两月，又夺之。敌兵在迩，人方危惧，若复无聊，或生他变，则所得不偿所损矣。"金主善其言，命行信偕近臣审处。仍谕忠孝曰："极知卿尽心于公，然国家本欲得粮，今既得矣，姑从人便可也。"

戊子，金以濮王守纯为殿前都点检兼侍卫亲军都指挥使、权都元帅府事。

蒙古主驻金中都之北郊，诸将请乘胜破燕，蒙古主不从，遣萨巴勒谓金主曰："汝山东、河北郡县，悉为我有，汝所守惟燕京耳。天既弱汝，我复迫汝，天其谓我何！我今还军，汝不能犒师以弭我诸将之怒耶？"平章政事珠赫呼果勒齐谓金主曰："蒙古人马疲病，当决一战。"都元帅完颜承晖曰："不可。我军身在都城，家属各居诸路，其心向背未可知，战败必散，苟胜，亦思妻子而去。社稷安危，在此一举，莫如遣使议和，待彼还军，更为之计。"左丞相图克坦镒亦以和亲为便。金主然之，遣承晖诣蒙古请和。壬寅，以东海郡侯女为岐国公主，归于蒙古主，蒙古所称公主皇后也。并以金帛、童男女五百、马三千赂之。蒙古兵退，中都解严，仍遣承晖送出居庸。

壬辰，蒙古兵破金岚州，镇西（京）〔军〕节度使乌库哩仲温死之。

夏，四月，乙未朔，金以胥鼎为右丞。以蒙古和议成，大赦，命布萨安贞为宣抚使，安辑遗黎。安贞，揆之子也。

金南京留守布萨端等请幸南京，金主将从之。左丞相图克坦镒曰："銮舆一动，北路皆不守矣。今已讲和，聚兵积粟，固守京师，策之上也。南京四面受兵；辽东根本之地，依山负海，其险足恃，御备一面，以为后图，策之次也。"金主不从。庚戌，镒卒。镒明敏方正，学问渊贯，一时名士皆出其门。

金以张行信为山东转运按察使。

将行，求入见，言曰："参政鄂屯忠孝，饰诈不忠，临事惨刻，党于赫舍哩执中，罪状显著，无事之时，犹不容一相非才；况今多故，乃使此人与政，如社稷何！"金主曰："朕初即位，当以礼进退大臣，卿语其亲知，讽令求去可也。"行信以语右司郎中巴图鲁，巴图鲁以金主意告忠孝，忠孝觍然不恤。顷之，出知济南府。

五月，甲戌，金霍王从彝卒。

丁丑，太白经天。

乙酉，赐礼部进士袁甫以下五百四人及第、出身。

辛巳，金迁东海侯、镐厉王家属于郑州。

金主以国蹙兵弱，财用匮乏，不能守中都，乃决意南迁。太学生赵昉等上章极论利害；以大计已定，不能中止，皆慰谕而遣之。命平章政事、都元帅承晖，尚书左丞穆延尽忠，奉太子守忠留守中都，遂与六宫启行。以巴图鲁李英为御前经历官。诏曰："扈从军马，朕自总之，事有利害，可因近侍局以闻。"

蒙古主闻之，怒曰："既和而迁，是有疑心而不释，特以解和为款我之计耳。"复图南侵。

金主至良乡，命扈卫纠军元给铠马，悉复还官。纠军怨之，遂作乱，杀其主帅索珲而推札达、贝实勒、札拉尔三人为帅，北还。承晖闻变，以兵阻卢沟，札达击败之，遣使乞降于蒙古。

蒙古主遣舒穆噜明安及缴格巴图援之，入古北口，徇景、蓟、檀、顺诸州。诸将议欲屠之，明安曰："此辈当死，今若生之，则彼之未附者皆闻风而自至矣。"蒙古主从之。明安等遂与札达合兵逼中都。

金主闻之，遣人召太子，应奉翰林文字完颜素兰以为不可。珠赫呼果勒齐曰："主上居此，太子宜从。且汝能保都城必完乎？"素兰曰："完固不敢必，但太子在彼，则声势俱重，边隄有守，则都城无虞。昔唐明皇幸蜀，太子实在灵武，盖将以系天下之心也。"不从，竟召太子。

杨安儿贼党日炽，潍州李全等并起剽掠。全，即开禧中戚拱结以复涟水者也。贼皆衣红，时目为红袄贼。全与仲兄尤桀骜，刘庆福、国用安、郑衍德、田四子、洋子潭等皆附之，与安儿相应。金宣抚使布萨安贞至益都，败安儿于城东。安儿奔莱阳，莱州徐汝贤以城降，安儿势复振。登州刺史耿格开门纳州印，郊迎安儿，发帑藏以劳贼。安儿遂僭号，置官属，改元天顺，凡诏表、符印、仪式，皆格草定。遂陷宁海，攻潍州。伪元帅郭方三据密州，略沂、海。李全犯临朐，扼穆陵关，欲取益都。安贞以沂州防御使布萨瑠嘉为左翼，安化军节度使完颜恩楞讨之。

六月，甲午朔，金以按察转运使高汝砺为参知政事。

甲辰，以旱，命诸路监司、守臣决滞讼。壬子，释大理、三衙及两浙路杖以下囚。

自史弥远得政，廷臣俱务容默，无敢慷慨尽言者。权刑部侍郎刘爚奏："愿诏大臣，崇奖忠谠以作士气，深戒谀佞以肃具僚。"未几，监进奏院陈宓上封事言："宫中宴饮，或至无节；非时赐予，为数浩穰。一人蔬食，而嫔御不废于击鲜；边事方殷，而桩积反资于妄用。此宫闱仪刑有未正也。大臣所用，非亲(既)〔即〕故，执政择易制之人，台谏用慎默之士，都司枢掾，无非亲昵，贪吏无不得志，廉吏动招怨尤。此朝廷权柄有所分也。钞盐变易，楮币称提，安边所创立，固执己见，动失人心。败军之将，躐跻殿岩，庸鄙之夫，又尹京兆。宿将有守城之功，以小过而贬；三衙无汗马之劳，托公勤而擢。此政令刑赏多所舛逆也。若能交饬内外，一正纪纲，天且不雨，臣请伏面谩之罪。"奏入，弥远不乐。帝为罢中宫庆寿、三衙献遗。宓，俊卿之子也。

秋，七月，甲子朔，以左谏议大夫郑昭先签书枢密院事。

庚辰，金布萨安贞军昌邑东，徐汝贤等以三州之众十万来拒战，自午抵暮，转战三十里，杀贼数万。壬午，贼棘七率众四万陈于辛河，安贞令瑠嘉由上流胶西济，继以大兵，杀获甚众。甲申，安贞军至莱州，伪宁海州刺史史泼立以二十万陈于城东。瑠嘉先以轻兵薄贼，诸将继之，贼大败，招之降，不应。安贞遣莱州黥卒曹全等诈降于汝贤为内应，曹全与贼戍卒姚云相结，约纳官军。丁亥夜，曹全缒城出，潜告瑠嘉，瑠嘉募勇敢士三十人，从曹全入城，云纳之，大军毕登，斩汝贤。安儿脱身走，耿格、史泼立皆降。瑠嘉略定胶西诸县，袭杀郭方三，复密州。

金人来告迁。庚寅，起居舍人真德秀上疏，请罢金岁币，其略曰："女真以蒙古侵凌，徙都于汴，此吾国之至忧也。盖蒙古之图灭女真，犹猎师之志在得鹿，鹿之所走，猎必从之。既能越三关之阻以攻燕，岂不能绝黄河一带之水以趋汴？使蒙古遂能如刘聪、石勒之据有中原，则疆域相望，便为邻国，固非我之利也；或如耶律德光之不能即安中土，则奸雄必将投隙而取之，尤非我之福也。今当乘敌之将亡，亟图自立之策，不可乘敌之未亡，姑为自安之计也。夫用忠贤，修政事，屈群策，收众心者，自立之本；训兵戎，择将帅，缮城池，饬戍守者，自立之具。以忍耻和戎为福，以息兵忘战为常，积安边之金缯，饰行人之玉帛，女真尚存，则用之女真，强敌更生，则施之强敌，此苟安之计也。陛下以自立为规模，则国势日张；以苟安为志向，则国势日削；安危存亡，皆所自取。若夫当事变方兴之日，而示人以可侮之形，是堂上召兵，户内延敌也。"帝纳之，议罢岁币。淮西转运使乔行简上书丞相曰："蒙古渐兴，其势已足以亡金。金，昔我之雠也，今吾之蔽也。宜姑与币，使得拒蒙古。"议不决。

是月，夏左枢密使万庆义勇，遣二僧赍蜡书来四川，议夹攻金以恢复故疆，制置使董居谊不报。由是夏讯中绝。

金主至南京，诏立元妃都察氏为皇后。后本王氏，中都人，都察，其赐姓也。姊有姿色，为金主所纳，封淑妃，至是亦晋封元妃。

八月，庚子，金太子守忠至自中都。

癸卯，金复来督岁币。

乙巳，太白经天。

戊申，以安丙为观文殿学士，知潭州。

甲寅，金完颜素兰上书曰："昔东海在位，信用谗谄，疏斥忠良，以致小人日进，君子日退，纪纲紊乱，法度益隳。风折城门之关，火焚市里之舍，盖上天垂象以儆惧之也；东海不悟，遂至灭亡。诚能大明黜陟以革东海之政，则治安之效，可指日而待也。陛下不思出此，辄议南迁，诏下之日，士民相率上章请留；启行之期，风雨不时，桥梁数坏。人心天意，亦可见矣！陛下为社稷计，宫中用度，皆从贬损，而有司复多置军官，不恤妄费，甚无谓也。或谓军官之众，所以张大威声，臣窃以为不然。不加精选而徒务其多，缓急临敌，其可恃乎？且中都惟因粮乏，故车驾至此。稍获安地，遂忘其危，万一再如前日，未知有司复请陛下何之也！"

九月，壬戌朔，日有食之。太白昼见。

乙丑，史弥远上《高宗中兴经武要略》。

冬，十月，丁酉，蒙古兵徇金顺州，劝农使王晦死之。

晦，泽州高平人，被执时，谓其爱将牛斗曰："若能死乎？"曰："斗蒙公见知，安忍独生！"遂并见杀。

壬寅，金穆延尽忠进平章政事。以富珠哩德裕为参知政事。旋命德裕行尚书省于大名府，令其贬损用度。

丙辰，蒙古取金成州。

金德州防御使完颜绰诺伏诛。

蒙古穆呼哩攻辽东高州，卢琮、金朴等降。锦州张鲸杀其节度使，自立为临海王，降于蒙古。

十一月，辛丑朔，遣聂子述使金贺正旦，刑部侍郎刘爚等言其不可。太学诸生上书请斩乔行简，不报。

丁卯，金以布萨端为左丞相。

金兰州译人程陈僧叛，西结夏人为援。

十二月，嗣秀王师揆卒。

金曲赦山东，唯杨安儿、耿格不赦。乙卯，格伏诛。

金军方攻贼于大沫堌，知东平府事乌凌阿以闻赦，即引军还。贼众乘之，复出为患。金主以陕西统军使完颜弼知东平府。其后安儿与其党汲政等乘舟入海，欲走岠嵎山，舟人曲成等击之，安儿坠水死。

蒙古兵徇金懿州，节度使高闾山死之。闾山，析木人，为政严酷，乃能以死事著。

青兖既降，守臣袁枏知蓄卜势孤，遣人谕降，蓄卜疑不敢出；复遣汉人入蓄为质，蓄卜从三百人至州，枏坐受其降，厚犒之。蓄卜留州城十日，将渡河，送还汉质。自蓄卜犯边至此，更七年而后定云。

金遣使招耶律瑠格降，许以重禄；瑠格不从。金主怒，复遣宣抚万努领军四十馀万攻之。瑠格迎战于归仁县北河上，金兵大溃，万努收散卒奔东京。安东同知阿林惧，遣使求附，于是尽有辽东州郡，遂都咸平，号为中京。金左副元帅伊喇都以兵十万攻瑠格，瑠格拒战，败之。

嘉定八年　金贞祐三年，蒙古太祖十年【乙亥，1215】　春，正月，乙丑，金命山东安抚使布萨安贞等讨红袄贼刘二祖。

辛未，以师禹为嗣秀王。师禹，师揆弟也。

丁亥，金北京宣差提控完颜实呼，杀宣抚使兼留守鄂屯襄，推乌库（嘿）〔哩〕音达珲为帅。实呼为宣抚使所杀。

丁丑，金右副元帅富察齐锦以通州降于蒙古，舒穆噜明安命复其职，置之麾下，遂驻军于中都南建春宫。

乙酉,金太子守忠卒,谥庄献。

夏人攻金环州,二月,辛卯,刺史乌库哩延寿等击却之。

丙午,知枢密院事雷孝友罢。

金尚书省以南迁后,吏部秋冬置选南京,春夏置选中都,赴调者不便,请并选于南京;从之。

丁未,金布萨安贞遣提控赫舍哩约赫德,破巨蒙等四堌及破马耳山,杀红袄贼四千馀,遂会宿州兵同攻大沫堌;贼千馀逆战,骑兵击之,尽殪。提控穆延夺其北门以入,别军取贼水寨,诸军继进,杀贼五千馀。刘二祖被创,擒斩之。杨安儿馀党李思温等保大、小嵯角子山,金兵击破之。

安儿妹妙真,号四娘子,勇悍善骑射,贼党刘福等奉之,称为姑姑,众尚数万,掠食磨旗山。李全率众附之,妙真与之通,遂以为夫。

蒙古穆呼哩遣部将史天祥等进攻北京,乌库哩音达珲举城降。穆呼哩怒其降缓,欲坑其众。舒穆噜额森谏曰:"北京为辽西重镇,当抚之以慰人望,奈何坑之?"穆呼哩乃止。以音达珲权北京留守,乌页尔权兵马都元帅。

金兴中府元帅石天应降于蒙古,蒙古以为兴中府尹。

三月,辛巳,应贤良方正能直言极谏科何致,坐妄造事端,荧惑众听,配广西牢城。

癸未,安定郡王伯枀卒。

己丑,金禁州县置刃于杖以决罪人。

金中都久被围,右丞相、都元帅承晖,以右丞穆延尽忠久在军旅,委以腹心,而己总持大纲,期于保完都城。及富察齐锦叛,中都益急,金主遣左监军永锡、左都监乌库哩庆寿将兵三万九千,御史中丞李英运粮大名,行省富珠哩德裕调遣继发,以救中都。承晖遣间使奉矾书奏曰:"齐锦既降,城中莫有固志,臣虽以死守之,岂能持久!伏念一失中都,辽东、河朔皆非我有。诸军倍道来援,犹冀有济。"永锡军至涿州之旋风寨,与蒙古兵遇而溃。李英收清、沧义军数万以进,遇蒙古兵于霸州。英驭众素无纪律,又值被酒,遂大败,尽失其所运粮,英死,士卒歼焉。庆寿军闻之,亦溃归。由是中都孤立,内外不通。

夏,四月,癸卯,诏中外臣民直言时政得失。

金用山东西路宣抚副使完颜弼言,招大沫堌渠贼孙邦佐、张汝楫以五品职,下诏湔洗其罪。汝楫寻谋复叛,为弼所杀。

金平章珠赫呼果勒齐居中专政,忌承晖成功,诸将又皆顾望,虽屡遣援兵,而终无一人至中都者。

先是完颜素兰自中都计议军事回,上书求见,乞屏左右。金主召至近侍局,给纸札,令书所欲言。书未及半,金主出御便殿见之,悉去左右,惟近侍局直长赵和仲在焉。素兰言:"臣闻兴衰治乱,有国之常,在所用之人何如耳。用得其人,虽衰乱尚可扶持;一或非才,则治安亦乱矣。向者岔军之变,中都帅府自足剿灭,朝廷措置乖方,遂不可制。臣自外风闻皆平章果勒齐之意。"金主曰:"何以知之?"素兰因陈其交结状,金主颔之。素兰又曰:"果勒齐本无勋劳,亦无公望,向以畏死故,擅诛赫舍哩执中,盖出无聊耳。一旦得志,妒贤能,树奸党,窃弄国权,自作威福。去年,都下书生樊知一者,诣果勒齐,言岔军不可信,恐终作乱,遂以刀杖决杀之，自是无复敢言军国利害者。昔东海时，执中跋扈无上，天下知之而不敢言，独台臣乌库哩德升、张行信弹劾其恶，东海不察，卒被其祸。今果勒齐之奸过于执中远矣，台谏当言责，迫于凶威，嘿不敢言。然内外臣庶，见其恣横，莫不扼腕切齿，欲剚以刃，陛下何惜而不去之耶？"金主曰："此大事，汝敢及之，甚善。"素兰请召还承晖。金主曰："都下事殷，丞相恐不可辍。朕徐思之。"素兰出，金主复戒曰："今日与朕对者，止汝二人，慎无泄也！"寻令素兰再任监察御史。

蒙古舒穆噜明安攻金之万宁宫，克之，取富昌、丰宜二关，拔固安，中都危在旦夕。承晖与穆延尽忠会议，期同死社稷。尽忠不从，承晖怒，即起还第。然兵柄既皆属尽忠，承晖无如之何，乃辞家庙，召左司郎中赵思文，谓之曰："事势至此，惟有一死以报国家！"五月，庚申，承晖作遗表，付尚书省令史师安石书之，皆论国家大计及果勒齐奸状，且谢不能终保都城之罪，从容若平日。尽出财物，召家人，随年劳多寡分给之。举家号泣，承晖神色泰然，方与安石举白引满曰："承晖于《五经》皆经师授，谨守而力行之，不为虚文。"既被酒，取笔与安石诀，最后倒写二字，投笔曰："遽尔谬误，得非神志乱耶？"谓安石曰："子行矣！"安石出门，闻哭声，则已仰药死矣。家人匆匆瘞庭中。

是日暮，凡在中都妃嫔，闻尽忠将南奔，皆束装至通玄门。尽忠给之曰："我当先出，为诸妃启途。"乃与爱妾及所亲者先出城，不复反顾。蒙古兵入城，户部尚书任天宠、知大兴府高霖皆及于难，宫室为乱兵所焚。及明安至，官属、父老出迎，明安曰："负固不服，以至此极，非汝等罪，守者之责也。"悉令安业。时蒙古主避暑桓州，闻中都破，遣使劳明安等，悉辇其府库之实北去。于是金祖宗神御及诸妃嫔皆沦没。尽忠行至中山，谓所亲曰："若与诸妃偕来，我辈岂得至此！"

安石奉承晖遗表至汴，赠承晖尚书令、广平郡王，谥忠肃。尽忠旋亦至，金主释其罪不问，仍以为平章政事。

蒙古以舒穆噜明安为太傅，封邵国公，兼管蒙古、汉军兵马都元帅。明安旋以疾卒。

蒙古主访求辽旧族，得金左右司员外郎耶律楚材，召谓之曰："辽、金世仇，朕为汝雪之。"对曰："臣父祖尝委赞事之，既为之臣，敢仇君耶！"蒙古主异其言，处之左右。楚材身长八尺，美须宏声，都木达王托云八世孙，尚书右丞履之子也。

辛未，金立皇孙铿为皇太孙。

癸酉，金进士葛城刘炳条便宜十事："一曰任诸王以镇社稷。臣观往岁王师，屡战屡衄。承平日久，人不知兵，将帅非材，既无靖难之谋，又无效死之节，外托持重之名，内为自安之计，择骁果以自随，委疲懦以临阵，阵势稍动，望尘先奔，士卒从而大溃；朝廷不加诘问，辄为益兵，是以法度日紊，土地日蹙。自大驾南巡，远近益无固志，任河北者以为不幸，逡巡退避，莫之敢前。臣愿陛下择诸王之英明者，总监天下之兵，北驻重镇，移檄远近，则四方闻风者皆将自奋。二曰结人心以固基本。今艰危之后，易于为惠，愿宽其赋役，信其号令，凡事不便者一切停罢。三曰广收人才以备国用。备岁寒者必求貂狐，适长涂者必蓄骐骥；河南、陕西有操行为民望者，稍擢用之，阴系天下之心。四曰选守令以安百姓。今众庶已敝，官吏贪暴昏乱，与奸为市，公有斗粟之赋，私有万钱之求，远近嚣嚣，无所控告；自今非才器过人、政迹卓异者，不可任此职。五曰褒忠义以励臣节。忠义之士，奋身效命，有司略不加省，弃职者顾以恩贷，死事者反不见录，天下何所慕惮而不为自安之计耶！六曰务农力本以广蓄积。此当今

3816

之要务也。七曰崇节俭以省财用。今海内虚耗,纾生民之急,无大于此者。八曰去冗食以助军费。九曰修军政以习守战。十曰修城池以备守御。"金主虽异其言而不能用,以补御史台令史。

秋,七月,戊午朔,蒙古取金济源县。

辛酉,以郑昭先参知政事,礼部尚书曾从龙签书枢密院事。

成忠郎李琪,投匦为杨巨源讼冤。壬戌,诏四川立巨源庙,名曰褒忠,赠官,录其后。

庚辰,诏皇弟摺更名思正,皇侄均更名贵和。

金主闻河北讥察官要求民财始听渡河者,民避兵至或饿死、自溺,命御史台体访之。

丙子,金尚书省奏给皇太孙岁赐钱,金主不从,曰:"襁褓儿安所用之!"

〔甲申〕,金改交钞名"贞祐宝券"。

自泰和以来,交钞日多而轻,乃更作二十贯至百贯、二百贯、千贯,谓之大钞。初虽稍重,未几益轻而愈滞,市邑视为无益之物。富家内困藏镪之限,外歉交钞屡更,皆至窘败,谓之"坐化"。商人往往舟运贸易于江、淮,钱多入宋。至是改名而弊如故。

金工部下开封市白牷,取皮治御用鞠仗,器物局副使珠赫呼筠寿,以其家所有鞠仗以进,因奏曰:"中都食尽,远弃庙社,陛下当坐薪悬胆之日,奈何以球鞠细物,动摇民间,使屠宰耕牛以供不急之用? 非所以示百姓也。"金主不怿。旋出筠寿为桥西提控。

红罗山寨主杜秀降于蒙古,以秀为锦州节度使。

蒙古主驻军鱼儿泺,遣缴格巴图帅万骑自西夏趋京兆,以攻金潼关,不能下,乃由留山小路趋汝州,遇山硐,辄以铁枪相锁,连接为桥以渡,遂赴汴京。金主急召花帽军于山东,蒙古兵至杏花营,距汴京二十里,花帽军击败之。蒙古兵还至陕州,适河冰合,遂渡而北,金人转守关辅。时蒙古兵所向皆下,金人遣使求和。蒙古主欲许之,谓萨木哈曰:"辟如围场中獐鹿,吾已取之矣,独馀一兔,盍遂舍之!"萨木哈耻于无功,不从,遣伊实里谓金主曰:"若欲议和,以河北、山东未下诸城来献,及去帝号称臣,当封汝为河南王。"议遂不成。

八月,戊子朔,金以陕西统军使完颜哈达签〔书〕枢密院事。

己丑,赐张杙谥曰宣。

庚子,金主虑平阳城大,兵食不足,议弃之,宰执不可。乃以太常卿侯挚为参知政事,行中书省于河北东、西两路。

蒙古以史天倪南伐,授右副都元帅,赐金虎符。遂取金平州,经略使奇珠降。

蒙古穆呼哩遣史进道等攻广宁府,降之。

是月,兰州盗程彦晖求内附,四川制置使董居谊却之。

九月,乙亥,申严两浙围田之禁。

金穆延尽忠与果勒齐不相能,而果勒齐恃近侍局为内援,尽忠患之,乘间言于金主,请以完颜素兰为近侍局。金主曰:"近侍局例注本局人及宫中出身,杂以它流,恐或不和。"尽忠曰:"若给使左右,可止注本局人;既令预政,固宜慎选。"金主曰:"何谓预政?"尽忠曰:"中外之事,得议论访察,即为预政矣。"金主曰:"自世宗、章宗朝许察外事,非自朕始也。如请谒、营私,拟除不当,台谏不职,非近侍体察,何由知之?"参知政事乌库哩德升曰:"固当慎选其人。"金主曰:"朕于庶官,曷尝不慎! 有外似可用而实无才力者,视之若忠孝而包藏悖逆者。富察齐锦以刺史立功,骤升显贵,辄怀异志;富鲜万努委以辽东,乃复肆乱;知人之难如此,朕敢轻乎?"德升曰:"比来访察开决河堤,水损田禾,覆之皆不实。"金主曰:"朕自今不敢问若辈,外间事皆不知,朕干何事,但终日默坐,听汝等所为矣。方朕有过,汝等不谏,今乃面讦,此岂为臣之义哉?"未几,或告尽忠谋逆,下狱,诛之。德升旋出为集义军节度使。尽忠之弃中都也,金主释不诛,至是乃以论近侍局获罪。以后近侍局益横,中外蔽隔,以至于亡。

红袄贼周元儿陷金深、祁二州,束鹿、安平、无极等县,真定帅府以计破之,斩元儿及其党五百馀人。

自杨安儿、刘二祖败后,河北残破,干戈相寻,红袄贼馀党往往复相团聚。金军虽时有斩获,不能除也,大概皆李全、国用安、时青之徒焉。

是秋,蒙古取金城邑凡八百六十有二。

冬,十月,江东计度转运副使真德秀朝辞,言曰:"金自南迁,其势日蹙,蒙古、西夏,东出潼关,深入许、郑,攻围都邑,游骑布满山东,而金以河南数州之地,抗西北方张之师,加以群盗纵横,叛者四起,危急如此。臣谨案图史,女真叛辽在政和甲午,其灭辽也在宣和己巳。而犯中原即于是年之冬。今日天下之势,何以异政、宣之时!陛下亦宜以政、宣为鉴。臣观蒙古之在今日,无异昔日女真方兴之时,一旦与我为邻,亦必祖述女真已行之故智。盖女真尝以燕城归我矣,今独不能还吾河南之地以观吾之所处乎?受之则享虚名而召实祸,不受则彼得以陵寝为词,仗大义以见攻。女真尝与吾通好矣,今独不能卑辞遣使以观吾之所启乎?从之则要索无厌,不从则彼得藉口以开衅端,不可不预图所以应之也。"因以五不可为献:"一曰宗社之耻不可忘,二曰比邻之盗不可轻,三曰幸安之谋不可恃,四曰导谀之言不可听,五曰至公之论不可忽。"反覆极言,帝不能用。

金以衍圣公孔元措为太常博士。或言宣圣坟庙在曲阜,宜遣之奉祀,金主以元措圣人之后,山东寇盗纵横,恐罹其害,是使之奉祀而反绝之也,故有是命。

夏人攻金保安、延安,陷临洮。

金宣抚使富鲜万努据辽东,僭称天王,国号大真,改元天泰。

十一月,丙辰朔,封伯泽为安定郡王。

夏人攻金绥德及熟羊寨,皆为守将所败。

蒙古兵徇金彰德府,知府图们色埒死之。

蒙古史天祥攻金兴州,擒节度使赵守玉。

耶律瑠格破东京。

克特格娶万努之妻李仙娥,瑠格不直之,有隙。既而耶斯布等劝瑠格称帝,瑠格曰:"向者吾与案陈那衍盟,愿附大蒙古国,削平疆守,倘食其言而自为东帝,是逆天也。"众请愈力,瑠格称疾不出,潜与其子薛阇奉金币九十车入觐于蒙古。蒙古主曰:"汉人先纳款者先引见。"太傅阿哈曰:"刘伯林纳款最先。"帝曰:"伯林虽先,然迫于重围而来,未若瑠格仗义效顺也,其先瑠格。"既见,蒙古主大悦,因问:"旧何官?"对曰:"辽王。"命赐金虎符,仍辽王。又问:"户籍几何?"对曰:"六十馀万。"蒙古主曰:"可发三千人为质,朕发蒙古三百人往取之。"瑠格遣奇努等与俱,且命拘系克特格以来。克特格惧,与耶斯布等绐其众曰瑠格已死,遂以其众叛,杀所遣三百人,唯三人逃归。

十二月,乙酉朔,金徙朔州民屯岚、石、隰、吉、绛、解等州。

壬辰,金太康县民刘全、时温、东平府民李宁谋反,伏诛。

乙巳，蒙古兵徇金大名府。

癸丑，金皇太孙鉴卒，谥冲怀。

蒙古以张鲸总北京十提控兵，从夺呼兰萨里必南伐。鲸怀反侧，穆呼哩觉之，令舒穆噜额森监其军。至平州，鲸称疾不进，额森执而杀之。鲸弟致，杀长史，据锦州，自称瀛王，改元兴隆，下平、滦、瑞、利、义、懿、广宁等州。穆呼哩率先锋蒙古布哈、权帅乌页尔等军讨之。

是岁，两浙、江东西路旱、蝗。

嘉定九年 　金贞祐四年，蒙古太祖十一年【丙子，1216】　春，正月，乙丑，赐吕祖谦谥曰成。

庚午，蒙古取金曹州。

己卯，金立皇子遂王守礼为皇太子。

二月，甲申朔，日有食之。

金命皇太子控制枢密院事。

蒙古围金太原府，己亥，攻下霍山诸隘。

辛亥，东、西两川地大震。

金同知观州张开复河间府、沧、献等州，并属县十三。

三月，乙卯，东、西两川地震；甲子，又震。马湖夷界山崩八十里，江水不通。丁卯，又震；壬申，又震。

是月，金复恩、邢二州。

夏，四月，癸（丑）〔巳〕，金张开复青州等十一城。

甲午，金皇太子守礼改赐名守绪。

戊戌，（泰）〔秦〕州人唐进，与其徒何进等引众十万来归，四川制置使董居谊拒却之。

金知平阳府胥鼎，闻蒙古兵度潼关，即遣必喇阿噜岱、图克坦伯嘉帅兵万五千，由便道济河趋关陕，而自以精兵援汴京。又遣布萨萨固珠帅兵会诸将，以拒蒙古兵之自关而东者。金主拜鼎尚书左丞，行省事于平阳。

五月，癸酉，太白昼见。

金来远镇获谍者陈岊等，知夏人将图巩州，窥长安，命陕西行省严为之备，夏人修来羌城界河桥，元帅右都监完颜萨布遣兵焚之，俘馘甚多。

六月，辛卯，西川地震；壬辰，又震；乙未，又震。黎州山崩。

丁未，金改宣抚司为经略司。

〔壬辰〕，张致降金，金以致行北京路元帅府事。

秋，七月，癸丑朔，金昭义军节度使必喇阿噜岱复威州及获鹿县。

金侯挚行省于东平，获红袄贼，讯之，知其渠帅郝定僭号、署官、改元，已攻陷滕、兖、单诸州，莱芜、新泰等州十馀县，道路不通。挚帅师进击，执定送南京，诛之。

闰月，壬午朔，日有食之。

辛卯，金复深州。

八月，金定僧道纳粟补威仪、监寺之令。

夏人入金安寨堡，元帅左监军乌库哩庆寿遣军败之。

丙子，蒙古攻金延安。

己卯，夏人入金结耶觜川，守将击走之。

九月，辛巳朔，蒙古攻金坊州，金主命御史大夫永锡领兵赴陕西，便宜从事。

壬辰，蒙古攻金代州，经略使鄂屯绰和尚死之。蒙古缴格巴图鲁率师由西夏趋关下。冬，十月，越潼关。金安西军节度使尼庞古富勒呼战殁。

癸亥，西川地震；甲子，又震。

金复东海侯为卫王，谥曰绍，徙其家属及镐厉王家属于南京。

蒙古兵次嵩、汝间，金御史台言："敌兵逾潼关、崤、渑，深入重地，近抵西郊。彼知京师屯宿重兵，不复扣城索战，但以游骑遮绝道路，而别兵攻击州县，是亦困京师之渐也。若专以城守为事，中都之危，又将见于今日；况公私蓄积，视中都百不及一。愿陛下命陕西兵扼潼关，与伊尔必斯为掎角之势，选在京勇敢之将十数人，各付精兵，随宜伺察，且战且守；复谕河北，亦以此待之。"金主以奏付尚书省。平章珠赫呼果勒齐曰："台官素不习兵，备御方略，非所知也。"遂止。果勒齐以蒙古兵日逼，欲以重兵屯驻汴京以自固，州县残破不复恤，金主惑之。

金河南行省胥鼎，遣潞州元帅左监军必喇阿噜岱以军一万，孟州经略使图克坦伯嘉以军五千，由便道济河趣关陕，自将平阳精兵援南京，金主命枢密院督军应之。

金行枢密院、知河南府事完颜哈达以征兵失律，坐诛。

富鲜万努降于蒙古，而以其子迪格入侍。既而复叛，僭称东夏。

十一月，乙酉，金元帅右都监完颜萨布，奏大败夏人于定西。

蒙古兵次于渑池，金右副元帅富察伊尔必斯军溃而遁。

金胥鼎虑蒙古兵扼河，乃檄绛、解、隰、吉、孟州五经略司，相与会师，为夹攻之势。及蒙古自三门集津北渡至平阳，鼎遣兵拒战，蒙古兵败去。金人复潼关。

金河南路统军使赫舍哩萨哈，以发兵后期坐诛。

蒙古穆呼哩以张致兵精，且依险为阻，欲设奇取之，乃遣乌页尔等别攻溜石山堡，且谕之曰："汝等急攻溜石，贼必遣兵往援，我出其不意，断其归路，可一战擒也。"又令蒙古布哈别屯永德县西十里以伺之。致闻溜石被围，果以兵往救，蒙古布哈遣骑扼其归；且驰报穆呼哩，使夜半引军疾驰，比曙，抵神水，与致遇，布哈兵亦会，前后夹击，大破之，致遂奔溃，进围锦州。致屡战不利，乃闭门拒守，月馀，其监军高益缚致出降，穆呼哩杀之。

十二月，癸亥，蒙古攻金平阳。

丙寅，蒙古攻金大名府。

壬申，蒙古兵进自代州神山、横城及平定、承天镇诸隘，攻太原府。金宣抚使乌库哩礼遣人间道赍攀书至南京告急，诏发潞州元帅府、平阳、河中、绛、孟宣抚司兵援之。

乙亥，金珠赫呼果勒齐请修南京里城。金主曰："民力已困，此役一兴，病滋甚矣，城虽完固，朕亦何能安此乎？"

是岁，奇努、金山、青狗、统古与等，推耶斯布僭帝号于澄州，国号辽，改元天威。以辽王瑠格兄通喇为平章，置百官。方阅月，其元帅青狗叛归于金，耶斯布为其下所杀，推其丞相奇努监国，与共行元帅锡尔分兵民为左、右翼，屯开保州关，金盖州守将重嘉努引兵攻败之。瑠格引蒙古军数千适至，得兄通喇并妻姚里氏、户二千。锡尔引败军东走，瑠格追击之，还，度辽河，招抚懿州、广宁，徙居临潢府。奇努走高丽，为金山所杀。金山又自称国王，改元天德。统古与复杀金山而自立，赫舍杀之，亦自立。

嘉定十年 金兴定元年,蒙古太祖十二年【丁丑,1217】 春,正月,癸未,贺正旦使陈伯震自金辞还。金主谓宰臣曰:"闻恩州南境有盗,此乃彼界饥民沿淮为乱耳,宋人何故攻我!"珠赫呼果勒齐请伐之以广疆土,金主曰:"朕意不然,但能守祖宗所付足矣,安事外讨!"

癸巳,雨土。

乙巳,蒙古攻金观州。

魏了翁以状言:"闻谥者行之迹,昔人所以旌善而惩恶,节惠而尊名也。爰及后世,限以品秩,济以请托,于是尝位大官者,虽恶犹特予之;品秩之所不逮,则有硕德茂行而不见称于世者矣。夏竦、高若讷而谥文庄,蔡卞、郑居中而谥文正,邓洵武、蔡絛而谥文简,吕惠卿而谥文敏,张商英而谥文忠,强渊明而谥文献,林希而谥文节,温益而谥文简,汪伯彦而谥忠定,秦桧而谥忠献,皆名浮于行而章章在人耳目者。自馀此类,又何可胜数!而举世视为当然,未尝以为讶也。至于倡明正学于千有馀载之后,上嗣去圣,下开来哲,如周敦颐、程颢、程颐、张载及一时淑艾高弟,其有功于生民之类,亦不为少矣,世之相后,不为近矣,而卒未有表而出之者,人亦不以为阙也。臣前误被简擢,摄承漕寄,遂因职分所关,辄为周敦颐冒陈易名之请,已荷俞允以所奏下之有司。维时春官亦专以程颢兄弟为请,申命所司,已二年于兹,犹未有以易其名者。岂事大体重,未容以轻议也?望申饬有司,速加考订,俾隆名美谥,早有以风厉四方,示学士大夫趋向之的也。"

金主命选兵三万五千,付图们呼图克们统之西伐。尚书左丞胥鼎驰奏,以为非便,略曰:"自北兵经过之后,民食不给,兵力未完。若又出师,非独馈运为劳,而民将流亡,愈至失所。宋人乘隙而动,复何以制之?此系国家社稷大计。方今事势,止当备御南边,西征未可议也。"遂止。

二月,戊申朔,金初用贞祐通宝,凡一贯当贞祐宝券十贯。

癸丑,金罢招贤所。

乙卯,金皇孙生。

庚申,地震。

壬戌,金尚书省以军储不继,请罢州府学生廪给。金主曰:"自古文武并用,向在中都设学养士,犹未尝废,况今日乎?其仍旧给之。"

三月,金主征山东兵接应苗道润,(其)〔共〕复中都,而石海方据真定叛,虑为所梗,乃集钮祐禄贞、郭文振及威州刺史武仙所部精锐,与东平军为掎角以图之。武仙率兵斩石海及其党二百馀人,降葛仲、赵林、张立等军,尽获海僭拟物。遂以武仙十义知真定府事。

金起复张行信权参知政事。时珠赫呼果勒齐用事,恶不附己者,衣冠之士,动遭窘辱,惟行信屡引旧制,力诋其非。旋真拜参知政事。

金果勒齐力劝金主侵宋,金主惑之。初,金有王世安者,献取盱眙、楚州之策,金主以为淮南招抚使,遂有侵宋之谋。至是命乌库哩庆寿、完颜萨布帅师南侵,遂渡淮。夏,四月,丁未朔,攻光州中渡镇,执榷场官盛允升,杀之。庆寿分兵攻樊城,围枣阳、光化军,别遣完颜阿林入大散关,以攻西和、阶、成州。诏京湖、江淮、四川制置使赵方、李珏、董居谊俱便宜行事以御之。

金济南、泰安、滕、兖等州贼并起,皆刘二祖馀党,侯挚遣完颜霆率兵讨之。霆自清河出徐州,破斩霍仪,招降伪元帅石珪、夏全,馀众皆溃。

　　金人侵襄阳，赵方语其子范、葵曰："朝廷和、战未定，益乱人意，惟有提兵临边，决战以报国尔！"遂抗疏主战；因亲往襄阳，檄统制扈再兴、陈祥、钤辖孟宗政等御之，仍增戍光化、信阳、均州以联声势。金人来自团山，势如风雨，再兴等分三陈，设伏以待。既至，再兴中出一陈，复却，金人逐之，宗政与祥合左右两翼掩击之，金人三面受敌，大败，血肉枕藉山谷间。寻报枣阳围急，宗政午发岘首，迟明抵枣阳，驰突如神，金人大骇，宵遁。方以宗政权知枣阳军。未几，京湖将王辛、刘世兴亦败金兵于光山、随州，金人乃去。

　　五月，甲申，赐礼部进士吴潜以下五百二十三人及第、出身。

　　癸卯，赵方请以伐金诏天下。六月，戊午，诏曰："朕厉精更化，一意息民。宁不知机会可乘，仇耻未复；念甫申于盟誓，实重起于兵端。岂谓敌人，遽忘大德，皇华之辂朝遣，赤白之囊夕闻。叛卒鸱张，率作如林之众；饥氓乌合，驱为取麦之师。除戎当戒于不虞，纵敌必贻于后患。一朝背好，谁实为之！六月饬戎，予非得已。谅深明曲直顺逆之理，其孰无激昂奋发之思！师出无名，彼既自贻于颠沛；兵应者胜，尔立急赴于事机。若能立非常之功，则亦有不次之赏！"

　　乙丑，金左丞相兼都元帅布萨端甍。

　　辛未，东川大水。

　　癸酉，太白经天。

【译文】

宋纪一百六十　起癸酉年（公元 1213 年）九月，止丁丑年（公元 1217 年）六月，共三年有余。

　　嘉定六年　金贞祐元年，蒙古太祖八年（公元 1213 年）

　　九月，乙巳朔（疑为戊戌之误，初一），金宣宗完颜珣告知尚书省："凡需要先做好规划的事，都按照世宗时的规定进行。"

　　丁未（初十），金宣宗到前代皇帝卫绍王完颜永济的府邸去祭奠他，有关部门上奏说按以前的礼制应当跪坐哭祭，金宣宗命人撤去座席，伏身大哭，极尽哀痛，下谕有关部门按礼节改葬。

　　金宣宗下诏征求直言进谏。戊申（十一日），到仁政殿，临朝听政。恩赐赫舍哩执中可以坐下，赫舍哩执中并不推辞而就座。

　　辛亥（十四日），金国朝廷封皇子完颜守礼为遂王，完颜守纯为濮王。夔王完颜永升去世，金宣宗亲自前往祭奠。

　　壬子（十五日）金国改年号为贞祐，大赦。丙辰（十九日），右丞相图克坦镒晋升左丞相，封为广平郡王。左谏议大夫张行信进言提倡节约、广开言路、赏罚分明三件事。

　　庚申（二十三日），金国赫舍哩执中提议废除已故卫绍王完颜永济的名号降为庶民百姓。金宣宗说："我要仔细想想。"随即在朝堂诏令百官商讨，参加商讨的有二百多人，太子少傅鄂屯忠孝、侍读学士富察思中阿谀逢迎赫舍哩执中，说："偷他人财物，还被称为强盗，何况窃取帝位据为己有呢？请求废除名号降为平民。"户部尚书武都、拾遗田庭芳等三十人，请求降为王侯；太子少保张行简，请求依照汉代昌邑王、东晋海西公的旧例处置；侍御史完颜寓等十人，请求降级恢复以前卫王的封号。赫舍哩执中坚持以前的提议，金宣宗不得已，于是降级改封完颜永济为东海郡侯。

金国为金章宗元妃李氏、承御贾氏平反昭雪，诏书说："大安初年，曾向天下颁布通告，说李氏与她母亲王盼儿及李新喜合谋，要贾氏佯称已有身孕，各按死罪处决。章宗皇帝德高英明，怎会容忍这样的欺骗！最近由于集中商讨国事，提点近侍局完颜达，霍王傅大正德，都说贾氏的案情有冤。朕亲自前去查询佐证，那些事都暧昧不清。当时被处分责罚的，都可以释放免罪回家。"

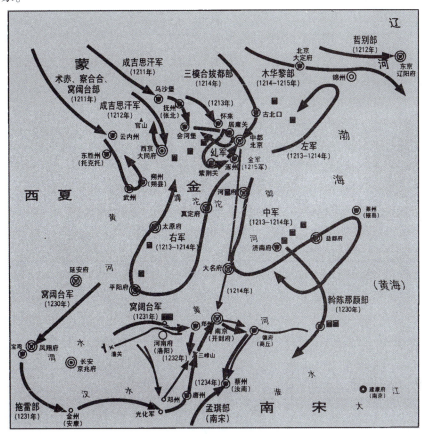

蒙金战争形势图

丙寅(二十九日)，金宣宗命令六品以下的官员，凡有事要说的，都应言之不尽，不可隐讳。

这个月，初次任命京朝官担任省府大门的监官。

闰九月，戊辰朔(初一)，下诏命令御史台考核各路监司的政绩。

金宣宗在仁政殿拜祀太阳。从此每月初一祭拜成为常制。

金宣宗以前的名字叫完颜珣，泰和年间，金章宗赐名完颜从嘉，庚午(初三)，恢复旧名。诏令道："以前所用名的两个字，自今天起不必回避。"

辛未(初四)，金宣宗追封他的母亲刘氏为皇太后。

甲申(十七日)，金国册封皇子完颜守忠为皇太子，这是根据张行信的请求。

丙戌(十九日)，由于金宣宗刚刚即位，宋朝命令四川严谨把守边境。

己丑(二十二日)，由于湖北旱情严重，宋朝廷诏令各监、知州县令赈灾抚恤。

癸巳(二十六日),雷鸣。

甲午(二十七日),史弥远等呈上二祖以下七世《仙源类谱》《高宗宝训》《皇帝玉牒》《会要》。宋宁宗赵扩下令取来宋孝宗《敬天图》放在身旁,以备反省观看。

乙未(二十八日),大雷。丙申(二十九日),朝廷降下皇帝检讨处分自身的诏书。

金国任命珠赫呼果勒齐为元帅右监军。金宣宗告诫他说:"听说军队的事都要听命于朝廷,这岂不会因此坐失良机吗?从今以后应根据情况行使职责。我只要求你成功。"随即命令他从镇州到中都担任防务。

冬季,十月,丁酉朔(初一),金国中都戒严。

戊申(十二日),派遣真德秀祝贺金宣宗即国主位;庚戌(十四日),派遣李壂出使金国祝贺新年。适逢金国处于战乱中,使者都没有达到国都就返回了。

蒙古国挑选各部族的精锐兵力五千骑兵,派奇尔台、哈台两位将领开赴中都。蒙古的游动骑兵到了高桥,金国宰执把这一情况上报。金宣宗派人向赫舍哩执中询问,赫舍哩执中说:"计谋已定好了。"不久赫舍哩执中责问宰执说:"我是尚书令,怎么能不先和我商议而匆忙向上奏报呢?"宰执只得道歉。

提点近侍局庆善努、副使惟弼、奉御惟康,请求除掉赫舍哩执中。金宣宗想到他帮助自己即位的功劳,便强忍着没有同意。赫舍哩执中派珠赫呼果勒齐出兵迎战,被打败。赫舍哩执中想杀掉他,金宣宗下谕免罪。赫舍哩执中给他增派兵力,警告他说:"如果打胜了可以赎罪,败了就杀头!"辛亥(十五日),珠赫呼果勒齐出兵迎战,从傍晚到天明,北风大作,飞沙走石,眼睛都睁不开,金兵大败。珠赫呼果勒齐心想一定会被赫舍哩执中杀死,便派以契丹人组成的乣军进入中都,包围了赫舍哩执中的住所。赫舍哩执中得知变乱,便开弓向外射箭,然而不能取胜,只得翻墙外逃。可衣服被挂住,摔下来跌断了腿,军士当即杀了他。珠赫呼果勒齐拿着他的首级,到皇宫请罪。金宣宗赦免了他,说近侍局曾秘密传达了旨意,为珠赫呼果勒齐开脱,于是派他担任左副元帅。赫舍哩执中的同伙与乣军格斗,乣军多被打死。金宣宗派近侍局进行安抚,格斗才平息。壬子(十六日),下令赫舍哩执中的同党离开京城。

甲寅(十八日),金国张行信上奏说:"《春秋》之法,若国君不是以道为出发点来确立的,如果曾与诸侯有过盟约,他就被列为诸侯。东海郡侯已在位六年了,做他的臣子,谁敢去冒犯他呢!赫舍哩执中手握兵权入城,亲手弑杀君王,当时只有善延、实古纳率人马来救援,以至于战死。谈论到他们的忠烈,在朝廷领取俸禄的人都应感到惭愧。陛下开始料理政务,海内都盼望着改变人情风俗。奖励表彰这两个人,使他们的子孙受到恩惠,这大概能够使忠烈之魂稍微得到慰藉。宋朝的徐羡之、傅亮、谢晦,杀了营阳王,迎立宋文帝刘义隆,文帝还是杀了他们,由于有江陵进表迎立的功劳,免除妻子和子女的罪名。赫舍哩执中,是国家的大奸贼,虽然已经死了,但罪名还没有确定,应该公开揭露他的过失罪恶,向国内外宣布,除去官职削去爵位,他的家属也要被株连处分,这样才能大快人心。陛下若因他有帮助即位的功劳而不忍这样做,也可以按照元嘉年宋文帝的旧例,也足以显示惩戒了。"于是金宣宗下令揭露赫舍哩执中的罪过,削去了他的官职爵位。追赠善延、实古讷官职,录用他们的后代。庆善努、惟康、惟弼都受到迁升奖赏。近侍局从此参与政事。

蒙古国穆呼哩带兵进犯金国,所进犯之处都被破坏不堪。永清人史秉直召集族人谋划说:"现在国家正危险动乱,我们家族上百口人,怎么才能保全住自己呢?"不久,听说归降的人都可以免死，便率领里中数千人到涿州军营门前请求归顺蒙古国。穆呼哩想任用史秉直，史秉直推辞，便任命他的儿子史天倪作万户，带领归降的人住在霸州。

癸亥(二十七日)，金国放出宫女一百三十人。

十一月，戊辰(初二)，夏国进犯金国的会州，图克坦绰尔带兵出击赶走他们。

金宣宗想与蒙古议和，派遣使者通报。庚午(初四)，诏令百官在尚书省商议此事。

当时掌握军队的人都畏缩不敢迎战，说恐怕破坏议和。张行信进言说："议和与交战，本是两件事。奉使者专门做议和的事，带兵的人只管作战，怎么能以议和为借口呢？从崇庆年间以来，都是因为议和误事。如果我军当时敢于主动交战，略微挫败蒙古国的锐气，那么议和的事早就成功了。不久前北方的使者来访，蒙古方面仍然攻克东京，夺取河东；现在我方使者刚出发，将帅就按兵不动，这对议和终究没有好处。形势越来越艰难，粮草已更加缺少，议和能否成功，还不得而知，怎么能闭门自守以待失败呢！应该趁兵马还精壮，挑选勇猛的将帅和精锐的士兵，保护运粮的车马，遇到蒙古军队时守住阵脚不和他们交战，使他们稍稍减少锐气，那么附近地区的钱粮就可以运到国都来，议和也会在近日成功了。"金宣宗知道他的建议好却没有施行。

金国任命横海节度使承晖为右丞，任命耿端义为参知政事。

癸未(十七日)，虚恨蛮进犯中镇寨。

蒙古军队攻击金国观州，刺史高守约殉职。

十二月，丁酉朔(初一)，金国任命图克坦公弼为尚书右丞，承晖晋升都元帅兼平章政事，果勒齐升为平章政事，仍然兼任左副元帅。

壬寅(初六)，免除琼州百姓丁盐钱税。

夏国攻占金国泾州。

蒙古太祖留下奇尔台、哈台率兵在金国中都城北驻扎，把归顺的杨伯遇、刘伯林的汉人军队四十六都统与蒙古军队合并分为三路军：命儿子卓沁、察罕台、谔格德依为右军，沿着太行山向南，攻破保、遂、中山、邢、洺、磁、相、卫辉、怀、孟各郡，直接到达黄河，横扫泽、潞、平阳、太原之间大片地区；弟哈萨尔及克特卜齐等是左军，沿海向东，攻破滦、蓟及辽西各郡；蒙古太祖铁木真自己率兵和他的儿子图垒为中军，攻破雄、莫、清、沧、景、献、河间、滨、棣、济南各郡。三路军队返回后，仍旧驻兵大口，威逼中都。这时金国各路军队都到山后地区防守，于是征发乡里百姓当兵，到城墙上抵御。蒙古国把这些兵的家属强制赶来攻城，父子兄弟，常常遥相呼应，因此金国人人都没有坚守的心思，凡是蒙古军队所到的郡邑都被攻克。共攻陷金国九十余个郡，黄淮两河、毂谷以东数千里地，人民几乎被残杀干净，财产、子女、家畜都被掠夺一空，房屋被烧毁，城郭变废墟，只有中都、通、顺、真定、清、沃、大名、东平、德邳、海州十一个城没被攻下。

金国张行信进言说："自战争烽起，将帅难以得到合适的人选。希望陛下命令重臣各自推荐所了解的人，其才能果然可以任用，给予奖励表彰，让他们报效国家，肯定会有奋不顾身去救国的人。从前李牧为赵国将领时，颁布军功封爵奖赏，都是自己独断。出外进攻，国内防守，不听命于朝廷，便能在北边战败强大的敌人，西边抑制强大的秦国。如果命令将领不要被规章拘束，不要被朝廷旨意牵制，委以重任，要求他们成功，让他们充分发挥自己的才智，那么恢复国土的业绩还有希望。"金宣宗认为这些意见很正确。

蒙古军队包围中都。金国在东华门外设立招贤所,士人平民都可以发表意见,有的可以不按资历授官。因此闾里的百姓,往往吹捧自己以求一官半职。有个叫王守信的,本来是个村夫,敢说大话,说诸葛亮不懂兵法,完颜富向朝廷推荐,诏命暂任行军都统。他招募市井游民无赖当兵,教练的进退跳跃,大致与儿童游戏一样;旌旗上写着"古今相对"四个大字,作黄布袍、黑头巾、镴牌各三十六件,牛头响环六十四枚,想以此把敌人吓跑,简直是荒诞不经的做法;接着带领这些乌合之众出城,杀了砍柴的百姓回来报功。有个叫贾耐儿的,本是末流说书的人,用俗话诙谐来换取衣食。他制造了千辆运粮车,当时木材很少,做这种车耗费巨大,旁观的人都暗暗嘲笑他。李栋本是个乡下百姓,大安末年,曾在司天监李天惠手下做事,假借天象,用占卜谎言凶吉,到权贵大臣门下行走,也被授为天文官。李栋曾秘密地进奏说:"有一道白气横贯紫微星座,说明京师要有兵乱,庆幸的是没有贯穿到底,应当没造成灾祸。"不久珠赫呼果勒齐杀了赫舍哩执中,金宣宗更加相信他了。张行信上言:"《周易》中说'开国承家,小人弗国',圣人用此话告诫后人,就是如此严格。如今敌国军队践踏国土,民心不稳,抵御外敌,提出策略,不是贤能智慧的人做不到。狂妄的小人和平庸之辈,趁机受到提拔,参与国家机密大事,很是不恰当。"于是金宣宗把这些人都罢免了。

金国珠赫呼果勒齐荐举御史李英为经历官。李英上书珠赫呼果勒齐说:"中都有居庸关,就像秦国有崤山、函谷关,蜀地有剑门一样。近来军队撤离了居庸关,我方的大势已去。现在当地豪强守在那里,朝廷应当派官员去掌管起来。如果失此机会,不图恢复失地,忠诚正义的人,将会离开这里为别国服务了。"又说:"可以安定抚恤宣德、德兴剩下的百姓,让他们组织军队,这里本有储粮,足以借给,这样国家可以不费一斗粮一尺帛,就能收复以前失去的重要关隘口。居庸关近在咫尺,在都城的北面,却不能保卫住,李英实在感到羞耻。"珠赫呼果勒齐将文书上奏,马上任命李英为部员外郎,充任宣差都提控,居庸关等关口路隘都属他管辖。

金国元帅都监皇族额示克率领五千军士在通州护送运粮,遇到蒙古军队一下子就溃败了。张行信进言说:"掌管军队的方法,无非是奖赏和惩罚。这样才会使士卒遇到敌人时有所追求并乐于前进,有所畏惧而不敢后退,然后将士一心作战才能成就功业。像额尔克的失败,应当明确他的罪过给予处分。朝廷宽容,却不过问,臣恐怕朝廷驾驭军队的办法还有欠缺。"金宣宗回答道:"你的意见我已明白,额尔克已经逮捕入狱。"

金国山东受到蒙古军队的抢掠,各郡县望风而逃,泰安州刺史和速嘉安礼却坚持守城。有人劝他离去,安礼说:"我走了,谁来保卫城池?再说作为人臣逃避国难,这不是辜负了国家的恩惠吗?"于是操练士兵,修缮城池,作守城的准备。不久蒙古军队到,攻城十天,不能攻下。有人对和速嘉安礼说:"这是一座孤城了,城内没有储备的粮食,城外没有援兵,不投降,就没有活命的了。"和速嘉安礼不听从。城被攻陷,他被逮住,有人说他是酒监,他说:"我是刺史,何必隐瞒!"要他跪下,他不屈从,于是用戈刺进他的胸口杀了他。金宣宗下诏追赠他泰定节度使,谥号坚贞。和速嘉安礼,是大名路人。

这一年,两浙各州发大水,赈济灾民。

嘉定七年 金贞祐二年,蒙古太祖九年(公元 1214 年)

春季,正月,丁卯朔(初一),金国边境战事没有停止,免除朝贺之礼。

四川制置使安丙,派提举皂郊博马务何九龄等带领各部将与金人在泰州城下交战,失败而回。沔州都统制王大才,抓住何九龄等七人,斩杀,在边境上悬挂他们的首级示众,并且向朝廷控告安丙,说他有二心。

辛未(初五),蒙古军队进攻金国彰德府,知府洪果玖珠战死。洪果玖珠是临潢人。

丁丑(十一日),参知政事章良能去世。

乙未(二十九日),蒙古军队进入怀州,金国沁南军节度使宛平人宋宸战死。

这个月,金国李英乘夜色和壮士李雄、郭仲元等四百九十人出中都城,沿西山行进到佛岩寺,命李雄下山招募百姓参军。十来天后募到万余人,挑选出在众人中有威望的人率领,假称是当地豪强,几次和蒙古军队交战,受到损失,召他们返回。

金国大兴府知府事胥鼎,因为在京的缺乏食物的贫苦百姓多,应该立赈济救贫的规定,上奏道:"京师官民中如有能赡养贫苦百姓的人,应该按照他所赡养的人数,晋升官职以鼓励奖赏。"于是颁行临时的按付出的恩惠而委任官制的规定。

二月,丁未(十二日),青羌卜笼十二骨来归降。卜笼,是青羌的部族,性格残忍,兵器很多,依靠劫掠为生。十二骨,就是十二后裔的意思。

三月,丁卯(初二),征召安丙为同知枢密院事,任命成都路安抚使董居谊为四川制置使。

庚辰(十五日),金国派遣使者来督促二年的岁币。

金国参知政事耿端义,因为中都被包围很长时间了,将帅都不愿出战,对金宣宗说:"现在的祸患,都是东海郡王完颜永济造成的。士卒即使不能派出,城中的军队从都统到穆昆不少于万余人,如果派这些人出城冲锋,也许可以达到恢复国土的目的。"建议终于没有施行。

癸未(十八日),金宣宗因为运粮的路已断,下令搜集粟谷,中都城内极度不安。张行信上奏说:"最近朝廷命令大兴府知府胥鼎设法策划军粮,于是他奏请允许交粮买官。不久又派参知政事鄂屯忠孝搜求官员和百姓手中的粮食,每户只可存两月的粮食,其余都要交到官府,报酬是爵位、银两。当时有粮的人,有的先到胥鼎处交了谷粟,没来得及送到官府。鄂屯忠孝又想得到更多军粮,以表明自己有功,凡是胥鼎所征收的,不予从数额中扣除,百姓极苦恼。现在米价飞涨,还没有买的地方,百姓存粮只有两个月,又被剥夺。敌兵就在眼前,人心正惊恐不安,如果又生出无聊的举动,或者出现其他变故,就得不偿失了。"金宣宗同意他的意见,命令张行信和近臣审查处置。又告知鄂屯忠孝说:"非常了解你一心为公,但国家本意是得到粮食,现在已经得到了,就依从大家认为恰当的办法做行了。"

戊子(二十三日),金国任命濮王完颜守纯为殿前都点检兼任侍卫亲军都指挥使、代理都元帅府事。

蒙古太祖驻扎在中都的北郊,各部将要求乘胜攻打燕京,太祖不允许,派萨巴勒对金宣宗说:"你的山东、河北的郡县都被我方占领,你所守的只有燕京罢了。上天已经使你势力薄弱,我再逼迫你,上天该怎么说我!我现在要撤军,你不能犒劳我军以消除我方部将的怒气吗?"平章政事珠赫呼果勒齐对金宣宗说:"蒙古国人马疲倦生病,应该决一死战。"都元帅完颜承晖说:"不行。我军驻守在都城,家属各自住在各路,他们的想法还不了解。战败了必然会散去,如果胜利了,也会思念妻子儿女而离去。社稷的安危,在这一次的行动。不如派遣使者去商议和约,等他们撤军回国,我方再作计议。"右丞相图克坦镒也认为和亲合适。金宣宗同意,派遣完颜承晖到蒙古一方请求订和约。壬寅(四月初八),封东海郡侯完颜永济的女儿为歧国公主,嫁给蒙古太祖,蒙古国称她公主皇后。同时送上金帛财物、童男童女五百人、马三千匹为礼物。蒙古军队撤退，中都解除戒严，又派完颜承晖送出居庸关。

壬辰（二十七日），蒙古兵攻占金国岚州，镇西军节度使乌库哩仲温战死。

夏季，四月，乙未朔（初一），金国任命胥鼎为右丞相。由于与蒙古签订了和约，大赦，任命布萨安贞为宣抚使，安抚召集流离的百姓。贞安就是布萨揆的儿子。

金国南京留守布萨端请求金宣宗到南京去，金宣宗准备同意前往。左丞相图克坦镒说："皇帝的车驾一动，北方各路都不可能再守住了。现在已讲和，聚集兵力，积蓄粮草，坚守京都，才是上策。南京四面受敌；辽东是金国的根本，依山傍海，险要的地形足以依靠，只需防御一面，可以作为今后的退路，这是中策。"金宣宗不同意。庚戌（十六日），图克坦镒去世。图克坦镒聪明敏捷正直，学问渊博，当时名士都出自他的门下。

金国任命张行信为山东转运按察使。

临出行时，请求召见，对金宣宗说："参政鄂屯忠孝，虚伪欺诈不忠，处事残忍刻薄，与赫舍哩执中同伙，罪行已清楚。国家太平时，还不能容忍缺少才艺的人任丞相，何况现在形势严峻。还用这样的人参与国政，社稷安危会怎样？"金宣宗说："朕刚即帝位不久，应当按礼法提拔或降黜大臣。你把这些话告诉他关系密切的人，暗示他请求免职。"张行信把这意思告诉右司郎中巴图鲁，巴图鲁把金宣宗的意见告诉鄂屯忠孝，鄂屯忠孝不知羞耻地不予理睬。不久，鄂屯忠孝离开京师任济南府知府。

五月，甲戌（初十），金国霍王完颜从彝去世。

丁丑（十三日），太白星经过天空。

辛巳（十七日），金国将东海郡侯完颜永济、镐厉王完颜永中的家属迁到郑州。

乙酉（二十一日），赐礼部进士袁甫以下五百零四人及第、出身。

金宣宗由于国力单薄，军队疲弱，财政紧张，无法守住中都，于是决定南迁。太学生赵昉等人上奏章极力陈述南迁的利害。由于大计已定，不能中止，便安抚慰问让他们回去。命令平章政事、都元帅完颜承晖、尚书左丞穆延尽忠，尊奉太子完颜守忠在中都留守，于是和六宫出发，任命巴图鲁李英为御前经历官。诏令说："侍卫人员及军马，朕亲自总管，事关国家利害的事务，可通过近侍局上报。"

蒙古太祖听说南迁，大怒道："已经订好和约又南迁，是有疑心没有消除，只是用和解对我施缓兵之计罢了。"又想要向南侵犯。

金宣宗到达良乡，命侍从的乣军将所配备的铠甲马匹，都重新还送官府。乣军怨恨，便起来造反，杀了他们的主帅索晖，推举札达、贝实勒、札拉尔三人为帅，北返中都。完颜承晖听说有兵变，派军队在卢沟河阻击。札达击败官军，派使者到蒙古乞求归顺。

蒙古太祖派舒穆噜明安及缴格巴图援助。蒙古军队入古北口，出兵占领景、蓟、檀、顺各州。各部将提议杀掉这些地方的守军，舒穆噜明安说："这些人本应杀死，现在如果让他们活着，那么那些还没有来依附我方的，都会听说宽大而来归顺的。"太祖听从了这建议。明安等人便与札达会合进逼中都。

金宣宗听说此事，派人去召太子，应奉翰林文字完颜素兰认为不妥。珠赫呼果勒齐说："人主住在这里，太子应该随从。况且你能保证中都一定会守住吗？"素兰说："不敢肯定能完全守住，但是太子在那里，声望势力都受到重视，边关严加防守，都城就没有危险。过去唐明皇到蜀地，太子留在灵武，就是用此来维系天下民心的。"没有听从，终于召来了太子。

杨安儿一伙贼党的势力日益扩大,潍州李全等人也起来抢掠。李全,就是开禧年间与戚拱结交一起收复涟水军的人。这些盗贼都穿红色衣,当时人们称为红袄贼。李全和他的二哥李福特别凶残勇猛,刘庆福、国用安、郑衍德、田四子、洋子潭等人都依附他们,与杨安儿彼此呼应。金国宣抚使布萨安贞到益都,在城东打败杨安儿。杨安儿跑到莱阳,莱州徐汝贤开城投降,杨安儿的势力又振作起来。登州刺史耿格开城门交纳州府官印,到城郊去迎接杨安儿,打开府库用储存的财物犒劳盗贼。杨安儿便超越名分自封为君主,设立官制,改年号为天顺,凡是诏书制表、符玺印章、仪式,都由耿格草拟决定。接着攻陷宁海,进攻潍州。伪政权元帅郭方三占据密州,抢掠沂、海两州。李全进犯临朐,扼守穆陵关,要攻取益都。安贞派沂州防御使布萨瑚嘉为左翼军,安化节度使完颜恩楼去讨伐杨安儿。

六月,甲午朔(初一),金国任命按察转运使高汝砺为参知政事。

甲辰(十一日),天旱,命令各路监司、守臣判决拖延日久的讼案。壬子(十九日),释放大理寺、三衙及两浙路判为杖刑以下的囚犯。

自从史弥远当政,朝廷大臣都只能容忍沉默,没有敢于慷慨直言的人。代理刑部侍郎刘爚上奏说:"希望诏令大臣,提倡奖励忠诚正直以振作精神,尽力禁止阿谀奉承佞幸以整肃官僚。"不久,监进奏院陈宓上密封奏章说:"宫中的宴会,有时没有节制;随时的赏赐赠予,为数浩大。一个人的饭菜,而嫔御也要杀牲畜以吃到新鲜的肉;边境战事正令人担忧,储备的物资反被随意浪费。这都是皇宫的礼仪规范不够端正的原因。大臣任用的人,不是亲戚就是故友,执政选择容易控制的人;台谏任用沉默不语的人;尚书省枢密院辅助官员,无非是亲密关系的人;贪官没有不得逞的,清官动辄招来抱怨。这是朝廷大权被人分取了。盐钞变更,调整纸币比价,安边所的创立,坚持自己的意见,所作所为失去民心。打败仗的将军,担任三衙长官;无能卑陋的人,又任为京兆尹。老将本有守城的功劳,只因一点小错就贬职;三衙没有汗马功劳,凭借公务勤谨就能提拔。这是政令惩罚赏赐多有做得不对所导致的。如果能同时整顿朝廷内外,端正纪纲,天还不降雨,臣愿依照当面责骂君主定罪受罚。"奏章递进后,史弥远心中不快。宋宁宗因此除去中宫庆寿三衙献送礼物的惯例。陈宓,是陈俊卿的儿子。

秋季,七月,甲子朔(初一),任命左谏议大夫郑昭先签书枢密院事。

庚辰(十七日),金国布萨安贞列阵在昌邑东面,徐汝贤等率三州的人马十万来人迎战,从中午到傍晚,转战三十里,杀死盗贼几万人。壬午(十九日),贼寇棘七率领四万人马在辛河列阵,布萨安贞命布萨瑚嘉从上游胶西过河,然后以主力为后援,杀伤和俘虏了很多贼人。甲申(二十一日),安贞的军队到达莱州,伪政权宁海州刺史史泼立率领二十万人马在城东列阵。瑚嘉先派精锐部队靠近敌人,各部将随后追杀,敌人大败,招他们投降,被拒绝。安贞派遣莱州受了黥刑的士兵曹全等人假作投降到徐汝贤部下作为内应。曹全与贼部守城兵姚云相勾结,约好开门接纳。丁亥(二十四日),夜间,曹全顺绳子下城,秘密地向瑚嘉报告。瑚嘉招集了三十名勇士,跟随曹全入城,姚云开门放入,大军全部登上城墙,杀死了徐汝贤。杨安儿只身逃脱,耿格、史泼立都投降。瑚嘉又平定了胶西各县,攻打郭方三并杀死了他,收复密州。

金人来告南迁事。庚寅(二十七日),起居舍人真德秀上奏疏,要求停止交纳金国的岁币,大意是:"女真人因为蒙古的侵犯,迁都到汴梁,这是我国最大的忧患。蒙古企图消灭女真,就像猎人的心愿在于捕鹿,鹿逃跑的地方,猎人一定会追踪而去。既然他能够跨过三关的险阻攻打燕京,难道不能横渡黄河直奔汴梁吗?假如让蒙古能像刘聪、石勒一样占据中原,那么与我方边境相近,成为邻国,这实在对我方不利;假如像耶律德光那样并不安于中原,那么奸雄一定会趁机进犯,则更不是我方的福音。现在应抓住敌人将要灭亡的时机,做好自立的准备,不能认为敌人还没有灭亡,就暂且过着苟安的日子。任用忠贤,整顿好政务,广泛听取建议,收拢人心,这是自立之本;训练好士兵,挑选好将帅,修理好城池,整顿好边防,这是自立的措施。以忍受耻辱签订和约为幸事,以放下武器忘记战争为正常,把积蓄起来安定边境的钱财,置办出使敌方的玉帛,女真存在时,就送给女真;又出现了新的强敌,就又送给新的强敌,这是苟且偷安的做法。陛下如果以自立为国策,那么国家的形势便会逐渐好起来;如果以苟安为志向,那么国家的形势就会一天天坏下去,安危存亡都是自己选择的。假如事情变化正激烈时,而表现出可以被欺侮的样子,那就是在堂上招致战事,在门户内延纳敌人。"宋宁宗采纳了他的意见,商议停止岁币。淮西转运使乔行简上书丞相说:"蒙古国日渐强大,它的实力足以灭掉金国。金国,过去是我们的仇敌,现在是我们的屏障。应该暂且给予岁币,使他们抵御蒙古军。"商议没有做出决定。

这个月,夏国左枢密使万庆义勇,派遣两位僧人携带蜡封书信到四川,建议与宋夹攻金国以恢复旧日疆土,制置使董居谊没有上报。从此与夏国的信使往来中断。

金宣宗到南京,下诏立元妃都察氏为皇后。皇后本来姓王,中都人,都察是赐姓。她姐姐长得漂亮,被金宣宗纳为妃,封立淑妃,现在也晋级封为元妃。

八月,庚子(初八),金国太子完颜守忠从中都到南京。

癸卯(十一日),金国又来催交岁币。

乙巳(十三日),太白星经过天空。

戊申(十六日),任命安丙为观文殿学士,知潭州。

甲寅(二十二日),金国完颜素兰上书说:过去东海郡侯在位时,信任并重用谗诡小人,疏远排斥忠良,使得小人越来越受重用,君子逐渐被排斥,纪纲紊乱,法规遭受破坏。大风把城门的门闩吹断,大火烧毁了街上的房屋,这是上天显示表象警诫朝廷。东海郡侯不觉悟,便导致了灭亡。如果切实做到公正无私,明彰官吏的升降,革除东海郡侯的弊政,那么安定的局面,就指日可待了。陛下去考虑这些事,就匆匆定下南迁,诏令公布时,百姓士人先上奏挽留;出发时,不时地风风雨雨,桥梁几次塌坏。人心天意,也由此可以看出来了!陛下为社稷安危着想,宫中的用度,都已减少,但是有关部门还要多设军官,不惜增加无益的耗费,这实在不应该。也许有人觉得军官多,可以壮大声威,臣不认为是这样。不加以认真挑选而只是增加数量,紧急时面对敌人,能作为依靠吗?再说中都只因为粮食缺乏,陛下便迁到这里。如果环境稍得安定,便忘了所处的危险,万一再像先前那样,不知有关部门还会请陛下迁到什么地方?"

九月,壬戌朔(初一),出现日食。白天出现太白星。

乙丑(初四),史弥远呈上《高宗中兴经武要略》一书。

冬季,十月,丁酉(初六),蒙古军队出兵占领金国顺州,劝农使王晦殉国。

王晦,泽州高平人,被捉拿时,对他的爱将牛斗说:"你能一死吗?"回答说:"我牛斗承蒙你了解信任,怎能忍心独自生存?"于是一起被杀。

壬寅(十一日),金国穆延尽忠晋升为平章政事。任命富珠哩德裕为参知政事。随即命令富珠哩德裕在大名府行尚书省,令他节约开销。

丙辰(二十五日),蒙古攻取金国成州。

金国德州防御使完颜绰诺被杀。

蒙古国穆呼哩进攻辽东高州,卢琼、金朴等人投降。锦州张鲸,杀了该州节度使,自立为临海王,投降蒙古。

十一月,辛丑朔(初一,疑误),派遣聂子述为使者到金国祝贺新年,刑部侍郎刘爚等人进言认为不应去。太学生们上书请求斩杀乔信简,没作答复。

丁卯(二十七日),金国任命布萨端为左丞相。

金国兰州翻译程陈僧反叛,向西与夏国结交作为后援。

十二月,嗣秀王赵师揆去世。

金国在山东实施特赦,只有杨安儿、耿格不被赦免。乙卯(二十五日),耿格被诛杀。

金军正在大沫堌进攻贼寇,东平府知府乌凌阿与听到赦令,便率军返回。贼寇趁机出击,又出来作乱。金宣宗任命陕西统军使完颜弼为东平府知府。此后杨安儿与其同伙汲政等人乘船入海,要逃到岠嵎山,船工曲成等人攻击他们,杨安儿落入海中而死。

蒙古军队占领金国懿州,节度使高闾山殉国。高闾山,析木人,做事严厉苛刻,终以殉国而著名。

青芜已经投降,守臣袁枏了解到蓄卜势单力孤,派人劝降,蓄卜怀疑有诈不敢出来;又派汉人到蓄卜寨中当人质。蓄卜带三百人到州府,袁枏接受他们的归顺,并优厚地犒赏。蓄卜在州城留了十天,在渡河返回时,送还作为人质的汉人。从蓄卜进犯边境到现在,历经七年才获得安定。

金国派使者向耶律瑠格招降,许以他优厚的俸禄;瑠格不听从。金宣宗很生气,又派宣抚万努率兵四十余万进攻。耶律瑠格在归仁县北河上迎战,金国军队大败,万努收拾散兵投奔到东京。安东同知阿林甚为畏惧,派使者请求归附,于是耶律瑠格占据辽东各州郡,便以咸平为都城,称为中京。金国左副元帅伊喇都率十万兵进攻耶律瑠格,耶律瑠格列阵作战,打败官军。

嘉定八年 　金贞祐三年,蒙古太祖十年(公元1215年)

春季,正月,乙丑(初五),金国命令山东安抚使布萨安贞等讨伐红袄贼刘二祖。

辛未(十一日),封赵师禹为嗣秀王。赵师禹,是赵师揆的弟弟。

丁亥(疑误),金国北京宣差提控完颜实哷杀死宣抚使兼留守鄂屯襄,推举乌库哩音达珲为帅。完颜实哷又被宣抚使杀掉。

丁丑(十七日),金国副元帅富察齐锦将通州献给蒙古归降,舒穆噜明安命让他仍任原来的职务,安排在自己麾下,便在中都南部的建春宫驻军。

乙酉(二十五日),金国太子完颜守忠去世,谥号庄献。

夏国进攻金国环州,二月,辛卯(初二),刺史乌库哩延寿等人击退夏国军队。

丙午(十七日),知枢密院事雷孝友免职。

金国尚书省南迁以后,吏部选调官员秋冬两季在南京,春夏两季设在中都,前去应试的官员很不方便,请求都在南京选调,建议被批准。

丁未(十八日),金国布萨安贞派提控赫舍哩约赫德攻破巨蒙等四堌及攻破马耳山,杀死红袄贼四千余人,于是和宿州的官军会合一起向大沫堌进攻,寇贼千余人迎战,骑兵出击,全部消灭。提控穆延占领北门冲进去,另一支官军夺取寇贼的水寨,各部军队继续前进,杀死寇贼五千多。刘二祖受伤,被捉拿处斩。杨安儿的余党李思温等人想保住大、小蝼角子山,金兵均攻陷。

杨安儿的妹妹杨妙真,人称四娘子,勇敢强悍善于骑射,贼寇刘福等人尊奉她,称为姑姑,还有几万人马,在磨旗山一带抢掠。李全率领部下依附她,杨妙真与李全私通,于是结为夫妻。

蒙古国穆呼哩派遣部将史天祥等人进攻北京,乌库哩音达珲献城投降。穆呼哩很不满意他投降缓慢,要活埋金军士兵。穆呼哩额焱劝谏说:"北京是辽西的重镇,应当安抚以慰藉民心,怎能将他们活埋呢?"穆呼哩才住了手。任命音达珲代理北京留守,乌页尔代理兵马都元帅。

金国兴中府元帅石天应投降蒙古,蒙古派他为兴中府尹。

三月,辛巳(二十二日),应贤良方正能直言极谏科考试的何致,因任意制造事端,迷惑百姓,扰乱视听,发配到广西城牢。

癸未(二十四日),安定郡王赵伯梡去世。

己丑(三十日),金国禁止州县在杖刑上插入刀刃以处罚犯人。

金国中都被包围很久,右丞相、都元帅完颜承晖,由于右丞穆延尽中在军队时间很久,看作是心腹委以重任,自己总理大纲,希望能保全都城。到富察齐锦叛变后,中都形势益发紧急,金宣宗调遣左监军永锡、左都监乌库哩庆寿带三万九千兵马,御史中丞李英从大名运粮,行省富珠哩德裕调遣援兵跟着出发,以拯救中都。承晖派秘使带着用明矾写的密奏上奏道:"齐锦已经投降,城中没有稳固的心志,臣虽然愿意以死守城,怎么能持久!想到一旦失去中都,辽东、河朔都不再是我们的国土。各路军马如能加速赶来增援,也许还有希望得救。"永锡的军队涿州的旋风寨,与蒙古军刚交战就溃退。李英收集清、沧两地的义军几万人向中都进发,在霸州遇到蒙古兵。李英带兵向来纪律松弛,又刚喝过酒,于是大败,把运送的粮食丢得精光,李英战死,士兵全部丧命。乌哩库庆寿的军队听说之后,也溃不成军,返回。从此中都成为孤城,内外不通音讯。

夏季,四月,癸卯(十四日),诏令朝内外大臣和平民直言国家政策的得失。

金国采用山东西路宣抚副使完颜弼的建议,用五品官职招降大沫堌的贼首孙邦佐、张汝楫,下诏令改正洗去以前的罪过。张汝楫不久又图谋反叛,被完颜弼所杀。

金国平章政事赫呼果勒齐在朝中专权,忌妒完颜承晖的功绩,各将领又都采取观望态度,虽然几次调兵去援助,始终没有一个士兵到达中都。

先前完颜素兰从中都商议军事返回,曾上书要求接见,请求让左右侍从退下。金宣宗召他到近侍局,给他纸张,要他写下所要陈述的话。还没写到一半,金宣宗从宫中出来到便殿接见他,让左右的人退去,只留近侍局直长赵和仲在一旁。素兰说:"臣听说兴衰治乱,是有国以来的常事,在于任用的人怎么样。用人得当,即使是衰败混乱仍能支撑;一旦用人不当,安定太平的社会也会动乱的。先前乣军的事变,中都元帅本足以镇压,是朝廷处理不当,以至难以控制局面了。臣从外面听说,都是平章政事珠赫呼果勒齐的意思。"金宣宗问:"你怎么知道呢?"素兰便陈述珠赫呼果勒齐与乣军交往的情况,金宣宗点头同意。素兰又说:"珠赫呼果勒齐本来并没有功劳,也没有威望,以前就是因为怕死,才擅自诛杀了赫舍哩执中,出于无可奈何罢了。一旦专掌权柄,就嫉妒贤才,建立同党,以权谋私,作威作福。去年,中都一位叫樊知一的书生,说乩军不能信任,恐怕日后会作乱,于是用加刃的杖打死了他,从此没人再敢议论军事国是等利害攸关的问题了。从前东海郡侯在位时,赫舍哩执中飞扬跋扈眼中无主,天下都知道而不敢说,只有台臣乌库哩德升、张行信弹劾揭露他的罪恶,东海郡侯没有考察清楚,终于受到赫舍哩执中杀身之祸。现在珠赫呼果勒齐的邪行,比赫舍哩执中多得多,台谏应当指责,但被凶恶势力逼迫,而不敢说。但朝廷内外大臣与庶民,看见他肆意横行,没有不磨拳擦掌咬牙切齿地,恨不能把刀刃插入他的身体,陛下为何爱惜他而不除名呢?”金宣宗说:“这样大的事,你敢于说出来,很好。”素兰请求召回完颜承晖。金宣宗说:“中都的局势令人担忧,丞相恐怕不能中途离开。朕再考虑一下。”素兰出殿,金宣宗再次告诫说:“今天和朕所讲的事,止你我二人,仔细不可泄露。”随即命令完颜素兰担任监察御史。

蒙古国舒穆噜明安进攻金国的万宁宫,攻陷后,夺取富昌、丰宜两个关隘,又占领了固定,中都危在旦夕。完颜承晖和穆延尽忠一起议论,希望能一起以死来保卫国家。穆延尽忠不同意,完颜承晖大怒,立即起身回到宅第。但兵权既已全部交到穆延尽忠手中,完颜承晖对他没有办法,于是告辞家庙,召来左司郎中赵思文,对他说:“局势已到这般地步,只有以死报答国家了!”五月,庚申(初二),完颜承晖写遗表,交给尚书省令史师安石抄写,都是论述国家大事和珠赫呼果勒齐的邪行罪状,还对终于没能保住中都城表示请罪。他仍像平常一样从容不迫,拿出所有财物,召集家人,按年龄大小和劳绩多少分给大家。全家大哭,完颜承晖神色泰然,又和师安石满满倒了一杯酒说:“完颜承晖学习《五经》都是由有经学专长的老师传授,严谨遵守圣人教诲身体力行,没有文过饰非。”喝过酒后,拿出笔给师安石写诀别书,最后二字写倒了,扔下笔说:“忽然写得颠倒,大概是神志混乱了吧?”又对师安石说:“你走吧!”师安石出门,听到哭声,是完颜承晖已经仰面喝毒药死去,他的家人匆匆在庭院中埋葬了他。

这天傍晚,所有在中都的妃嫔,听说穆延尽忠将向南方逃跑,都整装到通玄门准备随行,穆延尽忠骗她们说:“我应该先走,给你们开路。”于是他与爱妾及亲近的人先出城,不再返回。蒙古兵进城,户部尚书任天宠,大兴府知府高霖,都死于兵难,宫殿被乱兵烧毁。等到舒穆噜明安到中都,各级官员、父老出城迎接,舒穆噜明安说:“坚持守城不投降,以至遭受这样的大劫难,不是你们的过错,是守城人的责任。”命令大家依旧安居乐业。当时蒙古太祖在桓州避暑,听说中都已被占领,派遣使者慰问舒穆噜明安等,又用车将府库中的储藏都运到北方,从此金国祖宗的遗像和各位妃嫔都落到蒙古人手中。穆延尽忠走到中山,对那些亲近的人说:“如果带那些妃嫔一起来,我们怎能走到这里!”

师安石将完颜承晖的遗表送到汴梁,追赠完颜承晖尚书令、广平郡王,谥号忠肃。穆延尽忠随即也到南京,金宣宗宽释他的罪过不责问,仍任命为平章政事。

蒙古国任命舒穆噜明安为太傅,封立邵国公,兼管蒙古、汉军兵马都元帅。明安不久因病去世。

蒙古太祖寻访征求辽国旧贵族,得到金国左右司员外郎耶律楚材,召见他说:“辽、金两国世代为仇,朕为你报仇雪恨。”耶律楚材回答说:“臣的父亲、祖父曾经作为臣民为金国国主做事,既然作了臣民,怎敢仇视国家之主!”蒙古太祖对他的答复感到惊异,让他跟随自己。

耶律楚材身长八尺，须发美丽，声音洪亮，是都木达王耶律托云八世孙，尚书右丞耶律履的儿子。

辛未（十三日），金国册立皇孙完颜铿为皇太孙。

癸酉（十五日），金国进士葛城刘炳分条陈述对国有利的十件事：“第一条是任命诸位亲王镇守国土。臣看前几年朝廷的军队，数战数败。我国太平多年，大家不熟悉军事，将帅不是善战之材，既没有平定兵难的计谋，也没有以死报国的气节，对外假托稳重矜持之辞，内里为自己打算苟安的计策，选择了骁勇坚决的人作为自己的护卫，而委派懦弱无能的人迎战敌人，军事稍有变动，便望风而先逃，士兵随之而溃散；朝廷不加责问，就又给增加兵力，因此法度日益紊乱，土地日益减少。自从皇帝南迁，远近军镇更没有坚守的决心，被任命镇守河北的人认为是大不幸，犹豫退缩，不敢前进。臣希望陛下挑选亲王中英明的人，总监天下的部队，到北方驻守重地，向远近守边将士递送公文通告，那么四方听到消息的人都会奋发精神的。第二是团结人心巩固国家根本。现在处于艰难危险之后，容易做使百姓感恩的事，希望能放宽赋役，颁布可行的号令，所有不便做的事都停止。第三是广泛吸收人才作为国家的后备力量。防备天寒的人一定会搜求貂狐的皮毛，走远路的人一定会预备良马；河南、陕西有在百姓中德高望重的人，稍提拔任用，也可以维系民心。第四是挑选守令安置百姓。现在百姓处境很坏，官吏贪婪昏暴，与坏人做交易，官府如有一斗粟的税额，私下要去征收一万钱，远近怨声沸腾，却没有控告的地方；现在如不是才能过人，政绩卓著的人，不能担任这样的职务。第五是表彰忠诚正义的行为以激励臣民的名节。忠义之士，奋不顾身报效国家，有关部门并不加以注意，放弃职责的人反而有恩赏宽免，殉职的人却不记录下来，天下还有什么人不陷于畏惧而谋划自己安全的退路呢？第六是提倡和致力农业生产以增加积蓄的粮草。这是现今的当务之急。第七是提倡节俭缩减财务支出。现在国内空虚，缓解百姓生计的问题，没有比这一点更重要的了。第八是裁减多余的人员以补助军费。第九是整顿军队演习防守战术。第十是修葺城池以准备御敌守城。”金宣宗虽然认为他的陈述很出色但不能用，录用他为御史台令史。

秋季，七月，戊午朔（初一），蒙古军队攻取金国济源县。

辛酉（初四），任命郑昭先为参知政事，礼部尚书曾从龙签枢密院事。

成忠郎李珙，通过登闻院上书为杨巨源诉冤。壬戌（初五），诏令四川修杨巨源祠，题名褒忠，追赠官职，录用他的儿子。

庚辰（二十三日），下诏令皇弟赵㩋改名为赵思正，皇侄改名为赵贵和。

金宣宗听说黄河北岸检查官员要求百姓上缴财物才可以渡河南迁，百姓逃避战乱甚至有人饿死或投水淹死，于是命令御史台派人去查访。

丙子（十九日），金国尚书省进奏要给皇太孙岁赐钱，金宣宗不允许，说：“襁褓中的婴儿要钱有什么用！”

金国改称交钞为“贞祐宝券”。

从泰和年间以来，交钞日益增多购买力不断下跌，于是改印行面额为二十贯以至于一百贯、二百贯、一千贯的，称为大额交钞。发行之初还值钱，不久更加贬值难以流通，街市和乡里都认为是没用的东西。富豪们一方面被限制不许家中积蓄铜钱，一方面因交钞发行多次变更，都陷于困窘甚至破产，被称为“坐化”。商人们往往用船在江、淮之间运输贸易，铜钱大多流入南宋地域内。因此尽管更改名字而弊病依然如故。

金国工部到开封收买白牯牛，取牛皮做皇帝用的鞠球击仗，器物局副使珠赫呼笃寿，把他家原有的鞠仗呈进，并奏言说："中都没有粮食，我们放弃了祖宗家庙远远地迁居到这里，陛下正该卧薪尝胆，怎么可以因为玩鞠球这种小事，去扰动民间，让人们屠宰耕牛来满足并不急迫的需要！不应给百姓做这样的表示。"金宣宗心里不高兴。不久把珠赫呼笃寿调出任桥西提控。

红罗山寨主杜秀投降蒙古，蒙古国任命杜秀为锦州节度使。

蒙古太祖在鱼儿泺驻军，调遣缴格巴图带领万名骑兵从西夏直奔京洮，准备攻占金国潼关。没有攻下，于是从留山小路向汝州行进。遇到山涧，就用铁枪相搭连，架成临时渡桥，直抵汴京。金宣宗紧急从山东召来花帽军。蒙古军队到杏花营，距离汴京只有二十里路，花帽军将他们打败。蒙古兵返回到陕州，正巧黄河冰冻已合，于是过河向北，金兵转而守御关铺。当时蒙古兵所到之处无不获胜，金国派使者请求议和。蒙古太祖想应允，对萨木哈说："就像打猎围场中的獐鹿，我已经获取到了，只剩一只兔子，何必不让他出去呢？"萨木哈以未能建大功为耻辱，没依从太祖的意见，派伊实里对金宣宗说："要想议和，就要献出河北、山东还没有被我军攻克的城池，并且去掉皇帝称号自称为臣，可以册封你为河南王。"议和因此没有达成。

八月，戊子朔（初一），金国任命陕西统军使完颜哈达为签枢密院事。

己丑（初三），赐张杲谥号为宣。

庚子（十三日），金宣宗考虑到平阳城大，兵力和粮草均不足，提议放弃它，宰执不同意。于是任命太常卿侯挚为参知政事，在河北东、西两路行中书省。

蒙古国派史天倪带兵南征，授职为右副都元帅，赐他金虎符。于是攻取了金国平州，经略使奇珠投降。

蒙古的穆呼哩派遣史进道等攻取广宁府，广宁府归降。

这个月，兰州贼寇程彦晖请求归顺回到宋朝，四川制置使董居谊拒绝这一要求。

九月，乙亥（十九日），申明严厉禁止在两浙围田。

金国穆延尽忠与果勒齐不能共事，果勒齐依仗有近侍局做内应，穆延尽忠很是担忧，寻机到宣宗面前进言离间，请求让完颜素兰作近侍局长官。金宣宗说："近侍局按例录用本局的人或宫中出身的人，把其他的人调入恐怕不合适。"穆延尽忠说："如果只是在左右供役使，可只用本局的人，既然让他们参预政事，实在应该慎重选人。"宣宗问："什么叫参与政事？"穆延尽忠说："朝廷内外的事，能够议论寻访检察，这就是参与政事。"金宣宗说："从世宗、章宗朝代起就允许察访各地政事，并不是从朕开始的。象私下拜访拉关系，营私舞弊，拟定授予的职务不当，台谏不称职这些问题，不是近侍去察访，怎么会知道？"参知政事乌库哩德升说："确实应当审慎地选用人。"金宣宗说："朕任用各位官员，何曾不慎重？有人外表似乎可用但实际没有才能，有的人看上去忠孝两全而内心暗藏叛逆之心。富察齐锦在刺史任上立功后，骤然提升为显贵，便心怀不轨；我把辽东重地委托给富鲜万努，他就大肆作乱；认识人是这样的难，朕敢轻率吗？"乌库里德升说："近来巡访考察决口的河堤，洞水浸坏田地等事，复查说明都有不实之词。"金宣宗说："朕从今不敢过问你们的事，外面的事都不知道，朕干什么事？只是每日静坐，听任你们随心所欲罢了。当朕有过错时，你们并不进谏，今天才当面责问,这难道就是为臣的本分吗?"不久,有人报告穆延尽忠谋反,逮捕入狱,诛杀。乌库里德升随即离京任集义军节度使。穆延尽忠放弃中都,金宣宗宽释不处决,至今却因议论近侍局而犯罪处死。从此往后近侍局越来越专横,气焰遮蔽朝廷内外,直到金国灭亡。

红袄贼周元儿攻陷金国深、祁二州和束鹿、安平、无极等县,真定的金国官军设计谋消灭了他们,处死周元儿和他的同党五百余人。

自从杨安儿、刘二祖被打败后,河北凋敝不堪,战事相继不断,红袄贼的余党时常团聚在一起。金国军队虽然不时消灭一部分,但不能彻底根除,大概是李全、国用安、时青之流。

这个秋季,蒙古夺取金国城邑共八百六十二座。

冬季,十月,江东计度转运副使真德秀上朝辞行,他说:"金国自从南迁,势力日益衰弱,蒙古、西夏两国,出潼关向东而来,深入到许、郑一带,围攻城邑,流动的骑兵布满崤山以东,而金只以河南几州的力量对抗西北气焰正烈的敌军,加上数伙贼寇横行,反叛不断发生,形势危急到这地步。臣考察了图籍史书,女真背叛辽国是在政和甲午年,消灭辽国在宣和乙巳年,进犯中原就是这一年的冬天。现在天下的形势,与政和、宣和时有什么区别?陛下也应该以政和、宣和年间的教训为借鉴。臣认为蒙古在今天的力量,与从前女真人刚兴起时一样,一旦和我方成为邻国,必定效法女真人曾做过的事。女真曾答应将燕京归还我方,如今难道不能以归还河南的土地来观察我方的对策吗?接受吧,将是徒有虚名而招来灾祸;不接受吧,那他们便会以先祖陵寝在北方为借口,以忠孝大义为名进攻我方。女真曾与我们通好,现在难道不会以谦卑的文辞派遣使者来观察我方的动静?顺从他们就会无休止地索要财物,不顺从他们就会找借口挑起事端,不能不预先考虑好对付的办法。"于是提出五不可献上:"第一是宗庙社稷所受到的耻辱不可忘,第二是近邻的贼寇不可轻视,第三是偏安的侥幸不可作为长久的凭靠,第四是阿谀奉承之言不可听,第五是忠心为国的言论不可忽视。"真德秀反复陈言利害,而宋宁宗不能采用。

壬子(二十七日)金国任命衍圣公孔元措为太常博士。有人说宣圣公的坟庙在曲阜,应当派他去尊奉祖先为之祭祀,金宣宗认为孔元措是圣人的后代,山东流寇肆意横行,恐怕遭到伤害,如此派他去尊奉祭祀反而会使圣人绝后,因此有这一任命。

丙午(二十一日)夏人进攻金国保安、延安,攻陷临洮。

金国宣抚使富鲜万努占据辽东,自称天王。国号大真,改元天泰。

十一月,丙辰朔(初一),封赵伯泽为安定郡王。

夏国军队进攻金国绥德和熟羊寨,都被守卫将士击退。

蒙古军队出兵占领金国彰德府,知府图门色埒以身殉国。

蒙古史天祥进攻金国兴州,俘虏了金国节度使赵守玉。

耶律瑠格攻陷东京。

克特格娶了万努的妻子李仙娥,耶律瑠格认为此事不正,二人便有了隔阂。不久耶斯布劝耶律瑠格称帝自立,耶律瑠格说:"从前我和案陈那衍订过盟约,要归附蒙古国,撤除边境防守,倘若自食其言而称东帝,是违反天意。"部下更加强烈请求他称帝,耶律瑠格便声称有病不再出来,秘密地带着儿子耶律薛阇送九十车金币作为礼物到蒙古朝拜。蒙古太祖说:"汉人谁先归降就先接见谁。"太傅阿哈说:"刘伯林最先归降。"太祖说:"刘伯林虽然在先,但他是迫于大兵重围才投降的,不像耶律瑠格深明大义而归顺我方。先见耶律瑠格。"相见之后,蒙古太祖非常高兴,于是问道:"以前是什么官职?"答道:"辽王。"太祖命令赏赐金虎符,仍旧封为辽王。又问他:"所辖多少户?"答道:"六十余万。"蒙古太祖说:"可让三千人到这边作为人质,朕派三百人去带他们来。"耶律瑠格派奇努等人一同前往,并命令拘捕克特格一起带来。克特格害怕,与耶斯布等人骗大家说耶律瑠格已死,于是率领部下叛乱,杀死蒙古太祖派来的三百人,只有三个人逃了回去。

十二月,乙酉朔(初一),金国迁徙朔州百姓屯居岚、石、隰、吉、绛、解等州。

乙未(十一日),金国太康县乡民刘全、时温,东平府乡民李宁谋反作乱,被镇压诛杀。

乙巳(二十一日),蒙古出兵占领金国大名府。

癸丑(二十九日),金国皇太孙完颜鉴去世,谥号冲怀。蒙古任命张鲸总领北京十提控兵,跟随夺呼兰萨里必向南征伐。张鲸心怀谋反,穆呼哩有所觉察,命令穆舒噜额森拘拿杀掉。张鲸的弟弟张致,杀掉长史,占据锦州,自称为瀛王,改年号兴隆,攻下平、滦、瑞、利、义、懿、广宁等州。穆呼哩率领先锋蒙古布哈、权帅乌页尔等军讨伐张致。

这一年,两浙、江东西路遭受旱灾、蝗灾。

嘉定九年 金贞祐四年,蒙古太祖十一年(公元1216年)

春季,正月,乙丑(十一日),赐吕祖谦谥号为成。

庚午(十六日),蒙古占领金国曹州。

己卯(二十五日),金国册立皇子遂王完颜守礼为皇太子。

二月,甲申朔(初一),出现日食。

金国授命皇太子控制调度枢密院事。

蒙古包围金国太原府,己亥(十六日),攻下霍山各关隘。

辛亥(二十八日),东、西两川地区大地震。

金国同知观州张开收复了河间府、沧、献等州以及所属十三个县。

三月,乙卯(初二),东、西两川地震;甲子(十一日),再次地震。马湖部一带山崩八十里长,江水因此堵塞不通。丁卯(十四日),又发生地震;壬申(十九日),又一次地震。

这个月,金官军收复恩、邢二州。

夏季,四月,癸巳(初十),金国张开又收复清州等十一城。

甲午(十一日),金国皇太子完颜守礼被赐改名为完颜守绪。

戊戌(十五日),秦州人唐进,带着他的部下何进等率十万人马归附宋朝,四川制置使董居谊拒绝接纳。

金国平阳府知府胥鼎,听说蒙古兵要过潼关,就调遣必喇阿鲁岱、图克坦伯嘉带领一万五千兵马,从小路渡过黄河,直奔关陕,自己带精锐部队支援汴京。又调遣布萨萨固珠率军队会合各部将,以迎战从潼关向东的蒙古军队,金宣宗拜授胥鼎为尚书左丞,在平阳行尚书省事。

五月,癸酉(二十一日),白昼出现太白星。

金国来远镇捕获间谍陈岊等人,得知夏国准备进攻巩州,进一步再图攻长安,于是命令陕西行省严加防守。夏国修筑来羌城界河上渡桥,元帅右都监完颜萨布派兵烧毁,消灭、俘虏甚多。

六月,辛卯(初九),西川地震;壬辰(初十),又地震;乙未(十三日),又地震,黎州山因地震而崩裂。

壬辰(初十),张致降归金国,金国任命张致行北京路元帅府事。

丁未(二十五日),金国将宣抚司改为经略司。

秋季,七月,癸丑朔(初一),金国昭义节度使必喇啊噜岱收复了威州和获鹿县。

金国侯挚在东平行省捕拿一些红袄贼,审问后,知道这伙贼寇的首领郝定伪立国号,设立官署,自改年号,已经攻克滕、兖、单等州,和莱芜、新泰等十几个县,道路已不畅通。侯挚率领官军前去攻击,抓住了郝定押送到南京,处死。

闰七月,壬午朔(初一),出现日食。

辛卯(初十),金国收复深州。

八月,金国制定僧人和道人交纳粟米授予威仪和监寺职务的法令。

夏国攻入金国安寨堡,元帅左监军乌库哩庆寿调遣军队将他们击败。

丙子(二十五日),蒙古军进攻金国延安。

己卯(二十八日),夏国军队进入金国的结耶觜川,守边将领把他们击退。

九月,辛巳朔(初一),蒙古进攻金国坊州,金宣宗命令御史大夫永锡带兵奔赴陕西,允许他随机行事。

壬辰(十二日),蒙古进攻金国代州,经略使鄂屯绰和尚战死。蒙古缴格巴图鲁率领大军从西夏直奔潼关。冬季,十月,蒙古军越过潼关。金国安西军节度使尼庞古富勒呼死在战场上。

癸亥(十四日),西川地震。甲子(十五日)又地震。

丙寅(十七日),金国追认恢复东海郡侯完颜永济的卫王封号,谥号为绍,将他的家属和镐厉王完颜永中的家属迁到南京。

蒙古军队驻扎在嵩州、汝州之间,金国御史台奏道:"敌国军队越过潼关、崤山、渑池,深入中原重地,接近南京的西郊。对方知道京师一定屯集主力军队,不一定逼近城门交战,只是派分散的骑兵阻断各条道路,再分兵攻打各州县城池,这就逐渐使京师陷入困境了。如果只是单纯地守城,中都的危难,又会在这里重演;况且此地官府和百姓家中的储粮,比起中都来不到百分之一。希望陛下命令陕西军队扼守潼关,和伊尔必斯的守军形成掎角之势。挑选在南京的勇将十几人,各带精锐部队,让他们见机而行,攻守结合;再通告河北,也要以这样的方针安排军务。"金宣宗将奏章交到尚书省,平章政事珠赫呼果勒齐说:"台官向来不熟悉军事,防卫抵抗的策略,他们并不通晓。"因此而停止实施。果勒齐因为蒙古军队日益逼近,企图用重兵把守汴京以保全自己,州县城邑被攻克也顾不上安置流民,金宣宗被他迷惑。

金国河南行省胥鼎,调遣潞州元帅左监军必喇阿噜岱带一万人军士,孟州经略使图克坦伯嘉带五千军士,从小路渡黄河直奔关陕,自己率领五千精兵支援南京。金宣宗命令枢密院督军接应。

金国行枢密院、知河南府事完颜哈达由于征集军士触犯刑律,犯了死罪。

富鲜万努降归蒙古,让他的儿子迪格在蒙古朝廷侍奉太祖。不久又叛逆,非分地立国号为东夏。

3838

十一月,乙酉(初六),金国元帅右都监完颜萨布,上奏在定西将夏国军队打得大败。

蒙古兵驻扎在渑池,金右副元帅富察伊尔必斯的军队溃散逃跑。

金国胥鼎顾虑到蒙古兵扼守黄河,于是通知绛、鲜、隰、吉、孟州五个经略司,约定日期会合军队,成夹攻之势。等到蒙古军队从三门集津向北渡黄河至平阳,胥鼎调军迎战,蒙古军败走,金国收复了潼关。

金国河南路统军使赫舍哩萨克因没有及时出兵获罪被诛杀。

蒙古穆呼哩因为张致的兵马精壮,又占据险要地形,想要出奇兵夺取,便派乌页尔等攻打溜石山堡,并告诫说:"你们猛攻溜石山堡,张致肯定派兵去援助,我这里出其不意,切断他的退路,可以一战将他擒获。"又命令蒙古布哈另外驻扎在永德镇西四十里的地方等候。张致听说溜石山堡被围攻,果然带兵前往营救,蒙古布哈派骑兵扼守他的退路,同时骑马飞报穆呼哩。穆呼哩半夜时率领军队急行军,天亮时在神水与张致相遇,蒙古布哈的部队也与他会合,前后夹击,张致大败。张致部下溃不成军。蒙古军进围锦州。张致几次出战都不利,于是闭门不出坚守锦州,一个多月后,库部监军高兴捆绑张致开门请降,穆呼哩杀了张致。

十二月,癸亥(十五日),蒙古军队进攻金国平阳。

丙寅(十八日),蒙古兵进攻金国大名府。

壬申(二十四日),蒙古军队从代州的神山、横城至平定、承天镇各关隘挺进攻打太原府。金宣抚使乌库哩礼派人秘密地携带明矾水写的密信到南京告急,下诏命令潞州元帅府、平阳、河中、绛、孟宣抚司出兵救援。

乙亥(二十七日),金国珠赫呼果勒齐请求修葺南京里城城墙。金宣宗说:"百姓已困乏,这项工程一动工,痛苦就更重了。即使城墙坚固了,朕怎能在这里安住呢?"

这一年,奇努、金山、青狗、统古与等人,推举耶斯布在澄州伪称帝,国号为辽,改年号天威。任命辽王瑠格的兄长通喇为平章政事,设立百官。才过一月,元帅青狗就反叛回金国,耶斯布被部下杀死,推举丞相奇努监国,与共行元帅锡尔将军民分为左右两部,屯驻在开保州关,金国盖州守将重嘉努带兵进攻打败了他们。刚好瑠格带蒙古军几千人赶到了,获得哥哥通喇及其妻姚里氏,二千户百姓。锡尔带着败军向东逃去,瑠格追击,返回后,渡过辽河,招抚懿州、广宁的百姓,迁居到临潢府。奇努逃到高丽,被金山所杀。金山又自称国王,改年号天德。统古与又杀了金山自立为王,赫舍杀了统古与,也自立为王。

嘉定十年 金兴定元年,蒙古太祖十二年(公元1217年)

春季,正月,癸未(初五),祝贺新春的使者陈伯震从金国辞别回来。金宣宗对宰臣说:"听说恩州南边有盗贼,这大概是宋朝的灾民沿淮河作乱,宋朝人怎么会进攻我国?"珠赫呼果勒齐请求前去讨伐以扩大疆土,金宣宗说:"朕的想法不同,只要能守住祖宗留下的疆土就行了,怎能向外讨伐?"

癸巳(十五日),天上落泥土。

乙巳(二十七日),蒙古军队进攻金国观州。

魏了翁写奏状说:"据说谥号是说一个人一生的行迹的,过去是用来表彰善行而批评邪恶的,标志仁惠尊崇名节。到了后世,谥号的使用限于官品,还要有人为之申请。于是做过高官的人,即使品德恶劣还是准予赠谥号;官品不够级别,就是品行高尚出名也不能得到褒奖被世人称道。夏竦、高若讷就谥为文庄,蔡卞、郑居中被谥为文正,邓洵武、蔡翛被谥为文简,吕惠卿被谥为文敏,张商英被谥为文忠,强渊明被谥为文献,林希被谥为文节,温益被谥为文简,汪伯彦被谥为忠定,秦桧被谥为忠献,都是名号与行为不符,人们看得清清楚楚。除以上外，类似情况何可胜数！全国人都觉得应该如此，不曾觉得奇怪。至于在千余年之后的今天提倡儒学使之光大的人，他们继承先贤圣人，又开启后来学者，如周敦颐、程颢、程颐、张载以及一代品学兼优的高足弟子，不少人对百姓作过贡献，在世上教导后人，时间也并不短了，但始终没有请表而因此彰显的，人们也并不认为遗憾。臣从前荣幸地被擢用，曾担任转运司官，因为职务的关系，就为周敦颐冒昧地陈述更换谥号的请求，现在已承蒙批准将奏请下达有关部司。当时礼部也特别为程颢兄弟请求谥号，命令达于有关部司，至今已有两年了，还没有更换谥号。难道是此事干系重大，不能随意议论吗？希望能向有关部司申明尽快加以考订，给予郑重美好的谥号，及早将高风亮节传播四方，为士大夫们指明努力方向和学习的榜样。"

金宣宗命令挑选士兵三万五千人，交给图们呼图克们统率向西征伐，尚书左丞胥鼎飞驰奏报，认为出兵不适合，大概意思是："自从北方兵乱之后，百姓食品不足，兵力也未补充。如果再次出兵，不仅运送粮草的劳务难以承担，而且百姓又将流失。若宋朝乘机而动，再用什么办法制服呢？这是关系到国家安危的大事。当前的形势，只可以防御南边，西征不能作为议题。"于是西征停止。

二月，戊申朔（初一），金国开始使用贞祐通宝，每一贯价值相当于贞祐宝券十贯。

癸丑（初六），金国撤销招贤所。

乙卯（初八），金国皇孙诞生。

庚申（十三日），发生地震。

壬戌（十五日），金国尚书省由于军粮储备难以接继供应，请求停止州府学生的粮食供给。金宣宗说："自古以来文武不可缺一，从前在中都设学校培养士人，也未曾停止给学生供应粮食，何况现在呢！仍按往日定例供给。"

三月，金宣宗征召山东的官军接应苗道润，准备一道恢复中都，但石海刚占据真定叛逆，担忧收复失地的行动会被他们阻碍，于是集结钮祜禄贞、郭文振以及威州刺史武仙所率领的精锐部队，与东平军成为犄角之势以共同行动。武仙率兵斩杀石海及其同伙二百余人，并招降了葛仲、赵林、张林等军，将石海建立伪政权时制造的所谓法物全部缴获。于是任命武仙代理知真定府事。

金国重新起用张行信代理参知政事。当时珠赫呼果勒齐掌握大权，排斥不依附自己的人，斯文之士，动不动就遭羞辱，只有张行信经常引用旧例典制，有力地批评他的过错，随即正式任命他为参知政事。

金国果勒齐极力鼓励金宣宗进犯宋朝，金宣宗被他迷惑。当初，金国有个叫王世安的人，进献夺取盱眙、楚州的计策，金宣宗任命他为淮南招抚使，于是有向南侵宋的计划。到现在任命乌库哩庆寿、完颜萨布率领军队向南侵犯，于是渡淮河。夏季，四月，丁未朔（初一），进攻光州中渡镇，抓住榷场官盛允升，杀死。乌库哩庆寿分几路兵马进攻樊城，包围枣阳、光化军，又派完颜阿林进入大散关，以便进攻西和、阶、成州。宋诏令京湖、江淮、四川制置使赵方、李珏、董居谊伺机行事进行抵御。

金国济南、泰安、滕、兖等州贼寇兴起，都是刘二祖的余党，侯挚派遣完颜霆带领军队讨伐。完颜霆从清河到徐州，击破并杀了霍仪，招降了伪元帅石珪、夏全，其余贼寇部下溃散。

金国入侵襄阳，赵方对他的儿子赵范、赵葵说："朝廷主和、主战没有决定下来，民心更加不稳。只有带兵到边境,坚决战斗来报效国家。"于是上疏主战。亲自前往襄阳,传令给统制扈再兴、陈祥、钤辖孟宗政等抵御金国入侵,又增派兵力守光化、信阳、均州,形成联为一体的声势。金人从团山而来,其势如疾风骤雨,扈再兴等分兵三阵,设下埋伏等候金兵。金兵一到,扈再兴的中间一阵出击,又退下,金兵追赶,孟宗政与陈祥左右两边的阵队包抄出击,金兵三面受敌,大败,山谷间血肉相交。不久传报说枣阳被围,情况紧急。孟宗政中午从岘首出发,日暮抵达枣阳,在阵中左冲右突如神一般,金兵十分惊骇,连夜逃跑。赵方任命孟宗政代理知枣阳军。不久,京湖将领王辛、刘世兴也在光山、随州击败金兵,金国入侵军队才撤退。

五月,甲申(初八),赐礼部进士吴潜以下五百二十三人及第、出身。

癸卯(二十七日),赵方请求向天下宣布讨伐金国的诏令。六月,戊午(十二日),诏令说:"朕励精图治锐意进取,一心想使百姓安定。难道不知要抓住机会,雪未报之耻辱?想到刚刚签订的盟约,实在不愿轻易挑起战端。谁料敌人这么快就忘记了恩德,载着使者的车早上出发,申报前来入侵的警报晚上就传来。叛逆之徒像鸥鸟一样嚣张,俨然林中树木一样众多,饥饿的乌合之众,被驱赶成掠夺我方新麦的大军。即使解除武装也应该警惕突然的危险,放纵敌人必然给我们留下后患。一朝之间背离和约,究竟是谁造成的!六月进入战争状态,我方实在是不得已。想来大家分辨是非曲直,谁能没有激昂愤慨的心情!金人出兵没有道理,必然使自己招致失败;士兵乐于听命的一定取胜,你们应立即迅速奔赴战场。如果能建立大功,将给予破格的奖励!"

乙丑(十九日),金国左丞相兼都元帅布萨端去世。

辛未(二十五日),东川涨大水。

癸酉(二十七日),太白星经过天空。

续资治通鉴卷第一百六十一

中华传世藏书

續資治通鑒

【原文】

宋纪一百六十一　起强围赤奋若【丁丑】七月,尽重光大荒落【辛巳】三月,凡三年有奇。

宁宗法天备道纯德茂功　仁文哲武圣睿恭孝皇帝

嘉定十年　金兴定元年,蒙古太祖十二年【丁丑,1217】　秋,七月,丙子朔,日有食之。

癸未,金陕州振威军万户马宽,逐其刺史李策,据城叛,金主遣人招之,乃降。已而复谋变,州吏擒戮之,夷其族。

丁亥,嗣濮王不俦卒。

时李全等出没岛屿,宝货山积,而不得食,相率食人。会镇江武锋卒沈铎,亡命山阳,诱致米商,斗米辄售数十倍,知楚州应纯之偿以玉货,北人至者辄舍之。铎因说纯之以归铜钱为名,弛渡淮之禁,由是来莫可遏。

初,杨安儿有意归朝;定远民季先,大侠刘佑之厮养也,尝随佑部纲客山阳,安儿处以军职。安儿死,先至山阳,夤缘铎得见纯之,言山东豪杰愿归正之意。纯之命先讥察,谕意群豪,以铎为武锋副将,与高忠皎各集忠义民兵攻海州;粮援不继,退屯东海。

纯之见蒙古方困金,密闻于朝,谓中原可复。时频岁小稔,朝野无事,丞相史弥远鉴开禧之事,不明言招纳,密敕纯之慰接之,号忠义军,就听节制,给忠义粮。于是东海马良、高林、宋德珍等万人辐辏涟水,李全等生羡心焉。

八月,壬子,金削御史大夫永锡官爵。有司论失律当斩,金主以近族,特贳其死。

丙寅,金左司谏布萨毅夫请更开封府号,赐美名,以尉氏县为刺郡,睢州为防御,与郑、延二州左右前后辅京师。金主曰:“山陵在中都,朕岂乐久居此乎!”乃止。

蒙古主以穆呼哩有佐命功,拜太师,封国王,承制行事,赐誓券、金印,分鸿吉哩等十军及蕃、汉诸军,并隶麾下,建行省于燕云,且谓之曰:“太行之北,朕自经略;太行之南,卿其勉之!”穆呼哩乃自中都南攻遂城及蠡州,皆下之。

初,蠡州拒守,力屈乃降,穆呼哩怒,将屠其城。州人赵瑨,从穆呼哩为署百户,泣曰:“母与兄在城中,乞以一身赎一城之命。”穆呼哩义而许之。

九月,壬午,金改元兴定,大赦。

辛卯,蒙古兵徇金隰州及汾西县;癸巳,攻沁州。

先是金辽东行省于春初击败契丹,夏末,遣人来献捷;至是行省完颜伊尔必斯为叛人伯德呼图所杀。

丁酉，蒙古兵薄金太原城，攻交城、清源。

冬，十月，乙巳朔，以久雨，释大理、三衢、临安府及两浙诸州杖以下囚。

甲寅，金命高汝砺、张行简修《章宗实录》。

乙卯，蒙古兵徇金中山府及新乐县，旋下磁州。

壬戌，金右司谏兼侍御史许古，上疏谏南伐曰："昔大定初，宋人犯宿州，已而屡败。世宗料其不敢遽乞和，乃敕元帅府遣人议之，自是太平几三十年。泰和中，韩侂胄妄开边衅，章宗遣驸马布萨揆讨之，揆虑兵兴费重，阴遣侂胄族人赍乃祖琦画像及家牒，伪为归附，以见邱窬，因之继好，振旅而还。夫以世宗、章宗之隆，府库充实，天下富庶，犹先俯屈以即成功，告之祖庙，书之史册，为万世美谈。今蒙古兵少息，若复南边无事，则太平不远矣。或谓专用威武，可使宋人屈服，此殆虚言，不究实用，借令时获小捷，亦不足多贺。彼见吾势大，必坚守不出；我军仓卒无得，须还以就粮，彼复乘而袭之，使我欲战不得，欲退不能，则休兵之期，乃未见也。况彼有江南蓄积之饶，我止河南一路，征敛之弊，可为寒心。宜速与通和，则蒙古闻之，亦将敛迹，以吾无掣肘故也。"

金主以问宰臣，高汝砺曰："宋人多诈无实，虽与文移往来，而边备未敢遽撤，备既不撤，则议和与否，盖无以异。或复蔓以浮词，礼例之外，别有求索，言涉不逊；或举大定中和议为言。夫彼若请和，于理为顺，岂当先发此议以示弱耶？"张行信曰："宋人幸吾衅隙，数肆侵掠，我大国，不责以词而责以兵，兹非示弱乎？至于问而不报，报而不逊，曲自在彼，何损于我？大定遣使，正国家故事，何失体之有？且国家多艰，戍兵滋久，不思所以休息之，如民力何！"

金主命古草议和牒文，既成，以示果勒齐，果勒齐以为词有哀祈之意，自示微弱，议遂寝。

辛未，蒙古取金邹平、长山及淄川。

十一月，丙戌，太白昼见。金遣翰林侍讲学士杨云翼禜之。

蒙古取金滨、棣、博三州；己丑，下淄州；庚寅，下沂州。

戊戌，太白经天。蒙古兵攻金太原府。

十二月，甲辰朔，蒙古攻金潞州，都统马甫死之。

戊申，以军兴，募人纳粟补官。

庚戌，蒙古取金益都府；辛酉，取密州，节度使完颜寓死之。

辛亥，金胥鼎奉诏发兵，由秦、巩、凤翔三路南伐，仍上书谏曰："自大安之后，天下骚然者累年，民间差役重繁，浸以疲乏，乃日勤师旅，远近动摇，未获一敌而自害者众，其不可一也。西北二兵如乘隙并至，虽有潼关、黄河之险，殆不足恃。三面受敌，恐贻后悔，其不可二也。车驾幸汴，益近宋境，彼必朝夕忧惧，委曲为防，闻王师出唐、邓，必所在清野，使我军无所得，徒自劳费，其不可三也。宋我世仇，比年非无恢复雪耻之志，特畏吾威力，未敢轻举。今我军皆乌合之众，遽使从戎，岂能保其决胜哉！其不可四也。沿边人户，赋役烦重，不胜困惫，又凡失业居河南者，类皆衣食不给，贫穷之迫，盗所由生，如宋人阴为招募，使为乡导，则内有叛民，外有劲敌，未易图之，其不可五也。今春事将兴，若进兵不还，必违农时，以误防秋之用，其不可六也。"金主以问宰臣，以为诸军已进，不从其议。

癸酉，金完颜赟以步骑万人侵四川；戊辰，迫湫池堡；己巳，破天水军，守臣黄炎孙遁。金人攻白环堡，破之；庚午，迫黄牛堡，统制刘雄弃大散关遁。

李全及其兄福袭金青、莒州，取之。

是岁，金延州刺史温萨克喜言："近世河离故道，自卫东南流，由徐、邳入海，以此河南之地为狭。窃见新乡县西，河水可决使东北流，其南有旧堤，水不能溢，行五十馀里，与清河合，由清州柳口入海。此河之旧道也，皆有故堤，补其缺罅足矣。如此，则山东、大名等路皆在河南，而河北诸郡亦得其半，退足以为备御之计，进足以壮恢复之图。"议者以为河流东南已久，决之，恐故道不容，衍溢而出，遂寝。

嘉定十一年 金兴定二年，蒙古太祖十三年【戊寅，1218】 春，正月，壬午，李全率众来归，诏以全为京东路总管。

戊子，金人围阜郊堡。

丁酉，金人侵隔芽关，兴元都统李贵通，官军大溃。

是月，蒙古围夏兴州，夏国主遵顼命其子居守而出走西凉。

金主谕胥鼎曰："大散关可保则保，不可保则焚毁而还。"二月，甲辰，金人焚大散关退去。

丙午，金人破阜郊堡，死者五万人。先是安丙约夏人会师攻秦、巩，夏人不至，遂有此败。

丁未，金人破湫池堡。

戊申，金人围随州、枣阳军。孟宗政初视事，爱仆犯令，立斩之，军民股栗。于是筑堤积水，修治城堞，简阅军士。完颜萨布拥步骑围城，宗政与扈再兴合兵角敌，历三月，大小七十馀战，宗政身先士卒。金人战辄败，忿甚，周城开壕，列兵壕外，以绚铃吠犬自警。宗政募壮士乘问突击，金人不能支，盛兵薄城，宗政随方力拒。随州守许国援师至白水，鼓声相闻，宗政率诸将出战，金人奔溃。

辛亥，金参知政事张行信出为彰化节度使兼泾州管内观察使。金主谕之曰："初，朕以朝臣多称卿才，乃令参决机务。而廷议之际，多不据正，妄为异同，甚非为相之道。复闻迩来殊不以干当为意，岂欲求散地耶？今授此职，卿宜悉之。"行信数与果勒齐辩，近侍局谮之，故外贬。

丙寅，金主谕尚书省曰："闻中都纳粟官，多为吏部缴驳，殊不知方阙乏时利害为何如。又，立功战阵人必责保官，若辈皆义军、白丁，岂识朝官！苟文牒可信，即当与之。至若在都时，规运薪炭入城者，朕尝许恩授以官，此岂容伪！而问亦为所沮格。今后勿复尔。"

三月，丁丑，金人焚湫池堡而去。

戊子，金以御史中丞巴图鲁为参知政事。

利州统制王逸等帅师及忠义人十万，复大散关及阜郊堡，追斩金副统军完颜赟，进攻秦州。至赤谷口，逸传沔州都统刘昌祖之命退师，且放散忠义人，军遂大溃。

癸巳，金包长寿率长安、凤翔之众复攻阜郊，遂趋西和州。是日，镇江忠义统制彭惟诚等之兵败于泗州。

丙申，刘昌祖焚西和州逼，守臣杨克家弃城去，遂为金人所有。

夏，四月，甲辰，刘昌祖焚成州逼，守臣罗仲甲弃城去。是日，金人去西和州。

乙巳，金曲赦辽东等路，以户部尚书瓜勒佳必喇为翰林学士承旨、权参知政事，行省于辽东。

戊申，阶州守臣侯颐弃城去。是日，金人去成州。

壬子，金遣侍御史完颜素兰等赴辽东，察访富鲜万努事体。癸丑，素兰请宣谕高丽，复开互市，从之。

戊午,金人复侵大散关,守臣王立通。己未,金人侵黄牛堡,兴元都统吴政拒追之。癸亥,政至大散关,斩立以徇。金人连破诸州,前后获粮九万斛,钱数千万,军实不可胜计。事闻,政进三官,刘昌祖安置韶州,杨克家等各责远州居住。

金伊尔必斯自潼关之败,失其所在,变姓名,匿居柘城,为御史觉察,系其家属,将穷治之,乃遣子上书诣省待罪。台臣请诛之以惩不忠,金主卒赦其罪,谕以自效。

五月,癸未,蚩尤旗见,长竟天。

金苗道润素与中都经略副使贾瑀有隙,道润(侍)〔从〕数骑行,瑀伏甲射之,道润颠于道左,遂卒。瑀不自安,遣使告道润将张柔曰:"吾得除道润者,以君不助兵故也。"柔怒,叱使者曰:"瑀杀吾帅,吾食瑀肉且未足快意,反以此言相戏耶!"遂檄召道润部曲,告以复仇之意;众皆罗拜,推柔为长,柔会兵趋中山。蒙古兵出自紫荆关,柔遇之,遂战于狼牙岭。柔马跌,被执,见主帅明安,柔不跪。左右强之,柔叱曰:"彼帅,我亦帅也。死即死,终不偷生为他人屈。"明安壮而释之。溃卒稍集,明安恐柔为变,质其二亲于燕京,柔乃降,蒙古以柔为河北都元帅。

蒙古徇金锦州,元帅刘仲亨死之。

六月,甲辰,金枢密院以贾瑀等杀苗道润,请治其罪。金主曰:"道润之众,亟收集之。瑀等是非未明,姑置勿问。"

金石州贼冯天羽,据临泉县为乱,刺史赫舍哩公顺遣将王九思攻破之。金主命国史院编修官马季良(特)〔持〕诰敕、金币往招其党,安国用降,就署国用同知孟州防御使。

辛酉,湖州水,赈之。

秋,七月,庚午朔,日有食之。

辛未,夏人攻龛谷,金提控瓜勒佳瑞击走之。已而夏人复至,瑞仍击破之。

癸酉,夺知天水军黄炎孙三官,辰州居住。

己卯,金以旱,命礼部尚书杨云翼分理冤狱。癸未,大雨。

乙酉,修《孝宗宝训》。

八月,蒙古穆呼哩率步骑数万,自太和岭徇河东,取金代、隰二州。九月,乙亥,破太原府。元帅乌库哩德升力拒之,城西北隅坏,德升联车塞其处,三却三登,矢石如雨,守陴者不能立。城破,德升自缢而死,其姊及妻皆自杀。蒙古兵徇金汾州,节度使完颜恩彻亨死之。

是月,李全破金密州及寿光县。

冬,十月,蒙古徇金绛、潞。壬子,攻平阳,提控郭用死之。行省参政李革守平阳,兵少援绝,癸丑,城陷。或谓革宜上马突围出,革叹曰:"吾不能保此,何面目见天子!汝辈可去矣。"遂自杀。

是月,李全破邹平、临朐、安丘等县,金提控王显死焉。

十一月,壬申,金人攻安丰黄口滩。

陕西人张羽来归。

蒙古取金潞州,元帅右监军纳哈塔布拉图、参议官王良臣死之。

十二月,金主欲乘胜来议和,以开封府治中吕子羽为详问使,至淮中流,不纳。金主怒,以布萨安贞为左副元帅,辅太子守绪,会师南侵。

金宰相请修山寨以避兵,御史中丞完颜伯嘉谏曰:"建议者必曰据险可以安君父,独不见陈后主之入井乎？假令入山寨可以得生，能复为国乎？人臣有忠国者，有媚君者；忠国者或拂君意，媚君者不为国谋。臣窃谓有国可以有君，有君未必有国也。"果勒齐、高汝砺闻之，怒甚，旋出伯嘉行省河中。

是岁，契丹陆格据高丽江东城，蒙古遣哈珍札拉率师平之，高丽王瞮遂降，岁贡方物。

辽王瑠格引蒙古契丹军及东夏国元帅呼图兵十万围赫舍，高丽助兵四十万，克之。赫舍自经死。徙其民于西楼。

嘉定十二年　金兴定三年，蒙古太祖十四年【己卯，1219】　春，正月，戊辰朔，召四川制置使董居谊赴行在。居谊黩货，所至辄败，故以聂子述代之。

戊子，金人攻成州，都统张威自西和州退守仙人原。

辛卯，金人复侵西和州，守将赵彦呐设伏待之，歼其众。

壬辰，金主以蒙古已破太原，河北事势非复昔比，诏百官议所以为长久之利者。翰林学士承旨图克坦镐等以谓："制兵有三：一曰战，二曰和，三曰守。今欲战则兵力不足，欲和则敌人不从，唯有守耳！河朔州郡既残破，不可一概守之，宜取愿就迁徙者，屯于河南、陕西，其不愿者，许自推其长，保聚险阻。"刑部侍郎温屯呼哈勒等曰："河北诸郡，宜令诸郡选才干，众所推服，能纠民迁徙者，愿之河南或晋安、河中及诸险隘，量给之食，授以旷土，尽力耕稼，置侨治之官，抚循教战，渐图恢复。"宣徽使（依）〔伊〕喇光祖等曰："太原虽暂失，顷亦可复。当募土人威望服众者，假以方面，重权能，克复一道，即以本道总管授之，能捍州郡，即以长佐授之，必各保一方，使百姓复业。"廷臣多同光祖议。已而河中行省完颜伯嘉亦上书曰："中原之有河东，如人之有肩背。古人云：'不得河东，不可为雄。'万一失之，恐未易取也。"

甲午，金人破凤州，夷其城。乙未，兴元都统吴政及金人战于黄牛堡，死之。

金主谓宰臣曰："顷近侍还自陕西，谓拜牲已得凤州；如得武休关，将遂取蜀。朕意殊不然。假使得之，亦何可守？此举盖为宋人渝盟，初岂贪其土地耶？朕重惜生灵，惟和议早成为佳耳。"

二月，庚子，太白昼见。

金主与太子谋南征帅，不得其人，叹曰："天下之广，缓急无可使者，朕安得不忧！"

癸卯，金人乘胜破武休关，都统李贵遁还。

丙午，金主谓宰臣曰："江、淮之人，号称选懦，然官军攻蔓菁峪，其众困甚，招之使降，无一肯从者。我家河朔州郡，一遇北兵，往往出降。此何理也？"

丁未，金人破兴元府，权府事赵希岜弃城走。

庚戌，以曾从龙同知枢密院事兼江淮宣抚使，吏部尚书任希夷签书枢密院事。

辛亥，金人破大安军，遂破洋州。壬子，前四川制置使董居谊遁。都统张威使石宣邀击金人，大破之，歼精兵三千人，俘其将巴图鲁安，乃遁去。

金完颜额尔克复大举围枣阳，堑其外，绕以土城。赵方遣统制扈再兴等，引兵三万馀，分道出攻唐、邓二州，又命其子范监军，葵为殿。

乙丑，夏人复以书来四川，议夹攻金人，利州安抚丁焴许之。

三月，己巳，以郑昭先知枢密院事，曾从龙参知政事。

癸酉，金人复入洋州，焚其城而去。

丁亥，太白昼见。

金完颜伯嘉自河中召还，仍为御史中丞，言于金主曰："河中、晋安，被山带河，保障关陕，此必争之地，今虽残破，形势犹存。若使他人据之，因盐池之饶，聚兵积粮，则河津以南，太行以北，皆不足恃矣。"甲午，金主诏太原等路州县阙(王)〔正〕授官，令民推其所爱为长佐，行省量与职任，及运解盐入陕西以济调度，命胥鼎兼领其事。

金人自盱眙退师。

闰月，癸亥，兴元军士张福、莫简等作乱，以红巾为号。

庚子，金皇子守纯进封英王。

是春，金左副元帅布萨安贞围安丰军及滁、濠、光三州，江淮制置使李珏命池州都统武师道、忠义军都统制陈孝忠救之，皆不克进。安贞遂分兵自光州侵麻城，自濠州侵石碛，自盱眙侵全椒、来安、天长、六合，淮南流民渡江避乱，诸城悉闭。金游骑数百至采石杨林渡，建康大震。

时贾涉以淮东提刑知楚州，节制京东忠义，虑忠义人为金所用，亟遣陈孝忠向滁州，石珪、夏全、时青向濠州，季先、葛平、杨德广趋滁、濠，李全、李福要其归路。全进至涡口，与金左都监赫舍哩约赫德连战于化湖陂，杀金将数人，得其金牌，金人乃解诸州之围而去。全追击，败之于曹家庄，金人自是不敢窥淮东。涉，天台人也。

初，涉募能杀金太子者，赏节度使；杀亲王者，赏承宣使；杀驸马者，赏观察使。全因致所得金牌绐涉，云杀驸马阿哈所获，涉遂请授全广州观察使。所云驸马阿哈，指安贞也，时安贞方在军中，而全敢于虚诳如此。安贞旋(白)〔自〕军前入见金主于仁安殿。

夏，四月，〔甲戌〕，金以知临洮府事特嘉喀齐喀为元帅左都监，行元帅府事于巩州。

癸未，金陕西地大震。

癸巳，参知政事曾从龙罢。

张福、莫简等众入利州，聂子述保剑门。檄醴泉观使安癸仲兼节制军马，讨贼，癸仲召都统张威等帅兵来会。福等杀总领财赋杨九鼎，掠阆、果二州，四川大震。赵方、魏了翁移书宰执，谓安丙不起，则贼未即平，蜀未可定；遂以丙为四川宣抚使，董居谊落职，夺三官。时李壁、李𡒁并镇潼、遂，亦皆以国事勉丙。

金提举榷货司王三锡请榷油，岁可入银数万。果勒齐以用度方急，劝金主行之。高汝砺曰："油者，世所共用，利归于公，则害及于民，故古今皆置而不论，亦厌苛细而重烦扰也。若从三锡议，是以举世通行之货为榷货，私家常用之物为禁物，自古不行之法为良法，窃为圣朝不取，且其害有不胜言者。"金主重违果勒齐意，令百官集议。礼部尚书杨云翼、翰林侍读学士赵秉文等皆以为不可，金主曰："古所不行者而今行之，是又生一事也，其罢之。"

五月，(乙)〔己〕亥，太学生何处恬等伏阙上书，以工部尚书胡榘欲和金人，请诛之以谢天下。

金筑南京里城，以珠赫呼果勒齐固请也。金主虑扰民，募人能致甓五十万者迁一官，百万升一等。于是平阳判官完颜阿拉、左厢讥察霍定和发蔡京故居，得甓二百万有奇，准格迁赏。金主问曰："人言此役恐不能就，如何？"果勒齐曰："终当告成，但其壕未及浚耳。"金主曰："无壕可乎？"果勒齐曰："苟防城有法，正使兵来，臣等愈得效力。"金主曰："与其临城，曷若不令至此为善？"果勒齐无以对。及城成，果勒齐受金鼎之赏，建碑书功于会朝门。

蒙古使张柔帅兵南下，遂克雄、易、保、安诸州。贾瑀据孔山台，柔攻之，不下。台无水，汲山下,柔断其汲道,瑀穷,乃降,柔剖其心以祭苗道润。引兵次满城,金将武仙会镇、定、深、冀兵数万攻之。柔全军适出,帐下才数百人,柔命老弱妇女(秉)〔乘〕城,自率壮士突出仙兵后,毁其攻具,从数骑策马杖槊,大呼入围,仙众皆披靡。复使缘山多张旗帜,声言救至,曳柴扬尘,鼓噪以进。仙兵大溃,柔追击之,尸横数十里。柔乘胜攻定州,下之,于是祁阳、曲阳等帅皆降于柔。柔遂围中山府,仙遣其将葛铁枪与柔战于新乐,飞矢中柔颊,落其二齿,柔拔矢战,葛铁枪大败,死者数千人。仙复遣刘成攻柔,柔又败之,遂南掠鼓城、深泽、宁晋诸县。由是深、冀以北,镇、定以东三十馀城,望风悉来降附。

六月,甲子朔,金以河南统军使实嘉钮勒欢为元帅右都监,行平凉元帅府事;以御史中丞完颜伯嘉行枢密院于许州。

张福拥众薄遂宁,权府事程遇孙弃城走。福入遂宁,焚其城。遂入普州,守臣张已之弃城走。福屯于普州之茗山,安丙白果州如遂宁,令诸军合围,绝其樵汲以困之。庚午,张威引兵至,福穷,请降,威执之以献于丙。

辛巳,西川地震。太白昼见。

丁亥,嗣濮王不嫖卒。

戊子,金人复太原府。

辛卯,太白经天。

癸巳,丁焴复以书约夏人伐金。

西域杀蒙古使者,蒙古主亲征,取讹答喇城,擒其酋哈只尔只兰图;

秋,七月,丙申,张福伏诛;张威又捕贼众千馀人,诛之,莫简自杀,红巾贼悉平。再贬董居谊永州居住。

金完颜额尔克拥步骑傅枣阳城,孟宗政囊糠盛沙以覆楼栅,列瓮潴水以防火,募炮手击之,一炮辄杀数人。金人选精骑二千,号弩子手,拥云梯、天桥先登,又募银矿石工昼夜陷城,运茅苇直抵圚楼下,欲焚楼。宗政先毁楼,掘深坑,防地道;创战棚,防城损,穿穿才透,即施毒烟烈火,鼓(韝)〔韝〕以薰之。金人室以湿毡,析路以刬土,城颓,楼陷。宗政撤楼益薪,架火山以绝其路,列勇士,以长枪劲弩备其冲;距楼陷所数丈,筑偃月城,衺百馀丈,翼傅正城。金人摘强兵,披厚铠、毡衫、铁面具而前,又湿毡濡革,蒙火山,覆以冰雪,拥云梯径抵西北圚楼登城。城中以长戈搰其喉,杀之;敢勇军自下夹击,金兵坠死燎焰。宗政激将士血战,凡十五阵,金人连不得志。会扈再兴,许国两道并进,掠唐、邓境,焚其城栅粮储。金屯兵枣阳城下八十馀日,赵方知其气竭,乃召国、再兴还,并东师隶于再兴,克期合战。再兴败金人于瀼河,又败之城南。宗政自城中出击,内外合势,士气大振,贾勇入金营,自晡至三更,杀其众三万,金人大溃。额尔克单骑遁,追至马蹬寨,焚其城,入邓州而还。金人自是不敢窥襄阳、枣阳。中原遗民来归以万数,宗政发廪赡之,给田创屋,籍其勇壮,号忠顺军,俾出没唐、邓间。宗政由是威振境外。

李全引兵至齐州,金守臣王赟以城降。

八月,丙寅,金补阙许古等削官解职。金自南渡后,古与陈规并以谏官著声,而规尤见重。金主尝令文绣署作大红半身绣衣,戒以勿令陈规知;及成,复问规知否,答以不使知。金主因叹曰:“陈规若知,必以华饰谏我,我实畏其言。”凡宫中举事,必曰恐陈规有言。金主虽重其言,然不能用。

戊辰，复合利州东、西路为一。

壬申，蒙古取金武州，判官郭秀死之。丁丑，又取合河，县令乔天翼死之。

九月，丙午，以贾涉主管淮东制置司公事，兼节制京东、河北军马。

初，山东来归者日众，而石珪以计杀沈铎于涟水，应纯之亦罢去，权楚州梁丙无以赡之。季先乞预借两月粮，然后帅所部五千并马良等万人往密州就食，丙不许。先请速遣李全代领其众，丙亦不从，而以珪权军务。珪乃夺运粮之舟，渡淮大掠，至楚州南渡门，焚毁几尽；丙遣人谕之，不止。时涉知盱眙军，上书言："忠义之人源源而来，不立定额，自为一军，处之北岸，则安能以有限之财应无穷之需！饥则噬人，饱则用命，其势然也。"朝廷因命涉节制忠义人。涉受命，即遣傅翼谕石珪、杨德广等以逆顺祸福，珪等乃谢罪。涉虑其人众思乱，因滁、濠之役，分石珪、陈孝忠、夏全为两屯，李全为五寨。又用陕西义勇法，涅于手，合诸军，汰者三万有奇，涅者不满六万人，正军常屯七万，使主胜客，朝廷岁省费什三四。至是分江淮制置为沿江、淮东、西三司，命涉主管淮东。

金张林以山东诸郡附李全来归。初，蒙古克益都，不守而去。益都府卒张林与其党复立府，归金，以功为治中，凶险不逞。知府田琢失众心，林逐琢，遂据益都，山东诸郡皆附之。林欲来归以自固，会李全自齐州还，薄兵青州城下，遣人说林早附，林恐全诱己，犹豫未决。全挺身入城，惟数人从，林纳之，相见甚欢，置酒结为兄弟，附表奉青、莒、密、登、莱、潍、淄、滨、棣、宁海、济南十二郡版籍来归，表词有云："举七十城之全齐，归三百年之旧主。"诏授林武翼大夫、京东安抚使兼京东总管。

是秋，蒙古穆呼哩取金岢岚、吉、隰等州，进攻绛州，拔其城，屠之。

冬，十月，乙丑，金用蒙古纲言，招集义军，各置都统、副统等官。

壬辰，金命有司葺闲舍，给薪米，以济贫民，期明年二月罢。

十一月，癸巳朔，金以枢密副使布萨安贞同签院事，额尔克行院事于河北。

辛亥，进封杨次山为会稽郡王。

戊午，蒙古兵破晋安府，金行元帅府事钮祜禄贞死之。

十二月，乙亥，筑兴元府城。

京湖制置使赵方，以金人屡败，必将同时并攻，当先发以制之；己丑，遣扈再兴、许国、孟宗政帅师六万分三道伐之，戒之曰："毋深入，毋攻城，第溃其保甲，毁其城寨，空其资粮而已。"

大雨雪，淮冰合。李全请于贾涉曰："每恨泗州阻水，今如平地矣，请取东、西城自效。"涉许之。全以长枪三千人夜半渡淮，潜向泗之东城，将踏壕冰傅城下，俄城上获炬数百齐举，遥谓全曰："贼李三，汝欲偷城耶？大黑，特以火烛之。"全知有备，乃引兵还。

金右丞相珠赫呼果勒齐专固权宠，擅作威福，与平章政事高汝砺相倡和。果勒齐主机务，汝砺掌利权，附己者用，不附者斥，凡言事忤意及负才力或与己颉颃者，于金主前阳称其才，使干当河北，阴置之死地。又以己为相不得兼枢密、元帅以揽兵柄，乃与汝砺力劝金主南侵，置河北于不问，凡精兵皆集河南，以苟且岁月。至是使奴萨布杀其妻，因归罪于萨布，而杀之以灭口。事觉，金主久知其奸，下果勒齐于狱，杀之。

初，金主将迁汴，欲置乣军于平州，果勒齐难之。及发中都，金主命穆延尽忠厚抚乣军，而尽忠辄杀数人，且劝金主取其元给器用，故有札达之难，而中都已亡。金主尝叹曰："坏天下者,果勒齐、搏多也。”

是岁,复京东、河北二府、九州、四十县。

雅州蛮人卢山县,焚碉门寨而去。

嘉定十三年 金兴定四年,蒙古太祖十五年【庚辰,1220】 春,正月,丁酉,扈再兴攻邓州,许国攻唐州,皆不克而还。金人追之,遂攻樊城,赵方督诸将拒却之。

蒙古破金好义堡,霍州刺史伊喇阿里哈等死之。

己酉,以不凌为嗣濮王。

戊午,夏人复以书至四川,议夹攻金人。

是月,孟宗政败金人于湖阳。

金宰臣因伊喇光祖之议,请分置公府,金主意未决。御史中丞完颜伯嘉曰:“宋人以虚名致李全,遂有山东实地。苟能统军守土,虽三公亦何惜焉?”金主曰:“他日事定,公府无乃多乎?”伯嘉曰:“若事定,以三公就节镇,何不可者?”金主意乃决。二月,以河北、山东地封沧州经略使王福为沧海公,以清、观、沧州、盐山、无棣、乐陵、东光、宁津、吴桥、将陵、阜城、蓚县隶之;河间招抚使伊喇重嘉努为河间公,以献、蠡、安、深州、河间、肃宁、安平、武强、饶阳、六家庄、郎山寨隶之;真定经略使武仙为恒山公,以真定府、沃、冀、威、镇宁、平定州、抱犊寨、栾城、南宫县隶之;中都东路经略使张甫为高阳公,以雄、霸、莫州、高阳、信安、文安、大城、保定、静海、宝坻、武清、安次县隶之;中都西路经略使靖安民为易水公,以涿、易、安肃、深州、君民川、季鹿、三保、河北、江礬山寨、青白口、朝天寨、水谷、懂谷、东安寨隶之;辽州刺史行元帅府事郭文振为晋阳公,以河北东路皆隶之;平阳招抚使胡天作为平阳公,以平阳、晋安府、隰、吉州隶之;昭义节度使完颜开为上党公,以泽、潞、沁州隶之;山东安抚副使燕宁为东莒公,以益都府路皆隶之。九公皆兼宣抚使,总帅本路兵马,署置官吏,征敛赋税,赏罚号令,得以便宜行事。除已画定所管州县外,如能收复邻近州县者,亦听管属。

三月,辛丑,金议迁睢州,治书侍御史富勒呼奉诏相视京东城池,还,言勿迁便,从之。

辛亥,金平章政事高汝砺进尚书右丞相;陕西行省胥鼎罢。

壬子,金红袄贼于忙儿袭海州,据之。

夏,四月,庚申朔,诏淮东制置贾涉招谕山东、两河豪杰。

戊辰,金禘于太庙。

金人复大名府,以参知政事巴图鲁权尚书右丞,左都监承立权参知政事,同行尚书省元帅府于京兆。

丙戌,史弥远等进《玉牒》。

五月,癸巳,金红袄贼寇乐陵,王福击败之。

丙辰,蒙古兵徇金兖州,泰定军节度使完颜畏克死之。

六月,癸酉,赐礼部进士刘渭以下四百七十五人及第、出身。

时史弥远柄国久,邓若水对策,论其奸,宜罢之,考官置之末甲;策语播行都,士争诵之。弥远怒,谕府尹,使逆旅主人讥其出入,将置之罪,久之乃已。

丁丑,蒙古取金大名府,又攻开州及东明、长垣等县。

李全自化湖陂之捷,有轻诸将心,以涟水忠义副都统季先威望出己上,阴结贾涉吏莫(觊)〔凯〕,使谮先欲反。涉信之,壬午,命先赴枢密院议事,杀之于道,而遣统制陈选总其众于涟水。先部曲裴渊、宋德珍、孙武正、王义深、张山、张友拒选不纳，迎石珪于盱眙，奉为统帅。珪道楚城，涉不之觉，遂入涟水。选还，涉耻之，谋分珪军为六，请于朝，出修武、京东路钤辖印诰各六，授渊等。渊等阳从命，而实不奉涉教令，涉恐甚。诏以珪为涟水忠义军统辖。

追谥周敦颐曰元，程颢曰纯，程颐曰正。

秋，七月，戊戌，以〔京〕东路、河北诸州守臣空名告身付京东、河北节制司，以待豪杰之来归者。

丙午，以任希夷参知政事。

金使乌库哩仲端如蒙古求和，呼蒙古主为兄；蒙古主不允。

八月，癸亥，皇太子询卒，谥景献。

金长清令严实为主将所疑，挈家壁于青崖堌，依益都张林以避之。会赵拱以朝命谕京东，过青崖，实因求内附。拱奉实款至楚州，贾涉以闻。实分兵四路，所至州县皆下，于是太行之东，皆受实节制，实乃举魏、博、恩、德、怀、卫、开、相等郡来归。涉再遣拱往谕，配以兵二千；李全亦请往，涉不能止，乃帅楚州及盱眙忠义万人以行。拱说全曰："将军提兵渡河，不用而归，非示武也。今乘胜取东平，可乎？"全乃合张林军数万袭东平，金行省蒙古纲率师固守，全索战不得，乃与林夹汶水而寨。明日，金监军王庭玉以骑兵三百奄至，全欣然上马，帅帐前骑赴之，杀数人，夺其马。逐北，抵山谷，遇金龙虎上将军鄂博台盛兵以出，旁有绣旗女将，驰马突斗，全几不免。诸将赴援，拔全出，退保长清，精锐丧失大半。全恐所携镇江军五百人怀愤，乃使拱将之先行，而自以馀众道沧州，假盐利慰赡之，寻还楚州。

张林攻金沧州，王福以城降。

壬申，安丙遗夏人书，定议夹攻金，以夏兵野战，我师攻城，遂命利州统制王仕信帅师赴熙、秦、巩、凤翔，委丁焴节制，且传檄招谕陕西五路官吏军民。

甲申，复海州，以徐晞稷知州事。

夏取金会州，金陕西行省与议和。

蒙古穆呼哩至满城，使蒙古布哈将轻骑三千出倒马关。适金恒山公武仙遣葛铁枪攻台州，蒙古布哈与之遇，葛铁枪战败，仙举城降。史天倪说穆呼哩曰："今中原以渐定，而大兵所过，犹纵钞掠，非王者吊民伐罪之意。且王为天下除暴，岂可效它军所为乎？"穆呼哩喜，下令禁剽掠，遣所俘老幼，军中肃然。

九月，辛卯，金进《章宗实录》。

夏枢密院使宁子宁率众二十万围巩州，且来趣兵。

甲午，王仕信帅师发宕昌。乙未，四川宣抚司统制质俊、李实帅师发下城。戊戌，安丙命诸将分道进兵，洮州都统张威出天水，利州副都统程信出长道，兴元都统陈立出人散关，统制田胄出子午谷，金州副都统陈昱出上津。己亥，张威下令所部诸将毋得擅进，诸将迟疑不进。庚子，质俊等克来远镇，败金人于定远城。辛丑，王仕信克盐川镇。乙巳，程信、王仕信引兵会夏人于巩州城下。丁未，攻城，不克，遂趋秦州。丙辰，夏人自安远寨退师。

冬，十月，丁巳朔，程信复邀夏人共攻秦州，夏人不从。信遂自复羌城引兵还，诸将皆罢兵。戊寅，程信以宣抚司令斩王仕信于西和州，罢张威官。

蒙古主遣达呼哩报金，谓乌库哩仲端曰："向欲汝主授我河朔地，彼此罢兵，汝主不从。今念汝远来，河朔既为我有，关西数城未下者，其割付我，令汝主为河南王。勿复违也。"

时青与叔父全俱为红袄贼，及杨安儿、刘二祖败，青承赦降，隶军中为济州义军万户，后附李全来归，处之龟山，有众数万。至是金元帅赫舍哩约赫德遣人招之，青以书乞假邳州以屯老幼，当袭取盱眙，尽定淮南以赎罪。金主乃以青为济州宣抚使，封滕阳公，使领本处兵马，而未授以邳。

十一月，丁亥朔，金易水公靖安民出兵至礜山，复取檐车寨。蒙古兵围安民所居山寨，守寨提控马豹等以安民妻子及老弱出降。安民军中闻之骇乱，欲降以保妻子，安民及经历官郝端不从，遂遇害。

庚戌，大风。壬子，临安府火。著作郎吴泳上疏曰："京城之灾，京城之所见也。四方有败，陛下亦得而见之乎？夫惨莫惨于兵也，而连年不戢，则甚于火。酷莫酷于吏也，而频岁横征，则猛于火。闽之民困于盗，浙之民困于水，蜀之民困于兵。横敛之原既不澄于上，苞苴之根又不绝于下，譬彼坏木，疾用无枝，而内涵之形见矣。"

蒙古穆呼哩既戮士卒，州郡悦附，遂以轻骑入济南，严实挈所部二府、六州户三十万诣军门降，穆呼哩承制拜实行尚书省事。实将李信，乘实出，杀其家属来降，实攻信，杀之。

时金兵二十万屯黄陵冈，遣步卒二万袭穆呼哩于济南，穆呼哩迎战，败之，遂薄黄陵冈。金兵陈河南岸，穆呼哩令骑下马，短兵接战。金兵大败，溺死者众。穆呼哩遂陷黄陵冈，进取楚丘，由单州趋东平，围之。

蒙古耶律楚材进《庚午元历》。楚材通术数之学，尤邃于《太玄》，蒙古主每征伐，必令楚材预卜吉凶，亦自烧羊胛以符之，然后行。

涟水忠义军统辖石珪，以入涟水非贾涉意，心怀不安，李全复请讨珪；涉遂以全兵列于楚州之南渡门，移淮阴战舰于淮安，示珪有备。因命一将招珪军，来者增钱粮，不至者罢支给，众心遂散。十二月，壬申，珪杀裴渊，挟孙武正、宋德珍降于蒙古，穆呼哩以珪为元帅。珪既去，涟水之众未有所属，李全求并将之，涉不能却，遂以付全。

镇江副都统翟朝宗得玺于金师，献之，其文曰"皇帝恭膺天命之宝"。

时青复自金来附，以为京东钤辖。

金兵固守东平，穆呼哩谓严实曰："东平粮尽，必弃城去；汝即入，安辑之，勿苦郡县以败事。"留苏噜克图，以蒙古兵守之，以严实权行省；谓千户萨里台曰："东平破，可命严实、石珪分城内南北以守之。"遂北还。

金礼部郎中穆延呼图赉，以言事忤旨，命集五品以上官显责之。完颜伯嘉谏曰："自古帝王，莫不欲法尧、舜而耻为桀、纣，盖尧、舜纳谏，桀、纣拒谏也。故曰纳谏者昌，拒谏者亡。呼图赉所言是，无益于身，所言不是，无损于国。陛下廷辱如此，独不欲为尧、舜乎？"

是岁，蒙古主攻西域蒲华城、寻思干城、〔侯〕〔斡〕脱罗儿城，皆克之。

辽王耶律瑠格卒。蒙古以其妻姚里氏佩虎符，权领其众。

嘉定十四年 金兴定五年，蒙古太祖十六年【辛巳，1221】 春，正月，甲午，金尚书省言："《章宗实录》已进呈，卫王事迹，亦宜依海陵庶人实录纂集成书，以示后世。"诏可。史官以卫王事迹旧无纪载，人罕能言之者，前左丞贾益谦尝事卫王，致仕居郑州，遣编修一人就访之。益谦知其旨，谓之曰："知卫王莫如我，然我闻海陵被弑而世宗立三十馀年，禁近能暴海陵蛰恶者，辄得美仕，故当时史官修《实录》，多所附会。卫王为人勤俭，慎惜名器，较其行事，中材不及者多矣。吾知此而已，设欲饰吾言以实其罪，吾亦何惜馀年！"朝议伟之。

乙未,地震。

以李全还自山东,赐缗钱六万。

丁酉,蒙古兵攻天井关。

辛丑,太白昼见。

乙巳,金集诸道兵于蔡州,命布萨安贞南伐。

二月,辛未,布萨安贞出息州,军于七里镇。南兵据净居山,遣兵击败之,南兵保山寺,纵火焚寺,乘胜追至洪门山,夺其栅。南军保黄土关,关绝险,素有备,坚壁不出。安贞遣轻兵分为左、右军,潜登,别以兵三千直逼关门。翌日,左、右军会于山颠,守关兵溃。进克梅林关,拔麻城。治舟于团风,弗克济,遂围黄州,分兵破诸县,又遣别将攻汉阳军。

丁丑,李全攻金泗州,赫舍哩约赫德救之,全败走。约赫德进逼涡口,粮尽而还。

甲申,诏:"淮东、京湖诸路应援淮西沿江制置司,防守江面。"

三月,丙戌朔,鄂州副都统扈再兴引兵攻唐州。

黄州被围,知州何大节取郡印佩之,誓以死守。丁亥夕,兵士忽奔告曰:"城陷矣!"拥之登车,才出门,而金兵已大至,大节自沉于江。

庚寅,长星见。

丙申,金参知政事图克坦思忠进尚书右丞,以太子詹事布萨毅夫为参知政事。

金主谕宰臣曰:"今奉御奉职,多不留心采访外事。闻章宗时,近侍人秩满,以所采事定升降,今亦宜预为考核之法以激劝之。"

己亥,金布萨安贞取蕲州,知州李诚之家人皆赴水死,然后自杀,官属亦多死者。诏皆褒赠之,立庙蕲州。

癸丑,金人退师,扈再兴邀击,败之于天长镇。

【译文】

宋纪一百六十一　起丁丑年(公元1217年)七月,止辛巳年(公元1221年)三月,共三年有余。

嘉定十年　金兴定元年,蒙古太祖十二年(公元1217年)

秋季,七月,丙子朔(初一),出现日食。

癸未(初八),金国陕州振威军万户马宽,驱逐了刺史李策,占据州城造反,金宣宗派人招安,于是归降。不久又图谋作乱,州吏将他捉拿杀掉,并灭了他的族人。

丁亥(十二日),嗣濮王赵不俦去世。

当时李全等人出没在海岛之间,宝物积储得像山一样,而没有粮食,纷纷吃人。适逢镇江武锋卒沈铎,逃命到山阳,引来了米商,一斗米的价格高出市价几十倍。楚州知州应纯之用玉器付价,北方金人过来的就送给他们米。沈铎因此劝说应纯之用回收铜钱的名义,放松渡淮河的禁令,从此渡河而来的金国人不可遏止。

当初,杨安儿有归顺朝廷之意;定远百姓季先,是大侠刘佑的仆人,曾跟随刘佑押运货物客居山阳,杨安儿安排他作了军官。杨安儿死后,季先到山阳,因结交沈铎而得以拜见应纯之,讲了山东的豪杰愿意归顺宋朝的心愿。应纯之命季先考察,向那些豪杰传达自己的意思,任命沈铎为武锋副将,和高忠皎分头召集忠义民兵进攻海州;由于军粮没有跟上,退兵驻军东海。

应纯之看到蒙古正围困金国,秘密向朝廷上报,说中原可以收复了。当时连续几年小有丰收,朝野安定无事。丞相史弥远鉴于开禧年间的事,不公开说召纳义勇,秘密指示应纯之安抚接纳山东豪强,称他们为忠义军,就地听从管理调度,并供给忠义粮。于是东海的马良、高林、宋德珍等万人聚集到涟水军,李全等人心中向往。

八月,壬子(初七),金国罢免御史大夫完颜永锡官爵。有关部司认为触犯刑律应处以斩首,金宣宗以家族近亲的关系,特地赦免死刑。

丙寅(二十一日),金国左司谏布萨毅夫请求更改开封府的名字,赐一美好名字,将尉氏县作为刺史州,睢州改为防御州,与郑州、延州左右前后护卫京师。金宣宗说:"祖宗陵寝在中都,朕难道乐意在这里长期住下去吗?"便不再提起此事。

蒙古太祖特穆津(铁木真)因为穆呼哩有辅佐社稷的功劳,任命为太师,封为国王,可以用君主的名分处置政事,赐给誓书、金印,把鸿吉哩等十支部队和蕃、汉人各军分给他由他指挥。在燕云

镂花天鹅玉雕　金

建行省,并对他说:"太行山之北,朕自己安排治理;太行山之南,委托给你,你要多加努力啊!"穆呼哩于是从中都向南进攻遂城和蠡州,都攻克了。

起初,蠡州顽强防守,直到力竭才投降,穆呼哩很是愤怒,要屠杀全城。蠡州人赵瑨,跟随穆呼哩担任百户,哭着说:"母与兄在城中,请允许用我的命来赎取一城人的命。"穆呼哩为他的举动而感佩,应允不杀全城人。

九月,壬午(初八),金国改年号为兴定,大赦天下

辛卯(十七日),蒙古军队占领金国隰州及汾西县,癸巳(十九日),攻打沁州。

先前金国辽东行省在初春时击败了契丹,夏末,曾派人献呈捷报;现在行省完颜伊尔必斯为叛乱者伯德呼图所杀。

丁酉(二十三日),蒙古军队逼近了金国的太原城,进攻交城、清源。

冬季,十月,乙巳朔(初一),由于大雨久下不停,释放了大理、三衢、临安府及两浙各州杖罪以下的囚犯。

甲寅(初十),金宣宗命令高汝励、张行简修纂《章宗实录》。

乙卯(十一日),蒙古军队占领金国中山府及新乐县,不久攻下了磁城。

壬戌(十八日),金国右司谏侍御史许古,上疏劝谏往南伐宋,说:"过去,在大定初年,宋朝人侵犯宿州,不久数次战败。金世宗料它不敢贸然求和,就命令元帅府派人去商议和约,自那时起太平了将近三十年。泰和年间,韩侂胄公然挑起边界上的事端,金章宗派遣驸马布

萨揆去征讨他。布萨揆考虑到兴兵打仗费用昂贵，便私下派遣韩侂胄的族人拿着他们祖先韩琦的画像和家谱，假装归附，以求见到丘密，于是，两国关系继续修好，整军而归。以金世宗、金章宗那样的兴隆盛世，府库中钱粮充实，天下丰衣足食，还先委屈自身以求成功，告于祖庙，书于史册，成为万世美谈。现在，蒙古军队的进攻稍微平息，如果南边又没有战事，那么距离太平之时就不远了。有人说，专用威武之力，可以使宋朝人屈服，这恐怕是不切实的空谈。即使有时获得小胜，也不足以值得过分的庆贺。对方见我们的势大，一定会坚守不出；我军仓促之间，没有收获，必须回来，以求得粮草；对方若乘机袭击，必会使我军欲战不得，欲退不能，那么就见不到休战的时候了。何况，对方有江南广博的积蓄，我们只有河南一路，横征暴敛的弊病，足以使人寒心。应该迅速地与宋朝讲和，那么蒙古听说以后，也就会有所收敛的，因为我方已没有人掣肘了。"

金宣宗就和议问题向宰臣询问，高汝砺说："宋朝人奸诈多，没有实词，虽然和他们有文书往来，但边防的守备不能轻易撤去，那么议和与否，就没有什么两样了。宋人有时说一些虚浮的话，在规定的礼例之外，还别有要求，言谈不大有礼貌了；可能以大定年间的和议为例。宋人如果要求议和，从道理上讲很顺畅，我方怎能首先提出这项动议以示弱呢！"张行信说："宋朝人利用我方的一些矛盾，几次肆意侵犯，我们是大国，不是用言辞，而是用武力加以谴责，这不是示弱吗？至于谴责他他不回答，或回答时言语不恭，这自然是他们没有道理，这对我方有什么损失呢？大定年间派使者议和，正符合国家的利益，有什么失体的呢？况且国家近年多有艰难之事，战事持久，不考虑休养生息的办法，民力怎么受得了！"

金宣宗命令许古起草议和的公文，完成之后拿给果勒齐看，果勒齐认为言词有哀求之意，稍微显示出了自己的虚弱，议和也因此被搁置。

辛未（二十七日），蒙古攻取了金国邹平、长山及淄川。

十一月，丙戌（十二日），白天出现太白星。金国派遣翰林侍讲学士杨云翼负责祭祀，以求免除灾害。

蒙古攻占了金国滨、棣、博三州；乙丑（十五日）攻下淄州；庚寅（十六日），攻下了沂州。

戊戌（二十四日），太白星经过天空。

蒙古军攻打金国太原府。

十二月，甲辰朔（初一），蒙古军攻打金国潞州，都统马甫战死。

戊申（初五），由于战争开始，招募人丁交纳粮食，并给他们官职。

庚戌（初七），蒙古军队占领金国益都府；辛酉（十八日），又攻取了密州，节度使完颜寓战死。

辛亥（初八），金国胥鼎奉诏令发兵，从秦、巩、凤翔三路南伐，依然上书劝谏说："自从大安年以后，天下多年来骚动不安，民间差役繁重，百姓越来越疲惫。日日动用军队，远近影响很大，百姓动荡不安，没有抓获一个敌人，而害了自己的许多人，这是不可出兵的第一条理由。西北的两支军队如果乘机一起来的话，虽然有潼关、黄河的险阻，也恐怕不足以依赖，三面受敌，恐怕会要后悔的，这是不可出兵的第二条理由。皇帝迁到汴京，离宋朝的边境越发近了，他们肯定会日夜担心，小心谨慎地防备，听说我们的军队从唐、邓二州出兵，一定会到处坚壁清野，使我军无所获，白白地耗费资财，这是不可出兵的第三条理由。宋朝与我国世代为仇，近年来他不是没有恢复疆土、报仇雪恨的志向，只是畏惧我方的威力，不敢轻举妄动,现在我军是乌合之众,仓促地让他们去打仗的话,怎么能保证打胜仗呢?这是不可出兵的第四条理由。边境一带的民户,赋役繁重,非常困顿疲惫;流离失所到河南的人,大都温饱不能保证,由于贫穷所迫,产生了不少盗贼,如果宋朝暗地招募,让这些人做向导,那么就会内有叛民,外有劲敌,就很难打仗了,这是不可出兵的第五条理由。现在春天的农事就要兴起,如果进兵打仗不回来的话,必然会误了农时,也就会误了秋天的边防用粮,这是不可出兵的第六条理由。"金宣宗问朝廷重臣这个问题该怎么办?他们认为各路军已经出发,没有听从胥鼎的意见。

癸酉(疑误),金国完颜赟率领步兵骑兵一万人入侵四川;戊辰(二十五日),金兵进逼湫池堡;己巳(二十六日),金军攻破天水军,守臣黄炎孙逃跑。金军攻克白环堡;庚午(二十七日),金军进逼黄牛堡,统制刘雄弃大散关而逃。

李全和他的哥哥李福袭击金青、莒州,夺取了两地。

这一年,金国延州刺史温萨克喜说:"近年来,黄河脱离了故道,从卫往东南流,经徐州、邳州流入大海,因此,河南地域变得很狭窄。依我看,新乡县西边,可以开通水道,使黄河水往东北流,在南面有旧堤,水溢不出来,河水流五十多里,可与清河汇合,从清州柳口流入大海。这是黄河的旧道,都有旧的堤坝,把缺损的地方补好就完全可以了。这样山东、大名等路就都在黄河南边了,而且河北各郡我们也可以得到一半,退一步足可以作为防御敌人的计策,进一步则可以有利于恢复失地的宏图大略。"参与商议的人认为黄河往东南流的时间长,决断它的流水,恐怕旧河道不能容纳得了,水满必会溢出,于是这个意见没有得到实行。

嘉定十一年 金兴定二年,蒙古太祖十三年(公元1218年)

春季,正月,壬午(初十),李全率领部下归顺宋朝,下诏封他为京东路总管。

戊子(十六日),金军围住了阜郊堡

丁酉(二十五日),金军侵犯隔芽关,兴元都统李贵逃跑,官军大败。

这个月,蒙古军队围攻夏国的兴州,夏国主李遵顼命令他的儿子留守,而自己出走西凉。

金宣宗通告胥鼎说:"大散关如能守住,就守住它;如果保不住,就把它烧毁,军队撤回来。"二月,甲辰(初二),金军焚烧大散关,撤退。

丙午(初四),金军攻破皂郊堡,战死五万人。在这之前,安丙曾约夏国人一起会师攻打秦、巩二州,夏人没有到,于是有这次失败。

丁未(初五),金军攻破湫池堡。

戊申(初六),金军包围随州、枣阳军。

孟宗政刚开始治理政事的时候,他心爱的仆人违犯了法令,立即将他处斩,军民为此战栗不安。这时孟宗政命令手下筑堤蓄水,修治城墙,检阅军士。完颜萨布统领步兵骑兵将城池围住。孟宗政与扈再兴将兵马合在一起,共同与敌人对抗,历时三个月,共进行了大小七十多场战斗。在战斗中,孟宗政身先士卒。金军每战必败,很为愤怒,绕城开挖壕沟,将军队排列在壕沟外,用系着铜铃的爱叫的狗来给自己报警。孟宗政招募壮士乘机进行突击,金军不能坚持,用大量兵力逼近城池,孟宗政因地制宜灵活机动地奋力迎战。随州守将许国的救援军队走到白水,鼓声都可以听到。孟宗政率领诸将出战,金兵败退,四散奔逃。

辛亥(初九),金国参知政事张行信出京,任彰化节度使兼泾州管内观察使。金宣宗告诫他说:"当初,朕由于朝廷的大臣们多称赞你的才能,便令你参与决定重大事务。而在朝廷计议之时，你常常不能站在正确意见一边，随便地同意和反对，实在不是作为丞相该做的。又听说你近来很不把心思放在办理政务上，大概是想到外地去任职吧？今天给你这个职务，你应该懂得这里的缘由了。"张行信几次与果勒奇争辩，近侍局说张行信的坏话，所以把他贬出朝廷，做了外官。

丙寅（二十四日），金宣宗通知尚书省说："听说中都靠交纳粮食补选的官员，大多被吏部所否定，实在是不了解缺粮时刻问题的严重性。还有，对在战场上立功的人一定要求有当官的作保，这些人都是义军、白丁，怎么会认识朝中的官员呢？假如文书所述是事实的话，就应马上授予他们官职。至于从前在中都时，运送柴炭进城的人，朕曾经许诺恩授官职，这怎么可以成为假话？但有的也被阻挡未授，今后不可再这样。"

三月，丁丑（初六），金人焚烧湫池堡后离去。

戊子（十七日），金国任命御史中丞巴图鲁为参知政事。

利州统制王逸等人率领部队和忠义军十万人，收复了大散关及皂郊堡，追击斩杀金军副统军完颜赟，并进攻秦州。军队达到赤谷口，王逸传达了沔州都统刘昌祖的命令，将军队撤退，并且将忠义军解散了，军队因此大败。

癸巳（二十二日），金国包长寿率领长安、凤翔军队又攻打皂郊，接着奔往西和州。这一天镇江忠义统制彭惟诚等的军队在泗州战败。

丙申（二十五日），刘昌祖烧了西和州后逃跑，守臣杨克家弃城逃走，于是西和州为金人所占有。

夏季，四月，甲辰（初三），刘昌祖焚烧了成州以后逃走，守臣罗仲甲弃城离去。这一天，金人离开了西和州。

乙巳（初四），金国在辽东等路颁布大赦令，用户部尚书瓜勒佳必喇为翰林学士承旨，代理参知政事，在辽东办理行省事务。

戊申（初七），阶州守臣侯颐弃城而逃。这天，金人离开了成州。

壬子（十一日），金国派遣侍御史完颜素兰等到辽东去，对富鲜万努在当地的所作所为进行察访。癸丑（十二日），完颜素兰请求通知高丽，重新开放互市，获得批准。

戊午（十七日），金人又侵犯大散关，守臣王立逃跑。己未（十八日），金军入侵黄牛堡，兴元都统吴政迎战追击。癸亥（二十二日），吴政追到大散关，将王立斩首，以警示各军。金军接连攻破各州，先后一共获得军粮九万斛，钱几千万，军用物资不可胜数。战事上报后，吴政晋升三级，将刘昌祖安置在韶州，把杨克家等责罚到偏远州县居住。

金人伊尔必斯自从潼关兵败之后，无处可去，改了姓名偷偷居住在柘城，被御史察觉，把伊尔必斯的家属抓去，准备追究到底。伊尔必斯派儿子上书到吏部等待治罪。台臣请求杀死伊尔必斯，以惩戒不忠之臣。金宣宗最终赦免了他的罪过，告诫他要为国效力。

五月，癸未（十三日），蚩尤旗星出现，长度横跨整个天空。

金国苗道润与中都经略副使贾瑀素来不和，苗道润与几个骑兵一道行走，贾瑀埋伏了兵士，射击苗道润。苗道润摔倒在路旁，不久就死了。贾瑀心中很不安，派人对苗道润手下的将领张柔说："我除掉苗道润，是因为你不出兵援助的缘故。"张柔大怒，叱责使者说："贾瑀杀了我的元帅，我吃了贾瑀的肉都不解恨，他反用这样的话来戏弄我！"于是张柔发出檄文，征召苗道润的部下，把复仇的心意告诉他们，众人都拜倒在张柔脚下，推他为长。张柔把兵马

3857

集合在一起,赶往中山。蒙古兵马从紫荆关出来,被张柔遇到,在狼牙岭交战。张柔因马跌倒而被俘,见到蒙古主帅明安时,直立不下跪。明安的左右强迫他跪下,张柔叱责说:"他是元帅,我也是元帅,死就死,决不苟且偷生向别人屈服!"明安认为他很刚强,将他释放。溃散的士卒慢慢又汇集在一起。明安恐怕张柔发生变故,就把他的两个亲人做人质留在燕京,于是张柔投降。蒙古任命张柔为河北都元帅。

蒙古占据了金国锦州,元帅刘仲亨战死。

六月,甲辰(初四),金国枢密院由于贾瑀等人谋杀了苗道润,请求治他们的。金宣宗说:"要赶快收集苗道润的部下,贾瑀等人的是非还没弄清楚,姑且放置一边不问。"

金国石州贼寇冯天羽,占据临泉县作乱,刺史赫舍哩公顺派遣部将王九思攻破了贼党。金宣宗命令国史院编修官马季良拿着诰命公文、钱财礼物前去招降冯天羽的党羽,安国用投降,立即安排他为同知孟州防御使。

辛酉(二十一日),湖州发大水,朝廷进行赈济。

秋季,七月,庚午朔(初一),出现日食。

辛未(初二),夏国军攻打尨谷,金国提控瓜勒佳瑞击败了他们。不久,夏国人又来了,瓜勒佳瑞又击败他们。

癸酉(初四),免去了知天水军事务的黄炎孙的三个官职,打发他到辰州居住。

己卯(初十),金国大旱,命令礼部尚书杨云翼去处理冤案。癸未(十四日),天下了大雨。

乙酉(十六日),修撰《孝宗宝训》。

八月,蒙古的穆呼哩率领步兵骑兵几万人,从太和岭出兵占领河东,攻取了金国代州、隰州。九月,乙亥(初六),蒙古军攻破了太原府。元帅乌库哩德升全力抗拒敌人,城西北角损坏,乌库哩德升叫人把车叠摞在一起,塞在缺口处,蒙古军三次被打退,又三次登上城楼,箭矢流石如雨一般落下,守城墙的人无法站立。城被攻破,乌库哩德升自缢而死,他的姐姐和妻子也都自杀身亡。蒙古军占领了金国汾州,节度使完颜恩彻亨死。

这个月,李全攻占金国密州及寿光县。

冬季,十月,蒙古军占领金国绛、潞二州。壬子(十四日),进攻平阳,金国提控郭用战死。行省参政李革守卫平阳,兵力不足,又无外援,癸丑(十五日),城被蒙军攻破。有人劝李革应该骑马突围出城,李革叹气说:"我不能保住这个城池,有什么脸面去见天子呢!你们可以离去了。"于是自杀。

这个月,李全攻克邹平、临朐、安丘等县,金国提控王显战死。

十一月,壬申(初四),金人攻打安丰黄口滩。

陕西人张羽归顺宋朝。

蒙古军攻取了金国潞州,元帅右监军纳哈塔布拉图、参议官王良臣战死。

十二月,金宣宗准备乘胜到宋朝议和,委任开封府治中吕子羽为详问使,到了淮河中流,宋朝不准入境。金宣宗很气愤,任用布萨安贞为左副元帅,辅助太子完颜守绪,合兵南侵。

金国宰相请求修整山寨以躲避战争,御史中丞完颜伯嘉劝谏说:"提这个建议的人肯定会说,凭据险要的地势可以使君王安全,难道没看见陈后主躲到井中吗?假如山寨中可以保全生命的话,还能称为国家吗?在大臣之中,有忠于国家的,有取媚君王的;忠于国家的人或许会违背君王的意思,取媚君王的人不会为国家着想。臣私下认为,有国家就有君王,有君王未必有国家。"果勒齐、高汝砺听了这番话,十分恼火,不久,就外放完颜伯嘉在河中办理行省事务。

这一年,契丹的陆格占据高丽的江东城,蒙古派遣哈珍札拉率军队征服了他们,于是高丽王王暾投降蒙古,每年进贡土产。

辽王瑠格招致蒙古契丹的军队以及东夏国元帅呼图的军队共十万人,围困赫舍,高丽派来援兵四十万,攻克了城池。赫舍自己上吊而死,辽王瑠格把他的百姓迁到西楼。

嘉定十二年　金兴定三年,蒙古太祖十四年(公元 1219 年)

春季,正月,戊辰朔(初一),召命四川制置使董居谊到皇帝行在去。

董居谊贪污财物,所到之处都要败露,于是派聂子述取代了他的职务。

戊子(二十一日),金人进攻成州,都统张威从西和州退守到仙人原。

辛卯(二十四日),金人又侵犯西和州,守将赵彦呐设埋伏等待敌人,歼灭了入侵者。

壬辰(二十五日),金宣宗由于蒙古军已经攻占太原,河北的局势已不能和过去相比,诏令百官,商议长久之计。翰林学士承旨图克坦镐等人说:"作战时的策略有三种:一是战,二是和,三是守。现在要战则兵力不足,要和敌方不同意,只有守了。河朔的各州郡已被战争毁败,不能一概去守住,应该把那些愿意迁居的百姓,集中住在河南、陕西,不愿迁走的,允许他们推举首领,凭借险阻来保护自己。"刑部侍郎温屯呼哈勒等人说:"河北各郡,可以让他们推选有才干、为众人所拥戴、能把百姓集中起来迁居的人,愿到河南或晋安、河中及各个险要关口,可按情况供给一些口粮,分给一些荒地,让他们尽力耕种,并且设置管理官员,对他们进行抚慰和军事训练,逐渐谋划恢复国土的大业。"宣徽使伊喇光祖等人说:"太原虽然暂时失守了,不久就可以收复。应该招募士人中有威望、当地人中威信高可以指挥百姓的人,授予他管理一方的权力,使他真正拥有职权,收复一道,就委任他为本道总管,能守住州郡的话,就给他州郡长官或次长官的职务。这样做,一定会各自保守一方,使百姓恢复生产。"朝廷大臣们多数同意依喇光祖的意见。不久,河中行省完颜伯嘉也上书说:"中原地区的河东,就像人的肩背一样。古人说:'得不到河东,就不能称雄于世。'万一失去河东,恐怕不容易攻取。"

甲午(二十七日),金国军队攻克凤州,铲平了那个城池。乙未(二十八日),兴元都统吴政与金人在黄牛堡作战,结果战死。

金宣宗对朝廷重臣说:"近侍刚刚从陕西回来,说拜甡已攻占了凤州,如果能攻得武休关,就要去攻取蜀地。朕的想法不是如此。即使得到那些地方,又怎能守得住呢?这些举动,都是宋朝人改变了议和的态度所致,最初难道是贪求土地吗?朕十分珍惜百姓生命,只要和约早日签订就好了。"

二月,庚子(初三),白天出现太白星。

金宣宗与太子商议,想找出一个南征挂帅的人,因找不到而感叹说:"天下这么大,情势急迫时却没有能用的人,朕怎么能不忧虑呢!"

癸卯(初六),金军乘胜攻破武休关,都统李贵逃跑了。

丙午(初九),金宣宗对朝廷重臣说:"江、淮的人,都以怯懦而著称,然而官军攻打蔓菁峒时,那里的人被重重围困,招降他们,却没有一个人肯听从。我们的河朔州群,一遇上北边的军队,往往就出去投降,这是什么道理呢?"

丁未(初十),金军攻破兴元府,代理知府事务的赵希晋弃城逃走。

庚戌(十三日),宋朝任命曾从龙为同知枢密院事,兼江淮宣抚使,任用吏部尚书任希夷为签书枢密院事。

辛亥(十四日),金人攻破大安军,又攻克了洋州。壬子(十五日),前四川制置使董居谊逃跑。都统张威派石宣拦击金军,大获全胜,歼灭其精兵三千人,俘虏金兵将领巴图鲁安,于是金兵逃走了。

金国完颜额尔克又大举围困枣阳,在城外挖壕沟,环城筑土墙。赵方派统制扈再兴等人带三万兵马,分别出城进攻唐、邓二州,又命他儿子赵范作监军,赵葵在后压阵。

乙丑(二十八日),夏国又送书信到四川,提议与宋朝夹攻金人,利州安抚丁焴同意了。

三月,己巳(初三),任命郑昭先为知枢密院事,曾从龙为参知政事。

癸酉(初七),金人再次进入洋州,烧毁该城离去。

丁亥(二十一日),白天出现太白星。

金国完颜伯嘉从河中被召回来,仍然作御史中丞。完颜伯嘉对金宣宗说:"河中、晋安,又有山又有河,是关中陕西的屏障,是兵家必争之地。现在虽然已经残破了,但其形与势依然存在。倘若让别人占据了那里,凭着盐池的富饶,集聚军队,积贮粮草,那么河津以南,太行以北,都不足以凭借了。"甲午(二十八日),金宣宗下诏令太原等路的州县缺少正式官员的,让百姓推举他爱戴的人作正副长官,行省考察后委任职务,并且运送解州的盐到陕西,以资助粮草调度,命令胥鼎兼管此事。

金人从盱眙退兵。

闰三月,癸亥(二十八日),兴元军士张福、莫简等人作乱,以红巾作标帜。

庚子(二十九日),金国皇子守纯晋封为英王。

这年春天,金国左副元帅布萨安贞包围安丰军及滁、濠、光三州,江淮制置使李珏命令池州都统武师道、忠义军都统制陈孝忠去救援,都没有成功。于是布萨安贞分兵从光州侵犯麻城,从濠州侵犯石碛,从盱眙侵犯全椒、来安、天长、六合,淮南流离失所的百姓渡过长江,逃避战乱,各个城门尽皆关闭。金国几百名游动的骑兵到了采石杨林渡,建康城内大为震惊。

这时,贾涉以淮东提刑的官职任楚州知州,掌管京东忠义军。贾涉担忧忠义军被金国利用,急忙派遣陈孝忠到滁州去,派石珪、夏全、时青向濠州前进,派季先、葛平、杨德广到滁、濠去,派李全、李福扼守住退路。李全进军到涡口,与金国左都监赫舍哩约赫德在化湖陂打了好几仗,杀死了几名金国将领,得到他们的金牌,于是金军解除了对各州的包围,离去了。李全追击金兵,在曹家庄打败了他们。从此,金人不敢窥伺淮东。贾涉是天台人。

当初,贾涉招募能杀死金太子的人,赏给节度使官职;对杀亲王的人,赏给承宣使的官职;对杀死驸马的人,赏给观察使的官职。于是李全用所缴获的金牌骗贾涉说,这是他杀了驸马阿哈获得的,贾涉便请皇帝授予了李全广州观察使的官职。李全所说的驸马阿哈,就是布萨安贞。当时安贞正在军中,而李全竟然敢做如此欺骗造假的事。不久布萨安贞就从军中到朝廷仁安殿拜见金宣宗。

夏季,四月,甲戌(初九),金国任命临洮府知事特嘉喀齐喀为元帅左都监,在巩州代行元帅府事。

癸未(十八日),金国陕西境内大地震。

癸巳(二十八日),参知政事曾从龙被免职。

张福、莫简等率部众进入了利州,聂子述守卫剑门,传令醴泉观使安葵仲兼管理军马,讨伐贼人,安葵仲召集都统张威等率领兵马来会合。张福等人杀死了总领财赋的张九鼎,劫掠了阆、果两个州,四川大为震惊。赵方、魏了翁给宰执写信,说如果不起用安丙的话,则不能尽快平定贼寇,四川不能安定。于是朝廷起用安丙为四川宣抚使,董居谊被免去帖职,降三级官。这时,李壁、李壂一起镇守潼、遂二府,也都以国事勉励安丙。

金国提举榷货司的王三锡请求对食油实行专卖,这样,国家每年可以收入几万两银子。果勒齐由于朝廷的开支正紧迫,便劝金主实行这个办法。高汝砺说:"油是世上人人都用的东西,如果公家得利的话,百姓就受到害处,所以古今都不专卖,也是由于不愿斤斤计较而增加过多的烦扰。如果听从王三锡的意见,从此社会上流通的货物都要变成专卖的货物,百姓家中常有的物品成了禁止流通的物品,把自古以来不推行的法令当作良法,我私下认为圣德之朝不应如此,而且它的弊病是说不完的。"金宣宗难以违背果勒齐的意愿,命令百官一起商议此事。礼部尚书杨云翼、翰林侍读学士赵秉文等都认为不可以这样做。金宣宗说:"古来不行的事今天去做,是又生出一件事,不要那样做。"

五月,乙亥(初五),太学生何处恬等人拜伏在宫门前上书,说工部尚书胡矩打算和金人讲和,请将他杀掉以向天下人谢罪。

金国修筑南京城里城,这是由于珠赫呼果勒齐的一再请求。金宣宗怕扰乱百姓的生活,便进行招募,能献出五十万块砖的人给他升一级官,百万砖升一等官。于是平阳判官完颜阿拉、左厢讥察霍定和在蔡京故居发掘,得到了二百万多块砖,按规升赏。金宣宗问道:"有人说这件事恐怕办不成,你看怎样?"果勒齐说:"最终会办成的,只是壕沟来不及挖浚罢了。"金宣宗问:"没有壕沟行吗?"果勒齐说:"如果守城得法,即使敌兵前来,臣等必然加倍效力。"金宣宗说:"与其兵临城下,不如不让他们到这儿来,不是更好吗?"果勒齐无话可答。到里城修好以后,果勒齐得到了金鼎的赏赐,并且在会朝门建了碑,记载了他修城之功。

蒙古派张柔率兵南下,攻克了雄、易、保、安各州。贾瑀据守孔山台,张柔发动进攻,攻不下来。孔山台上没有水,从山下汲水,张柔切断了水源,贾瑀无法,于是投降。张柔挖出了他的心来祭奠苗道润。张柔领兵占据满城,金国将领武仙会合了镇、定、深、冀的几万兵马攻打他。张柔全军刚好出征,军帐中只有几百人。张柔命令老弱妇女登城,自己率领壮士冲出到武仙的军队后面进行突击,毁坏了武仙军队攻城的器具。他带着几个骑兵,策马挺枪,大声呼叫冲入敌围,武仙的部下都望风披靡。张柔又让人在沿山大量张挂旗帜,声称救兵已到,让士兵拖着柴草来回跑,扬起灰尘,擂着鼓喊叫着前进。武仙的部队大败,张柔追击,尸体横七竖八分布在数十里的地域内。张柔乘胜攻下了定州,于是金国祁阳、曲阳等地的将帅都投向张柔。接着张柔将中山府围住,武仙派部将葛铁枪与张柔在新乐交战。飞来的流箭打中了张柔的面颊,击落了他两颗牙齿,张柔拔出箭头,继续作战,葛铁枪大败,死的人多达数千。武仙又派刘成进攻张柔,张柔又将刘成打败,于是向南扫荡鼓城、深泽、宁晋各县。从此深、冀以北,镇、定以东三十多个城都望风前来归附张柔。

六月,甲子朔(初一),金国任命河南统军使实嘉纽勒欢为元帅右都监,负责平凉元帅府的事务;任命御史中丞完颜伯嘉在许州负责枢密院的事务。

蒙古军西征作战图

张福率领部下攻打遂宁,代理府事的程遇孙弃城逃走。张福进入遂宁,焚烧了该城。张福又进入普州,守臣张已之弃城逃走。张福把兵马驻扎在普州的茗山;安丙从果州到遂宁,命令各军包围,断绝打柴汲水的通道使他们陷入困境。庚午(初七),张威带兵赶到,张福计穷请求投降。张威俘获了他,押送到安丙处。

辛巳(十八日),西川地震,白昼出现太白星。

丁亥(二十四日),嗣濮王赵不嫖去世。

戊子(二十五日),金人收复太原府。

辛卯(二十八日),太白星经过天空。

癸巳(三十日),丁焴又用文书约夏人征伐金国。

西域杀死了蒙古的使者,蒙古太祖亲自出征,夺取讹答喇城,俘获酋长哈只尔只兰图。

秋季,七月,丙申(初三),张福按罪被处死;张威又捕获贼众一千多人,杀死;莫简自杀,红巾贼全部被平息。朝廷把董居谊又一次贬到永州居住。

金国完颜额尔克带领步兵骑兵攻打枣阳城,孟宗政用布袋盛糠盛沙覆盖在城楼的栅栏上,在许多瓮中储上水,以防大火。招募炮手攻打完颜额尔克的军队,一炮就杀死几个人。金人挑选精良骑兵二千人,号称弩子手,架着云梯、天桥先行登城,又招募银矿石工日夜挖城,把茅草一直运到圜楼下面,打算焚烧圜楼。孟宗政先把圜楼拆毁,挖掘深坑,防止敌人挖地道;建起了战棚,防止城墙被破坏;金人地道才挖穿,就烧起烈火毒烟,鼓着风箱薰金军,金军用湿毡子堵住地道口,又向岔路挖土,城墙塌了,城楼陷落。孟宗政拆除城楼加上薪柴,架火山断绝金军进攻道路,将勇士列队,持长枪硬弩防备金军冲锋,孟宗政在离城楼陷落几丈远的地方,修筑偃月城,长一百多丈,依附着正城。金军挑选强兵,披上厚厚的铠甲和毡毛的衣服,戴着铁面具向前进攻,又把毡子、皮革浸湿,盖住火山,铺上冰雪,带着云梯,直抵西北圜楼,登上了城池。城中守军用长矛戳进他们的喉咙,杀死他们;敢勇军从城下夹击,金兵从城头落下,死在火焰之中。孟宗政激励将士进行血战,一共打了十五仗,金军一直不能得逞。

适逢扈再兴、许国两路军马并进,侵入金国的唐州、邓州境内,焚烧了金兵的城栅和粮草。金国军队驻扎在枣阳城下八十多天,赵方知道金兵的士气已低落,于是召回许国、扈再兴,将东路军队合并在一起,由扈再兴指挥,限定日期会合作战。扈再兴在瀼河打败了金军,又在城南打败了金军。孟宗政从城中出击,内外夹攻,士气大振,招募勇士冲入金军营,从黄昏到三更,杀死金兵三万人,金军大败溃退。额尔克独自骑马逃脱。宋军追到马磴寨,焚烧了金人的城池,进入邓州才撤兵。金人从此不敢图谋襄阳、枣阳。中原的流民归附枣阳的数以万计。孟宗政打开仓库赈济他们,并给田地,修建房舍,将勇壮男丁登记在册,编为忠顺军,派他们出没于唐、邓一带。从此,孟宗政的名声威振境外。

李全带兵到齐州,金国守臣王赟交出城池投降。

八月,丙寅(初三),金国补阙许古等人被解除职务降低品阶。金国南迁以来,许古和陈规都以谏官名声彰著,陈规尤其被重视。金宣宗曾命令文绣署制作大红的半身绣衣,告诫左右不要让陈规知道。绣衣做成后,又问陈规是否知道,回答说没让他知晓。金宣宗因此叹息说:"陈规如果知道,一定会因为华丽的服饰而劝谏我,我真是很怕他的话。"凡是宫中做什么事,一定说怕陈规有话说。金宣宗虽然很看重他的话,然而不能采用。

戊辰(初五),将利州东、西路又合为一路。

壬申(初九),蒙古军队夺取金国武州,判官郭秀阵亡。丁丑(十四日),蒙古又占领合河,县令乔天翼阵亡。

九月,丙午(十四日),朝廷任用贾涉来主管淮东制置司公事,兼节制京东、河北军马。

起初,山东来投奔的人一天比一天多,而石珪在涟水用计杀死了沈铎,应纯之也罢官离去,代理楚州知州梁丙没有粮食供养归附者。季先乞求预支两个月的粮食,然后率部下五千人及马良等一万人到密州去寻找粮草,梁丙不答应。季先请求迅速派遣李全来统领这些人马,梁丙也不同意,任命石珪暂理军务。石珪抢夺了运粮的船只,渡过淮河大肆劫掠。到了楚州的南渡门,大肆焚毁南渡门,梁丙派人来制止石珪,但没有用。这时贾涉负责盱眙军,给朝廷上书说:"忠义之人源源不断而来,没有规定下定额,独自编为一支军队,安排在淮河北岸,我方怎么能用有限的钱粮供应无穷无尽的需要,饥饿时掠人财物,供给充足则服从命令,必然如此。"于是朝廷任命贾涉掌管忠义人。贾涉受命后就派傅翼向石珪、杨广德等告知逆顺与祸福的关系,石珪等人谢罪。贾涉考虑到他们人多思乱,就根据滁、濠的战事,把石珪、陈孝忠、夏全为两屯,李全分为五寨。又采用陕西的忠勇法,将字刺在手上,各路兵马合并,淘汰的人有三万多,手上刺字的不足六万人。正规军经常屯兵七万,使主军多于客军,朝廷每年节省十分之三四的开支。到这时,把江淮制置司分为沿长江、淮东、淮西三司,命令贾涉主管淮东。

金国张林将山东各郡归附李全投降宋朝。当初,蒙古攻克了益都,没有守城,离去了。益都的府卒张林与他的同党又建立了府,归顺了金,按功劳当了治中,为人凶险但不肆意妄为。知府田琢失去了民心,张林赶走了田琢,于是占领益都,山东各郡都归附于他。张林打算来归顺宋朝以巩固自己的地位。适逢李全从齐州返回,带兵直逼青州城下,派人劝说张林及早归附。张林担心李全是诱惑自己,犹豫不决。李全挺身而出进城去,只带了几个随从。张林接待了他,相会很为融洽,置办酒席结为兄弟,上表奏书,献上青、莒、密、莱、淮、淄、滨、棣、宁海、济南十二郡的版籍前来归附。奏表中有这样的话:"把有七十城的完整的齐地,全部归还给三百年的旧主人。"下诏任命张林为武翼大夫、京东安抚使兼京东总管。

这年秋天，蒙古穆呼哩占领金国岢岚、吉、隰等州，进攻绛州，攻克该城，屠杀城里官民。

冬季，十月，乙丑（初三），金国采用蒙古纲的意见，招集义军，并任命都统、副统等官。

壬辰（三十日），金国命令有司修葺闲置房屋，供给柴米，用来救济贫民，限期明年二月完工。

十一月，癸巳朔（初一），金国任命枢密副使布萨安贞为同签院事，命额尔克在河北行院事。

辛亥（十九日），进封杨次山为会稽郡王。

戊午（二十六日），蒙古军队攻克晋安府，金国行元帅府事钮祜禄贞战死。

十二月，乙亥（十三日），修筑兴元府城。

京湖制置使赵方，认为金人数次战败，肯定会同时几路发起进攻，应当先发制人。己丑（二十七日），派遣扈再兴、许国、孟宗政率领六万军队分为三道北伐金人，告诫他们说："不要深入敌腹，不要攻城，只要击溃他们的保甲，破坏他们的城寨，使他们的资财粮草困乏就行了。"

天降大雪，淮河冰合。李全到贾涉处请求说："过去经常抱怨泗州有河水阻隔，现在已如同平地了，请让我夺取东西城以效力。"贾涉同意了。李全带领三千人手持长枪在夜半时分渡过淮河，偷偷地奔到泗州的东城，正要踏壕沟冰到达城下，突然，城楼上，几百支荻草做的火炬一齐举起来，远远地对李全说："贼人李三，你打算偷偷地夺城吗？天很黑，特地用火把给你照亮。"李全知道敌人有了防备，便领兵回去了。

金国右丞相珠赫呼果勒齐专权独断，任意作威作福，与平章政事高汝砺一唱一和。果勒齐主持机要事务，高汝砺掌握财权，顺从自己的就任用，不顺从自己的就排斥，凡是说话办事违背他们的意愿，或是自负有才学能力而又不驯服的人，他们就在金宣宗面前假装夸奖，将其派到河北任职，其实是置他们于死地。果勒齐又由于只做丞相，不能兼任枢密、元帅总揽兵权，就与高汝砺劝金宣宗南侵，把河北放到一边不管，把精良的军队都集在河南，以求苟且度日。这时又指使奴仆萨布杀死妻子，接着归罪于萨布，杀死萨布灭口。事情暴露，金宣宗早已了解他的奸邪，将果勒齐关进了监狱，杀死了他。

当初，金宣宗要迁汴京时，打算把乣军安排在平州，果勒齐故意为难。等到从中都出发，金宣宗命令穆延尽忠优厚地安抚乣军，穆延尽忠却轻率地杀死几个人，又劝金宣宗收回原来给乣军的物品，所以才有札达的叛乱，中都失守。金宣宗曾经感叹说："败坏天下的人，就是果勒齐和搏多！"

这一年，收复京东、河北二府、九州、四十县。

雅州蛮人进入卢山县，烧毁了碉门寨之后离去。

嘉定十三年　金兴定四年，蒙古太祖十五年（公元 1220 年）

春季，正月，丁酉（初六），扈再兴进攻邓州，许国进攻唐州，都没有攻克就回来了。金兵追击，又攻打樊城，赵方督促各将领打退敌人。

蒙古打破了金国好义堡，霍州刺史伊喇阿里哈等人以身殉职。

己酉（十八日），封赵不凌为嗣濮王。

戊午（二十七日），夏国又递书信到四川，商议夹攻金人。

这个月，孟宗政在湖阳打败金军。

金国宰臣根据伊喇光祖的提议，请求分别设立公府，金宣宗犹豫不决。御史中丞完颜伯嘉说："宋朝用虚名送给李全，却实实在在地收回了山东土地。如果能够统率军队，守卫疆土，即便是封三公又有可吝惜的呢！"金宣宗说："将来国事安定之后，公府岂不多了吗？"完颜伯嘉说："倘若国事安定，就用三公去节制各镇，有什么不可以呢！"金宣宗打定了主意。二月，把河北、山东地区封给沧州经略使王福为沧海公，把清、观、沧州、盐山、无棣、乐陵、东光、宁津、吴桥、将陵、阜城、蒲县归属于他；封河间招抚使伊喇重嘉努为河间公，把献、蠡、安、深州、河间、肃宁、安平、武强、饶阳、六家庄、郎山寨隶属他；封真定经略使武仙为恒山公，把真定府、沃、冀、威、镇宁、平定州、抱犊寨、栾城、南宫县隶属于他；封中都东路经略使张甫为高阳公，把雄、霸、莫州、高阳、信安、文安、大城、保定、静海、宝坻、武清、安次县归属于他；封中都西路经略使靖安民为易水公，把涿、易、安肃、深州、君民川、季鹿、三保、河北、江矾山寨、青白口、朝天寨、水谷、欢谷、东安寨归属于他；封辽州刺史行元帅府事郭文振为晋阳公，把河北东路归属于他；封平阳招抚使胡天作为平阳公，把平阳、晋安府、隰、吉州归属于他；封昭义节度使完颜开为上党公，把泽、潞、沁州归属于他；封山东安抚副使燕宁为东莒公，把益都府路都归属于他。这九公都兼任宣抚使，总领本路兵马，对于设置官吏、征敛赋税、赏罚号令这些事情，都可以酌情行事。除去已经划定的诸公所管的州县以外，如果能够收复邻近的州县，也归收复者所属。

三月，辛丑（十一日），金国商议迁居睢州，诏书侍御史富勒呼遵奉诏令视察京东城池，返汴京，说以不迁为好，金宣宗听从了他的意见。

辛亥（二十一日），金国平章政事高汝砺晋升为尚书右丞相，陕西行省胥鼎被免职。

壬子（二十二日），金国红袄贼于忙儿袭击海州，占据了此地。

夏季，四月，庚申朔（初一），下诏命令淮东制置贾涉通告山东、两河的忠义豪杰，设法使他们归顺。

戊辰（初九），金国在太庙祭祀。

金国收复大名府，任命参知政事巴图鲁代理尚书右丞，左都监承立代理参知政事，在京兆同行尚书省元帅府。

丙戌（二十七日），史弥远等进呈《玉牒》。

五月，癸巳（初四），金国红袄贼进犯乐安，王福击败寇贼。

丙辰（二十七日），蒙古兵占领金国兖州，金国泰定军节度使完颜畏克阵亡。

六月，癸酉（十五日），赐礼部进士刘渭以下四百七十五人及第、出身。

当时史弥远执掌权柄为时已久，邓若水在写策论时，评论史弥远的奸邪，认为应该罢免，考官将邓录取在最后一等。邓若水的策论中的话在都城广为传播，士人争着诵读。史弥远很生气，吩咐府尹，唆使客舍的主人谈论他的不是，打算治他的罪。时间一长，这事也就算了。

丁丑（十九日），蒙古占领金国大名府，又进攻开州及东明、长垣等县。

李全从化湖陂大捷之后，有看不起诸将的意思，由于涟水忠义副都统季先的威望比他高，李全私下结交贾涉手下的官吏莫凯，让莫凯诬告季先要造反。贾涉相信了莫凯的话。壬午（二十四日），命季先到枢密院去商议事务，在路上将他杀死，派遣统制陈选到涟水去统领季先的手下兵马。季先的部下裴渊、宋德珍、孙武正、王义深、张山、张友不接纳陈选,到盱眙迎来了石珪,奉石珪为统帅。石珪经过楚城,贾涉没有察觉,于是石珪进入涟水。陈选归来,贾涉认为很是耻辱,计划把石珪的军队分为六部分,请命于朝廷,拿出修武、京东路的铃辖印诰各六件,授给裴渊等人。裴渊等人表面上装作从命,而实地里不听贾涉的指令,贾涉很害怕。下诏封石珪为涟水忠义军统辖。

追赠周敦颐谥号为元,程颢的谥号为纯,程颐的谥号为正。

秋季,七月,戊戌(十一日),把京东路、河北各州守臣的未填写姓名的任命书交给京东、河北节制,等待忠义豪杰归附时授予。

丙午(十九日),任命任希夷为参知政事。

金国派使者乌库哩仲端到蒙古国求和,称蒙古太祖铁木真为兄,太祖不同意。

八月,癸亥(初六),皇太子赵洵去世,谥号景献。

金国长清县令严实受到主将猜疑,于是携带家眷到青崖埚避祸,依附于益都张林。恰巧赶上赵拱带着朝廷的命令来传谕京东,路过青崖,严实于是请求归附宋朝。赵拱把严实带到楚州,把他的事告诉了贾涉。严实分兵四路,所到州县都攻下了。于是太行山以东,都受严实所节制。于是严实带着魏、博、恩、德、怀、卫、开、相等郡前来归顺。

贾涉又派赵拱前去传谕,配给他二千士兵。李全也请求前往,贾涉不便阻止,于是率领楚州及盱眙的忠义军万人前行。赵拱对李全说:"将军带兵渡过黄河,不作战就返回,这不是表示自己的勇武。现在乘胜攻取东平,可以吗?"于是李全与张林合兵数万,袭击东平。金国行省蒙古纲率领军队固守,李全求战不得,与张林在汶水两岸安营扎寨。第二天,金国监军王庭玉带领三百骑兵突然来到,李全欣然上马,带领帐前的骑兵赴战,杀死几人,夺了他们的马匹。追逐败退的金兵,到达山谷,遇上了金龙虎上将军鄂博台带领大队兵马出击,两旁还有持绣旗的女将,驰马突击,李全差点战死。众将前来援助,将李全救出,退守长清,精锐兵马损失过半。李全恐怕所带的五百镇江军不满,便让赵拱带领他们先走,自己带领其余的兵马取道沧州,用盐业的利润来安抚补给部下,不久回到楚州。

张林攻打沧州,王福献城投降。

壬申(十五日),安丙给夏国复信,双方议定夹击金兵,用夏国兵进行野战,宋军攻城。于是命令利州统制王仕信率领军队赴熙、秦、巩、凤翔,委任丁焴进行节制,并且发出檄文,告谕陕西五路官吏军民。

甲申(二十七日),收复海州,委任徐晞稷负责州里的事务。

夏国占领金国会州,金国陕西行省与夏国人议和。

蒙古穆呼哩到了满城,派蒙古布哈带领三千轻骑出倒马关。适逢金国恒山公武仙派葛铁枪攻打台州,蒙古布哈与葛铁枪遭遇,葛战败,武仙献城投降。

史天倪劝说穆呼哩:"现在中原已经渐渐平定了,而大兵所过之处,仍然随意劫掠,这并不是行王道爱民征伐有罪的作为。况且大王为天下人除暴,怎么可以仿效其他军队的所作所为呢?"穆呼哩很高兴,下令禁止抢掠,把所俘虏的老幼都放走,军中纪律肃然。

九月,辛卯(初五),金国修成《章宗实录》。

夏国枢密院派宁子宁率领二十万军队包围巩州,并来催促宋朝出兵。

甲午(初八),王仕信率领军队从岩昌出发。乙未(初九),四川宣抚使司统制质俊、李实率领军队从下城出发。戊戌(十二日),安丙命各部将分路出兵,浭州都统张威从天水出兵,利州副都统程信从长道出兵,兴元都统陈立从大散关出兵,统制田胄从子午谷出兵,金州副都统陈昱从上津出兵。

己亥(十三日),张威下令,所将部属不得擅自进攻,各部将迟疑不敢前进。庚子(十四日),质俊等人攻克来远镇,在定远城打败了金人。辛丑(十五日),王仕信攻克了盐川镇。乙巳(十九日),程信、王仕信领兵马在巩州城下与夏国人会合。丁未(二十一日),攻城,没有攻克,于是往秦州进发。丙辰(三十日),夏国军队从安远寨退师。

冬季,十月,丁巳朔(初一),程信又邀请夏国出兵一起进攻秦州,夏国人不同意。程信于是从复羌城带兵返回,各路将帅也都停止进军。戊寅(二十二日),程信以宣抚司的名义在西和州将王仕信处斩,罢免张威官职。

蒙古太祖派达呼回报金国,对乌库哩仲端说:"以前想让你们国君把河朔之地给我,然后双方休战,你们国君不同意。现在看你们老远地来到这儿,河朔之地已被我方占有,关西还没有攻克的几个城池,割让给我方,让你们的国君作河南王,不要再违抗了。"

时青和叔父时全都是红袄贼,杨安儿、刘二祖失败后,时青承蒙赦免归顺,在军中效力,成为济州义军万户,后来依附李全前来归顺,被安置在龟山,手下有几万人。到这时,金国的元帅赫舍哩约赫德派人来招降时青,时青用书信乞求借邳州之地来安顿老幼,便将袭取盱眙,将淮南全部平定以赎前罪。金宣宗便任命时青为济州宣抚使,封为滕阳公,派他率领本处兵马,但没把邳州交给他。

十一月,丁亥朔(初一),金国易水公靖安民出兵到矾山,又攻取了檐车寨。蒙古兵马围住靖安民所居住的山寨,守寨提控马豹等人献出靖安民的妻子和孩子以及寨中老幼出来投降,靖安民军中的将士听说之后非常惊慌混乱,打算投降以保全眷属。靖安民及经历官赫端不同意,于是被杀害。

庚戌(二十四日),天刮大风。壬子(二十六日),临安府发生火灾。著作郎吴泳上书说:"京城发生的灾祸,在京城就可以看见;如果全国各地有什么灾祸的话,陛下也能见到吗?最残酷的事莫过于战争,而连年不停战,就比火灾还要严重;最苛刻的莫过于官吏了,而连年横征暴敛,就比火灾更凶猛。福建的百姓由于盗贼横生,很是困苦,浙江的百姓被水灾困扰,四川的百姓被战争困扰。朝廷既然不能清除横征暴敛的根源,下层行贿送礼的祸根又不能斩断,这就好像是一棵朽烂的树木,疾病使树叶脱落,树干内部干涸枯萎的样子就显现出来了。"

蒙古穆呼哩约束了士兵后,各州郡都很高兴地归附。于是率轻骑进入济南,严实带着他属下的二府、六州、三十万户到蒙古军门来投降,穆呼哩根据制度拜严行尚书省事。严实手下的将领李信乘着严实出去之时,杀了他的家属投降宋朝,严实向李信发起进攻,杀死李信。

当时,二十万金兵驻扎在黄陵冈,派步兵二万到济南袭击穆呼哩,穆呼哩迎战,打败了金兵,进逼黄陵冈。金兵在黄河的南岸排开阵势,穆呼哩命令骑兵下马,短兵相接。金兵大败,淹死的不计其数。穆呼哩乘胜攻陷黄陵冈,又占领了楚丘,从单州直奔东平,将东平包围。

蒙古国耶律楚材进呈《庚午元历》。耶律楚材精通术数的学问,特别对《太玄》有深入研究。每次蒙古太祖出征时,一定要让耶律楚材预先占卜吉凶,并自己烧烤羊胛骨来验证征兆,然后才出征。

涟水忠义军统辖石珪,因为进入涟水不是贾涉的本意,心中常常感到不安,李全又请求讨伐石珪。贾涉于是将李全的军队安排在楚州的南渡门,把淮阴的战舰调到淮安,向石珪表示已在防备他作乱。于是派一部将招募石珪的军队,归顺的人增加钱粮,不来的人停止供给,从此军心涣散。十二月,壬申(十六日),石珪杀掉裴渊,挟持孙武王、安德珍投降蒙古,穆呼哩任命石珪为元帅。石珪离去后,涟水的军士没有了归依,李全要求一并由他指挥,贾涉无法拒绝,便将涟水忠义军交给了李全。

镇江副都统翟朝宗在金国军队中得到一枚玺印,奉献给皇上,玺文为:"皇帝恭膺天命之宝。"

时青又从金国归附宋朝,任命为京东钤辖。

金兵顽强地守卫东平,穆呼哩对严实说:"东平粮食用光后,一定会弃城而去,你就进去,安抚百姓,不要骚扰郡县坏了统一大业的事。"留下苏噜克图,用蒙古军把守,任命严实代理行省事务。穆呼哩对千户萨里台说:"东平攻克后,可命令严实、石珪分守城内南部和北部。"于是穆呼哩返回北方。

金国礼部郎中穆延呼图赉,因为议论政事而与圣旨抵忤,金宣宗命令召集五品以上的官员当众指责他。完颜伯嘉进谏说:"自古以来的帝王,没有不想效法尧、舜而耻于作桀、纣的,因为尧、舜采纳批评,而桀、纣拒绝批评。所以说采纳批评的国家兴盛,拒绝批评的国家要灭亡。穆延呼图赉说得对,对他个人并没有好处,说得不对,对国家也没有损失。陛下要在朝廷上这样羞辱他,难道是想效法尧、舜吗?"

这年,蒙古太祖进攻西域蒲华城、寻思干城、斡脱罗儿城,都攻克了。

辽王耶律瑠格去世。蒙古国授命他的妻子姚里氏佩戴虎符,暂时管辖部下。

嘉定十四年 金兴定五年,蒙古太祖十六年(公元 1221 年)

春季,正月,甲午(初九),金国尚书省说:"《章宗实录》已经呈上,卫王的事迹,也应依照海陵庶人完颜亮实录的体例纂集成书,留给后世。"下诏批准。史官由于卫王事迹过去没有记载,很少有人能出来,前左丞贾益谦曾经侍奉过卫王,退休后在郑州,可派一个编修前去问他。贾益谦知道他的来意,对他说:"没有人比我更了解卫王的了。然而我听说,海陵被杀后世宗在位三十多年以来,凡能禁止左右之人说出海陵的恶行的,就可以得优厚的职务。所以当时的史官修纂的实录,多是牵强附会。卫王为人勤俭,对名节行为都很谨慎珍惜,用他的行事为人比较,很多中等才能的人都不如他。我了解的就是这样的情况,如果企图改变我的说法来构织他的罪恶的话,我又何必可惜我余下的生命呢!"朝廷的议论都认为他很了不起。

乙未(初十),地震。

由于李全从山东返回,赏赐六万缗钱。

丁酉(十二日),蒙古军队进攻天井关。

辛丑(十六日),白昼出现太白星。

乙巳(二十日),金国在蔡州集中了各道军队,命令布萨安贞率军南伐。

二月,辛未(十六日),布萨安贞从息州出发,驻扎在七里镇。宋朝军队占据净居山,金国调兵击败宋军,宋军退守在山寺,金兵放火烧了寺院,乘胜追击到洪门山,冲破了防御用的栅墙。宋军又守着黄土关,此关地势险要,素来很有防备,宋军坚守不出。布萨安贞派遣轻兵分为左右两军,偷偷地登山,另外用三千兵马直逼关门。第二天,左右两军在山顶相会,守关的军队溃败。布萨安贞的军队向前冲,攻克了梅林关,攻下了麻城,在团风造船,渡河未能成功,便包围黄州,分兵攻克各县,又派遣另外的将领去攻打汉阳军。

丁丑(二十二日),李全进攻金国泗州,赫舍哩约赫德援助泗州,李全兵败撤退。赫舍哩约赫德又逼近涡口,因军粮用尽而兵退。

甲申(三十日),诏令说:"淮东、京湖各路应该援助淮西沿江制置司,防守长江。"

三月,丙戌朔(初一),鄂州副都统扈再兴带兵攻打唐州。

黄州被金军包围,知州何大节将郡印佩在身上,以此发誓死守州城。丁亥(初二)晚上,士兵突然跑来报告:"城已被攻破了!"推拥着要他上车,刚走出城门,金军主力已入城了。何大节投江自尽。

庚寅(初五),出现彗星。

丙申(十一日),金国参知政事图克坦思忠晋升为尚书右丞,任命太子詹事布萨毅夫为参知政事。

金宣宗告诫大臣们说:"现在奉御旨任职的人,大多不留心去采访外面的事。听说章宗的时候,近侍人员已满,根据他们采访事务的多少来确定升降。现在也应参照这种做法,规定考核奖惩之法,来激励他们去效力。"

乙亥(十四日),金国布萨安贞攻占蕲州,知州李诚之的家人都投水而死,然后本人自杀,所属官员也大都以身殉职。诏令追赠褒奖,在蕲州修庙祭祀。

癸丑(十八日),金国退军,扈再兴半路截击,在天长镇击败金军。

续资治通鉴卷第一百六十二

【原文】

宋纪一百六十二　起重光大荒落【辛巳】四月，尽阏逢涒滩【甲申】十二月，凡三年有奇。

宁宗法天备道纯德茂功　仁文哲武圣睿恭孝皇帝

嘉定十四年　金兴定五年，蒙古太祖十六年【辛巳，1221】　夏，四月，乙卯，复置诸王宫大小学教授。

乙丑，命任子帝试于御史台。

戊辰，金人渡淮北去，李全遣兵追击，败之。

〔己未〕，金东莒公燕宁与蒙古兵战，败死。山东行省言："宁所居天胜寨据险，宁死，众无所归，权署其提控孙邦佐为招抚使。"

壬申，金左副元帅布萨安贞，以所俘宋宗室男女七十馀口献于汴都。安贞获宋壮士，辄释不杀，用其策有功。金主谓宰臣曰："安贞将略固善矣，此辈得无思归乎？南京密迩宋境，此辈既不可尽杀，驱之境上遣归，何如？"宰臣莫对。

五月，甲申朔，日有食之。

壬辰，史弥远等上《孝宗宝训》《皇帝会要》。

丙申，西川地震。

蒙古久围东平，饷道绝，金行省蒙古纲奏请移军于河南，金主命百官议。御史大夫赫舍哩呼图克们等曰："金城汤池，非粟不守。东平孤城无援，万一失之，则官吏兵民俱尽，宜徙之河南以助防秋。"翰林待制穆延阿固岱曰："不然。车驾南迁，恃大河以为险，大河以东平为藩篱，今乃弃之，则大河不足恃矣。兵以将为主，将以心为主；纲心已摇，不可使守，宜别遣行省规画军食。"金主不能决。枢密院议纲内徙行省邳州，监军王庭玉屯黄陵冈。纲率众南走，蒙古索噜呼图邀击之，斩七千馀级，纲以数百骑遁去。严实入城，建行省于府第，萨尔达以穆呼哩命，中分其城，以严实抚安东平以北恩、博等州，石珪移治曹州。于是金不复能守山东矣。

六月，丙寅，诏以皇侄福州观察使贵和为皇子。

初，帝以景献太子卒，国本未立，选太祖十世孙年十五以上者，教育宫中，如高宗择普安、恩平故事。至是遂立为皇子，更名竑，进封祁国公。

乙亥，以宗室子与莒为秉义郎。与莒，燕懿王德昭之后，希瓐子也，母全氏，家于绍兴之山阴。

初，庆元人余天锡，为史弥远童子师，性谨愿，弥远器重之。皇子竑之立，非弥远意，欲有所废立，以沂王置後为名，阴求宗室中可立者，以备皇子之选。天锡适还秋试，弥远密语之曰："沂王无後，宗子贤愿者具以来。"天锡舟抵越西门，天大雨，避全保长家，保长知其为丞相客，治具甚肃。有二子侍立，天锡问之，保长曰："此吾外孙也。日者言二儿后极贵。"问其姓，长曰赵与莒，次曰与芮。天锡还临安，以告弥远。弥远命召二子来，保长喜，鬻田，治衣冠，集姻党送之，且诧其遇。弥远善相人，及见，大奇之，恐事泄，遽使归。保长大惭，其乡人亦窃笑之。逾年，弥远谓天锡曰："二子可复来乎？"天锡召之，保长谢不遣。弥远乃使天锡密谕保长曰："二子，长者最贵，宜还抚于其父家。"遂载至临安。及竑立为皇子，乃补与莒秉义郎，赐名贵诚，年十七矣。

军器监丰城范应旂，尝因召见言曰："国事大且急者，储贰为先。陛下不断自宸衷，徒眩惑于左右近习之言，转移于宫庭嫔御之见，失今不图，奸臣乘夜半，片纸或从中出，忠义之士，束手无策矣。"帝为之动容而不能用。

戊寅，金杀其左副元帅兼枢密副使布萨安贞。安贞先为尚书省所劾，金主谓平章政事英王守纯曰："国家诛一大臣，必合天下后世公议，其令覆案之。"初，安贞忧谗，尝以金玉带遗近侍局，为近侍局所发；又以安贞获宋宗室不杀，诬为谋叛奔宋。下诏数其罪，并其二子杀之。以其祖忠义、父揆有大功，免兄弟缘坐。安贞之典兵征伐也，每自叹曰："三世为将，道家所忌。"至是果及于难。

己卯，金越王永功薨，谥忠简。永功勇健绝人，涉书史。子璹，博学有俊才。金之南迁也，诸王宗室颠沛奔走，璹独载其书以从。时诸王之禁犹严，璹潜与士大夫吟咏倡酬，不敢明白往来。永功薨后，禁稍弛，璹始得与文士杨云翼、赵秉文、元好问等相交善，然只奉朝请，不语及时事。

是月，金上党公张开以厚赏诱晋阳公郭文振之将士，颇有亡归者。诏分辽、潞粟赈太原饥民，开不与，文振奏其事，金主遣使谕以"各守疆土，同心济难，毋以细故启衅端，误国事。"

是夏，蒙古主驻铁门关。

遣苟梦玉通好于蒙古，蒙古旋遣使来报。

秋，七月，己亥，金义勇军叛，据砀山，旋袭永城，行军副总领高琬败之。金主命蒙古纲并力进讨。

辛丑，以赵方为京湖制置大使，贾涉为淮东制置使，兼京东、河北路节制使。

丁未，修《光宗宝训》。

八月，乙卯，知枢密院事任希夷罢。

赐史弥远家庙。

壬戌，以兵部尚书宣(绘)〔缯〕同知枢密院事，给事中俞应符签书枢密院事。

乙丑，追封史浩为越王，改谥忠定，配享孝宗庙廷。

京湖制置大使赵方卒。方先知青阳县，告其守史弥远曰："催科不扰，是催科中抚字；刑罚无差，是刑罚中教化。"人以为名言。守襄、汉十年，以战为守，合官民兵为一体，通总制司为一家，许国之忠，应变之略，隐然有樽俎折冲之风，故金人南侵，淮、蜀大困，而京西独全。既殁，人皆思之。

先是金贾益谦建言："汴之形势，惟恃大河。今河朔受兵，群盗并起，宜严河禁以备不虞。凡自北来而无公凭者，勿听渡。"是月，金主谕枢密院曰："河北艰食，贫民欲南来者日益多，速令渡之,毋致殍死!"

九月,癸未,立果州团练使贵诚为沂靖惠王後。贵诚凝重寡言,洁修好学,每朝参待漏,他人或笑语,贵诚独俨然;出入殿庭,矩度有常,见者敛容。史弥远益异之。

金南渡后,监察御史多被的决,参知政事张行信上言曰:"大定间,监察坐罪,大抵收赎,或至夺俸,重则外降而已;间有的决者,皆有为而然,当时执政程辉已面论其非。近日无论事之大小,情之轻重,一概的决,以为大定故实,先朝明训,过矣。"甲申,金主命尚书省更定监察罪名。

己丑,朝献景灵宫,庚寅,朝飨太庙。辛卯,合祭天地于明堂,大赦。

冬,十月,复沧州。

甲寅,复以齐州为济南府,兖州为袭庆府。

丙寅,夏人复以书至四川,趣会师伐金。

初,蒙古太师、国王穆呼哩由东胜州涉河,引兵而西。夏主闻之惧,遣塔尔海监府等宴穆呼哩于河南,且遣塔海甘布将兵五万属焉。至是穆呼哩引兵东行入葭州,金将王公佐遁,穆呼哩以石天应权行台守葭,而自将攻绥德,破马蹄、克戎两寨,夏主遣玛尔布帅众会之。玛尔布问穆呼哩相见之仪,穆呼哩曰:"汝见汝王,即其礼也。"玛尔布曰:"未受主命,不敢拜。"乃引众去。

十一月,穆呼哩进攻延安,玛尔布始质马而拜。金元帅哈达与纳迈珠御之。哈达以兵三万陈于城东,蒙古将蒙古布哈先以骑士三千趣之。夜半,穆呼哩命军士衔枚潜进,伏于城东两谷中。次日,蒙古布哈望见金兵,佯弃旗鼓走,金兵追之;穆呼哩出伏乘其后,鼓鼙震天,金兵大乱,穆呼哩追杀七千馀人。哈达走入延安城,坚壁不出。穆呼哩以城池坚深,猝不可拔,乃留军围之,而自将兵徇鄜、坊等州。

庚寅,金募民兴南阳水田。

己亥,四川宣抚使安丙卒。命崔与之为四川制置使以代之。丙握重兵久,每忌蜀帅之自东南来者,诸将多不协和。与之开诚布公,戒以同心体国之大义,人人悦服,军政始立。

金邳州行省蒙古纲言:"宿州连年饥馑,加之重敛,百姓离散。镇防军遽征逋课,窘迫凌辱,有甚于官,百姓不胜其酷,皆怀报复之心。武夫不识缓急,乃至于此。请一切所负并令停止,俟明年夏秋收成征还,军人可量增廪给。"辛丑,金主命蠲徐、邳、宿、泗等州逋租,官吏有能垦辟闲田,除来年科征,归、亳、寿、颍停阁逋户租外,仍蠲三之一。逋户田庐,有司募民承业,禁其毁损,以俟来复。

京东安抚张林叛,降于蒙古。

先是李全既并将涟水忠义,益骄悍,轻朝廷。尝游金山,作佛事以荐国殇,知镇江府乔简以方舟逆全,大合乐以享之。全归,语其徒曰:"江南佳丽无比,须与若等一到。"始造舼艇舟,谋争舟楫之利。

胶西当登、宁海之冲,百货辐辏,全使其兄福守之为窟宅。时互市始通,北人尤重南货,价增十倍。全诱商人至(阳山)〔山阳〕,以舟(俘)〔浮〕其货而中分之,自淮转海,达于胶西。福又具车辇之,而税其半,乃听往诸郡贸易,车夫皆督办于张林,林不能堪。林财计仰六盐场,福恃弟有恩于林,欲分其半,林许福恣取盐而不分场,福怒曰:"若背恩耶?待与都统提兵取若头耳!"林惧,其党李马儿说林叛,林遂以京东诸郡请降于蒙古。穆呼哩以林行山东东路益都、沧、景、宾、棣等州都元帅府事。福狼狈走还楚州。

十二月，庚申，知枢密院事郑昭先罢。

金伊喇福僧尝言："自永安用兵，军中置监战官，论议之间，动相矛盾，不惩其失，反以为法。若辈平居皆选材勇自卫，一旦有急，驱疲懦出战，宁不败事？罢之为便。"辛未，罢行总管府及招讨统军检察等司。

闰月，辛巳朔，以宣（绘）〔缯〕兼参知政事，俞应符兼权参知政事。

蒙古攻金郿州，节度使完颜禄锦、都统赫舍哩鹤寿、富察洛索皆死之。时石天应擒送金骁将张铁枪，穆呼哩责其不降，厉声答曰："我受国家厚恩二十馀年，今有死而已！"穆呼哩义之，欲解其缚；诸将怒其不屈，遂遇害。

蒙古取金坊州。

壬寅，金以陈、亳等州、鹿邑、城父诸县盗蜂起，趣枢府遣官讨之。

己酉，金更造兴定宝泉，每一贯当通宝四百贯。

是岁，蒙古主及皇子卓沁、察罕台、谔格德依攻下西域玉龙哈实等十馀城。

嘉定十五年　金元光元年，蒙古太祖十七年【壬午，1222】　春，正月，庚戌朔，御大庆殿，受恭膺天命之宝。先是翟朝宗得玺，献于朝，既而赵拱又得玉印，文与前玺同而加大。朝廷喜，受之，行庆贺礼，大赦。

贾涉移书史弥远，谓："天意隐而难知，人事切而易见。当思今日人事，尚未有可答天意者。昔之患不过于金。今之患又有山东忠义与北边，宜亟图之。"弥远不怿。

辛亥，金元帅惟弼破红袄贼于张骞店。

丁巳，诏抚谕山东、河北将帅官吏。

壬午，金遣官垦种京东、西、南三路水田。

金行省参知政事巴图鲁罢知河南府，以去岁延安被围，屡请益兵故也。陕西西路转运瓜勒佳德新上言曰："伏见知河中府巴图鲁，廉直忠孝，公家之利，知无不为，实朝廷之良臣也。去岁兵入延安，巴图鲁遣将调兵，城赖以完，不为无功。今哈达、迈珠各授世封，而巴图鲁改知河中府。窃谓方今用人之时，使谋略之臣不获展力，缓急或失事机。诚宜复行省之任，使与承裔共守京兆，令哈达、迈珠捍御延安，以藩卫河南，则内外安矣。"不报。

二月，秘书郎何澹言："有司出题，强裂句读，专务断章，破碎经文。宜令革去旧习，使士子明纲领而识体要，考注疏而辨异同。"从之。

戊申，金恒州军变，万户呼延械等十馀人，杀掠城中，焚庐舍而去。

金主以岁币既绝，国用空虚，己酉，遣左监军额尔克行元帅府事，节制三路军马南伐，同签书枢密院事时全副之。

三月，丁巳，赈江西州县旱伤。

戊辰，金枢密院差委官贾天安上书言利害，不报。

时方议兴南伐之师，翰林学士杨云翼言于金主曰："今之事势，与泰和不同。泰和以冬征，今将以夏往，此天时之不同也。冬则水涸而陆多，夏则水潦而涂淖，此地利之不同也。泰和举天下全力，驱乣军以为前锋，今能之乎？此人事之不同也。议者徒见泰和之易，而不知今日之难。请以夏人观之，向日弓箭之手在西边者，则搏而战，袒而射，彼已奔北之不暇，今乃陷吾城而掳守臣，败吾军而擒主将；曩则畏我如彼，今日侮我如此。夫以夏人既非前日，奈

3873

何谓宋人独如前日哉！愿陛下思其胜之之利，又思其败之之害，无悦甘言，无贻后悔。"金主不省。

金翰林侍讲学士完颜伯嘉，坐言事过切，降遥授同知归德府事。伯嘉纯直，不能与时低昂，尝曰："生为男子，当益国泽民，其它不可学也。"高汝砺方希宠，固相位，伯嘉论事辄与之忤，故贬。

壬申，金右丞图克坦思忠以病马输官，冒取高价，御史劾之。有司以监主自盗论死，金主命降授陈州防御使。

癸酉，金提控李师林败夏人于永木岭。

夏，四月，辛巳，金置大司农司，设大司农卿、少卿、丞，京东、西、南三路置行司，并兼采访事。

壬午，蒙古兵攻金陵州县。

金额尔克、时全等由颍、寿渡淮，败南军于高塘市，攻固始县，破庐州将焦思忠兵。丁未，以捷闻。既而获生口，言时全之侄青，受宋诏与全兵相拒，匿其事。五月，额尔克引众还，距淮二十里，诸军将渡，全矫称密诏，诸军且留收淮南麦。遂下令，人获三石以给军，众惑之。留三日，额尔克谓全曰："今淮水浅狭，可以速济。若值暴涨，宋乘其后，将不得完归矣。"全力拒之。是夕，大雨，淮果暴涨，乃为桥以渡；南军袭之，全兵大败。桥坏，全以轻舟先济，士卒皆覆没，金之兵财由是大竭。金主诏数全罪，诛之。

庚戌，太白昼见。

丁巳，进封皇子祁国公竑为济国公，以沂王嗣子贵诚为邵州防御使。

竑好鼓琴，史弥远买美人善鼓琴者纳诸竑，而厚抚其家，使瞯竑动息。美人知书慧黠，竑嬖之。时杨皇后专国政，弥远用事久，宰执、侍从、台谏、藩阃皆所引荐，权势熏灼，竑心不能平，尝书杨后及弥远之事于几上，曰："弥远当决配八千里。"宫壁有舆地图，竑指琼、厓曰："它日当置史弥远于此。"美人以告弥远。竑又尝呼弥远为"新恩"，以它日非新州则恩州也。弥远闻之，因七月七日，进乞巧奇玩以觇其意，竑乘醉碎之于地。弥远大惧，日夜思以倾竑，而竑不知。真德秀时兼宫教，谏竑曰："皇子若能孝于慈母而敬大臣，则天命归之，否则深可虑也。"竑不听。

一日，弥远为其父浩饭僧净慈寺，与国子学录郑清之登慧日阁，屏人语曰："皇子不堪负荷，闻后沂邸者甚贤，今欲择讲官，君其善训导之，事成，弥远之座即君座也。然言出于弥远之口，入于君之耳，一语泄，吾与君皆族矣！"清之曰："不敢。"乃以清之兼魏惠宪王府学教授。清之日教贵诚为文，又购高宗御书，俾习焉。清之谒弥远，即示以贵诚诗文翰墨，誉之不容口。弥远尝问清之曰："吾闻皇侄之贤已熟，要竟何如？"清之曰："其人之贤，更仆不能数，然一言以断之，曰'不凡'。"弥远颔之再三，遂坚定策之意。乃日媒孽竑之失于帝，觊帝废竑立贵诚，而帝懵然不悟。真德秀闻其事，力辞去，临行，复以前言进于竑，竟不听。

壬戌，知济南府种赟讨张林，林败走。李全入青州，据之。

蒙古兵屯隰、吉、翼等州。

丁卯，金主敕尚书省曰："前平章胥鼎、左丞贾益谦等，皆致仕老臣，经练国事，当邀赴省，与议利害。仍遣侍官谕意。"

六月，戊寅朔，金造舟运陕西粮，由大庆关渡抵湖城。

癸未，金大赦。陈州防御使吕子羽坐乏军兴自尽。

辛卯，签书枢密院事俞应符卒。

丁酉，红袄贼掠柳子镇，驱百姓及驿马而去，金提控张瑀追击，夺所掠还。伪监军王二据黎阳，金提控王泉讨之，复其城。

金召巴图鲁为大司农。巴图鲁言："近京寇盗扰攘，民不得获，宜早处置。"

金晋阳公郭文振奏："河朔受兵有年矣，向皆秋来春去，今已盛暑不回，且不嗜戕杀，恣民耕稼，此殆不可测也。枢府每檄臣会合府兵进战，公府虽号分封，力实单弱，且不相统摄，方自保不暇。朝廷不即遣兵为援，臣恐人心以为举弃河北，甚非计也。前平章政事胥鼎，才兼将相，威望甚隆，向行省河东，人乐为用，今虽致仕，精力未衰，乞付重兵，使总制公府，同力战御，庶几人皆响应，易为恢复。"

秋，七月，蒙古穆呼哩令蒙古布哈引兵出秦、陇以张声势，视山川险要。乃自率兵道云中，攻下孟州四蹄寨，迁其民于州；拔晋阳义和寨；进克三清岩；入霍州山堡，迁其人于赵城。攻青龙堡，金平阳公胡天作拒守，势甚危急，金主诏上党公张开及郭文振等救之，次弹平寨东三十里，不得进。裨将富察鼎珠、监军王和开壁降，执天作，迁于平阳。穆呼哩令昂吉屯晋阳、冀州之境。

丙辰，金张开复泽州。

甲子，诏江淮、荆襄、四川制置、监司条画营田。

戊辰，红袄贼袭徐州之十八里寨，又袭古城桃园，金人击败之。

乙亥，太白昼见，经天，与日争光。

八月，己卯，彗星出于氐。蒙古耶律楚材谓其主曰："女真将易主矣。"隐士乔静真告穆呼哩曰："今观天象，未可征进。"穆呼哩曰："主上命我平定中原，今河北虽平，而河南、秦、巩未下，若因天象而不进兵，天下何时定耶？"

甲申，金以彗星见，改元元光，大赦。

金以巴图鲁为参知政事。金主谓之曰："卿顷为大司农，巡行郡县。盗贼如何可息？"对曰："盗贼之多，由赋役多也，赋役省则盗贼息。"金主曰："朕固省之矣。"巴图鲁曰："如行院、帅府扰之何？"金主曰："司农既兼采访，自今其令禁止之。"

癸巳，金河间公伊喇重嘉努、高阳公张甫复河间府。

夏人攻金德顺，旋又掠其神林堡。

九月，大名忠义彭义斌复京东州县，严实将晁海以青崖坰降。

辛亥，以宣缯参知政事，给事中程卓同知枢密院事，吏部尚书薛极赐出身，签书枢密院事。

壬戌，彗星没。辛未，太白昼见。

冬，十月，壬午，张惠攻金之零子镇，为金人所败。

癸未，金王庭玉复曹州，杀蒙古将石珪。

乙未，蒙古穆呼哩兵下荣州之湖壁垒及临晋。时吉州残破，金人于牛心寨侨治州事。穆呼哩自隰州攻之。知州杨贞，令妻孥先坠崖死，己从之。

穆呼哩入寨，留兵以守，进攻河中府。治中侯小叔，尽护农民入城，以家财赏战士。提控吴得说小叔出降，叱出斩之。小叔有表兄张先，从容言敌兵势重，可出降以保妻子，小叔怒曰:"我舟人子,致身至此,何为出降!"缚先于柱而杀之。小叔由延津水手从军,叠见拔擢,故感激尽力如此。顷之,枢密院遣人来议兵事,小叔出城会之,城遂陷。小叔退保乐李山寨。

蒙古都元帅石天应,自葭州谒穆呼哩于汾水东,穆呼哩谓之曰:"河中为河东要郡,择守者,非君不可。"乃以天应权行台,平阳、太原、吉、隰等帅并受节制。

石天应还葭州,谓其将佐曰:"吾累卿等留屯于此,河中东、西,皆平川旷野,可以驻军规取关陕,诸君以为何如?"或谏曰:"河中虽用武之地,南有潼关,西有京兆,皆金军所屯;且民新附,其心未一,守之恐不易。"天应曰:"葭州(止)〔正〕通鄜、延,今鄜已平,延不孤立。若发国书令夏人取之,犹掌中物耳。且国家之急,本在河南。此州路险地僻,转饷甚难。河中虽迫于二镇,实用武立功之地,北接汾、晋,西连同、华,地五千馀里,户数十万,若起漕运以通馈饷,则关内可克期而定,关内既定,长河以南,在吾目中矣。吾年垂六十,老耄将至,一旦卧病床(第)〔笫〕,闻后生辈立功名,死不瞑目矣。男儿要当死战阵以报国耳!"遂移军河中。

甲辰,金以京兆官民避兵南山者多至百万,诏兼同知府事完颜霆安抚之。

蒙古穆呼哩渡河攻同州,十一月,丁未,拔之,金节度使李复亨、同知节度使完颜额尔克并自尽。穆呼哩遂下蒲城,径趋长安,金京兆行省完颜哈达拥兵二十万,固守不下。戊辰,穆呼哩令蒙古布哈攻凤翔。

十二月,乙亥朔,发米赈临安贫民。

金主谓太子曰:"吾尝夜思天下事,必索烛以记,明而即行。汝亦当然。"

金以侯小叔权元帅府右都监,便宜行事。

胡天作既为蒙古所执,受官爵,佩虎符,金主使张开、郭文振招之。天作至济源,欲脱走,先遣人奉表南京;穆呼哩恶其反覆,诛之。乙酉,金以同知平阳府事史咏为龙虎卫上将军、权行平阳公府事。

丁亥,以李全为保宁军节度使、京东路镇抚副使。初,全有战功,史弥远欲加全官爵,贾涉止之。及是涉叹曰:"朝廷但知官爵可以得其心,宁知骄之将至于不可劝耶!"

金主谕近侍局曰:"奉御、奉职,皆少年不知书,朕忆曩时置说书人,日为讲论自古君臣父子之教,使知所以事上者。其复置。"

己丑,金简州提控唐古昉败夏人于质孤垒。

蒙古穆呼哩自将大军攻凤翔。

是岁,蒙古皇子图垒克西域图斯尼、察乌尔等城,还经(大)〔木〕喇伊国,大掠之。渡素克兰河,克额里等城,遂与蒙古主会,合兵攻塔尔哈寨,拔之。西域主塔贲鼎出奔,与弥勒汗合,呼图呼与之战,不利,蒙古主自将击之,擒弥勒汗。塔贲鼎遁去,遣巴喇追之,不获;进薄回回国,其王委国而去,逃匿海屿死。

嘉定十六年 金元光二年,蒙古太祖十八年【癸未,1223】

春,正月,戊申,诏命官犯赃毋免约法。蒙古穆呼哩围凤翔,东自扶风、岐山,西连汧、陇,数百里间,皆具营栅。

先是金主以凤翔守将完颜仲元孤军不足恃,遣平西军节度使特嘉喀齐喀援之。及围急,以同知临洮府郭斌总领军事。斌长于应变,自冬涉春四十馀日,守御不懈。尝从喀齐喀巡城壕外,一人坐胡床,以箭力所不及,气貌若蔑视城守者。喀齐喀指示斌曰:"能射之乎?"斌测量远近,曰:"可。"斌平时发矢,伺腋下甲不掩处射之,无不中,即持弓矢,伺坐者举肘,一发而毙,蒙古为之夺气。喀齐喀以便宜擢斌为通远军节度使。斌,会州人也。

穆呼哩以围久不下,谓诸将曰:"吾奉命专征,不数年取辽西、辽东、山东、河北,不遗馀力;前攻天平、延安,今攻凤翔,皆不下,岂吾命将尽耶?"乃解围,循渭水南,遣蒙古布哈南越牛岭关,徇凤州而还。

蒙古石天应作浮桥以通陕西,金侯小叔自中条率山寨兵袭河中。天应遣骁将吴泽引兵五百,夜出东门,伏两谷间,戒之曰:"俟贼过半,急击之,我出其前,尔攻其后,可也。"泽勇而嗜酒,是夕,方醉卧林中,小叔由间道直抵城下,守兵多新附者,争缒而去。小叔坎城登,焚楼橹,天应仓卒搏战,左右从者四十馀骑,皆曰:"吴泽误我!"或劝西渡河,天应曰:"先时人谏我南迁,我违众而来;今事急弃去,是不武也。纵太师不罪我,我何面目以见同列,今日惟死而已。"少顷,金兵四合,天应饮血力战至日午,死之。小叔遂烧绝浮桥,抚定其众。迁昭毅大将军。

甲寅,金主谓宰臣曰:"向有人言便宜事,卿等屡奏乞作中旨行之。帝王从谏足矣,岂可掠人之美以为己出哉?"戊午,又谕曰:"鬻爵恩例,有丁忧官得起复者,是教人以不孝也,何为著此令哉!"

蒙古兵十万围河中,金总帅额尔克遣提控孙昌率兵五千,枢密副使完颜萨布遣李仁智率兵三千,俱来救,侯小叔期以夜中鸣钲,内外相应。及期,小叔出兵战,昌、仁智不敢动,小叔敛众入城。围益急,众议出保山寨,小叔曰:"去何之?"密遣经历官张思祖溃围出,奔告南京。丁卯,城破,小叔死之。

穆呼哩闻石天应战殁,痛惜之,命其子乌格袭领其众。将渡河,桥梁已断,穆呼哩顾诸将曰:"桥未毕工,安可坐待乎?"复攻下河西堡寨十馀。

二月,壬午,金主诏曰:"军官犯罪,旧制更不任用。今多故之秋,人才难得,朕欲除大罪外,徒刑、追配,有武艺可掌兵者,量才复用,尚书省集议以闻。"丁亥,大赦。

己丑,嗣秀王师禹卒,追封和王。

三月,戊申,张林以所部邢、德来归,诏进三官,复以为京东东路副总管。

甲寅,金主谓宰臣曰:"人有才堪任事而处心不正者,终不足贵。"高汝砺曰:"其心不正而济之以才,所谓虎而翼也。"金主又曰:"凡人处心善良而行事忠实,斯为难得。然善良者,人多目为平常。"汝砺曰:"人材少全,亦随其所长取之耳。"

金以邳州经略司隶蒙古纲,令募勇敢收复山东。

蒙古太师、国王穆呼哩渡河还闻喜。病笃,召其弟岱逊曰:"我为国家助成大业,擐甲执锐,垂四十年,东征西讨,无复遗恨,第恨汴京未下耳。汝其勉之!"

穆呼哩沈毅多智略,善射,与博尔济、博勒呼、齐拉衮并随蒙古主起事。蒙古主尝失利,大雪,失牙帐所在,夜卧草泽中。穆呼哩、博尔济张毡蔽之,自暮达晓不移足。博尔济位终右万户,博勒呼以第一千户殁于阵,唯穆呼哩勋绩最著,然当时称四人佐命功无异词。

金以完颜伯嘉权参知政事,行省河中,与史咏图复河东。夏,四月,癸酉朔,复霍州汾西县。

五月,癸卯朔,金始造元光重宝。

丙午,金复河中府及荣州。

戊申,赐礼部进士蒋重珍以下五百四十九人及第、出身。

3877

乙卯，金复霍州及洪洞县。

丁巳，金造元光珍宝，同银行用。

金主问宰执以修完楼橹事，高汝砺言所用皆大木，顾今难得，方令计置，金主曰："朕宫中别殿有可用者即用之。"汝砺对以不宜毁，金主曰："所居之外，毁亦何害？不愈于劳民远致乎？"

蒙古主避暑于八鲁湾川，分兵攻诸部落之近者，悉下之，至昆寨，与诸将会。以西域渐定，始置达噜噶齐于各城监治之。达噜噶齐，犹言掌印官也。

六月，壬午，淮东制置使贾涉，以李全骄暴难制，力求还朝，在道卒。

初，涉欲（制）〔置〕忠义兵，乃以翟朝宗统镇江副司八千人，屯楚州城中；又分帐前忠义万人，命赵邦永、高友统五千，屯城西；王晖、于潭统五千，屯淮阴。李全轻镇江兵而忌帐前忠义，乃数称高友等勇，出军必请以自随，涉不许。全每宴麾下，并召涉帐前将校，于是帐前亦愿隶全，然未能合也。及涉卒，邱寿迈摄帅事，全请曰："忠义乌合，尺籍卤莽，莫若别置新籍，一纳诸朝，一申制阃，一留全所，庶功过有考，请给无弊。"寿迈从之。全乃合帐前忠义与己军并隶之，而并统其军，寿迈不悟。

戊子，金遣人招李全、严实、张林，从蒙古纲之言也。

金完颜伯嘉卒。

甲午，金主命罢河中行省，置元帅府。时州县多残破，金人不能守，徙郭文振于孟州，未几，又徙卫州。

丁酉，同知枢密院事程卓卒。

秋，七月，壬寅朔，夏人攻金积石州。

乙巳，金遣兵守卫解州盐池。

金蒙古纲御下严，八月，辛未朔，邳州从宜经略使纳哈塔陆格，率众入行省杀纲，据州反；与蒙古将李二措致书海州，言欲来附，李全遣王喜儿以兵二千应接，而己继之，二措纳喜儿，囚之。全欲攻邳，四面限水，二措积劲弩备之。全不得进，合兵索战而败，欲还楚州，会滨、棣有乱，乃引兵趋青州。金行院总帅赫舍哩约赫德讨杀陆格，复其城。

九月，庚子朔，日有食之。

丁卯，金权御史中丞师安石等劾英王守纯不实，付有司鞫治。诏免罪，仍谕责之。

冬，十月，己卯，金祫于太庙。

十一月，辛亥，以太平州大水，赈恤之。

十二月，以前淮西都统许国为淮东制置使，兼知楚州。国奉祠家居，欲倾贾涉而代之，数言李全必反。会涉死，召国入对，国疏全奸谋益深，反状已著，非有豪杰不能消弭。遂易国文阶，授今官，命下，闻者惊愕。淮东参幕徐晞稷，雅意开阃，及闻国见用，乃注释国疏以寄全，全不乐。

癸未，嗣濮王不凌卒。

庚寅，金主殂，年六十一，太子守绪即皇帝位。

金主疾革，时已暮夜，近臣皆出，惟前朝资明夫人郑氏，已老，侍侧，金主知其可托，谓之曰："速召太子，举后事。"言绝而殂，夫人秘之。是夕，皇后及贵妃庞氏问安寝阁，庞氏阴狡机慧，常以其子英王守纯年长不得立怀怨。郑氏恐其为变，即绐之曰："上方更衣，后妃可少休它室。"伺其人,遽钥之。急召大臣,传遗诏,立皇太子守绪,始启户出后妃,发丧。太子方入宫,守纯已先至。太子知之,分遣枢密院官及东宫亲卫军官伊喇布哈,集军三万馀于东华门。部署既定,命护卫四人监守纯于近侍局,乃即位枢前,宣遗诏。

壬辰,金大赦,诏曰:"朕述先帝之遗意,有便于时,欲行而未及者,悉奉而行之。国家已有定制,有司往往以情破法,使人妄遭刑宪。今后有本条而不遵者,以故入人罪罪之。草泽士庶,许令直言军国利害,虽涉讥讽、无可采取者,并不坐罪。"

蒙古兵攻夏,夏主遵顼传国于其子德旺,改元乾定。遵顼自号上皇。

蒙古苏布特击奇彻,大掠西番边部而还。

嘉定十七年　金正大元年,蒙古太祖十九年【甲申,1224】

春,正月,戊戌朔,诏补先圣裔孔元用为通直郎。录程颐后。

金改元正大。

庚子,金秘书监、权吏部侍郎富察哈珠,出为恒州刺史。哈珠以吏起身,为宣宗所信,声势烜赫,性复残刻,与王阿哩、富察耀珠有宣朝三贼之目,人知其蠹国而莫敢言。至是外贬,士大夫为之相贺。

金邠州贡白兔,金主曰:"得贤辅佐,年谷丰登,上瑞也,焉事此为!"命有司给道里费,纵之。

丁巳,金主命群臣议修复河中府,礼部尚书赵秉文、太常卿杨云翼等,言陕西民方疲敝,未堪力役,遂止。

戊午,金尊皇后都察氏、元妃都察氏皆为皇太后,号其宫一曰仁圣,一曰慈圣。进封英王守纯为荆王,罢平章政事,判睦亲府。以大司农守汝州防御使李蹊为太常卿,权参知政事。

癸亥,命淮东、西、湖北路转运司提督营屯田。

金有男子服麻衣,望承天门且笑且哭,诘之,则曰:"吾笑,笑将相无人;吾哭,哭金国将亡。"群臣请置重典,金主不许,曰:"近诏草泽诸人直言,虽涉讥讪不坐。唯君门非笑哭之所,宜重杖遣之。"

二月,癸巳,蠲台州逋赋。

甲午,命临安府赈贫民。

金丞相高汝砺,老而贪位不去,金主初立,谏官劾其欺君固位,为天下所共嫉,宜黜之以厉百官,金主不许。三月,辛亥,薨。汝砺以慎密廉洁结人主知,然循默避事,为士论所讥。

癸丑,金葬宣宗于德陵。

甲寅,金起复邠州节度使致仕张行信为左丞,以延安帅臣完颜哈达战御有功,权参知政事,行尚书省于京兆。

金荆王守纯,或告其谋不轨,下狱。议已决,金主言于慈圣太后,太后曰:"汝止一兄,奈何以谗言欲害之? 章宗杀伯与叔,享年不永,皇嗣又绝,何为欲效之耶? 趣赦出,使来见我。移时不至,吾不见汝矣!"金主起,太后立待守纯至,涕泣慰谕之。

是月,召四川制置使崔与之为礼部尚书,以郑损代之。与之治蜀,将士辑睦,府藏充实,至是被召,以疾辞,归广州,蜀人祠焉。

夏,四月,癸酉,金以宣宗祔庙,大赦。

辛卯,赈庐州饥。

乙未,赐李全、彭义斌钱三十万缗,为犒赏战士费。

五月,戊戌,金平章政事巴图鲁薨,赠右丞相、东平郡王。巴图鲁为人忠实,忧国奉公;其殁也,人皆嗟惜之。

癸卯,金以枢密副使完颜萨布为平章政事,参知政事特嘉尉忻为右丞,以李蹊为翰林承旨,仍权参政。

戊申,金诏刑部:"登闻检鼓院毋锁闭防护,听有冤者陈诉。"

六月,丁卯朔,太白昼见经天。

辛卯,金立妃图克坦氏为皇后。

金先遣尚书令史李唐英至滁州通好,至是复遣枢密判官伊喇布哈至光州榜谕,更不南侵。

壬辰,金大名府苏椿等举城来归,诏悉补官,即以其州授之。

彭义斌侵河北,至恩州,为蒙古史天倪所败。

秋,七月,丁酉朔,赈福建被水贫民。

辛亥,命师喦嗣秀王。

八月,丙戌,帝不豫。史弥远遣郑清之往沂王府,告贵诚以将立之意,贵诚默然不应。清之曰:"丞相以清之从游久,故使布腹心,今不答一语,则清之将何以答丞相?"贵诚始拱手徐言曰:"绍兴老母在。"清之以告,弥远益相与叹其不凡。

壬辰,帝疾笃。弥远称诏,以贵诚为皇子,改赐名昀,授武泰军节度使,封成国公。闰月,丁酉,帝崩于福宁殿,年五十七。

弥远遣皇后兄子谷、石以废立事白后,后不可,曰:"皇子竑,先帝所立,岂敢擅变?"谷等一夜七往返,后终不许。谷等乃拜泣曰:"内外军民皆已归心,苟不立之,祸变必生,则杨氏无噍类矣。"后默然,良久曰:"其人安在?"弥远即于禁中遣快行宣昀,令之曰:"今所宣是沂靖惠王府皇子,非万岁巷皇子,苟误,则汝曹皆处斩!"昀时闻帝崩,跂足俟宣召,久而不至,乃属目墙壁间,见快行过其府而不入,已而拥一人径过,天暝,不知为谁,甚惑之。昀入宫见后,后拊其背曰:"汝今为吾子矣。"

弥远引昀至枢前,举哀毕,然后召竑。竑闻命即赴,至则每过宫门,禁卫拒其从者。弥远亦引竑至枢前,举哀毕,引出帷,殿帅夏震守之。遂召百官立班听遗制,则引竑至旧班,竑愕然曰:"今日之事,我岂当仍在此班?"震绐之曰:"未宣制前当在此,宣制后乃即位。"竑以为然。已而遥觅殿上烛影中有人在御座,则昀已即位矣。宣制毕,阁门宣赞呼百官拜贺,竑不肯拜,震捽其首下拜。遂称遗诏,以竑为开府仪同三司,封济阳郡王,判宁国府。尊皇后曰皇太后,垂帘同听政。诏遵孝宗故事,宫中自服三年丧。寻进封竑为济王,出居湖州。

弥远欲收众望,劝帝褒表老儒。九月,诏起傅伯成为显谟阁学士,杨简为宝谟阁学士,及柴中行俱奉朝请。

己卯,以真德秀及礼部侍郎程珌、吏部侍郎朱著并兼侍读,工部侍郎葛洪、起居郎乔行简、李宗政、少卿陈贵谊、军器监王暨并兼侍讲。寻又以真德秀直学士院,召魏了翁为起居郎。

德秀初在朝,知史弥远欲以爵禄縻天下士,慨然谓刘爚曰:"吾徒须急引去,使庙堂知世亦有不肯为从官者。"遂力请外。至是自知潭州召还,入对,劝帝容受直言,召用贤臣,固结人心为本,帝纳之。

帝追封所生父希玙为荣王,生母全氏为国夫人,而以弟与芮嗣之。

金伊喇布哈复泽、潞。

冬,十月,乙亥,嗣秀王师嵒卒。

夏及金平。

初,夏人与金通好,不交兵者八十年。贞祐初,以小故生衅,构难十年,一胜一负,遂至精锐俱尽,两国皆敝。至是夏遣其吏部尚书李仲谔修好于金,称弟而不臣,各用本国年号。金遣吏部尚书鄂罗良弼报之。

十一月,甲子,右正言糜溧,请承顺东朝,继志述事,一以孝宗为法。而新政之切者,曰畏天,悦亲,讲学,仁民。帝嘉纳之。

癸未,以五月十六日为皇太后庆寿节。

丁亥,诏改明年为宝庆元年。

戊子,以工部尚书葛洪同签书枢密院事。

己丑,诏以生日为天基节。

十二月,癸丑,开经筵,诏辅臣观讲。

名皇太后所居殿曰慈明。

是岁,蒙古主进次东印度国铁门关,侍卫见一兽,鹿身马尾,绿色而独角,能为人言,曰:"汝君宜早回。"蒙古主怪之,以问耶律楚材。对曰:"此名角端,解四夷语,是恶杀之象。今大军征西已四年,上天恶杀,遣告陛下。愿承天心,宥此数国人命,实无疆之福。"蒙古主遂大掠而还。

【译文】

宋纪一百六十二　起辛巳年(公元1221年)四月,止甲申年(公元1224年)九月,共三年有余。

嘉定十四年　金兴定五年,蒙古太祖十六年(公元1221年)

夏季,四月,乙卯(初一),重新设置各王宫大小学教授。

乙丑(十一日),命令以门荫应获官职的人在御史台进行帘试。

戊辰(十四日),金军渡过淮河撤向北去,李全派兵追击,打败金军。

金国东莒公燕宁和蒙古军队交战,兵败身死。山东行省说:"燕宁所居住的天胜寨占据险要,燕宁战死,众人无所归顺,让本寨提控孙帮佐代理招抚使。"

壬申(十八日),金国副元帅布萨安贞,把他俘虏的宋王室男女七十多人进献到汴都朝廷。安贞俘虏的壮士,将他们放掉不杀,安贞用这样的办法鼓励他们为金国效力。金宣宗对大臣们说:"安贞的计策固然好,可这些人不想回归宋朝吗?南京非常靠近宋国国境,这些人既然不该杀掉,把他们驱逐到边境上任其归去,如何?"大臣们无以应对。

五月,甲申朔(初一),出现日食。

壬辰(初九),史弥远等进呈《孝宗宝训》,《皇帝会要》。

丙申(十三日),西川地震。

蒙古军队长时期围困东平,金国军队粮道断绝。金国行省蒙古纲上奏,请求把军队转移到河南,金宣宗命令众官员商议。御史大夫赫舍哩呼图克门等说:"金城汤池,没有粮草也不能固守。何况东平孤立无援,万一失守,那么官吏、兵丁、民众都将不保,应该转移到河南,以帮助秋收时的防守。"翰林侍制穆延阿固岱反对说:"不对。原来皇帝迁到河南,是想凭借黄河的险要,而黄河又以东平为屏障。现在如果放弃它,那黄河就不能依仗了。士兵把将帅当作中心,将帅的心愿是全军的中心,既然蒙古纲的决心已动摇,不应该再让他守城,应该另外委派行省坚守东平并筹划军粮。"金宣宗无法决断。枢密院建议让蒙古纲将行省内迁到邳州,监军王庭玉驻扎在黄陵冈。蒙古冈率领众人往迁时,受到蒙古索噜呼图的拦击,被杀死七千多人,蒙古纲带领几百骑兵逃跑。严实入城后,在府第设立行省,萨尔达按照穆呼哩的命令,将城从中分开,派严实安抚东平以北的恩、博等州,石珪迁治所到曹州。从此金国再不能守住山东了。

六月,丙寅(十三日),诏命,宣布立皇侄福州观察使赵贵和为皇太子。

当初,景献太子死去以后,国家没有立皇太子,便选太祖十世孙年纪十五岁以上的,在宫中教育,如同高宗选择普安郡王、恩平郡王的旧例。到这时立为皇太子,改名为赵竑,进封祁国公。

乙亥(二十二日),授予宗室子弟赵与莒为秉义郎。赵与莒是燕懿王的后代,赵希玗的儿子,母亲全氏,家住绍兴山阴。

当初,庆元人余天锡,曾做过史弥远的启蒙老师,性格谨慎老实,史弥远很器重他。赵竑立为皇子,不是史弥远的心愿,企图废掉他再立别人,便用给沂王选置后代为名,暗中寻求宗室中可以立为皇子的人,以备正式选立为皇子。后来余天锡秋试后正要返家,史弥远便秘密地告诉他说:"沂王没有后代,宗室子弟中贤惠老成

玉"秋山"饰 金

的请上报。"余天锡的船到绍兴城西门,正遇上大雨,便到全保长家躲雨。全保长知道余天锡为丞相家的客人,便非常恭敬地款待他。有两个少年站在一旁,余天锡便问他们的情况,全保长说:"这是我的外孙。占卜的人说这两个孩子今后有大贵。"余天锡问他们姓名,大的叫赵与莒,小的叫赵与芮。余天锡返回临安后,把这件事告诉了史弥远。史弥远便叫两个少年到临安。全保长高兴极了,立即卖掉田地,为孩子治办穿戴,邀集亲友送行,大家为他的际遇感到惊讶。史弥远擅长相面,等到相见,感到十分惊讶。恐怕事情泄露,急忙让他们回家。全保长很惭愧,同乡人背后也笑话他。第二年,史弥远对余天锡说:"两个孩子能再来吗?"余天锡叫他们来,全保长托词不让两个孩子去。史弥远便让余天锡秘密地告诉全保长说:"两个少年中,大的一个最尊贵,应当把他送回父亲家中去抚养。"于是用车送到临安。等到赵竑立为皇子,补授赵与莒秉义郎,赐名贵诚,这年十七岁。

曾任军器监职务的丰城人范应旟,曾借召见的机会向皇上奏道:"国事中最大最急迫的

就是立太子。陛下不亲自做出决断，而被左右人的言辞所迷惑，被后宫嫔妃的见解所左右，放弃现在的机会不谋划好，就可能让奸臣趁夜半更深之时假传上意，到那时，即使忠义之士也束手无策了。"宋宁宗被这番话打动了心，但不能实行。

戊寅（二十五日），金国处死左副元帅兼枢密副使布萨安贞。安贞先被尚书省弹劾，金宣宗对平章政事英王完颜守纯说："国家处死一名大臣，必须经得起天下和后世的公议，望下令尚书省再考核罪名。当初，安贞担心有人进谗言，便把金玉带送给近侍局，被近侍局揭发；又因为安贞俘虏宋室男女不处死，被诬告为阴谋叛国要投奔宋朝。结果皇上下诏列举他的罪行，连同他的两个儿子一并处死。只因他祖父布萨忠义、父亲布萨揆为国立过大功，才免除了他兄弟连坐。以前安贞在领兵征伐时，曾经叹息说："三世带兵为将，是道家忌讳的事。"果然遭难而死。

己卯（二十六日），金国越王完颜永功去世，谥号忠简。永功勇健过人，广泛阅读经史书籍。儿子完颜璹，博学有才干。金国南迁之时，各王宗室子弟颠沛流离，完颜璹却带着书随行。当时，对诸王的禁戒还很严，璹与士大夫们不敢公开往来，便暗中和他吟咏诗文，相互唱和。永功去世后，禁戒稍有放松，璹才得和文士杨云翼、赵秉文、元好问等友好往来，但只是相互请安问好，不谈国事。

这个月，金国上党公张开，用优厚的奖赏引诱晋阳公郭文振的将士，有不少人偷偷归附张开。朝廷降旨将辽州、潞州的部分粮食赈济太原饥民，张开不给。郭文振上奏此事，金宣宗派使者告诫大家各自保守住自己的地区，同心协力渡过难关，不要以小事而挑起事端，耽误国家大事。

这年夏季，蒙古太祖驻留在铁门关。

宋朝派苟梦玉到蒙古去通好，蒙古也派使者回访。

秋季，七月，己亥（十七日），金国义勇军叛变，占据砀山，随即袭击永城，行军副总领高琬击败他们。金宣宗命蒙古纲与其同心协力，共同征讨。

辛丑（十九日），任命赵方为京湖制置大使，贾涉为淮东制置使，兼任京东、河北路节制使。

丁未（二十五日），修撰《光宗宝训》。

八月，乙卯（初四），任希夷被免去知枢密院事的职务。

恩赐史弥远家庙。

壬戌（十一日），任命兵部尚书宣缯为同知枢密院事，给事中俞应符为签书枢密院事。

乙丑（十四日），追封史浩为越王，改谥忠定，在孝宗庙堂上陪享祭祀。

京湖制置大使赵方去世。赵方以前为青阳县知县时，曾对当时任太守的史弥远说："催收赋税而不扰民，是在催税中对百姓的安抚；判决处罚没有差错，才能通过刑罚进行教化。"人们把这话当作名言。赵方曾任襄、汉太守十年，以攻为守，将官军民三者合为一体，将制置司和总领司合为一家，有以身许国的忠诚，应付变化的策略，俨然有善于用武和交涉谈判的大将风度。所以在金军南侵时，淮河、蜀地受到极大的困扰，只有京西得到安全。赵方去世后，人们都怀念他。

原先金国贾益谦建议说："汴京的形势，只有依仗黄河。现在河朔受到攻击，各地盗贼群起，应严厉禁止渡河以防止意外。凡是从北方来而没有官府凭证的人，不要让他过河。"这个月金宣宗通知枢密院说："河北缺乏粮食,贫民想逃到南方的日益增多,应尽快让他们渡河,以免饿死人。"

九月,癸未(初二)立果州团练使赵贵诚为沂靖惠王的后代。赵贵诚稳重少语,洁身自好爱好读书。每逢朝参等待之时,有的人谈笑说话,唯有他相貌庄重。他出入殿庭,循规蹈矩不逾常法,见者莫不肃然起敬。史弥远更加感到他与众不同。

金国南渡以后,任监察御史的人大多被定罪,参知政事张行信上奏说："大定年间,监察人员获罪,一般可以赎身,或者剥夺俸禄,较重者也只降旨为地方官吏而已;有时也有被按判定数施刑的,那都是事出有因。即使那样,当时的知政程辉也曾当面说过这种做法不当。最近无论事情大小,情节轻重,一概定罪,还以为这种做法符合大成年间的成例、前朝的英明祖训,其实是过分了。"甲申(初三),金宣宗命令尚书省重新审定监察御史的罪名。

己丑(初八),在景灵宫举行祭祀仪式。庚寅(初九),在太庙祭祀。辛卯(初十),在明堂合祭天地,并大赦。

冬季,十月,收复沧州。

甲寅(初四),重新称济州为济南府,兖州为袭庆府。

丙寅(十六日)夏国人又送书信到四川,督促会师讨伐金国。

当初,蒙古太师、国王穆呼哩曾由东胜州涉水过河,带兵向西行。西夏国主知道后很是害怕,便派遣塔尔海监府等人在黄河南边宴请穆呼哩,并调遣塔海甘布带兵五万隶属于他。因此穆呼哩带兵向东进入葭州。金国将领王公佐逃走,穆呼哩派石天应暂为行台留守葭州,自己则带兵进攻绥德,攻克马蹄、克戎两寨,西夏国主派遣玛尔布率领军队与他们会合。玛尔布向穆呼哩询问相见时的礼节,穆呼哩说:"你见你们夏主用什么礼,与我相见就用什么礼。"玛尔布说:"我主没有这样命令我,我不敢拜见。"于是带兵离去。

十一月,穆呼哩进攻延安,玛尔布才用马匹作为礼物去拜见。金国元帅哈达与纳迈珠抵御蒙古军。哈达用三万士兵在城东列阵,蒙古将领蒙古布哈先用三千骑兵接近他。半夜时,穆呼哩命令士兵口中衔竹片不许出声悄悄进军,埋伏在延安城东山谷中。第二天,蒙古布哈望见金兵,故意丢弃战旗战鼓逃走,金兵紧追。穆呼哩率伏兵出击其后,鼓声震天,金兵大乱,被穆呼哩斩杀七千人。哈达退入延安城,坚守不出。穆呼哩认为延安城坚池深,不能立即攻克,便留下军队包围该城,自己则带兵去攻打鄜、坊等州。

庚寅(初十),金国招募百姓耕作南阳水田。

己亥(十九日),四川宣抚使安丙去世。朝廷命崔与之为四川制置使代替他。安丙在四川掌握重兵已久,他时常猜忌来自东南的将领,所以各部之间的关系不和睦。崔与之到任后则开诚布公,常告诫大家说,要以同心同德为国出力的大义为重,人人心悦诚服,军队的管理制度逐步建立起来。

金国邳州行省的蒙古纲说:"宿州连年饥荒,加上赋税过重,百姓纷纷流失。镇防军又突然征收拖欠的赋税,使百姓陷入困窘境地受到凌辱,比官府还要厉害,百姓难以忍受这种残酷,都怀有反抗报复之心。军人不懂轻重缓急,竟然弄到这般地步。恳请将百姓所有的负担停止征收,等到明年夏秋收获后再偿还,军人可酌量增加粮食的供应。"辛丑(二十一日),金宣宗命令免除邳、宿、泗等州的拖欠租税;官吏如能组织百姓开垦闲田,其来年应征的税额给予免除,归州、亳州、寿州、颍州除停征逃亡户欠租外,当年赋税也减征三分之一。逃亡户的田地、房舍，由官方招募流民在那里居住生产，禁止毁坏，以等待逃亡户回来。

京东安抚张林叛变，投降蒙古。

先前李全兼并统领涟水忠义军之后，越发骄傲强悍，轻视朝廷。他曾游览金山，作佛事追悼为国牺牲的人。镇江知府用方舟来迎接他，并献大合乐供他欣赏。李全返回后对他的同伙说："江南美女天下无双，应该和你们一起去享用。"于是便开始建造舼艇舟，图谋取得水运的利益。

胶西地处登州、宁海的要冲，各种货物在此集散。李全让他的兄长李福在此驻守。当时南北通商互市开始不久。北方人特别喜欢南方的货物，南货价格一下提高了十倍。李全把商人引到山阳，用船运输货物，利润对半分，从淮河转运到海上，从海上运到胶西，李福则在胶西备车给他们载运货物，又要收取一半的税，才让他们到各郡县去贸易。车夫都督促筹集，张林无法忍受。张林的生财之道全靠六个盐场，李福仗着弟弟曾有恩于张林，企图分他一半盐场。张林答应他随便取盐而不分给他盐场，李福便大怒道："你要背弃恩义吗？等我与都统提兵来取你的首级！"张林畏惧，他的亲信李马儿便劝说张林叛变。于是张林便以京东各郡向蒙古请降。穆呼哩接纳张林行山东东路益都、沧、景、宾、棣等各州元帅府事。李福狼狈地逃回楚州。

十二月，庚申（初十），知枢密院事郑昭先免职。

金国伊喇福僧曾说："自永安用兵以来，军中设置监战官，这些人讨论作战方案时往往与主将矛盾，有失误不受惩罚，反而视为法规。这些人挑选精壮骁勇的人来保卫自己，一旦有情况，让那些疲惫懦弱的人出战，怎能不坏事！应罢免他们才好。"辛未（二十一日），撤销行总管府及招讨统军检察等司。

闰十二月，辛巳朔（初一），任命宣缯兼参参知政事，俞应符兼代理参知政事。

蒙古进攻金国的郿州，金国节度使完颜禄锦、都统赫舍哩鹤寿、富察洛索都战死。

当时，石天应俘获金国勇将张铁枪，交送给穆呼哩，穆呼哩斥责他不投降，张铁枪厉声答道："我受国家厚恩二十多年，今天唯有一死而已！"穆呼哩觉得他很仗义，想解开捆绑他的绳子，各部将因其不屈而发怒，将他杀害。

蒙古占取金国的坊州。

壬寅（二十二日），金国因为陈、亳等州，鹿邑、城父各县盗贼四起，催促中枢机构派遣官军前往征讨。

己酉（二十九日），金国改铸钱币"兴定宝泉"，每贯相当于通宝四百贯。

这一年，蒙古主及皇子卓沁、察罕台、谔格德依攻下西域玉龙哈实等十余城。

嘉定十五年　金元光元年，蒙古太祖十七年（公元1222年）。

春季，正月，庚戌朔（初一），宋宁宗赵扩到大庆殿，接受写着恭膺天命的宝玺。

先前翟朝宗得到玉玺，献给朝廷，后来赵拱又得到一枚玉印，印文与翟朝宗所献玺相同但更大一些。朝廷很高兴，接受了印玺，行庆贺典礼，大赦天下。

当时贾涉曾写信给史弥远说："天意隐藏难以知道，人事切实而易于得见。应当考虑的是当前的人事，还没有可以报答天意的事情。以前的忧患只不过是来自金国，现在的忧患又加上了山东的忠义与北方的蒙古军，应该及早谋划。"史弥远不高兴。

辛亥（初二），金国元帅惟弼在张骞店击败红袄贼。

丁巳(初八),下诏安抚山东,河北各路将帅官吏。

壬午(疑误),金国派遣官员开垦种植京东、京西、京南三路的水田。

金国行省参知政事巴图鲁被免去河南府知府职务,因为他在去年延安被围时,多次请求增兵之故。

陕西西路转运瓜勒佳德新上奏道:"我看河中府知府巴图鲁,廉直忠孝,凡对国家有益的事,他没有知道了不去作的,的确是朝廷中的忠良之臣。去年军队进入延安,他调兵遣将,延安城得以保全,不能说没有功。现在哈达、迈珠分别得到了世袭的封号,而巴图鲁却改任河中府知府。我以为现在正是用人之时,如果不让有谋略的忠臣施展才能,则是轻重缓急失当,失去成就事业的机会。所以,实在应该恢复巴图鲁原来的任命,让他与承裔共同守卫京兆;而命令哈达、迈珠去捍御延安,保障河南的安全,那么内外就都安定了。"没有答复。

二月,秘书郎何澹说:"有关部门出试题,割裂句读篇章,使经文破碎。应该下令改革旧的习惯,使应试的读书人明确纲领,通晓总体和要点,考查注疏而分辨异同。"同意照办。

戊申(二十九日),金国恒州军队发生兵变,万户呼延械等十几人在城中杀人抢掠,焚烧房舍后离去。

金宣宗因为宋朝不交纳岁币,国家财政空虚,己酉(三十日),派左监军额尔克行元帅府事,节制三路军马南伐宋朝,并令同签书枢密院事时全为额尔克的副手。

三月,丁巳(初八),赈济江西州的旱灾损失。

戊辰(十九日),金国枢密院差委官贾天安上奏陈述形势利害,没有予以答复。

当时正议论兴师南伐之事。翰林学士杨云翼对金宣宗说:"现在的形势与前朝泰和时不同。泰和时是冬季出征,现在是准备夏天出征,这是天时不同;冬天水少干涸陆地多,夏季则雨水多道路泥泞,这是地利不同;泰和时全国上下全力以赴,可以使乣军为前锋,今则不能,这是人事上的不同。有些人只看见泰和年间南伐很容易而不知今天出征的难处。再用夏国为例,往日西部边境的弓箭手,赤手相搏,袒胸射箭,他们被打得逃跑都来不及;现在则是夏国人陷我城池,掳我守臣,打败我国军队并抓住我国主将。以前他们是那样的畏惧我们,现在则是如此侮辱我们。既然夏国人已非往日可比,怎么说宋朝人仍和以前一样呢!请陛下既想到战胜的利益,又想到失败的害处,不要只听好话,不要留下遗憾悔恨。"金宣宗不觉悟。

金国翰林侍讲学士完颜伯嘉,因有言事过当之处,被降为遥授同知归德府事。完颜伯嘉真诚正直,不愿趋炎附势,曾说:"生为男子就要有益于国家,为百姓办好事,其他事情不能学。"当时高汝砺正得宠,身居相位,地位牢固,而伯嘉议论国事则常与他相抵触,所以遭贬。

壬申(二十三日),金国尚书右丞图克坦思忠将病马交到官府,冒领好马的价钱,遭御史揭露。有关部司按监主自盗罪处死罪,图克坦思忠则被金宣宗降授陈州防御使。

癸酉(二十四日),金国提控李师林在永木岭打败夏军。

夏季,四月,辛巳(初三),金国设立大司农司,有大司农卿、少卿、丞各官职,在京东、西、南三路置行司,并兼采访民间情况。

壬午(初四),蒙古军队进攻金国陵州县。

金国额尔克、时全等人从颍州、寿州两地渡过淮河,在高塘市打败宋军,进攻固始县,击溃庐州将领焦思忠的军队。丁未(二十九日),向朝廷报捷。不久捕获俘虏,说时全的侄子时青,受宋朝的诏令和时全的军队相对抗,对朝廷隐瞒此事。

五月,额尔克率兵马返回。在距离淮河二十里时,各路兵马准备渡河,时全假称得到密诏,让各路兵马暂且留下在淮南收麦。随即下令,每人收获三石麦子作为军粮,大家困惑不解。停留了三天后,额尔克对时全说:"现在淮河水浅又窄,可以迅速地渡河。如果等到河水突然涨起,宋军再趁机从后面攻击,将不能保全军队返回了。"时全仍极力反对。这天晚上下大雨,河水暴涨,他们便搭桥过河;宋军乘机袭击,时全军队大败。桥被冲坏,时全乘小舟先过河,士兵全部覆没。金国的全队实力从此极为衰竭。金宣宗下诏命令列举时全的全部罪行,处以死刑。

庚戌(初三),白昼出现太白星。

丁巳(初十),进封皇太子祁国公赵竑为济国公,任用沂王嗣子贵诚为邵州防御使。

赵竑爱好弹琴,史弥远买了善于弹琴的美人送给他,并以优厚的条件安抚美人家属,让她探听赵竑的一举一动。这个美人知书达理又聪明,赵竑很宠爱她。当时杨皇后掌握国政,史弥远也当权已久,宰执、侍从、台谏、藩镇边将都是他们提拔举荐的,权势熏天,气焰逼人,赵竑心中愤愤不平,常把杨后及史弥远的事书写在几案上。他写道:"史弥远应当判决发配到八千里以外。"他的宫壁上挂有地图,赵竑指着琼、厓二地说:"他日当把史弥远置于此地。"以上情况,美人皆告知史弥远。赵竑又常呼史弥远为"新恩",意思是说他日流配史弥远不是新州就是恩州。史弥远听说后,借七月七日过节,进奉乞巧和奇珍异玩来探察赵竑的心意。赵竑乘着酒醉将这些玩意儿摔到地上。史弥远心中极为震惊,从此思考设法陷害赵竑,而赵竑并不知道。

真德秀这时兼任宫中教授,劝告赵竑说:"皇子如果能孝敬慈母杨皇后,敬重大臣,那么天命能归属于你。不然,那就值得忧虑了。"赵竑不听劝告。

一天,史弥远为他父亲向净慈寺僧人施饭,遇到国子学禄郑清之,二人同登慧日阁,然后史弥远支开左右的人说:"皇子承担不了国家的重任,听说为沂王承嗣的少年很贤德,现在正要选择一个讲官,望你能前去耐心地教育他。事成之后,我今天的官位就是你以后的官位。今天所说的话出于我的口,进了你的耳,千万不能泄露,否则你我要犯灭族之罪!"郑清之说:"不敢。"于是派郑清之兼魏惠宪王府学教授。他每天教赵贵诚做文章,又购求宋高宗赵构的御书,让他练习。郑清之拜访史弥远,就给他看赵贵诚的诗文墨宝,称颂的话不绝于口。他问郑清之:"我听说皇侄的贤德已成熟,你看究竟怎样?"郑清之回答说:"他的贤德,除了我是举不尽的,可以用一言概括为'不凡'。"史弥远听后再三点头称是,从此坚定了推行原定计策的心意。于是他便常在皇帝面前讲赵竑的过失,希望宋宁宗能废掉赵竑策立赵贵诚,而宋宁宗竟然懵懵懂懂不知觉晓。真德秀听说这件事后,坚决辞去宫中教授之职而离去,临行时,再次用以前的话劝说赵竑,赵竑仍然不听。

壬戌(十五日),济南府知府种赟讨伐张林,张林被打败逃走。李全进入青州,占据该城。

蒙古军队驻扎在隰、吉、翼等州。

丁卯(二十日),金宣宗给尚书省敕令说:"以前的平章政事胥鼎、左承相贾益谦等人,都是退休的老臣,他们通晓国事,应当把他们请来各省,共议政事得失。还要派侍官去传达我的意思。"

六月,戊寅朔(初一),金国制造船只运输陕西的粮食,从大庆关渡河运到湖城。

癸未(初六),金国大赦。

陈州防御使吕子羽因贻误军机自尽。

辛卯(十四日),签书枢密院事俞应符去世。

丁酉(二十日),红袄贼抢劫柳子镇,驱赶着百姓和驿马离去。金国提控张瑀追击,夺回掠劫的人和财物。伪监军王二占领黎阳,金国提控王泉出兵讨伐,收复该城。

金国召回巴图鲁,任命他为大司农。巴图鲁说:"京城附近寇盗出没,很不太平,百姓无收获,应该早设法解决。"

金国晋阳公郭文振上奏章说:"河朔地区多年来处于战争之中,以前敌人是秋来春去,现在已是盛夏仍不见退兵,且这次不像以前那样一味杀人,反而任百姓耕耘庄稼,这实在难测其意图。枢密院常常传递公文让臣会合公府出兵作战,我的公府虽说有分府,其实力量单薄,而且不能统一指挥,保住自己已不容易。如果朝廷不派兵来援助,我恐怕人们会认为要把河北放弃,那实在不是好办法。前平章政事胥鼎,是将相之才,威望很高。他任河东行省时,人们都乐于为他所用;现在虽已退休,但精力未衰,请求让他带领重兵,统一管理各公府,同心协力防御作战,也许可以人人响应,收复失地也就比较容易了。"

秋季,七月,蒙古穆呼哩命令蒙古布哈带兵从秦、陇一带出击以扩大声势,并且察看山川险要的情形。自己带兵从云中出发,攻下孟州四蹄寨,将当地百姓迁到州城;攻下晋阳义和寨;又攻克三清岩;攻入霍州山堡,把百姓迁到赵城;然后进攻青龙堡。金国平阳公胡天作顽强防守,情况十分危急。金宣宗降旨上党公张开和晋阳公郭文振等发兵相救,军队行进到弹平寨东三十里处,不能再前进了。副将富察鼎珠、监军王和打开壁垒投降,拘拿胡天作,迁到平阳。穆呼哩命令他的部将昂吉屯兵晋阳、冀州境内。

丙辰(初十),金国张开收复泽州。

甲子(十八日),下诏命令江淮、荆襄、四川制置司、监司规划屯田。

戊辰(二十二日),红袄贼袭击徐州的十八里寨,又袭击古城桃园,金国官军击败他们。

乙亥(二十九日),白昼出现太白星,行经天空,与太阳争辉。

八月,巳卯(初四),彗星从氐宿出现。蒙古耶律楚材对太祖铁木真说:"女真国将要改换国主了。"隐士乔静真告诉穆呼哩说:"近日观察天象,不可再向前征伐。"穆呼哩说:"主上命令我平定中原,现在河北虽然已平定,而河南、秦、巩等地尚未攻下,假如因天象而不进兵,天下什么时候可定呢?"

甲申(初九),金国因为彗星出现,改年号为元光,并大赦。

金国任命巴图鲁为参知政事。金宣宗对他说:"你最近任大司农,到郡县巡视。依你看盗贼如何才能平息?"巴图鲁说:"盗贼之多,是因为赋役太多;赋役减少则盗贼平息。"金宣宗说:"朕一直在减少啊。"巴图鲁说:"行院、帅府干扰有什么办法?"金宣宗说:"司农既然兼任采访民间,从今可命令禁止增加赋税徭役。"

癸巳(十八日),金国河间公伊喇重嘉努、高阳公张甫收复河间府。

夏国进攻金国德顺,随即又抢掠神林堡。

九月,大名忠义彭义斌收复京东州县,严实部将晁海献青厓堌归降。

辛亥(初六),任命宣缯为参知政事,给事中程卓为同知枢密院事,吏部尚书薛极赐出身、签书枢密院事。

3888

壬戌(十七日),彗星隐没。辛未(二十六日),白昼出现太白星。

冬季，十月，壬午(初八)，张惠进攻金国零子镇，被金军打败。

癸未(初九)，金国王庭玉收复曹州，杀死蒙古军将领石珪。

乙未(二十一日)，蒙古穆呼哩军队攻下荥州的湖壁垒和临晋。当时吉州已经残破，金人在牛心寨治理吉州事务。穆呼哩从隰州进攻。知州杨贞让妻子孩子先从山崖坠落而死，然后自己也跟着跳了下去。

穆呼哩进寨后，留下部分兵马守寨，自己领兵继续进攻河中府。河中府治中侯小叔，把农民都护送入城，并且以自己的家财奖赏战士，鼓励他们。提控吴得，劝说侯小叔出城投降，侯小叔怒叱之将他推出斩首。侯小叔的表兄张先，从容地说起敌兵势力强大，如果出城投降可以保全妻子孩子。侯小叔听后大怒道：我本是船夫的儿子，朝廷信任我到现在，怎么能投降！"将张先捆在柱子上杀死。侯小叔在延津是一名水手，参军后多次被提拔，所以感激朝廷能如此尽力。不久，枢密院派人来商议战事，侯小叔出城去相会，敌军乘机攻陷该城，侯小叔退守在乐李山寨。

蒙古都元帅石天应，自葭州到汾水东进见穆呼哩，穆呼哩对他说："河中是河东重要的郡，选择镇守的人，除了你别人都不行。"于是任命石天应代理行台，平阳、太原、吉州、隰州等处将帅都受他调度。

石天应返回葭州，对他的部将说："我连累你们屯兵在这里，河中的东、西两部都是平川旷野，可以驻扎军队准备夺取关陕地区，你们认为如何呢？"有人劝告说："河中虽是用武之地，但南边是潼关，西边是京兆，都是金军屯驻的地方；况且河中百姓刚刚归附蒙古，民心还不齐，恐怕不易防守。"石天应说："葭州正是通往鄜、延两州，现在鄜州已征服，延州不能孤立存在。如果传递国书让夏国出兵攻取，岂不是如掌中之物吗？况且国家所急，本在夺取河南。葭州道路险峻，地处偏僻，运输军粮很困难。河中虽然距这两个重镇很近，本是用武之地。北边与汾、晋接壤，西边连接同、华二州，占地五千多里，几十万户。如果开通河道漕运转运军备物资，那么关内可以限期平定。关内若已平定，黄河以南的土地。就都在我眼下了，我已年近六十，将到老年，一旦卧病在床，听说后辈建功立业，将死不瞑目。男子汉应当死在战场上报效国家！"于是移军到河中。

甲辰(三十日)，金国因为京兆的官员和百姓逃避战争躲到南山的多达百万，下诏命令兼同知府事完颜霆去安抚。

蒙古穆呼哩渡黄河进攻同州。十一月，丁未(初三)，攻克同州，金国节度使李复亨、同知节度使完颜额尔克一起自杀殉职。穆呼哩又攻下蒲城，直逼长安，遇金国京兆行省完颜哈达拥兵二十万固守，无法攻克。戊辰(二十四日)，穆呼哩令蒙古布哈进攻凤翔。

十二月，乙亥朔(初一)，发放粮米赈济临安贫民。

金宣宗对太子说："我常在夜里思考天下大事，必须找来蜡烛照明，加以记载，以便天亮后实行。你也应该这样。"

金国任命侯小叔代理元帅府右都监，可以根据情况按自己的意图办事。胡天作被蒙古俘获后，接受封赏，佩戴虎符。金宣宗派张开、郭文振去招降。胡天作行至济源，想脱身逃跑，先派人持奏章到金国南京，穆呼哩厌恶他反复无常，将他处死，乙酉(十一日)，金国任命同知平阳府事史咏为龙虎卫上将军，代理平阳公府事务。

丁亥(十三日)，任命李全为保宁军节度使、京东路镇抚副使。

当初,李全有战功,史弥远曾想加封他的官爵,贾涉阻拦过。此时贾涉感叹说:"朝廷只知官爵可以收归人心,怎么能知道骄纵将帅是会发展到不听规劝的呢!"

金宣宗告诉近侍局的人说:"奉御、奉职,都是少年没学习过。朕记得以前设置说书人,说书人每天讲授自古以来君臣父子的纲常教化,使人知道如何为皇帝做事的道理。现在还应设置说书人。"

己丑(十五日),金国简州提控唐古昉在质孤垒打败夏国军队。

蒙古穆呼哩亲自率领大军进攻凤翔。

这一年,蒙古皇子图垒,攻克西域的图斯尼、察乌尔等城,返回途中经过木喇伊国,大肆劫掠一番。渡过秦克兰河后,攻克额里等城,于是与蒙古太祖会合,共同进攻塔尔哈寨,且占领。西域国主塔赉鼎外逃,与弥勒汗会合,呼图呼与之交战,没有取胜。蒙古太祖亲自带兵进攻,抓住了弥勒汗。塔赉鼎逃跑,蒙古太祖派遣巴喇追赶没有捉住。塔赉鼎跑到离回回国不远处时,得知该国王已弃城逃跑,他便逃到海岛上藏起来死去。

嘉定十六年 金元光二年,蒙古太祖十八年(公元1223年)

春季,正月,戊申(初五),下诏说,凡官吏贪赃违法者,均不得免于约法。

蒙古穆呼哩围攻凤翔,东起扶风、岐山,西到汧、陇,方圆几百里内,都设置了营垒栅墙。

原先金宣宗认为凤翔守将完颜仲元孤军守城不足以依靠,便派遣平西节度使特嘉喀齐喀前去援助。等到穆呼哩围攻危急之时,又任命同知临洮府郭斌为军事总指挥。郭斌是个善于应变各种情况的人,从冬到春四十多天,防御从不懈怠。他曾和喀齐喀巡察城外濠池,见有一蒙军坐在胡床上,其神情很是藐视守城的官兵,认为金军的箭射不到他。喀齐喀指着这个人对郭斌说:"你能射中他吗?"郭斌测量了远近,说:"可以。"郭斌平时射箭,专射腋下铠甲掩盖不到的地方,没有射不中的。他当即拿起弓箭,等到那坐着的人举起胳膊时,一箭射出就要了他的命,蒙古军的士气大挫。喀齐喀便自行提拔郭斌为通远军节度使。郭斌,是会州人。

穆呼哩因为围攻多日不能攻下,便对各部将说:"我奉国君之命征战以来,不过几年就攻取了辽西、辽东、山东、河北的大片土地,可以说是不遗余力;不久前进攻天平、延安,现在攻打凤翔,都不能取胜,难道是我的好运要尽了吗?"于是撤除包围,沿着渭水南岸而去,派蒙古哈布向南越过牛岭关,绕凤州而返回。

蒙古将石天应,造浮桥以便通过陕西。金国侯小叔从中条山率山寨兵袭击河中。石天应派勇将吴泽带兵五百,夜出东门,埋伏在山谷两边。石天应告诫吴泽说:"等到敌军通过一半时,急速出击,我攻击前面,你打后面,即可取胜。"吴泽虽勇武,但好酒贪杯。这天晚上,他已喝醉躺在丛林中,侯小叔从偏僻小路直抵城下。河中守卫的士兵大都是刚刚归附的,争相用绳子吊着溜下逃跑。侯小叔凿城墙而登上城,焚烧城楼。石天应仓促应战,跟随他左右的仅四十余骑,都说是吴泽害了我们!有人劝说石天应西渡黄河脱身,他说:"以前曾有人劝我南迁,我违反众意到了这里。现在情况危急就脱身而走,那也太不勇敢了。即使太师不处分我,我又有什么脸与同事相见!今天只有一死而已。"不一会,金兵从四面围攻而来,石天应在极度悲愤之下浴血力战,到中午终于战死。侯小叔烧断了浮桥,安抚众人。侯小叔晋升为昭毅大将军。

甲寅(十一日),金宣宗对宰臣们说:"一向有人说要见机行事,而你们却屡次乞奏说要按帝王的意旨办。帝王接受谏言够多了，怎么可以掠人之美把别人的谏言当作自己的主张呢！"戊午（十五日），又通告说："在卖爵恩例中有一条规定，为父母服丧期间可以停止服丧恢复职务，这不是教人以不孝吗？怎么能这样规定呢？"

蒙古国十万军队包围了河中府，金国总帅额尔克派提控孙昌率五千兵马，枢密副使完颜布派李仁智率三千兵马，一同前往救援。侯小叔与他们约定半夜敲击钲为号，内外相应。到了约定时间，侯小叔带兵出战，孙昌、李仁智都不敢动，侯小叔只好收兵回到城内。后来围攻更紧急，大家建议冲出城退守山寨，侯小叔说："还有什么地方可去呢！"于是一面坚守，一面派经历官张思祖突围出去，跑到南京报告。丁卯（二十四日），城被攻克，侯小叔阵亡。

穆呼哩听说石天应战死，痛切地哀悼。命令他的儿子乌格统帅他领的兵马。即将渡黄河时，桥已断，穆呼哩环视各部将说："桥还没有完工，怎么可以坐等呢！"又攻克河西十几个堡塞。

二月，壬午（初九），金宣宗诏令说："军官犯罪，按旧制不再任用。现在乃多事之秋，人才难得，朕想除重大罪行外，凡判徒刑、追配，有武艺且能指挥的人，可以量才复用，请尚书省商议后上报。"

丁亥（十四日），金国大赦。

己丑（十六日），嗣秀王赵师禹去世，追封和王。

三月，戊申（初五），张林将他属下的邢、德两州献给宋朝来归顺，诏令张林晋升三级官，又任命他担任京东东路副总管。

甲寅（十一日），金宣宗对宰臣说："一个人虽有才能担当重任，但心术不正的，终不足以为贵。"高汝砺说："心术不正而又加上才能，那就是俗话说的如虎添翼了。"金宣宗又说："大凡一个人心地善良，行事忠实，那是很难得的。然而对于善良，人们多视为平常。"高汝砺说："人才难以求全，也就按各人的长处任用罢了。"

金国下令将邳州经略司隶属于蒙古纲，令他招募兵勇收复山东。

蒙古太师、国王穆呼哩渡过黄河回到闻喜，病情严重，召见其弟岱逊说："我为国家辅佐成就大业，披甲持刃，将近四十年，东征西讨，已没有什么遗憾悔恨了，只遗憾没有攻克汴京。你继续努力吧！"

穆呼哩稳重坚毅足智多谋，又善于射箭，曾与博尔济、博勒呼、齐拉衮一起随蒙古主起事。蒙古主曾经失利，有一次天降大雪，迷失方向，找不到牙帐，夜间睡在草泽中。穆呼哩与博尔济两人支撑毡毯为他遮盖，自日暮到拂晓不曾挪脚。博尔济的官爵最终高至右万户，博勒呼在任第一千户时阵亡，只有穆呼哩的功业最突出。但当时评论辅佐太祖的此四人的功业没有什么区别。

金国任命完颜伯嘉代理参知政事，总揽河中政务，与史泳一起共图收复河东。夏季，四月，癸酉朔（初一），收复霍州汾西县。

五月，癸卯朔（初一），金国开始铸造元光重宝钱币。

丙午（初四），金国收复河中府和荣州。

戊申（初六），赐予礼部进士蒋重珍以下五百四十九人及第、出身。

乙卯（十三日），金国收复霍州及洪洞县。

丁巳（十五日），金国制造元光珍宝，与银同时流通。

金宣宗向宰执询问修缮楼橹的事,高汝砺说所用的都是大木料,现在很难得到,正责令寻找购置。金宣宗说:"朕宫中其他殿有可用的木料就用吧。"高汝砺回答说不应该拆毁,金宣宗说:"除去居住的宫室,拆了又有什么害处!不是比劳民从远处运来好得多吗?"

蒙古太祖在八鲁弯川避暑,分兵进攻附近各部落,全部攻克后,到昆寨和部将会合。由于西域逐渐平定,开始设置达鲁噶齐官职,在各城进行监督管理。达鲁噶齐,意为掌握实权的掌印官。

六月,壬午(十一日),淮东制置使贾涉,由于李全骄纵强暴难以驾驭,极力要求回到朝廷任职,在回京途中去世。

当初,贾涉想要控制忠义军,于是派翟朝宗领镇江副司八千人,驻扎在楚州城中;又把账前忠义军一万人,分出五千命赵邦永、高友统率,驻扎在城西;命王晖、于潭统率五千,驻扎在淮阴。可是李全既轻视镇江兵马,又忌恨帐前忠义军,于是几次称赞高友等人勇敢,出军作战一定要求带高友等人随同前往,贾涉不允许。李全每次宴请部下,都把贾涉帐的将校军官请来,于是帐前忠义军也愿意隶属于李全,但未能合在一起。等到贾涉去世,丘寿迈掌握统帅之事,李全请求说:"忠义军是乌合之众,军中文书簿册混乱,不如另外造新的登记册,一份呈献朝廷,一份递交制置司,一份留在我处,以便将士的功过登记,军饷颁发也不能再作弊了。"丘寿迈听取这一建议。于是李全将账前忠义军和自己的军队合并起来均隶属于自己,统率起这两支军队,丘寿迈还没有醒悟。

戊子(十七日),金国派人向李全、贾实、张林劝降,这是听从了蒙古纲的建议。

金国完颜伯嘉去世。

甲午(二十三日),金宣宗命令撤销河中行省,设立元帅府。当时所属州县多残破,金军不能把守,把郭文振流放到孟州,不久,又流放到卫州。

丁酉(二十六日),同知枢密院事程卓去世。

秋季,七月,壬寅朔(初一),夏人进攻金国积石州。

乙巳(初四),金国派兵守卫解州盐池。

金国蒙古纲管理下属很严,八月,辛未朔(初一),邠州从宜经略使纳哈塔陆格带领士兵进入行省把蒙古纲杀死,占据了邠州,进行谋反;纳哈塔陆格与蒙古将领李二措一起写信到海州,说想要归附。李全派王喜儿带两千士兵前去接应,自己随后跟上。李二措放王喜儿进城,将他囚禁。李全想进攻邠州,但因四面环水,李二措已预备了强弩,李全无法进攻,便与王喜的兵会合讨战而败走。本欲返回楚州,适逢滨、棣两州出现叛乱,便带兵向青州行进。金国行院总帅赫舍哩约赫德讨伐诛杀了纳哈塔陆格,收复了邠州。

九月,庚子朔(初一),出现日食。

丁卯(二十八日),金国代理御史中丞师安石等人弹劾英王完颜守纯时有不实之词,被交付有关部门治罪。金主下诏免罪,另予训诫责备。

冬季,十月,己卯(初十),金国在太庙祭祀。

十一月,辛亥(十三日),太平州被大水所淹,进行赈济安抚。

十二月,任命前淮西都统许国为淮东制置使兼楚州知州。许国在家进行祭祀时,就想取贾涉而代之,几次奏言说李全必反。正逢贾涉去世,朝廷召许国入朝议事。许国上疏陈述李全阴谋正加强策划,谋反的迹象日益明显,必须有豪杰才能制止他。于是将许国的文官阶职改授为现在的官职。任命颁布后,听到的人无不感到惊讶。

淮东参幕徐晞稷,一心想当制置使,当他听说许国被任用后,就将许国的奏章加以注释寄给李全,李全看后心中不乐。

癸未(十五日),嗣濮王赵不凌去世。

庚寅(二十二日),金宣宗病逝,享年六十一岁,太子完颜守绪继位皇帝。

金宣宗病重时,正是夜晚,近臣都已出宫了,只有前朝已年老的资明夫人郑氏在旁边侍立。金宣宗知道她可靠,对她说:"快把太子召进宫来。料理后事!"说完就死去了,郑夫人秘而不宣。这天夜间,皇后和贵妃庞氏来寝宫问安,庞氏阴险狡猾机敏聪慧,因为她儿子英王守纯虽年长而未立为太子心怀怨恨。郑夫人怕她们知道实情后要作乱,就骗她说:"皇上还在更衣,皇后和贵妃可在其他房间休息等候。"等她们进去后,立即把门锁上,急忙召集大臣,传达遗诏,确立皇太子完颜守绪,才把门打开放出后妃,发布国丧消息。太子刚入宫,完颜守纯已先到达。太子知道后,立即派遣枢密院官员及东宫亲卫军官伊喇布哈集合三万人的军队到东华门。部署妥当后,命令四名护卫在近侍局看管住完颜守纯,然后在灵前宣布即位,宣读遗诏。

壬辰(二十四日),金国大赦,诏令说:"朕继承先帝的遗愿,凡对时局有利,想做而未能做的事,我将一一去做。国家已有明确的制度,而有关官员却以情枉法,使人妄遭刑法处分。今后如有不遵守法规的人,都以故意诬陷人有罪的罪名给予惩处。在野的士人庶民,都准许直言陈述军政大事和利害得失,即使含有讥讽之意并无可取之处的,也不治罪。

蒙古兵进攻夏国,夏国神宗李遵顼将国家权力交给他的儿子李德旺,改年号为乾定。李遵顼自称为上皇帝。

蒙古的苏布特进攻奇彻,在西番边境各部落大肆掠夺后返国。

嘉定十七年　金正大元年,蒙古太祖十九年(公元1224年)

春季,正月,戊戌朔(初一),诏令补授先圣后裔孔元用为通直郎,录用程颐后代。

金改元为正大。

庚子(初三),金国秘书监、代理吏部侍郎富察哈珠出外担任恒州刺史。富察哈珠出身于小官吏,受宣宗信任,声势显赫。但他性情残忍刻毒,和王阿哩、富察耀珠被人称为"宣朝三贼",人人都知道他们危害国家但不敢说。这次被贬到外地,士大夫们都为之称快,相互庆祝。

金国邠州向朝廷进贡白兔,金哀宗完颜守绪说:"得贤臣辅佐,庄稼年年丰收,就是最好的瑞兆,进贡白兔有什么用!"命令有关官员付给进贡者路费,将白兔放生。

丁巳(二十日),金哀宗命令群臣商议修复河中府的事宜,礼部尚书赵秉文、太常卿杨云翼等人进言说陕西百姓正在疲困凋敝之时,不能胜任重大徭役负担,于是作罢。

戊午(二十一日),金国将皇后都察氏、元妃都察氏都尊奉为皇太后,分别居住在仁圣宫和慈圣宫。进封英王守纯为荆王,免去平章政事职务,改任判睦亲府。任命大司农守汝州防御使李蹊为太常卿,代理参知政事。

癸亥(二十六日),命令淮东、淮西、湖北路转运司兴办并管理屯田。

金国有男子穿麻衣,望着承天门又哭又笑,责问他,他说:"我笑,是笑将相无人;我哭,是哭金国将亡。"群臣要求用重刑处置他,金哀宗不允许,说:"新近诏令山野草泽之人都可率直陈言,即使讥讽讪笑也不犯罪。只是宫门不是又哭又笑的场所,应该重重地施杖刑赶走他。"

二月,癸巳(二十六日),免去台州拖欠的赋税。

甲午(二十七日),命令临安府赈济贫苦百姓。

金国丞相高汝砺,年老但贪图高位不肯离去。金哀宗刚即位,就有谏官弹劾他欺骗君主巩固自己的地位,为天下人所愤恨,应免去官职以激励百官,金哀宗不同意。三月,辛亥(十四日),高汝砺去世。高汝砺一生缜密廉洁深得国君信任,但他守旧、怕事、常为士大夫所讥讽。

癸丑(十六日),金国在德陵下葬金宣宗。

甲寅(十七日),金国重新起用退休的邠州节度使张行信为尚书左丞,由于延安帅臣完颜哈达抵御蒙古军有功,代理参知政事,在京兆行尚书省。

金国荆王完颜守纯,有人告他图谋不轨,被捕入狱。商议已定,金哀宗告诉慈圣太后,太后说:"你只有这么一个兄长,为什么要听信谗言加害他呢? 昔日,章宗杀害了他的兄弟,自己又短寿,断绝了继承人,你为什么要仿效他呢? 赶快把他放出来,让他来见我。过了时间他还没来,我再也不见你了!"金哀宗起身,太后站着等待完颜守纯到来,流着泪安慰规劝他。

夏季,四月,癸酉(初七),金国将宣宗牌位安置在太庙中,发布大赦。

辛卯(二十五日),赈济庐州饥荒。

乙未(二十九日),赏赐李全、彭义斌三十万缗钱,作为犒劳战士的费用。

五月,戊戌(初二),金国平章政事巴图鲁去世,赠授右丞相,东平郡王。

巴图鲁为人忠厚,忧国奉公。对于他的死,人人都嗟叹惋惜。

癸卯(初七),金国任命枢密副使完颜萨布为平章政事;参知政事特嘉尉忻为右丞,李蹊为翰林承旨,仍代理参知政事。

戊申(十二日),金国下诏命令刑部说:"立即让检鼓院不要再锁门闭户地加以防护,以便让有冤情的人陈诉。"

六月,丁卯朔(初一),白天出现太白星。

辛卯(二十五日),金国立妃子图克坦氏为皇后。

金国曾派尚书令李唐英到滁州进行友好交往活动,这时又派枢密判官伊喇布哈到光州张贴皇榜,说明再不向南进犯。

壬辰(二十六日),金国大名府官员苏椿等人归顺宋朝,宋廷下令一律因功授官,且当即以州官授苏椿等人。

彭义斌入侵河北,进到恩州时,被蒙古的史天倪打败。

秋季,七月,丁酉朔(初一),赈济福建遭受水灾的贫苦百姓。

辛亥(十五日),任命赵师嵒为嗣秀王。

八月,丙戌(二十一日),宋宁宗患病。史弥远派郑清之到沂王府,告诉赵贵诚准备策立的意思,赵贵诚沉默不语。郑清之说:"史丞相认为我与他交往很久了,所以推心置腹让我把这话转给你,如今你一言不发,那我回去怎么答复丞相呢?"赵贵诚才拱拱手慢慢地说:"我的老母还在绍兴。"郑清之告诉史弥远,史弥远与郑清之更是叹服他气度不凡。

壬辰(二十七日),宋宁宗病重。史弥远声称有诏令,皇帝降旨以赵贵诚为皇子,改赐名昀,授职武泰军节度使,封成国公。

闰八月,丁酉(初三),宋宁宗在福宁殿去世,享年五十七岁。

史弥远派皇后的侄子杨谷、杨石向皇后说明废立之事,皇后不同意,说:"皇子赵竑是先帝立定的,怎么可以任意改变!"杨谷等人一夜七次往返于史弥远与皇后之间,皇后始终不允许。杨谷等人在皇后面前拜倒哭着说:"朝廷内外都寄希望于赵昀,如果不立他,必然会发生变乱,那时我们杨家就不会有活着的人了。"皇后不语,许久才说:"赵昀现在哪里?"史弥远立即在宫中派快行传达旨意给赵昀,对快行说:"现在宣召的是沂靖惠王府的皇子赵昀,不是万岁巷的皇子,如果有误,立即将你们斩首!"赵竑当时听说宁宗驾崩,踮起脚等候宣旨召入宫内,过了很久不见人来,便注意墙外的动静,看到快行经过自己的府邸而没有进来。不久他们带一个人快速经过,天色昏暗,不知是谁,很觉得奇怪。赵昀到宫中见到皇后,皇后抚摩他的背说:"现在你是我的儿子了。"

史弥远引导赵昀到灵前,举行哀悼仪式完毕后,再召赵竑入宫。赵竑听到旨意立即前往。达到后每过宫门,宫门的守卫都禁止他的随从入内。史弥远也引导赵竑到灵前,举行哀悼仪式后,带他走出幔帐,由殿帅夏震守护着他。随后召集百官按次序站好听候宣读遗制。这时仍引导赵竑到原来所站班次,赵竑十分惊愕地说:"今天的事,怎么还让我站在此班?"夏震骗他说:"没有宣布遗制以前应当在这里,宣读遗制以后才能即位。"赵竑信以为真。一会儿,赵竑远远地看见宫殿上烛影中有人坐在御座上,其实赵昀已经即位。遗制宣读完毕,阁门宣赞大声呼唤,百官向即位皇帝拜贺。赵竑不肯拜贺,夏震强行将他的头按下。随即有人声称有遗诏,任命赵竑为开府仪同三司,封为济阳郡王,判宁国府。尊俸皇后为皇太后,垂帘与皇帝一道听断政务。诏令遵循孝宗时的先例,在宫中服丧三年。不久,又进封赵竑为济王,前往湖州居住。

史弥远为了收买众人的心,劝告理宗赵昀褒奖年老儒家学者。九月,下诏起用傅伯成为显谟阁学士,杨简为宝谟阁学士,和柴中行一起,每天上朝议事。

己卯(十六日),任命真德秀和礼部侍郎程珌、吏部侍郎朱著一起兼任侍读,工部侍郎葛洪、起居郎乔行简、李宗政、少卿陈贵谊、军器监王暨一起兼任侍讲。不久又任命真德秀直学士院,招魏了翁为起居郎。

真德秀当初在朝时,就知道史弥远企图用高官厚禄来笼络天下士人,很感慨地对刘爚说:"我们这些人应赶快离开这里,使朝廷知道世上还有不肯当侍从官的人。"于是极力要去做地方官。现在又从潭州知州召回朝中,入朝与宋理宗面谈,劝他接受正直言论,召用贤臣,以使人心悦诚服为本。理宗采了他的意见。

理宗赵昀追封他的生父赵希瓐为荣王,生母金氏为国夫人,让他的弟弟赵与芮继承封号。

金国伊喇布哈收复泽、潞二州。

冬季,十月,乙亥(疑误),嗣秀王赵师喦去世。

夏国与金国议和成功。

起初,夏国与金国通好,八十年未曾交战。金宣宗贞祐初年,两国因小事而起冲突,造成十年战乱,虽互有胜负,但两国精锐消耗殆尽,两国国力疲惫不堪。这时夏国派吏部尚书李仲谔前去金国修好,条件是称弟不称臣,各用本国年号。金国派吏部尚书鄂罗良弼携带国书回报。

十一月,甲子(初二),右正言糜溧,请顺从太后,继承先朝遗志遵从旧制,一切效法孝宗。而要革新政治,最重的是敬畏天命、取悦长辈、倡讲学问,施仁于民。理宗赞许,接受他的建议。

癸未(二十一日),定五月十六日为皇太后庆祝寿诞的庆寿节。

丁亥(二十五日),诏令明年改年号为宝庆元年。

戊子(二十六日),任命工部尚书葛洪为同签书枢密院事。

己丑(二十七日),下诏规定以宋理宗生日为天基节。

十二月,癸丑(二十一日),开设御前经书讲席,诏令辅臣听讲。

皇太后所住宫殿命名为慈明殿。

这年,蒙古太祖进军到东印度国铁门关,侍卫看见一只怪兽,身似鹿,尾似马尾,皮毛为绿色长有独角,能说人话。它说:"你们君主应当早日返回。"太祖知道后很感奇怪,便问耶律楚材。耶律楚材回答说:"这只兽叫角端,能听到四方民族语言,它的出现是厌恶杀戮的征兆。现在大军征伐西部已四年,上天厌恶杀戮,派它出现告诉陛下。希望您能顺应天意,宽赦这几个国家百姓性命,实在是洪福无边了。"太祖便大肆掠夺后返回。

【原文】

宋纪一百六十三　　起旃蒙作噩【乙酉】正月,尽柔兆掩茂【丙戌】十二月,凡二年。

理宗建道备德大功复兴　　烈文仁武圣明安孝皇帝

讳昀,太祖十世孙,父荣文恭王。开禧三年正月癸亥,生于绍兴府虹桥里第。前一夕,荣王梦一紫金帽人来谒,比寤,夜漏未尽数刻,室中五采烂然,起视,赤光属天,如日正中。生三日,家中闻户外车马声,亟出,则绝无所睹。幼尝昼寝,人忽见体隐隐如龙鳞,咸神异之。嘉定十五年,授邵州防御使。十七年闰八月,立为皇子,改赐名,封成国公。

宝庆元年　金正大二年,蒙古太祖二十年【乙酉,1225】

春,正月,壬戌朔,诏举贤良。

庚午,湖州人潘壬,与其弟丙、从兄甫,以史弥远废立,不平,乃遣甫密告谋立济王意于李全。全欲坐致成败,阳与之日期,进兵应接,实无意也。壬等信之,遂部分其家众以待。

及期,全兵不至。壬等惧事泄,乃以其党杂盐贩盗千馀人,结束为全军状,扬言自山东来,夜入州城,求济王竑。竑闻变,匿水窦中,壬寻得之,拥至州治,以黄袍加竑身。竑号泣不从,壬等强之,竑不得已,乃与约曰:"汝能勿伤太后、官家乎?"众许诺。遂发军资库金帛、会子犒军。知州谢(用)〔周〕卿,率官属入贺。壬伪为李全榜揭于门,数史弥远废立罪,且曰:"今领精兵二十万,水陆并进。"人皆耸动,比明视之,则皆太湖渔人及巡尉兵卒耳。

竑知事不成,乃遣王元春告于朝,而帅州兵讨壬,壬变姓名走,丙、甫皆死。元春至临安,弥远惧甚,急召殿司将彭忬帅师赴之,至则事已平。壬走至楚州,为小校明亮所获,送临安斩之。弥远诈言竑有疾,令客秦天锡挟医至湖州视之,天锡谕旨,逼竑缢于州治,以疾卒闻。

起居郎魏了翁、考功员外郎洪咨夔相继言竑之冤。礼部侍郎、直学士院真德秀入见,奏曰:"我朝立国,根本仁义,先正名分。陛下初膺大宝,不幸处人伦之变有所未尽,流闻四方,所损非浅。雪川之变,非济王本志,前有避匿之迹,后闻捕讨之谋,情状本末,灼然可见。愿诏有司,讨论雍熙追封秦邸舍罪恤孤故事,斟酌行之。虽济王未有子息,兴灭继绝,在陛下耳。"帝曰:"朝廷待济王亦至矣。"德秀曰:"若谓此事处置尽善,臣未敢以为然。观舜所以处象,则陛下不及舜明甚。人主但当以二帝、三王为师,秦、汉以下人君,举动皆不合理,难以为法。"帝曰:"亦是一时仓卒耳。"德秀曰:"此已往之咎。惟愿陛下知有此失,益讲学讲道,以赎前愆,以收人心。昔太平兴国中,秦邸事作,太子太师王溥等议于朝堂者,七十有四人,然后有诏裁决，以大事不可轻也。庆历间求西帅，必取当世第一流；宰相吕夷简至忘仇荐进，以重任不可轻也。迩者霅川之狱，未闻有参听于槐棘之下；又如淮、蜀二阃之除，皆出佥论所期之外。天下之事，非一家之私，何惜不与众共之？朝廷之于天下，当如天地之于万物，栽培倾覆，付之公心，不可使有一毫私意于其间。当乾道、淳熙间，有位于朝者，以馈遗及门为耻；受任于外者，以苞苴入都为羞。今货赂公行，薰染成风，恬不知怪，治世气象，欲其宽裕，不欲其迫蹙。曩者以讹言之令，至于流窜、杀戮，都邑之民，摇手相戒。朝廷之上，敏锐之士，多于老成，政事之才，富于经术。虽尝以耆旧褒傅伯成、杨简，以学行褒柴中行，以恬退用赵蕃、杨宰，至于忠亮敢言如陈宓、徐侨，皆未蒙录用。愿处伯成、简于内祠，中行于经幄，擢宓、侨于言路，不独人主赖其益，朝列新进之士亦有所矜式。伯成、简皆年逾八十，纵使召之不至，必能用囊封以进忠言。”又言：“长人之官，抚字不闻，叨愦日甚。”帝曰：“如何无一廉者？”又问：“何以革之？”德秀言：“此在朝廷用舍黜陟之间，示以意向。”帝又问：“卿曾见有何廉吏？”德秀以袁州守赵篯夫对，因言：“崔与之帅蜀，杨长(孜)〔孺〕帅闽，皆有廉声，臣一时不能悉数，乞广加咨访。”史弥远深忌之。

甲申，程珌进读《三朝宝训》，言曰：“艺祖皇帝受禅之初，与三军约，不许杀戮一人，自此圣圣相承，守为家法。”帝曰：“祖宗以(人)〔仁〕立国，朕当以(人)〔仁〕守之。”帝又问：“《宝训》中云：‘治世少而乱世多，君子少而小人多。’何也？”珌言：“治世所以少，乱世所以多者，正缘君子少而小人多也。盖君子初未尝少，圣君出而君子多；小人初未尝多，庸君出而小人多。”帝曰：“然。”

己丑，朱端常言：“蜀士当得郡者，绍兴以前悉亲诣阙下，庙堂因得以审其人物而进退之。自庆元以来，以自作差辟，则驰牍干请。今请除曾任太守有治效人外，必令亲到堂除授，奏事讫之任，次任与免。”从之。

己丑，诏曰：“朕初纂丕图，亟受慈训，既御经幄，日亲群儒，深念进德立治之本，实由典学，朝夕罔敢怠忽。尚赖诸贤悉心启迪，无有所隐，朕当垂听，益加自勉。”

二月，壬辰朔，雪。

蒙古武仙闻彭义斌复山东州县，乃叛蒙古，杀河北西路都元帅史天倪。天倪弟天泽，时护母归燕，府僚王缙、王守道追及天泽于道，告之故，且曰：“变起仓卒，部曲散在近郊，公能回辔，不招自至。”天泽曰：“不共国之仇，死亦当从，况未必死耶！”遂倾资装，易铠仗，南还，遣监军李伯祐诣国王富珠哩言状，且请济师。富珠哩即命天泽嗣兄职，遣萨讷台率锐卒三千授之，合势进攻。仙将葛铁枪拥众来拒，天泽迎击之，生擒铁枪，馀众溃。乘胜至中山，略无极，拔赵州，仙败，奔西山。既而天泽进兵，遂复真定。富珠哩，穆呼哩子也。

癸巳，朱著、王暨进读《高宗宝训孝德卷》终，著言：“高宗当中兴艰难之初，钦事慈宁太后，始终极孝；愿陛下以高宗为法。”帝嘉纳，忽愀然曰：“雪作非时，朕终夜为之不安，当益恐惧修德。凡有阙失，无忘忠告。”

甲午，诏：“故太师、武胜、定国军节度使、鄂王岳飞改谥忠武。”

丙申，以师弥嗣秀王。师弥，秀王第二子也。潘壬之变，师弥避居菁山园庙；至是奖其能守园陵，故躐等升嗣。

戊戌，诏：“福州、温州各添教官一员。”

甲辰，蠲两浙州军属县官私僦钱有差。

许国至镇，李全妻杨妙真郊迓，国辞不见，妙真惭而归。

国既视事，痛抑北军，有与南军竞者，无曲直，偏坐之，犒赏十损八九。全自青州致书于国，国夸于众曰：“全仰赖我养育，我略示威，即奔走不暇矣。”

全因留青州，国不能致，乃数致厚馈，邀全还。刘庆福亦使人觇国意，国左右语觇者曰：“制置无害汝等意。”庆福以报全。全集将校曰：“我不参制阃，则曲在我，今不计生死，必往见。”遂还楚州上谒。宾赞戒全曰：“节使当庭趋，制使必免礼。”及庭趋，国端坐纳全拜。全退，怒曰：“全归朝，拜人多矣，但恨汝非文臣，本与我等。汝向以淮西都统谒贾制帅，亦免汝拜。汝有何勋业，一旦位我上，便不相假借耶？全赤心报朝廷，不反也。”国继设盛会宴全，遗劳加厚，全终不乐。庆福谒国之幕客章梦先，梦先令隔帘貌唔，庆福亦怒。

既而全欲往青州，恐国苛留，自计曰：“彼所争者拜耳，拜而得志，吾何爱焉！”更折节为礼。因会集间，出札白事，国见其细故，判从之，全即席再拜谢。自是动息必请，得请必拜，国喜曰：“吾折服此子矣！”

全往青州，国集两淮马步军十三万，大阅楚城外以挫北人之心。杨妙真及军校留者，惧其谋己，内自为备。

初，全遣庆福还楚城，使为乱，适潘壬事败，全党亦不安。或教妙真畜一妄男子，指谓人曰：“此宗室也。”且语僚佐曰：“会令汝为朝士。”潜约盱眙四军为应，皆不从，庆福谋中辍，第欲快意于国。计议官苟梦玉知之，以告国，国曰：“我岂文儒不知兵者耶！”梦玉惧祸及，复以告庆福。

一日，国晨起视事，忽露刃充庭。国厉声曰：“不得无礼！”矢已及颡，流血蔽面而走。乱兵悉害其家，纵火焚官寺，两司积蓄，悉为贼有。亲兵翼国登城，缒而走。贼拥通判姚翀入城，犒两军使归营。庆福手杀梦先以报其辱，国缢于途。

事闻，史弥远惧激它变，以徐晞稷尝倅楚守海，得全欢心，乃授晞稷淮东制置使，令屈意抚全。全闻国死，自青还楚，佯责庆福不能弹压，斩数人，上表待罪；朝廷不问。知扬州赵范，得制置使印于溃卒中，以授晞稷。晞稷至楚，全及门，下马拜庭下，晞稷降等止之，贼众乃悦。晞稷至，以恩府称全，恩堂称妙真。

初，楚城之将乱也，有吏窃许国书箧二，以献庆福，皆机事，庆福未之发。全发缄读之，有庙堂遗国书令图全者，全大怒。又有苟梦玉书，即以庆福谋告国者，全始恶梦玉反覆，杀之。

戊午，出丰储仓米七万五千石赈临安贫民。马步军诸班直、皇城司守卫官兵，给犒有差。

三月，癸酉，葬仁文哲武恭孝皇帝于永茂陵，庙号宁宗。

时皇太后垂帘，人多言本朝世有母后之圣，太后兄子万寿观使石独曰：“事岂容概言！昔仁宗、英宗、哲宗嗣位，或尚在幼冲，或素由抚育，军国重事，有所未谙，则母后临朝，宜也。今主上熟知民事，天下悦服，虽圣孝天通，然不早复政，得无基小人离间之嫌乎？”乃密疏章圣、慈圣、宣仁所以临朝之由，及汉、唐母后临朝称制得失以闻，太后然之。

夏，四月，辛卯朔，宁宗祔庙，颁德音于临安、绍兴府。

3899

金起复莘国公胥鼎为平章政事,行省事于卫州,进封英国公。

壬辰,朱著进读《高宗宝训》,至高宗曰周公戒成王,惟在知稼穑艰难,帝曰:"朕近写《无逸》一篇,揭为四图,置之坐右以便观省,念兹在兹,不忘艰难。"

甲午,金以京畿旱,遣使虑囚。

丁酉,太后手书:"吾年晚多病,志在安闲,嗣君可日御便殿听政,今后便撤帘。"戊戌,臣寮言:"伏读太后还政御札,前代母后勉强不能为之事,而太后圣断行之,略无难色,实为万世母后临朝之法。"帝曰:"朕受太后之恩如天,朝夕思之,未知所报,便当力请。"辛丑、壬寅,帝两请太后仍垂帘,不允。

丙午,诏:"今后见供职及在外带职从官,依元祐十科旧制,岁举三人。"从右正言麋溧请也。

辛亥,出丰储仓米八万石赈临安贫民。

己未,以端明殿学士薛极签书枢密院事。

五月,甲子,诏求直言。

户部郎官张忠恕上封事,其略曰:"天人之应,捷于影响。自冬徂春,雷雪非时,西雪,东淮,狂悖洊兴。客星为妖,太白昼见,正统所系,不宜诿之分野。陛下于济王之恩,自谓弥缝曲尽矣,然不留京师,徙之外郡,不择牧守,混之民居,一夫奋呼,阖城风靡,寻虽弭患,莫副初心。谓当亟下哀诏,痛自引咎,复崇恤典,选立嗣子,则陛下所以处之者,庶几无憾。险佞之徒,凡直言正论,率指为好名归过。夫好名归过,其自为者非也,若首萌逆亿厌恶之心,则将令言者望风含疑,此危国之炀毒也。况迩来取人,以名节为矫激,以忠说为迂疏,以介洁为不通,以宽厚为无用,以趣办为强敏,以拱默为靖共,以迎合为适时,以操切为任事,是以正人不遇,小人见亲。又,士习益坏,民生益艰,第宅之丽,声伎之美,服用之侈,馈遗之珍,向所未有。公家之财,视为己物,荐举、狱讼、军伎、吏役、僧道、富民,凡可以得贿者,无不为也。如此而欲基本之不摇,殆却行而求前也。"魏了翁见其疏,叹曰:"忠献有后矣!"忠恕,浚之孙也。

进士井研邓若水上封事曰:"行大义,然后可以弭大谤;收大权,然后可以固大位;除大奸,然后可以息大难。宁宗皇帝晏驾,济王当继大位者也,废黜不闻于先帝,过失不闻于天下。史弥远不利其立,夜矫先帝之命,弃逐济王,并杀皇孙而奉迎陛下,曾未半年,济王竟不幸死于湖州,揆以《春秋》之法,非弑乎?非篡乎?非攘夺乎?当悖逆之初,天下皆归罪弥远而不敢归过于陛下者,何也?天下皆知仓卒之间,非陛下所得知,亦谅陛下必无是心也,亦料陛下必能扫清妖氛,以雪先帝、济王父子终天之愤。今逾年矣,而乾刚不决,成断不行,无以大慰天下之望。昔之信陛下之必无者,今或疑其有,昔之信陛下之不知者,今或疑其知,陛下何忍以清明天日而身受此污辱也?为陛下计,莫若遵泰伯之至德,伯夷之清名,季子之高节,而后陛下之本心明于天下,此臣所谓行大义以(弥)〔弭〕大谤,策之上也。自古人君之失大权,鲜有不自废立之际而尽失之。当其废立之间,威动天下,既立则眇视人主。是故强臣挟恩以陵上,小人怙强以无上,久则内外相为一体,上暗默以听其所为,日腹月削,殆有人臣之所不忍言者。威权一去,人主虽欲固其位,保其身,有不可得。宣缯、薛极,弥远之肺腑也,王愈,其耳目也,盛章、李知孝,其鹰犬也,冯榯,其爪牙也。弥远欲行某事,害某人,则此数人者相与谋之,曷尝有陛下之意行夫其间乎?臣以为不除此数凶,陛下非惟不足以弭谤,亦未可以必安其位,然则陛下何惮而久不为哉?此臣所谓收大权以定大位,策之次也。此而不行,又有一焉,曰除大奸然后可以弭大难。李全,一流民耳,寓食于我,兵非加多,土地非加广,势力非特盛也。贾涉为帅,庸人也,全不敢妄动,何也?名正而言顺也。自陛下即位,乃敢倔强,彼有辞以用其众也。其意必曰:济王,先皇帝之子也,而弥远放弑之。皇孙,先皇帝之孙也,而弥远戕害之。其辞直,其势壮,是以沿淮数十万之师,不敢睥睨其锋。虽今暂无事,安知一日不羽檄飞驰,以济王为辞,以讨君侧之恶为名!弥远之徒,死有馀罪,不复可惜,宗社生灵何辜焉!陛下今日诛弥远之徒,则全无辞以用其众矣。上而不得,则思其次,次而不得,则思其下,悲夫!"奏上,弥远以笔横抹之。

丙寅,以师弥知大宗正事;以不熄嗣濮王。

许国既死,李全牒彭义斌于山东曰:"许国谋反,已伏诛矣,尔军并听吾节制。"义斌大骂曰:"逆贼背国厚恩,擅杀制使,我必报此仇!"乃斩赍牒人,南向告天誓众,见者愤激。于是全自青州攻东平,不克。乃攻恩州,义斌出兵与战,全败走,获其马二千。刘庆福引兵救全,又败。全退保山峒,抽山阳忠义以北。杨妙真及刘全皆欲亲赴难。会全遣人求晞稷书,与义斌连和,乃止。

义斌致书沿江制置使赵善湘曰:"不诛逆全,恢复不成。但能遣兵扼淮,进据涟海以蹙之,断其南路,此贼必擒。贼平之后,收复一京、三府,然后义斌战河北,盱眙诸将、襄阳骑士战河南,神州可复也。"

盱眙四总管亦遣使致书请助讨贼,知扬州赵范亦以为言,史弥远戒范无出位专兵,各享安靖之福。范复以书力论之曰:"先生以抚定责之晞稷,而以镇守责之范。责晞稷者,函人之事也;责范者,矢人之事也;既责范以惟恐不伤人之事,又禁其为伤人之痛,恶其为伤人之言,何哉?且贼见范为备,则尚有顾忌而不得以肆其奸,它日必将指范为首祸激变之人,劫朝廷以去范。先生始未之信也,左右曰可,卿大夫曰可,先生必将谓何惜一赵范而不以纾祸哉!必将缚范以授贼,而范遂为宋晁错。虽然,使以范授贼而果足纾国祸,范死何害哉!谚曰:'护家之狗,盗贼所恶。'故盗贼见有护家之狗,必将指斥于主人,使先去之,然后肆穿窬之奸而无忌。然则杀犬固无益于弭盗也。望矜怜之,别与闲慢差遣。"弥远不答。

甲戌,诏曰:"自昔帝王即政之初,首辟四门,达聪明目,访予落止,小毖求助。凡(令)〔今〕内外文武大小之臣,有所见闻,其以启告。忠言谠论,朕所乐听。事有可行,虚心而从;言或过直,无惮后害。封章来上,副朕延纳之诚焉。"

丁丑,金主以旱甚责己,避正殿,减膳,赦罪。

六月,辛卯,太白昼见。

丁酉,录行在系囚。

丁(酉)〔未〕,史弥远加太师,依前右丞相兼枢密使,进封魏国公。弥远辞免,不允;五辞,从之。

辛亥,秘书监叶本言郡司贪刻之害,帝曰:"郡守不职,缘监司不得其人。监司得人,则一道蒙福。”

彭义斌既克山东，又纳李全降兵，兵势大振，遂围东平。严实潜约蒙古将博罗罕合兵攻之，兵久不至，城中食尽，乃与义斌连合。义斌亦欲藉实取河朔而后图之，遂以兄礼事实。时实众尚数千，义斌不之夺，而留所掠青崖之家属不遣。

金陕西旱甚，行省完颜哈达斋戒请雨；雨澍，岁事有收，民德之。时延安残破，哈达令于西路买牛付主者，招集流亡，助其耕垦，自是延安之民稍复耕稼之利。

秋，七月，壬戌，将作监张忠恕轮对，帝曰：“诏下两月，应者绝少，纵有之，亦未尽忠谠也。”忠恕引其伯父栻之言曰：“欲求仗节死义之臣，必求犯颜敢谏之臣。”既而忠恕自知不为时所容，力请外补，遂出知赣州。

乙丑，陈贵谊言：“近下诏求言，恐词有过直，乞赐包容。”帝曰：“大凡听言，善者从之，非理者当容纳之。”

诏：“三衙、临安府、两浙路〔州〕军〔囚〕，杖以下释之。”

丁丑，权工部侍郎乔行简论及济王事，帝曰：“朕待济王，可谓至矣。”行简曰：“济王之罪，人所共知，当如周公待管、蔡之心，又当取孟子知周公受过之意。”

滁州水，诏发会子三千缗，米六百石，赈恤被灾之家。

乙酉，行大宋元宝钱。

礼部侍郎真德秀言：“高宗六飞南幸，驻跸钱塘，其与前世之君披攘荆棘以立朝廷者，殆无以异，其艰勤可谓至矣。孝宗嗣守丕绪，志清中原，二十八年间，搜览英材，精厉听断，未尝一日少懈，用能保固大业，垂万世无疆之休。今陛下所御之宫庭，即二祖储神闲燕之地也，仰瞻楹桷，俯视轩墀，常若二祖时临其上。念昔者创守之惟艰，思今日继承之匪易，则兢业祗惧，其容少忽乎！此臣之所欲献者一。陛下前所居室，密迩东朝，惟思曲尽人子之恭，其敢遽当人主之奉！今宫阁暨乘舆服用之需，颐指使令之便，必将浸备于昔。臣知圣性恬淡，固非外物可移；然以一心而受众攻，非卓然刚明弗惑，未有不浸淫而蠹蚀者。然则惟学可以养此心，惟敬可以存此心，惟亲近君子可以维持此心。盖理义之与物欲，相为消长者也。笃志于学，则日与圣贤为徒而有自得之乐；持身以敬，则凛如神明在上而无非僻之侵；亲贤人、君子之时多，则规儆日闻，诐邪不得而惑。三者交致其力，则圣心湛然，如日之明，如水之清，理义长为之主，而私欲不能夺矣。此臣之所欲献者二。三年之丧，行于宫壸，非独衰麻在躬而已；哀慕之存于心者不可顷刻忘，忧戚之形于色者不可斯须已。古者卒哭而庐居，小祥而垩室，今虽未能如昔，然居处之制，不可不极其朴素也。古者服丧，非有疾不饮酒食肉，今虽未能如昔，然饔人大官之供，不可不极其菲俭也。古者终丧不处于内，今虽未能如昔，然防微谨独，屏远声色，不可不极其严也。食则见先帝于羹，立则见先帝于墙，庶几不负罔极之恩，丕昭纯孝之实。倘因移御之适，凡所以自奉者，少异于居丧之仪，则虽衰麻在躬，犹不服也。此臣之所欲献者三。陛下前者日侍慈明，两宫之情，常欢然而无间。今视膳问安之敬虽无改于昔，而其朝有时矣。古之事亲者，听于无声，视于无形，一举足，一出言，不敢忘父母。况太后亲举神器以授陛下，同听万几，曾未数月，褰裳去之，如脱敝屣，隆恩厚德，与天地无极，陛下将何以报之乎？然则恭勤之礼，孝养之诚，当有加于前日可也。至于两宫侍御之臣，恩义当使如一，爱其亲者，及其犬马，况左右使令者乎？今群臣、万物之命，系于两宫，惟两宫慈孝交隆于上，则群臣、万物皆有所恃以为安，而两宫侍御之臣亦得以保其富贵。此臣所欲献者四。”又言：“臣窃谓古者平旦视朝以为常度，人主与天同运，故必与日俱出，以临照百官，则阳德宣昭，政机无壅。先皇帝每旦御朝，率在卯辰之间。陛下始初清明，正厉精庶政之日，而晨兴听事，乃颇后于先帝之时。正使宇内宴宁，犹恐示人以怠，况中外多虞之际乎？孔子曰：‘昧爽夙兴，正其衣冠。平旦视朝，虑其危难。一物失理，乱亡之端。’惟陛下深味斯言，自今临朝必以日出为节，于以法乾健而体离明，通下情而达民隐，实初政之首务也。”

彭义斌下真定，道西山，与博罗罕等军相望。义斌分严实以帐下兵，阳助而阴伺之。实知事迫，即赴博罗罕军，与之合，遂与义斌战于内黄之五马山，义斌兵溃。史天泽以锐卒略其后，遂擒义斌；说之降，义斌厉声曰：“我大宋臣，义岂为它人属耶！”遂死之。

于是京东州县复为实有，实统有全魏，十分齐之三，鲁之九，凡五十四城，后又割大名、彰德外属，而益以德、衮、济、单四州。时所在残毁，独实境内治安，四方争赴之。

八月，壬寅，以司农丞姚子才封事切直，进官一秩，授秘书郎。

癸卯，以傅伯成、杨简，先朝耆德，召赴行在，又擢赵篯夫直秘阁、福建提刑，从真德秀之荐也。

丙午，诏：“侍从、给舍、台谏、卿监、郎官及在外前执政、侍从、诸路帅臣、监司，各举廉吏三人。”

戊申，诏：“侍从、两省、台谏等举堪充将帅三人。”

己酉，地震。

甲寅，诏以程颐四世孙源为籍田令。

乙卯，罢直学士院真德秀、考功员外郎洪咨夔。咨夔论事剀切，尝上书曰：“昔之宰相，端委庙堂，进退百官；今之宰相，招权纳贿，倚势作威而已。台谏月课将临，笔不敢下，称量议论之异同，揣摩情分之厚薄，可否未决，吞吐不能。其相率勇往而不顾者，恭请圣驾款谒景灵宫而已。”德秀语人曰：“读洪考功封事，德秀殊有愧色。”史弥远深衔之。及梁成大为监察御史，凡忤弥远意者，与莫泽、李知孝三人相继击之。给事中王塈等，驳德秀所主济王赠典，莫泽等既劾之，遂命德秀提举玉隆宫。咨夔亦言济王冤，成大等复交劾之，镌二秩。由是名人贤士，排斥殆尽，人目之为“三凶”。

丁巳，诏：“监司、守令各精白自新，以称朕意。其或不悛，必罚无赦！”

除绍兴府每岁经总制虚额钱九万馀贯。

金巩州元帅田瑞反，行省完颜哈达讨之，移文喻之曰：“罪止田瑞一身，馀无所问。”不数日，瑞弟济斩瑞以降。哈达如约，抚定一州，民赖以宁。

九月，己未，御史李知孝，奏大理评事胡梦昱上书言济王事，辞语狂悖。诏梦昱除名勒停，象州羁管。

冬，十月，癸巳，有流星大如太白。

甲午，林略进对，论及渡江初伪齐连兵事，帝曰：“是时亦是诸将不协，故刘豫敢来犯。”略曰：“仰见陛下于中兴本末留神。”帝曰：“今日不特兵少，且训练不精。若兵势既张，敌自不

3903

能为患。"

金主谓台谏完颜素兰、陈规曰:"宋人轻犯边界,我以轻骑袭之,冀其惩创通好,以息吾民耳。夏人从来臣属我朝,今称帝以和,我尚不以为辱。果得和好以安吾民,尚欲用兵乎!卿等宜悉此意。"

知绍兴府汪刚奏:"会稽攒宫所在,税赋尽免折科;山阴同应办之劳,乞照会稽除免。"诏权免三年。

乔行简上疏曰:"求贤、求言二诏之颁,果能确守初意,深求实益,则人才振而治本立,国威张而奸宄销。臣窃观近事,似或不然。夫自侍从至郎官凡几人,自监司至郡守凡几人,今其所举贤能才识之士,又不知其几也,陛下盖尝摭其一二,欲召用之矣。凡内外大小之臣,囊封来上,或直或巽,或切或泛,无所不有,陛下亦尝摭其一二,见之施行,且褒赏之矣。而天下终疑陛下为具文者,盖以所召者,非久无宦情决不肯来之人,则年已衰暮决不可来之人耳,彼风节素著,持正不阿,廉介有守,临事不挠者,论荐虽多,固未尝召也。其所施行褒赏者,往往皆末节细故,无关理乱,粗述古今,不至抵触,然后取之,以示吾有听受之意。其间亦岂无深忧远识高出众见之表,忠言至计有补圣听之聪者?固未闻采纳而用之也。自陛下临御至今,班行之彦,麾节之臣,有因论列而去,有因自请而归;其人或以职业有闻,或以言语自见,天下未知其得罪之由,徒见其置散投闲,倏来骤去,甚至废罢而镌级,削夺而流窜,皆以为陛下黜远善士,厌恶直言,去者遂以此而得名,朝廷乃因此而获谤,亦何便于此?"

十一月,癸亥,以宣缯兼同知枢密院事,薛极参知政事,葛洪签书枢密院事。

诏:"邵州系潜藩,升为宝庆府。筠州与御名声近,改为瑞州。"

蒙古使人如高丽,未至,盗杀之。自是高丽与蒙古不通。

彭义斌既败,武仙势益蹙,潜令谍者结死士,匿真定城中大历寺为内应,仙夜斩关而入,据之。蒙古史天泽出奔槁城。

金内族旺嘉努故杀鲜于主簿,权贵多救之者,金主曰:"英王朕兄,敢妄挞一人乎?朕为人主,敢以无罪害一人乎?国家衰弱之际,生灵有几何!而族子恃势杀一主簿,吾民无主矣。"特命斩之。

金诏有司为死节士十三人立褒忠庙。

乙丑,杨石进封新安郡王。丙寅,杨谷进封永宁郡王。真德秀上言:"戚里之贤,加以王爵,稽诸典故,所未前闻。其老成静重,避远权势,治家教子,风采凛然,诚近世戚畹之所未有。然臣观古今载籍之传,莫不以恩宠太甚为外家之深戒,盖倚伏无常,古今所畏。望陛下清燕之间,常思所〔以〕安全外族,俾蒙谦谨之福而不蹈满盈之咎,诚宗社无疆之休。"

辛未,诏:"行都及诸路公私僦舍钱米经减者,减三分。"从朱端常请也。

庚辰,干办诸事司粮料院赵彦覃言州县折色病民,帝曰:"纤悉如此,殊失爱民之意。"

辛卯,诏:"中外系囚,杖以下释之。"

甲申,再贬魏了翁官,罢真德秀祠禄。

初,胡梦昱之贬,了翁出关送别,右正言李知孝遂指了翁首倡异论,将击之。史弥远犹畏公议,外示优礼,改权工部侍郎。了翁力以疾辞,乃出知常德府。乙酉,谏议大夫朱端常,劾魏了翁欺世盗名,朋邪谤国,德秀奏札诋诬。诏了翁落职,罢新任,追一官,靖州居住,德秀落职,罢祠。知孝上书,乞窜德秀以正典刑。梁成大亦言了翁虽经追窜,人以为罪大罚轻,德秀狂僭悖谬,不减了翁。弥远劝帝下其章,帝曰:"仲尼不为已甚。"乃止。成大遗书所亲曰:"真德秀乃真小人,魏了翁乃伪君子。此举大快公论。"识者笑之。

壬辰,御射殿,阅崇政殿亲从射艺,迁补有差。

癸丑,太学正徐介进对,论《中庸》谨独之旨,帝曰:"此是以敬存心,不愧屋漏之意。"

金主命赵秉文、杨云翼作《龟镜万年录》。

宝庆二年　金正大三年,蒙古太祖二十一年【丙戌,1226】

春,正月,丁巳朔,帝不视事。

癸亥,诏赠沈焕、陆九龄官,仍赐焕谥端宪,九龄文达。录张九成、吕祖谦、张栻、陆九渊子孙官各有差。又诏以布衣李心传专心文学,令四川制置司津发赴阙。

是月,蒙古主以夏纳仇人,又不遣质子,自将伐之,旋取黑水等城。

二月,丙戌朔,手谕知贡举、礼部尚书程珌等曰:"国家三岁取士,试于南宫,盖公卿大夫由此其选,事至重也。朕属在哀疚,未遑亲策,爰咨近列,往司衡鉴。卿等宜协心尽虑,精考切择。夫文辞浮靡者,必非伟厚之器;议论诡激者,必无正平之用。去取之际,其务审此。"帝留意文艺,遇贡举,屡降御笔,当时称帝为"文章天子"。

戊子,以右正言李知孝言,诏:"赃吏有实迹者,永不得与亲民及师儒差遣;继经赦宥,不许改正。有监司、守臣保举三员者听之,仍每以保一员为额。"

辛卯,诏:"诸道提点刑狱以五月案部理囚徒。"

梁成大言:"真德秀有大恶五,其奏济王事,乞追封以盖逆状,趣立嗣以召祸端,改节圣语,谤讪朝廷,无将之心,与魏了翁同罪。了翁已从窜削,德秀仅褫职罢祠,宜一等施行。"诏削秩二等。

蒙古藁城守将董俊,以锐卒数百授史天泽,天泽夜赴真定,与萨纳台合攻武仙,仙走西山。萨纳台怒真定民反覆,驱万人,将斩之,天泽曰:"是皆吾民,我力不能及,一旦委去,不幸被胁,杀之何罪?"乃释之。

三月,丙辰朔,梁成大奏寝王长孺召命,徐瑄、胡梦昱重议施行。初,长孺饯梦昱诗,比诸胡铨。成大以儗非其伦,党和邪说,不宜立朝。瑄举梦昱贤能才识,有忧国敢言之词。成大谓梦昱狂悖,瑄必与之合谋,二人虽已窜削,而罪大罚轻,于是并及之。寻予长孺祠;瑄削秩三等,徙居象州;梦昱徙钦州编管。

庚申,诏曰:"朕自下求言之诏,凡封章所上,必详加省览,亦已拣择施行。而遐方小臣,犹未有应诏。近者始见普安军推官罗宰所陈利病,辞旨勤恳。一介之士,身处川蜀万里之外,乃能独先众人,惓惓效忠,深可嘉尚,可特与升擢差遣,以劝来者,以副朕听纳之志。"

辛未,乔行简进读《高宗宝训·谨名器篇》,至祖宗朝教坊官有求为郡者,太祖以唐庄宗为监,不与,帝曰:"用伶人为郡守,非独轻亵名器,亦必为民害。"行简言:"谨守祖宗法度,则名器自不滥。"帝曰:"祖宗法度,自是精密,岂容不守!"

癸酉,以杨简为敷文阁直学士、中大夫,提举南京鸿庆宫。先是召简以内祠、奉朝请,仍进职,简以疾抗章不至,遂以是宠之。

以久雨,蠲大理寺、三衙、临安府酒所赃赏钱。

戊寅,诏曰:"朕近召游泽,见于便殿,详览二疏,因加访问,议论正大,指证明切,有益于君德治道,耸听嘉叹!可特与改合入官,仍除馆职。旌忠说以导敢言,乃朕志也。"先是泽以浙西提刑司干办公事召为太学博士,寻为秘书郎。

诏太常寺建功臣阁,绘赵普以下二十有三人,以昭勋、崇德为名。

庚辰,以京湖制置使陈晐经理屯田有绪,诏奖之。

壬辰,决大理寺、三衙、临安府、两浙州县系囚。

是春,夏主父遵顼卒,年六十四,谥曰英文皇帝,号曰神宗。

夏,四月,己丑,以《隆兴格》制辅臣俸。先是帝览尚书省所进请给册,以辅臣俸薄,令户部条奏,遂有是命。

辛卯,金享于太庙。

以莫泽言,令二广诸司:"今后守卒以下阙官,须申省部,未有注授者方许奏辟,卒令未满求辟者禁之。"

以久雨,诏大理寺、三衙、临安府、两浙州县决系囚,杖以下释之。

癸巳,秘书少监范楷言淫雨未止,岁事可虑,帝动容曰:"不知何以弭灾?"楷曰:"愿陛下益加儆惧。"帝曰:"《洪范》雨旸寒燠风,皆归之肃乂哲谋圣。以此知人事与天意常相感通。"楷曰:"人主与天地龙近,所以古人夙夜畏威。"帝曰:"敬天一念,朕因此加谨。"

庚子,下诏省刑。

五月,辛酉,大理少卿叶宰言:"请令诸州军奏谳来上,先以期日关奏邸及刑寺,以稽留狱之弊。"从之。

戊寅,李知孝奏请速正济王叛逆之罪,追夺王爵。

先是知孝以为言,帝曰:"观卿之意,欲正名分、明国法耳。如朕始者所行,正欲全恩意也。"知孝言:"陛下隆骨肉之爱,自是美事,但叛逆之臣,不正典刑,非所以训。"帝曰:"更当审虑区处。"及是章复三上,帝曰:"此事卿屡奏陈,朕欲全始终之恩,所以重于施行。"知孝曰:"陛下笃亲睦族,可谓至矣。台谏、给舍既屡奏谏,若有施行,亦非得已。"帝曰:"卿言既如此切至,朕当出卿所陈,更与大臣商榷。"

癸未,令万寿观建宁宗神御殿室。

乙未,以傅伯成为龙图阁学士、提举南京鸿庆宫。先是召伯成,以疾抗章不至,遂以是宠之。

丙申,赐礼部进士王会龙等九百九十八人及第、出身。

壬寅,以先圣五十二代孙孔万春袭封衍圣公。

己酉,录行在系囚。

蒙古主避暑于浑垂山,取夏甘、肃等州。

秋,七月,戊辰,大风。诏释大理寺、三衙、两浙州军系囚。乔行简因进读,奏风变,帝曰:"大风可畏,皆朕不德有以致之。"行简曰:"陛下引咎责躬,此意上通于天,在祖宗朝皆有已行典故,臣已略具敷陈,欲乞陛下思所以应天之实。"帝曰:"所陈甚善,朕当益加修省。比以害稼为忧,当令体访。知早稻已获,晚稻未花,又幸不崇朝而止。"

庚午,金平章政事英国公胥鼎薨。

是月,蒙古主取夏西凉府搠罗、河罗等县,遂逾沙陀,至黄河九渡,取应里等县。夏国主德旺惊悸而卒,年四十六,号曰献宗。国人立其弟南平王睍,以兵事方殷,告于金,各停使聘。

八月,金伊喇布哈复曲沃及晋安。

辛卯,金设益政院于内廷,以礼部尚书乐平杨云翼等为说书官,日二人直,备顾问。云翼为金主讲《尚书》,言帝王之学,不必如经生分章析句,但知为国大纲足矣。因举任贤去邪,与治同道,与乱同事,有言逆于汝心,有言逊于汝志等数条,一皆本于正心、诚意,敷绎详明。一日,经筵毕,因言:"人臣有事君之礼,有事君之义。礼不敢齿君之路马,蹴其刍者有罚;入君门则趋,见君之几杖则起;君命召,不俟驾而行;受命不宿于家。是皆事君之礼,人臣所当尽也。然国家之利害,生民之休戚,一一陈之,则向所谓礼者,特虚器耳。君曰可而有否者,献其否;君曰否而有可者,献其可。言有不从,虽引裾、折槛、断鞅、轫轮有不惜焉者。当是时也,姑徇事君之虚礼而不知事君之大义,国家何赖焉!"金主变色曰:"非卿,朕不闻此言。"云冀尝患风痹,及愈,金主问愈之方,对曰:"但治心耳,心和则邪气不干。治国亦然,人君先正其心,则朝廷百官莫不一于正矣。"金主矍然,知其以医谏也。

壬辰,令户部申严州县受租苛取之禁,转运使察其违者劾之。

甲午,以久雨,蠲大理寺、三衙、临安府点检提领酒所赃赏钱。

济王竑之死也,始欲治葬于西山寺,后遂藁葬西溪。史弥远患人言不已,思有以折抑之,乙巳,上言:"昔秦王廷美以昵比凶恶,群臣就请行法,遂勒归私第,寻降涪陵县公,房州安置。比济王从贼僭伪,给舍、台谏俱有奏请,乞正名定罪,陛下欲全始终之恩,弗俞其请,今又论奏不已。臣等切详秦王以言语不顺,尚坐追降窜责,今济王逆节著明,负先帝教育之大恩,忘陛下友爱之至德,参之公论,揆之国法,死有馀罪。臣等详议审处,请将济王追降巴陵县公,庶几上全仁恩,下伸公议。"从之。

丙午,卫泾薨。

乙卯,诏:"新中法科而资浅者,须外应二考以上,方擢为评事。"从陈贵谊请也。

九月,庚申,雷。

李全破益都,执张(琳)〔林〕送楚州。蒙古郡王岱逊攻之,全战屡败,退守益都,蒙古筑长围困之。全粮援路歹,与兄福谋,福曰:"二人俱死,无益也。汝身系南北轻重,我当死守孤城,汝间道南归,提兵赴援,可寻生路。"全曰:"数十万勍敌,未易支也。全朝出,则城夕陷矣,不如兄归。"于是全留青,福还楚。

庚午,工部侍郎兼崇政殿说书郑清之,晚讲读《通鉴》汉朱穆嫉宦官恣横事,清之因言:"西汉士大夫得出入禁中,人主不专与妇寺相处。"帝曰:"朕观成周之制,宫中宿卫尽用士大夫,使人君目见正人,耳闻正论,所以为进德之基。西汉去古未远,尚有成周遗意,使人君得亲近士大夫,真良规也!"叹羡久之。

徐晞稷罢,以刘琸为淮东制置使。朝廷闻李全为蒙古所围,稍欲图之;以晞稷畏懦,谋易帅。琸雅意建阃,使镇江都统彭忔延誉,忔亦心觊代琸,怂恩尤力。故以琸代晞稷,忔代琸知盱眙。

冬,十月,甲申,程珌等奏《宁宗御集》阁请以宝章为名,诏置学士、待制。

丙申,诏:“中外系囚,杖以下释之。”

辛丑,雷。诏辅臣曰:“连雨不止,朕深忧之。惟是宽恤刑狱,蠲放逋欠,悉已施行矣。可以惠及下民者,更议行一二事,庶几感召和气,速获晴霁。”

壬寅,复诏大理寺、三衙、临安府、两浙军州决系囚。

庚戌,宰臣率百寮请御正殿,从之。

己卯,改湖州为安吉州。

十一月,丙辰,始御紫宸殿。诏曰:“朕以眇躬,嗣承大统,实戴皇太后覆育推佑之恩,丰功盛德,宜极尊崇。今将举册宝礼,朕欲于未进奉之前,恭上尊号,可令辅臣拟定进呈。”

戊午,以仓部郎官潘樨为大理少卿。诏曰:“朕为天下国家之本在身,每于躬行之际,尤所致谨。比览潘樨首疏,所奏深契朕心,可特除以示嘉奖。”

刘琸至楚州,心知不能制驭盱眙四总管,惟以镇江兵三万自随。夏全请从,琸素畏其狡,不许。彭忔自以资望视琸更浅,曰:“琸止夏全,是欲遗患盱眙。彼犹惮夏全,我何能用!”乃激夏全曰:“楚城贼党,不满三千,健将又在山东,刘制使图之,收功在旦夕。太尉何不往赴事会?”夏全欣然,帅兵径入楚城,时青亦自淮阴入屯城内。琸骇惧,势不容却,复就二人谋焉。

时传李全已死,全妻杨妙真使人行成于夏全曰:“将军非山东归附耶?狐死兔悲,李氏灭,将军宁独存?愿将军垂盼!”夏全许诺。妙真盛饰出迎,与案行营垒,曰:“人言三哥死,吾一妇人,安能自立!便当事太尉为夫,子女玉帛、干戈仓廪,皆太尉有,望即领此,无多言也。”夏全心动,乃置酒欢甚,饮酣,就寝如归,转仇为好。〔更〕与李福谋逐刘琸,遂围楚州治,焚官民舍,杀守藏吏,取货物。时琸精兵尚万人,窘束不能发一令,太息而已。夜半,琸缒城仅免。镇江军与贼战死者大半,将校多死,器甲钱粟悉为贼有。张正忠不从贼,经妻子于庭,遂自焚。琸步至扬州,借兵自卫,犹札扬州造旗帜,闻者大笑。

夏全既逐琸,暮归,妙真拒之。全恐其图己,因大掠,趣盱眙,欲为乱。盱眙将张惠、范成进闭城门,全不得入,狼狈降于金。金封全为金源郡王。

蒙古主攻夏灵州,夏遣威明令公来援。蒙古主渡河,击败之。蒙古主驻盐州川。

十二月,癸未,诏:“皇太后宜上尊号曰寿明皇太后,有司详具仪注,朕当亲率群臣诣慈明殿奉上册宝。”郑清之晚讲毕,宣坐,帝备言太后慈爱,且曰:“太后圣体康强,颐养大胜往日,此朕所以尤喜也。”

金人闻夏师屡败,召陕西行省及陕州总帅完颜额尔克、灵宝总帅赫舍哩约赫德赴汴议兵事。又诏谕两省曰:“倘边方有警,内地可忧,若不早图,恐成噬脐。旦夕事势不同,随机应变,若逐旋申奏,恐失事机,并从行省从宜规画。”

辛丑,蠲大理寺、三衙、临安府点检提领酒所茶盐赏钱。

癸卯,亲飨太庙。

蒙古授张柔行军千户、保州等处都元帅。

蒙古富珠哩引兵入山东,先遣李喜逊招谕李全。全欲降,部将田世荣等不从,喜逊见杀。

金完颜彝少为蒙古所掠,久之,与从兄色埒杀蒙古监卒,奉母还金,补护卫,未几,转奉御。色埒以总领屯方城,彝随往军中,事皆预知之。色埒病,防军葛宜翁与人相殴,就决于彝。彝察宜翁事不直,量笞之。宜翁素凶悍,耻以理屈受杖,郁郁死,语其妻曰:“必报陈和尚。”陈和尚,彝之小字也。妻讼彝以私忿侵官,故杀其夫,诉于台省及近侍,彝系狱。议者疑彝狃于禁近,必横恣违法,当以大辟,金主不能决,系久之。色埒入朝,金主怪其瘠甚,慰之曰:“卿宁以方城狱未决耶?吾行赦之矣。”是岁,色埒卒。金主闻之,驰赦彝曰:“有司奏汝以私忿杀人,汝兄死,失吾一名将。今以汝兄故,曲法赦汝,天下必有议我者。他日汝奋发立功名,国家得汝力,始以我为不妄赦矣。”彝泣拜,悲动左右。乃以白衣领紫微军都统。

【译文】

宋纪一百六十三 起乙酉年(公元 1225 年)正月,止丙戌年(公元 1226 年)十二月,共二年。

宋理宗名讳赵昀,宋太祖十世孙,父亲荣文恭王。开禧三年(公元 1207 年)正月癸亥(疑误),生于绍兴府虹桥里第。出生的前一天夜晚,荣王梦见一个戴紫金帽的人前来谒见,梦醒后,夜间计时的滴漏壶尚未滴完几个刻度,室内五彩光芒灿烂,荣王起床观看,见满天红光,如同正午的太阳。出生后三天,家人听到屋外有车马的声音,待出去观看,则什么也没有见到。理宗小时候,有次在白天睡觉时,有人忽然看见他体表隐隐有如同龙鳞的花纹,对此都感到神奇惊异。嘉定十五年(公元 1222 年),被授与邵州防御使,十七年(公元 1224 年)闰八月,被立为皇太子,改用所赐名赵昀,封成国公。

宝庆元年 金正大二年 蒙古太祖二十年(公元 1225 年)

春季,正月,壬戌朔(初一),理宗降旨推举贤良人才。

庚午(初九),湖州人潘壬和他的弟弟潘丙、堂兄潘甫,因为史弥远操纵废赵竑立赵昀,心中不平,便派遣潘甫秘密地到李全那里讲述策立济王的谋划。李全想坐观成败,便表面和他约定日期,出兵接应,其实并无诚意。潘壬等人信以为真,随即部署家丁待命起事。到了约定时间后,李全的兵未到。潘壬等人害怕事情泄露,便将他的同伙加上私盐贩子和盗贼千余人,装扮成李全的军士,并扬言是从山东而来,趁夜色入城,向济王赵竑求助。赵竑听说事变,藏在水洞之中,潘壬还是找到了他,簇拥着他到州府衙门,用黄袍加在他的身上。赵竑哭着不服从,潘壬等人强迫他,赵竑不得已,便与潘壬等约定:“你们能不伤害太后、皇帝吗?”众人答应了。于是打开仓库将储备的金帛、纸币、布匹来犒赏军队。知州谢周卿带着所属官员进来祝贺。潘壬假借李全的名义贴出告示,列举史弥远废立皇帝的罪行,又说:“现在率领精兵二十万人,水陆并进。”百姓都被耸动了,等到天明一看,却都是太湖渔兵及巡尉兵卒而已。

赵竑知道起事不会成功,就派王元春到朝廷报告,并率州兵讨伐潘壬。潘壬改变了姓名逃跑,潘丙、潘甫都被杀死。王元春到临安报告后,史弥远十分恐惧,急忙召集殿司将彭忻带军队赶往湖州,到湖州时事变已被平定。潘壬逃到楚州后被小校尉捕获,送到临安处死。史弥远假称济王赵竑有病,命门客秦天锡挟持医生到湖州看望。秦天锡依照谕旨,逼赵竑自缢于州衙中,并以病死上报皇起居郎魏了翁，考功员外郎洪咨夔，相继上奏章申诉赵竑的冤屈。礼部侍郎、直学士院真德秀入朝拜见，奏道："我朝立国，是以仁义为本，首先要正名分。陛下刚承担国家重任，不幸又处在人伦关系不平静的时刻，流言传播四方，损害不浅。湖州事变，并不是济王的心愿，先有躲避的行动，后又听说有讨伐逆贼的计划，事情的始末，如火光照耀那

宋理宗像

样清楚。希望陛下降旨有关部门，按从前雍熙年间追封秦王赵德芳免除罪名抚恤遗孤的旧例，斟酌处理。虽然济王没有后代，但使废灭者兴起，使绝嗣者后继有人，全在于陛下了。"宋理宗赵昀说："朝廷对待济王已经可以了。"真德秀说："如果认为此事处理得尽善尽美了，臣不敢表示同意。只要看看历史上舜对于象的处理，那么陛下显然是不如舜的。人主只需以二帝、三王为师，秦汉以下皇帝，举动都有不合理之处，不足以效法。"宋理宗说："对济王的处理因时间匆忙紧迫，有些不妥。"真德秀说："这是已经过去了的错误。希望陛下在过失中吸取教训，进一步讲求学问，增长治国之道，以弥补过去的失误，收拢人心。从前太平兴国年间，秦王赵德芳的事发作，太子太师王溥等七十四人聚集朝廷，商议对策，然后由皇帝裁决，就是因为大事不能轻率。庆历年间寻求征西的统帅，一定要用当时第一流人才。宰相吕夷简竟放弃私仇，荐举人才，这是因为重任不能轻易授人。最近湖州雪川的案件，没有让朝廷听取群众的意见。又如淮东、四川制置使的任命，都出乎众人意料之外。天下大事，不是一家的私事，为何不与大家共同商议呢？朝廷对于天下，就像天地对于万物，栽培它，毁坏它，都要出自公心，不可以有一点私意在里面。乾道、淳熙年间，在朝廷任职的人，以上门送礼为耻，在外做官的以给在京都做官的送礼为羞。现在送礼行贿公然进行，已形成风气，不觉奇怪。太平盛世都希望宽松富裕，不愿意紧迫贫困。过去以谎言为据而下令，造成百姓流配、处死，都城中的百姓摇手相戒，不敢议论国事。现在朝廷之上，机敏的人多于老成的人，有处理政事才能的人，多于饱学儒术之士。虽陛下曾经褒奖旧臣傅伯成、杨简，褒奖学问修养突出的柴中行，任用淡泊名利的赵蕃、杨宰，至于忠亮敢言的陈宓、徐侨，都没有被录用。臣希

望安排柴中行在经筵,提拔陈宓、徐侨担任谏官,不仅作为人主可以依赖他们的优点,也可以作为朝廷新近提拔的士人的榜样。傅伯成、杨简都已年过八十,即使召他们不来,也会用囊封奏章进上忠言。"又说:"管理臣民的官员,没有听说他们安抚百姓,贪戾倒日盛一日。"宋理宗说:"为什么没有一个清廉的?"又问:"如何改革?"真德秀说:"这可以用朝廷对官吏的升降来表示意向。"宋理宗又问:"你曾见过哪些清廉的官员?"真德秀告诉他有袁州知府赵鉴夫,接着说:"崔与之任四川制置使,杨长孺任福建制置使都有清廉的名声,臣不能一一全部列举,请求多方访查。"史弥远因这番话深深地忌恨真德秀。

甲申(二十三日),程珌为宋理宗讲读《三朝宝训》,说:"艺祖皇帝受禅之初,便与三军约定,不许乱杀一人。从此这条规定代代皇帝都继承下来,遵守它成为家法。"理宗说:"祖宗以仁爱立国,朕当以仁爱守业。"理宗又问:"《宝训》中说:'治世少而乱世多,君子少而小人多,'这是为什么呢?"程珌说:"治世少而乱世多的原因,正是由于君子少而小人多。正人君子本来不少,圣明的君主出现君子就多;小人本来不多,昏庸的国君出现小人就多。"宋理宗说:"很对。"

已丑(二十八日),朱瑞常说:"四川士人被选为郡太守的,在绍兴以前都是亲自到国都朝见皇帝,皇帝可以考察其品行才能,然后决定是否任用。自庆元年间以来,都是以辟举的方式谋真位,用书函方式托人说情求得任命。现请求除曾经担任知州且成绩卓著外,都要亲自到朝廷来由皇帝考察后授职,上奏被批准后再赴任,连任的知州可免到京都。"皇帝从之。

已丑(二十八日),皇帝下诏说:"朕刚开始规划宏图,很得益于母训。既到御前讲席以来,每天亲近群儒,深感修养品德治国立业的根本,都是出于经典学问,所以时时牢记不敢有丝毫的松懈。希望各位贤者尽心帮助启迪,不要有回避,朕当垂听,更加自勉。"

二月,壬辰朔(初一),降雪。

蒙古国武仙听说彭义斌收复山东州县,就背叛蒙古,杀死了河北西路都元帅史天倪。史天倪的弟弟史天泽,当时护送母亲返回燕京,府僚王缙、王守道在路上追到史天泽,告诉他发生的事变,并且说:"事变发生得很突然,部下士兵都散在近郊,您如果能调转车头回府,这些部下会不招而至。"史天泽说:"叛国仇敌,就是赴难也当前往讨伐,何况未必就会死呢!"于是拿出所有的资产,购置军服武器南还,派监军李伯祐向国王富珠哩说明情况,并请求援兵帮助。富珠哩立即命令史天泽继承哥哥的职务,派遣萨纳台率三千精兵归史天泽指挥,合力进攻。武仙的部将葛铁枪带兵抵抗,史天泽迎击,活捉葛铁枪,其部下溃散。史天泽乘胜攻占中山,夺取了无极、赵州。武仙败逃至西山。不久史天泽收复真定。富珠哩是穆呼哩的儿子。

癸巳(初二),朱著、王暨为宋理宗讲读《高宗宝训孝德卷》完毕,朱著说:"高宗在宋朝中兴艰难之时,对慈宁太后很是尊敬,始终尽孝。希望陛下以高宗为榜样。"理宗很高兴地接受,忽然又发愁道:"今年雪下得不合时令,朕整夜不安,应该更加小心谨慎,修养德行。凡有缺点,不要忘记忠告。"

甲午(初三),诏令:"已故太师、武胜、定国军节度使、鄂王岳飞,改谥号为忠武。"

丙申(初五),封赵师弥为嗣秀王。赵师弥是秀王的第二个儿子,潘壬事变时,他躲在菁山园庙中暂住,这次奖励他能守护陵园,越级升为嗣王。

戊戌(初七),诏令:"福州、温州,各添教官一名。"

甲辰(十三日),免去两浙州军所属各县官私房租钱数额不等。

许国来到楚州,李全的妻子杨妙真到郊外迎接,许国推辞不见,杨妙真羞惭而返。

许国就职后,极力压制北方义军,凡义军与南方官军发生冲突,无论是非曲直,偏袒官军,犒赏义军的钱减损十分之八九。李全从青州写信给许国,许国向众人夸耀说:"李全仰仗我们供给扶持,我略微显示一下威力,他就要赶快奔走从命。"

李全因留青州,许国无法招致,便多次馈赠厚礼,邀请李全返回。刘庆福也派人试探许国的心意,许国左右僚臣对试探的人说:"制置使没有加害你们的意图。"刘庆福报告李全,李全召集部将说:"我不参见制置使,我便理屈;现在我不计较生死,一定去拜见。"于是返回楚州谒见。宾赞官告诫李全说:"你是节度使应当在厅堂趋行,制置使一定让你免礼的。"等到在庭趋行后,许国端坐接受李全拜谒,李全退下来后愤愤地说:"我李全归顺宋朝以来,参拜的人很多,而你不是文臣,和我同级,你以前当淮西都统时拜谒贾制帅,亦免你跪拜。你有什么功业,一旦地位在我之上,就不用免礼的惯例了!我李全忠心报效朝廷,不反朝廷。"许国接着设盛宴招待李全,赠送厚重的犒赏,李全始终闷闷不乐。刘庆福去见许国的幕官章梦先,章梦先让他隔着门帘见面致敬,刘庆福也很不高兴。

不久,李全打算去青州,恐怕许国不放,心中合计说:"他们所争的就是跪拜,拜了就心满意足,我何必舍不得哩!"更加谦恭有礼。在会见时,拿出文札说明回青州的事,许国看他做事谨慎的样子,便照准。李全即席又拜谢。自此以后略有行动便去请示,每请必拜,许国高兴地说:"吾真服了这个人!"

李全去青州,许国集合两淮骑兵步兵十三万人,在楚州城外阅兵以挫败北军的威风。杨妙真及留下的北军官兵,唯恐许国谋害自己,暗中深加戒备。

开始,李全派刘庆福回楚州,想让他作乱,恰逢潘壬事败,李全这一派心中不安。有人要杨妙真收留一个神经不正常的男子,指着他对人说:"这才是皇家后代。"并对部下说:"不久让你们在朝廷做大官。"暗地里约好盱眙四军做内应,都不响应,刘庆福的阴谋没能实现,接着又想讨好许国。计议官苟梦玉知道这件事,告诉了许国。许国说:"难道我是文人不懂用兵吗?"苟梦玉唯恐祸及自身,又把许国的话告诉了刘庆福。

一天,许国清早起来办公,忽然见庭中遍布持刀枪的人,许国厉声道:"不得无礼!"说话间,许国额头中箭,满面流血逃走。作乱的士兵杀害了他全家,纵火烧了官衙,官库中的武器粮草都被刘庆福部下掠走。许国的亲兵保护着许国用绳子吊下城逃走。作乱的义军拥戴通判姚翀进城,犒赏两军让他们各自回营。刘庆福亲手杀死了章梦先,以报复他受的侮辱。许国在逃跑途中自缢而死。

朝廷听到此事,史弥远恐怕激起其他事变。因为徐晞稷曾任楚州城副将驻守海陵,得到李全欢心,于是授任徐晞稷为淮东制置使,让他委婉地招抚李全。李全听说许国已死,从青州返回楚州,假意责备刘庆福不能弹压叛乱。斩杀数人,上表请罪,朝廷不予追究。扬州知州赵范,在失散的士兵中获得制置使印,将印授赠徐晞稷。晞稷到达楚州,李全到门下,下马到庭前参拜,徐晞稷离座降级不让他礼拜,义军士卒才满意。徐晞稷到任后,称李全为恩府,称杨妙真为恩堂。

当初,楚城将要发生事变时,有个吏员偷得许国两匣文书交给刘庆福,都是机要事,刘庆福没打开看。李全打开一读,有朝廷给许国的文书命令他消灭李全,李全勃然大怒。还有苟梦玉的信,告发刘庆福事,李全因此讨厌苟梦玉反复无常,将他杀死。

戊午(二十七日),取出丰储仓的米七万五千石救济临安百姓。马步军诸班值、皇城司守卫官兵,分级犒赏。

三月,癸酉(十三日),在永茂陵埋葬仁文哲武恭孝皇帝赵扩,庙号宁宗。

当时皇太后垂帘听政,人们常说宋朝有母后听政圣明的传统,太后兄长的儿子万寿观使杨石却说:"凡事不能一概而论。过去仁宗、英宗、哲宗继位时有的尚幼,有的素有抚育,军国大事,尚不熟悉,那时母后听政是应当的。现在皇上清楚地了解民事,天下心悦诚服,虽说母后英明,如果不及早还政给皇上,难道不怕有根基不深的小人离间吗?"于是将章宗、慈圣宣仁几位太后临朝的原因和汉、唐母后临朝的得失写成密奏上报太后,太后认为他的意见正确。

夏季,四月,辛卯朔(初一),将宁宗神位供奉在太庙中,在临安、绍兴府颁布德音。

金国重新起用莘国公胥鼎,任命为平章政事,在卫州行省事,进封英国公。

壬辰(初二),朱著为宋理宗讲读《高宗宝训》,读到高宗赵构说周公告诫周成王,一定要知道农民耕耘的辛苦时,宋理宗说:"朕最近写了《尚书·无逸》一篇,裱成幅条幅,挂在座位右侧以便随时阅读,读着想着,不忘民间艰苦。"

甲午(初四),金国因京都附近大旱,派使者察看囚犯以示仁慈。

丁酉(初七),太后手书"我年老多病,望能安静度日。新皇帝可每天到便殿去处理政务,今后我不再听政。"

戊戌(初八),大臣上奏说:"恭敬地拜读了太后归政于天子的书札,前代母后勉强去做还做不到的事,太后断然做到了,毫无为难之色,实在是各朝各代母后临朝的楷模。"宋理宗说:"朕受太后大恩如天,日夜思念,不知如何报答,应该尽力请求指示。"辛丑(十一日)、壬寅(十二日),理宗两次请求太后听政,太后不允。

丙午(十六日),下诏说:"今后在朝中和外地供职的侍从官,依元祐分十科举荐人的惯例,每年推举三人。"这是听取右正言麇溧的请求后定的。

辛亥(二十一日),拿出丰储仓八万石米赈济临安的贫民。

己未(二十九日),任命端明殿学士薛极为书枢密院事。

五月,甲子(初四),下诏令征求直言。户部郎官张忠恕递上密封奏折,大意是:"天人感应,快如影子和回声。自去冬到今春,雷雨不能按时令出现,湖州、楚州,反叛之事不断发生,后来的流星隐没,太白星白天出现,正是上天对朝廷的警戒,不应推说是局部灾害的象征。陛下对济王赵竑的恩典,自认为十分周全,但不将他留在京师,迁到外郡,不选择州官守官,让他和平民住在一起,一个人起来作难,全城随之响应,虽然很快平息变乱,但不符合当初的葬法。我认为应该赶快降诏表示哀悼,深刻自责,重新给予隆重的葬礼,选立继承人,如此才会没有遗憾。险恶之人对正言直论，都认为是沽名钓誉，归过他人。沽名钓誉归过他人，当然是错误的。如果首先就萌生了厌恶之心，那就会使进言者望风而疑惑，这是害国蔽人的毒雾。况且近来用人，把崇尚名节看作是装腔作势，把忠心耿耿视为迂腐疏阔，把清高廉洁看作不通世情，把宽厚视为无用，把强行办事当作机敏，把拱手沉默当作安宁平和，把趋附迎合当作识时务，把急于求成当作力能胜任，因此，正人不得用，小人被当作亲信。而且读书人的风气越来越坏，百姓生活日益艰难，有权势者住宅之华丽，歌伎之优美，服饰之奢侈，馈赠之贵重，是前所未见。公家的财物当作自己的。荐举、狱讼、军伎、吏役、僧道、富民，凡可以得到贿赂的地方，没有不设法得到的。如此状况，要想国家根基不动摇，大概就像倒退而行又想往前走。"魏了翁看了这道奏折，感叹说："忠献公后继有人了！"张忠恕是忠献公张浚的孙子。

进士井研人邓若水上奏说："行大义，然后可以平息严厉的指责；收大权，然后才巩固皇帝宝座；除大奸，然后可以消除大难。宁宗皇帝驾崩，本该济王继承皇位，因为没听说先帝要废黜他，也未听说他犯了大错。史弥远因为济王即位对自己不利，便连夜伪造遗诏，弃逐济王，杀皇孙而迎陛下。不到半年，济王不幸在湖州死去，按照《春秋》笔法，这不是弑君吗？不是篡位吗？不是夺权吗？在背叛先帝遗命之初，天下人都归罪于史弥远而没有归罪于陛下，是什么原因呢？天下人都知道在仓促之间，陛下是不了解情况的，也体察到陛下没有篡权的野心，也料定陛下能看到事情的真相，以洗清先帝、济王父子的冤恨。现在已一年多了，陛下虽刚而不决断，决断而又不执行，没有什么用来告慰天下人的殷殷期望。过去相信陛下没有篡位之心的人，现在也会怀疑陛下有，从前相信陛下不了解内情的人，现在也会怀疑陛下知道内情，陛下怎能忍心在光天化日之下蒙受这样的耻辱呢？为陛下着想，不如遵循泰伯杰出的德行，伯夷清白的名声，季子的高尚节操，然后使陛下的内心大白于天下，这就是臣所说的行大义以平息严厉的指责，这是上策。自古以来君主丧失大权，很少是从废立之际就丧失尽了的。因为在废立的过程中，威严和权势震慑天下，既然能策立成功，就会藐视人主。所以，掌握强权者目恃对天子有恩就欺凌人君，小人依靠权势便目无君主。时间一长，内外勾结为一体，皇上只能默认而听其所为，君主的权力一天天被削弱，恐怕还有为臣的不忍说出的事发生。威严权力一去，人主想要巩固自己的地位，保住自己的性命，也是不可能的。宣缯、薛极，是史弥远的心腹；王愈，是史弥远的耳目；盛章、李知孝，是他的走狗；冯树，是他的打手。史弥远要做某事，害某人，都是这些人在一起谋划的，哪里有陛下的意思在内呢？臣认为不除掉这些危害国家的人，陛下不仅不能平息指责，也未必能巩固自己的地位。既然如此，那么皇上还惧怕什么而久久不行动呢？这就是臣所说的收大权以定大位，这是中策。还有一条，就是除大奸以消除大难。李全，是个流民罢了，被我方供养，兵没加多，地没有扩大，势力也不是特别强。贾涉为帅，是个平庸之人，李全不敢轻举妄动，什么原因呢？就是因为名正言顺。自从陛下即位之后，李全才敢不驯良，因为他有用兵起事的借口，意思肯定是：济王是先帝的继承人，而史弥远放逐并杀害了他。皇孙，就是先帝的孙子，史弥远残害了他。这些话理直气壮，所以沿淮河几十万军队，不敢小看他们的锋芒。虽然现在暂时无事，怎知哪一天他不会突然发出紧急的讨伐战书，以济王冤屈为托词，以征讨陛下身边的元凶为名义！史弥远之流,死有余辜,不用再可惜他,宗庙社稷和人民有什么罪呢?陛下现在处死史弥远之流,那么李全就没有托词来惑众了。上策做不到,可以考虑中策,中策做不到,可以考虑下策。悲夫!"封奏递上,史弥远用笔涂抹。

丙寅(初六),任命赵师弥为知大宗正事,任命赵不熄为嗣濮王。

许国已死,李全给山东的彭义斌一道文书,说:"许国叛逆,已被处死,你的军队由我指挥。"彭义斌大骂道:"逆贼背叛国家的厚恩大义,擅杀制置使,我一定要报此仇!"便杀了送文书的人,朝南向天誓师,在场的人无不激愤。于是李全从青州攻打东平,没能攻下;便去攻打恩州,彭义斌出兵迎战,李全败走,缴获了他两千匹马。刘庆福带兵救援李全,又被打败。李全退到山岨自保,抽出山阳忠义军抵御北面的进攻。杨妙真和刘全都要与李全共同赴难。这时李全派人请徐晞稷写下文书,与彭义斌讲和,才没去。

彭义斌写信给沿江制置使赵善湘,说:"不杀叛逆的李全,不能收复北方领土。只要你能派军扼守淮河,进而占据涟、海二州,使李全的地盘缩小,切断他的南路,必定能活捉此贼。李贼平定之后,再收复一京、三府,然后我征战河北,盱眙各将领、襄阳的骑兵征战河南,神州大地可以统一了。"

盱眙四总管也派使者送信请求帮助讨伐逆贼,扬州知州赵范也表示同意。史弥远告诫赵范不要离开职守去带兵打仗,要他享安宁之福。赵范上书力争说:"先生责成徐晞稷安抚平定一方,责成我镇守一方。责成徐晞稷的,是要保护人,责成我的,是制弓箭射人。既然责成我唯恐不伤害人,又禁止他伤害人,厌恶他讲伤害人的话,这是为什么呢?况且贼见我已有准备,有所顾忌而不敢放肆为非作歹。将来某一天李贼一定会指责我是激起事变的祸首,挟制朝廷除掉我。先生开始也许不同意,但左右近臣认为可行,卿大夫认为可行,那时先生一定会说为什么舍不得一个赵范而不能解除战祸呢!一定会将我捆绑送给贼寇,赵范我就成了宋朝的晁错。即使如此,假如把我交给贼寇确能排除国难,我就是死有什么关系呢!俗话说:'护家的狗,盗贼厌恶。'盗贼见到护家狗,肯定先向主人指责狗的过失,让主人除掉他,然后就可以穿墙入室做盗贼的勾当了。可见杀狗根本无益于平息贼寇,望怜惜我,另外安排我有名无实的闲散职务。"史弥远没有答复。

甲戌(十四日),下诏令说:"过去帝王即位当政之初,先开四方之门,使得耳聪目明,如《诗经》所说:'访贤求能,小心求助'。凡现在朝廷内外文武大小官员,把所见所闻,禀告上来,忠言正论,朕乐于听取,可行之事,虚心采纳;言有过激之处,不必害怕。希望呈上密封的奏章,满足我延纳忠言的诚心。"

丁丑(十七日),金哀宗因旱情严重而责备自己,退避正殿,减少膳食,赦免罪人。

六月,辛卯(初二),白天出现太白星。

丁酉(初八),复审在押犯。

丁未(十八日),史弥远加封太师,依旧担任右丞相兼枢密使,进封魏国公。史弥远推辞不受,理宗不同意,辞了五次才服从。

辛亥(二十三日),秘书监叶本说郡司贪污的危害,理宗说:"郡司不称职,是由于郡司用人不当,如果郡司用人得当,那一郡人受福不浅。"

彭义斌攻克山东后，又收纳了李全的降兵，兵势大振，于是围攻东平。严实暗中与蒙古博罗罕约好合兵围攻彭义斌。蒙古兵久不至，城中粮尽，便答应与彭义斌联合。彭义斌也想借助严实的力量夺取河朔，然后再消灭他。便按待兄长之礼对待严实。当时严实部下还有几千人，彭义斌不夺他的兵权，而扣住所掠严实部下在青崖的家属不送还。

金国陕西大旱，行省完颜哈达斋戒求雨，大雨，当年收成有保证，百姓很感激他。当时延安残破，完颜哈达下令到西部买牛交给有耕地的人，招集流民帮助他们开垦耕地。延安百姓逐渐恢了生产。

秋季，七月，壬戌(初三)，将作监张忠恕轮到面见皇帝对答，宋理宗说："诏令下了两个月，响应的极少，即使有，也不是忠言直论。"张忠恕引用他伯父张栻的话说："要得到仗义死节之臣，必先得敢于冒死直谏之臣。"后来张忠恕自知不为当时朝廷所容，极力要求改任外地职务，于是出京担任赣州知州。

乙丑(初六)，陈贵谊说："最近皇上下诏征求意见，恐怕言辞有过激之处，乞请赐恩包容。"理宗说："大凡听取意见，对的照办，不对的当然要包容。"

下诏说："三衙、临安府、两浙路诸军，杖刑以下犯人释放。"

丁丑(十八日)，代理工部侍郎乔行简谈到济王的事件，宋理宗说："朕对济王，可说是仁至义尽了。"乔行简："济王的罪过，人所共知，陛下应像周公对待管叔、蔡叔那样，又应当采取孟子说过的周公受到不公正指责的态度。"

滁州水灾，下诏令发行纸币三千缗，米六百石，赈济安抚受灾的家庭。

乙酉(二十六日)，发行大宋元宝钱。

礼部侍郎真德秀说："高宗赵构南下，在杭州定都，这与前朝君主披荆斩棘建立朝廷没有区别。其艰难困苦可说是到极点。孝宗恪守前辈遗愿，志在收复北方，二十八年间，招揽英才，励精图治，没有一天稍微懈怠。故保住了天下，创立了万世之业。现在陛下所住宫殿就是高宗孝宗养神散心之所，仰看楹柱宫楣，俯瞰屋前阶台，就像看见各位祖先又降临其间。想到创业守业的艰辛，思考今天继承大业的不易，就该兢兢业业不能有丝毫疏忽。这是臣要献的第一条意见。陛下以前住的地方，紧靠着东宫，一心想的是尽人子之责效忠朝廷，哪敢想有着人主的奉养！现在宫廷、车马及日用需要之物，随意指令的便利，都比过去要高。臣知道您本性恬淡，不是身外之物可以转移。但以一人之心应对众人的奉承，如不是特别坚强，能明辨是非不被所惑，没有不被腐蚀而变质的。然而只有学习才可以修养恬淡的心性，只有谦敬才可以保持这种恬淡的心性，只有亲近君子才可以维护这种恬淡的心性。理义与物欲是彼此消长的。只有笃志于学，才会日日与圣贤为徒而自得其乐。保持本身谦恭，就好象有神明在上而没有邪辟之侵。亲近贤人、君子的时间多，就会多受规劝，不会受谄邪的迷惑。这三者相互作用，那么圣上心地清明，像太阳一样明亮如水一样清澈，理义支配行动，私欲就不能主宰您了。这是臣要献上的第二条意见。陛下服丧三年，在宫中进行，不只是披麻戴孝而已，悲哀思念存于心中时刻也不能忘记，忧伤凄凉的形色不可一时改变。古代的先人去世之后，建茅屋于墓旁用以居住，待父母去世一周年后，才可以粉刷居室。现在虽然不能像过去一样，然居室的陈设，不可不朴素。古代的人服丧期间，不是有病不能喝酒、吃肉。现在虽不能像过去一样，但厨房中为皇上作的享宴，不可不极节俭。古代的人服丧期未满不得到内宫，现在虽不能像以前一样，但要防微杜渐，远避声色，不可不极严格。吃饭时要从饭菜想到先帝，站立时就要感到先帝就在墙前面，大概就不会辜负先帝的恩典，能向天下昭示诚恳忠孝的本心了。如果借迁移居室的机会，稍异于服丧之礼，则虽然仍穿着孝服，也同没穿一样。这是臣要献上的第三条意见。陛下以前每天侍奉母后，母子之情，欢然无隙。现在虽然照顾饮食，请安侍候与以前一样，但拜见是有数的了。古人事奉双亲，不说话也能领会心意，没有举动表情也能体察到意向，举手投足，张口出言都不忘父母。何况太后亲自将国家大权亲手交给你，一起听政。还不到几个月，脱去旧衣，如扔破鞋一般，陛下对皇后的恩德怎能报答呢！然则恭敬勤勉的礼节，孝顺供养的诚恳，应该比以前有所增加。至于两宫太后的随从，对他们的恩赐应该相等。爱戴长辈，还要推及其犬马，何况是左右的随从呢？现在群臣和百姓的性命都系在两宫太后身上，两位太后受敬重，那群臣、百姓都有依靠，两宫侍奉的臣子也可保全富贵。这是我要献上的第四条意见。"又说："臣认为古代帝王临朝是有常规的。人主与上天同运转，皇上必须在日出时临朝接见百官，则皇上的德行照耀天下，政务不会滞留。先帝每天早上上朝，大概在卯辰之间。陛下刚开始登基视事，正是励精图治之时，而早上起来临朝视事，比先帝晚了许多。即使是天下太平之时，还怕人说懈怠，何况现在国内有许多忧患呢！孔子说：'早上起来，正其衣冠。平旦上朝，忧虑国家安危。一物失其规律，就是乱亡的开始。'望陛下深刻体会这句话。从今起上朝听事一定要以日出为准，这对于正法制，了解民情实在是为政之首要问题。"

彭义斌攻下真定后取道西山，和蒙古博罗罕等军相望。彭义斌将账前兵分给严实一部分，表面上帮他，暗地里监视他。严实知道事情紧迫，立即赶到博罗罕军营，和他合在一起，在内黄五马山与彭义斌交战，彭义斌兵败。史天泽用精兵在后面追赶，活捉了彭义斌。劝说他投降，彭义斌厉声说："我是大宋臣子，遵守道义岂能为他人的下属！"于是以身殉国。

于是京东州县又被严实占有。严实统辖着魏的全部，齐的三分之一，鲁的十分之九，共五十四城。后来又割大名、彰德二府给别人，而增加了德、兖、济、单四个州。当时各地残破，只有严实统治的境内安宁，四方百姓纷纷奔向那里。

八月，壬寅（十四日），由于司农丞姚子才封章奏事切实中肯，官升一级，授秘书郎。

癸卯（十五日），由于傅伯成、杨简是前朝有名望的老臣，召他到临安，又提拔赵篯夫为直秘阁、福建提刑，这是听从真德秀的推荐。

丙午（十八日），下诏令："侍从、给舍、台谏、卿监、郎官以及在外地任职的从前的执政、侍从、各路帅臣、监司，各推荐清廉官员三人。"

戊申（二十日），下诏令："侍从、两省、台谏等各推荐可任将帅的三人。"

己酉（二十一日），地震。

甲寅（二十六日），诏令任命程颐的四世孙程源为籍田令。

乙卯（二十七日），罢免直学士院真德秀、考功员外郎洪咨夔。洪咨夔论事切中要害，曾上书说："过去的宰相，在朝廷上以身作则，升降百官。今天的宰相玩弄权势，作威作福罢了。台谏每月定期考课将临时，不敢下笔，衡量比较各自的议论，揣摩彼此间感情的厚薄，无法决定如何写,吞吞吐吐不能畅所欲言。他们敢于争先去干的只是恭请皇上到景灵宫拜谒罢了。"真德秀对人说:"读了洪咨夔的奏章,德秀我真感到惭愧!"史弥远怀恨在心。到梁成大任监察御史时,凡不同意史弥远意见的,就和莫泽、李知孝三人轮番攻击。给事中王暨等人,批驳真德秀主张的为济王追赠封号的意见,莫泽等人就弹劾真德秀。皇上就把真德秀降为玉隆宫提举。洪咨夔也认为济王冤枉,梁大成等就相继弹劾他,结果降了两级。从此名人贤士,差不多都被排挤出朝廷。人们把他们三人看作"三凶"。

丁巳(二十九日),诏令:"监司、守令各自要廉洁清白,常反省自新,以使朕满意。如果有人不改过自新,一定惩处决不宽容!"

免去绍兴府每年经总制报的与实相差的九万多贯。

金国巩州元帅田瑞叛变,行省院完颜哈达去讨伐他,下达公文说:"有罪的只田瑞一人,其余的不问。"没几天,田瑞的弟弟田济斩了田瑞来投降。完颜哈达按约定不究他人,安抚一州,百姓因此得以安宁如常。

九月,己未(初一),御史李知孝奏言大理评事胡梦昱在上书谈到济王事时,言词狂悖。皇帝下诏将胡梦昱停职除名,放到象州羁管。

冬季,十月,癸巳(初六),出现如太白星一样大的流星。

甲午(初七),林略见皇帝,论及渡江之后,最初阶段伪齐政权连续进攻之事,宋理宗说:"当时也是各将领不统一,所以刘豫敢来侵犯。"林略说:"可见陛下对中兴大宋的本末很留意。"理宗说:"今日宋兵不但少,而且训练不精,如果兵多势大,敌人不敢为患。"

金哀宗对台谏完颜素兰、陈规说:"宋人轻易来犯我边界,我想用轻骑兵袭击他们,希望惩罚他们一下后能讲和通好,以达到使我百姓安宁的目的。夏国向来为我国属国,现在把称帝作为讲和的条件,我不认为这是耻辱。果真能讲和使我国百姓得到安宁,还要用兵吗!你们要明白我的心意。"

绍兴知府汪刚上奏说:"会稽是皇家陵园所在地,税赋全部免征,折征别种物品,山阴也有建陵园的劳苦,请求照会稽一样免征。"诏令暂时免去三年赋税。

乔行简上奏说:"招求贤人、征求直言的两个诏书颁布以后,如果能真按初衷行事,求其实效,那么将会人才振兴,治国之本建立,国威壮大,奸邪的人消失。臣私下观察近来的情况,似乎并不是如此。从侍从到郎官共有几人,从监司到郡守共几个人,现在他所荐举的贤才能人,又不知有几个人?陛下从所荐举中的人选择一两个,准备招致任用他们。凡是内外大小臣子,封章密奏,有的直率,有的含糊,有的切实,有的空泛,无所不有,陛下也从其中选择一两件,付诸实施,且表扬奖赏上奏的人。但天下人仍怀疑陛下这样做只是表面形式,是什么原因呢?因为所召用的人,不是久不为官不愿来的人,就是些年已老而肯定不会来的。那些高风亮节奇为人称道的、刚正不阿的、廉洁自守的、遇事不屈不挠的,推荐的虽多,却不曾召来。给予奖赏的,不过是细枝末节的小事,与治乱无关,粗略地对古今进行比较,与时政没有什么抵触,然后采用,以表示我听取了意见。难道这中间没有深谋远虑出类拔萃的人物,忠言直论绝好的谋略可以使皇上耳聪目明的吗!从未听说采纳那些意见任用那些人。从陛下临朝到今天,朝廷上的英才,掌握军权的大臣,有因议论而被罢去的,有自己请求回归故里的。那些人，有的因有政绩而闻名，有的因直言而脱颖而出，天下不知他是什么原因而获罪，只看到他们被安置在闲散职务上，招之即来挥之即去，甚至被废弃罢免或降级，削夺官职流放远地。因此都认为陛下废弃远离贤才，厌恶正言直论。被排斥的人因此而名声显赫，朝廷却因此而受到指责，怎么会造成这种局面呢？"

十一月，癸亥（初六），任命宣缯兼同知枢密院事，薛极为参知政事，葛洪为签书枢密院事。

下诏命令："邵州是当今皇上即位前任防御使的治所所在，晋升为宝庆府。筠州州名和当今皇上名字声音近似，改名为瑞州。"

蒙古派人到高丽，还没有到就被贼寇杀掉。从此高丽与蒙古不通往来。

彭义斌兵败后，武仙的处境更加困顿，暗中派间谍结交敢死勇士，藏在真定城大历寺做内应。武仙乘夜色冲破关守入城，占领了真定。蒙古史天泽逃奔藁城。

金国皇族旺嘉努借故杀了鲜于主簿，权贵们为他说情，金哀宗说："英王是朕的兄长，怎敢故意鞭打一个人呢？朕作为人主，岂敢以无罪害一个人呢？国家正是衰弱时期，百姓一共才有多少！而皇族竟仗势杀一个主簿，老百姓也就没人做主了。"特下令斩旺嘉努。

金国下诏命令有关部司，为保持名节而殉国的十三人立褒忠庙。

乙丑（初八），杨石进封新安郡王。丙寅（初九），杨谷进封永宁郡王。真德秀上奏说："外戚中的贤人，封以王爵，查遍典籍，从没有听说过。杨石杨谷老成持重，远避权势，治家教子，严肃而有儒雅风度，的确是近代外亲贵戚中所没有的。但我看古代史书典籍，无不把对外戚恩宠太甚作为警戒的。祸福相互转化变化无常，古今都十分警惕。希望陛下在情闲之时常想想使外戚安定的办法，使他们领受谦虚谨慎带来的幸福而不遭受自满带来的灾祸，实在是宗族社稷无边的好事。"

辛未（十四日），诏令："行都和各路公私租房的租金已经减低的，再减十分之三。"这是根据朱瑞常的请求。

庚辰（二十三日），干办诸事司粮料院赵彦覃说，州县将应纳粮赋改为征银钱使百姓受损，宋理宗说："这样无孔不入，有失爱民的本意。"

辛卯（疑误），下诏令："全国在押囚犯，杖刑以下的释放。"

甲申（二十七日），再次降魏了翁的官职，罢免真德秀宫观官俸禄。

当初，胡梦昱被贬官，魏了翁出城送别，右正言李知孝因此指责他倡导异论，应反击。史弥远害怕公众舆论，装作优待魏了翁的样子，让他改任代理工部侍郎。魏了翁借口有病坚辞不就，便任常德知府。乙酉（二十八日），谏议大夫朱瑞常弹劾魏了翁欺世盗名，拉帮结伙诽谤朝廷。真德秀上书对这种诬陷进行抗辩。皇帝下诏免了魏了翁的常德知府，再降官一级，在靖州居住。真德秀免去帖职，免去提举玉隆宫官职。李知孝又上书要求流放真德秀以示法典的威力。梁成大也说魏了翁虽已流放，但人们认为还是罪大罚轻；真德秀狂妄荒谬，罪过不比魏了翁少。史弥远劝皇上批准梁成大的奏章，理宗说："孔子不做太过分的事。"才罢休。梁成大给亲信写信说："真德秀是真小人，魏了翁是伪君子。这些处分大快人心。"有识之士都嘲笑他。

（十二月）壬辰（初六），宋理宗亲临射殿,检阅崇政殿亲从侍卫的射箭表演,根据不同情况晋级。

癸丑（二十七日）,太学正徐介在宫中进对时,向理宗讲《中庸》中谨独的意思,理宗说:"这是将德行存于心中,独处时也要做没有可惭愧的意思。"

金哀宗命赵秉文、杨云翼撰写《龟镜万年录》。

宝庆二年 金正大三年,蒙古太祖二十一年（公元 1226 年）

春季,正月,丁巳朔（初一）,宋理宗不办理公务。

癸亥（初七）,诏令追赠沈焕、陆九龄官,并赐沈焕谥号端宪,赐陆九龄谥号文达。分别录用张九成、吕祖谦、陆九龄的子孙,委以不等的官职。又因为李心传专心于文章学问,诏令四川制置司发给路费让他到朝廷来。

这个月,蒙古国太祖因为夏国结交仇人,又不派国君之子作为人质,自己带兵征讨,不久占领黑水等城。

二月,丙戌朔（初一）,宋理宗手谕给掌管贡举的礼部尚书程珌等人,说:"国家每三年选取一次士人,在南宫考试,公卿大夫都是由此选拔出来,此事至关重大。朕近来处于哀忧之中来不及亲自主考,特派近侍前往,负责权衡选择。各位要努力认真地考核。那些文辞华丽轻浮的,肯定不是能成伟业的人,危言耸听者,必非公正平和之士。取舍之时,务必慎重。"宋理宗关心文章学术,每遇贡举,多次亲笔指示。当时人称他为"文章天子"。

戊子（初三）,由于右正言李知孝建议,下诏令说:"赃官有实证的,永不授予亲民官和儒学教师的职务。经过赦免宽大,也不许改正。有监司、守臣三人保举的可许改正,但以保举一人为限。"

辛卯（初六）,下诏令:"各道提点刑狱以五月为期,按规定清理囚犯。"

梁成大说:"真德秀有五大罪行,即上书说济王的事,奏请追封济王以掩盖的叛逆行动,催请为济王立继承人以招致祸端,改变删节圣上所说的话,诽谤朝廷,不轨之心,与魏了翁罪过相同。魏了翁已被降级流放,真德秀仅免去祠职,应该同等处分。"下诏令降真德秀二级官阶。

蒙古国藁城守将董俊将几百精兵交史天泽率领,史天泽趁夜色带兵赴真定,与萨纳台合攻武仙,武仙跑到了西山。萨纳台恨真定人反复无常,驱赶一万人,要杀掉他们。史天泽说:"这都是我们的百姓,是我们力不能及,抛下他们离去,不幸被人胁迫罢了,有什么罪名要杀掉他们呢?"便放了他们。

三月,丙辰朔（初一）,梁成大奏请扣发召王长孺回京的命令,徐瑄、胡梦昱的处分重议。当初,王长孺为胡梦昱饯行时作诗,将胡梦昱比作胡铨。梁成大认为比拟不当,是结党迎合的邪说,不应授朝官。徐瑄推举胡梦昱的贤能才识,有忧国直言之词。梁成大认为胡梦昱狂妄,徐瑄一定与他同谋,二人虽已降职放逐,但罪大罚轻,因此一并处理。不久授予王长孺宫观官,徐瑄降职三级,迁居象州;胡梦昱被迁到钦州编管。

3920

庚申（初五）,下诏说:"朕自从下了求言诏后,凡密封奏章上报的,必认真研读,并已选择一部分实施。但远方小臣,还没响应诏命。最近才看到普安军推官罗宰所陈述的兴利除弊之策,辞意恳切。一个人,身处万里之外的四川,还能比他人领先,耿耿忠心,实在该嘉奖,可以特别提升,以励后来者,也符合我听取意见的心意。"

辛未(十六日),乔行简为宋理宗读《高宗宝训·谨名器篇》,读到宋太祖时有人请求给唱戏的人以郡守之职的事,太祖赵匡胤以唐庄宗为教训,不授予。宋理宗说:"让唱戏的人为郡守,不仅有辱于社稷,也一定对百姓有害。"乔行简说:"认真遵守祖宗的法度,那么朝廷的法制自然不会混乱。"宋理宗说:"祖宗订下的法度自然精密,怎能不遵守!"

癸酉(十八日),任命杨简为敷文阁直士、中大夫,提举南京鸿庆宫。先是召杨简任内祠,按时上朝,又晋升帖职。杨简以病为由拒绝回朝廷,便以这一任命以示优宠。

因久雨不停,免去大理寺、三衙、临安府应上交的赃赏钱。

戊寅(二十三日),下诏说:"朕最近召见游泽,在便殿接见,仔细地谈上的二道疏文,又咨询提问。他的议论正大,指证切实,有益于国君的道德修养和国家治理,打动人心,实可赞叹!可以破格地将他晋升为京官,再授予馆职,以表彰敢于进言的人,这是朕的心愿。"这以前游泽以浙西提刑司干公事召为太学博士,不久任秘书郎。

下诏令太常寺修建功臣阁,将赵普以下二十三人在功臣阁上画像,分别取名为"昭勋阁""崇德阁"。

庚辰(二十五日),京湖制置使陈晫因为经营治理屯田有功,下诏奖励他。

壬辰(疑误),判决大理寺、三衙、临安府、两浙州县在押犯。

这年春天,夏国国君的父亲李遵顼去世,享年六十四岁,谥号为英文皇帝,庙号神宗。

夏季,四月,己丑(初五),按照《隆兴格》的条例制定辅臣的薪俸。先前宋理宗看尚书省呈上的俸禄册,认为辅臣的薪俸少了,命户部查有关条例上奏,便有这加薪的诏令。

辛卯(初七),金国在太庙祭祀。

根据莫泽的奏言,命令二广各司:"今后通判以下的官员空缺,必须申报尚书省吏部,没有注册授任的方可奏请皇上授任,禁止通判、县令任期未满就要求安别的职务。"

由于久雨,诏令大理寺、三衙、临安府、两浙州县判决在押犯,杖刑以下的犯人释放。

癸巳(初九),秘书少监范楷说久雨不停,今天收成令人担忧。理宗着急地说:"不知如何才能消除灾难?"范楷说:"愿陛下更加敬畏天命。"理宗说:"《洪范》中把下雨干旱寒冷温热刮风,都归之于与肃整、安定、远谋、圣明有关,可见人事与天意是相通的。"范楷说:"君主与天地的关系更加近,所以古人日夜都敬畏上天。"宋理说:"专心敬天,朕从此更加谨慎。"

庚子(十六日),降诏减轻刑罚。

五月,辛酉(初七),大理寺少卿上奏说:"请命令各州军上报疑难案件时,规定日期报到进奏院和刑部大理寺,以考查在押滞留的弊病。"批准执行。

戊寅(二十四日),李知孝奏请迅速确定济王叛逆的罪名,剥夺他的王爵。

先前李知孝说过这番话,理宗说:"看你的意思是要正名分、明国法。而朕的初衷是要尽量保全恩惠。"李知孝说:"陛下重视骨肉之情,当然是美事。但叛逆之臣,不正法典,不能成为后人的准则。"理宗说:"还应当慎重考虑。"到此时李知孝三次奏请,理宗说:"为此事你多次奏陈,朕想始终保全恩惠,所以没有施行。"李知孝说:"陛下笃亲睦族,可说是到了极点。

3921

台谏、结舍既已屡次劝说,即使听从他的意见去办,也是不得已而为之。"理宗说:"你的话既然如此恳切,朕应当把你的意见拿出来,再与大臣们商议处量。"

癸未(二十九日),命万寿观修建宋宁宗神御殿室。

六月,乙未(十二日),任命傅伯成为龙图阁学士、提举南京鸿馆。先前召傅伯成,他以有病拒绝诏命不到朝,于是有此项任命小示恩宠。

丙申(十三日),赐礼部进士王会龙等九百九十八人及第、出身。

壬寅(十九日),让先圣五十二代孙孔万春继承衍圣公的封号。

己酉(二十六日),审查在押犯。

蒙古太祖在浑垂山避暑,攻占夏国甘、肃等州。

秋季,七月,戊辰(十五日),大风。下诏命令释放大理寺、三衙、两浙州军在押囚犯。乔行简上殿为理宗讲读时,上奏说大风异常。宋理宗说:"大风可怕,都是因为我的德行不够所造成的。"乔行简说:"陛下能引咎自责,这个心愿会通达上天。这在宋朝先祖都有奏效的例子,我已大概地介绍过,希望陛下想想与上天感应的具体办法。"理宗说:"所陈述的很好,朕应当进一步修身自省。近来担忧坏天气对庄稼的危害,应命令实地查访。早稻已收获,晚稻还未开花,庆幸不到一个早上风便停了。"

庚午(十七日),金国平章政事英国公胥鼎去世。

这个月,蒙古太祖攻占夏国西凉府搠罗、河罗等县,从那里越过沙陀,到黄河九渡,攻占应里等县。夏国主德旺受惊而死,年四十六岁,号为献宗。该国人立其弟南平王李睍为国主,将战争紧急的情况告诉金国,各自停派使者互访。

八月,金国伊喇布哈收复曲沃及晋安。

辛卯(初八),金国在内廷设立益政院,任命礼部尚书乐平人杨云翼等人为说书官,每天二人值班,准备回答皇帝的咨询。杨云翼为哀宗皇帝讲《尚书》,说帝王之学,不必像治经的学生那样分章析句,只要知道治国的大纲就足够了。于是列举举贤去邪,用圣人之道治国必然兴旺,与邪恶共事定然衰乱,忠言虽逆耳但不应断然拒绝,对恭维顺从不要自鸣得意等几条,都是出于正心、诚意,讲述缘由详细清楚。一天,经课讲毕,又说:"人臣有侍奉君主的礼节,有侍奉君主的道义。按礼节不能议论君主的马,踏了马的饲料要受罚;进入君主的门要小步快走,看见君主的几杖要起立;君主要召见,不等套好车就出发;接受了命令就不在家中住宿。这些都是事君的礼节,臣子应当尽力做到。但国家的利益,百姓的喜忧,应该一一实说,上面说的礼,只是虚设的外表罢了。君主说可行,而有人说不可行,就应该上奏说不可行;君主说不可行,而有人说可行,就应该说可行。建议没采纳,即使是扯住衣服,攀折横槛,抽剑断鞅,以头抵轮的直谏也在所不惜。在这时,只知一味顺从君主的虚浮礼节,而不知侍奉君主的重大道义,国家还有什么依仗呢?"金哀宗激动地说:"不是你,我听不到这样的话。"杨云翼曾患过麻痹症,病好后,金哀宗问他治病的药方,他回答说:"只是调整内心罢了。心气平和则邪气不能干扰。治国也是如此。国君先正其心,那么朝廷百官没有不端正的。"

壬辰(初九),令户部严格要求各州县收租时不得苛刻多收,转运使察访到违反的要揭露。

甲午（十一日），久雨不停，免除大理寺、三衙、临安府点检提领酒所应缴赃赏钱。

济王赵竑死后，开始打算在西山寺安葬，后又草草葬到西溪。史弥远怕别人议论不休，想找个压制舆论的办法。乙巳（二十二日），上奏说："过去秦王赵廷美因交结凶恶之人，群臣就要求按法处置，便勒令他回到自己的住宅，不久降为涪陵公，房州安置。近来济王跟从贼寇叛逆，给舍、台谏都上奏，请求正名定罪，陛下想始终保全对他的恩惠，没有接受请求，现在不停地议论上奏。我们一些人考虑秦王因言语不顺从，还受到了连降数级给予流放的处分，现在济王叛逆的情节已清楚，他辜负了先帝教育的大恩，忘记了陛下友爱的高尚品德，参照公论，考察国法，死了也有未偿之罪。我们这些人详细讨论了处置办法，请将济王追降为巴陵县公，基本上可说是对上保全了您的恩惠，对下伸张了正义。"接受了这条建议。

丙午（二十三日），卫泾去世。

九月乙卯（初三），诏令："新考中法科而资格浅的人，须在外任职经历二考以上，方可提拔为大理评事。"这是根据陈贵谊的奏请下的诏令。

九月，庚申（初八），雷鸣。

李全攻破益都，俘获张林送到楚州。蒙古郡王岱逊击攻青州，李全迎战几次失败，退守益都，蒙古军修长围墙困住他。李全粮绝没有出路，和哥哥李福商量，李福说："两人一起死没有好处，你对南北双方举足轻重，我当死守孤城。你从小路回南边，带兵来援助，还可能找到生路。"李全说："几十万强敌在此，不容易支持。我早上出去，晚上就会被攻陷，不如兄长返回。"于是李全留守青州，李福返回。

庚午（十八日），工部侍郎兼崇政殿说书郑清之，晚上讲到《通鉴》记载的汉代朱穆痛恨宦官肆意横行的事，郑清之说："西汉士大夫可以出入宫中，君主不单是和妇人宦官相处。"理宗说："朕观周朝的制度，宫中守卫尽用士大夫，使君主眼中看到的全是正人君子，耳听持正之论，把这作为修养品德的基础。西汉离古代不远，还保有周代的传统，使君主可以接近士大夫，真是好规定！"感叹羡慕了很久。

徐晞稷被罢免，任命刘琸为淮东制置使。朝廷听说李全被蒙古军所围，想借机消灭他。而徐晞稷怯懦，计划换制置使。刘琸有意担任此职，派镇江都统彭忋去举荐，彭忋心想替代刘琸，便鼓动特别卖力。所以刘琸代换了徐晞稷，彭忋接任刘琸知盱眙。

冬季，十月，甲申（初二），程珌等人奏请把收藏《宁宗御集》的阁称为宝章阁，下诏令设置学士、侍制。

丙申（十四日），诏令："中外在押囚犯，杖刑以下的释放。"

辛丑（十九日），雷鸣。下诏命令辅臣说："接连阴雨不停，朕深为担忧。宽大刑罚，免除拖欠的赋税，都已施行了。可以有恩于百姓的事，再提一两件，大概可以感召阴阳和气，尽快得到晴天。"

壬寅（二十日），又下诏令大理寺、三衙、临安府、两浙军州判决在押犯。

庚戌（二十八日），宰臣率百官请理宗亲临正殿，听从请求。

辛亥（二十九日），改湖州为吉州。

十一月，丙辰（初五），宋理宗开始到紫宸殿。诏书说："朕以渺小身躯，继承国家大业，实在是皇太后教养推荐的恩德，丰功盛德，应受到尊崇。现在将举行册封仪式。朕想在未进宝册之前，先恭敬地呈上尊号，可以让辅臣拟定之后呈上。"

戊午(初七)，任命仓部郎官潘檉为大理少卿。诏令说："朕因为国家安危在身，每逢身体力行之时，特别注意谨慎。近来读了潘檉的奏疏，所奏问题正与朕心契合，破格提拔以示嘉奖。"

刘琸到楚州，知道自己无力驾驭盱眙四总管，只好带着镇江三万兵跟随自己。夏全要求同往，刘琸素来就怕他狡诈，没同意。彭忔自知资历威望比刘琸更浅，说："刘琸留下夏全，是把祸患留在盱眙。他还怕夏全，我怎么能用他！"便刺激夏全说："在楚城的贼党不到三千人，勇猛的将领又在山东，刘制置使要消灭他们，成功就在旦夕之间。太尉你为什么不前去会合？"夏全欣然同意，带兵直入楚城，时青也从淮阴入城驻军。刘琸惊慌害怕，其势不容拒绝，只好与二人商谋。

当时传说李全已死；李全的妻子杨妙真派人向夏全说："将军不是从山东来归附的吗？狐死兔悲，李氏灭了，将军还能保全吗？望将军可怜我们！"夏全答应。杨妙真盛装出来迎接，和夏全一道巡视营垒，说："人们传说三哥已死，我一个妇人，怎能自立！便当以太尉为夫，子女玉帛、干戈仓廪，统统为太尉所有，希望现在就掌管起来，不要推辞了。"夏全动了心，于是摆酒畅饮，象回到家一样睡了，变仇敌为好友。又与李福谋划赶走刘琸，便包围了楚州州治，焚烧官府民宅，杀死看官库房的官员，抢货物。当时刘琸手中还有精兵一万，困境之中发不出一道号令，只有叹息而已。半夜时，刘琸用绳子吊到城下才得以脱身。镇江军与贼寇交战，阵亡的过半，将校也死了很多，武器盔甲钱粮尽被贼寇抢走。张正忠不投降，把妻儿在庭中缢死，然后自焚而死。刘琸步行到扬州，借兵自卫，还下书让人给他造旗帜，听说的人大为讥笑。

夏全赶走了刘琸，晚上回来，杨妙真把他拒之门外。夏全怕她害自己，于是大肆抢掠，开往盱眙，准备作乱。盱眙将领张惠、范成进紧关城门，夏全不能进，狼狈不堪地投降金国。金国封夏全为金源郡王。

蒙古主攻夏国灵州，夏国派威明令公来援助。蒙古主渡河，将他打败。蒙古主驻兵在盐州川。

十二月，癸未(初二)，诏令："皇太后应奉上尊号为寿明皇太后，有关部司详细说礼仪，朕当亲率群臣到慈明殿奉上册宝。"郑清之晚上讲毕经书，特允坐下，理宗详尽地述说太后的慈爱，且说："皇太后身体健康，保养得比以往好得多，这是朕特别高兴的事。"

金国听说夏国军队多次战败，召陕西及陕州总帅完颜额尔克、灵宝总帅赫舍哩约赫德赶到汴京商议兵事。又下诏两省说："如果边防有紧急情况，内地深为担忧，如不及早谋划，恐怕后悔已晚。朝夕之间形势都有大变化，应随机应变，如果每件都申报朝廷，恐怕要贻误时机，可以按行省认为恰当的方法处理。"

辛丑(二十日)，免去大理寺、三衙、临安府点检提领酒所应上缴的茶盐赏钱。

癸卯(二十二日)，宋理宗亲往太庙祭祀。

蒙古国任命张柔为行军千户、保州等处都元帅。

蒙古富珠哩带兵进入山东,先派李喜逊招降李全。李全想归顺,部将田世荣等不同意,李喜逊被杀。

金国完颜彝小时被蒙古人劫去,时间一久,和从兄色垆杀死蒙古监狱看守,带母亲返回金国,补授护卫,不久,转任奉御。色垆任总领驻兵方城,完颜彝跟着他到军中,遇事都能预先知晓。色垆患病之时,防军葛宜翁和人争斗,到完颜彝那里去分辨是非。完颜彝考察之后认为葛宜翁无理,量罪施以杖刑。葛宜翁向来凶狠强悍,受杖刑后深感耻辱,郁闷而死时对他的妻子说:"定要找陈和尚报仇!"陈和尚是完颜彝的小名。他的妻子控告完颜彝以私愤而冒犯官员,借故杀害她的丈夫,申诉到了台省和近侍处,完颜彝被关押。当时人们议论者怀疑完颜彝接近皇上,肯定横行恣肆违反法令,应该处以死刑。金哀宗不能判决,关押了很久。色垆到朝上,金哀宗见他消瘦得厉害,安慰他说:"你难道是因为方城的案子未决而心焦吗?我将要赦免他了。"这一年,色垆去世。金哀宗听说后立刻赦免了完颜彝,说:"有关部司奏说你因私忿杀人,现在你的哥哥死了,我失去了一位名将。因你哥哥的原因,特别赦免你,国内一定会有人议论我的。今后你要奋发建立功业,国家能得到你的支持,才会知道我不是随便赦免你的。"完颜彝哭着拜谢,感动了左右侍从。于是完颜彝以没有官阶的身份担任紫微军都统。

续资治通鉴卷第一百六十四

中华传世藏书

續资治通鉴

【原文】

宋纪一百六十四　起强圉大渊献【丁亥】正月,尽屠维赤奋若【己丑】九月,凡二年有奇。

理宗建道备德大功复兴　烈文仁武圣明安孝皇帝

宝庆三年　金正大四年,蒙古太祖二十二年【丁亥,1227】

春,正月,辛亥朔,发册宝于大庆殿,帝率群臣上寿明皇太后尊号于慈明殿。

庚申,以册宝礼成,制杨谷、杨石并为少傅。

壬戌,金增筑中京城,浚汴城外壕。

刘琸上疏自劾,未几死。

朝廷复欲安抚李全,以姚翀尝与李全交欢,乃以为淮东制置使。翀朝辞,帝曰:"南北皆吾赤子,何分彼此!卿其为朕抚定之。"翀至楚州东,舣舟以治事,间入城,见杨妙真,用徐晞稷故事,而礼过之。妙真许翀入城,翀乃入,寄治僧寺中,极意娱之。

己巳,诏曰:"朕每观朱熹《论语》《中庸》《大学》《孟子》注解,发挥圣贤之蕴,羽翼斯文,有补治道。朕方厉志讲学,缅怀典刑,深用叹慕!可特赠太师,追封信国公。"旋改封徽国公。

蒙古主留兵攻夏王城,自率兵渡河,攻金积石州。

二月,癸未,诏铨部:"今后司法参军,不许以诸司年劳出官人注授。诸道检法官,照条格差法,宪司毋得妄辟。"从梁成大之奏也。

甲申,淮西强勇三军统制王鉴特添差兵马钤辖。以职事修举故也。

己亥,以鄂州诸军副都统制贾俊捍御西蜀劳效,进官一等。

金赫舍哩约赫德复平阳,获马三千。未几,蒙古复攻取之。

蒙古兵突入商州,残朱阳、卢氏。金枢密院判官伊喇布哈逆战,至灵宝东,遇游骑十馀人,获一人,馀皆散走。布哈乃以捷闻,赏世袭穆昆,仍厚赐之;人共知其罔上而无敢言。吏部郎中大兴杨居仁上书,微及之,且言宰相宜择人。金主怒曰:"相府非其人,御史、谏官当言,彼吏曹何与于此!"丞相萨布徐进曰:"天下有道,庶人犹得献言,况在郎官!陛下有宽宏之德,故不应者犹言。使其言可用则行之,不可用不必示臣下也。"金主意解,遂不问。

金主之姨郕国夫人,不时出入宫闱,干预时事;监察御史曹州商衡上书极言。自是郕国夫人被召乃敢进见。

三月,庚戌,诏:"方春和时,郡县长吏,其各劝农桑,抑末作,戒苛扰,俾斯民安土乐业,力本耕织,以成富庶,则予汝嘉。"

工部侍郎朱在,言人主学问之要,帝曰:"卿先卿《中庸序》言之甚详。"又言孔子庙从祀去王雱画像,帝曰:"亦曾有此例乎?"在曰:"惟其从祀不当公论,所以去之。"又言:"先臣《四书》印本,所在不同。"帝回顾,宣谕曰:"卿先卿《四书》注解,有补于治道,朕读之不释手,恨不与之同时。"

己巳,金征夏税二倍。

蒙古主拟取德顺为坐夏之所,德顺无军,金人甚恐。节度使海伸,识凤翔进士马肩龙可与谋事,(遣)〔遗〕书招之。肩龙欲行,或以德顺决不可守,劝弗住。肩龙曰:"海伸平生未尝识我,一见许为知己。我知德顺不可守,往则必死,然以知己故,不得不为之死耳。"。既至不数日,受围,城中止义兵、乡兵八九千人。蒙古兵大集,海伸假肩龙凤翔总管府判官,同守御。凡攻守二十昼夜,城破,海伸死之,肩龙自刭。

夏,四月,癸卯,朝献景灵宫;甲辰,亦如之。

是月,蒙古主次龙德。时蒙古兵已破洮河、西宁二州,复遣将攻信都,拔之。

五月,壬子,以岳珂为户部侍郎,依前淮南总领兼制置使。

甲寅,蠲大理寺、三衙、临安府赃赏钱。诏:"大理、三衙、临安府、两浙州军,杖以下罪释之。"

己巳,进读《高宗宝训》彻章,赐宰执、经筵各官燕于秘书省,讲读、修注官各进官一等。

李全在青州,突围欲走,蒙古富珠哩遣兵邀击,大败之,斩首七千馀级。全退入城,城中食尽,全欲降,惧众异议,乃焚香南向再拜,将自经,而使其党郑衍德等救己,曰:"譬如为衣,有身,愁无袖耶?北归未必非福。"全遂出降。蒙古诸将皆曰:"势穷而降,非心腹也,不诛,后必为患。"富珠哩曰:"不然。诛一人易耳。山东未降者尚多,全素得人心,杀之不足以立威,徒失民望。"表闻,蒙古主诏富珠哩便宜处之,乃以全为山东、淮南、楚州行省,郑衍德、田世荣副之。由是郡县闻风款附。

蒙古兵破临洮,总管图们呼图克们被执,诱降,不从,杀之。

蒙古遣唐庆使于金。

闰五月,甲申,蠲大理寺、三衙、临安府及属县赃赏钱。

丁未,录行在罪囚。

蒙古主避暑于六盘山。

先是金主集群臣议与蒙古和,同判睦亲府事撒哈连力排和议。左司谏陈规进曰:"兵难遥度,百闻不如一见。臣尝任陕西官,近年又屡到陕西,兵将冗懦,恐不可用。"语未终,监察乌库哩四和曰:"陈规之言非也。臣近至陕西,军士勇锐,皆思一战。"金主首肯。又泛言和事,规曰:"和固非上策,又不可必成。然方今事势,不得不然,使彼难从,犹可以激厉将士,以待其变。"金主不以为然。群臣多以和为便,乃诏行省斟酌发遣。至是乃遣前御史大夫完颜哈昭为议和使。

丙辰,金地震。

六月,戊申朔,日有食之。

刘庆福在山阳不自安,欲图李福以赎罪,福亦谋杀庆福,互相猜忌。福称疾不出,庆福往候,福杀之,纳其首于姚翀,翀大喜。楚州自夏全之乱,储积无馀,纲运不续,贼党籍籍谓福所致。福畏众口,数见翀促之,翀谢以朝廷拨降未下。福乘众怒,与杨妙真谋,召翀饮,翀至而妙真不出，就坐宾次，左右散去。福以翀命召诸幕客杜末等，以妙真命召翀二妾。诸幕客知有变，不得已而往。末至八字桥，福兵腰斩之。又欲害翀，国安用救之，得免，去须鬓，縋城夜走，归明州，死。

时江、淮之民，靡有宁居，史弥远莫知为计，帝亦署边事于不问。于是廷议以淮乱相仍，遣帅必毙，欲轻淮而重江，楚州不复建阃，就以其帅杨绍云兼制置，改楚州为淮安军，命通判张国明权守视之，若羁縻州然。

金完颜哈昭见蒙古主请和。蒙古主谓群臣曰："朕自去冬五星聚时，已尝许不杀掠，遽忘下诏耶！今可布告中外，令彼行人亦知朕意。"

蒙古尽克夏城邑，其民穿凿土石以避锋镝，免者百无一二，白骨蔽野。是月，夏国主觊力屈出降，遂縶以归。夏立国二百馀年，抗横宋、辽、金三国，俯乡无常，视三国之强弱以为异同，至是乃亡。

时诸将多掠子女财帛，耶律楚材独取书数部，大黄两驼而已。既而军士病疫，唯得大黄可愈，楚材用之，所活万人。

秋，七月，己丑，蒙古主殂于萨里川。疾革，谓左右曰："金精兵在潼关，南据连山，北限大河，难以遽破。若假道于宋，宋、金世仇，必能许我，则下兵唐、邓，直捣大梁。金急，必征兵潼关，然以数万之众，千里赴援，人马疲敝，虽至，弗能战，破之必矣。"言讫而殂。年六十六。葬起辇谷。后追谥圣武皇帝，加谥法天启运圣武皇帝，庙号太祖，在位二十二年。太祖深沉有大略，用兵如神，故能灭国四十，遂平西夏。第四子图垒监国。

蒙古兵自凤翔向京兆，关中大震。

金以工部尚书师安石为尚书右丞。旋以中丞乌克逊布吉、祭酒费摩阿固岱兼司农卿。签民兵，督秋税，令民入保，为迁避计。议者以为蒙古兵未至而河南先扰，时事可知矣。

升宝应为州，而县如故；辛卯，以盐城、淮阴、山阳及宝应并隶宝应州。

丁酉，诏曰："比者疾风甚雨，介于秋成。以朕之不德，上天示谴，夙夜震恐，虑切民瘼。访闻畿甸多有飘损禾稻，毁害室庐，民居失业，必致流散，深可怜悯！被水州郡，速议赈济，仍与放行竹木等税及富室假贷，向去且令倚阁，庶几贫富相资，以宽目前之急；并其它赈恤事件，亟令有司条具以闻。"

八月，丁未朔，李知孝言："《无逸》一篇，其义精深；最切于人主之身者，曰集大命，结人心，保寿龄而已，望陛下留意。"时政柄为史弥远所专，郑清之劝帝深居讲道学，而知孝等亦窃道学馀论，为帝所许。

李全之党以军粮不继，屡有怨言。全将国安用、阎通相谓曰："我曹米外日受铜钱二百，楚州物贱，可以自给。而刘庆福为不善，怨仇相寻，使我曹无所衣食。"时张林、邢德亦在楚，自谓尝受朝廷恩，中遭全间贰，今归于此，岂可不与朝廷立事！王义深尝为全所辱，又自以贾涉帐前人，与彭义斌举义不成而归。五人聚计曰："朝廷不降钱粮，为有反者未除耳。"乃议杀李福及杨妙真以献，遂帅众趣妙真家，妙真已易服往海州矣。福走出，邢德手刃之，相屠者数百人。

有郭统制者，杀全次子通及全姜刘氏，妄称杨妙真，函三首献于杨绍云，驰送临安。倾朝皆喜，檄知盱眙军彭忔及总管张惠、范成进、时青并兵往楚州，便宜尽戮李全馀党。忔轻儇，不为惠等所服，得檄，不自决，请制府及朝廷处之。朝议以时青望重，檄青区画；青恐祸及，密遣人报全于青州,迁延不决。惠、成进以朝檄专委青而不及己,乃归盱眙,设宴邀忻,乘其醉,缚之,渡淮,以盱眙降于金。金主封惠临淄郡王,成进胶西郡王,俾惠专制河南,以拒蒙古,而使总帅完颜额尔克戍之。

金哈昭自蒙古还,金主闻蒙古主临没有止杀之言,遂以为从此息兵,命有司罢防城及修城丁壮,凡军需租调不急者权停。谓萨哈连曰:"谚云:'水深见长人。'朝臣或欲我一战。汝独言当静以待之,与朕意合。今日有太平之望,皆汝谋也。先帝尝言汝可用,可谓知人矣。"

金监察御史张特立言:"卫、镐二宅,久加禁锢,棘围柝警,如防寇盗。近降恩赦,谋反大逆,皆蒙湔雪,彼独何罪,幽囚若是?世宗在天之灵,得无伤其心乎?皇嗣未立,未必不由此也。"又言:"方今三面受敌,百姓凋敝,宰执非才,臣恐中兴之功,未可岁月期也。"当路者恶其言,特立旋外谪。

丙辰,诏:"宁宗仁文哲武恭孝皇帝谥号,见今六字,依祖宗故事,宜加上十字为一十六字。宰执、侍从、台谏、两省官、礼官集议,详具典礼以闻。"

癸亥,诏吏部:"试邑两经罢黜,毋得再注知县、县令。"从御史留元英请也。

己巳,金万年节,同知集贤院史公奕进《大定遗训》,待制吕造进《尚书要略》。是日,大风,落左掖门鸱尾,坏丹凤门扉;阴霜,禾尽陨。

九月,赐留正谥曰忠宣。

庚子,诏:"时青坚壁守淮,独当一面,屡有战捷。除武康军节度使、左金吾上将军、忠义都统制。"

李全得时青报,恸哭,力告蒙古将富珠哩求南还,不许。全因断一指以示之,誓还南必叛,富珠哩乃承制授全山东行省,得专制山东,岁献金币。冬,十月,丙辰,全遂与蒙古宣差张国明及通事数人还楚州,服蒙古衣冠,文移纪甲子而无年号。杨绍云闻其至,遂留扬州。国安用杀张林、邢德以自赎,郭统制亦为全所杀。寻复诱杀时青,并其众。王义深奔金,金封为东平郡王。

己未,诏曰:"朕以眇躬,绍膺圣绪,今始郊见天地,兢兢寅畏,虑弗克任,以克期齐肃,庶几对越无愧。凡百御事之臣,各宜恪谨攸司,毋或怠慢,以称朕意。"

辛酉,金陈规偕右拾遗李大节,劾萨哈连谄佞、招权纳贿及不公事,不报。

甲子,以右监门卫大将军与嫩为宜州观察使,赐名贵谦,继沂王后;(于)〔千〕牛卫将军孟均为和州防御使,赐名乃裕,继景献太子后。

十一月,丙子朔,以奉上宁宗徽号册宝告于宗庙、天地、社稷、宫观。戊寅,发册宝于大庆殿,遣群臣奉上于宁宗庙。

己卯,朝献景灵宫。庚辰,祭享太庙。辛巳,日南至,祀天地于圜丘。壬午,大赦。改明年为绍定元年。

李全败额尔克及庆善努于龟山。金人皆谓盱眙不可守,金主不从。以淮南王招李全,全曰:"王义深、范成进皆我部曲,而受王封,何以处我?"遂不受。

诏:"大理寺、三衙、临安府属县决系囚,两浙州军亦如之。蠲大理寺、三衙、临安府点检酒所赃赏钱。"

壬寅,诏:"布衣李心传,特授从政郎,充秘阁校勘。"

甲辰,以雪寒籴贵,出丰储仓米七万石以纾民。

庆善努之败于龟山也,金主置不问,商衡言:"自古败军之将,必正典刑,不尔,无以谢天下。"乃降庆善努为定国军节度使。

金户部侍郎权尚书曹温之女在掖庭,亲旧干预权利,其家人填委诸司,贪墨彰露,台臣无敢言者。商衡历数其罪,诏罢温户部,改太后府卫尉。衡再上章言:"温果可罪,当贬逐;无罪,则臣为妄言。岂有是非不别而两可之理!"金主为之动容,出温为汝州防御使。

十二月,金以李蹊参知政事。

辛亥,诏两浙、江东、西、湖南、北州县,申严遏米之禁。

蒙古兵入京兆,复破关外诸隘,至武、阶,四川制置使郑损弃沔州遁,三关不守。金人尽弃河北、山东关隘,唯并力守河南,保潼关,自洛阳、三门、孟津,东至邳州之雀镇,东西二千馀里,立四行省,帅精兵二十万以守御之。议者请谨边备以防南侵,帝命枢臣采其计。

蒙古史天泽在真定,缮城壁,修武备。以高公、抱犊诸寨乃武仙之巢穴,帅兵破之,仙走入汲县。天泽复取相、卫、蚁尖、武马等寨。

蒙古兵破西和州,知州陈寅率民兵昼夜苦战,援兵不至,城遂破。寅妻杜氏饮药自杀,寅朝服望阙,焚香号泣曰:"臣始谋守此城,为蜀藩篱,城之不存,臣死,分也。"再拜,伏剑而死。寅,宝谟阁待制咸子也。

是岁,史弥远访将才于赵葵,葵以兄范对,遂以范为淮东提刑兼知滁州。范曰:"弟而荐兄,不顺。"以母老辞,上书弥远曰:"淮东之事,日异月新。然有淮则有江,无淮则长江以北港汉芦苇之处,敌人皆可潜师以济,江面数千里,何从而防哉!今或谓巽词厚惠可以啖贼,而不知陷彼款兵之计;或谓敛师退屯可以缓贼,而不知成彼深入之谋。或欲行清野以婴城,或欲聚乌合而浪战,或以贼词之乍顺乍逆而为喜惧,或以贼兵之乍进乍退而为宽紧,皆失策也。失策则失淮,失淮则失江,而其失有不可胜悔者矣。夫有遏敌之兵,有游击之兵,有讨贼之兵。今宝应之逼山阳,天长之逼盱眙,须各增戍兵万人,遣良将统之。贼来则坚壁以挫其锋,不来则耀武以压其境,而又观衅伺隙,偏师掩其不备以示敢战,使虽欲深入而畏吾之捣其虚,此遏寇之兵也。盱眙之寇,素无储蓄,金人亦无以养之,不过分兵掳掠而食。当量出精兵,授以勇技,募土豪,出奇设伏以剿杀之,此游击之兵也。维扬、金陵、合肥,各募二三万人,人物必精,将校必勇,器械必利,教阅必熟,纪律必严,赏罚必公,必人人思亲其上而死其长;信能行此,半年而可以强国,一年而可以讨贼矣。贼既不能深入,掳掠无所获,而又怀见讨之恐,则必反而求赡于金;金无馀力及此,则必怨之怒之,吾于是可以嫁祸于金人矣。或谓扬州不可屯重兵,恐速贼祸,是不然。扬州,国之北门,一以统淮,一以蔽江,一以守运河,岂可无备哉?善守者敌不知所攻,今若设宝应、天长二屯以扼其冲,复重二三帅阃以张吾势,贼将不知所攻,而敢犯我扬州哉?"朝廷乃召范禀议,仍令知池州。

绍定元年　金正大五年,蒙古皇子监国【戊子,1228】　春,正月,丙子朔,帝帅群臣上寿明慈睿皇太后尊号于慈明殿。

庚辰,金遣知开封府事完颜莽依苏及杨居仁如蒙古吊慰。

壬午,赵至道言:"江、淮州郡,妄征经过米舟,芦荡沙产,一例官租,山漆、鱼池,创立约束,禁止商人买贩。请下宪司严戒。"又言:"霪雨倾霖,拨科赈恤,而监司、守令,奉诏不虔。"

梁成大言:"诸路属县,擅置厢房,囚系无辜。长吏不遵法令,小民违误,罪不过杖,辄押出界,流离失业。请加禁约。"并从之。

乙酉，杨谷、杨石并升少师。

丁亥，雷。

丙申，出丰储仓米七万石以纾民。

二月，金大寒，雷，雨雪，木之华者皆死。

丙午，梁成大言："选人改官，举主五员，内用职司一员，始为及格。近奔竞巧取者，或用职司三四员，甚至五员，而寒畯终身不得职司。请下吏部止用一员，过数毋令收使。"壬子，成大又言："铨法，官吏交承，必避亲嫌，宗室替头，尤所不许，庶革前后积弊，宜下吏部谨守旧法。"并从之。

癸丑，金诏有司："以临洮总管图们呼图克们塑像入褒忠庙，书死节子孙于御屏，量才官使。"

丁卯，以潜邸，升黔州为绍庆府，成州为同庆府。

三月，辛巳，升宝应州山阳县为淮安州，改山阳县为淮安县，与涟水县并隶淮安州。

乙酉，金监察御史乌库哩布噜喇，劾近侍张文寿、张仁寿、李麟之受馈遗；金主曲赦其罪而出之。

辛卯，赐杨辅谥曰恭惠。

夏，四月，甲辰朔，金右丞师安石，请从台谏言治张文寿等三奸罪，言之不已。金主怒，凡四日不视朝，遣人责安石曰："汝便承取贤相，朕为昏主止矣！"安石骤蒙任用，遽遭摧折，丙寅，疽发于脑而死，金主甚悼惜之。

金亲卫军王咬儿，酗酒，杀其孙，大理寺当以徒刑，特命斩之。

五月，戊寅，梁成大请申严荐举法，除升陟所知政绩，姑从旧法改官，廉吏犯入己赃者，许举主检举；从之。

六月，壬寅朔，日有食之。

戊申，以薛极兼同知枢密院事。

戊午，录行在系囚。

壬戌，金以旱，赦杂犯死罪以下。

秋，七月，癸未，梁成大言："州县贪刻，或以微罪没入富家资产，不申宪司，掩归私室，自占估籍，必的有赃犯，匮乏郡计，请饬监司案奏以闻。"从之。

李全在海州，厚募人为兵，不限南北，官军多亡应之。天长民保聚为十六寨，比岁失业，官赈之不能继，壮者皆就募。射阳湖浮居数万家，家有兵仗，侵掠不可制，其豪周安民、谷汝砺、王十五长之，亦蜂结水寨以观成败。全知东南利舟师，谋习水战，米商至，悉并舟买之，留其舵工，一以教十，遣人泛江湖市桐油粘筏，厚募南匠，大治舣舣船，自淮及海相望，至是与杨妙真大阅战舰于海洋。既而全趋青州，为严实及石霄格邀击，败走，遂夺青崖峒据之。霄格，珪子也。全旋归海州，治舟益急，驱诸峒人习水。

金萨哈连为言路所劾，太后遣人责之曰："汝诿事上，上之骑鞠，皆汝所教；再有闻，必大杖汝矣！"金主颇悟，出为中京留守兼行枢密院事。初，宣宗改河南府为金昌府，号中京，又拟少室山为御营，命人筑之。至是萨哈连为留守。

辛亥，留元英言："诸路州军僚属私役禁军，请下帅司约束，违者以闻。"从之。

八月，戊午，以久雨，决大理寺、三衙、两浙路系囚，杖以下罪释之；蠲赃赏钱有差。

资政殿学士、知潭州曾从龙言："州县赈民之法有三：曰济，曰贷，曰粜。济不可常，惟贷与粜为利可久。今请拨缗钱一十万有奇，分下潭、湘十县，委令佐粜米，置惠民仓，比附常平法。"从之。

甲子，金召拜粘还朝，拜尚书右丞，未几，拜平章政事。拜粘居西垂几十年，虽颇立微效，皆出诸将之力；恇怯无能，惟以仪体为事，性复贪鄙。及为相，专愎尤甚，尝恶堂食不适口，以家膳自随。

金增筑归德城，行枢密院拟工数百万，金主遣白华往相役。华见行院李辛，语以民劳、朝廷爱养之意，减工三之一。

九月，甲戌，诏："监司每岁行所部州县虑囚，至来年正月历遍。如属县非监司经由之处，委官分往，监司复行点检，毋致冤滥。奉行不虔，御史台觉察以闻。"

冬，十月，壬寅，李知孝言："浙东仓司创馀姚断塘盐灶，扰生聚，漂良田，请行废罢。"从之。

甲辰，朝献景灵宫。

丁未，翰林学士、侍读郑清之讲毕，帝曰："近喜晴明，刘获讫事。"清之言："陛下敬天事亲，皆极其至，今天意昭格，东朝悦豫，应验若此。"帝曰："然。"然其时江西、湖南、福建寇盗并起，连破诸县。

乙酉，留元英言："请下吏部，应铨量令官长贰，从容延接，访问民事。其疾病、癃老者，准指挥施行。如不堪任职，贪酷，累被案劾者，与别注降等差遣，称量能授官之意。"从之。

辛亥，郑清之同王暨进读，帝曰："朕观汉、唐以下人主鲜克有终者，皆由不知道。"清之言："圣见高明，可谓推本之论。"王暨讲《尚书》，帝问曰："夏桀不道，成汤放之，可以鉴矣，纣何为复循其覆辙？"王暨曰："惟上智与下愚不移。殷鉴不远，在夏后之世，纣不能鉴，遂至灭亡，所谓下愚不移者也。"清之曰："古人主不能以乱亡为鉴，岂独暗君庸主！汉武帝怵闻亡秦黩武之弊，而穷征四夷，唐玄宗手锄太平、逆韦之难，而败于女宠，犹未足怪；太宗英明创业，亲见隋炀征辽亡国，乃纵兵鸭绿，迄无成功，有累盛德。是皆不能以覆辙为戒。正如圣语由不知道，所以不能以道制欲尔。"王暨曰："以古为鉴，此言发于太宗，而身自违之。"帝曰："非知之艰，行之为艰。"

壬子，赵至道言："请行下诸路漕司，严饬和籴官吏，毋得多取增量，庶农民不惮与官为市。"从之。

十一月，李全至楚州，以粮少为辞，遣海舟入平江、嘉兴，实欲习海道以觇畿甸。然山东经理未定，而岁贡蒙古者不可缺，故外恭顺朝廷以就钱粮，因以贸货输蒙古。朝廷亦以全往来山东，得稍宽北顾之忧，遣饷不辍。全日纵游说于朝，谓当复建阃山阳；又与金合从，约以盱眙与之，金亦遣使聘金，皆不遂。

庚辰，雷。

辛巳，金臣僚进《宣宗实录》。

壬辰，蠲大理寺、三衙、临安府盐赃赏钱。癸巳，决大理寺、三衙、两浙州军系囚。

十二月，庚子朔，日有食之。

辛亥，以薛极知枢密院事兼参知政事，葛洪参知政事，袁韶同知枢密院事，郑清之端明殿学士、签书枢密院事。

癸丑，江刚中言："请戒饬文武臣僚官，各务体国同心。如守倅、令佐互申监司，即事剖决曲直，毋致模棱并罢。其将帅或不协，制司作急区处，毋令两虎自斗。偏裨智勇过人，为大将所忌者，举荐之朝，别行推用，勿许占留一方。有警，四面皆从，毋得辄分疆界观望。"从之。

金完颜莽依苏、杨居仁以奉使不职，尚书省置狱；旋有旨释之，备再使。权参知政事乌固逊仲端言曰："莽依苏等，辱君命，失臣节，大不敬，宜偿礼币，诛之。"奏上，莽依苏等免死，除名。壬子，完颜纳绅改侍讲学士，充蒙古国信使。

蒙古皇子图垒闻燕京盗贼杀掠，遣塔齐尔耶律楚材穷治其党，诛首恶十六人，群盗屏迹。

绍定二年　金正大六年，蒙古太宗元年【己丑，1229】　春，正月，庚辰，大理司直张珩论州县检验、鞫狱四事。帝曰："刑狱人命所系，岂容不谨！"

甲申，从臣寮言，诏诸漕臣严察属县丞簿，依时过割二税，从实销注版籍，违者案劾。

时李全反叛已著，史弥远尚视为缓图，人不敢言。权兵部侍郎李宗勉累疏及之。又上言："欲人谋之合，莫若通下情。人多好谄，揣所悦意则侈其言，度所恶闻则下其事。上既壅塞，下亦欺诬。而成败得失之机，理乱安危之故，将孰从而上闻哉！不闻则不戒，及其事至，乃骇而图之，抑已晚矣。欲财计之丰，莫若节国用。善为国者，常使财胜事，不使事胜财。今山东之旅，坐糜我金谷，湖南、江右、闽中之寇，蹂践我州县，浮用泛用，又从而耗之，则漏卮难盈，蠹木易坏，设有缓急，必将窘于调度而事机失矣。欲邦本之固，莫若宽民力。州县之间，聚敛者多，椎剥之风，浸以成习。民生穷蹙，怨愤莫伸，啸聚山林，势所必致。救焚拯溺，可不亟为之谋哉？"

金主欲讨李全，召忠孝军总领富察鼎珠，经历王仲泽，户部郎中刁璧，权枢密判官白华，谕之曰："李全据有楚州，睥睨山东，久必为患。今北事稍缓，合乘此隙，令鼎珠权监军，率所统军一千，别遣都尉司步军万人，以璧、仲泽为参谋，同往沂、海招全，不从，则临之以兵，何如？"华曰："李全借北兵之势，要宋人供给馈饷，特一猾寇耳。老狐穴冢，待夜而出，何足介怀！我所虑者，蒙古之强耳。今蒙古有事，未暇南图，一旦无事，必来攻我。与我争天下者此也，全何预焉！若北方事定，全将听命不暇；设更有非望，天下之人宁不知逆顺，其肯去顺而从逆乎？为今计者，宜养士马以备蒙古。"金主默然，良久曰："俟朕更思。"明日，遣鼎珠还屯尉氏。

二月，金右司谏陈规、左拾遗李大节上言三事："一，将帅出兵，每为近臣牵制，不得辄专；二，近侍送宣诏旨，公受赂遗，失朝廷体；三，罪同罚异，何以使人？"金主嘉纳。

臣寮言："请戒饬中外群臣，各守礼义廉耻之维，坚安靖恬退之节，有不安意者，奏劾以闻。"又言："今日士大夫学术之未纯，皆基于岐道，歧为二致。宜明示意向以风在位，变易偏尚，即道以行法，遵法以为政，则学为有用之学，道为常行之道。"从之。

庚戌，命岁举廉吏，申严保任之法，如犯奸赃，与之同罪。仍令监司、郡守觉察。

蒙古兵在陕西者，驲逼泾州，且阻庆阳粮道。金伊喇布哈奏："陕西设两行省，本以藩卫河南。今北军之来，三年于兹，行省统军马二三十万，未尝对垒，亦未尝得一折箭，何用行省？"时枢密院亦言于金主曰："将来须用密院句当军马。"金主不语者久之。丙辰，以布哈权枢密院副使。旋以丞相萨布行尚书省事于关中，召平章政事哈达还朝。移布哈驻邠州，忠孝军提控完颜彝率千骑属焉。

辛酉，因臣寮言，严禁书尺干请、苟且之弊。

甲子,侍讲范楷进讲《易·丰卦》,因言:"当丰盛之时,圣人于诸爻有壅蔽不明之忧。"帝首肯,良久曰:"丰亨盛大之时,侈心易生。后遂至徇情肆欲,穷奢极靡,如秦皇、汉武,祸乱将作而不自知,此不可不戒也。"侍读乔行简曰:"陛下言及此,宗社之福。"帝曰:"只要心有所主。"于是讲读合辞赞曰:"圣学高明,此语尤切当。若心有所主,则一切不能惑矣。"

辛巳,监进奏院杨梦信,言县宰催科之扰,帝曰:"财赋自有常数。"梦信曰:"常数固定,只缘簿书不明,所以有弊。"帝曰:"知县在得人。"

辛卯,诏:"诸路宪司每岁将州县系囚瘐死最多者,具狱官姓名以闻,重与镌降。"又诏:"今后州县催科,必遵常制。县令非才,择佐官可任者委之,仍不许差州官及寄居权摄。"

癸巳,监进奏院桂如琥言沿边民兵可用,帝曰:"今日立功,多是民兵。"如琥曰:"民兵皆有户籍税产,又谙熟地利,故战则有功。"帝曰:"然。"又论及择将,帝曰:"今日将才难得。"对曰:"行伍间亦有人,往往军将忌嫉,不得自伸。"帝曰:"军将多是相忌。"又言屯田,帝曰:"荆襄所行如何?"对曰:"荆襄才行数年,得谷已逾百万斛。两淮、西蜀,岂无可行之处?"帝曰:"然。"

夏,四月,庚申,诏:"州县阙官,不许豪民、罢吏借补官资权摄;小官请俸,不许积压及以它物推支;民间二税,合输本色,不许抑令折纳,倍数取赢。令台谏监司觉察。"从臣寮请也。

五月,诏:"成都、潼川路旱,制置司及各路监司疾速措置赈恤,务要实惠及民,仍考察郡县奉行勤惰以闻。"

辛巳,赐进士黄朴以下五百七十七人及第、出身。

臣寮言:"近年文气委荼,请申饬胄监师儒之官,专于训导,使之通习经传,考订义理,课试抡选,须合体格,去浮华穿凿之弊。"从之。

甲辰,诏:"户绝之家,许从后立嗣,不得妄行籍没。"从臣寮请也。

辛亥,臣寮言:"浙西漕运,惟恃吴江石塘以捍水。近年修塘之兵,尽为它役,堤岸颓毁,请下漕司抽回,以时补葺,委平江府通判主管,不得辄有抽差。"

丁巳,臣寮言:"请令后非军期、大辟、劫寇等事,州不得差人下县,县不得差人下乡,常令监司觉察。"从之。

金陇州防御使舒穆噜栋尔进黄鹦鹉,金主曰:"外方献珍禽异兽,违物性,损人力,令勿复进。"

秋,七月,丙寅,诏:"广西州县应阙官,毋得以白身借补人充摄。"

戊辰,臣寮言:"自今起复士大夫,必甚不得已,出于特旨,监司、帅守不得妄有陈乞。"从之。

辛未,臣寮言:"请申饬有位,非休假,不许出谒;或实有干故,先申尚书省,方许出城。"从之。

癸酉,知常德府袁申儒朝辞,论州县奉催税赋害民事,帝曰:"民力甚贫,皆是州县不体爱民之意。卿到官,当以爱民为先。"

辛巳,臣寮言:"请诏户、刑部严行约束二广监司、郡守,用刑须遵法律,毋得轻视人命。漕司买银,须依时直,不得低价敷买;舶司每岁差官稽察,就委逐州通判,不许吏卒越界追扰生事。"从之。

金罢陕西行省军中浮费,以完颜仲德知巩昌府兼行总帅府事。时陕西诸郡已残,仲德招集散亡,得军数万,依山为栅,号令严肃,屯田积谷,人多归之,一方独得小康。

八月,丙申朔,诏:"户部遍下诸路州军,不得增收苗米,多量斛面。许越诉,仍令漕臣觉察。"从臣寮请也。

丁酉,臣寮言:"州县典狱官吏,或淹延久系,或牵惹无辜,或奉上官而失本情,或行暴虐而取贿赂,宜饬诸路宪司禁戢惩劝。"从之。

辛丑,进知静江府赵崇模直敷文阁,以职事修举故也。

壬寅,监察御史留元英言:"二广列郡及福建上四州,惟盐是利,守令克剥,于常赋之外,籍户口以敷盐,民被其扰。近者汀口亦基于此。宜戒饬二广、福建漕司,严察州县,痛革前弊,仍令宪司岁行所部,许人陈诉。"从之。

丙午,臣寮言:"州县供摊、告讦二害,请令后凡追究不实者,许被害人越诉,仍令监司觉察。"从之。

先是蒙古太祖伐金,定西域,攻城略地,第三子谔格德依之功居多,至是自和博来会丧。耶律楚材以太祖遗诏召诸王毕会,请立谔格德依。时图垒监国,诸王意犹豫未决。楚材言于监国曰:"此社稷大计,若不早定,恐生它变。"己未,图垒与诸王奉谔格德依即位于和林东奎腾阿喇勒之地。时庶事草创,礼仪简率,楚材始定册立礼仪,皇族诸王尊长,皆就班列以拜。又,中原新定,未有号令,长吏皆得自专生杀;楚材以为言,命禁绝之。

金伊喇布哈再复泽、潞。

九月,乙丑朔,诏:"礼部、国子监,上等上舍,必循旧法守年,不得用例径赴殿试。"从臣寮请也。

丁卯,台州水。

壬申,臣寮言:"请明饬吏部,应曾经论罢之人,虽免约法,而赃状显白,并须经郊,方许参注。或被论未久,遇赦令,待后郊,庶令畏惮。"从之。

丙子,秘书省正字王会龙言:"圣学深造自得,本之于致知、格物,达之于治国、平天下。"帝曰:"如是,则人主之学,当以致知为力行之本。"又言:"宜裕民力,固邦本。"帝曰:"朕未尝无爱民之心,但州县不能奉行尔。"

壬辰,进知临安府赵立夫官一等,以和籴有劳也。

金洮、河、兰、会元帅郭斌进西马二,金主诏曰:"卿武艺超绝,此马可充战用,朕乘此岂能尽其力。既入进,即尚厩物也,今以赐卿,其悉朕意。"

金遣阿固岱归蒙古太祖之赗。蒙古主曰:"汝主久不降,使先帝老于兵间,吾岂能忘也!赗何为哉!"却之。遂议伐金。

【译文】

宝庆三年 金正大四年,蒙古太祖二十二年,(公元1227年)

春季,正月,辛亥朔(初一),在大庆殿宣读宝册,宋理宗率群臣在慈明殿向寿明皇太后奉上尊号。

庚申(初十),因册封尊号仪式已成,任命杨谷、杨石同为少傅。

壬戌（十二日），金国加固增修中京城，挖浚汴京城外的壕沟。

刘琸上疏弹劾自己，不久死去。

朝廷仍想安抚李全，因为姚珝曾与李全交往密切，使他担任淮东制置使。姚珝辞行时，宋理宗对他说："南军北军都是我国臣民，何必要分彼此！你前去为朕安抚平定他吧。"姚珝到了楚州东，将船停在岸边办理公事，有时进城去见杨妙真，按徐晞稷的旧例，并更为有礼地得到杨妙真的允许后才进城。然后借寺庙作为办公地点，尽量做到使杨妙真满意。

己巳（十九日），诏令说："朕每次看朱熹所作《论语》《中庸》《大学》《孟子》的注解，感到发挥了圣贤文章的底蕴，保存了儒学的精华，有益于治国之道。朕正勉力治学，缅怀典刑，深深为之仰慕！可以特别追赠朱熹太师官衔，追封信国公。"随即改封徽国公。

蒙古国太祖留下部分兵力进攻夏王城，自己率兵渡过黄河，进攻金国积石州。

二月，癸未（初三），诏令吏部："今后司法参军，不许把各司年老出官的人注册授任。各路检法官，按照条例规章，宪司不得任意委任。"这是根据梁成大的奏请下的。

甲申（初四），淮西强勇三军统制王鉴特提拔为编外兵马钤辖，这是因他任职时成绩显著的原因。

己亥（十九日），由于鄂州诸军副都统制贾俊保卫西蜀有功，加官一级。

金国赫舍哩约赫德收复平阳，缴获马匹三千。不久，蒙古军又攻占了该城。

蒙古兵冲进了商州，残杀朱阳、卢氏两家。金国枢密院判官伊喇布哈迎战，到灵宝县东，遇到蒙古游骑

元太宗窝阔台像

十多人，抓获一人，其余的都四散逃跑。布哈作为捷报报上去，赏他世袭穆昆，还给予了他其他优厚的赏赐，人们都知道他在欺骗国君，但都不敢说。吏部郎中大兴人杨居仁上书，略微提到这件事，并说宰相之职应另外选人担任。金哀宗生气地说："宰相不称职，御史、谏官自当提出，你们吏部何以干预此事？"丞相萨布缓缓进言道："天下有道，百姓也可以进言，何况他还是郎官呢？陛下有宽宏大量之品德，所以不该进言的人也敢进言。如果他的话可以采纳就去施行，不可用就不必告诉臣下。"金哀宗的气消了，不再责问。

金哀宗的妻妹郕国夫人，不时出入宫廷，干预政事，监察御史曹州人商衡上书严厉地批评。从此郕国夫人被召时才敢进见。

三月，庚戌（初一），下诏令："正是春和时节，郡县的长官，要勉励农民耕种养蚕，限制工商业，力戒苛税烦扰，使百姓安居乐业，努力耕织，让他们富裕起来，那我就奖励你们。"

工部侍郎朱在，对宋理宗谈起人君读书的要义，理宗说："爱卿的先辈已在《中庸序》里

说得很详细了。"朱在又谈起孔庙配祀去掉王雱画像的事,理宗说:"曾有过这样的先例吗?"朱在说:"只因这种配祀不合公论,所以要去掉。"又说:"先辈的《四书》印本,各地有不同的版本。"理宗回头看看他,宣布说:"爱卿先辈所做的《四书》注解,有补于治国之道,朕读时爱不释手,只恨不能和你的先辈做同时之人。"

己巳(二十日),金国加倍征收夏季税。

蒙古太祖准备攻取德顺作为夏天静坐之地,德顺没有驻军,金国很紧张。节度使海伸知道凤翔的进士马肩龙可以共谋国家大事,便写信召他来。马肩龙将行时,有人以德顺不能守住为由劝他不要去。马肩龙说:"海伸从不认识我,如今一见就引我为知己。我知道德顺守不住,前去一定会死,但为知己的缘故,不得不为之死呀!"抵达后不几天便被包围,城中只有八九千义兵、乡兵。蒙古兵大量结集,海伸非正式地委任马肩龙为凤翔总管府判官、同守御。共攻守了二十昼夜,城被攻破,海伸战死,马肩龙自刎而死。

夏季,四月,癸卯(二十四日),在景灵宫祭祀。甲辰(二十五日),照样作。

这个月,蒙古太祖驻在龙德。当时蒙古军已攻克洮河、西宁二州,又调遣将领攻占了信都。

五月,壬子(初四),任命丘珂为户部侍郎,依旧担任淮南总领兼制置使。

甲寅(初六),免去大理寺、三衙、临安府应缴赃赏钱。诏令:"大理、三衙、临安府、两浙州军,杖刑以下的罪犯释放。"

己巳(二十一日),为理宗讲读《高宗宝训》已完毕,在秘书省理宗宴请宰执和各经筵官,并赐讲读、修注官每人晋升一级。

李全在青州,企图突围出去,蒙古富珠哩派兵拦击,大败李全,斩首七千余人。李全退入城内,城中粮食已尽,李全想投降,又怕部下有异议,便焚香向南祝拜,要自缢而死,暗中又派同伙郑衍德等人救自己,说:"譬如做衣服,有了身,还怕没袖子吗?归顺北方未必不是好事。"于是李全出城投降。蒙古各将领都说:"到了穷途末路才投降,不是心腹之人。不杀掉他,必有后患。"富珠哩说:"不对,杀掉一个人是容易的事,但山东没投降的还多,李全又向来得人心,杀了他并不能提高我们的威望,反会失去民心。"奏表上报,蒙古太祖诏令富珠哩相机处理。于是任命李全为山东、淮南、楚州行省,郑衍德、田世荣任副职。从此,各州县听说后逐渐归附。

蒙古军攻占临洮,金国总管图们呼图克们被俘,劝他投降,不听,被杀。

蒙古派唐庆出使金国。

闰五月,甲申(初六),免去大理寺、三衙、临安府及属县赃赏钱。

丁未(二十九日),复审临安在押犯。

蒙古太祖在六盘山避暑。

先前金主哀宗召集群臣与蒙古议和的事,同判睦亲府事撒哈连极力反对议和。左司谏陈规进言说:"在遥远的地方估量战争形势是困难的,百闻不如一见。臣曾任过陕西官,近年又多次到过陕西,看到将士平庸软弱,恐怕不能担当重任。"话没说完,监察乌库哩四和说:"陈规的话不对。臣最近到陕西,将士们都勇敢干练,渴望打仗。"金哀宗点头同意。又继续谈和议之事,陈规说:"和议当然不是上策,也未必可以谈成。但现在的形势又不得不这样做。如果蒙古一方不愿意谈,也可以因此激励将士,以等待形势变化。"金哀宗不以为然。群臣中大多数认为和谈是应该的,于是诏令行省斟酌情况派遣使者。至此,便派遣前御史大夫完颜哈昭作为议和使者。

丙辰(初八),金国地震。

六月,戊申朔(初一),出现日食。

刘庆福在山阴心中不安,想消灭李福去赎罪,李福也想谋杀刘庆福,互相猜忌。李福称病不出门,刘庆福前往看望,李福将他杀掉,将他的首级献给姚翀,姚翀大喜。楚州自从夏全作乱后,储备的粮草已尽,运输又跟不,贼寇们纷纷说是李福导致的。李福害怕众人议论,几次去见姚翀,请他督促军粮。姚翀以朝廷还未把钱粮调拨下来为由而推辞。李福乘大家有气,与杨妙真商量,叫姚翀来饮酒。姚翀来了而杨妙真却不出来,在宾位就座后,左右的人散去。李福以姚翀的名义召来杜耒等姚府幕僚,又以杨妙真的名义召来姚翀的二位妾。各位幕僚知道事情有变,但又不得不前往。杜耒来到八字桥,被李福的兵腰斩。又要杀害姚翀,安国用救了他,得以免死,剃去头发胡子,用绳子吊到城外,回到明州后死去。

当时江、淮的百姓,没有安居之日,史弥远不知如何是好,宋理宗也不过问边境上的事。此时朝臣们认为淮东兵乱频繁,派制置使去就会送命,想放松淮河而加强长江的防守,楚州不再设制置使,让那里的将领杨绍云兼任制置使,改楚州为淮安军,命通判张国明代理知军,视为少数民族的羁縻州一般。

金国完颜哈昭见到蒙古太祖请求议和。蒙古太祖对群臣说:“朕自去年冬天五星聚会时就答应不许再掠杀,匆忙中忘记了下诏令。现在可以向中外宣布,让外国的使者也知道朕的心意。”

蒙古军攻克了西夏国的城池,夏国百姓深挖地道以躲避战乱,幸免的不到百分之一二,死人的白骨遮蔽田野。这个月,夏国国主李睍力穷投降,被捆绑而回。夏国建国二百多年,与宋、辽、金三国抗衡,向谁朝贡没有定规,看三国的强弱而定,到此时国亡。

当时蒙古军各将领多在抢掠子女钱财,只有耶律楚材拿了几部书和大黄两驼而已。不久军中流行疫病,只有大黄可以治愈,耶律楚材拿出大黄治病,救活了万多人。

秋季,七月,己丑(十二日),蒙古太祖在萨里川病故。病重时,对身边的人说:“金国的精兵在潼关,南倚连绵高山之险,北有黄河相隔,难以很快攻破。如果向宋朝借路,宋金两国世代为仇,肯定会同意。那么就把军队开往唐、邓,直捣大梁。金国形势紧迫,必然调动潼关的军队。但带着数万人马,奔赴千里来援助,人疲马乏,即使赶到了,也不能作战,必然可以打败金国了。”说完便死了。其年六十六岁,埋葬在起辇谷。后来追加谥号为圣武皇帝,加谥号法天启运圣武皇帝,庙号太祖,在位二十二年。太祖性格深沉很有谋略,用兵如神,所以能消灭四十个小国后又灭了西夏国。他的第四个儿子图垒监国。

蒙古军自凤翔开往京兆,关中大地震。

金国任命工部尚书师安石为尚书右丞。不久任命中丞乌克逊布吉、祭酒费摩阿固岱兼任司农卿。组织民兵,督促征收秋税,命令百姓编入保甲,为迁徙避乱做好准备。当时人评论说,蒙古兵还没来而河南就不安定了,其形势可想而知了。

把宝应县升为州,原来的县仍保留。辛卯(十四日),把盐城、淮阴、山阳及宝应县隶属宝应州。

成吉思汗陵

丁酉(二十日),下诏令说:"近来急风大雨,影响秋季收成。由于朕德行不高,上天以此谴责。朕从早到晚,思虑着百姓的疾苦。寻访听说行都附近不少稻禾吹折受损,房屋毁坏,百姓失业,必然流散,极为可怜!遭受水灾的州郡,应迅速商议赈济的办法,给他放宽竹木等税和向富人借贷,以前的债务暂停索偿,大约贫富相济,可以缓解目前的紧急情况;其他赈济办法,赶快令有关部司逐条上报。"

八月,丁未朔(初一),李知孝说:"《无逸》一篇,文义精深,与君主本身最密切的,叫把握国家命运,维系人心,保寿龄而已,望陛下留意。"当时朝中大权被史弥远所专断,郑清之劝理宗深居简出专讲道学,而李知孝等人也私下在研究道学,被宋理宗称道。

李全的部下,因军粮不能按时供应,常有怨言。金国将领国安用、闫通相对说:"我们这些人除米粮之外还每日发二百枚铜钱,楚州物价低,可以自给。刘庆福故意刁难,冤仇相报,使我们没有衣食来源。"当时张林、邢德也在楚州,说起自己曾受朝廷恩典,半途受李全离间又事蒙古;现在归附在这里,怎么能不为朝廷办事呢!王义深曾遭李全侮辱,又自为是贾涉的人,与彭义斌伸张正义不成而归附李全的。五人聚在一起商量说:"朝廷不发送钱粮,是因为有反叛者没有及时消除。"便商议杀了李福和杨妙真献给朝廷。于是率领众人赶到杨妙真家里,杨妙真已换装逃往海州。李福出逃,邢德持刀杀了他,彼此杀死了几百人。

有个郭统制,杀了李全的第二个儿子李通和李全的妾刘氏,谎称是杨妙真,用匣子装着三个首级献给杨绍云,骑马飞驰送到临安。整个朝廷都很高兴,令知盱眙军彭忔及总管张惠、范成进、时青带兵前往楚州,伺机杀尽李全余党。彭忔没有威望,不被张惠等人佩服,得到檄文,不能自决,请制府及朝廷处置。朝廷认为时青威望重,发檄文令时青规划。时青担心祸及自己,暗中派人到青州报告李全,拖延时间不采取果断措施。张惠和范成进因朝廷檄文只委派时青而不提到自己,便回到盱眙,设宴邀请彭忔。乘彭忔酒醉,捆绑起来,渡过淮河,把盱眙献给金国投降。金哀宗封张惠为临淄郡王,范成进为胶西郡王,并派张惠专门管理黄河以南地区,并让总帅完颜额尔克防守这一地区。

金国哈昭从蒙古国回来。金哀宗听说蒙古太祖临死有停止掠杀的话,便以为从此没有战争了,命令有关部司停止防城和征调修城民工,凡是军需租调不是急需的就暂停止。他对萨哈连说："俗话说：'水深见长人。'朝廷有人希望我打一仗，只有你希望我静等变化，和朕的心意相符。现在有了太平的希望，都是你的谋略啊！先帝曾说过你可以重用，可说是了解人啊。"

金国监察御史张特立说："卫王完颜永济、镐王完颜永中两处住宅，久被禁锢，棘墙包围，金柝警戒，如防盗贼一般。近来陛下降洪恩赦免，那些谋反的大逆，都得到清洗昭雪，他们有什么罪，独被如此幽囚？先帝世宗在天之灵，难道不感到痛心吗？皇位继承人还没有确立，未必不是这个原因。"又说："现在三方受敌，百姓凋弊，宰执缺乏才能，臣恐怕中兴之功，难以期待了。"朝中掌权人厌恶这些话，不久张特立被贬谪到外地。

丙辰(初十)，下诏说："宁宗仁文哲武恭孝皇帝谥号，现今有六个字。按照祖宗的旧例，应加上十个字共十六个字。宰执、侍从、台谏、两省官、礼官集中商议，详细准备礼仪典章上报。"

癸亥(十七日)，诏令吏部："试用作县令的官员，两次罢免或降职，不得再注册担任知县、县令。"这是依据御史留元英的要求下的诏。

己巳(二十三日)，金国万年节，同知集贤院史公奕呈进《大定遗训》，待制吕造呈进《尚书要略》。这一天，大风，吹落左掖门的鸱尾，刮坏丹凤门的门扉；降霜，庄稼冻坏。

九月，赐给留正谥号为忠宣。

庚子(二十四日)，诏令说："时青牢固地守住淮河，独当一面，屡有战功。任命为武康军节度使、左金吾上将军、忠义都统制。"

李全得到时青的通报，痛心大哭，极力向蒙古将领富珠哩请求回到南方，没得允许。李全于是砍断一根手指，发誓回到南方后一定背叛宋朝。富珠哩于是代朝廷授给李全山东行省的职务，可以自行处理山东事务，每年贡献钱币。冬季，十月，丙辰(初十)，李全和蒙古宣差张国明及几名翻译返回楚州，穿蒙古衣，戴蒙古帽，交往的公文用干支纪年而不用年号。杨绍云听说李全来到，便留在扬州。国安用杀死张林、邢德为自己赎罪，郭统制也被李全所杀。不久又诱杀时青，将他的部下归属自己。王义深投奔金国，金国封为东平郡王。

己未(十三日)，诏书说："朕以卑微之躯，继承先祖留下的大业，如今郊祀向天地祈祐，谨慎小心，只怕难以胜任，按时祭祀，大概才会对越无愧。所有任职的官员，均应谨守本职，不可有丝毫怠慢，以使朕满意。"

辛酉(十五日)，金国陈规与右拾遗李大节一道，弹劾萨哈连谄媚奸邪，专权纳贿及办事不公。没有回答。

甲子(十八日)，任命右监门卫大将军赵与莪为宜州观察使，赐名为贵谦，作为沂王的继承人；千牛卫将军赵孟杴为和州防御使，赐名为乃裕，作为景献太子的继承人。

十一月，丙子朔(初一)，将进献宁宗徽号和宝册的事，向天地、宗庙、社稷、宫观通报。戊寅(初三)，在大庆殿发册宝，派群臣进献到宁宗庙。

己卯(初四)，在景灵宫祭祀。庚辰(初五)，在太庙祭祀。辛巳(初六)，太阳正南时，在圜丘祭天地。壬午(初七)，大赦，改明年年号为绍定元年。

李全在龟山打败额尔克和庆善努。金国都说盱眙守不住，金哀宗不听。用淮南王的封号诱使李全投降，李全说："王义深、范成进都是我的部属，他们也被封为王，那怎么安排我？"没有接受。

诏令:"大理寺、三衙、临安府所属县判决在押犯,两浙州军也照办。免去大理寺、三衙、临安府点检酒所应缴的赃赏钱。"

壬寅(二十七日),诏令:"平民李心传,破格授从政郎,担任秘书阁校勘。"

甲辰(二十九日),因大雪天寒米价上涨,从丰储仓拿出七万石米解决百姓困难。

庆善努在龟山打了败仗,金哀宗置之不问,商衡说:"自古败军之将,一定是按法典处置,不这样,无法向天下人交代。"于是将庆善努降为定国军节度使。

金国户部侍郎代理尚书曹温之女在后宫掖庭,其亲友干预朝政,她的家人在各司任职,贪污的劣迹已公开显露,台谏大臣没有敢说的。商衡历数其罪,下诏罢去了曹温户部职务,改任太后府卫尉。商衡再上奏说:"曹温如果有罪,应当贬官放逐;如果无罪,那是臣胡说,哪有是非不分两边认可的道理!"金哀宗被感动,将曹温放外担任汝州防御使。

十二月,金国任命李蹊为参知政事。

辛亥(初六),诏令两浙、江东、江西、湖南、湖北各州县,申明严禁不准大米出境的行为。

蒙古兵攻入京兆,又攻克关外各关隘,达到武、阶二州,四川制置使郑损放弃沔州逃跑,三关无人防守。金国军放弃河北、山东的关隘,只是全力守河南,保潼关。从洛阳、三门、孟津,东到邳州的雀镇,东西两千多里,设置四个行省,统帅二十万精兵防守。舆论要求严守边防以备蒙古南侵。金哀宗令枢密院采纳这项建议。

蒙古史天泽在镇定,修整城墙,修缮武器装备。因为高公、抱犊各寨是武仙的根据地,带兵攻打,武仙逃入汲县。史天泽又攻取了相、卫、蚁尖、武马等寨。

蒙古军攻打西和州,知州陈寅带领百姓和军队日夜奋战,因援兵不到,城被攻破。陈寅的妻子杜氏饮毒药自杀,陈寅身着朝服面向朝廷,焚香哭拜说:"臣开始谋划守此城时,想作为四川的屏障,城没守住,臣死是应当的。"拜了两拜,伏剑而死。陈寅,宝谟阁待制陈咸的儿子。

这一年,史弥远向赵葵寻访将帅之才,赵葵推荐其兄赵范,便任命赵范为淮东提刑兼知滁州。赵范说:"弟推荐兄,名分不顺。"以母亲年老为由推辞,给史弥远上书说:"淮东的事情,日新月异。守住了淮河才能守住长江,无淮河则长江以北的港叉芦苇之处,敌人都可以悄悄调军队渡江,几千里的江面,从哪里防起!现在有人说用谦逊的言辞,优厚的恩惠可以诱贼,却不知正落入敌人的缓兵之计;有的人认为撤兵后退可以使敌人推迟进攻,却不知正好中了他们步步深入之计。有人想用坚壁清野以守住城池,或者招募乌合之众进行游击战,有时被敌人时顺时逆的言辞弄得时喜时忧,有时被敌人时进时退搞得自己时紧时松,这都是失策。失策就会失去淮河,失去淮河就会失去长江,那将后悔不及了。有阻挡敌人的军队,有流动打击的军队,有讨伐贼寇的军队。现在宝应的兵逼近山阳,天长的兵逼近盱眙,需要各增加戍守的士兵上万人,派良将统帅他们。敌人来了就坚壁不出挫败他们的锐气,不来则扬鞭跃马迫近它的边境,窥伺敌人的薄弱环节,用小股部队出击以示我们敢战,使他们虽想深入我方却害怕我们攻打他的虚处,这是遏制敌人的战术。盱眙的赋寇,一向缺少储备,金国也没什么可供给他们,不过是分兵劫掠而食。应该适量派些精兵,教以战斗技巧,招募当地豪杰,出奇兵以消灭敌人,这是游击的军队。维扬、金陵、合肥,各招二三万人,人必须精,将必须勇,兵器必须锐利,教练必须成熟,纪律必须严明,赏罚必须公正,一定要使人人想到尊重朝廷而敢为长官死。果真能做到这些,半年可以使国家强大,一年之后可以讨伐贼寇了。贼寇既然不能深入,抢掠无所收获,而又心怀被讨伐的恐惧,那肯定会返回求金国赡养,金国做不到,贼寇就会抱怨、憎恶金国,我方便可以将祸害转给金国。有人说扬州不能驻扎重兵,恐怕招致灾祸,这不对。扬州是国之北门,既可辖制淮河,又可护卫长江,还可守住运河,怎能可以没有防卫呢?善于防守的,敌人不知如何进攻。现在如果在宝应、天长二处屯兵把守,再设立二三个有权威的制置使以显示我方威势,贼寇将不知从何处进攻,岂敢进犯我扬州呢!"朝廷于是召赵范汇报商议,仍要他知池州。

绍定元年 金正大五年,蒙古皇子监国(公元1228年)

春季,正月,丙子朔(初一),宋理宗带领群臣在慈明殿为寿明慈睿皇太后加上尊号。

庚辰(初五),金国派知开封府事完颜莽依苏和杨居仁到蒙古悼念。

壬午(初七),赵至道说:"江、淮州郡,随意向过往的米船征税,芦荡沙滩地,一律征收官租,山漆、鱼池,要制定条例,禁止商人买卖。请通知司法部门严戒。"又说:"大雨倾盆,拨发物资赈济百姓,而监司、守令,虽奉诏却不认真执行。"梁成大说:"各路属县,擅自设立厢房,囚禁无辜百姓。长吏不遵守法令,小民有过,量罪只不过受杖刑,而动不动就押解出境,使百姓流离失所。请严加禁止。"全部听从。

乙酉(初十),杨谷、杨石同升为少师。

丁亥(十二日),雷声大作。

丙申(二十一日),拿出丰储仓七万石米解决百姓困难。

二月,金国低温,雷鸣,多雨雪,树木的花芽全冻死。

丙午(初二),梁成大说:"选人改官,要有五名官员推荐,其中职司一员,才算合格。近来四处奔走投机取巧者,有的用职司三四员,甚至五员,而出身寒微的人终生得不到一员职司。请要吏部只用一员,超过的就不算。"壬子(初八),梁成大又说:"按选任官员的制度,官员们彼此接替,要回避亲属,更要禁止宗室彼此顶替职务,希望革除前后的积弊,应通知吏部审慎地遵守旧法。"这些意见都被采纳。

癸丑(初九),金主诏有关部司:"把临洮总管图们呼图克们的塑像请进褒忠庙,把为国死难的将士们的子孙姓名写在御屏上,量才录用。"

丁卯(二十三日),因皇帝登极之前居住过,把黔州升为绍庆府,成州为同庆府。

三月,辛巳(初八),将宝应州的山阳县升为淮安州,改山阳县为淮安县,与涟水县并属淮安州。

乙酉(十二日),金国监察御史乌库哩布噜喇,弹刻近侍张文寿、张仁寿、李麟之接受馈赠礼物,金哀宗赦免他们的罪过放他们出去。

辛卯(十八日),赐杨辅谥号为恭惠。

夏季,四月,甲辰朔(初一),金国右丞相师安石,请求按台谏的建议处置张文寿等三个奸邪,说个不停。金哀宗发火了,一连四天不上朝办公,派人责备师安石说:"你轻易得到贤相的美名,朕只得成为昏君了!"师安石突然受到信任重用,又突然遭受批评打击,丙寅(二十三日),头上生毒疮而死去,金哀宗很是哀痛惋惜。

金国亲卫军王咬儿,酗酒后将其孙杀死,大理寺判徒刑,金哀宗特下令处斩。

五月,戊寅(初六),梁成大请求申明严格举荐法,除了按已知的政绩升迁外,暂且依旧的条例变动官职,作为廉吏被推荐后犯了入已赃罪,允许推荐者揭发,朝廷同意这条建议。

六月,壬寅朔(初一),日食。

戊申(初七),任命薛极兼任同知枢密院事。

戊午(十七日),审理临安府在押犯。

壬戌(二十一日),金国大旱,赦免杂犯死罪以下的犯人。

秋季,七月,癸未(十二日),梁成大说:"州县官员贪婪苛刻,有的以微小的罪过就没收富人家的财产,不向上级申报,偷偷归入私有,或自行估算登记,肯定有贪赃之人,使郡县财政匮乏,请令监司核实后上报朝廷。"同意这一意见。

李全在海州以优厚的待遇招兵,不分南北,官军中很多士兵都逃往应征。天长百姓按保甲聚为十六个寨,近年来因天灾战乱失败,朝廷的赈济接不上,强壮的男子都应征。射阳湖上有船家数万,家中都有兵器,侵扰掠夺没有人能管,当地豪强周安民、谷汝砺、王十五是他们的首领,也纠集为水寨以观望成败。李全知道东南有利于水师,便计划练习水战。凡米商来,就连船一起买下,留下舵工,一人教十人,派人到各地买来桐油油船,高薪请来南方的工匠,大批制造舺艇船,从淮河到大海船桅相望,这时李全和杨妙真在海上检阅战舰。不久,李全奔往青州,被严实和石霄格拦击,战败逃走,便占据了青崖岬。石霄格,是石珪的儿子。李全不久回到青州,更加急迫地造船,驱赴着岬中人练习水性。

金国萨哈连被台谏弹劾,太后派人谴责他说:"你谄媚逢迎皇上,皇上喜欢马球是你教唆的。再听到这样的事,一定用杖打你!"金哀宗有所醒悟,让他出任中京留守兼行枢密院事。当初,金宣宗改河南府为金昌府,称为中京,又计划把少室山修为御军营,派人修筑。此时萨哈连担任留守。

辛亥(疑误),留元英说:"各路州军僚属私自役使禁军士卒,请通知帅司约束军队,对违反的要上报朝廷。"同意此议。

八月,戊午(十八日),因为久雨,判决大理寺、三衙、两浙路在押犯,杖刑以下的释放。数额不等的免去赃赏钱。

资政殿学士、潭州主持曾从龙说:"州县赈济百姓的办法有三种:救济丶借贷、籴卖。救济不可常用,借贷和籴卖可以经常使用。现在请拨十余万缗钱分配给潭、湘十县,委托县长官和副长官籴米,设置惠民仓,比照常平法籴籴。"同意此建议。

甲子(二十四日),金国召拜牲回朝,任命为尚书右丞,不久,又任命为平章政事。拜牲在西部边境住了几十年,虽立了一些小功,但都是部将出的力。他胆小无能,只是一味遵守制度,生性贪鄙。作了丞相,更是刚愎,厌恶政事堂饮食不合口味,从家里带饮食上堂。

金国进一步修理归德城,行枢密院计划用工几百万,金哀宗派白华前往视察。白华见到行枢密院李辛,告诉他百姓劳苦,朝廷对此关怀的意思,于是减少用工三分之一。

九月,甲戌(初四),诏令:"监司每年要到所属州县查阅罪犯案件,到第二年正月查阅完。如果所属县不在监司经过的路上,应委托其他官员前往,监司再抽查核实,不要有冤案发生。如果执行得不认真,御史台察觉后上报。"

冬季,十月,壬寅(初二),李知孝说:"浙东提举司在余姚断截塘水造盐灶,干扰了百姓生活,淹没了良田,请求废止断塘造盐灶。"批准此要求。

甲辰(初四),在景灵宫祭祀。

丁未(初七),翰林学士、侍读郑清之讲经完毕,宋理宗说:"近来天气晴朗,收割已经完毕。"郑清之说:"陛下敬畏天命侍奉长辈,都极为周到,现在上天显示灵验,太后愉快健康,天人就是如此应验。"理宗说:"很对。"但是当时江西、湖南、福建贼寇并起,连破好几个县。

乙酉(疑误),留元英说:"请命令吏部,在拜官授职时,吏部官员应从容接待,询问民情。那些有病和年老的,准许按法规施行。如果不称职,贪婪残酷,多次被弹劾的人,要另外注册,降级后另作安排,符合按才授官的原则。"批准执行。

辛亥(十一日),郑清之和王暨为皇帝讲读,宋理宗说:"朕看汉、唐以后的君主很少能善始善终的,都是由于不懂得修身治国之道。"郑清之说:"皇上的见解很高明,可说是抓住了根本。"王暨讲《尚书》,宋理宗问:"夏桀不道,商汤放逐了他,为什么商纣王还要重蹈覆辙呢?"王暨回答说:"这就是上智与下愚不移。殷商的借鉴并不远,就在夏代末期,但商纣不能借鉴,以至于亡,这就是下愚不可移的意思。"郑清之说:"古代君主不能把乱亡作为借鉴,难道仅是糊涂平庸的君主吗! 汉武帝清楚秦皇诉诸武力而亡国的教训,却仍征讨四方;太玄宗亲手铲除了太平公主和韦后的叛乱,却仍然沉湎于女色之中以至败落;唐太宗有远见卓识,开创了基业,亲眼见到隋炀帝征伐辽国而亡国,仍带兵打过鸭绿江,无功而返,有损于他的大德。这都是不能以覆辙为鉴。正如皇上刚才说的不懂得修身治国,所以不能用道来制私欲啊。"王暨说:"以古为鉴,这话出自唐太宗,而他自己就违背了。"理宗说:"不是了解难,而是作起来难。"

壬子(十二日),赵至道说:"请下令给各路转运司,严肃整治征购粮食的官吏,不得多取多量百姓粮食,使农民不至害怕和官府做交易。"批准执行。

十一月,李全到楚州,以军粮不够为借口,派海船进入平江、嘉兴,实际上是熟悉海道以窥伺临安。但山东的治理还未安定,每年给蒙古的贡品又不可缺少,所以表面上还是恭顺朝廷以得到钱粮,通过贸易将物资输送到蒙古。朝廷也认为李全来往于蒙古与大宋之间,可以稍缓北顾之忧,因此不停地供给他军饷。李全到朝廷游说,说应当在山阳重建帅府;又和金国联络,约定把盱眙送给金国,金国也派使者访问李全,但均无结果。

庚辰(初十),雷声大作。

辛巳(十一日),金国臣僚呈进《宣宗实录》。

壬辰(二十二日),免去大理寺、三衙、临安府盐赃赏钱。癸巳(二十三日),判决大理寺、三衙、两浙州军在押犯。

十二月,庚子朔(初一),出现日食。

辛亥(十二日),任命薛极为知枢密院事兼任参知政事,葛洪为参知政事,袁韶为同知枢密院事,郑清之为端明殿学士、签枢密院事。

癸丑(十四日),江刚中上奏说:"请告诫文臣武将及僚属,都要同心报国。如果知州和通判,县令和县丞相互向监司申诉,要分清是非弄清原委,不可模棱两可地处置。如有将帅间不协调,制置司要做紧急处理,不要让两虎相斗。副将如果智勇过人,被大将忌恨,要推荐到朝廷,另行安排,不许被一方压制扣留。有了紧急情况,各方要一齐行动,不得限于疆守观望不动。"同意实行。

金国完颜莽依苏、杨居仁因出使不称职,尚书省将他们下狱,随即降旨释放,准备再次出使。代理参知政事乌固逊仲端进言说:"莽依苏等人,辱没君命,丧失臣节,是对朝廷的大不忠,应赔偿出使费用,按罪处死。"奏章呈上,莽依苏免去死刑,吏部除名。壬子(十三日),完颜纳申改为侍讲学士,充任赴蒙古国的信使。

蒙古皇子图垒听说盗贼杀人抢掠,派塔齐尔、耶律楚材彻底清除这些贼寇,杀掉首恶分子十六人,盗贼匿迹。

绍定二年 金正大六年,蒙古太宗元年(公元 1229 年)

春季,正月,庚辰(十一日),大理司直张珩论述各州县检查、核实、审讯、关押四件事,宋理宗说:"刑狱是关系人命的事,岂容不谨慎的态度!"

甲申(十五日),根据臣僚们的上奏,下诏命各漕官员严格审查所属县丞主簿,按时办理好税随产移的事,照实登记或注销,违者要弹劾。

此时李全反叛的行迹已很明显,史弥远还认为要慢慢计议,别人不敢讲话。代理兵部侍郎李宗勉多次上疏提到这个问题,又上奏说:"要让人的想法与实际相吻合,没有比通晓下情更重要的。人一般喜欢诡媚,揣测上级的喜好多说些奉承话,猜度上级所厌恶的则隐瞒一些情况。上面的人被蒙蔽,下面的人在搞欺骗。那么成败得失的机会,治乱安危的原委,怎么能从下报到上面去呢!听不到下情就不会有所戒备,等到事情发生,匆忙地去处理,大概已经晚了。要想财政充裕,不如节省开支。善于治国的,总是使收入大于支出,不使支出大于收入。现在山东的义军,消耗我们的钱粮,湖南、江右、闽中的贼寇,横行肆掠我州县,随便开支,任意浪费,加上贼寇的破坏,真是漏卮难满,蠹木易坏,如果有了紧急情况,肯定会因财政困窘而失掉良机的。要想国家根基稳固,没有比放松百姓负担更重要的。州县之间,搜括聚财的多,敲骨剥皮的风气,渐渐蔓延成习。百姓困苦,怨愤无申诉之处,那么啸聚在山林中起事,是势所必致的了。挽救时局于水火之中,能不赶快采取措施吗?"

金哀宗要讨伐李全,召集忠孝军总领富察鼎珠、经历王仲泽、户部郎中刁璧、代理枢密判官白华,对他们说:"李全占据楚州,窥伺山东,久必为患。现在北部边关的战事稍稍缓解,趁此机会命令富察鼎珠代理监军,带领一千人,再调遣都尉司一万人,以刁璧、王仲泽为参谋,同往沂州、海州招降李全,如不顺从,便以武力相逼,怎么样?"白华说:"李全仗着蒙军之势,要宋朝供应粮饷,只不过一个狡猾的贼寇。老狐狸以墓穴为家,夜晚才会出来,何必放在心上!我所担心的是蒙古的强悍。现在蒙古内部有事,顾不上向南侵犯,一旦安定无事,必来攻我。和我国争天下的是蒙古,李全有什么妨碍!如果北方已安定,李全会立即听命于它,如果他还有非分之想,天下人难道会不分顺逆,肯去顺从叛逆吗?为现在计议,应休整士卒马匹以防备蒙古。"金哀宗沉默,过了一会说:"让朕再想想。"第二天,派鼎珠返回尉氏屯扎。

二月,金国右司谏陈规、左拾遗李大节上奏三件事:"一、将帅带兵出征,常被近侍牵制,不能按自己的意愿行事;二、近侍送诏令宣旨,公然接受馈赠,有失朝廷体统;三、罪过一样而处罚不同,怎么能用好人?"金哀宗高兴地采纳了他的意见。

臣僚奏言:"请警戒朝廷内外群臣,各人要守住礼义廉耻的准绳,坚持安定淡泊的品节,有不安分的,要揭露上报。"又说:"士大夫的学术流派不纯正,都是由于曲解道学、法学导致的。应明确表白朝廷的意向,以正常的风尚影响在职的官员,改变偏颇的见解,按正统之道颁行法令,遵守法令以处理政事,那么学问就会是有用的学问,道义就成了常见的道义。"批准采纳。

庚戌(十一日),命令每年推举廉吏,申明严格保举法,如有犯奸行贪赃的罪,担保者与罪犯同罪。并命监司、郡守注意检查。

蒙古兵在陕西的部队，迅速逼近泾州，且阻断庆阳粮道。金国伊喇布哈上奏："陕西设两个行省，本是用来护守河南。现在蒙古军打来，三年在此地，行省统率二三十万兵马，从未与蒙军对垒作战，也没缴获到一支箭，设行省有什么用？"这时枢密院也对金哀宗说："将来还要告枢密院来管军马。"金哀宗很久没说话。丙辰（十七日），任命布哈代理枢密院副使。不久任命丞相萨布在关中行尚书省，召平章政事哈达回朝。调布哈驻扎在邠州，把忠孝军提控完颜彝统率的千名骑兵隶属于他。

辛酉（二十二日），由于臣僚的奏言，严禁用书信委托别人办事、行贿受贿。

甲子（二十五日），侍讲范楷进讲《易·丰卦》，说："在富足兴盛的时候，圣人对爻辞有被蒙蔽不清之忧。"宋理宗点头同意，过了一会说："富足丰盛之时，容易有奢侈的愿望。然后逐渐发展成徇私情放纵欲望，像秦皇、汉武，祸乱将发生也不能自知，这不可不戒啊。"侍读乔行简说："陛下说到这一步，真是宗庙社稷的福分。"理宗说："只要心里有主张。"于是侍读们齐声赞道："圣上学问高明，这话尤其中肯。如果心里有了主张，那么一切也不能诱惑了。"

三月辛巳（十三日），监进奏院杨梦信，说县宰催促租税时对百姓的骚扰，理宗说："赋税本有定数。"杨梦信说："数额是固定的，只因账目不清，所以有弊。"理宗说："任命县官重要的是选好人。"

辛卯（二十三日），诏令："各路宪司每年将州县死在牢里的囚犯最多的监狱长官的姓名报上来，重者降级处分。"又诏令："今后州县督催租税，一定要遵守已有的制度。如果县令无才能，选副职中能委任的人负责，仍不许州官和寄居官代管。"

癸巳（二十五日），监进奏院桂如琥，陈说边境民兵可用的事，理宗说："今日立功的，多是民兵。"桂如琥说："民兵都有户籍和税产，又熟悉地形，所以战斗中容易建功。"理宗说："对。"又谈到选择将帅的事，理宗说："现在将才难得。"桂如琥说："军队士兵中有人才，往往由于将领们忌妒，不能伸展自己的才能。"理宗说："军中将帅往往是相互忌妒。"又谈到屯田的事，理宗问："荆襄一带屯田的情况怎么样？"桂如琥如："荆襄屯田才几年，已收谷超过了百万斛。两淮、西蜀难道没有屯田的地方吗？"理宗说："对。"

夏季，四月，庚申（二十三日），下诏令："州县官职空缺，不许当地豪强、被罢免的官吏借候补官的资格去代理；低级官员领取俸薪，不得拖延或用其他物品代支；民间所征的二税，应按规定的物品征收，不许强令百姓折合成别的东西缴纳，翻倍征收，占取多余的。令台谏监司认真检查。"这是听从臣僚们的请求发布的。

五月，诏令："成都、潼关路天旱，制置司及各路监司迅速安排好赈济，一定要使百姓得到实惠，仍要考察郡县执行抚恤中勤勉懒惰的情况上报。"

辛巳（十四日），赐进士黄朴以下五百七十七人及第、出身。

臣僚奏言："近年来文风委顿不振，请申令告诫国子监儒学教师，专心训导，让他们通习经文传疏，考订义理，考试选拔，必须符合要求，去掉浮华牵强的弊端。"接受采纳。

六月，甲辰（初八），下诏令："没有子嗣的人家，准许立继承人，不可随意没收财产。"这是按臣僚的请求发布的。

辛亥（十五日），臣僚上奏说："浙江水运，全靠吴江石塘使水道畅通。近年修水塘的兵，被抽去干其他劳役，结果堤岸塌毁。请下漕司将他们抽回来，以便随时补修，委任平江府通判主管，不可随意抽调修塘兵。"

丁巳(二十一日),臣僚奏言:"请下令今后非战争时期、死刑、打击贼寇等事,州不得派人下县,县不得派人下乡,常令监司督察。"批准执行。

金国陇州防御使舒穆噜栋尔进黄鹦鹉,金哀宗说:"外地献来的珍禽异兽,违背它的本性又消耗人力,下令再不要献进。"

秋季,七月,丙寅(初一),诏令:"广西州县官职空缺,不得让没有官职出身的人借补官之机充任。"

戊辰(初三),臣僚奏说:"从现在起恢复士大夫之职,一定是迫不得已,出于特旨,监司、帅守不得随便请求。"批准执行。

辛未(初六),臣僚上奏说:"请申令告诫在职官员,不是休假,不得出城拜谒亲友;如确有公干,先申报尚书省,方许出城。"批准执行。

癸酉(初八),知常德府袁申儒上朝辞行,说到州县督催赋税扰民之事,理宗说:"百姓财力贫乏,都是州县没有体会爱民的意旨。你到任后,应把爱护百姓放到首位。"

辛巳(十六日),臣僚奏说:"请诏令户、刑两部严格约束二广的监司、郡守,用刑一定要遵守法律,不得轻视人命。漕司收买白银,应按照当时价格,不许低价摊派收买;舶司每年派官员稽查,委托各州通判,不许官吏军卒越过边界滋扰生事。"批准执行。

金国裁减陕西行省军中的开支。任命完颜仲德知巩州府兼任总帅府事。当时陕西各郡残损,仲德招集流散的士兵,组成几万人的军队,依山筑栅,号令严肃,屯田积谷,很多人前来归附,成为独有的过小康生活的地方。

八月,丙申朔(初一),诏令说:"户都通知各路州军,不许增征秋税米,不许增加斛的容量;允许越级上诉,仍令漕臣督察。"这是根据臣僚的请求发布的。

丁酉(初二),臣僚说:"州县主管监狱的官吏,有的拖延很久对犯人不判决,有的牵连无辜,有的为奉承上级而不顾实情,有的施以暴刑收取贿赂,应要求各路宪司禁止、约束、惩治、规劝。"批准执行。

辛丑(初六),因执行公务出色,进升静江府赵崇模为直敷文阁。

壬寅(初七),监察御史留元英说:"二广各郡及福建上四州,海盐是他们收入中最多的一项,知州县令苛刻剥削,在定额赋税之外,还借户籍按人口交盐,百姓深受骚扰。近来汀口事变也由此导致。望告诫二广、福建转运司,严格检察州县,痛革以前的弊端,仍令宪司每年巡察所属各州县,允许百姓申诉。"批准实行。

丙午(十一日),臣僚奏说:"州县供摊、揭人隐私二害,请求今后凡追究后不属实的,允许被害人越级申诉,仍令监司督察。"批准执行。

先前蒙古太祖征伐金国,平定西域,攻城略地,第三个儿子谔格德依的功劳最多。耶律楚材按太祖的遗诏召集全体亲王集会,请立谔格德依。当时图垒监国,各亲王犹豫不决。楚材对监国说:"这是社稷的大事,若不早定下来,恐怕发生变故。"己未(二十四日),图垒和各亲王在和林东部的奎腾阿喇勒拥立谔格德依为国君。当时百事草创,礼仪简单,耶律楚材开始定册立礼仪,各亲王年长的带头,按次序排列拜见。此时,中原刚刚平定,还没有纪律号令,各地长官都可以任意杀人。耶律楚材上奏,命令禁止杀人。

金国伊喇布哈又收复了泽、潞二州。

九月,乙丑朔(初一),诏令:"礼部、国子监,上等上舍,必须遵守旧法规定遵守年限,不得沿用旧例直接参加殿试。"这是根据臣僚的请求宣布的。

丁卯（初三），台州水灾。

壬申（初八），臣僚奏说："请明令整饬吏部，曾经被弹劾罢免的人，虽免于法律惩处，而贪赃之事确实清楚的，还要经过郊祀之后，才许参加注册安排职务。有的被弹劾时间不长，遇大赦，要等待下次郊祀，这样可让官吏有所畏惧。"听从所请。

丙子（十二日），秘书省正字王会龙奏说："圣上学问造诣很深，自有所得，其根本是在于获得知识、推求事物原理以达到治国平天下的目

绢质绣花靴套　元

的。"理宗说："这样说来，君主的学问，当以获得知识为身体力行之本。"又说："应当使财力充裕，巩固国家根本。"理宗说："朕不是没有爱民之心，只是州县不能奉行罢了。"

壬辰（二十八日），临安府知府赵立夫加官一等，因为他征粮有功。

金国洮、河、兰、会四地元帅进献西域马二匹，金哀宗下诏说："你武艺高强，此马可在战场上使用，朕骑它怎能发挥它的能力？就使放在宫内，也只是厩中之物。今将此马赐给你，望你明白朕意。"

金国派遣阿固岱送去蒙古太祖丧礼的赠品。蒙古主说："你们国主长久地不投降，使先帝在战争死去，我岂能忘怀！人已去世送礼物有什么用呢！"推却不收。于是商议伐金之事。

续资治通鉴卷第一百六十五

【原文】

宋纪一百六十五　起屠维赤奋若【己丑】十月,尽重光单阏【辛卯】十二月,凡二年有奇。

理宗建道备德大功复兴　烈文仁武圣明安孝皇帝

绍定二年　金正大六年,蒙古太宗元年【己丑,1229】　冬,十月,乙未朔,诏:"诸道提点刑狱,以十一月按部理囚徒。"

蒙古兵入庆阳界。金诏陕西行省遣使奉羊酒币帛,乞缓师请和,蒙古不受。

癸卯,太学录陈垲进言:"方张之敌,未亡之金,叵测之忠义,跳梁之群盗,皆所当虑。"帝曰:"此正治不忘乱,安不忘危之意。"垲言:"正为国体未治且安耳。"又言用人贵乎公,帝曰:"今人才亦自难得。"

丁未,臣寮言:"请申饬监司、郡守,自今所属阙官,以次摄事,毋得差非见任官。如有违,其受差及差之人并镌斥。"从之。

庚戌,进知吉州赵汝念官一等,以和籴有劳也。

己未,臣寮言:"百司庶府,循例而忘法;监司守令,枉人而徇情。请饬内外奉行法令。"从之。

壬戌,诏赈台州被水之民,蠲诸色赋税有差。

丁卯,臣寮言:"请下国子监、内外学校之官,令于士子程课之外,迪以义理之学,厉以行艺之实。"从之。

新知婺州莫泽朝辞,帝曰:"婺州正要得人,记向时守臣魏豹文曾理会经界,如何?"泽言:"婺州向时凋弊,皆缘税籍不明。今经界既正,赋役均平,故不费力。"帝曰:"义役闻尚未了。"泽言:"义役乃民间自乐为,州县扶助耳。"帝曰:"峒寇尚未消弭,正要理会。"泽曰:"盗贼不足虑,全要州县得人。"帝曰:"然。"

己巳,太尉少卿、知临安府赵立夫言:"请将茶槽、下沙合为一寨。"帝曰:"每寨几人?"立夫曰:"多者百二十人。"帝曰:"京城民讼如何?"对曰:"臣幸与民相安。"帝曰:都民当抚摩,使常在春风和气中,不可使有愁叹。"又问:"刑狱如何?"对云:"狱常空。"帝曰:"民命所关,不可淹延。"

己卯,臣寮言:"请令户部下诸路监司,凡民讼,依次第官司结绝,如未经予夺,不得索案改送,先从台部常切遵守。"从之。

十一月,己丑,荧惑入氐。

十二月,丙申,雪。躅大理寺、三衙、临安府点检缴赏酒库所见盐赃赏钱。给诸军薪炭钱,出成官兵倍之。

丙午,前知安吉州赵必观,言楮券破损腐烂,人不以为重。帝曰:"此缘钱少耳。"因问:"茗雪之民今已安业否?"必观言:"臣至郡,民不聊生;圣恩赈给,连岁小稔,民粗安业。"

辛亥,以翰林学士郑清之为端明殿学士,签书枢密院事。

乙卯,军器监度正言:"江西、福建、湖南灾荡,老弱转沟壑,壮者遂为盗贼。"帝曰:"此州县不得人,以至于此。"对曰:"今选任之际,更宜谨之。"帝曰:"选任诚不可不审。"又言:"近来放散忠义军及破落士人,去为贼用,请行下诸将,随宜招收,籍以为军。士人在贼中者招谕之,更宜示之以信。又力行节俭,以阜财用,以化贪鄙。"帝曰:"恭者不侮人,俭者不夺人,朕平日力行此二者。"

蒙古始置仓廪,立驿传,命河北汉民以户计出赋调,耶律楚材主之;西域人以丁计出赋调,玛哈摩斯古喇迪尔主之。又以史天泽、刘嶷、舒穆噜札拉三人为万户,分守中原。

丙辰,再给诸军薪炭钱。

蒙古围庆阳,金遣伊喇布哈救之。

先是金主欲遣使谕意于布哈,谓白华曰:"汝往邠州,六日能往复乎?"华自量日可驰三百里,应曰:"能如期宣谕而复。"金主甚喜,谓华曰:"汝从来语及征进,必有难色;今锐于平时,何也?"华曰:"向日用兵,以南征及讨李全之事梗之,不能专意北方,故以为难。今蒙古兵入界已三百馀里,若纵之令下秦川,则何以救!不得不以一战摧之。与其战于近里之平川,不若战于近边之要隘也。"

是岁,金罢近京猎地百里,听民耕稼。

绍定三年 金正大七年,蒙古太宗二年【庚寅,1230】 春,正月,壬申,雷。

臣僚"请令诸路提点刑狱官亲行所部,凡翻异驳勘之狱,同守臣审鞠,便宜予决,毋得滞留。其有职兼守臣者,令以次监司行。"从之。

金伊喇布哈遇蒙古兵于大昌原,以忠孝军提控完颜彝为前锋。彝擐甲上马,不返顾,士气皆倍,以四百骑破蒙古八千之众,遂解庆阳之围。自蒙古构兵二十年,仅有此捷,奏功第一,于是陈和尚之名震国中,授定远大将军,世袭穆昆。忠孝军皆回纥、奈曼、羌、浑及中原被俘避罪来归者,鸷很难制,唯彝御之有方,坐作进退,皆中程式,所过州县,秋毫无犯,每战则先登,疾若风雨,诸将倚为重。

金主命权签枢密院事额尔克屯邠州,布哈及总帅约赫德还京兆。

初,蒙古遣翁鄂啰为小使,至陕西行省,恐泄事机,留之。布哈等既解庆阳之围,志气骄满,乃遣翁鄂啰归,语之曰:"我已准备军马,能战则来。"翁鄂啰还白之,蒙古主怒,议遣皇弟图垒伐金。

布哈之驭军也无法,好趋小利,尝一日夜驰二百里,军中莫敢谏止。完颜彝忧之,私谓同列曰:"副枢以大将为剽掠之事,今日得生口三百,明日得牛羊一二千,士卒喘死者则不复计。国家数年所积,一旦必为是人破除尽矣。"或以告布哈。一日,置酒会诸将,行酒至彝,布哈曰:"汝曾短长我,又谓国家兵力当由我尽坏,信有之乎?"彝饮毕,徐曰:"有之。"布哈见其无惧容,漫为好语云:"有过当面论,无后言也。"

是月,蒙古定诸路课额。初,太祖征西域,仓库无斗粟尺帛之储,于是群臣咸言:"虽得汉人,亦无所用,不若尽杀之,使草木畅茂,以为牧地。"耶律楚材曰:"夫以天下之广,四海之富,何求而不得!但不为耳,何名无用哉?"因言:"地税、商税、酒、醋、盐、铁、山泽之利,可得银五十万两,绢八万匹,粟四十馀万石。"太祖曰:"诚如卿言,则国用有馀矣。卿试为之。"至是用楚材言,定课税、酒税,验实,息十取一,杂税二十取一。

二月,庚戌,以直宝章阁魏大有知漳州,措置招捕盗贼;起复直宝章阁陈铧知南剑州、福建路兵马钤辖、同措置。又起复赵范、赵葵节制镇江、滁州军马。范、葵时丁母忧,求解官,不许;卒哭,乃起视事。

庚申,蠲江西、湖南、福建被盗州县税赋一年。

闰月,癸酉,逃卒穆椿窃入皇城纵火,焚御前甲仗库,卫士捕得之,磔于市。时李全欲销朝廷兵备,故遣椿为乱。于是先朝甲仗烧毁殆尽。

戊子,诏:"江西、湖南、福建盗寇,凡胁从之民,束身出官,并与释罪;能自戮渠首来者补官;伪官、土豪帅众立功者官之。"

三月,戊戌,臣僚请补禁卫兵额,戒内侍毋得私役,革赁号,修火政,以肃宫禁;从之。

癸丑,置会子库监官一员,专作堂差,以有举选人充。

夏,四月,庚午,诏:"诸道提点刑狱,以五月按部理囚徒。"

癸酉,蠲绍兴府馀姚、上虞县民户折麦一年,以水灾也。

己卯,漳州连城盗起,知龙岩县庄梦诜、尉钟自强不能效死守土,诏各削二秩,罢。

五月,丁未,知抚州林孝闻削二秩,罢;以臣僚言官军入境,闭关不纳,科扰军粮,民户被害也。

御射殿,阅诸班直射艺,迁赏有差。

甲寅,以李全为彰化、保康军节度使、仪同三司、京东镇抚使。全不受命。

初,全欲先据扬州以渡江,分兵徇通、泰以趋海。其下皆曰:"通、泰盐场在焉,莫若先取为家计,且使朝廷失盐利。"全欲朝廷不为备,且不遽绝其给,乃挟蒙古李、宋二宣差以虚喝朝廷,然蒙古实未尝资全兵。全遣张国明赍金宝至临安禀议,扬言:"李宣差英略绝伦,骑射五百步;朝廷莫若裂地王之,与增钱粮,使备边境。"遍馈要津,求主其说。国明入见,以百口保全不叛。朝廷虽知其奸,姑事苟安,不之诘。

及全籴麦舟过盐城,知扬州翟朝宗嗛尉兵夺之。全怒,以捕盗为名,水陆数万,径捣盐城,戍将陈益、楼强、知县陈遇皆遁,全入城,据之。朝宗仓皇遣干官王节恳全退师,全不许,留郑祥、董友守盐城,血自提兵还楚州,以状白于朝曰:"遣兵捕盗,过盐城,县令自弃城遁去;虑军民掠扰,不免入城安众。"朝廷乃授全节钺,令释兵,命制置司干官耶律均往谕之。全曰:"朝廷待我如小儿,啼则与果。"不受制命。朝廷为罢朝宗,命通判赵璸夫摄州事。

先是士大夫无贤愚,皆策全必反,而不敢言,国子监丞度正独上疏极言之,且献毙全之策有三。其言梗亮激切,时不能用。至是赵范、赵葵累疏以全必反为言,史弥远不纳。

丁巳,臣僚言:"请下江东、西、湖南、北、福建诸路总漕仓司,应邻境被寇州郡,合解诸司钱物,比之常年期限并展一季。"诏户部详度。

六月，戊辰，臣僚言：“二广诸郡，凡教官、法掾，自谓闲官，率厌风土，置身台幕。请行戒饬，如循习不悛，并与镌斥，帅、漕并置于罚。”从之。

癸酉，录行在系囚。

辛卯，臣僚请戒饬郡守，痛革税赋、刑狱、差役、版籍四弊；从之。

壬辰，臣僚请戒饬二广漕司：“严禁所部州县，丁钱每岁核实见存之数造簿，依条限前期发下，催纳、销注，违者按劾。”诏吏部详度。

蒙古兵围京兆，金兵救之，为蒙古所败，城遂破。

秋，七月，丁酉，以汀州宁化县曾寡妇晏氏给军粮、御漳寇有功，又全活乡民数万，诏封恭人，官其子承信郎。

丁未，臣僚请今后疏决，先期降旨，下临安府、三衙：“应犯罪在指挥前，许引用恩赦；如指挥后有犯罪，虽已停决，不在原减之数。其合引赦人，不许于停决前轻行断遣。如或违失，从故出入人罪条制施行。”令刑部详度。

癸丑，臣僚请申严堂除之制，庶几士人毋敢躁进，中书之务可清；从之。

蒙古主自将伐金，皇弟图垒、皇侄莽赉扣率师从征。道经平阳，见田野不治，问兵马都总管李守贤，对曰：“民贫，乏耕具致然。”蒙古主命给牛万头，仍徙关中户口垦地河东。

八月，癸亥，诏：“明禋侍祠执事官既受事，毋得临期规避。如或循习，罚无赦。仍委台谏觉察。”

武仙既归金，金复以为恒山公，置府卫州。蒙古兵围之，金将完颜哈达率众来援，完颜彝先登，蒙古诸帅皆北。既而史天泽以千人绕出金兵后，合诸帅攻之，仙逸出，屯胡岭关。天泽遂取卫州。

九月，辛丑，大飨于明堂，赦天下。

丙午，封美人谢氏为贵妃。

壬子，诏：“浙西提举司下所部州县，将修复围田减纳苗税，毋收斛面。”

冬，十月，辛酉，臣僚请下吏部：“今后县典狱官，须曾历三考，有县令举主三员，无过犯人，许注，毋得破格轻授。或监司、帅守辟置，亦令吏部审实合格，方许放行。”从之。

壬戌，进知枣阳军史嵩之官一等，以置堰、屯田有劳也。

以赵善湘为江淮制置使。

时李全造船益急，至发冢取杉板，炼铁钱为钉，熬囚脂为油灰，列炬继暑，招沿海亡命为水手；又给赵璥夫，以蒙古为辞，邀增五千人钱粮，求誓书、铁券。朝廷犹遣饷不绝，全得米，即自转输淮海，入盐城，以赡其众。它军士见者，曰：“朝廷惟恐贼不饱，我曹何力杀贼！”射阳湖人皆怨，至有“养北贼，戕淮民”之语。全又遣人以金牌诱胁周安民等，造浮桥于喻口，以便盐城往来。史弥远泄泄如平时。郑清之力劝帝讨全，帝乃使善湘图之，许便宜从事，仍命以内图进取，外用调停，唯赵范、赵葵力请进兵讨之。

蒙古主遣苏格使金，因觇其虚实，语之曰：“即不还，子孙无忧不富贵也。”苏格至汴，见金主曰：“天子念尔土地日狭，民力日疲，故遣我致命。尔能恭修岁币，通好不绝，则转祸为福矣。”谒者令下拜，苏格曰：“我大国使，为尔屈乎！”金主壮之，饮以金卮，曰：“归语汝主，必欲加兵，敢率精锐以相周旋，岁币非所闻也。”苏格饮毕，即怀金卮以出，默识其地理厄塞，人民强弱。既复命,备以虚实告,且献所怀金卮。蒙古主喜曰:"我得金于汝手中矣!"复赐之。

蒙古图垒帅众入陕西,于京兆、同、华间破寨栅六十馀所,遂趋凤翔。金以完颜哈达及布哈行省事于阌乡,以备潼关。

十一月,丁卯,殿前司请拨本司一千人名额,令嘉兴府招濒海渔业、惯熟风涛、少壮跻捷之人,试验,刺充澉浦水军;仍增置统制官一员,通行部辖。从之。

癸卯,臣僚言:"曾经奏劾,有永不得亲民差遣指挥之人,如引赦,乞改正。并令都司、吏部取元犯考订,除情轻从旧制外,其或贪赃惨酷,刑寺不得例作不曾推勘免约法许令改正。"从之。

丙午,诏:"寿明慈睿皇太后,明年圣寿七十五,古稀有甚之庆,令礼部、太常寺讨论以闻。"

戊申,立贵妃谢氏为皇后。后,天台人,丞相深甫之孙也。帝即位,议择中宫,太后以深甫有援立功,命选谢氏女,遂与贾涉女同入宫。贾女有殊色,帝欲立之,太后曰:"谢女端重,宜正中宫。"左右亦相窃谓曰:"不立真皇后,乃立假皇后耶?"帝不能夺。贾才人专宠后宫,后处之裕如,太后益贤之。

陈埙上言,请去君侧之蛊媚以正主德,从天下之公论以新庶政,盖指贾才人及史弥远也。埙,弥远之甥也。弥远谓埙曰:"吾甥殆好名耶?"埙曰:"好名,孟子所不取也。然求士于三代之上唯恐其好名,求士于三代之下唯恐其不好名耳。"力求去,出判嘉兴府。

李全突至扬州,副都统丁胜拒之,全攻南门。赵璞夫得史弥远书,许增万五千石粮,劝全归楚州,遣刘易就全垒示之,全笑曰:"史丞相劝我归,丁都统与我战,非相绐耶?"掷书不受。璞夫恐,亟发牌印,迓赵范于镇江,范亦刻日约赵葵,葵帅雄胜、宁淮、武定、强勇四军万四千赴之。

时全引兵攻泰州,知州宋济迎入郡治,尽收其子女货币。将趋扬,闻范、葵已入扬城,乃鞭郑衍德曰:"我计先取扬州渡江,尔曹劝我取通、泰,今二赵已入扬州,江其可渡耶?"既而曰:"今惟径捣扬州耳!"遂分兵守泰,而悉众攻扬州。至湾头立寨,据运河之冲,使胡仪将先锋,驻平山堂以伺机便。

全攻东门,葵亲搏战。全将张友呼城门请葵出;葵出,与全隔壕立马相劳苦,问全来为何,全曰:"朝廷动见猜疑,今复绝我粮饷,我非背叛,索钱粮耳。"葵曰:"朝廷待汝以忠臣孝子,而乃反戈攻陷城邑,朝廷安得不绝汝钱粮!汝云非反,欺人乎?欺天乎?"全无以对,弯弓抽矢向葵而去。自是屡战,全兵多败。

全每云:"我不要淮上州县,渡江浮海,径至苏、杭,孰能当我?"然全志吞扬州三城,而兵每不得薄城下。宗雄武献策曰:"城中素无薪,且储蓄为总领所支借殆尽,若筑长围,三城自困。"全乃悉众及驱乡农凡数十万,立寨围三城,制司、总所粮援俱绝。范、葵命三城诸门各出兵劫寨,举火为期,夜半,纵兵冲击,歼贼甚众。自是全一意长围,以待久困官军,不复薄城。

全张盖奏乐于平山堂,布置筑围。范、葵令诸门以轻兵牵制,亲帅将士出(保)〔堡〕寨西攻之。全分兵诸门鏖战,自辰至未,杀伤相当。兵官王青力战,死之。明日,范出师大战,获全粮数十艘,葵亦力战败之。

蒙古始置十路征收课税使,以陈时可、赵昉使燕京,刘中、刘(恒)〔桓〕使宣德,周立和、

3953

王贞使西京,吕振、刘子振使太原,杨简、高廷英使平阳,王晋、贾从使真定,张瑜、王锐使东平,王德亨、侯显使北京,瓜勒佳永、程泰使平州,田(水)〔木〕西、李天翼使济南;从耶律楚材之言,始用士人也。楚材乘间进说周孔之教,且谓天下虽得之马上,不可以马上治,蒙古主深然之。

蒙古兵攻潼关、蓝关,不克。

十二月,庚申,录用孔子四十九代孙灿,补官。

诏:"上寿明慈睿皇太后尊号曰寿明仁福慈睿皇太后,其令有司详具仪注。"

行都闻李全之叛,居民有争逃避者,史弥远计无所出,引疾不视事。甲子,帝为下诏曰:"朕尊礼元勋,未欲劳以朝请。可十日一赴内引入堂治事。"时飞檄载道,弥远益悒悚,中夜,欲自沈于池,其妾见而持之,乃止。

乙丑,以签书枢密院事郑清之为参知政事兼签书枢密院事,礼部尚书乔行简为端明殿学士、同签书枢密院事,袁韶为资政殿学士、浙西安抚制置使兼知临安府。史弥远欲诏镇遏临安,韶言于弥远曰:"失扬,则京口不可保。淮将尚有可用者,奈何仅为行都计乎?"乃议声讨。诏:"削夺李全官爵,停给钱粮,能擒斩以降者,加不次之赏。"

丁卯,御文德殿,册皇后。

壬申,以雪寒,诏出封桩库缗钱三十万,赈恤临安贫乏民。

癸未,帝率群臣上皇太后尊号册宝。

乙酉,慈明殿出缗钱一百五十万,大犒诸军,赈恤临安贫乏之民。

蒙古兵拔天全、天胜寨及韩城、蒲坂。

绍定四年 金正大八年,蒙古太宗三年【辛卯,1231】 春,正月,戊子朔,帝诣慈明殿行庆寿礼,大赦天下。以庆寿恩,进史弥远、薛极官各二等,葛洪、袁韶、乔行简各一等。

进镇江府都统丁整左武大夫、果州团练使,统领沈兴、刘明官各一等,以追袭李全,焚毁粮聚也。

辛丑,诏:"右武大夫、彰州防御使王青,特赠建武军节度使、右骁卫大将军,与二子官,仍立庙扬州,额为'忠果'。"

蒙古围凤翔府,金行省完颜哈达、伊喇布哈救之,逗遛不进。金主遣枢密判官白华往促之,哈达、布哈言北兵势甚,不可轻进。白华还,金主复遣往,谕以"凤翔围久,恐守者不可支,可领军出关,略与渭北军交手;彼大军闻之,必当奔赴,少纾凤翔之急。"哈达、布哈乃出关,行至华阴,与渭北军交战,比晚,收军入关,不复顾凤翔矣。

赵范、赵葵大败李全于扬州。

时全浚围城堑,范、葵遣诸将出东门掩击;全走土城,官军蹑之,蹂溺甚众。范陈于西门,贼闭垒不出,葵曰:"贼俟我收兵而出耳。"乃伏骑破垣间,收步卒诱之。贼兵数千果趋壕侧,李虎力战,城上矢石雨注,贼退。有顷,贼别队自东北驰至,范、葵挥步骑夹浮桥、吊桥并出,为三迭阵以待之。自巳至未,与贼大战,别遣虎等以马步五百出贼背,而葵率轻兵横冲之,三道夹击,贼败走。

始,全反谋已成,然多顾忌,且惧其党不顺,而边陲喜事者欲挟全为重,遂激成之。及声罪致讨,罢支钱粮,攻城不得,累战不利,全始大悔,忽忽不乐,或令左右抱其臂,曰:"是我手否?”人皆怪之。

范、葵夜议所向，葵曰：“出东门。”范曰：“西出尝不利，贼必见易；因所易而图之，必胜，不如出堡〔塞〕〔寨〕西门。”是夕，全张灯置酒，高会平山堂。有候卒识全枪垂双拂，以告范，范谓葵曰：“贼勇而轻，必成擒矣！”诘朝，乃悉精兵而西，张官军素为贼所易之旗帜。全望见，谓李、宋二宣差曰：“看我扫南军！”官军见贼，突斗而前，范麾兵并进，葵亲搏战，诸军争奋。贼欲走入土城，李虎军已塞其瓮门，全窘，从数十骑北走。葵率诸军蹙之，全趋新塘。新塘自决水后，淖深数尺，会久晴，浮战尘如燥壤，全骑过之，皆陷淖中，不能自拔。制勇军赵必胜等追及，奋长枪刺之，全呼曰：“无杀我，我乃头目。”群卒碎其尸而分其鞍器、甲马，并杀三十馀人，皆将校也。全死，馀党欲溃，国安用不从；议推一人为首，莫肯相下，欲还淮安奉杨妙真。范、葵追击，复败走之。

二月，壬戌，臣僚请申饬诸路州县：“自今遇诉灾伤，邑委佐官，州委幕职，于秋成以前，务核的实蠲减田租，仍以分数揭之通衢。如或稽慢，令守镌斥，漕臣觉察不严，一体议罚。”从之。

丙子，起复孟珙从义郎、京西路分枣阳军驻劄。

三月，癸巳，以经筵进讲《论语》终篇，召辅臣听讲。己酉，赐宰执、讲读、说书、修注官宴于秘书省。

初，盗起闽中，朝廷以陈韡为福建路总捕使，讨平之；至是又躬往邵武督捕馀盗。贼首晏彪迎降，韡以彪力屈方降，非其本心，斩之。时衢盗汪徐、来二破常山、开化，势张甚；韡化令淮西将李大声提兵七百，出贼不意，夜薄其寨。贼出迎战，见算子旗，惊曰：“此陈招捕军也！”皆哭。韡令急击之，衢寇悉平。

夏，四月，乙丑，浙东提刑言温州司户参军赵汝骤，权宰平阳，侵用官钱赃罪，抵死。诏：“汝骤追毁出身文字，除名勒停。”

丙子，以久雨，蠲大理寺、三衙、临安府点检赡军激赏酒库所见盐赃赏钱。

丁丑，诏中外决系囚。

以郑清之兼同知枢密院事，乔行简签书枢密院事。

加赵善湘为江淮制置大使，赵范淮东安抚使，赵葵淮东提刑。善湘季子汝楳，史弥远婿也，故凡奏请得无阻。而善湘亦以范、葵进取有方，慰藉殷勤，故能成扬州之功。

蒙古取金凤翔，完颜哈达、伊喇布哈迁京兆民于河南，使完颜庆善努成之。

金完颜彝败蒙古将苏布特于倒回谷。蒙古主召苏布特责之，图垒为请曰：“兵家胜负不常，宜令立功自效。”遂令苏布特从图垒南伐。

五月，丙戌朔，进前知西和州张孝锡官二等，以四川制置司言其措置边防之劳也。

赵范、赵葵帅步骑十万攻盐城，屡败贼众，遂薄淮安，杀贼万计，城中哭声震天。淮安五城俱破，焚其寨栅，斩首数千。淮北贼来援，舟师邀击，复破之，焚水栅，贼始惧。王旻、赵必胜、全子才等移寨西门，与贼大战，贼连败。杨妙真谓郑衍德等曰：“二十年梨花枪，天下无敌手，今事势已去，撑拄不行。汝等未降者，以我在耳。今我欲归老涟水，汝等请降，可乎？”众曰：“诺。”妙真遂绝淮而去，其党即遣冯垍等纳款军门，淮安遂平。

庚戌，诏：“今后行在遇暑虑囚，所差官将临安府三狱见禁公事，除情重不原外，馀随轻重减降决遣。大理寺、三衙、两赤县一体裁决。"

杨妙真构浮桥于楚州之北,就蒙古帅苏噜克图乞师为李全报仇。金人觇知之,以为蒙古兵果能渡淮,淮与河南跬步间耳,乃使完颜哈达、伊喇布哈戍(碱)〔激〕河口。时八里庄民叛蒙古,逐守将而纳之,金以八里庄为镇淮府。

六月,己未,诏:"魏了翁、真德秀、尤焴、尤爐,并叙复官职祠禄。"

国安用从杨妙真走山东,降于蒙古,蒙古以为都元帅,行省山东。

金降人李国吕言于蒙古图垒曰:"金迁汴将二十年,其所恃以安者,潼关、黄河耳。若出宝鸡以侵汉中,不一月可达唐、邓,大事集矣。"图垒然之,白于蒙古主。蒙古主乃会诸将,期以明年正月合南北军攻汴,遣图垒先趋宝鸡。苏巴尔罕来,假道淮东以趋河南,且请以兵会之。

秋,七月,乙酉朔,诏:"制总诸帅戎司,凡忠勇死义之家,并与优给其家;其有子才艺异众者,赴枢密院审视录用。"

丙戌,臣僚言:"建、剑之间,秋霜害稼,请下诸司措置,般运广米,应济市籴。湖、秀、严、徽,春霜损桑,水潦为沴,令监司郡守留意赈存,与减税色。"从之。

丁未,枢密院检会"右武大夫、叙复吉州刺史、江州副都统制陈世雄,会合荆、鄂军马于吉州龙泉,亲临贼境,一战而擒二酋,委有劳绩。"诏以世雄为左武大夫、濠州团练使、江州都统制。

丙寅,诏:"近民之官,莫如县令,日来间有贪虐昏缪,不能任事之人,重为民害。令诸路监司、守臣觉察,具职任上于尚书省,取旨施行。"

苏巴尔罕至沔州青野原,金统制张宣杀之。图垒闻苏巴尔罕死,曰:"宋自食言,背盟弃好,今日之事,曲直有归矣!"

八月,蒙古图垒分骑兵三万入大散关,攻破凤州,径趋华阳,屠洋州,攻武休,开生山,截焦崖,出武休东南,遂围兴元。军民散走,死于沙窝者数十万。分军而西,西军由别路入沔州,取大安军路,开鱼鳖山,撤屋为筏,渡嘉陵江,入关堡,并江趋葭萌,略地至西水县,破城寨百四十而还。东军屯于兴元、洋州之间,以趋饶风关。

蒙古始立中书省,改定官名,以耶律楚材为中书令。

时蒙古主至云中,诸路所贡课额银币,以仓廪物料文簿具陈于前,悉符楚材原奏之数。蒙古主笑曰:"卿何使钱币流入如此?"即日授以中书省印,俾领其事,事无巨细,一以委之。钮祜禄重山为左丞相,镇海为右丞相。

楚材奏:"诸路州县长吏专理民事,万户府专总军政,课税所专掌钱谷,各不相统摄,著为令。"又举镇海、钮祜禄重山为左、右丞相,与之同事,权贵不得志。燕京路长官舒穆噜咸得卜激怒皇叔乌珍,使奏"楚材用南朝旧人,恐有异志,不宜重用",因诬构百端,必欲置之死地。镇海、重山等惧,让楚材曰:"何为强更张?必有今日事。"楚材曰:"立朝廷以来,每事皆吾自为,诸公何预焉!若果获罪,吾自当之。"蒙古主察乌珍之诬,逐其使者。而咸得卜为人所诉,帝命楚材鞫治,楚材奏曰:"此人倨傲,故易招谤。今方有事南方,它日治之未晚也。"蒙古主私谓近侍曰:"楚材不校私仇,真宽厚长者,汝曹当效之。"

蒙古主以高丽杀使者,命撒礼塔率众讨之,取四十馀城。高丽王暾遣其弟怀安公请降。

撒礼塔承制设官分镇其地,乃还。

九月,丙戌夜,临安大火。殿前司副都指挥使冯榯,率卫卒专护史弥远相府,火延及太庙、三省、六部、御史台、秘书省、玉牒所,俱毁,唯弥远府独全。帝素服,减膳,彻乐。诏:"太庙神主暂奉御于景灵宫,三省、枢密院暂就都亭驿,六部暂就传法寺治事。"

庚寅,诏:"火后合行宽恤条件,悉令三省施行,其令学士院降诏出封桩库钱、丰储仓米,赈恤被火之家。蠲临安府城内外之征一月。"辛卯,复出内藏库缗钱二十万,赈恤贫乏之民。

壬辰,诏曰:"乃丙戌之夕,回禄延灾,信宿之间,上及太室,延燔民庐,莽焉荒毁,都人奔避,间遭死伤。皇天降威,孰大于此!内外臣僚、士庶,咸许直言,指陈过失,毋有所隐。"

诏罢前军统制徐仪,仍削官三等。统领马振远除名勒停,编置湖南州军,以冯榯言其救火弗力也。

校书郎蒋重珍上疏曰:"臣欲陛下亲揽大柄,不退托于人;尽破恩私,求无愧于己。倘以富贵之私视之,一言一动不忘其私,则是以天下生灵、社稷宗庙之事为轻,而以一身富贵之从来为重,不惟上负天命与先帝、圣母,即公卿百执事之所以望陛下者,亦不如此也。昔周勃握玺授文帝,是夜即以宋昌领南北军;霍光定策立宣帝,而明年即稽首归政。今临御八年,未闻有所作为,进退人才,兴废政事,天下皆曰此丞相意。一时恩怨,虽归庙堂,异日治乱,实在陛下。焉有为天之子,为人之主,而自朝廷达于天下,皆言相而不言君哉!天之所以火宗庙、火都城者殆以此。九庙至重,事如生存,而彻小涂大,不防于火之将至;宰相之居,华屋广袤,而焦头烂额,独全于火之未然,亦足见人心陷溺,知有权势,不知有君父矣。它有变故,何所倚仗?陛下自视,不亦孤乎!昔史浩两入相,才五月或九月即罢,孝宗之报功,宁有穷已!顾如其亟,何哉?保全功臣之道,可厚以富贵,不可久以权也。"帝读之感动。

员外郎吴潜疏论致灾之由:"愿陛下斋戒修省,恐惧对越,毋徒减膳而已;疏损声色,毋徒彻乐而已。阉宦之窃弄威福者勿亲,女宠之根萌祸患者勿昵;以暗室屋漏为尊严之区而必敬必戒,以恒舞酗歌为乱亡之宅而不淫不洗;使皇天后土知陛下有畏之之心,使三军百姓知陛下有忧之之心。然后明诏二三大臣,和衷竭虑,力改弦辙,收召贤哲,选用忠良,贪残者屏,回邪者斥,怀奸党贼者诛,贾怨误国者黜。毋并进君子小人以为包荒,毋兼容邪说正论以为皇极,以培国家一线之脉,以救生民一旦之命。庶几天意可回,天灾可息,弭祲为祥,易乱为治。"籍田令徐清叟,疏请为济王立后以和异气。帝皆不省。

丙申,金慈圣皇太后都察氏殂。后性庄严,颇达古今。金主已立为太子,有过,尚切责之;及即位,始免夏楚。一日,宫中就食,尚器有玉碗楪三,一奉太后,二奉帝及中宫,荆王守纪母真妃庞氏则以玛瑙器进食。后见之,怒,召主者责曰:"谁令汝妄生分别?荆王母岂卑我儿妇耶?"是后宫中奉真妃有加。金主尝爱一宫人,欲立为后,后恶其微贱,固命出之,金主不得已放之出宫。比年小捷,文士有奏赋颂以圣德中兴为言者,后闻,不悦,曰:"帝年少气锐,无惧心则骄怠生。今幸一胜,何等中兴,而若辈谄之如是?"至是殂于慈圣宫,遗命园陵制度务从俭约。葬汴京迎朔门外庄献太子墓之西,谥明惠皇后。

庚子,建昌军火。

壬子,以火灾告于天地、宗庙、社稷。

甲寅,度支郎官王与权进对,论近日火灾,帝曰:"此皆朕之不德。最是延及太庙,朕不遑安处。"与权曰："中外臣子所同痛心。今灾变极矣,惟修德可回天意。"帝然之。

乙卯,监察御史何处久,言两司修建太庙合遵旧制,百司庶府不必华侈;从之。

太常少卿度正,以宗庙之制未合于古,为二说以献。其一则用朱熹之议,其一则因旧制而参以熹之说。"自西徂东为一列,每室之后为一室,以藏祧庙之主。如僖祖庙以次,祧主则藏之,昭居左,穆居右。后世穆之祧主藏太祖庙,昭之祧主藏太宗庙。仁宗为百世不迁之宗,后世昭之祧主则藏之;高宗为百世不迁之宗,后世穆之祧主则藏之。室之前为两室。三年祫享,则帷帐幂之,通为一室,尽出诸庙主及祧庙主并为一列,合食其上。往者此庙为一室,凡遇祫享,合祭于室,名为合享而实未尝合享。今增此三室,后有藏祧主之所,前有祖宗合食之地,于本朝之制初无更革,而颇已得三年大祫之义。"编修官李心传亦上疏言："兹缘灾异,宜举行之。"诏两省、侍从、台谏集议。

丙辰,宰执以太室延燎,乞镌罢。诏："史弥远降奉化郡公,薛极、郑清之、乔行简各降一秩。"

丁巳,诏两浙转运判官赵汝惮予祠,以臣僚言其火后营缮、科扰州县也。

戊午,冯椆及主管侍卫步军司王虎各夺一官,罢之,以蒋重珍之言也。

癸酉,度正言："蜀报蒙古兵深入,事势颇危。又闻七方关已溃散,才透文、陇,便入绵、汉,皆是平地,蜀便难保。愿早择帅,付之事权。蜀中财用已乏,愿陛下不惜出内库金帛应付之。"帝曰："当早为择帅,应付财帛。"

蒙古兵攻河中,金权签枢密院事草火额尔克、元帅板子额尔克惧军力不足,截故城之半以守。蒙古筑松楼,高二百尺,下瞰城中,土山地穴,百道并进。昼夜力战,楼橹俱尽,白战又半月,力竭,城破。草火额尔克亲搏战数十合,始被擒,就死;板子额尔克以败卒三千夺船走阌乡。

初,板子额尔克在凤翔,为监战奉御陆尔所制,有隙。及改河中总帅,同赴召,陆尔遂谮额尔克奉旨防秋,畏怯违避,金主信之,至是怒其不能死节,因杖杀之。两额尔克皆内族,一得贼,好以草火烧之,一尝误呼宫中牙牌为板子,时人因以别之。自宣宗喜用内侍以为耳目,伺察百官,至是仍而不改,故奉御辈采访民间,号"行路御史",或得一二事入奏之,即抵罪。又,方面之柄,虽委将帅,复差一奉御在军中,号曰"监战",每临机制变,多为所牵制,遇敌辄先奔,故师多丧败,以至亡国。

蒙古主命平阳移粟输云中,都总管李守贤言百姓疲敝,不任输载,蒙古主命罢之。

冬,十月,甲子,以余天锡为户部侍郎兼知临安府、浙西安抚使。

戊寅,以焕章阁待制、知遂宁府李𡌗为焕章阁直学士、四川安抚制置使、知成都府,四川制置副使赵彦呐进直龙图阁兼知兴元府、利路安抚副使。

金丞相萨布行省京兆,谓都事商衡曰："古来宰相必用文人,以其知为相之道。我何所知,而居此位!恐它日史官书之:'某时以某为相而国乃亡。'"遂致仕。

十一月,乙酉,诏："忠义总管田遂,赠武节大夫、忠州刺史,特与加封立庙。"以四川制置司言其总率忠义力战而没也。

诏："四川关外州军,近经蒙古兵残破去处,未能复业,军民日前或有违误陷于罪戾,合行曲赦,令三省条其事件以闻。"

福建招捕使司奏,知邵武县刘纯殁于王事;诏赠纯官三等,与一子下州文学。

十二月,癸丑,臣僚"请严饬州县科籴及人户投粜不即给钱多取斛面之弊;其州县折苗,并依祖宗成法,止以下户畸零减直折钱,违者奏劾,重置典宪。"

蒙古图垒攻破饶风关,由金州而东,将趋汴京,民皆入保城堡险阻以避之。金主召宰执台谏入议,皆曰:"北军冒万里之险,历二年之久,方入武休,其劳苦已极。为吾计者,以兵屯睢、郑、昌武、归德及京畿诸县,以大将守洛阳、潼关、怀、孟等处,严兵备之,京师积粮数百万斛,令河南州郡坚壁清野,彼欲攻不能,欲战不得,师老食尽,不击自归矣。"金主太息曰:"南渡二十年,所在之民,破田宅,鬻妻子,以养军士。今敌至不能迎战,徒欲自保京城,虽存何以为国!天下其谓我何!朕思之熟矣,存亡有天命,惟不负吾民可也。"乃诏诸将屯襄、邓,完颜哈达、伊喇布哈诸帅入邓州,完颜彝、杨沃衍、武仙兵皆会之。

戊辰,蒙古兵渡汉,哈达、布哈召诸将议曰:"由光化截汉与战,及纵之渡而后战,孰愈?"张惠、阿达茂皆曰:"截汉便。纵之渡,则我腹空虚,必为所溃。"布哈不从,曰:"使彼在沙碛,且当往求之,况自来乎?"遂次于顺阳。

丙子,蒙古兵毕渡,哈达、布哈始进至禹山,分据地势,列步卒于山前,骑士于山后。蒙古兵至,大帅以两小旗前导来观,已而散如雁翎,转山麓,出金骑兵之后,分三队而至。哈达曰:"今日之势,未可战也。"俄而蒙古骑兵突前,金兵不得不战,短兵接,三合,蒙古兵少却。其在西者,望布哈亲军,环绕甲骑后而突之。金富察鼎珠力战,始退。

哈达曰:"彼众号三万,而辎重居其一。今相持二三日,彼不得食,吾乘其却而摧之,必胜矣。"布哈曰:"江路已绝,黄河不冰,彼入重地,将安归乎?何以速为!"遂不逐。明日,蒙古兵忽不见。己卯,逻骑还,始知在光化对岸枣林中,昼作食,夜不下马,望林中,往来不六十步,而四日不闻音响。

庚辰,哈达、布哈议入邓州就粮;辰巳间到林后,蒙古兵忽至,哈达、布哈迎战,方交绥,蒙古兵以百骑邀辎重而去,金兵几不成列。逮夜二鼓,哈达、布哈乃入邓州城,恐军士迷路,鸣钟招之。

哈达、布哈隐其败,以大捷闻;百官表贺,诸相置酒省中。左丞李蹊且喜且泣曰:"非今日之捷,生灵之祸可胜言哉!"于是民保城壁者皆散还乡社。不数日,蒙古游骑突至,多被俘获。

辛巳,诏出封桩库缗钱二十万,下临安府赈恤。

【译文】

宋纪一百六十五　起己丑年(公元1229年)十月,止辛卯年(公元1231年)十二月,共二年有余。

绍定二年　金正大六年,蒙古太宗元年(公元1229年)

冬季,十月,乙未朔(初一),理宗下诏:"各道提点刑狱,一律于十一月巡查部属、处理在押囚犯。"

蒙古军侵入庆阳地界。金主下诏令陕西行省遣使向蒙军进献羊酒财帛,乞求退兵议和,蒙古不接受。

癸卯(初九),太学录陈埙上言:"正强盛的敌人,未灭亡的金朝,难推测之忠义,叛乱的群盗,都是应忧虑的。"理宗说:"这正是治世不忘乱世,安定不忘危难的意思。"陈塇道:"正因为国家典章制度不健全和不安定啊!"又上言用人贵在公允,理宗说:"现在人才也很难得。"

丁未(十三日),群臣进言:"请告诚监司、郡守,从现在起,所属吏缺,按照次序委派差事,不得委差非现任官。如不遵从,得到差事的和委派差事的一并削职贬斥。"理宗采纳。

庚戌(十六日),晋升知吉州赵汝官一等,因为他征购粮食有功。

己未(二十五日),群臣上言:"众多衙门,循例而不顾国法;各级官吏,冤屈百姓营私。请戒告内臣外吏奉守法令。"理宗听从。

壬戌(二十八日),理宗下诏赈济台州水灾百姓,免除各种赋税徭役。

丁卯(疑误),群臣上言:"请下诏国子监、内外学校官员,让其在学生规定课业之外,教以理义之学,用经书来勉励学生。"理宗同意。

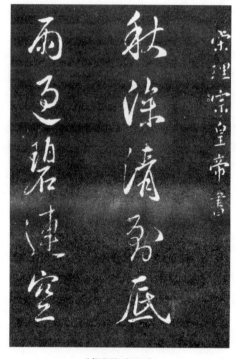

《楷聊》宋理宗

新任知婺州莫泽上朝拜别皇帝,理宗说:"婺州正需得力之人,记得以前守臣魏豹文曾处理过土地疆界问题,现在怎样了?"莫泽说:"婺州过去衰败,皆因税收不明确,现在地界已划定,赋税、徭役负担均平,所以管理不费力。"理宗说:"听说义役还未了结。"莫泽说:"义役是民间自愿办,州县扶助的。"理宗说:"峒寇还未消灭,要抓紧办理。"莫泽说:"盗贼不足虑,关键是州县用人得当。"理宗说:"是这样。"

己巳(疑误),太府少卿、知临安府赵立夫上言请求将茶槽、下沙合并为一寨。理宗问:"每寨多少人?"赵立夫说:"多的一百二十人。"理宗问:"京城百姓治安状况如何?"赵立夫回答说:"臣有幸与百姓相安无事。"理宗说:"对都城百姓要安抚、体恤,使他们常处于春风和气之中,不要让他们有愁叹。"又问:"刑狱怎样?"回答说:"监狱常空。"理宗说:"百姓性命攸关之事,不可拖延、迟缓。"

己卯(疑促),群臣上言:"请命令户部所属诸路盗司,凡民间诉讼,要按官底级别逐级具结,如果未经裁决,不能越级索取案宗改送,先从台部切实遵守。"理宗听从。

十一月,乙丑(二十五日),荧惑星进入氏宿。

十二月,丙申(初二),雪。废除大理寺、三衙、临安府查核缴赏酒库所发现的盐赃赏钱。拨发各军柴草木炭用款,戍边官兵加倍。

丙午(十二日),前任知安吉州赵必观,上言纸币破损腐烂,人们不看重它。理宗说:"这是因为金属币太少。"接着问道:"苕霅百姓目前是否已经安居乐业了?"赵必观回答说:"我到那里时,百姓生活困窘;蒙圣上恩典赈济,加上连年小有收成,百姓大多能安于本业。"

辛亥(十七日),任用翰林学士郑清之为端明殿学士,签书枢密院事。

乙卯(二十一日),军器监度正上言:"江西、福建、湖南、灾害肆虐,老弱饿死,青壮年沦为盗贼。"理宗说:"这是由于州县没有得力的人,才到如此地步。"度正回答说:"当前正值选用官吏之时,更要慎重。"理宗说:"选拔任用官吏实在不能不审查清楚。"度正又上言:"近日遣散的忠义军和破落士人,离去后为盗贼所用,请赐诏各将领,随其所宜予以招收,借以扩充队伍。对在盗贼中的读书人的招抚,更应表示对他们信任。还要力行节俭,使财源旺盛,以枉绝贪污。"理宗说:"谦恭的人不侮辱别人,勤俭的人不抢夺别人,我平日力行这两条。"

蒙古开始设立仓廪,置驿站,命令河北汉人按户交纳赋调,由耶律楚材主持此事;西域人按男丁交纳赋调,由玛哈摩斯古喇迪尔主持此事;又任用史天泽、刘嶷、舒穆噜扎拉三人为万户,分守中原。

丙辰(二十二日),再次拨发各军柴草木炭用款。

蒙古包围庆阳府,金国派遣伊喇布哈前去救援。

在这之前,金主打算派使臣向伊喇布哈传达旨意,对白华说:"你去邠州,六天能往返吗?"白华自度每日可驰三百里,回答说:"能如期宣旨返回。"金主甚喜,对白华说:"你过去一说到征战,必然为难,今天却比平日坚决,为什么?"白华说:"过去用兵,因南征和讨伐李全的事受阻,不能专心对付北方,所以为难。现在蒙古兵侵入国界已有三百多里,如果听任他们南下秦川,还怎么解救!只有拼一死战摧垮他们。与其在内地平川恶战,不如在边界要隘与之决战。"

这一年,金国关停京畿附近狩猎场方圆近百里,听凭百姓耕种。

绍定三年 金正大七年,蒙古太宗二年(公元1230年)

春季,正月,壬申(初九),雷鸣。

群臣"请求责令各路提点刑狱官亲自巡行所辖部属,凡持异议驳回复查案件,可与地方官共同审讯,视情况就便裁决,不许滞留。那些兼地方官的,则命令次监司执行。"理宗采纳。

金国伊喇布哈与蒙古兵遭遇于大昌原,由忠孝军提控完颜彝担任前锋。完颜彝穿上铠甲上马,头也不回冲向敌阵,士气顿时倍增,以四百骑兵打败蒙古八千之众,于是解除庆阳之围。与蒙古交战二十年来,仅此次获胜,奏功第一,于是"陈和尚"之名声震全国。授定远大将军衔,世袭穆昆。忠孝军均是回纥、奈曼、羌、浑及中原地区的战俘或归附的罪犯,凶悍难于挟制。只是完颜彝驾御有方,息、作、进、退,都很适度,所过州县,秋毫无犯。每次作战都首当其冲,疾如风雨,众将领对这支军队很看重。

金主命权签枢密院事额尔克屯兵邠州,伊喇布哈及总帅约赫德返回京兆。

起初,蒙古派翁鄂啰任小使,去到陕西行省后,金军担心机密泄露,便将他扣留。伊喇布哈等解除庆阳之围以后,骄傲自满起来,遂打发翁鄂啰回蒙古,并对他说:"我已准备了兵马,能跟我打仗就来。"翁鄂啰回蒙古后将原话转达上去,蒙古主大怒,商议派遣皇弟图垒伐金。

伊喇布哈统帅军队也无章法,他喜好追逐小利,曾一昼夜驱使士兵疾驰二百里。军中无人敢规劝。完颜彝对此很忧虑,私下对同级将领说:"副枢身为大将驱使兵士抢劫,今天俘虏人口三百,明天掠得牛羊一两千,士兵累死不计其数。国家多年积累,有一天必被这样的人

3961

破除干净。"有人把这话告诉伊喇布哈。一天,伊喇布哈置酒宴请众将,到给完颜彝敬酒时,伊喇布哈说:"你曾批评我,又说国家兵力会因我而毁坏,有这回事吗?"完颜彝饮完杯中的酒,从容说:"有这回事。"伊喇布哈见他没有惧怕的样子,随便而友善地说:"有过失当面评议,不要在背后说。"

该月,蒙古确定各路征收赋税的数额。起初,太祖成吉思汗远征西域,仓库中没有斗粟尺帛的储备。于是群臣纷纷上言:"虽然俘得汉人,也没什么用处,不如全杀掉,让草木茂盛生长,作为牧场。"耶律楚材说:"凭着天下的辽阔,四海的富庶,什么东西得不到! 只是我们不去做,怎么能说没用呢?"因而上言:"地税、商税、酒、醋、盐、铁,山岳河泽之利,可得白银五十万两,绢八万匹,粟四十多万石。"太祖说:"真像你说的这样,那国家的用度就有盈余了,你试着去办吧。"从此采用耶律楚材意见,规定征收赋税,酒税,查验核实,利息取十之一,杂税取二十之一。

二月,庚戌(十七日),以宝章阁直学士魏大有知漳州,处理招捕盗贼事宜;复用宝章阁直学士陈韡知南剑州、福建路兵马钤辖、协助办理。又再次起用赵范、赵葵节制镇江、滁州军马,赵范、赵葵当时正值母丧,要求解除官职,不允诺;百日祭后,起身办公。

庚申(二十七日),免除江西、湖南、福建等被盗贼劫掠州县赋税一年。

闰二月,癸酉(十日),逃兵穆椿潜入皇城纵火,烧毁御前甲仗库,卫士将其捕获,陈尸于市。当时李全想销损朝廷军备,故意指使穆椿作乱。于是先朝遗留下的甲仗全部被烧毁殆尽。

戊子(二十六日),理宗下诏:"江西、湖南、福建为盗寇者,凡属胁从百姓,向官府投案,都可免罪;能杀掉匪首投案者候补官职,伪官、土豪率众投诚立功者,委以官职。"

三月,戊戌(初六),群臣呈请补充禁卫军名额,告诫内侍不得私用仆役,不许出租房屋,整治防火政事,以保宫廷安全,理宗采纳。

癸丑(二十一日),设置会子库监官一名,专作堂差,以有人举荐的候补官员充任。

夏季,四月,庚午(初九),理宗下诏:"各路提点刑狱,于五月巡查部属和查处在押囚犯。"

癸酉(十二日),免除绍兴府余姚、上虞县百姓每户折麦赋税一年,因水灾之故。

己卯(十八日),漳州连城盗起,知龙岩县庄梦诜,县尉钟自强不能死守疆土,下诏各削两级俸禄,罢其职。

五月,丁未(十六日),知抚州林孝闻削两级俸禄,罢其职。原因是群臣说他在官军入境时,闭关不纳,利用征收军粮骚扰百姓,使民户受害。

理宗驾临射殿,检阅随驾卫兵射箭技艺,按成绩给予不同奖赏。

甲寅(二十三日),任命李全为彰化、保康军节度使、开府仪同三司、京东镇抚使,李全不受此命。

当初,李全想先占据扬州以便渡江,分兵沿通州、泰州而达海岸,他的部下都说:"通、泰二州是盐场所在,不如先取过来为我们所有,还可以使朝廷丧失盐利。"李全希望朝廷对他不

防备,而且不很快断绝他的给养,就挟蒙古李、宋二宣差恐吓朝廷,但蒙古实际上并未资助过李全。李全派遣张国明携带金宝到临安向皇帝禀告,扬言:"李宣差英勇无比,胆略超群,骑

射可达五百步，朝廷不如对他割地封王，并增拨钱粮，让他防守边境。"同时买通各要塞守将，请他们支持自己的观点。张国明入朝觐见皇帝，以全家担保李全不会反叛。朝廷虽然明知他在说谎，为求暂时安定，不去追究。

及至李全买麦子的船经过盐城，知扬州翟朝宗指使尉兵夺下其船。李全大怒，以捕盗为名，水陆军数万人，直捣盐城，守将陈益、楼强、知县陈遇都逃跑，李全入城，占据了盐城。翟朝宗慌忙派干官王节恳求李全退兵，李全不答应，留下郑祥、董友守盐城，自己提兵返回楚州，用文书上告朝廷，说："我派兵捕盗，路过盐城，县令自行弃城而逃，我怕军民受惊扰，便进城安抚民众。"于是朝廷授给李全符节与斧钺，令其退兵，命制置司干官耶律均前去宣谕命令。李全说："朝廷待我如同小孩子，啼哭就给果子。"不接受命令。朝廷为此罢免了翟朝宗，任命通判赵璡夫代理扬州事务。

最初士大夫无论贤愚，都认定李全必反，却不敢明说。仅国子监丞度正上疏极力言其必反，而且献上三条致李全于死地的计策。他的言词梗直、激切，但当时不能采用。这时赵范、赵葵一再上疏说李全必反，史弥远均不采纳。

丁巳(二十六日)，群臣进言："请下令江东、江西、湖南、湖北、福建诸路总漕仓司，允许邻境已被侵占的州郡，按规定解送给各司的钱物，比常年期限延长一个季度。"理宗下令户部仔细研究。

六月，戊辰(初八)群臣进言："两广诸郡，凡教官、法掾，自称闲官，厌弃驻地风土，置身官衙府幕之中。请下令训诫，如遵循恶习不改，要给予削职处分，将帅、漕司都要处罚。"理宗同意此议。

癸酉(十三日)，审理临安关押的囚犯。

辛卯(疑误)，群臣呈请告诫郡守，尽力革除赋税、刑狱、差役、版籍中存在的四大弊端，理宗接受此议。

壬辰(疑误)，群臣呈请告诫两广漕司："严格约束所属州县，丁钱要每年核实并将数目造册，按所规定的期限之前下发，催民户交纳、注销，违犯者验查弹劾。"理宗诏令吏部详加研究。

蒙古兵包围京兆，金兵前往援救，为蒙古兵所败，城被攻破。

秋季，七月，丁酉(初八)，由于汀州宁化县曾寡妇晏氏供给军粮，抵御漳州敌寇有功，又救活乡民数万，理宗下诏封其为恭人，其子也官封承信郎。

丁未(十八日)，群臣呈请今后清理判决讼案时，事前降旨，下达临安府、三衙："犯罪在令发之前的，允许援引赦款赦罪；如犯罪于令发之后，虽已停止判决，也不在原来减刑之例内。符合赦免条件之罪人，不得在停止判决前擅自遣放。如有违背失误，依照以往出入人罪条律给予处置。"理宗命刑部认真考虑。

癸丑(二十四日)，群臣请求申明严格宰相授官制度，使士人不敢贸然求进，使中书之政务清廉。理宗同意。

蒙古主亲自率军攻打金国，皇弟图垒、皇侄莽赉扣领兵跟随出征。路经平阳，看见田野一片荒芜，蒙古主询问兵马都总管李守贤，李守贤回答说："百姓贫困，缺乏农耕用具所致。"蒙古主下令拨给耕牛万头，依旧例迁徙关中百姓到河东垦殖。

八月,癸亥(初八),理宗诏令:"明禋侍祠执事官既已接受职务,不得临期规避。如有人沿袭旧习,必惩无赦。依旧委任台谏省察。"

武仙归顺金国后,金国仍封其为恒山公,在卫州设置府衙。蒙古军包围卫州,金将完颜哈达领军来援,完颜彝率先登城,蒙古诸帅皆败北。接着史天泽派一千人绕到金兵后面,与诸帅合力攻城,武仙从城中逃出,屯兵胡岭关。史天泽遂夺取了卫州。

九月,辛丑(十三日),理宗于明堂举行盛大祭礼,大赦天下。

丙午(十八日),册封美人谢氏为贵妃。

壬子(二十四日),理宗下诏:"浙西提举司下所属州县,准备修复围田减收苗税,不收斛面。"

冬季,十月,辛酉(初三),群臣呈请下令吏部:"今后各县之典狱官,必须经历三次考核,要有县令及三名举荐人员。没有前科的,准其登记,不得破格轻易授职。有的监司、帅守推荐设置的,也须经吏部审查合格,才准许放行。"理宗同意此议。

壬戌(初四),晋升知枣阳军史嵩之官品一等,原因是他设立堤堰、屯田劳绩卓著。

任用赵善湘为江淮制置使。

当时李全造船甚急,甚至掘坟取用木板,化铁钱打钉,熬死囚脂肪为油灰,火炬通宵达旦,招募沿海地带的亡命之徒做水手;又欺骗赵璩夫,以抵御蒙古为借口,要求增发五千人的钱粮,请求颁发誓书、铁券。朝廷仍然不断拨发给他军饷。李全得到粟米,立即转输淮海,运入盐城以供给其部属。其他军士见到这一情况,说:"朝廷唯恐乱贼不饱,我们哪有力量杀贼!"射阳湖的百姓均怀怨恨,以至有"养北贼、戕淮民"之说。李全又差人用金牌引诱、胁迫周安民等人,在喻口建造浮桥,以便利盐城交通,史弥远仍如平时一样安闲。郑清之力劝理宗讨伐李全,理宗便派赵善湘筹划此事,准许他见机行事,仍旧命令在内部谋划讨伐,对外先要采取调停之法,只有赵范、赵葵极力请求发兵讨伐李全。

蒙古主差派苏格出使金国,以窥探金国虚实,并对苏格说:"即使你回不来,你的子孙也不愁没有富贵可享。"苏格到汴京,觐见金主,说:"我天子念你土地日益狭小,民力日益疲惫,所以派我来传达命令。你若能恭顺地向我国呈奉岁币,永远通好,就可转祸为福。"负责引见的官员命其下拜,苏格说:"我是大国使臣,能向你们屈膝么!"金主钦佩他,让他用金卮饮酒,说:"回去告诉你的国主,他一定要使用武力,我肯定会率领精锐之兵与他周旋,进贡岁币不是我要听的话。"苏格饮完酒,将金卮揣在怀里而出,暗记金国地形、要塞,百姓的贫富。回归复命,详尽把金国虚实上报,并呈献怀中的金卮。蒙古主高兴地说:"我从你手中得到金国了。"又将金卮赐给苏格。

蒙古图垒领军攻入陕西,在京兆、同、华之间破除六十余所营寨,逼近凤翔。金国派完颜哈达及伊喇布哈赴阌乡受理省事,加强潼关防备。

十一月,丁卯(疑误),殿前司呈请拨给本司一千人的名额,命嘉兴府招募沿海从事渔业、熟习风浪、年轻矫捷之人,经过测试,吸收他们补充澉浦水军。还增置统制官一员,统一管理辖制。理宗接受此议。

癸卯(十六日),群臣进言:"以往受弹劾,永远不许担任接近和指挥民众官职的人,如能援引赦免条律,乞求给予改正。并请命令都司、吏部提取元犯认真审理,除情节较轻者遵从旧制外，倘若贪赃，苛刻残忍，刑寺不可一概不追究其罪状就免除刑律制裁、批准改正对他们的判决。"理宗接受此议。

丙午（十九日），理宗诏令："寿明慈睿皇太后，明年圣寿七十五岁，古稀之年甚值庆贺，着令礼部、太常寺讨论后上报。"

戊申（二十一日），册立贵妃谢氏为皇后。皇后是天台人，丞相谢深甫的孙女。理宗即位，商讨选择皇后，太后因谢深甫帮助自己有功，命选取谢氏之女，遂与贾涉之女同时入宫。贾氏有绝色，理宗要立她为后，太后说："谢女端庄持重，宜立为正宫。"左右也私下嘀咕说："不立真皇后，倒要立个贾皇后吗？"理宗只好听从。贾才人专宠于后宫，皇后处之泰然，太后愈加认为皇后贤惠。

陈埙上言，请求清除君王身边蛊媚之人以端正主上德行，顺从天下人之公论以革新庶政。可能是指贾才人及史弥远。陈埙是史弥远的外甥。史弥远对陈埙说："我的外甥莫非是喜好名吗？"陈埙回答："喜好名，为孟子所不取。然而三代以前求士虽然唯恐他们好名，三代以后求士则唯恐他们不好名了。"陈埙极力要求辞官，最后出京任嘉兴府通判。

李全突然到达扬州，副都统丁胜拒不让其入城，李全攻打南门。赵璞夫接到史弥远的信，许诺给李全增拨粮饷一万五千石，劝李全退还楚州，并派刘易到李全营中给他看信，李全笑着说："史丞相劝我回去，丁都统与我交战，不是在欺骗我吗？"将信扔到地上不接受。赵璞夫恐慌，急发令牌印信迎赵范到镇江，赵范也即日约赵葵，赵葵帅雄胜、宁淮、武定、强勇四军一万四千人赶来。

当时李全带兵攻打泰州，知州宋济把他迎入州衙所在地，悉数收取李全赠送的美女钱币。李全正打算向扬州进发，听说赵范、赵葵已进入扬州，便鞭责郑衍德，说："我本打算先取扬州再渡江，你们这些人却劝我攻取通、泰两州，如今二赵已进入扬州，还怎么渡江呢？"不久又说："如今只有直捣扬州了。"于是分出部分兵力把守泰州，率其余全部兵力攻打扬州。到湾头安营下寨，据守运河要冲，派胡仪统率先头部队，驻扎在平山堂等待时机。

李全攻打东门，赵葵亲自与他搏战。李全的部将张友在城门外呼叫要赵葵出战，赵葵走出城门，与李全隔着城壕在马上互相问候，问李全为何来到扬州，李全回答说："朝廷对我时常猜疑，现在又断绝我的粮饷，我并非背叛，只是来索要钱粮而已。"赵葵说："朝廷以忠臣孝子来对待你，可你却反戈攻陷城邑，朝廷怎能不断绝你的粮饷！你说不是反叛，是骗人呢，还是欺骗上天呢？"李全无话可应，于是弯弓搭箭射赵葵后离去。从此双方屡屡交战，李全军大多失败。

李全常说："我不要淮上的州县，要渡江过海，径直到苏、杭，谁能抵挡我？"然而李全一心要攻取扬州三城，军队却总不能迫近城下。宗雄武献计说："城中向来没有柴草，而且储备也被总领支借殆尽，如果筑寨长期包围，三城自然困乏。"于是李全令全体兵士，并驱赶乡民共数十万，设立营栅围困三城，使三城内的制司、总所粮草支援完全断绝。赵范、赵葵命令三城诸门守军各出兵劫营，举火为号，夜半时分，发兵冲击，歼敌甚多。从此李全一意构建长围，图谋久困官军，不再攻城。

李全于平山堂陈设华盖，演奏音乐，布置围城工程。赵范、赵葵命令诸门守军以轻兵牵制敌人，自己则亲率将士潜出营栅从西面进攻李全军。李全分兵于各门鏖战，自辰时到未时,双方死伤相当。兵官王青力战而死。次日,赵范出兵大战,缴获李全的粮船数十艘。赵葵也奋力出战,打败李全。

蒙古开始设置十路征收课税使,派陈时可、赵昉出使燕京,刘中、刘恒出使宣德,周立和、王贞出使西京,吕振、刘子振出使太原,杨简、高廷英出使平阳,王晋、贾从出使真定,张瑜、王锐出使东平,王德亨、侯显出使北京,瓜勒佳永、程泰出使平州,田水西、李天翼出使济南。这是采纳耶律楚材的建议,开始任用读书人了。耶律楚材乘机进说周公、孔子之教,并说天下虽然可以在马上得到,却不可以在马上治理。蒙古主很同意他的见解。

蒙古军队攻打潼关、蓝关,未攻下。

十二月,庚申(初三),录用孔子四十九代孙孔灿,补官。

理宗下诏:"进寿明慈睿皇太后尊号称寿明仁福慈睿皇太后,着令有关部门研拟礼仪制度。"

临安传来李全反叛的消息,居民有人争相逃避,史弥远无计可施,推病不问政事。甲子(初七),理宗为此下诏说:"我尊重元勋,不想劳你朝见。你可以十天去一次内引入堂办理政事。"当时紧急军情报告不绝于途,史弥远益发惶恐,半夜,他想投池自杀,其妾发现后拉住他,才没能投下。

乙丑(初八),任签书枢密院事郑清之为参知政事兼签书枢密院事,任礼部尚书乔行简为端明殿学士、同签书枢密院事,任袁韶为资政殿学士、浙西安抚制置使兼知临安府。史弥远打算让袁韶坐镇据守临安,袁韶告诉史弥远说:"失去扬州,便不能确保京口。淮州将领中还有可用之人,怎么只考虑据守临安呢!"于是商议声讨之事。理宗下诏:"削夺李全官爵,停发钱粮,有能擒杀李全来投降的,给予特别的奖赏。"

丁卯(初十),理宗驾临文德殿,册封皇后。

壬申(十五日),因雪后严寒,理宗诏令拨出封桩库缗钱三十万,赈济临安贫民。

癸未(二十六日),理宗率群臣为皇太后进尊号金册、金玺。

乙酉(二十八日),慈明殿拨出缗钱一百五十万,大犒诸军,赈济、抚恤临安贫民。

蒙古兵攻占天全、天胜寨及韩城、蒲坂。

绍定四年　金正大八年,蒙古太宗三年(公元1231年)

春季,正月,戊子朔(初一),理宗到慈明殿行庆寿礼,大赦天下。因庆寿之恩典,晋升史弥远、薛极各二等官,葛洪、袁韶、乔行简各一等。

提升镇江府都统丁整为左武大夫、果州团练使,统领沈兴、刘明各晋升官职一等。是因为他们追击李全,焚毁其粮库有功的缘故。

辛丑(十四日),理宗下诏:"右武大夫、彰州防御史王青,特追赠为建武军节度使、右骁卫大将军,并任其二子为官,还立庙于扬州,匾额定为'忠果'。"

蒙古军包围凤翔府,金国行省完颜哈达、伊喇布哈前去援救,逗留不进。金主派枢密判官白华前往催促,完颜哈达、伊喇布哈声言北兵势大,不可轻进。白华回朝,金主又派他前来,转告他们"凤翔被围已久,恐怕守卫的将士支持不住,可以领军出关,稍与渭北军交手,蒙古大军得到消息,必然奔来解救,少许缓解凤翔的危急。"完颜哈达、伊喇布哈遂出关。行进到华阴,与渭北军交战,直到天晚,收兵入关,不再顾及凤翔之危。

赵范、赵葵大败李全于扬州。

当时李全军正疏浚围城堑壕,赵范、赵葵派诸将出东门突袭;李全军向土城逃去,官军紧追其后,很多人被踩死和溺水。赵范列阵于西门,叛军闭垒不出,赵葵说:"敌人专等我收兵时出击。"于是便于破垣内埋伏骑兵,收步兵以引诱敌人。敌兵数千人果然追到城濠旁,李虎奋力搏战,城上矢石如雨倾盆,叛军败退。不久,另一支贼兵从东北驰来,赵范、赵葵指挥步兵骑兵从浮桥、吊桥上同时杀出,列成三迭阵以应战。自巳时到未时,与贼兵大战,另派李虎等率马步军五百人出击敌后,而赵葵则率轻兵横冲进入敌军,三路夹击,贼兵败逃。

开始,李全反叛阴谋已定,只是顾忌较多,又害怕党羽不顺从,然而边陲好事之人却想倚仗李全做靠山,便激成他反叛。等到声讨其有罪并受到讨伐,停止发给钱粮,他又攻城不下,屡战不利时,李全开始懊悔,闷闷不乐,有时让左右抱住自己的臂膀,说:"这是我的手吗?"人们都觉得奇怪。

赵范、赵葵连夜商议出击方向。赵葵说:"出东门。"赵范说:"从西门出击曾经失利,贼兵必然认为防守容易,利用其认为防御容易的心理而由此出击必胜,因此不如出堡寨西门。"当夜,李全张灯置酒,在平山堂举行盛宴。有个侦察兵认识李全的枪垂挂双绦,就报告赵范。赵范对赵葵说:"贼人勇而轻敌,必然被擒。"翌日天明,率领全部精兵出西门,打出官军平日被贼兵看轻的旗帜。李全望见,对李、宋二宣差说:"请看我横扫南军。"官军见到贼军,奋勇向前接战,赵范挥师并进,赵葵亲自搏杀,各军争相奋战。贼军欲退入土城,李虎军已堵住土城外的月城,李全惶急,率数十骑北逃。赵葵领诸军紧追不放,李全逃到新塘。新塘自决水后,泥淖有数尺深,适逢天晴日久,埃尘浮在上面看似干燥土地。李全等骑马经过上面,都陷进泥淖中,不能自拔。制勇军赵必胜等追上来,举长枪刺去,李全大喊:"别杀我,我是头目。"士卒们碎裂其尸,分其鞍器、甲马,同时杀死三十余人,都是将校军官。李全一死,其余党打算散伙,国安用不肯;众人商议推举一人为首领,但谁也不愿居别人之下,遂想返还淮安奉杨妙真为头领。赵范赵葵随后追击,再次击溃他们。

二月,壬戌(初五),群臣奏请告诫诸路州县:"今后遇有百姓上报灾情,县邑委任辅助官员,州郡委任幕府属吏,在秋收之前,务必考核确实以免减田租,并要把分配数额公布在交通要道上。假如迟缓不办,州、县官吏削职贬斥,漕臣觉察不严,一概处治。"理宗采纳。

丙子(二十日),起用孟珙为从议郎、京西路分掌枣阳军屯营。

三月,癸巳(初七),在御前讲席上由讲读官进讲《论语》最后一篇,理宗召集辅政大臣听讲。己酉(二十三日),在秘书省赐宴宰执、讲读、说书、修注官。

初时,盗贼起于闽中,朝廷任命陈韡为福建路总捕使,讨平了乱贼;现在陈韡又亲往邵武督捕残余的盗寇。贼首晏彪前来归降,陈韡认为晏彪投降是由于势穷力竭,并非真心,就把他杀了。那时衢州的盗贼汪徐、来二攻破了常山和开化,声势甚为嚣张。陈韡命令淮西将领李大声统兵七百,出贼不意,趁夜靠近贼寨。贼兵出寨迎战,看见算子旗,惊慌地说:"这是陈招捕的队伍!"都哭了。陈韡下令迅速攻击,衢寇全部平定。

夏季,四月,乙丑(初九),浙东提刑弹劾温州司户参军赵汝骤,说他称霸平阳,侵占公款贪污受贿,应当处死。诏令:"取消赵汝骤以前中试的资格并销毁案卷,除去名籍勒令停止职务。"

丙子(二十日)，因连天淫雨，免去大理寺、三衙、临安府查核军需激赏酒库时所发现的盐赃赏钱。

丁丑(二十一日)，理宗下诏朝廷与地方判决在押的囚犯。

任郑清之兼任同知枢密院事，乔行简签书枢密院事。

加官赵善湘为江淮制置大使，赵范为淮东安抚使，赵葵为淮东提刑。赵善湘的小儿子赵汝楳，是史弥远的女婿，因此他向皇帝上言不受阻碍。而且赵善湘也认为赵范、赵葵进取有方，抚慰部下殷勤，所以才取得扬州的成功。

蒙古夺取金国的凤翔，金将完颜哈达、伊喇布哈将京兆百姓迁到河南，派完颜庆善努戍守。

金国完颜彝在倒回谷打败蒙古将领苏布特。蒙古主将苏布特召回责备，图垒替他说情，说："兵家胜负不定，应该让其立功赎罪。"于是蒙古主命令苏布特随图垒南征。

五月，丙戌朔(初一)，晋升前知西和州张孝锡官二等，由于四川制置司上言他整治边防有功劳。

赵范、赵葵率步骑兵十万人攻打盐城，屡败贼军，接着进逼淮安，杀敌万计，城中哭声震天。淮安五城均被攻破，焚毁了叛军营寨，斩首数千。淮北贼军来援，被官军水师截杀，再次破敌，焚毁其水栅，贼军开始丧胆。王旻、赵必胜、全子才等将营垒移到西门，与贼军大战，贼军连败。杨妙真对郑衍德等人说："二十年梨花枪，天下无敌手，如今大势已去，无法抵挡。你们这些还未投降的，是因为我还在，现在我打算回涟水养老，你们向朝廷请降，可以吗？"众人回答："听命。"于是杨妙真告别淮安而去，其党羽随即派遣冯垍等赴官军军门投诚，淮安遂被平定。

庚戌(二十五日)，理宗下诏："今后临安遇有炎热天气要考虑囚犯，所委派的官吏要把临安府三狱断案的公文，除情节严重的不予减刑外，其余依案情轻重减刑判决、发落。大理寺、三衙、两赤县汇总一起裁决。"

杨妙真于楚州北面构筑浮桥，到蒙古将帅苏噜克图的军中乞求派军队为李全报仇。金国人侦察到此事，认为蒙古军如真能渡过淮水，淮水与河南仅半步之遥，于是就派完颜哈达、伊喇布哈戍守潵河口。这时八里庄的百姓背叛蒙古，驱逐蒙古守将而迎纳他们。金国以八里庄为镇淮府。

六月，己未(初四)，理宗下诏："魏了翁、真德秀、尤焴、尤燀，一起恢复官职俸禄。"

国安用随杨妙真跑到山东，投降蒙古国，蒙古任他为都元帅，行省山东。

金国降人李国昌对蒙古图垒说："金国都迁至汴京已近二十年，他们恃以为安全的不过是潼关、黄河罢了。如果能从宝鸡出军征伐汉中，不消一个月即可抵达唐、邓，大事就成功了。"图垒同意他的主张，转告给蒙古国主。蒙古国主就召集诸将，约定明年正月南北军汇合攻取汴京，并派图垒先去宝鸡。苏巴尔罕来宋朝，要求借道淮东以攻河南，并要求宋朝派军队会同作战。

秋季，七月，乙酉朔(初一)，理宗下诏："命令诸帅戎司，凡为国忠勇捐躯者的家属，要给予优厚抚恤；死者之子有特殊才能技艺的，到枢密院经审察录用。"

丙戌(初二)，群臣上言："建、剑两府之间，秋霜伤害庄稼，请下令诸司筹措安排，调运两广米粮,及时向市场供粮。湖、秀、严、徽四地,春霜损害桑田,雨水成灾,请令监司郡守留心赈济,减少赋税徭役。"理宗同意。

丁未(二十三日),枢密院上报:"右武大夫、叙职重新担任吉州刺史、江州副都统制陈世雄,在吉州龙泉会合荆、鄂军马,亲临敌境,一战而擒获两名匪酋,立有战功。"理宗诏令任陈世雄为左武大夫、濠州团练使、江州都统制。

丙寅(疑误),理宗下诏:"最接近百姓的官,莫过于县令,近来不时出现贪暴昏聩不能任事之人,成为民众大害。着令各路监司、守臣查勘,将详细情况上报尚书省,听取旨意后处理。"

苏巴尔罕到达沔州青野原,被金将统制张宣杀死。图垒听到苏巴尔罕的死讯,说:"宋朝自己食言,背弃盟约,今日之事,曲直有根由了。"

八月,蒙古国的图垒分骑兵三万人进入大散关,攻破凤州,直捣华阳,屠洋州城,攻占武休,打通生山,切断焦崖,从武林东南出击,接着包围兴元。当地军民溃散,死在沙窝的人达数十万。图垒分兵向西,西路军从另一路进入沔州,攻取大安军路,打通鱼鳖山,拆屋檩做木筏,渡过嘉陵江,进入关堡,又沿江奔赴葭萌,侵占西水县,攻破城堡一百四十座而还。东路军屯驻兴元、洋州之间,准备开赴饶风关。

蒙古开始设置中书省,改定官名。任命耶律楚材为中书令。

当时蒙古主到达云中,各路所征课的银币和仓库米谷簿籍都呈现在他面前,全部符合耶律楚材原报数字。蒙古主高兴地说:"卿用什么办法搞到这么多钱财?"当日即授予中书省印,让耶律楚材主持中书省事,不管大小事务,都由他掌管。钮祜禄重山为左丞相,镇海为右丞相。

耶律楚材奏请:"各路州县长吏专理民事,万户府专理军政,课税所专理钱谷,各自独立行事,定为法令。"又推荐镇海、钮祜禄重山为左、右丞相,跟他一起工作,权贵没有得到重用。燕京路长官舒穆噜咸得卜激怒皇叔乌珍,乌珍遂派使者上奏"耶律楚材任用南朝旧人,恐有异心,不宜重用。"进而捏造种种罪状,一心想将耶律楚材置于死地。镇海、重山等害怕,责怪耶律楚材说:"何必勉强更张变革?惹出今天的事是必然的。"耶律楚材说:"自成立中书省以来,每件事都是我自己做的主,与诸公有什么关系!果真受惩处,我自己来承当。"蒙古主看出乌珍纯属诬陷,驱逐了来使。而咸得卜这时受到别人指控,蒙古主命耶律楚材审理,耶律楚材上本说:"此人傲慢不恭,所以容易招人诽谤。眼下南方有重要的事要做,以后再处置为时未晚。"蒙古主私下跟近侍说:"耶律楚材不计较私仇,真是宽厚长者,你们应当向他学习。"

蒙古主因高丽杀害派去的使者,命撒礼塔率军讨伐高丽,攻占四十多座城市。高丽王王曔派弟怀安公请求投降。撒礼塔奉命设官分守其地,而后返回。

九月,丙戌(初三)夜,临安大火。殿前司副都指挥使冯榯,率领卫兵专门保护史弥远丞相的宅第,大火延及太庙、三省、六部、御史台、秘书省、玉牒所,均被烧毁,唯独史弥远宅第未受损失。理宗改穿白色衣服,减少膳食,撤去音乐。下诏书:"太庙神主暂时寄放在景灵宫,三省、枢密院暂时迁到都亭驿,六部暂时借传法寺办公。"

庚寅(初七),理宗下诏:"大火后当颁布宽恤条件,一切由三省执行,令学士院降诏从封

桩库拨款、丰储仓拨粮,赈济遭火灾的家庭。免除临安府城内外赋税一个月。"辛卯(初八),又从内藏库拨缗钱二十万,赈济贫苦百姓。

壬辰(初九),理宗诏书:"丙戌(初三)夜间,火神降灾,两夜之间,上至太庙,下延及百姓房屋,势如燎原,都城居民奔避,间或死伤。皇天降威,莫大于此! 内外臣僚、士民,都允许上书直言,指陈过错,不要有所隐瞒。"

理宗下诏免去前军统制徐仪职位,再降官三等;统领马振远除名不叙,编入湖南州军,因为冯树说他救火不尽职。

校书郎蒋重珍上疏说:"臣希望陛下亲自掌握大权,不推托给别人;尽除私恩,以求无愧于己。倘以一己之富贵考虑问题,一言一行不忘私情,那便是以天下生灵、社稷宗庙之事为轻,如果一向以一身富贵为重,这不仅上负天命与先帝、圣母,即便公卿百官对陛下的期望,也不是如此。过去周勃持玉玺交给文帝,文帝当夜即任命宋昌管领南北军;霍光主谋尊立宣帝,而第二年即跪拜归还政权。现今陛下登基八年,未闻有所作为,人才进退,政事兴革,天下都说这是丞相主意。当前的恩怨,虽然归结于朝廷,他日治乱,责任实在陛下。那里有为天子者,为人主者,自朝廷到天下,都言宰相而不道人君的道理! 上天之所以焚烧宗庙,焚烧都城的原因大概为此。祖庙、亲庙至重,事奉应如生存,而大小都遭污毁,在大火烧来时没有人防救;宰相的居处,华屋连片,可是在焦头烂额中,相府却独能在火中保全,也足以看出人心沦丧,知有权势,而不知有君父了。将来倘有变故,还有谁可指靠! 陛下自视,不也感到孤独吗? 过去史浩两次入朝拜相,才五个月或九个月即罢相,孝宗对功臣的回报,岂有穷尽之时! 却如此短促,原因何在? 保全功臣的办法,可给他们富贵,而不可长期让他们执掌大权。"皇帝看了甚为感动。

员外郎吴潜上疏论招致火灾原因:"希望陛下能修身反省,畏惧冲犯,不只是减膳而已;疏远声色,不只是撤去音乐。宦官作威作福者,勿亲近;妃嫔得宠弄权为他日祸患者勿亲昵;以暗室小账为尊严之区而必敬必戒,以歌舞不休为乱亡之门,不荒淫不放荡;使皇天后土知陛下有畏天之心,使三军百姓知陛下有忧民之心。然后明令二、三大臣,和衷尽心,努力改弦易辙,征召贤哲,选用忠良,贪婪凶暴者屏退,奸恶邪僻者贬斥,怀奸结纳贼党者诛杀,招怨误国者降职罢官。不要把同时任用君子小人当成度量宽宏,不要把兼容邪说与正论视为治国准则;可以培植国家一线之脉,可以救生民一时之命。这样可能天意得以挽回,天灾得以止息,消除妖氛转为祥和,变乱世为治世。"籍田令徐清叟,上书奏请为济王立继承人以调和灾异之气。理宗都置之不理。

丙申(十三日),金慈圣皇太后都察氏去世。皇太后生性端重严肃,通晓古今事理。金主已立为太子,有过错时,还要严词责备;及即位后,方始免于体罚。一天,宫中进餐,御用餐具有玉碗碟三份,一份给太后,两份给皇帝和皇后;荆王守纪的母亲真妃宠氏则用玛瑙餐具盛食品。皇太后看到了,大怒,召唤管事的责备说:"谁教你乱加区分? 荆王母亲难道低于我儿媳吗?"此后宫中对待真妃优礼有加。金主曾喜爱一宫女,想立为皇后,皇太后憎恶宫女出身微贱,坚持要把她放出去,金主不得已只好放她出宫。每年有小捷,文士中就有人进献赋颂喻之为圣德中兴,皇太后听到,不高兴地说:"皇帝年轻气锐,没有畏惧感就会滋生骄傲轻敌思想。现今偶尔一胜,怎能说成中兴? 而这些人却如此奉承!"到现在逝世于慈圣宫,遗嘱要求园陵制度务必从简。葬于汴京迎朔门外庄献太子墓的西面,谥号明惠皇后。

庚子(十七日),建昌军发生火灾。

壬子(二十九日),因火灾祝告天地、宗庙、社稷。

甲寅(疑误),度支郎官王与权觐见皇帝,论述近日火灾事,理宗说:"这都是朕缺乏德行。尤其是延及太庙,朕为之坐立不安。"王与权说:"这是内外群臣和百姓共同感到痛心的事。现今灾异严重,只有修德可挽回天意。"理宗以为说得对。

乙卯(疑误),监察御史何处久,进言说布政司和按察司修建太庙应遵循旧制,而百司和众官署不必追求华侈;理宗同意。

太常寺少卿度正,因宗庙制度不符合传统,向皇上提供了两个方案。一个是采用朱熹的意见,另一个是因袭旧制并参考朱熹的说法。"自西往东成一横排,每室之后别为一室,用来安放远祖庙的神主。如僖祖庙的下一个庙,就用来安放远祖庙神主,祖父神主居左,父亲神主居右。后世父亲的远祖庙神主安放在太祖庙,祖父的远祖庙神主安放在太宗庙。仁宗庙为百世不迁神主的宗庙,后世祖父的远祖庙神主则安放在那里;高宗庙为百世不迁神主的宗庙,后世父亲的远祖庙神主则安放在此处。室的前面为两室,三年合祭,则用帷帐覆盖,统为一室,请出所有各庙神主和远祖庙神主并成一排,合并祭上食品。过去此庙为一室,凡遇大祭献,合祭于室,名为合享而实际未尝合享。现在增此三室,后有藏远祖庙神主的处所,前有祖宗合食之地,对于本朝制度可说是没有什么改动,而又颇合乎三年大合祭的要义。"编修官李心传也上书称:"现由于灾异,应举行大合祭。"理宗诏命两省、侍从、台谏一起研究。

丙辰(疑误),宰相因为太庙被烧毁请求免去官职,理宗下诏:"史弥远降为奉化郡公,薛极、郑清之、乔行简各降一级。"

丁巳(疑误),理宗下诏准予两江转运判官赵汝惮退职给予祠俸,因为群臣弹劾他在大灾后修建房屋,科扰州县。

戊午(疑误),将冯树和主管侍卫步军司王虎各削一级官职,将他们罢免,因为蒋重珍进言弹劾了他们。

癸酉(疑误),度正进言说:"蜀地报告蒙古兵深入,形势十分危急。又传闻七方关已失守,蒙古兵刚通过文、陇,便进入绵、汉,那里都是平地,蜀地便难保了。愿皇上早日选派统帅,授予权柄。蜀地钱粮已很匮乏,愿皇上不要吝惜迅速从内库拨出金帛发给他们。"理宗说:"应当尽快选出统帅,即时发给财物布帛。"

蒙古兵攻打河中,金国的权签枢密院事草火额尔克、元帅板子额尔克担心兵力不足,将旧城截成一半坚守。蒙古兵用松木筑成堡楼,高二百尺,从楼上俯视城里,土山地穴,条条街道都尽收眼底。金军日夜力战,成守的高台都被摧毁,又经过半月白刃战,力尽,城池被蒙古兵攻破。草火额尔克亲自搏杀数十合,刚被蒙古兵俘虏,就被处死;板子额尔克率领败兵夺取船只逃往阌乡。

当初,板子额尔克在凤翔,受监战奉御陆尔挟制,二人有隔阂。等到改任河中总帅,二人同奉诏谒见金主,陆尔便乘机谗诬额尔克奉旨防守西北,胆怯畏避敌军,金主相信他的诬告,及致额尔克战败逃回,金主怒其不能死节,用杖刑将其处死。两个额尔克都是皇族,一个捉到贼好用草火烧,一个曾经错把宫中牙牌呼为板子,时人因而用草火、板子区别二人。从金宣宗起喜用内侍作耳目,侦察百官,到这时仍然不改,所以奉御这类人到地方巡察,号称"行路御史",有时查出一二件事向金主进奏,当事人便被治罪。再者,方面的权柄虽然交给将帅,却在军中又派一位奉御,号称"监战",每当将帅临机决策应变时,多要受到他们牵制,遇到敌人,则抢先逃跑,所以军队往往失败,以致亡国。

蒙古主下令把平阳的粮谷运往云中,都总管李守贤说百姓已疲惫不堪,担负不了运输的劳役,蒙古主下令停运。

冬季,十月,甲子(十二日),任命余天锡为户部侍郎兼知临安府、浙西安抚使。

戊寅(二十六日),任命焕章阁待制、知遂宁府李塈为焕章阁直学士、四川安抚制置使、知成都府;提升四川制置副使赵彦呐为龙图阁直学士兼知兴元府、利路安抚副使。

金国丞相萨布出行视察京兆,对都事商衡说:"自古宰相必用文人,因为文人知道做宰相的方法与途径。我知道什么,而居此重位!恐怕日后史官要写:某时用某人为宰相而导致国家灭亡。"于是辞官退休。

十一月,乙酉(初三),皇帝下诏:"忠义总管田遂,追赠武节大夫、忠州刺史,特予加封立庙。"因四川制置司上言田遂总率忠义军奋战而死的缘故。

理宗下诏:"四川关外州军,近日经历蒙古兵破坏的地方,未能复业,军民日前有人受牵连陷于罪过,应于赦免,着令三省整理事件经过上报。"

福建招捕使司上奏,知邵武县刘纯为国牺牲,诏命追赠刘纯官三等,赐一个儿子任下州文学之职。

十二月,癸丑(初二),群臣"请严加整饬州县征粮及人户前往卖粮不即时给钱和多收斛面之弊;州县收取青苗钱,一律依祖宗成法,只限于下等户零星减值折钱,违者参劾,重立制度法令。"

蒙古图垒攻破饶风关,由金州东下,将奔汴京,百姓都进入城堡险阻之地以躲避蒙古兵。金主召集宰相台谏入宫议事,都说:"北军冒万里之险,历时二年,方得进入武休,疲劳已极。为朝廷考虑,莫若屯兵睢、郑、昌武、归德以及京畿各县,派大将守洛阳、潼关、怀、孟等处,严兵以待,京师储粮数百万斛,命令河南州郡坚壁清野,使对方欲攻不能,欲战不得,兵疲粮尽,不战而自退。"金主叹息说:"南渡二十年,各地百姓,破家荡产,卖妻鬻子,用来供养军士,现今敌人到来而不能应战,只想保全京城一地,京师虽存还像什么国家!天下人会怎样议论我!朕已考虑很久,存亡自有天命,只要不背弃我的百姓就行。"于是诏命诸将屯驻襄、邓,完颜哈达、伊喇布哈诸帅入邓州,完颜彝、杨沃衍、武仙各部都到邓州集合。

戊辰(十七日),蒙古兵渡汉江,完颜哈达、伊喇布哈召集诸将商议说:"由光化拦阻渡汉江的蒙古军队与之战斗,或是让他们渡汉江后再战,哪个好?"张惠、阿达茂都说:"中途切断好。放他们渡过汉江,则我方腹地空虚,必被蒙古击溃。"伊喇布哈不同意,说:"假使他们在沙漠,尚且要去找他们,何况自投罗网!"于是停留在顺阳。

丙子(二十五日),蒙古兵渡过汉江。完颜哈达、伊喇布哈方始进入禹山,分兵把守有利地点,列步兵予山前,骑兵于山后。蒙古兵来到,大帅以两面小旗为前导来观察,不久人马散开如雁翎,转过山脚,出现在金骑兵之后,分三队而来。完颜哈达说:"眼下的形势,不能和他们打。"不久蒙古骑兵集中兵力突然向前,金兵不得不战,短兵相接,大战三个回合,蒙古兵稍稍退却。在西面的蒙古兵,望见伊喇布哈亲自指挥军队,就用甲骑将其团团围住而后冲来。金将领富察鼎珠力战,蒙古兵方始退走。

完颜哈达说:"对方号称三万大兵,而辎重占三分之一。如今相持两三天,对方没有粮食吃、我方乘敌人退却而挫败他们,必然可胜。"伊喇布哈说:"江路已断,黄河没有结冰,彼方陷入重地,还怎么回去?有什么着急的!"于是就不追逐。第二天,蒙古兵忽然不见。己卯(二十八日),巡逻的骑马回来,方知道敌兵在光化对岸的枣林中,白天以枣为食,夜间人不下马,了望林子,方圆不过六十步,而整整四天听不到音响。

庚辰(二十九日),完颜哈达、伊喇布哈计议到邓州就地取粮食;早上七点至十一点之间到达林子背后,蒙古兵忽然来到,完颜哈达、伊喇布哈迎战。刚一交战,蒙古兵出动百数骑兵邀截金军辎重而去。金兵几乎溃不成军,直到夜间二鼓时分,完颜哈达、伊喇布哈才进入邓州城,担心军士迷路,敲钟召唤他们。

完颜哈达、伊喇布哈隐瞒败绩,谎报大捷;百官上表称贺,诸相臣设酒筵于中书省。左丞李蹊又喜又哭说:"若没有今日之大捷,百姓的灾害岂能说得尽!"于是躲在城堡里的百姓都散归乡社。没几天,蒙古的游击骑兵突然来到,百姓大多被掠走。

辛巳(三十日),诏命由封桩库出缗钱二十万,去临安府赈济慰问。

续资治通鉴卷第一百六十六

中华传世藏书

續資治通鑒

【原文】

宋纪一百六十六　起玄黓执徐【壬辰】正月,尽昭阳大荒落【癸巳】三月,凡一年有奇。

理宗建道备德大功复兴　烈文仁武圣明安孝皇帝

绍定五年　金天兴元年,蒙古太宗四年【壬辰,1232】　春,正月,己丑,以孟珙为京西路兵马钤辖。初,珙父宗政知枣阳,招唐、邓、蔡州壮士二万馀人,号忠顺军,命江海统之,众不服;制置司以珙代海,珙分其军为三,众皆帖然。珙又创平堰于枣阳,自城至军西十八里,由八叠河经渐水侧,水跨九阜,建通天槽八十有三丈,溉田万顷,立十庄、三辖,使军民分屯,边储丰牣。又命忠顺军家自畜马,官给刍粟,马益蕃息。

金下诏求言,凡章奏,先令御史大夫费摩阿古岱、尚书完颜纳绅看详,然后进御,直言无一达者。

庚寅,诏:"李全之叛,海陵簿吴嚞骂贼而死,特赠朝奉郎,官其一子。"

壬辰,以史嵩之为京湖安抚制置使、知襄阳府。

蒙古兵自唐州趣汴,金元帅完颜两洛索战于襄城,败绩,走还汴。金主诏群臣议,尚书令史杨居仁请乘其远至击之。平章拜牲遣莽依苏等部民丁壮万人,开短堤,决河水,以卫京城。命瓜勒佳萨哈勒将步骑三万巡河渡,起近京诸色军家属五十万口入京城。

蒙古主用西夏人恤克计,自河中由河清县白坡渡河,遣人驰报图垒率师来会。萨哈勒行至封邱而还,蒙古兵掩至,莽依苏等皆死,丁壮得免者仅三百人。甲午,蒙古主入郑州。

金主诏群臣议所守,有言珠赫垾果勒齐所筑里城决不可守,外城决不可弃,于是决计守外城,命修楼橹器具。时京城诸军不满四万,而城周百二十里,不能遍守,故议以迁避之民充军。又召在京军官于上清宫,平日防城得功者,截长补短,假借而用,得百馀人。又集京东、西沿河旧屯两都尉及卫州义军凡四万并丁壮二万,分置四面,每面选千名飞虎军以专救应,然亦不能军矣。

金元帅完颜延寿,以众保少室山太平寨,元夕,击毬为嬉。蒙古都总管李守贤,潜遣轻捷者数十人缘崖蚁附以登,杀其守卒,遂纵兵入,破之。下令禁抄掠,悉收馀众以归。连天、交牙、兰若、香炉诸寨俱下。

乙未,蒙古游骑至汴京,金完颜哈达、伊喇布哈自邓州率步骑十五万赴援。蒙古图垒问苏布特以方略,苏布特曰:"城居之人,不耐辛苦,数挑以劳之战,乃可也。"遂以骑三千尾之。哈达等谋曰:"敌兵三千而我不战,是弱也。"进至钧州沙河,蒙古兵不战而退。金军方盘营,蒙古兵复来袭。金军不得休息、食饮，且行且战，至黄榆店，距钧州三十五里。丁酉，大雪三尺，金兵僵立，刀槊冻不能举。图垒以其众冲出，蒙古兵自北渡者毕集，前后以大树塞道。杨沃衍夺路而前，金军遂次三峰山，军士有不食至三日者。蒙古兵与河北兵合，四面围之，炽薪燔肉，更迭休息，乘金困惫，开钧州路纵之走，而以生兵夹击之。金军溃，声如崩山，武仙率三十骑入竹林中，走密县；杨沃衍、樊泽、张惠步持大枪，奋战而死。哈达知大事已去，欲下马战，而布哈已失所在，乃与完颜彝等以数百骑走入钧州。

蒙古主在郑州，闻图垒与金相持，遣昆布哈、齐拉衮等赴之，至则金军已溃。于是乃合攻钧州，堑其城外。哈达匿窟室中，城破，蒙古兵发而杀之。因扬言曰："汝家所恃，唯黄河与哈达耳，今哈达为我杀，黄河为我有，不降何待！"

完颜彝趣避隐处，杀掠稍定，乃出，自言曰："我金国大将，欲见白事。"蒙古兵以数骑夹之诣图垒，问其名姓，曰："我忠孝军总领完颜陈和尚，大昌原、卫州倒回谷之胜，皆我也。我死乱军中，人将谓我负国家。今日明白死，天下必有知我者。"图垒欲其降，不肯。乃研足胫，折之，划口吻至耳，噀血而呼，至死不屈。蒙古将有义之者，以马湩酹而祝曰："好男子，他日再生，当令我得之。"

布哈走汴，蒙古兵追蹑，擒之，图垒命之降，往复数百言，终不肯，但曰："我金国大将，惟当金国境内死耳。"遂杀之。金之健将锐卒俱尽，自是不可复振矣。

蒙古遂略商、虢、嵩、汝、陕、洛、许、郑、陈、亳、颍、寿、睢、永等州。时民北徙者多饿死，东平万户严实，命作糜粥置道傍，全活者众。

庚子，金主御端门，肆赦，改元开兴。翰林学士赵秉文为赦文，宣布悔悟哀恸之意，指事陈义，情辞俱尽，闻者莫不感励。

壬寅，新作太庙成。

二月，癸丑，帝谒太庙。

初，金主闻蒙古入饶风关，遣图克坦乌登行省阌乡以备潼关，图克坦伯嘉为关陕总帅，便宜行事。伯嘉驰入陕，榜县镇迁入大城，粮斛、辎重聚之陕州，近山者入山寨避兵。会阿里哈传旨召乌登援汴，乌登遂与潼关总帅纳哈普舍音、秦蓝总帅完颜重喜等，帅军十一万，骑五千，尽撤秦、蓝诸关之备，从虢入陕，同、华、阌乡一带军粮数十万斛，备关船二百馀艘，皆顺流东下。俄闻蒙古兵近，粮不及载，船悉空下，复尽起州民运灵宝、硖石仓粟。会蒙古游骑至，杀掠不可胜计，金守将李平以潼关降于蒙古，蒙古兵长驱至陕。

乌登所发阌乡军士，各以老幼自随，由西南径入大山冰雪中，部将多叛去。蒙古闻之，自卢氏以数百骑追及，山路积雪，昼日冻释，泥淖及胫，随军妇民，弃掷老幼，哀号盈路。行至铁岭，欲战而饥惫不能振，于是重喜先降，蒙古斩之于马前。金兵遂大溃，秦、蓝总帅府经历商衡死焉。乌登、纳哈普舍音从数十骑走山谷间，追骑擒之，皆被杀。

金庆善努行省徐州，引兵入援，至杨驿店，马踬，为蒙古所擒。见史天泽，问为谁，天泽言："我真定五路史万户也。"庆善努曰："是天泽乎？吾国已残破，公其以生灵为念！"及见特穆尔岱，诱之使招京城，不从。左右以刀研其足，足折，终不屈，遂杀之。

蒙古将特穆尔岱取金睢州，遂围归德府。金行院实嘉纽勒欢偕经历冀禹锡等竭力守御。初患炮少，父老有言北门之西菜圃中，时得古炮，云是唐张巡所埋，发之，得五千有奇，城中赖之。会庆善努溃兵亦至，势稍振，乃遣提控张定夜出研营，发数炮而还。

南城外有高地，相传为尹子奇攻破睢阳故址，蒙古移营其上，昼夜攻城，不能下。或见特穆尔岱，献决河之策，特穆尔岱从之。河既决，水从西北而下，至城西南，入故濉水，城反以水为固。特穆尔岱收献策者欲杀之，而不知所在，乃缓攻。

金平章侯挚，朴直无蕴藉，朝士轻之，久致仕。兵事急，徐州行尚书省阙，无敢行者，复拜挚平章政事。都堂会议，挚以国势不支，因论数事，曰："只是更无擘画。"拜牲怒曰："平章出此言，国家何望耶！"意在置之不测。故相萨布曰："侯相言甚当。"拜牲含愤而罢。

至是蒙古兵日迫，财匮援绝，金主大惧，尝自缢，又欲堕楼，俱为左右救免。拜牲以为势必讲和，和议定，则首相当往为质，乃力请金主起萨布为相，且括汴京民军二十万分隶诸帅，人月给粟一石五斗。

三月，蒙古立炮攻洛阳。洛阳城中唯三峰溃卒三四千及忠孝军百馀，留守萨哈连疽发于背，不能军，妻通吉氏度城必破，谓萨哈连曰："公受国家恩最厚，今大兵临城，公不幸病，不能御敌，死犹可以报国，幸无以我为虑！"萨哈连出城，通吉氏盛服自经死。萨哈连从外至，闻状，曰："夫人不辱我，我可辱朝廷乎！"投壕而死。元帅任守真因行府事。

金翰林直学士锡默爱实，愤时相非其人，言于金主曰："平章拜牲，固权市恩，击丸外百无一能。丞相萨布，菽麦不分，纵使乏材，亦不至此人为相。参政兼枢密副使特嘉喀齐喀粗暴，一马军之材止矣，乃令兼将相之权。右丞实嘉世鲁，居相位已七八年，碌碌无补，备员而已。患难之际，倚注此类，欲冀中兴，难矣！"于是世鲁罢相，萨布乞致仕，而拜牲、喀齐喀不恤也。

蒙古主将北还，使苏布特攻汴，复遣人谕金主降，且索翰林学士赵秉文、衍圣公孔元措等二十七家及归顺人家属、伊喇布哈妻子并绣女、弓匠、鹰人等。金主乃封荆王守纯子额尔克为曹王，议以为质。密国公瓙求见，金主问："叔父欲何言？"瓙曰："闻额尔克欲出议和，额尔克年幼，未曾谙练，恐不能办大事，臣请副之，或代其行。"金主慰之曰："南渡后，国家比承平时，有何奉养！然叔父亦未尝沾溉；无事则置之冷地，无所顾藉，缓急则置之不测。叔父尽忠固可，天下其谓朕何！叔父休矣！"于是君臣相顾泣下。未几，瓙以疾薨。

壬寅，命尚书左丞李蹊送额尔克出质，谏议大夫费摩阿固岱为讲和使。未行，蒙古苏布特闻之，曰："我受命攻城，不知其他。"乃立攻具，沿壕列木栅，驱汉俘及妇女老幼负薪草填壕，顷刻，平十馀步。平章拜牲，以议和不敢与战，城中喧哄。金主闻之，从六七骑出端门，至舟桥。时新雨淖，车驾忽出，都人惊愕失措，但跪于道旁，有望而拜者。金主麾之曰："勿拜，恐泥污汝衣。"老幼遮拥，至有误触金主衣者。少顷，宰相、从官皆至，进笠，不受，曰："军中暴露，我何用此！"西南军士五六十辈进曰："北兵填壕过半，平章传令勿放一镞，恐坏和事。岂有此计耶？"金主曰："朕以生灵之故，称臣进奉，无不顺从。止有一子，养来长成，今往作质。汝等略忍，待曹王出，蒙古不退，汝等死战未晚。"是日，曹王额尔克行。

蒙古留曹王于营，遣李蹊等还，癸卯，并力进攻。金炮石取艮岳太湖、灵璧假山为之，大小各有斤重，圆如灯球。蒙古炮破大砖或礓礴为二三，皆用之攒竹炮，有至十三梢者。每城一角，置炮百馀枚，更迭上下，昼夜不息。数日，石几与里城平。而城上楼橹，皆拆故宫及芳华、玉溪之材为之，合抱之木，随击而碎。以马粪、麦秸布其上，网索旐褥固护之，其悬风板之外，皆以牛皮为障，蒙古兵以火炮击之，随即延爇，不可扑救。城乃周世宗所筑，取虎牢土为之，坚密如铁，受炮所击，唯凹而已。金主复出抚将士，值被创者，亲傅以药。手酌卮酒以赐，且出内府金帛以待有功者。蒙古兵壕外筑城，围百五十里，城有乳口楼橹，壕深丈许，阔亦如之，三四十步置一铺，铺置百许人守之。初，拜牲命筑门外短墙，委曲狭隘，仅容二三人得过，以防蒙古夺门。及被攻，诸将请乘夜斫营，军乃不能猝出，比出，已为蒙古所觉。后募死士千人，穴城由壕径渡，烧其炮座，城上悬红纸灯为应，约灯起渡壕。又放纸鸢，置文书其上，至蒙古营断之，以诱被俘者，皆为蒙古所觉。时有大炮，名震天雷，以铁罐盛药，以火点之，炮起火发，其声如雷，闻百里外，所爇围半亩已上，火点著铁甲皆透。蒙古时为牛皮洞，直至城下，掘城为龛，间可容人，城上莫如之何。乃以铁绳悬震天雷，顺城而下，至掘处火发，人与牛皮皆碎迸无迹。又有飞火枪，注药，以火发之，辄前烧十馀步。蒙古唯畏此二物。攻城十六昼夜，内外死者以百万计。明惠皇后陵被发，金主遣中官求得其柩，复葬之。

苏布特知未易取，乃为好语曰："两国已讲和，更相攻耶？"金主因就应之。乃遣户部侍郎杨居仁出宜秋门，以酒炙犒蒙古兵，且以金帛珍异赂之。苏布特乃许退兵，散屯河、洛之间。

方蒙古之攻城也，矢石如雨，中有女子呼于城下曰："我倡女张凤奴也，许州破，被俘至此。彼军不日去矣，诸君努力为国坚守，无为所欺也！"言竟，投壕死。金主使驰祭于西门。时女真人无死事者，长公主言于金主曰："近来立功效命，多诸色人。无事时则自家人争强，有事则他人尽力，焉得不怨？"金主默然。

蒙古兵退，参知政事特嘉喀齐喀以守城为己功，欲率百官入贺。内族色埒，丞相襄之子也，叹曰："城下之盟，春秋以为耻，况以罢攻为可贺耶？"喀齐喀怒曰："社稷不亡，君后免难，汝等不以为喜耶！"乃命赵秉文为表。秉文曰："《春秋》新宫灾，三日哭。今园陵如此，酌之以礼，当慰不当贺。"事乃已。

初，城之被围，右司谏陈岢上书请战，其略曰："今日之事，皆由陛下不断，将相怯懦。若因循不决，一旦无如之何，恐君臣相对涕泣而已。"其言剀切，深中时病。喀齐喀见之，大怒，召岢入省，呼其名责之曰："子为陈山可耶？果如子言，能退大敌，我当世世与若为仆。"闻者莫不窃笑，盖不识岢字，分为两也。

甲子，金主御端门，肆赦，改元天兴。诏："内外官民能完复州郡者，功赏有差。"出金帛酒炙犒饫军士，减御膳，罢冗员，放宫女，上书不得称圣，改圣旨为制置。是日，解严。步兵始出封邱门外采蔬、薪。

金拜牲之守城也，楼橹垂就辄摧，传令取竹为护帘，所司驰入城大索，无所得，拜牲欲斩之。或告所司曰："金多则济矣，胡不即平章府求之？"所司怀金三百赂其家僮，果得之。及兵退，军士愤怒，拜牲不自安，谓尚书令史元好问曰："我妨贤路久矣，得退为幸，为我撰乞致仕表。"顷之，金主已遣使持诏至其第，令致仕。军士欲杀之，拜牲惧，一夕数迁，金主以亲军二百阴为之卫。军士无以泄其愤，遂相率毁其别墅。

金卫绍王、镐厉王家属，禁锢岁久，锡默爱实上言曰："二族衰微，无异匹庶，假欲为不善，孰与同恶！男女婚嫁，人之大欲，岂有幽囚终世、永无伉俪之望？在他人尚且不忍，况骨肉乎？"金主感其言，始听自便。

夏，四月，丁卯，起魏了翁为集英殿修撰、知遂宁府，辞不拜。

戊辰，以久雨，决系囚。

是月，蒙古主出居庸，避暑官山。

高丽杀蒙古所置官吏，徙居江华岛。

五月，辛卯，臣僚言："积阴霖霪，必有致咎之征。比闻蕲州进士冯杰，本儒家，都大坑冶司抑为虏户,诛求日增。杰妻以忧死,其女继之,弟大声因赴诉死于道路;杰知不免,举火自经死。民冤至此,岂不上干阴阳之和?"诏罢都大坑冶职。

金汴京大寒如冬,因大疫,凡五十日,诸门出柩九十馀万,贫不能葬者不在此数。寻以疫后园户、僧道、医师、鬻棺者擅厚利,命有司倍征之以助国用。

癸巳,太白经天,昼见。

六月,己巳,金赠完颜彝镇南军节度使,立褒忠庙碑。

金徐州埽兵总领王佑、张兴、都统封仙等,夜烧草场作乱,逐行省图克坦伊都。蒙古国安用率兵入徐州,执王佑等,斩之,以封仙为元帅,主徐州事。

图克坦伊都奔宿州,节度使赫舍哩阿图不纳,乃与诸将驻城南。时宿之镇防有逃还者,阿图以为叛归,亦不纳。城中镇防千户高腊格,谋就徐州将士,内外相应以取宿,因归杨妙真,占夜开门,纳徐州总领王德全等,缚阿图父子,杀之,请伊都主州事。伊都不从,率其将吏西走,至谷孰,遇蒙古军,不屈而死。

秋,七月,丁酉,以礼部尚书陈贵谊同签书枢密院事。

蒙古遣唐庆使金,传谕曰:"欲和好成,金主当来自议。"金主托疾,卧榻上见之。庆掉臂上殿,有不逊语,闻者皆怒。既归馆,是夕,金飞虎卒申福等愤其无礼,杀庆等三十馀人于馆。金主不问,和议遂绝。

蒙古国安用既得徐州,金宿州东面总帅刘安国、邳州杜政皆以州归之,安用遂据三州。蒙古帅额苏伦闻之,怒曰:"此三州吾当取,安用何人,辄受其降!"遣将张进率兵入徐,欲图安用,夺其州。安用惧,乃与王德全劫杀张进及海州元帅田福等数百人,与杨妙真绝,还邳州,会山东诸州及徐、邳、宿三州主帅,刑白马结盟,誓归金。既盟,诸将皆散去。安用无所归,遂同德全、安国因宿州从宜重僧努自通于金。重僧努以闻,未报。而安用率兵万人攻海州,〔未至〕,众稍散去。安用自知失计,于是复金衣冠。杨妙真怒安用叛己,又惧为所图,乃悉屠安用家属,走还益都。安用(等)〔遂〕选兵分将,期必得妙真。

金主遣近侍直长因世英等持手诏至邳,封安用为兖王,赐姓完颜,改名用安,且授以空头河朔、山东赦文,使得便宜从事。安用始闻使至,犹豫未决,遣迎使者,监于州廨,问所以来,使者对以封建事。安用意颇顺,明日,出见使者,跪揖如等夷。坐定,语世英曰:"予向随蒙古兵攻汴,尝于开阳门下与侯挚议内外夹击,此时蒙古病者众,十七头项皆在京城,若从吾言出军,中兴久矣,朝廷无一敢决者,今日悔将何及!"言竟而起。因使人取金所赐物遍观之,喜见颜色,乃设宴,拜受如仪,令主事常谨随世英奉表入谢。

金主复遣世英赐以铁券、虎符、龙文衣、玉鱼带及郡王宣、世袭千户宣各十,听赐同盟。世英过徐,德全、安国说之曰:"朝廷恩命,岂宜出自安用?郡王宣,吾二人最当得者,请就留之。"世英乃留郡王宣、世袭千户宣各二,由是与安用有隙。

蒙古以李全子璮为益都行省。

金恒山公武仙等会兵救汴。初,三峰之败,仙走南阳,收溃军,得十万人,屯留山。汴京被围,金主诏仙与邓州行省完颜色埒、巩昌总帅完颜仲德合兵入援。仙至密县东,遇蒙古将郭德海,即按军眉山店,报色埒曰:"阻涧结营,待仙至俱进。"色埒急欲至汴,不听。金主又命枢密使特嘉喀齐喀帅兵应仙、色埒等,至京水,德海乘之,不战而溃;仙亦败走,还留山。德海,宝玉之子也。喀齐喀屯中牟,闻色埒军溃,即夜弃辎重驰还。

先是有投匿名书于御路者云："副枢喀齐喀，总帅萨哈勒，参政恩楚，皆国贼，朝廷不杀，众军亦须杀之，为国除害。"卫士以闻，萨哈勒饮药死，恩楚称疾不出，唯喀齐喀坦然若无事者，金主亦无所问。及是言者谓："喀齐喀始则抗命不出，中则逗遛不进，终则弃军先遁，不斩之，无以谢天下。"金主贷其死，免为庶人，籍家资以赐军士。

八月，乙卯，起真德秀为徽猷阁待制，知泉州。

己未，魏了翁以宝章阁待制知泸州。泸大藩，控制边面二千里，而武备不修，城郭不治。了翁乃葺其城楼橹雉堞，增置器械，教习牌手，申严军律，兴学校，蠲宿负，复社仓，创义冢，建养济院；居数月，百废俱举。

乙丑，赐进士徐元杰以下四百九十三人及第、出身。

甲戌，玉牒殿成，奉安累朝《玉牒》。

蒙古萨里塔伐高丽，中矢，卒。

金中京元帅任守真，以入援汴京败死，中京人推警巡使齐克绅为府签事。齐克绅，本河中射粮军子弟也，貌寝而膂力过人。时所领军士仅二千五百人，甫三日，蒙古兵围之。齐克绅括衣帛为帜，立之城上，率士卒赤身而战，以壮士数百往来救应，大呼，以憨子军为号，其声势与万众无异。兵器已尽，以钱为镞。得蒙古一箭，截而为四，以筒鞭发之。又创遇敌炮，用不过数人，能发大石于百步外，所击无不中。齐克绅奔走四应，所至必捷。得二驼，杀以犒士，人不过一啖，如获百金之赐。蒙古攻三月，不能下，乃退。

九月，辛丑夜，汴京大雷，金工部尚书范纳速震死。

乙巳，雨雹，雷。

闰月，庚戌，彗出于角。帝避殿，减膳，彻乐。诏："中外臣僚，指陈阙失，无有隐讳。诸路监司，察守令之贪廉仁暴及民间利便疾苦以闻。"

戊辰，史弥远乞归田里；不许。

金主以和议既绝，惧兵再至，乃复签民兵为守御备，遂括汴京粟，以完颜珠赫等主之。珠赫谕民曰："汝等当从实推举，果如一旦粮尽，令汝妻子作军食，复能否耶？"既而罢括粟，复以进奉取之，且卖官及令民买进士第。前御史大夫内族哈昭复觊进用，建言京城括粟尚可得百万石，金主乃命哈昭为参知政事，与左丞李蹊复括之。哈昭先令各家自实，壮者存石有三斗，幼者半之，仍书其数门首，敢有匿者，以升斗论罪。京城三十六坊，各选深刻者主之。完颜玖珠尤酷暴，有寡妇二人，实豆六斗，馀有蓬子约三升，玖珠笑曰："吾得之矣！"执妇以令于众。妇泣诉曰："妾夫死于兵，姑老不能为养，故杂蓬秕以自食，非敢以为军储。且三升，六斗馀也。"玖珠不听，竟杖死。闻者股栗，尽弃其馀粪溷中。或白于李蹊，蹊辇蹙曰："白之参政。"及白哈昭，哈昭曰："人云：花又不损，蜜又得成。花不损何由成蜜？且京城危急，今欲存社稷耶？存百姓耶？"众莫敢言。所括不能三万斛，满城萧然，死者相枕，贫富束手待毙，遂至人相食。金主闻之，命出太仓米作粥以食饿者。锡默爱实叹曰："与其食之，何如勿夺？"为奉御博诺所告。金主怒，送爱实有司，赖近侍李大节救免。

蒙古皇太弟图垒卒于师。蒙古主还龙庭。

冬，十月，戊子，以星变，大赦。

泗州路分刘虎等，焚断浮桥以遏金兵，因遣将攻盱眙军，未下，金泗州总统完颜实格叛。防御使图克坦塔喇闻变，朝服，望阙拜哭，投水而死，实格遂以州附杨妙真。总帅纳哈塔迈珠亦以盱眙来归,诏改为招信军。

金以汪世显为巩昌便宜总帅。

初,世显以战功为征行从宜,分治陕西西路。时调度窘迫,世显发家资,率豪右助边,邻郡效之,军饷遂足。金主以完颜仲德为巩昌总帅,世显同知府事,二人尽忠固守以抗蒙古。及仲德勤王东下,乃以世显代之。世显励志自奋,粮械精赡。

十一月,乔行简累疏乞归田,不允。

金完颜用安欲图山东,累征兵于徐、宿,王德全、刘安国不应。会金主以密诏征兵东方,用安因声言入援,驻师徐州城下以招德全,德全不出,杀封仙,遣杜政出城。会安国与宿帅重僧努引兵入援,至临涣,用安遣人杀安国,因攻徐州。三月不能下,退归涟水,以军食不给,来乞粮,朝廷许之,用安即日改从宋衣冠,而阴通于金。粮乏,卒多流亡,乃以严刑禁亡者,血流满道。

十二月,丙子朔,进封才人贾氏为贵妃。

辛巳,以皇太后疾,大赦。壬午,皇太后杨氏崩。辛卯,帝诣慈明殿行奠酹礼。遵遗诏,外朝以日易月,宫中行三年丧。

乔行简上疏曰:"向者陛下内庭举动,皆有禀承,小人纵有益惑干求之心,犹有忌惮而不敢发。今者安能保小人之不萌是心,陛下又安能保圣心之不无少肆?陛下为天下君,当懋建皇极,一循大公;不应私徇小人,为其所误。凡为此者,皆戚畹肺腑之亲,近习贵幸之臣,奔走使令之辈,外取货财,内坏纲纪;上以罔人君之聪明,来天下之怨谤,下以挠官府之公道,乱民间之曲直。纵而不已,其势必至于假采听之言而动伤善类,设众人之誉而进拔憸人,借纳忠效勤之意而售其阴险巧佞之奸,日积月累,气势益张,人主之威权,将为所窃弄而不自知矣。陛下衰绖在身,愈当警戒,宫庭之间,既无所严惮,嫔御之人,又视昔加多。以春秋方富之年,居声色易纵之地,万一不能自制,必于盛德大有亏损。愿陛下常加警省。"

蒙古遣王檝来议夹攻金人,京湖安抚制置使史嵩之以闻,帝命嵩之报使。嵩之乃遣邹伸之往报蒙古,许俟成功,以河南地来归。

金主以粮尽援绝,势益危急,遣近侍就白华问计。华附奏言:"车驾当出就外兵,留荆王监国,任其裁处。陛下既出,遣使告语北朝:'我出,非他处收整兵马,止以军卒擅杀唐庆,和议从此断绝;京师今付之荆王,乞我一二州以老耳。'如此,则太后、皇族可存。正如《春秋》纪季入齐为附庸之事,陛下亦得少安矣。"遂起华为右司郎中。召诸臣议亲出,或言归德四面皆水,可以自保,或言宜沿西山入邓,或言设欲入邓,蒙古苏布特在汝州,不如取陈、蔡路转往邓下。金主未决,复以问华,华曰:"归德城虽坚,久而食尽,坐以待毙,决不可往。既汝州有苏布特,则邓下亦不可往。以今日事势,止有背城之战,如博徒所谓孤注者,便当直赴汝州,与之一决。然汝州战不如半涂战,半涂战不如出城战,盖我军马之食力犹在也。若出京益远,军食日减,马食野草,事愈难矣。若我军便得战,存亡决此一举,外则可以激三军之气,内则可以慰都人之心。或止为避迁计,人心顾恋家业,未必毅然从行。可详审之。"

礼部尚书舒穆噜世勣,率朝官刘肃、田芝等二十人,诣仁安殿言于金主曰:"臣等闻陛下欲亲出,窃谓此行不便。"金主曰:"我不出,军分为二:一军守,一军出战;我出则合为一。"世勣曰:"陛下出则军分为三:一守,一战,一中军护从,不若不出之为愈也。"金主曰:"卿等不知,我若得完颜仲德、武仙,付之兵事,何劳我出!今日将兵者,官努统马兵三百止矣,刘益将步兵五千止矣,欲不自将,得乎?"又指御榻曰:"我此行岂复有还期?但恨我无罪亡国耳!我未尝奢侈,未尝信任小人。"世勣应声曰:"陛下用小人则亦有之。"金主曰:"小人谓谁?"世勣历数曰:"都察逊、完颜长乐等,皆小人也。陛下不知为小人,所以用之。"肃与世勣复多所言,良久,君臣涕泣而罢。

乙酉,金主集军士于大庆殿,谕以京城食尽,今拟亲出。诸将佐合辞言曰:"陛下不可亲出,止可命将。"金主欲以富察官努为马军帅,高显为步军帅,刘益副之。三人欲奉命,权参知政事内族恩楚大骂曰:"汝罪把锄不知高下,国家大事,敢易承耶!"众默然,唯官努曰:"若将相可了,何至使我辈!"事亦中止。

遂以右丞相萨布、平章拜牲、右副元帅恩楚、左丞李蹊、元帅左监军图克坦伯嘉等帅诸军扈从,参政完颜纳绅、枢副兼知开封府萨尼雅布等留守。乃发府库及内府器皿、宫人衣物赐将士。民间哄传"车驾往归德,军士家属留汴,食尽,城中俱饿死矣。纵能至归德,军马所费,支吾复得几许日!"金主使萨布宣言曰:"前日巡狩之议,止为白华。今改往汝州索战矣。"

金主发汴京,与太后、皇后、妃、主别,大恸。至开阳门,诏谕留守兵士:"社稷、宗庙在此,汝等壮士,毋以不预进发之数,便谓无功。若守保无虞,将来功赏,岂在战士下!"闻者皆洒泣。

是日,巩昌元帅完颜仲德援兵至。初,金主征诸道兵入援,往往观望不进,或中道遇兵而溃,唯仲德提孤军千人,历秦、蓝、商、邓,撷果菜为食,间关百死至汴,为金主谋曰:"京西三百里之间无井灶,不可往,不如幸秦、巩。"

金主乃决意东行。甲辰,进次黄陵岗。时拜牲击蒙古,降其两砦,得河朔降将,金主赦之,授以印符。群臣遂固请以河朔诸将为导,鼓行入开州,取大名、东平,豪杰当有响应者。都察逊曰:"太后、中宫皆在南京,北行万一不如意,圣主孤身欲何所为?不如先取卫州,还京为便。"拜牲曰:"圣体不便鞍马,今可驻归德,臣等率降将往东平,因遂经略河朔。"官努曰:"卫州有粮可取。"拜牲曰:"京师且不能守,就得卫州,欲何为耶?"金主惑之,遂一意向河朔。蒙古苏布特闻金主弃汴,复进兵围之。

乙巳,帝诣慈明殿,行大祥祭奠礼。

绍定六年 金天兴二年,蒙古太宗五年【癸巳,1233】 春,正月,丙午朔,帝不视朝。

金主乘舟济河,大风,后军不克济。丁未,蒙古将和尔古讷追击于南岸,金元帅贺德希力战死,兵溺者千人,元帅珠尔、都尉赫舍哩谔楞等死之。金主在北岸,望之震惧。庚戌,次沤麻冈,遣拜牲帅师攻卫州,至城下,以御旗招之,城中不应。蒙古闻之,自河南渡河。拜牲遂退师,蒙古史天泽以骑兵蹑其后,丁巳,战于白公庙,金师败绩,拜牲弃军东遁,元帅刘益、上党公张开皆为民家所杀。金主进次蒲城,复还魏楼村,犹欲俟蒙古兵至决战。少顷,拜牲至,仓皇言:"军已溃,北兵近在堤外,请幸归德。"金主遂与副元帅和尔和等六七人,夜登舟,潜渡河走归德。翌日,诸军始闻金主弃师,遂大溃。

金主入归德,遣奉御珠嘉塔克实布往汴京,奉迎太后及后妃,诸军怨愤。拜牲自蒲城还,不敢入,金主召拜牲至,数其罪,下狱死,仍籍其家财以赐将士,曰:"汝辈宜竭忠力,毋如斯人误国!"

初,濒河居民闻金主北渡,筑垣塞户,潜伏洞穴。及见富察官努一军号令明肃,所过无丝毫犯,老幼妇女无复畏避。及拜牲往卫州,纵军四掠,哭声满野,所过丘墟,一饭之费至数十金,公私皇皇,民始思叛。故卫州坚守,而蒙古之追,无来援者,以至于败。

蒙古以田雄镇抚陕西,总管京兆等路事。时关中郡县萧然,雄披荆榛,立官府,开陈祸福,招徕四山堡寨之未降者,获其人,皆慰遣之,由是归附日众。雄乃教民力田,京兆大治。

初,汴人以金主亲出师,日听捷报。及闻军败卫州,仓皇走归德,始大惧。时苏布特攻城日急,内外不通,米升至银二两,殍死相望,搢绅士女,多行乞于市,至有自食妻子者,诸皮器物皆煮食之,贵家第宅、市楼、肆铺皆撤以爨。及金主遣使至汴奉迎两宫,人情益不安。西(南)〔面〕元帅崔立,性淫狡,因民汹汹,与其党韩铎、药安国等潜谋作乱。

左司都事元好问谓萨尼雅布曰:"自车驾出京,今二十日许,又遣使迎两宫,民间皆谓国家欲弃京城,相公何以处之?"萨尼雅布曰:"吾二人惟有一死尔。"好问曰:"死不难。诚能安社稷,救生灵,死可也。如其不然,徒欲以一身饱五十红衲军,亦谓之死耶?"萨尼雅布不答。

丁卯,金太后、皇后发,行至陈留,见城外二三处火起,疑有兵,复驰还汴京。

戊辰,崔立率甲士二百,横刃入省中,拔剑指完颜纳绅及萨尼雅布曰:"京城危困已极,二公坐视,何也?"二相曰:"有事当好议之,何遽如是!"立麾其党先杀萨尼雅布,次杀纳绅及左司郎中纳哈塔德辉等十馀人。即谕百姓曰:"吾为二相闭门无谋,今杀之,为汝一城生灵请命。"众皆称快。

金自南迁后,为宰执者往往无恢复之谋,无事相习低言缓语,互相推让,以为养相体。每有四方灾异,民间疾苦,将以奏,必相谓曰:"恐圣主心困。"事至危处辄罢散,曰:"俟再议。"已而复然。或有言当改革者,辄以生事抑之,故所用必择懒熟无锋铓者用之。每蒙古兵压境,则君臣相对泣下,或殿上发长吁而已。兵退,则张大其事,会饮黄阁中矣。

崔立勒兵入宫,集百官议所立。立曰:"卫绍王太子从恪,其妹公主在北兵中,可立之。"乃遣韩铎以太后命往召从恪至,以太后诰命为梁王,监国,百官拜舞,遂送款诣苏布特军。立自为太师、都元帅、尚书令、郑王,弟倚为平章政事,侃为殿前都点检,其党皆拜官。开封判官李羽翼弃官去,户部主事郑著召不起。右副点检都察额呼、左右司员外郎聂天骥、御史大夫费摩阿固岱、谏议大夫、左右司郎中乌古逊纳绅、左副点检完颜阿萨、户部尚书完颜珠赫、讲议富察琦、奉御完颜玛格皆死焉。玛格将死,与其妻温特赫氏诀,温特赫氏曰:"君能为国家死,我不能为君死乎!"夫妇以一绳同缢,其婢从之。

壬申,苏布特至青城,崔立服御衣仪卫往见之。苏布特喜,饮之酒,立以父事之。还城,悉烧楼橹,苏布特益喜。

立托以军前索随驾官吏家属、军民子女,聚之省中亲阅之,日乱数人;犹以为不足,乃禁民间嫁娶,有以一女之故致数人死者。总领完颜长乐妻富察氏、临洮总管图们呼图克们妻乌库哩氏、进士张伯豪妻聂舜英及参政完颜素兰妻,义不为所污,皆自尽。未几,立迁梁王及宗族近属于宫中,以腹心守之,限其出入。以荆王府为私第,取内府珍玩充实之。群小附和,请建功德碑,翟奕以尚书省命翰林直学士藁城王若虚为文。若虚私谓左右司员外郎元好问曰:"今召我作碑,不从则死;作之则名节扫地,不若死之为愈。然我姑以理喻之。"乃谓奕曰:"丞相功德碑,当指何事为言?"奕怒曰:"丞相以京城降,活生灵百万,非功德乎?"若虚曰:"学士代王言,功德碑谓之代王言,可乎?且丞相既以城降,则朝官皆出其门,自古岂有门下人为主帅诵功德,而可信于后世哉?"奕不能强。乃召太学生刘祁、麻革赴省,好问等喻以立碑事,曰:"众议推二君,且已白郑王矣。二君其无让。"祁等固辞而别。数日,促迫不已,祁即为草定,以付好问。好问意未惬,乃自为之。既成,以示若虚,乃共删定数字,然止直叙其事而已。既以兵事,碑不果立。

二月,丁丑,以余天锡为礼部侍郎兼侍读。

屯田郎官王定言严州岁歉,又言义仓为官吏蠹耗。帝曰:"此是民户寄留于官,专为水旱之备者,奈何耗之?"定曰:"当择邑官及乡里之贤者分任其事。"

戊戌,上皇太后谥曰恭圣仁烈皇后。

蒙古遣皇子库裕克将左翼军讨富鲜万努于辽东。

三月,丙辰,大雨雹。

金主在归德,随驾亲军及溃军渐集,实嘉纽勒欢惧不能给,白于金主,请遣出城,就粮于徐、宿、陈三州。金主不得已从之,止留富察官努忠孝军马四百五十人,马用军七百人。诸军既出城,金主召官努曰:"纽勒欢尽散卫兵,卿当小心。"

官努以马用本归德小校,一旦拔起,心常轻之,又以金主时独召用计事,因谋图用。时蒙古特穆尔岱围亳州,日遣兵薄归德,民心摇摇。官努请北渡河,再图恢复,纽勒欢沮之。官努不悦,乃私与完颜用安谋邀金主幸海州,金主不从。官努积忿,异志益定。李蹊以闻,金主深忧之,乃谕马军总领赫舍哩阿里哈、内族习显阴察其动静,阿里哈反以金主意告官努。金主复惧官努及用相图,因以为乱,命宰执置酒合解之,用即撤备。戊辰,官努乘隙率众攻用,杀之,遂以卒五十人守行宫,劫朝官,聚于都水摩和纳宅,以兵监之。驱纽勒欢至其家,悉出所有金贝,然后杀之。乃遣都尉马实被甲持刃,劫直长巴纳绅于金主前。金主掷所握剑于地,谓实曰:"为我言于元帅,我左右止有此人,且留待我。"实乃退。官努因大杀朝官李蹊以下凡三百人,军士死者三十人。薄暮,官努提兵入见,言:"纽勒欢反,臣杀之矣!"金主不得已暴纽勒欢罪,而以官努权参知政事兼左副元帅。

官努矫诏召徐州行省完颜仲德赴行在,徐州官属惧为官努所绐,劝仲德勿往。仲德曰:"君父之命,岂辨真伪耶?死亦当往!"寻使者至,果官努之诈,乃止。

江淮制置使赵善湘入见,帝曰:"中原机会,卿意以为何如?"善湘对曰:"中原乃已坏之势,恐未易为力。边地连年干戈,兵民劳役,当休养葺治,使自守有馀,然后经理境外。今虽有机会,未见可图。"帝曰:"自守诚是也。"

赵至道言:"陛下躬南面尊事之敬,答东朝拥佑之恩,养致其乐,疾致其忧,丧致其哀,其为孝无以加矣。继兹以往,天命必畏,祖宗必法,君子必亲,小人必远,女谒必禁,小民必思怀保,政事必务修饬,斯足尽始终之孝。"帝然之。

金右丞特嘉尉忭,致仕居汴,闻蒙古兵将入城,召家人付以后事,望睢阳恸哭,自缢死。特嘉喀齐喀既废,常快快,苏布特遣人招之,即治装欲行,诣省别崔立,方对语,适一人自归德持文书至,发视之,乃金主谕喀齐喀反正者也,立怒,叱左右斩之。

【译文】

绍定五年　金天兴元年,蒙古太宗四年(公元1232年)

春季,正月,己丑(初八),任命孟珙为京西路兵马钤辖。当初,孟珙的父亲孟宗政担任枣

3983

阳知守时,曾招募唐、邓、蔡州等地壮士二万余人,号称忠顺军,命江海统率,但众人心中不服。制置司又派孟珙代替江海。孟珙将忠顺军分为三部分,大家都很服从他。孟珙又在枣阳兴建平堰,从枣阳城至驻军西部十八里,由八叠河经过渐水一侧,引水跨越九座土山,建通天槽达八十三丈,灌溉农田万顷;设立十庄、三辖,让军民分别屯垦,因而边地储备十分丰富。孟珙还命令忠顺军每家畜养马匹,由官府供给草料,马匹繁殖更为多了。

金主下诏征求意见,凡所上奏章,先由御史大夫费摩阿古岱、尚书完颜纳绅详细审阅,然后才上呈金主,结果直言敢谏的意见无一送达金主。

庚寅(初九),理宗下诏:"李全反叛时,海陵县主簿吴嚞骂贼而死,特追赠为朝奉郎,任命其一子为官。"

壬辰(十一日),任命史嵩之为京湖安抚制置使,知襄阳府。

蒙古军队由唐州进逼汴京,金国元帅完颜两洛索与蒙古军队战于襄城,大败,逃回汴京。金主诏令群臣商议对策,尚书令史杨居仁主张乘蒙古军队远道而来及时出击。平章拜牲派莽依苏等部民强壮者万余人,开凿短堤,决开黄河,以保卫京城。又命瓜勒佳萨哈勒率步骑兵三万人巡视沿河渡口,并将京郊各族军队家属五十余万人迁入京城。

蒙古国主采用西夏人恤克的计策,从河中由河清县白坡渡黄河,并派人飞报图垒率师速来会合。萨哈勒行至封丘折返,蒙古军队掩杀过来,莽依苏等被杀,强壮者仅三百人得以逃脱。甲午(十三日),蒙古国主进入郑州。

金主诏令群臣商议防卫事宜,有人说珠赫埒果勒齐所筑的里城无法防守,因而外城决不能放弃,于是决定坚守外城,下令修建瞭望台等器具备战。当时京城各军不满四万人,而城周围一百二十里,无法一一防守,因而决定将迁入城中避难的百姓充军。又在上清宫召集在京军官,从平日守城立功者当中,截长补短,选出一百余人。接着又召集京东、京西黄河沿岸从前屯戍的两都尉和卫州义军共四万人加上健壮的部民二万人,分别安置在京城四面,每面选用一千名飞虎军专门负责临时救应,然而这些也不够编制。

金国元帅完颜延寿率兵守卫少室山太平寨,元夕,击球嬉戏。蒙古军都总管李守贤,暗派数十名身手轻捷的士兵攀崖而上,杀死守卒,纵兵杀入寨中,大破金军。李守贤下令禁止抢掠,全部收降守寨残兵后回还。连天、交牙、兰若、香炉各寨均被攻破。

乙未(十四日),蒙古军小部骑兵到达汴京,金国完颜哈达、伊喇布哈率步、骑兵十五万人从邓州赶来救援。蒙古图垒问计于苏布特,苏布特说:"居住在城市的人,耐不得辛苦,频繁挑战使其疲劳,就可以战胜他们。"于是蒙古军以三千名骑兵尾随金军。金国完颜哈达等人商议道:"敌军仅有三

用以毁坏城防设施的撞车 宋

千人,而我军不敢与之交战,是示弱于敌。"行进到钧州沙河时,蒙古军不战而退。但金军刚刚扎营,蒙古军队又来袭击。金军得不到休息、饮食,边行军边战斗,行进到黄榆店,距离钧州三十五里。丁酉(十六日),天降大雪厚达三尺,金国士兵手脚僵直,冻得连刀枪都无法举起。图垒率军冲来,而大批从北面渡河而来的蒙古军也齐集这里,用大树堵塞了金军的前后道路。金军将领杨沃衍夺路向前,金军才得以临时驻扎在三峰山,金军士兵中有的已经三天没有进食了。蒙古追兵与河北方面军队会合,将金军四面包围,烧柴烤肉,轮番休息,趁金军疲急困乏,让开通往钧州方向的道路,让金军突围,而以生力军两面夹击,金军大败,喊声如同山崩地裂。金将武仙率三十余骑逃入竹林,败走密县,杨沃衍、樊泽、张惠手持长枪步行,奋战而死;完颜哈达知道大势已去,想下马一战,但已不知伊喇布哈的去处,于是与完颜彝等人率数百骑兵逃至钧州。

蒙古主在郑州,听说图垒与金军相持,便派昆布哈、齐拉衮等率兵增援,等赶到时金军已经溃败。于是两军一同进攻钧州,在城外挖壕。完颜哈达藏于室内地窟,城被攻破以后,被蒙古军发现杀死。蒙古军于是扬言:"你们金国所倚仗的不过是黄河和完颜哈达罢了,现在哈达被我们杀死,黄河被我们占据,不投降还等什么?"

完颜彝躲藏在隐蔽之处,等蒙古军队杀掠稍定后,方才出来,言道:"我是金国大将,要见你们主帅说话。"蒙古兵以数骑挟持他来见图垒,问他的姓名,他说:"我是忠孝军总领完颜陈和尚,大昌原、卫州倒回谷的胜仗,都是我打的。如果我死于乱军之中,人们会说我有负于国家。现在我明明白白地死去,天下一定会有了解我的人。"图垒想让他投降,完颜彝不肯。于是砍他的足胫,折断他的小腿,还将他的嘴角划开到耳朵,但完颜彝嘴里喷着血,仍大声呼喊,至死不屈。蒙古将领中有感其忠义者,用马奶酒在地上祭奠他,并祝愿道:"好一个男子汉,将来你投胎再生,一定要成为我们蒙古人。"

伊喇布哈败走汴京,蒙古军紧追其后,被抓获,图垒命其投降,来回交谈数百句,终不肯降,只是说:"我是金国大将,只是应当死在金国境内。"于是被杀害。这一仗,金国骁勇善战的战士损失殆尽,从此再也无法重新振兴了。

于是蒙军夺取了商、虢、嵩、汝、陕、洛、许、郑、陈、亳、颍、寿、睢、永等州。当时向北逃难的百姓大多饿死,东平的富豪严实,命人在道旁施粥,救活很多人。

庚子(十九日),金主御临端门,大赦天下,并改年号为开兴。翰林学士赵秉文撰写赦文,表示金主悔悟、哀恸之意,赦文还就事发表议论,其情理和言辞十分恳切,听到的人都受到感动和激励。

壬寅(二十一日),新建太庙落成。

二月,癸丑(二十一日),理宗赴太庙拜谒。

当初,金主听说蒙古军队进入饶风关,派遣图克坦乌登总揽阌乡地区军政事务以守潼关,任图克坦伯嘉为关陕总帅,允许他相机行事。图克坦伯嘉到关陕后,张榜令县乡百姓迁入大城,粮食、辎重都集中在陕州,靠近山者进山寨以躲避蒙古军。当时正值阿里哈传旨召图克坦乌登驰援汴京,乌登便与潼关总帅纳哈普舍音、秦蓝总帅完颜重喜等,率军队十一万、骑兵五千,将秦、蓝各关的守备全部撤除,取道虢州入陕。同、华、阌乡一带的军粮共数十万斛,准备用二百余艘关船,将其全都顺流东下运出。不久闻报蒙古军队已接近,来不及运载粮食,所有船只都空载东下,于是又征用所有州民运至灵宝、硖石等地仓库储粮。正遇蒙古流动骑兵,百姓被杀掠无数。金国潼关守将李平投降蒙古,蒙军遂长驱入陕。

乌登所率领的阌乡军士,随军携带老幼家属,由西南进入冰雪覆盖的大山之中,很多部将叛逃而去。蒙古军探得这一情况,从卢氏派数百骑追来。山路上的积雪到白天解冻,污泥没至小腿。随金军行动的妇女百姓,抛弃老幼,一路上哀号之声不绝于耳。队伍行至铁岭时,想迎战蒙古军,但由于饥饿疲惫而军心不振,于是完颜重喜首先投降,被蒙古军斩于马前。于是金军大败,秦、蓝总帅府经历商衡死于此役。乌登、纳哈普舍音率数十骑逃入山谷中,为蒙古骑兵追擒,都被杀死。

金国徐州总揽军政事务的庆善努,率兵赴汴京增援,行至杨驿店,坐骑被绊倒,为蒙古军擒获。见到史天泽时,庆善努问对方是谁,史天泽回答道:"我是真定五路史万户。"庆善努说道:"你是史天泽吗?现在我的国家已经残破,请你顾怜百姓性命。"等到见特穆尔岱时,特穆尔岱想让他劝京城守军投降,庆善努不肯。特穆尔岱的左右侍从用刀砍他的脚,脚被砍折,仍不屈服,遂被杀死。

蒙古将领特穆尔岱攻取金国睢州,并包围归德府。金国行院实嘉纽勒欢与经历冀禹锡等人一起尽力防守。开始担心炮的数量少,有老人说北门西面菜园之中,不时发现过古炮,据说是唐代张巡所埋,派人去挖,得到五千多尊,于是城中便倚仗这些古炮。加上庆善努的败兵也逃入城里,守军的声势稍振。于是派提控张定夜晚前去攻击蒙古军营寨,发了几炮后返回城中。

南城外有一块高地,相传是尹子奇攻破睢阳故址,蒙古军将营寨移至高地上,昼夜攻城,不能攻下。有人进见特穆尔岱,建议决河淹城,为特穆尔岱采纳。河被决开后,河水从西北方向冲下,流至城西向南,进入濉水故道,城池反而由于大水保护更为坚固。特穆尔岱想抓到献计之人杀掉,却不知他在哪里,只得暂缓攻城。

金国平章侯挚,朴实正直而不含蓄宽容,被朝中人士所轻视,早已退休在家。由于军事紧急,徐州行尚书省没有主官,无人敢当此任,遂重新任命侯挚为平章政事。在都堂会议上,侯挚认为国家大势已去,接着谈论几件事,都说:"真是没有办法。"拜牲愤怒地说:"身为平章政事说这种话,国家还有什么希望?"想给他带来不测之祸。前宰相萨布说:"侯宰相说得很对。"拜牲只好含愤作罢。

此时蒙古军日益迫近,金国财匮援绝。金主十分恐惧,曾上吊自杀,还想跳楼,都被左右侍从救下。拜牲认为势必要与蒙古议和,如果确定和议,则宰相当前往蒙古做人质,就竭力建议皇帝起用萨布为宰相,又搜求汴京二十万民兵分别隶属于诸帅,每月发给每人粟一石五斗。

三月,蒙古军架炮攻打洛阳。洛阳城中只有从三峰山败退进城的军士三四千人和忠孝军一百余人。洛阳留守萨哈连背上长疮,无法统军。其妻通吉氏估计城池必被攻破,对萨哈连说:"你受国家厚恩,现在蒙古军兵临城下,你不幸得病,无法御敌,死还可以报效国家,千万不要惦念我。"趁萨哈连出城时,通吉氏身着盛装自缢而死。萨哈连从外回来,见状道:"夫人没有辱没我,我怎能辱没朝廷呢!"遂投护城河而死。于是元帅任守真负责管理洛阳府事。

金国翰林直学士锡默爰实,对当时宰相任非其人的现象非常气愤,对金主说:"平章拜牲,把持朝政用皇恩做交易,除去打球以外毫无所能。丞相萨布,不分菽麦,即使缺乏人才,也不至让这种人做宰相。参政兼枢密副使特嘉喀齐喀性格粗暴,只不过是一个马军的材料,却让他兼有将相之权。右丞实嘉世鲁,担任宰相已七、八年,碌碌无为,于事无补,只不过是充数而已。患难之际,倚仗这种人,想要国家中兴,真是太难了。"于是,实嘉世鲁被罢相,萨布请求退休,而拜牲、特嘉喀齐喀却没安置。

蒙古国主将要北还,派苏布特攻打汴京,又派人要金主投降,而且索要翰林学士赵秉文、衍圣公孔元措等二十七家和归顺人的家属、伊喇布哈的妻子儿女以及刺绣女工、弓箭工匠、养鹰人等。金主便册封荆王完颜守纯之子完颜额尔克为曹王,商议以他为人质。密国公完颜瑈求见,金主问道:"叔父想说什么?"完颜瑈说:"听说额尔克要去与蒙古议和,额尔克年幼,不曾经受过锻炼,恐怕不能办大事,我请求前去辅佐他,或替他前去。"金主安慰他说:"南渡以后,国家比较太平时,对您有什么奉养!那么叔父也不曾受过什么恩泽;国家无事时您被冷遇,没有得到照顾;危急之时则置您于不测之地。叔父为国尽忠的精神固然可嘉,可是天下人将会怎样看我!叔父还是不要这样做罢!"于是君臣相对泣下。不久,完颜瑈因病死去。

壬寅(二十一日),命尚书左丞李蹊送额尔克出城为蒙古国人质,谏议大夫费摩阿固岱为讲和使。还未成行,蒙古苏布特听说此事,说:"我受命攻城,不管其他事情。"于是竖起攻城器具,沿护城壕排列木栅栏,驱使汉族俘虏和妇女老人儿童背柴草填护城壕,不一会儿,已填平十余步宽。平章拜牲,因为议和不敢与蒙古军交战,引起城中喧哄。金主听说此事,率领六七骑出端门,至舟桥之上。时值春雨泥泞,皇帝车驾忽然出现,都城百姓都惊愕得举足失措,只好跪在道旁,有人望车驾而拜。金主招手说道:"不要拜,恐怕泥污了你们的衣服。"老幼百姓互相拥挤,有人甚至碰到金主衣服。不一会儿,宰相、侍从官等都相继赶来,献上斗笠,皇帝不接受,说:"士兵们都暴露在露天,我为什么要用它!"有五十至六十名西南军士兵上前说道:"蒙古兵已经将护城壕填平一半,可平章拜牲传令不让放一箭,说怕破坏和议。怎么有这样的主意呀!"金主说:"我因为老百姓的缘故,才向蒙古称臣进贡,无不顺从。我只有一个儿子,现已养大成人,现在准备送往蒙古军营作人质。你们先稍稍忍耐一下,等曹王出城以后,蒙古军队仍不退,大家再拼死一战不晚。"这一天,曹王额尔克前往蒙古军营。

蒙古军队将曹王扣留在营寨之中,将李蹊等人遣返回城。癸卯(二十二日),蒙古军大举攻城。金国的炮石用艮岳太湖、灵璧的假山之石制作,大小各有一斤来重,像灯球呈圆形。蒙古的炮是将磨盘或碌碡破为二至三块,都用来制作攒竹炮,有的达到十三枝,在每个城角处,放置一百余枚炮,轮番攻打,昼夜不息。几天以后,炮石几乎与里城城墙持平。而城头的望楼,都是拆坏宜和芳华、玉溪等处木材制造的,合抱粗的木材,被炮石一击便碎。后又往上垫马粪、麦秸,用网索毡褥加固保护,在悬风板外,都用牛皮保护,被蒙古兵用火炮一攻,遇火就燃烧,无法扑救。城墙是周世宗时建造,用虎牢的泥土构筑,坚固密实如铁,被炮石击中,不过出现一个小坑而已。金主又出来抚慰守城将士,遇到受伤的士兵,亲自为之敷药,亲自斟酒赏赐士兵,而且还取出内府的金银布帛赏赐立功者。蒙古兵在护城壕外筑城。周围一百五十余里,城头有垛口望楼,其下开挖护城壕深达一丈左右,宽也约一丈,每隔三四十步建一铺,每铺约置一百人守护。当初,拜牲命令在城门之外构筑短墙,曲折狭窄,仅能容二三人通过,以防蒙古军夺取城门。等到蒙古军攻城时,金国诸将请求乘夜出城偷营,由于城外的短墙金国军士不能迅速出城,等到出城,已被蒙古军发觉。后金国又招募效死之士千人,在城墙上凿洞直接渡护城壕出城,烧毁蒙古军炮座,在城头悬挂红纸灯笼为信号,约定纸灯升起开始渡濠,又放纸风筝,将书信捆缚在上面,至蒙古军营上方截断,来劝诱被蒙古军俘获的金国士兵,这些方法都被蒙古军发觉。当时金国有大炮,号称"震天雷",将火药盛在铁罐之中,用火点燃,炮石飞起时火焰燃烧,声音如同雷鸣,百里之外也能听到,其燃烧范围达半亩以上,火焰连铁制铠甲都能烧透。当时蒙古军开挖牛皮洞,一直到城下,在城根挖掘小洞,大小可以隐藏一人,城上守军无可奈何。于是便用铁绳悬挂震天雷,从城头顺下,到蒙古军挖掘城墙的地方火焰爆发,蒙古士兵和牛皮都被炸得无影无踪。金国还有"飞火枪",在枪内灌上火药,用火点燃,能够向前烧十几步远。蒙古军队就怕这二种武器。攻城持续了十六个昼夜,城内外死者达百万人。明惠皇后的陵墓被掘开,金主派内侍找到棺椁,重新埋葬。

蒙古苏布特知道攻取汴京不是易事。便好言说道:"我们两国已经讲和,为什么还要互相攻打?"金主趁势响应。遂遣户部侍郎杨居仁从宜秋门出城,用酒肉犒劳蒙古士兵,并送上金银玉帛珍奇异宝,苏布特遂同意退兵,松散地在黄河、洛水之间扎营。

当初蒙古军攻城时,箭石如雨,有一女子冒箭石在城下大喊:"我是倡女张凤奴,因为许州被攻破,被蒙古军俘虏到这里。他们不久就要退走,请各位为国家努力坚守城池,不要被蒙古军队蒙骗。"说罢,投护城壕而死。金主派人飞马到西门祭奠。当时女真人没有为国捐躯者,长公主对金主说:"近来为国效命立功的,大多是其他民族的人。没事时我们自家人互相争强,有事时反而是外人为国尽力,大家哪能不抱怨呢。"金主无话可说。

蒙古军队撤退以后,参知政事特嘉喀齐喀认为守城是自己的功劳,想率领百官入宫朝贺。皇族色埒,是丞相完颜襄之子,叹道:"城下之盟,历史学家会认为是耻辱,何况是把人家停止攻城当作可贺的事呢!"喀齐喀愤怒地说:"社稷没有灭亡,君主免受蒙难,你们不应觉得高兴吗?"就命令赵秉文拟写贺表。赵秉文说:"《春秋》中说宫室或宗庙遭灾,要哭三日,如今皇陵遭到如此破坏,从礼仪上讲,应当庆幸而不应当朝贺。"事情才算作罢。

当初,城被蒙古军围困时,右司谏陈岢上书请战,大意是:"现在的局面,都是因为陛下不果断,将相胆怯懦弱。如果还因循不做决断,一旦无法挽救之时,恐怕君臣只有相对而泣了。"他的话十分确切,深中时弊。喀齐喀见到陈岢的上书后,大怒,召陈岢到他的衙门,叫着他的名字责备道:"你就是陈山可吗?果真像你说的那样,就能击退强敌,我世世代代给你做奴仆。"听到此话的人都暗暗笑他,因为喀齐喀不认识"岢"字,把"岢"字分为两个字读了。

甲子(疑误),金国皇帝驾临端门,大赦天下,改年号天兴。下诏:"各地官吏和百姓,凡能保全或克复州郡者,论功行赏。"拿出金银玉帛酒肉犒劳宴请军士,降低御膳标准,罢斥冗员,放宫女回家,凡官员上书不得称皇帝为圣,将圣旨改称制置。这一天,汴京解严,士兵开始从封丘门出城采集蔬菜、砍柴。

金国拜牸守汴京城时,望楼刚刚建成就被蒙古军炮石击毁,于是传令用竹子做护帘,有关官员立即在城中四处寻找,一无所获,拜牸想杀掉他。有人告诉这个官员说:"多出钱就有办法,为什么你不到平章府去想办法呢?"这个官员遂以三百金贿赂平章府家僮,果然得到竹子。等到蒙古兵退了之后,军士对此十分愤怒,拜牸心中非常不安,对尚书令元好问说:"我妨碍贤士进升已经很长时间,能够退休是好事,请为我写退休报告。"不久,金国主已遣使拿诏书到他府中,命其退休。士兵想杀死他,拜牸十分害怕,一晚换几个地方,金主派二百名亲兵暗地保护他。军士们无处泄愤,就一起砸毁他的别墅。

金国卫绍王、镐厉王的家属,已经被禁锢很长时间,锡默爱实上言道:"这两个家族已经衰落,和普通老百姓没有两样,假如他们想做恶事,谁肯同他一起去做?男女婚嫁,是人之大欲,哪能监禁终生,永无成婚希望!对外人尚不忍心如此,何况是骨肉?"金主被他的话感动,下令听其自便。

夏季,四月,丁卯(十七日),起用魏了翁为集英殿修撰、知遂宁府,魏了翁推辞没有接受。

戊辰(十八日),因为长时间下雨,判决拘禁的囚犯。

此月,蒙古国大汗出居庸关,到官山避暑。

高丽国杀死蒙古在当地设置的官吏,移居到江华岛。

五月,辛卯(十一日),群臣进言道:"淫雨不断,定是政事失误征兆。最近听说蕲州进士冯杰,本是读书人,都大坑冶司强迫他作炉户,要求产量日益增加。冯妻因忧虑而死,女儿也相继死去,他的弟弟冯大声因上告死于路上,冯杰知道难免一死,遂举火自焚而死。百姓冤屈到这种地步,怎能不扰乱阴阳调和?"遂下诏撤销都大坑冶魏岘的职务。

金国汴京严寒如同冬天,因而流行瘟疫,仅五十天,由各城门运出的棺材就有九十余万,家贫无力下葬者还不在此数之内。后来因瘟疫,园户、和尚、道士、医生、卖棺人盈利丰厚,命官吏向他们加倍征税以资助国用。

癸巳(十三日),太白星出现在天空,白天都能见到。

六月,己巳(二十日),金国追赠完颜彝为镇南军节度使,为其立褒忠庙和碑。

金国徐州沿河预备抢险的士兵总领王佑、张兴、都统封仙等,夜烧草场叛乱,驱逐总揽徐州地方军政事务的图克坦伊都。蒙古国将领国安用率兵进入徐州,抓获王佑等人,杀死,任命封仙为元帅,主管徐州事务。

图克坦伊都逃奔宿州,宿州节度使赫舍哩阿图不接纳,图克坦伊都遂与诸将在宿州城南驻扎下来。当时宿州的镇防军士有人逃回,阿图认为他们是叛逃而归,也不接纳。宿州城中镇防千户高腊格,计划联络徐州将士,里应外合夺取宿州,以此向蒙古杨妙真投降。高腊格半夜打开城门,迎接徐州总领王德全等人入城,抓住赫舍哩阿图父子,杀死,请求图克坦伊都主持宿州事务。伊都不同意,率领手下将吏向西而行,至谷孰,与蒙古军队遭遇,不屈而死。

秋季,七月,丁酉(十八日),任命礼部尚书陈贵谊为同签书枢密院事。

蒙古国派唐庆出使金国,传达蒙古大汗旨意:"想要议和成功,金主应亲自来谈判。"金主推托有病,在卧榻上接见唐庆。唐庆抱着胳膊上殿,口出不逊,听到的人都十分气愤。等他回到馆驿,当晚,金国飞虎军士兵申福等人因气愤唐庆无礼,遂到馆驿杀死唐庆等三十余人。金主不追究此事,和议之事才是告吹。

蒙古国都元帅国安用攻占徐州后,金国宿州东面总帅刘安国、邳州杜政都举州归降,国安用遂据有三州。蒙古元帅额苏伦闻报,大怒道:"这三州应由我来攻取,国安用是什么人,敢接受投降!"遂遣部将张进率兵进入徐州,打算伺机对付国安用,夺取他占据的各州。国安用很害怕,遂与王德全劫杀张进及海州元帅田福等数百人,与杨妙真断绝关系,回到邳州,会合山东各州及徐州、邳州和宿州三州主帅,杀白马结盟,发誓归降金国。结盟后,诸将都四散而去。国安用无所归附,遂与王德全、刘安国借助宿州从宜重僧努和金朝廷联络。重僧努上奏朝廷后,没有答复。国安用率兵万余攻打海州,还未到达,众人便逐渐散去。国安用知道失算,遂恢复金国的穿戴。杨妙真生气国安用背叛自己,又怕被他暗算,便杀死国安用全家,退守益都。国安用等便调兵遣将,发誓要抓到杨妙真。

金主派近侍直长因世英等带着皇帝的手书到邠州,封国安用为兗王,赐姓完颜,改名用安,并给他空白河朔、山东赦文,使他可以相机行事。国安用刚听说金国使者来到时,犹豫不决,派人迎接使者,安置在州衙监视,询问他们来的目的,使者回答是为了封他为王之事。国安用非常高兴,第二天,出见使者,跪揖如同女真族。坐下来以后,对因世英说:"当初我随蒙古军进攻汴京时,曾在开阳门下与侯挚商议内外夹击,这时蒙古军中得病的人很多,十七头领都在京城,如听从我的话派兵出城,金国早就中兴了,可是朝中没有一个人敢做决定,现在后悔都来不及了!"说罢站起来。就势命人取出金国赏赐的物品一一细看,喜形于色,遂设宴招待使者,按照规定行礼,并派主事常谨跟随因世英携书信入朝拜谢。

金国皇帝又派因世英前去赐国安用铁券、虎符、龙文衣、玉鱼带以及郡王、世袭千户的任命书各十份,任其赏赐一同结盟的人。因世英经过徐州时,王德全、刘安国劝说道:"朝廷的恩赏赐命,怎么能由国安用来发出呢!我们两人最应该得到郡王的任命文书,请把它留在这里。"因世英便留下郡王和世袭千户的任命文书各两份,从此二人与国安用产生了隔阂。

蒙古国任命李全的儿子李壇为行益都省事。

金国恒山公武仙等人会合兵马救援汴京。当初,三峰山战败后,武仙败走南阳,收集溃散士兵,得十万人,驻扎在留山。汴京被围困后,金国皇帝命令武仙与行邓州省事完颜色埒、巩昌总帅完颜仲德合兵前来增援。武仙行至密县东部,遭遇蒙古将领郭德海,遂于眉山店按兵不动,向色埒通报道:"依涧扎营,等我到一起进发。"色埒急于到汴京,不听。金国皇帝又命枢密使特嘉喀齐喀率兵接应武仙、色埒等人,行至京水时,被郭德海打败,金军不战而溃;武仙亦败走,回至留山。郭德海是郭宝玉之子。喀齐喀驻扎在中牟,听说色埒军队溃败,连夜弃掉辎重逃回汴京。

此前有人在御路上投匿名书信,说:"副枢密使喀齐喀、总帅萨哈勒、参政恩楚,都是国贼,如果朝廷不杀他们,士兵也一定会杀死他们,为国除害。"卫士将此信报告以后,萨哈勒服药而死,恩楚称病不过问朝政,唯有喀齐喀像无事一样坦然处之,金国皇帝也没有责问。这次喀齐喀弃辎重逃回京城以后,有人说:"喀齐喀开始违抗命令不出城接应,中间行动缓慢,最后抛弃军队首先逃回,如果不杀他,就无法向天下人交代。"金国皇帝免其一死,罢官为普通百姓,抄没他的家产以赏赐军士。

八月,乙卯(初七),起用真德秀为徽猷阁待制、知泉州事。

己未(十一日),魏了翁以宝章阁待制的身份知泸州事。泸州是大的地方机构,管辖范围方圆两千里,但武备不修,城池没有治理。魏了翁便修整望楼和城墙,增置武器装备,教练牌手,申明严肃军纪,兴办学校,免除长期欠债者的债务,恢复社仓,创办义冢,建立养济院;过了几个月,百废俱兴。

乙丑(十七日),赐进士徐元杰等四百九十三人为及第、出身。

甲戌(二十六日),玉牒殿建成,将历代玉牒安放其中。

蒙古国萨里塔率兵征伐高丽,中箭身亡。

金国中京元帅任守真,因为救援汴京战败而死,中京人推举警巡使齐克绅为签事。齐克绅,本是河中射粮军子弟,相貌丑陋而力气过人。当时他所率领的军士仅二千五百人,他上任刚刚三天,蒙古军队便前来围城。齐克绅将衣服布匹搜集起来做成旗帜,立在城头,率士兵赤身迎战,派数百名壮士来往救应,大声呼喊,号称"憨子军",其声势和万余人一样。武器用完以后,便用钱做箭头,得到蒙古军发来的一支箭,便截为四段,用"筒鞭"发射出去。他还发明"遏敌炮",由几个人操作,能将大石发射到百步以外,击无不中。齐克绅走到哪里都四面响应,所到之处战无不胜。他得到两只骆驼,杀掉犒赏军士,每人不过一口,但却如同获得百金赏赐一样。蒙古军队攻打三个月,没能攻下中京,便撤围而退。

九月,辛丑(二十四日)夜,汴京大雷,金国工部尚书范纳速被震死。

乙巳(二十八日),下冰雹,打雷。

闰九月,庚戌(初三),彗星在东方室女座附近出现。皇帝在殿中独居,减少饭食,撤掉奏乐。下诏:"中央和地方的官员,要指陈朝政过失,不要有所隐讳。各路监司,要考察守令的贪廉仁暴及百姓利便疾苦报告上来。"

戊辰(二十一日),史弥远请求退休,没有被批准。

金国皇帝由于和谈不成,怕蒙古兵再次进攻,遂又一次征集百姓为民兵以备守城,搜求汴京中的粮食,派完颜珠赫等人负责此事。完颜珠赫晓喻百姓道:"你们要据实推举,假如一旦军粮用尽,就让你们的妻子儿女作军粮,你们还能再吝啬吗?"不久停止执行搜求粮食的命令,重新以捐献粮食取代,并且出卖官爵和让百姓花钱买进士及第。前御史大夫、皇族哈昭打算重新做官,建议京城如果搜求粮食还可以得到百万石,金国皇帝便任命哈昭为参知政事,与左丞相李蹊重新搜求。哈昭先命令各家自报存粮数字,规定年壮者可以存粮一石三斗,年幼者只能存一半,要把数字写在大门上,如有敢隐藏不报者,根据隐藏的升斗数量论罪。京城三十六坊,分别选任严峻刻薄之人负责。完颜玖珠尤其酷暴,有两个寡妇实报豆子六斗,尚余蓬籽三升未报,完颜玖珠见状笑道:"我抓住了!"遂捉住寡妇示众。寡妇哭着诉说:"我丈夫死于战乱,婆婆年老无力赡养,所以准备将蓬籽和谷壳与粮食混在一起自己食用,不敢把它作为军粮。而且这三升蓬籽,是我所交六斗之外的余额。"完颜玖珠不听,竟将其打死。听说此事的人不寒而栗,都将交军粮余下的粮食倒在粪堆之中。有人将此事报告给李蹊,李蹊皱着眉头说:"把这事告诉参知政事。"等到告知哈昭,哈昭说:"俗话说:不损害花,蜜又得酿成。不损害花怎能酿成蜜?再说京城危急,现在是想保存国家呢?还是想保存百姓?"大家都不敢多言。这次所搜求的粮食不过三万斛,但却弄得满城凄凉,死者无数,穷人富户都束手待毙,甚至到了互相吃人地步。金国皇帝听到这种情况,命令太仓施粥以赈济饥民。锡默爱实叹道:"与其施舍,还不如当初不夺他们的粮食。"被奉御博诺举报。金国皇帝大怒,将锡默爱实送交官府处置,亏得近侍李大节相救才得以幸免。

蒙古皇太弟图垒死于军中。蒙古大汗返回龙庭。

冬季,十月,戊子(十二日),由于星象发生变化,大赦天下。

泗州路分刘虎等人,烧毁浮桥以阻遏金兵,并派兵进攻盱眙军,不克,金国泗州总统完颜实格反叛。防御使图克坦塔喇听说此事,身着朝服,望京城方向跪拜大哭,然后投水而死,完颜实格遂举州投降杨妙真。总帅纳哈塔迈珠也以盱眙来归降,诏命改称招信军。

金国任命汪世显为巩昌便宜总帅。当初,汪世显由于战功被任命为征行从宜,分管陕西西路。当时财政十分困难,汪世显便发放家产,率领豪强大族资助边防,邻郡纷纷仿效,军饷才得以充足。金国皇帝任命完颜仲德为巩昌元帅,汪世显同知府事,二人尽忠固守抗击蒙古进攻。待到完颜仲德东下勤王,遂以汪世显代行其职。汪世显励志奋发,粮食军械都很充足。

十一月,乔行简屡次请求退休,皇帝没有同意。

金国完颜用安打算谋取山东,屡次向徐州、宿州征兵,王德全、刘安国没有响应。适逢金国皇帝用密诏向东方征兵,完颜用安便声称前去增援,将军队驻扎在徐州城下用以招引王德全,王德全不出城,杀死封仙,派杜政出城。恰逢刘安国与宿州主帅重僧努率兵增援汴京,行至临涣,完颜用安派人杀死刘安国,然后进攻徐州。三个月未能攻下,遂退军涟水,因军粮无法接济,向宋国借粮,朝廷同意后,完颜用安当天即改着宋国服装,但私下却仍与金国联系。由于军粮匮乏,很多士兵逃跑,完颜安用遂以严刑惩戒逃兵,血流满道。

十二月,丙子朔(初一),晋封才人贾氏为贵妃。

辛巳(初六),因为皇太后患病,大赦天下。壬午(初七),皇太后杨氏去世。辛卯(十六日),皇帝到慈明殿祭奠。按照太后遗书,外朝服丧以一日当一月,宫中行三年丧礼。

乔行简上书道:"从前陛下在宫内行事,都可受皇太后指导,小人即使有蛊惑干政之心,还因有所忌惮而不敢明目张胆。现在怎能保证小人不萌发这种心思,陛下又怎能保证内心不会有一点放纵呢?陛下作为天下君主,当努力建立帝王统治准则,一切循以公心,不应曲从小人,被他们所误。凡是做这种坏事的人,都是外戚亲族贵人,左右亲近贵幸之臣,前后奔走之辈。他们在外面索取财货,在朝中毁坏国家法纪;他们对上欺骗君主,招致臣民怨恨指责,对下干扰官府按公行事,扰乱民间是非曲直。对他们放纵不理,他们势必会利用收集舆论伤害良善之人,筹划众人赞誉以选拔奸佞之人,假借效忠之意而实现其阴险狡诈目的,日积月累,他们的气势就会愈发狂妄,皇帝的权威,就会被他们窃取还不知道。陛下重孝在身,更应警惕。您在宫廷之内,既无所忌惮,妃嫔等人又比以前有所增多,陛下正当年富力强,处于容易纵情声色之环境,万一不能自制,必然会损害您的品德,望陛下能经常警惕和自省。"

蒙古国派王楫来宋朝商议两面夹击金国,京湖安抚制置使史嵩之汇报此事后,皇帝命史嵩之答复来使。史嵩之遂派邹伸之去回复蒙古,同意事成后,收回河南。

金国皇帝由于粮尽援绝,形势更加危急,派近侍向白华询问办法。白华上奏章说:"皇上应该出城投奔外地的军队,留荆王代管国事,由他任意处置。陛下出城后,派使者对蒙古讲:'我出城,不是到别地收整兵马,只是由于手下军士擅自杀死唐庆,致使两国和谈破裂;现在我把京城交给荆王,请给我一两个州以养老。'这样,太后和皇族就能得以保存。这正如《春秋》中纪季到齐国做附庸之事一样,陛下也可以稍微平安些。"于是起用白华为右司郎中。金主召集群臣商议亲自出城之事,有人说归德四面环水,可以守卫,有人说应当沿西山去邓州,有人说如果去邓州,蒙古的苏布特在汝州,不如取道陈州和蔡州再转奔邓州。金主犹豫不决,又询问白华,白华说:"归德城池虽然坚固,时间一长粮食吃尽,只能坐以待毙,决不能去那里。既然汝州有苏布特,则邓州也不能去,按照现在的情况,只有背城一战,如同赌徒所说的孤注一掷那样,应当直奔汝州,与蒙古军队决一死战。但去汝州决战不如在半路决战,在半途决战又不如出城就战,因为我军人马的粮食和力量还在。如果出城越远,我军的粮草就会越少,到马只能吃野草时,事情就难办了。如果我军马上决战,存亡在此一举,那么对外可以激励三军士气,对内可以抚慰都城百姓之心。如果只为躲避敌军的话,人心都留恋家业,不一定能下决心跟随陛下同行,请陛下仔细考虑。"

礼部尚书舒穆噜世勣,率领刘肃、田芝等二十位朝官,到仁安殿对金主说:"臣等听说陛下想亲自出城,我们觉得这种做法不妥当。"金主道:"我不出城,军队就会分为两部分:一部分守城,一部分出战;我出城则军队就可合而为一了。"舒穆噜世勣说:"陛下出城则军队就会分为三部分:一部分守城,一部分作战,一部分在中军护卫陛下,不如不出城为好。"金主道:"你们不了解情况,如果完颜仲德、武仙在此,我把军事交给他们,何至劳我出城! 现在带兵的,富察官努不过只能统率三百名骑兵,刘益不过只能统率步兵五千,想不亲自统率,能行吗?"又指着御床说:"我此次出行哪还有回来的日子? 只恨我没罪却落个亡国下场! 我没有奢侈,也不曾信任小人。"舒穆噜世勣应声答道:"陛下还是任用过小人的。"金主道:"谁是小人?"舒穆噜世勣一个个数道:"都察逊、完颜长乐等都是小人。陛下不知道他们是小人,所以就任用他们。"刘肃和舒穆噜世勣又向金主说了很多,过了很久,以君臣相对洒泪作罢。

乙酉(疑误),金主在大庆殿召集军士,告诉他们京城粮食已尽,现在准备亲自出城。各位将佐一起说道:"陛下不应亲自出城,只应命将士出城。"金主打算任命富察官努为马军帅,高显为步军帅,刘益为步军副帅。三人刚要接受任命,权参知政事、皇族恩楚大声骂道:"你们拿锄头尚不知高低,对国家大事,就敢这样轻易答应吗?"大家默不作声,只有富察官努说道:"如果做将相的能够解决问题,何至于使用我们呢?"事情便就此作罢。

于是金主以右丞相萨布、平章拜特、右副元帅恩楚、左丞李蹊、元帅左监军图克坦伯嘉等人率各路军士扈从金主出城,参政完颜纳绅、枢密副使兼知开封府事萨尼雅布等人留守京城。又拿出官府库存和皇宫内的器皿、宫女的衣物赏赐给将士。民间哄传:"皇帝要去归德,军士家属留在汴京,等粮食吃尽,城中的人都要饿死。即使皇帝能到归德,军马费用,又能支持几天!"金主派萨布向众人宣布:"前几天出城巡狩的说法,不过是白华提出来的。现在改去汝州与蒙古军队决战。"

金主从汴京出发,与皇太后、皇后、妃、公主痛哭而别。到开阳门,诏谕留守士兵说:"社稷、宗庙都在城中,各位壮士,不要因为没加入出城决战行列,就觉得没功绩。如果你们保卫京城平安,将来论功行赏,功绩不在出城军士之下。"听到的人都哭了。

这一天,巩昌元帅完颜仲德率援兵到达。当初,金主征召各路兵马入援京城,各路兵马大都观望不前,或者半途遇敌兵溃败,只有完颜仲德率千名孤军,经秦州、蓝州、商州和邓州,靠采摘野果和野菜充饥,历经艰险百死来到汴京,他向金主献计道:"京城以西三百里之内既无水井又无炉灶,不可以去,不如到秦州、巩昌。"

金主于是决定向东方进发。甲辰(二十九日),驻扎在黄陵岗。拜特当初与蒙古交战时,击破其两个营寨,有河朔的将领投降,金主赦免了他们,委以官职。群臣便坚持用河朔降将为向导,大张旗鼓向开州进发,夺取大名、东平,这样地方豪杰一定会响应。都察逊道:"太后、皇后都在京城,北行万一失利,陛下一个人可怎么办? 不如先夺取卫州,然后返回京城。"拜特说:"陛下乘马不方便,现在可以驻扎在归德,我们率领河朔降将去东平,趁势夺取河朔。"富察官努说:"夺取卫州以后可以得到粮食。"拜特道:"京城尚且不能守卫,即使得到卫州,又能怎样呢?"金主听信拜特的话,便决计向河朔进发。蒙古军统帅苏布特听说金主弃汴京城出走,又进兵将汴京城围起来。

乙巳(三十日),宋理宗到慈明殿,举行父母去世二周年祭奠典礼。

绍定六年　金天兴二年,蒙古太宗五年(公元1233年)

春季,正月,丙午朔(初一),宋理宗没有临朝听政。

金主乘船渡黄河,因遇大风,后面军队没能按计划渡河。丁未(初二),蒙古将领和尔古讷到南岸追击，金国元帅贺德希力战而死，金军淹死千人，元帅珠尔、都尉赫舍哩谔楞等人也都战死。金主在北岸，惊惧地看着南岸战斗。庚戌（初五），临时驻扎在沤麻冈，派拜牲率军进攻卫州，兵至城下后，用皇帝的旗帜和城里打招呼，城中没有响应。蒙古方面听说此事，从河南渡过黄河，拜牲便率兵退回，蒙古将领史天泽率骑兵尾随其后，丁巳（十二日），与金军战于白公庙，金军战败，拜牲弃军向东逃去，元帅刘益、上党公张开都被百姓所杀。金主进驻到蒲城，又返回到魏楼村，还想等蒙古军至与之决战。不久，拜牲到，仓皇说道："军队已经溃败，蒙古兵已近在堤外，请皇帝到归德。"于是金主便与副元帅和尔和等六、七个人，乘夜登船，偷偷渡过黄河逃往归德。第二天，各路金军才知道金主已经弃军而走，便四散而逃。

金主进入归德后，派奉御珠嘉塔克实布前往汴京迎接皇太后、皇后和妃嫔，各路金军听说很为怨愤。拜牲从蒲城返回归德，不敢入见，金主令人召他入见，历数他的罪状，下狱处死，然后抄没他的家财赏赐将士，说道："你们要尽心竭力，不要像他一样误国。"

起初，黄河沿岸的百姓听说金主要北渡黄河，都筑墙挡窗，藏到地洞之中。后来见富察官努的军队号令严明，所过之处秋毫无犯，老幼妇女才不再畏避。等到拜牲前往卫州，放纵军队四处抢掠，百姓哭声遍野，军队所经之地都成废墟，一顿饭的费用需数十金，地方官和百姓都惶惶不可终日，百姓才开始打算反叛。所以卫州人坚守城池城门接纳金军，而后来蒙古军队追袭金军时，竟然没有人来援救拜牲，以至大败。

蒙古派田雄镇守陕西，总管京兆等路事务。当时关中各郡县十分荒凉，田雄披荆斩棘，创立官府，陈说利害，招揽四山寨堡之中尚未投降的人，如有来降者，都加以慰问并遣放，所以前来归附的人日多。田雄便教导民众致力耕作，因而京兆大治。

当初，汴京百姓以为金主亲自率兵出征，每天都盼望捷报，等听说金军兵败卫州，金主仓皇逃往归德，才开始惊慌。这时蒙古将领苏布特攻城日紧，城内城外交通断绝，米价每升高达银二两，饿死的人比比皆是，官绅富户，也有很多人在街上乞讨，甚至有人吃自己的妻子儿女，各种皮革制品都被煮熟吃掉，富裕人家的宅第、街市上的阁楼、店铺都被拆掉当劈柴烧火做饭。待到金主派人到汴京接皇太后和皇后，汴京百姓更为恐慌。西南面元帅崔立，性格奸猾，趁人心惶惶，与同伙韩铎、药安国等人暗地准备作乱。

左司都事元好问对萨尼雅布说："自从皇帝离开京城，到现在已经二十多天了，又派使者来迎接皇太后和皇后，老百姓都风传国家要放弃京城，您打算怎么办？"萨尼雅布说："我二人只有一死了。"元好问说："死不难。如果死真能够保全国家，挽救百姓性命，死是可以的。如果不是这样，只不过想用自己的身体去喂饱五十名蒙古兵，也说要去死吗？"萨尼雅布无以回答。

丁卯（二十二日），金国太后、皇后从汴京出发，行至陈留，见城外有两三处火起，怀疑有蒙古军队，又驰回汴京。

戊辰（二十三日），崔立率二百名身穿盔甲的士兵，持兵器来到尚书省衙门，拔剑指着完颜纳绅和萨尼雅布说："京城已经非常危急，你们二人却坐视不管，为什么？"二人回答说："有事好好商量，为什么突然这样？"崔立命令同伙先杀死萨尼雅布，然后又杀死完颜纳绅和左司郎中纳哈塔德辉等十余人。然后告示城中百姓道："因为两个宰相整日关门无策，现在我杀了他们，为你们一城百姓解除疾苦。"大家都拍手称快。

3994

金国自从南迁以后，作为宰相的人往往没有收复国家领土的打算，无事时相互低声慢语,互相推诿,以此作为修养之道。每当地方出现灾异,民间出现疾苦,将要报告金主时,就互相说道:"恐怕皇上心烦。"事情议论到难处理时就作罢散去,说:"等以后再议。"下次仍然这样。如果有人说应该改革,就以生事压制,所以所用的人一定先取懦弱圆滑、毫无锋芒者。每当蒙古兵压境时,就君臣相对流泪,或在殿上长吁短叹而已。蒙古兵一退,则夸大其词,在尚书省衙门聚饮。

崔立率兵进入皇宫,召集百官商议另立新王。崔立说:"卫绍王的太子完颜从恪,其妹在蒙古军中,可立为王。"于是派韩铎用太后的名义去召请完颜从恪入宫,以太后诰命的形式封他为梁王,代管国事,百官都下拜,于是到苏布特军中送信议降。崔立自封为太师、都元帅、尚书令、郑王,封自己的弟弟崔倚为平章政事,崔侃为殿前都点检,其党羽都被封了官。开封府判官李羽弃官离去,户部主事郑著被任命不上任。右副点检都察额呼、左右司员外聂天骥、御史大夫费摩阿固岱、谏议大夫、左右司郎中乌古逊纳绅、左副点检完颜阿萨、户部尚书完颜珠赫、讲议富察琦、奉御完颜玛格都死于此事。完颜玛格临死前,与其妻温特赫氏诀别,温特赫氏说:"你能为国家而死,我就不能为你死吗?"夫妻二人用一根绳子一同上吊而死,他们的婢女也跟随自杀。

壬申(二十七日),苏布特至青城,崔立身着朝服率仪仗卫队前去拜见。苏布特大喜,赐给他酒喝,崔立像对待父亲一样侍奉苏布特。崔立回到汴京后,将所有的望楼都烧毁,苏布特更加高兴。

崔立伪称前线部队索要随金主出城官吏的家属、士兵和百姓的子女,并将他们集中到尚书省亲自察看,每天奸淫数人;还觉得不满足,就禁止民间嫁娶,有时因为一个女子而使好几个人被牵连至死。总领完颜长乐的妻子富察氏、临洮总管图们呼图克们的妻子乌库哩氏、进士张伯豪的妻子聂舜英以及参政完颜素兰的妻子,由于不愿被玷污,都自杀而死。不久,崔立将梁王完颜从恪以及皇族近亲迁至皇宫,派亲信看守,限制他们出入。将荆王府作为自己宅第,将皇宫内所藏的珍宝玩物取来装点布置。一些阿谀奉承的人为讨好崔立,请求为他建功德碑,翟奕以尚书省的名义命翰林直学士藁城人王若虚拟写碑文。王若虚私下对左右司员外郎元好问说:"现在命我拟写碑文,不听从就要被处死,写了则会名声扫地,还不如死了好。不过我要先用道理去说服他。"便对翟奕说:"丞相的功德碑,应当写哪些事?"翟奕生气地说:"丞相率京城投降,救活百万性命,这不是功德吗?"王若虚说:"翰林直学士的任务是代君王说话,在功德碑说明是代替君王说话,可以吗?而且丞相既然率全城投降,则朝中官员都是他的下属,从古起哪有做下属给主帅歌功颂德,而能让后人信服的?"翟奕也就没有办法强迫他了。于是便将太学生刘祈、麻革找来,元好问对他们说了为崔立建功德碑之事,说:"大家推举你们二位,而且已经禀告过郑王,请二位不要推辞。"刘祈等坚决推辞而去。几天后,由于不断催促,刘祈就拟出草稿,交给元好问。元好问觉得不满意,便亲自写。写成以后,又让王若虚看,还共同删改了几个字,但只是直叙献城投降这件事而已。后来因为战争,这块功德碑没有立成。

二月,丁丑(初二),任命余天锡为礼部侍郎兼侍读。

屯田郎官王定说今年严州歉收,又说义仓存粮已被官吏贪污。宋理宗道:"义仓的粮食是百姓寄存在官府的,专门为防备旱涝灾害用,怎么能贪污呢?"王定说:"应选择地方官和乡里贤明的人负责管理此事。"

戊戌(二十三日),尊皇太后谥号为恭圣仁烈皇后。

蒙古派皇子库裕克率左翼军赴辽东讨伐富鲜万努。

三月,丙辰(十二日),天降大雨及冰雹。

金主驻扎在归德,跟随护驾的亲军及被蒙古击溃的军队逐渐聚集这里,实嘉纽勒欢怕粮草无法供给,报告金主,请求派军队出城,到徐州、宿州和陈州三个有粮食的地方。金主只好同意,只留下富察官努的忠孝军四百五十人,马用的军队七百人。各路军队出城以后,金主对富察官努说:"实嘉纽勒欢将卫兵都打发走了,你要小心从事。"

富察官努认为马用本来只是归德一名小兵,忽然被提拔起来,心里总看不起他,又因金主经常单独召见马用议事,便打算暗算马用。当时蒙古将领特穆尔岱围困亳州,每天派兵进逼归德,城中人心惶惶。富察官努请金主北渡黄河,再作恢复国土打算,被实嘉纽勒欢制止。富察官努很不高兴,便暗地与完颜用安商量胁迫金主到海州,金主不同意。富察官努愈发气愤,谋反的想法越加坚定。李蹊将此事报告金主,金主非常担心,便命马军总领赫舍哩阿里哈、皇族习显暗察富察官努的动静,赫舍哩阿里哈反而将金主的想法告诉富察官努。金主又怕富察官努与马用互相暗算而引起混乱,便命宰相和执攻官置酒为二人说和,马用便解除了防备。戊辰(二十四日),富察官努乘机率兵袭击马用,杀死他,然后派五十名士兵把守皇帝行宫,劫持朝官,将其聚集在都水摩和纳家中,派兵监视他们。将实嘉纽勒欢押送到家中,取出他家中所有金钱,然后把他杀死。接着派都尉马实身着盔甲,手持兵器,将直长巴纳绅押到金主面前。金主将手中握着的剑扔到地上,对马实说:"你为我向元帅说,我左右只有这一个人了,暂且把他留下侍奉我。"马实这才退了出去。富察官努便大杀朝官李蹊等共三百人,军士有三十人死亡。傍晚,富察官努率兵入宫见金主,说:"实嘉纽勒欢谋反,我已把他杀了。"金主不得已公布实嘉纽勒欢的罪状,而任命富察官努为权参知政事兼左副元帅。

富察官努伪造皇帝命令召总管徐州事务的完颜仲德到归德,徐州官吏担心被富察官努欺骗,劝完颜仲德不要去。完颜仲德说:"皇上的命令,怎么能去辨别真假呢?死也应当去。"不久,金主的使者到,知道果然是富察官努作伪,便没有成行。

江淮制置使赵善湘进京拜见皇帝,宋理宗说:"中原地区蒙金交战,对我们是个机会,你觉得怎样?"赵善湘回答说:"中原地区形势很不好,恐怕我们不能轻易插手。边境地区连年征战,军民疲乏,应当休养整治,使之有力自守,然后再管理境外。现在虽有机会,但不一定可以利用。"宋理宗说:"确实应该先守住自己的疆土。"

赵至道对宋理宗说:"陛下登基以后,为了答谢太后拥立之功,奉养她使她高兴,有病时便忧虑,死去便尽哀,陛下尽孝已到了极点。从此以后,应该敬畏天命,效法祖宗,亲近君子,远离小人,禁绝后宫干政,保护百姓,勤于政事,这才能做到始终尽孝。"宋理宗赞同他的意见。

金国右丞特嘉尉怵,退休住在汴京,听说蒙古兵将要进城,便召集家人嘱咐后事,面向睢阳痛哭,然后上吊而死。特嘉喀齐喀被贬为百姓后,常快快不乐,蒙古将领苏布特派人前去招降,他马上收拾行装准备前去。到官府去向崔立告别,正说着话,正巧一个人从归德拿着文书到来,打开一看,原来是金主让特嘉喀齐喀反正,崔立大怒,便叫左右把他杀了。